LA HISTORIA DE ISRAEL

Colección «TEMAS BIBLICOS»

LA HISTORIA

DE

ISRAEL

JOHN BRIGHT

8.ª EDICION TOTALMENTE CORREGIDA Y AUMENTADA

DESCLÉE DE BROUWER
BILBAO

Título original A HISTORY OF ISRAEL, por JOHN BRIGHT, editado por
THE WESTMINSTER PRES - PHILADELPHIA (USA)

Nihil obstat:
Lic. José A. Ubieta
Censor ecco.

© Editorial Española
DESCLEE DE BROUWER - 1970
Henao, 6 - BILBAO-9

Imprimatur:
Bilbao, 8 noviembre 1966
† PABLO OBISPO DE BILBAO

ISBN: 84-330-0286-4   Printed in Spain   Depósito Legal: BI-1.336-85

GRAFICAS IBARSUSI, S. A. - Camino de Ibarsusi, s/n - 48004 BILBAO

CONTENIDO

Primera Parte

ANTECEDENTES Y COMIENZOS:
La Edad de los Patriarcas

Segunda Parte

EL PERIODO FORMATIVO   127

4 *Constitución y fe del Primitivo Israel*

LA LIGA TRIBAL

Cuarta Parte

LA MONARQUIA (Continuación)

Crisis y Derrumbamiento   319

7   El Período de la Conquista Asiria

Quinta Parte

TRAGEDIA Y TIEMPO POSTERIOR:
Período exílico y postexílico   407

10   *La Comunidad Judía en el siglo quinto*

Sexta Parte

EL PERIODO DE FORMACION DEL JUDAISMO

11   *Fin del Período Paleotestamentario*

PRESENTACION

HACE YA VARIOS decenios que el mundo cristiano ha emprendido el camino de «retorno a la Biblia», con paso cada vez más decidido, a medida que los años pasan. En este «retorno» no se va a la Biblia como a un libro únicamente apto para la discusión y controversia, sino como al libro que contiene la palabra de Dios, el mensaje de Dios a la Humanidad.

Una de las conquistas más importantes de este retorno —vigorosamente favorecido por el Concilio Vaticano II— es que la Exégesis Bíblica vuelve a ser el centro y eje de los estudios de los centros de enseñanza eclesiásticos, especialmente en las secciones de Teología.

Un dato de experiencia de todo profesor de Escritura afirma que los discípulos nunca llegan a apoderarse del contenido y de la intención real de cada uno de los libros de la Biblia, si no sitúan el texto en el punto y momento histórico en que fue originado, transmitido, elaborado y, finalmente, fijado por escrito. Este dato de experiencia dio el impulso inicial para la traducción de la presente «Historia de Israel» de John Brihgt.

Se ha elegido, en concreto, esta historia, por reunir una serie de condiciones excepcionales que la constituyen, creemos, en la más apta de cuantas existen, en orden a ofrecer a los estudiosos de la Biblia un cuadro exacto de las circunstancias históricas en que el pueblo y la fe de Israel se desenvolvieron y produjeron las Escrituras del Antiguo Testamento.

John Bright pertenece a un grupo de excelentes especialistas de habla inglesa cuyas investigaciones han arrojado poderosa luz sobre numerosos puntos oscuros de los estudios bíblicos. De algún modo, la presente historia se beneficia —y viene a ser un producto— de la larga serie de trabajos de este grupo y refleja las altas calidades científicas que, de manera general, lo distinguen: conocimiento profundo de los datos extrabíblicos, valoración objetiva de la documentación existente y actitud deferente y amistosa hacia las afirmaciones bíblicas. Además, esta historia da su puesto y su valor exacto a un factor determinante del pueblo hebreo: su fe monoteísta, diversamente expresada en las diversas etapas históricas de este pueblo. El resultado es un libro sereno y constructivo, cuyo interno valor queda confirmado por el hecho de que se hayan preparado simultáneamente traducciones al hebreo, alemán y español.

Aunque el autor es protestante, el lector católico puede descansar seguro sobre las afirmaciones históricas del libro. Con todo, debe recordarse que la terminología y algunas expresiones protestantes son, a veces, algo diversas de las acostumbradas entre nosotros. Y así Bright llama «no canónicos», o «apócrifos» a los libros del Antiguo Testamento que nosotros llamamos deuterocanónicos. De igual modo, llama pseudo-epígrafos a los escritos que nosotros designamos como apócrifos. Cuanto a la nomenclatura para el Nuevo Testamento, coinciden los autores católicos y los protestantes.

Mayor atención debe ponerse cuando el autor habla de inexactitudes y equivocaciones históricas o proféticas y de relatos populares inexactos incluidos en la Biblia. En estos pasajes —muy cortos en número en la presente historia— el lector católico debe recordar las graves dificultades exegéticas que estos problemas encierran y los intentos de solución existentes, teniendo siempre a la vista la afirmación fundamental de que en la Biblia pueden existir todos aquellos modos de hablar y escribir que estaban en uso en la antigua literatura oriental y que no repugnen a la veracidad y santidad de Dios, inspirador de las Escrituras.

Las transcripciones al español de vocablos bíblicos vienen presentando, en general, una cierta anarquía, debido a que nuestros escritores han empleado para las transcripciones a nuestro idioma los signos fonéticos de otras lenguas europeas. Ocurre así que un mismo sonido aparezca diversamente transcrito, según que se siga el modelo alemán, inglés o francés de transcripción. Así, el sonido šin —sin equivalente entre nosotros— aparece transcrito como «sch», o «sh». Por otra parte, varios de nuestros signos gráficos tienen valor fonético diferente al de las lenguas europeas (p. e., «ñ», «ll», «ou», «h», «j»). Mientras no se obtenga un acuerdo internacional, hemos optado por respetar el valor fonético de nuestros signos gráficos (exactamente como han hecho los especialistas de otras lenguas con sus propios signos), para que el lector español, leyendo en español, obtenga el sonido más aproximado al que la palabra tiene en la lengua original.

El sonido šin es expresado con el signo š (conforme al modelo más general).

El divino tetragramma es transcrito, naturalmente, con cuatro consonantes. Y así escribimos «Yahvéh» o «Yahwéh».

Estos criterios de transcripción coinciden, al menos fundamentalmente, con los seguidos por la versión española de la «Biblia de Jerusalén».

También hemos tenido a la vista —para una conveniente uniformidad— las grafías adoptadas en la versión al castellano de los mapas e índices de *The Westminster Historical Atlas to the Bible* que figuran como apéndice de esta historia. Las divergencias entre nuestro texto y los mapas son debidas a los diferentes criterios de transcripción. Con todo no existe ninguna dificultad práctica en orden a las identificaciones toponímicas, dado que las diferencias son poco notables.

Al poner punto final a este trabajo, me siento cordialmente obligado a manifestar mi gratitud a Félix Rivera y a Gilberto Canal, cuya colaboración ha sido, desde varios puntos de vista, una ayuda inestimable en la preparación de esta traducción.

Ellos y yo hemos trabajado con la esperanza de poner al alcance de los estudios de la Biblia una obra de primerísima calidad científica y de equilibrado juicio sobre la realidad histórica y los valores religiosos del pueblo de Dios del Antiguo Testamento.

Marciano Villanueva

ADVERTENCIA DEL TRADUCTOR

Damos aquí en forma de NOTAS DEL TRADUCTOR las aclaraciones que el lector católico, conforme a lo que decimos en la PRESENTACION, deberá tener en cuenta al leer algunos pasajes de la obra.

NOTAS DEL TRADUCTOR

(a)   En esta afirmación, y otras similares del autor, se hallan involucrados difíciles problemas críticos, hermenéuticos y exegéticos, que son expuestos con mayor detalle en obras especializadas. Baste aquí decir que el concepto de inspiración de la teología protestante es, en general, distinto del concepto católico, en el cual la inerrancia de las afirmaciones de la Escritura es un dogma.

(b)   En algunas ediciones de la Biblia, también católicas, se incluían al final algunos libros no canónicos.

(c)   El autor, al hablar de *leyendas* macabeas, se atiene a sus principios sobre inspiración y libros no canónicos.

(d)   Ya se ha indicado en la presentación, que existe diferencia acerca de la nomenclatura entre protestantes y católicos sobre los libros que nosotros llamamos deuterocanónicos.

PROLOGO A LA TERCERA EDICION ORIGINAL

Aunque apenas han transcurrido diez años desde la aparición de la segunda edición de este libro, me ha parecido evidente la necesidad de una nueva revisión. El progreso en los descubrimientos de los últimos años ha sido tan rápido, y tan numerosos los nuevos puntos de vista, que el libro tiene que tenerlos necesariamente en cuenta si quiere conservar su actualidad. En lo que atañe especialmente a los períodos más primitivos, parece que casi todo ha sido sujeto a discusión. Muchos puntos, en los que hace apenas unos años, podía hablarse de una especie de asenso general, registran ahora un caos de opiniones en conflicto. Piénsese, por ejemplo, en la estructura del sistema tribal de Israel antes del nacimiento de la monarquía, en el modo cómo los hebreos adquirieron el control del país y en la fecha de este acontecimiento, en la naturaleza, la época y hasta la historicidad de la migración de sus antepasados desde el norte y desde otras partes. Todo esto debe ser tenido en cuenta para que la obra no quede anticuada. También es preciso actualizar las notas a pie de página, para incorporar la bibliografía más reciente.

Aún así, tengo plena conciencia de que la revisión es prematura respecto de los primeros capítulos. Lamentablemente, no hemos podido esperar hasta la publicación y el estudio especializado de los textos de Ebla recientemente descubiertos, de los que cabe esperar que irradien mucha luz sobre la procedencia y los orígenes de los antepasados de Israel y —quién sabe— sobre los patriarcas mismos. Pero, al parecer, aún hay que esperar demasiados años y no me lo puedo permitir. He decidido, pues, poner manos a la obra, aun sabiendo bien que me faltan datos de los que alguna vez dispondremos y que es muy posible que bastantes cosas que se dicen en los primeros capítulos deberán ser revisadas a la luz de ulteriores conocimientos. Con todo, por el momento debo prescindir de estas ayudas.

El libro conserva la misma estructura, intención y punto de vista de las anteriores ediciones. Sin embargo, el número de correcciones ha sido considerable, especialmente hasta el fin del capítulo 4 (a partir de aquí son menos numerosas). En muchos lugares, las afirmaciones han sido matizadas e incluso completamente alteradas a la luz de los nuevos descubrimientos. En bastantes casos, se han redac-

tado de nuevo párrafos enteros o se han añadido incluso secciones
enteramente nuevas. Pero he hecho todo lo posible por impedir que
el libro adquiera proporciones demasiado voluminosas, a fin de que
no resulte muy caro. He tratado de compensar el material añadido
con el suprimido, aunque no siempre lo he logrado. Por eso he omitido la sección de «Libros sugeridos para una ulterior lectura». Quizá
sea de lamentar, aunque, por otra parte, pienso que el lector que
siga las notas de pie de página tienen ocasión para ponerse al tanto
de una considerable cantidad de bibliografía importante.

La historia de Israel es y ha sido siempre un tema controvertido.
No espero, por tanto, que todos los lectores estén de acuerdo con
cuanto aquí se dice (en no pocos lugares yo mismo estoy muy lejos
de sentirme satisfecho). Hay muchos puntos inseguros y, sin duda,
así seguirán siempre. En otros muchos, no podemos ir más lejos de
lo que se considera como más probable. Por lo que a mí respecta, he
tratado de esbozar el desarrollo de la historia de Israel de manera
comprensible y clara (o así lo espero), haciendo justicia a los datos
de que disponemos. Confío en que estas páginas sigan prestando
ayuda a los estudiantes, especialmente a los teólogos que toman por
primera vez contacto con la historia de Israel.

Llegamos al punto en que, como es costumbre —y de justicia—,
debo dar las gracias a los que han sido mis compañeros de camino.
Tengo que mencionar en primer término a mi mujer, que me ha
ayudado directamente en la preparación del manuscrito. Ha asumido la tarea de mecanografiar todas las correcciones y adaptarlas
al original antiguo, recopilándolo todo por duplicado, a fin de que
fuera legible para el editor. También ha colaborado en la corrección
de pruebas. Sin su ayuda, difícilmente habría concluido mi trabajo.
Se ha hecho, pues, ampliamente acreedora a mi gratitud y se la brindo
aquí con toda sinceridad. También debo dar las gracias a mi amigo
alumno, el doctor Martín C. C. Wang, que asumió, en el último
momento, la ingrata tarea de preparar los índices.

Richmond, Va.   J.   B.

PREFACIO

En SI NO ES necesario justificar la publicación de una historia de Israel. A causa de la íntima relación existente entre el mensaje del Antiguo Testamento y los sucesos históricos, es indispensable, para una adecuada comprensión de este mensaje, el conocimiento de la historia de Israel. Cuando se emprendió la tarea de este libro, hace ya varios años, no existía en inglés ninguna historia de Israel satisfactoria; todos los tratados clásicos sobre este tema tenían veinticinco o más años de antigüedad y algunos manuales, más recientes, eran o algo anticuados en sus puntos de vista o no suficientemente completos para llenar las exigencias de un estudio más serio de la Biblia. Mi único pensamiento al emprender esta tarea, en la que me embarqué por iniciativa propia, fue el deseo de poner remedio a una necesidad. Ante el hecho de que, mientras tanto, hayan sido puestas a nuestra disposición varias obras traducidas (en particular el docto tratado de Martín Noth) me he preguntado más de una vez si debía desistir. Decidí seguir adelante debido a que este libro difiere, respecto del de Noth, en bastantes puntos. Aunque el lector podrá comprobar fácilmente por las notas cuánto he tomado de Noth, observará, particularmente en el modo de tratar las tradiciones e historia del primitivo Israel, una distinción fundamental entre su libro y éste.

El alcance de este libro ha sido determinado en parte por motivos de espacio y en parte por la naturaleza del tema. La historia de Israel es la historia de un pueblo que comienza a existir en un punto del tiempo como una liga de tribus unidas por la alianza con Yahvéh, que posteriormente existe como nación, se subdivide después en dos naciones y se convierte finalmente en una comunidad religiosa, pero que se distingue en todo momento de su medio ambiente como una entidad cultural distinta. El factor diferencial que hizo de Israel aquel fenómeno particular que él era, que creó su sociedad y constituyó, al mismo tiempo, el elemento controlador de su historia, fue, sin duda , su religión. Siendo esto así, la historia de Israel es tema inseparable de la historia de la religión de Israel. Esta es la razón por la que se ha intentado, en cuanto el espacio lo ha permitido, asignar a los factores religiosos su lugar propio en y a lo largo de los acontecimientos políticos. Aunque la historia de Israel comienza propiamente con la formación del pueblo israelita en el siglo XIII, nosotros, contrariamente a Noth, y por razones expuestas en otros lugares, hemos preferido comenzar nuestra historia con la migración de los antepasados de Israel, algunos siglos antes. Esto se debe a que creemos que la prehistoria de un pueblo en cuanto puede ser recordada, es, en realidad, una parte de su historia. El prólogo, sin embargo, no forma parte de la historia de Israel y fue añadido para ofrecer al estudioso una perspectiva que, según mi experiencia, frecuentemente le falta. Por razones expuestas en el epílogo se tomó la decisión de concluir con el fin de la época paleotestamentaria. Esta decisión fue dictada en parte por razones de espacio y en parte por el hecho de que ello nos permite acabar aproximadamente cuando la fe en Israel estaba resolviéndose en la forma de religión conocida como Judaísmo. Dado que la historia de Israel se convirtió efectivamente, desde entonces, en la historia de los judíos, y que la historia de los judíos continúa aún hoy día, se estimó que la transición al Judaísmo proporcionaba un lógico punto final.

Esperamos que el libro, tanto empleado en privado como en grupos, o en las aulas de estudio de la Iglesia o en la escuela, será útil a un amplio círculo de lectores, incluyendo a todos los estudiosos serios de la Biblia. Ha sido preparado, además, teniendo en cuenta las necesidades particulares de los estudiantes de Teología. No se han presupuesto conocimientos particulares del antiguo Oriente. La meta ha consistido en alcanzar toda la claridad posible sin caer en el simplicismo. Aun así, he sentido más de una vez intranquilidad al advertir que, por querer abarcar tanto, dentro de unas severas limitaciones de espacio, se han propuesto sumariamente cuestiones complejas en las que hubiera sido de desear una más amplia discusión. Se trata, probablemente, de algo inevitable. Yo al menos no conozco ningún medio para evitarlo, en una obra de esta especie. Las numerosas referencias bíblicas han sido colocadas aquí con la esperanza de que el estudioso acudirá constantemente a su Biblia. Una historia de Israel no debe ser un sustitutivo de la lectura de la Biblia, sino solamente una ayuda para esta lectura. La bibliografía, que contiene solamente obras en inglés, ha sido seleccionada para ayudar al estudioso en lecturas posteriores. Para obras relevantes en otras lenguas, el lector deberá consultar las notas al pie del texto. Las notas no intentan dar una completa documentación, sino que tienen el doble propósito de introducir a los estudiosos más avanzados en una ulterior producción literaria y de indicar aquellas obras que más han contribuido, positiva o negativamente, a mi proprio pensamiento. El lector notará, sin duda, más referencias a las obras del profesor W. F. Albright que a las de ningún otro especialista. No puede ser de otro modo. A nadie debo tanto como a él y lo reconozco gustosamente, con la esperanza de que lo que yo he escrito no le cause a él ningún compromiso.

Se da por supuesto que el estudiante tiene y usa un atlas bíblico. Recomendamos especialmente el *The Westminster Historical Atlas to the Bible*. Por consiguiente, se han omitido aquí las ordinarias descripciones de las tierras bíblicas e igualmente todas las discusiones acerca de localización de lugares, excepto donde esto es vital para algún punto en controversia. Las citas bíblicas se hacen normalmente según la Revised Standart Versión. En la citación del capítulo y versículo se sigue la Biblia inglesa más que la hebrea, cuando éstas difieren. En las notas al pie del texto, el método ha consistido en citar la obra completamente la primera vez que aparece en cada capítulo, aun cuando la obra en cuestión haya sido citada en capítulos anteriores; el enojoso recurso *op. cit.* se referirá, invariablemente a una obra previamente citada en el mismo capítulo. Los nombres de personas en la Biblia son dados aquí, con pequeñas excepciones, según la transcripción de *The Westminster Historical Atlas to the Bible*.

Debo expresar aquí mi gratitud a las personas que me han ayudado a lo largo del camino. En particular, doy gracias al profesor Albright que leyó buena parte del manuscrito e hizo numerosas y provechosas observaciones. Pienso que a no ser por su interés y alientos, yo hubiera desistido. De igual modo, debo dar gracias al profesor G. Ernest Wright y al Dr. Thorir Thordarson que leyeron también diversas partes del manuscrito y ofrecieron numerosas sugerencias útiles. Los errores que aparezcan son enteramente míos; y de no haber contado con la ayuda de éstas y de otras personas, hubiera habido, seguramente, muchos más. He de dar también las gracias a la señora F. S. Clark, cuya extraordinaria eficiencia y deseo de ayudarme con la máquina de escribir ha reducido la tarea de corrección casi a la nada y que ha colaborado, asimismo, en la preparación de los índices. Menciono, finalmente, a mi mujer, que ha revisado toda la copia, ha ayudado a preparar los índices y ha conservado, además, un óptimo estado de ánimo a lo largo de toda esta difícil empresa.

ABREVIATURAS

AASOR	*Annual of the American Schools of Oriental Research*
AB	The Anchor Bible, W.F. Albright (†) and D.N. Freedman, eds., (New York: Doubleday)
AJA	*American Journal of Archaeology*
AJSL	*American Journal of Semitic Languages and Literatures*
ANEH	W.W. Hallo and W.K. Simpson, *The Ancient Near East: A History* (New York: Harcourt Brace Jovanovich, 1971)
ANEP	J.B. Pritchard, ed., *The Ancient Near East in Pictures* (Princeton University Pres, 1954)
ANET	J.B. Pritchard, ed., *Ancient Near Eastern Texts Relating to the Old Testament* —Princeton University Press, 1950)
ANE Suppl.	J.B. Pritchard, ed., *The Ancient Near East: Supplementary Texts and Pictures Relating to the Old Testament* (Princeton University Press, 1969)
AOTS	D. Winton Thomas, ed., *Archaeology and Old Testament Study* (Oxford: Clarendon Press, 1967)
AP	W.F. Albright, The *Archaeology of Palestine* (Penguin Books, 1949; rev. ed., 1960)
ARI	W.F. Albright, *Archaeology and the Religion of Israel* (5th ed., Doubleday Anchor Book, 1969)
ASTI	*Annual of the Swedish Theological Institute*
ASV	American Standard Version of the Bible (1901)
ATD	Das Alte Testament Deutsch, V. Herntrich (†) and A. Weiser, eds. (Göttingen: Vandenhoech & Ruprecht)
AVAA	A. Scharff and A. Moorgat, *Agypten und Vorderasien in Altertum* (Munich: F. Bruckmann, 1950)
BA	*The Biblical Archaeologist*
BANE	G.E. Wright, ed., *The Bible and the Ancient Near East* (New York: Doubleday, 1961)
BAR	G.E. Wright, *Biblical Archaeology* (Philadelphia: Westminster Press; London: Gerald Duckworth, 1962)
BARev.	*Biblical Archaeology Review*

BASOR	*Bulletin of the American Schools of Oriental Research*
BJRL	*Bulletin of the John Rylands Library*
BKAT	Biblischer Kommentar, Altes Testament, M. Noth (†), S. Herrmann and H.W. Wolff, eds. (Neukirchener Verlag)
BP	W.F. Albright, *The Biblical Period from Abraham to Ezra* (rev. ed., Harper Torchbook, 1963)
BWANT	Beiträge zur Wissenschaft vom Alten und Neuen Testament (Stuttgart: W. Kohlhammer)
BZAW	Beihefte zur *Zeitschrift für die alttestamentliche Wissenschaft*
CAH	I.E.S. Edwards, C.J. Gadd, and N.G.L. Hammond, eds., *The Cambridge Ancient History* (rev. ed., Cambridge University Press)
CBQ	*The Catholic Biblical Quarterly*
EB	Early Bronze Age
EHI	R. de Vaux, *Early History of Israel* (Eng. tr., London: Darton, Longman & Todd; Philadelphia: Westminster Press, 1978)
ET	*The Expository Times*
EvTh	*Evangelische Theologie*
FRLANT	Forschungen zur Religion und Literatur des Alten und Neuen Testaments (Göttingen: Vandenhoeck & Ruprecht)
FSAC	W.F. Albright, *From the Stone Age to Christianity* (2nd ed., Doubleday Anchor Book, 1957)
GVI	R. Kittel, *Geschichte des Volkes Israel* (Stuttgart: W. Kohlhammer, I, 7th ed., 1932; II, 7th ed., 1925; III, 1st and 2nd eds., 1927-1929)
HAT	Handbuch zum Alten Testament, O. Eissfeldt, ed. (Tübingen: J.C.B. Mohr)
HI	M. Noth, *The History of Israel* (Eng. tr., 2nd ed., London: A. & C. Black; New York: Harper & Brothers, 1960)
HO	B. Spuler, ed., *Handbuch der Orientalistik* (Leiden: E.J. Brill)
HTR	*Harvard Theological Review*
HUCA	*The Hebrew Union College Annual*
IB	*The Interpreter's Bible*, G.A. Buttrick, ed. (Nashville: Abingdon Press, 1951-1957)
ICC	The International Critical Commentary (Edinburgh: T. & T. Clark; New York: Charles Scribner's Sons)
IDB	*The Interpreter's Dictionary of the Bible*, G.A. Buttrick, ed. (Nashville: Abingdon Press, 1962)
IDB Suppl.	Supplementary volume to the foregoing, K. Crim, ed. (Nashville: Abingdon Press, 1976)

IEJ	*Israel Exploration Journal*
IJH	J.H. Hayes and J.M. Miller, eds., *Israelite and Judaean History* (OTL, 1977)
JAOS	*Journal Of the American Oriental Society*
JBL	*Journal of Biblical Literature*
JBR	*Journal of Bible and Religion*
JCS	*Journal of Cuneiform Studies*
JEA	*Journal of Egyptian Archaeology*
JNES	*Journal of Near Eastern Studies*
JPOS	*Journal of the Palestine Oriental Society*
JQR	*Jewish Quarterly Review*
JSOT	*Journal for the Study of the Old Testament*
JSS	*Journal of Semitic Studies*
JTS	*Journal of Theological Studies*
KJV	The King James (= Authorized) Version of the Bible (1611)
Kü	A. Alt, *Kleine Schriften zur Geschichte des Volkes Israel* (Munich: C.H. Beck'sche Verlagsbuchhandlung; I and II, 1953; III, 1959)
LB	Late Bronze Age
LOB	Y. Aharoni, *The Land of the Bible: A Historical Geography* Eng. tr., London: Burns & Oates; Philadelphia: Westminster Press, 1967)
LXX	The Septuagint [= 70], the Greek version of the Old Testament
Mag.Dei	F.M. Cross, W.E. Lemke and P.D. Miller, eds., *Magnalia Dei: Essays on the Bible and Archaeology in Memory of G. Ernest Wright* (New York: Doubleday, 1976)
MB	Middle Bronze Age
MT	Massoretic Text of the Old Testament
NEB	New English Bible (1970)
OTL	Tge Old Testament Library, P.R. Ackroyd, J. Barr, B.W. Anderson, J. Bright, eds. (Philadelphia: Westminster Press; London: SCM Press)
OTMS	H.H. Rowley, ed., *The Old Testament and Modern Study* (Oxford: Clarendon Press, 1951)
PEQ	*Palestine Exploration Quarterly*
POTT	D.J. Wiseman, ed., *Peoples of Old Testament Times* (Oxford: Clarendon Press, 1973)
PJB	*Palästinajahrbuch*
RA	*Revue d'Assyriologie*
RB	*Revue Biblique*
RHR	*Revue de l'histoire des religions*
RSV	Revised Standard Version of the Bible (1946)

ThLZ	*Theologische Literaturzeitung*
ThZ	*Theologische Zeitschrift*
VT	*Vetus Testamentum*
WMANT	Wissenschaftliche Monographien zum Alten und Neuen Testament (Neukirchener Verlag)
YGC	W.F. Albright, *Yahweh and the Gods of Canaan* (University of London: The Athlone Press; New York: Doubleday, 1968)
ZAW	*Zeitschrift für die alttestamentliche Wissenschaft*
ZDMG	*Zeitschrift der Deutschen Morgenländischen Gesellschaft*
ZDPV	*Zeitschrift des Deutschen Palästina-Vereins*
ZNW	*Zeitschrift für die neutestamentliche Wissenschaft*
ZThK	*Zeitschrift für Theologie und Kirche*

EL ANTIGUO ORIENTE
ANTES DE CA. 2000 A.C.

TAL COMO LA Biblia la presenta, la historia de Israel comenzó
con la migración de los patriarcas hebreos desde Mesopotamia hacia
su nueva patria, en Palestina. Este fue realmente el comienzo, si no
de la historia de Israel en sentido estricto, sí al menos de su prehistoria, puesto que con esta migración aparecieron por primera vez
sus antepasados en el escenario de los acontecimientos. Dado que
esto parece haber acontecido, como veremos, en algún momento de
la primera mitad del segundo milenio a. C., es aquí donde propiamente arranca nuestra narración. Sin embargo, comenzar en el
2000 a. C., como si antes de esta fecha no hubiera sucedido nada,
sería poco prudente. La Biblia sugiere, y recientes descubrimientos
han puesto en claro, que habían sucedido realmente muchas cosas.
Aunque no forma parte de nuestro tema, y nos abstendremos por lo
mismo de bajar a detalles, estará bien decir primeramente unas palabras acerca del curso de la historia humana anterior a este tiempo.
Esto nos posibilitará, por una parte, el encuadramiento del escenario
de nuestra historia, y por otra, la obtención de una perspectiva necesaria con que ponernos en guardia, así lo esperamos, contra nociones erróneas relativas a la época de los orígenes de Israel. A nosotros,
hombres del siglo xx p. C., nos parece realmente muy lejano el
segundo milenio a. C. Estamos tentados de imaginarlo como cayendo
cerca del fondo último del tiempo, cuando el primer hombre luchaba
por salir de la barbarie a la luz de la historia, y estamos por lo tanto,
inclinados a desestimar sus logros culturales. Estamos más inclinados aún a pintar a los antepasados de los hebreos, vagabundos
habitantes de tiendas, como los más primitivos de los nómadas, separados por su modo de vida del contacto con toda cultura entonces
existente, y cuya religión ofrecía la más cruda especie de animismo
o polidemonismo. Así los pintan, de hecho, muchos de los antiguos
manuales. Esto, sin embargo, es una noción errónea y un síntoma
de falta de perspectiva, una herencia de los días en que eran escasos
los conocimientos de primera mano del antiguo Oriente. Es necesario, por consiguiente, colocar el cuadro dentro de su marco.

Los horizontes fueron asombrosamente ampliados en la pasada generación. Dígase lo que se quiera sobre los orígenes de Israel, debe afirmarse con toda certidumbre que estos orígenes de ninguna manera limitaban con el fondo de la historia. Las inscripciones descifrables más antiguas, tanto de Egipto como de Mesopotamia, se remontan a los primeros siglos del tercer milenio a. C., es decir, aproximadamente unos mil años antes de Abraham, y mil quinientos antes de Moisés. Ahí comienza, propiamente hablando, la historia. Además, descubrimientos efectuados por doquier en el mundo de la Biblia, y más allá de él durante el transcurso de las últimas décadas, han revelado una sucesión de culturas anteriores que se remontan a todo lo largo del cuarto, quinto, sexto y séptimo milenio y, a veces, más al fondo aún. Así, pues, los hebreos aparecieron tardíamente en el escenario de la historia. Por todo el ámbito de las tierras bíblicas habían aparecido culturas que habían alcanzado su forma clásica y habían seguido su curso durante cientos y aun miles de años antes de que Abraham naciera. Por difícil que nos resulte hacernos a esta idea, hay tanta o incluso mayor distancia, desde los comienzos de la civilización en el Próximo Oriente hasta el período de los orígenes de Israel que la que hay desde este período hasta nosotros.

A. ANTES DE LA HISTORIA: LOS FUNDAMENTOS DE LA CIVILIZACION EN EL ANTIGUO ORIENTE

1. *Los primeros establecimientos de la edad de la piedra.* Las primeras ciudades permanentes conocidas por nosotros pertenecen al final de la Edad de Piedra, entre los milenios séptimo y octavo a. C. Con anterioridad, los hombres vivían en cavernas.

a. *La transición a la vida sedentaria.* La historia del hombre de la edad de la piedra no nos concierne (1). Baste con decir que desde las terrazas del valle del Nilo hasta las tierras altas del Iraq septentrional, pedernales característicos atestiguan que la presencia del hombre se remonta hasta el paleolítico anterior (piedra antigua), quizá (¿pero quién puede asegurarlo?) hasta hace doscientos mil años. El subsiguiente paleolítico medio (ampliamente atestiguado por restos de esqueletos, especialmente en Palestina) y el paleolítico posterior encuentran al hombre en su largo estadio cavernícola. Vivía únicamente de la caza y de la depredación. Solamente al final del último pe-

---

(1) Para esta sección y las siguientes ver: G. E. Wright, BANE, pp. 73-88; R. W. Ehrich, ed., *Chronologies in Old World Archaeology* (The University of Chicago Press, 1965); también los importantes capítulos de CAH, especialmente R. de Vaux, «Palestine During the Neolithic and Chalcolithic Periods» (I: 9b, 1966); J. Mellaart, «The Earliest Settlements in Western Asia» (I: 7, pars. 1-10 [1967]). Presenta una exposición más popular: E. Anati, *Palestine Before the Hebrews* (Londres: Jonathan Cape, 1963); J. Mellaart, *The Neolithic of the Near East* (Londres, Thames and Hudson, 1975).

ríodo glaciar (en climas cálidos el último período de lluvias), aproximadamente en el noveno milenio a. C., cuando desaparecieron los rigores del clima, pudo el hombre dar los primeros pasos hacia una economía productora de alimentos; aprendió que los granos silvestres podían ser cultivados y que los animales podían ser reunidos en rebaños para alimento. Esta transición comenzó en el período mesolítico (piedra media) (ca. 8000 a. C. o antes); la cultura natufiana de Palestina. (así llamada por las cuevas de Wadi en-Natuf donde fue hallada por primera vez) es una muestra de ello. Aquí vemos al hombre viviendo todavía en cavernas, pero iniciando ya su instalación en rudimentarios asentamientos, para una ocupación estacional y acaso incluso permanente. El nivel más antiguo de Jericó se remonta a esta época, hacia el 8 000 a. de C., y tal vez incluso antes (2). Aunque los natufianos vivían principalmente de la caza, la pesca y la recolección espontánea, la presencia de hoces de pedernal, molinos de mano, morteros y manos de almirez testifican que había aprendido a cultivar y preparar cereales silvestres. Parece haberse iniciado la domesticación de algunos animales. Avances parecidos aparecen atestiguados en otros lugares, particularmente en la región montañosa de Iraq septentrional, donde las cavernas de Zarzi y Šanidar nos muestran al hombre al final de su época puramente colectora de Alimentos, mientras que las primeras ciudades, cronológicamente hablando, de Zawi Quemi, Karim Šahir y otras atestiguan sus primeros pasos exploratorios hacia una economía productora (3). Pero fue en el período neolítico cuando se completó la transición de la vida de las cavernas a la sedentaria, de una economía colectora a una economía productora, y cuando se inició la construcción de poblados permanentes. Puede decirse que de este modo había comenzado la marcha de la civilización, ya que sin estos progresos no habría podido existir civilización alguna.

b. *Jericó neolítico* (4). Entre los más antiguos establecimientos permanentes conocidos, el más interesante, con mucho, para el estudioso de la Biblia, es el hallado en los niveles inferiores de la colina de Jericó. Como ya se ha dicho, Jericó estuvo habitado al menos en el 8 000 a. C. Pero, durante muchos siglos, todo se redujo a pequeñas y endebles cabañas, que tal vez respondan a una larga serie de acam-

---

(2) Para el Jericó natufiano el radiocarbono indica las fechas de ± 7800 a ± 9216 a. C.; cf. Patty Jo Watson, en R. W. Ehrich, ed., *op. cit.*, p. 84; también Mellaart, *Neolithic*, p. 36. Pero, como indica acertadamente Miss Watson, estas fechas deben utilizarse con la máxima precaución.

(3) Para la cultura zarziana el radiocarbono da fechas entre ± 10.050 y ± 8650 a. C. y ± 8920 para el poblado más antiguo de Zawi Quemi; cf. Watson, *ibid.*, para estas y otras fechas.

(4) Cf. Kathleen M. Kenyon, *Digging Up Jericho* (Londres, Ernest Benn; Nueva York, Frederick A. Praeger, 1957).

padas estaciones. Fuera como fuere, al final las cabañas fueron sustituidas por un poblado permanente, que consta de numerosos niveles de construcción en dos fases distintas, separadas entre sí por un vacío, y que representan dos poblaciones sucesivas, con una cultura neolítica anterior a la cerámica. A causa del gran espesor de sus restos (más de cuarenta y cinco pies), podemos juzgar que esta cultura se prolongó durante siglos, con un inicio anterior a la etapa final del octavo milenio a. C. y un término que alcanza al menos a finales del milenio séptimo (5). Pero a ninguna de las dos se las puede considerar primitivas. Durante largos períodos de sus historia, la ciudad estuvo protegida por una muralla sorprendentemente sólida, de pesadas piedras. Las casas estaban construidas con ladrillos de barro de dos tipos distintos, correspondientes a las dos fases de ocupación antes mencionadas. En la segunda de ellas, los pisos y paredes eran de arcilla, lucidos con cal y, con frecuencia, pintados. Se han descubierto restos de esterillas hechas de cañas entrelazadas que cubrían el suelo. Figurillas de arcilla de mujeres y animales domésticos sugieren la práctica del culto de la fertilidad. Extrañas estatuas de arcilla sobre armazón de cañas, descubiertas hace algunos años, indican que ya en el Jericó neolítico eran adorados los grandes dioses; en grupos de tres, representan, al parecer, la antigua tríada, la familia divina, padre, madre e hijo. Igualmente interesantes son grupos de cráneo humanos (los cuerpos eran sepultados en otros lugares, por regla general bajo los pisos de las casas) con las facciones modeladas en arcilla y con conchas por ojos (6). Tal vez servían para fines cúlticos (probablemente alguna especie de culto a los antepasados) y atestiguan ciertamente una notable habilidad artística. Los huesos de perro, cabra, cerdo, oveja y buey, indican que se conocía la domesticación de los animales, mientras que las hoces, molinos de mano y muelas demuestran que se cultivaban campos de cereales. Del tamaño del poblado y de la pequeña extensión de tierra naturalmente arable, se puede deducir que ya se había desarrollado un sistema de riego. La presencia de fragmentos de obsidiana (traídos probablemente de Anatolia), turquesas (del Sinaí) y conchas de caurí (del litoral marítimo), testifican la existencia de intercambios comerciales que, de forma directa o indirecta, cubrían considerables dis-

---

(5) Las primeras pruebas hechas con radiocarbono daban fechas situadas entre el séptimo y el sexto milenios; cf. Kenyon, *Digging*, p. 74, que presenta fechas de ± 5850, 6250 y 6800. Las pruebas siguientes daban fechas mucho más altas; cf. Watson, en R. W. Ehrich, ed., *op. cit.*, pp. 85 s.: de Vaux, *loc. cit.*, pp. 14 s., donde figuran fechas tan altas como ± 7705, 7852 e incluso ± 8230 y 8350. Estas amplias variaciones aconsejan precaución.

(6) Cráneos similares del mismo período se han descubierto también recientemente en otros lugares (Beisamun, junto al Lago Huleh); cf. M. Lechevallier y J. Perrot, IEJ, 23 (1973), pp. 107 s., y Pl. 24.

tancias (7). El Jericó neolítico es verdaderamente asombroso. Por
cuanto sabemos, su población —cualquiera que fuese— guió al mundo
en la marcha hacia la civilización (¿quién habría de creerlo?) unos
cinco mil años antes de Abraham.

Este notable fenómeno llegó a su fin, y fue reemplazado, tras
un considerable período vacío, por una cultura neolítica que conocía
la cerámica y que alcanza —de nuevo en dos fases distintas— quizás
hasta el quinto milenio. Pero esta cultura, traida, según parece, por
gentes adventicias, representa, decididamente, un retroceso.

c. *Otras culturas neolíticas.* Aunque el Jericó neolítico es un asentamiento extremadamente notable, no puede en modo alguno pensarse
que presente un caso aislado y único. Los recientes descubrimientos
han puesto en claro la existencia, por todo el mundo bíblico, de poblados permanentes que se remontan al séptimo milenio (8). Es indudable que estas fundaciones se llevaron a cabo a medida que se
fueron dominando en diversas regiones del Asia occidental —y de
forma independiente en cada una de ellas— las técnicas del cultivo
de cereales y de la domesticación de animales de las que depende
la vida sedentaria. Donde mejor atestiguado está, en el ámbito mesopotámico, este tránsito a la vida agraria, es en los estratos inferiores
de la colina de Jarmo, en las tierras altas de Iraq septentrional.
Hallamos aquí, de nuevo, una cultura anterior a la invención de la
cerámica; los utensilios y vasijas eran de piedra. Jarmo era un poblado pobre; sus casas estaban toscamente construidas de barro em-
pacado. Aun así, vivía aquí, de forma permanente, una comunidad
agrícola. Las pruebas del radiocarbono indican que los niveles precerámicos son tan antiguos como los estratos correspondientes de
Jericó. También en las costas mediterráneas el radiocarbono data el
primer asentamiento de Ras Šamra (igualmente precerámico) en el
séptimo milenio. En varios lugares de Palestina aparecen asentamientos neolíticos precerámicos, uno al menos de los cuales (Beida,
en Transjordania) es datado por el radiocarbono en los inicios del
milenio. Los más notables de estos antiquísimos poblados son los descubiertos en Hacilar y Satal Hüyük, en Anatolia, área generalmente
considerada como remanso de culturas. Satal Hüyük es el mayor de
todos los asentamientos neolíticos hasta ahota conocidos en el Oriente

---

(7)   Es razonable la suposición de que el comercio de la sal, el sulfuro y el
betún (productos muy abundantes en el área en torno al mar Muerto) constituían
por aquella época la base de la economía de Jericó; cf. Anati, *op. cit.*, pp. 241-250;
idem, BASOR, 167 (1962), pp. 25-31; Mellaart, *Neolithic*, p. 51 se muestra más
cauteloso.

(8)   Respecto de este párrafo, cf. las obras citadas en la nota 1. Las fechas
más importantes indicadas por el radiocarbono se analizan en varios artículos
de R. W. Ehrich, ed., *op. cit.*, Para los recientes descubrimientos en Anatolia,
también J. Mellaart, «Anatolia Before ca. 4000 B. C.» (CAH, I: 7, pars. 11-14
[1964]).

Próximo —varias veces mayor que Jericó— y el mayor desarrollo económico. Según las pruebas del radiocarbono, un tercio del asentamiento estuvo ocupado en el milenio séptimo y en la primera mitad del milenio sexto.

La vida ciudadana continuó progresando a lo largo del sexto milenio, y hasta muy entrado el quinto, época en la que existían poblados y ciudades ya casi por doquier. A lo largo de este período se fue generalizando la cerámica (ya conocida en Satal Hüyük, Anatolia). Aparecen poblados conocedores de la Cerámica en varios puntos de la costa mediterránea (Ras Šamra, Byblos), en Cilicia y el monte de Siria (Mersin, Tell Judeideh), en Chipre (cuya cultura más antigua, la de Khirokitia, era acerámica) y en Anatolia. En Mesopotamia florecía la cultura de Hassuna, así llamada por el emplazamiento (cerca de Mosul) donde fue identificada por vez primera, aunque se la encuentra en otros varios lugares de la región del Tigris superior. (Nínive fue construida por vez primera en este período.)

Mientras tanto, también en Egipto había comenzado la vida sedentaria. Los indicios de la presencia del hombre en Egipto se remontan a la edad del paleolítico anterior, cuando el delta del Nilo permanecía aún bajo el mar y su valle era una jungla pantanosa habitada por animales salvajes. Podemos sospechar que los hombres habían vivido desde entonces en las orillas del valle y que había hecho un camino hacia el interior para pescar y cazar, y posteriormente para asentarse allí. Puede suponerse que hacia la época neolítica, cuando la geografía de Egipto alcanzó, a grandes rasgos, su estructura actual, comenzaron a establecerse algunos pueblos primitivos, primero de modo esporádico y después de modo permanente. Pero en Egipto, contrariamente al oeste asiático, no puede documentarse la vida sedentaria. Los poblados estables más antiguos yacen probablemente bajo profundas capas de limo del Nilo. La cultura urbana más antigua de que tenemos noticia es la de Fayum (Fayum A), seguida de la de Merimde, descubierta muy poco después. Se trata de culturas neolíticas posteriores a la invención de la cerámica, con un cierto paralelismo respecto de la cerámica neolítica de Asia occidental. Las pruebas del radiocarbono tienden a datar el emplazamiento de Fayum A en la segunda mitad del quinto milenio (9). Podemos estar seguros de que en esta época, aunque ya había comenzado a desarrollarse la agricultura, el río estaba aún sin controlar y el valle era completamente un pantano, con pocos poblados, distantes entre sí. No obstante, es claro que en Egipto, lo mismo que

_____

(9)   Las fechas del radiocarbono oscilan entre $\pm$ 4441 y $\pm$ 4145 a. J. Las oscilación expresa el hecho de que las pruebas se hicieron sobre muestras contaminadas y de que las fechas son demasiado bajas; cf. Helene J. Kantor, en R. W. Ehrich, ed., *op. cit.*, p. 5; W. C. Hayes, JNES, XXIII (1964), pp. 218, 229 s. Para toda esta cuestión, ver J. M. Derricourt, JNES, XXX (1971), pp. 271-292.

en otros lugares, se había puesto en marcha la civilización, unos dos mil quinientos años antes de Abraham.

2. *Desarrollo cultural en Mesopotamia.* Con la introducción de los metales, llega a su punto final el Neolítico y se inicia el período conocido como calcolítico (cobre-piedra). Está muy controvertido el problema del momento exacto en que poder datar esta transición y no nos detendremos en su estudio (es seguro que se trata de un proceso gradual). Respecto de Mesopotamia, todo este período está atestiguado por una serie de culturas, denominadas según el lugar donde fueron primeramente identificadas. Estos nos llevan, con insignificantes lagunas, desde el final del quinto milenio, y a través del cuarto, hasta el umbral de la historia, en el tercero (10). Es un período de prodigioso florecimiento cultural. La agricultura, ampliamente perfeccionada y extendida, hizo posible una mejor alimentación y el mantenimiento de una creciente densidad de población. Fueron fundadas la mayor parte de las ciudades que habían de intervenir en la historia mesopotámica de los milenios por venir. Se emprendió un elaborado drenaje y proyectos de riego y dado que esto requería un esfuerzo común, aparecieron las primeras ciudades-Estado Hubo un gran progreso técnico y cultural en todos los campos, no siendo el menor la invención de la escritura. Hacia el final del cuarto milenio, en efecto, la civilización de Mesopotamia había tomado en todo lo esencial la forma que la caracterizaría durante los milenios futuros.

a. *Primeras culturas de cerámica decorada.* El florecimiento cultural comenzó primeramente en la alta Mesopotamia, mientras que los valles bajos era aún un gran pantano sin población sedentaria. Hacia el sexto milenio apareció la cultura de Hassuna, ya mencionada. Fue ésta una cultura ciudadana, basada en una agricultura reducida, pero con perfeccionada especialización del oficio, que estaba en transición del neolítico al calcolítico. Mientras que el metal era aún desconocido, comenzaban a aparecer algunos tipos de cerámica decorada (señal del calcolítico). Especialmente interesante es la así llamada mercancía de Samarra —una cerámica decorada con figuras monocromas geométricas de animales y hombres, de gran calidad artística— que aparecen en la última parte de este período. La habilidad artística, sin embargo, alcanzó nuevas cumbres en la

---

(10). Para una ulterior lectura, ver Ann L. Perkins, *Teh Comparative Archaelogy of Mesopotamia* (The University of Chicago Press. 1949); A. Moortgat, *Die* Entstehung der sumerischen Hochkultur (Leipzig: J. C. Hinrichs, 1945); A. Parrot, *Archéologie messopotamienne*, vol. II (París, A. Michel, 1953); más recientemente, los importantes artículos en R. W. Ehrich, ed., *op. cit.*, así como los interesantes capítulos en CAH. Para una información más popular, ver M. E. L. Mallowan, *Early Mesopotamian and Iran* (Londres, Thames and Hudson, 1965); A. Falkenstein, en J. Bottéro, E. Cassin, J. Vercoutter, eds., The Near East: *The Early Civilizations* (trad. inglesa, Londres, Weidenfeld and Nicolson, 1967), pp. 1-51.

siguiente cultura de Halaf (en la segunda mitad del quinto milenio). Esta cultura, aunque denominada por el emplazamiento del valle de Khabur donde fue identificada por primera vez, tuvo su centro a lo largo del Tigris superior; pero su cerámica característica ha sido hallada por toda la alta Mesopotamia hasta la costa siro-silicia, hasta el lago Van por el norte y hasta Kirkuk por el sur.

Por este tiempo, los valles ribereños de la alta Mesopotamia estuvieron probablemente más bien densamente poblados. Había ciudades, bien construidas, para los tipos de entonces, con casas rectangulares de tierra apisonada o ladrillos sin cocer. Estructuras circulares más masivas *(tholoi)* con tejados bajos y encupulados parecen haber servido para fines cuya naturaleza desconocemos. Numerosas figurillas de animales y mujeres, éstas, con frecuencia, en posición de dar a luz, demuestran que era practicado el culto de la diosa madre. Especialmente notable, en todo caso, es la magnífica cerámica. Cocida al horno, pero hecha a mano, sin ayuda de la rueda, está caracterizada por dibujos polícromos geométricos y florales de una calidad artística y de una belleza raramente igualada. Quién fuera este pueblo no lo sabemos. No existe ningún texto que nos diga qué lengua hablaba, ya que no había sido inventada la escritura. Pero ellos dieron pruebas de que la civilización había hecho ya brillantes progresos en la alta Mesopotamia unos dos mil años antes de Abraham.

b. *La secuencia de las culturas predinásticas en la baja Mesopotamia.* Fue, sin embargo, más tarde, en la segunda mitad del cuarto milenio, cuando el florecimiento cultural de Mesopotamia alcanzó su cénit. La sedentarización de la baja Mesopotamia, la fundación de grandes ciudades en este espacio y la organización de las primeras ciudades-Estado, abrieron el camino a un asombroso avance cultural y técnico. Una serie de culturas de la baja Mesopotamia nos lleva desde el último período del quinto milenio hasta la luz de la historia, en el tercero. Convencionalmente son conocidas, en orden descendente, como la de Obeid (desde ca. el 430 a ca. el 3500), la de Warka (del siglo xxxi) y la de Jemdet Nasr (desde ca. el siglo xxxi al siglo xxix), según los lugares donde fueron respectivamente identificadas por primera vez. Pero tal vez resulte más apropiado dividir la cultura warkana, poniendo como línea divisoria la invención de la escritura (¿ca. 3300?) y englobar la segunda mitad de ella, con la de Jemdet-Nasr, bajo el título de «Protoliteraria», o algo parecido (11).

---

(11)   Son controvertidos tanto el punto sobre el que se funda esta división como el nombre creado para este nuevo período. Cf. Perkins, *op. cit.*, pp. 97-161, que designa la última parte del antiguo período warkano como «protoliterario antiguo» (protoliterario A-B), y al antiguo Jemdet Nasr como el «protoliterario posterior» (protoliterario C-D); Parrot (*op. cit.*, pp. 282-278) prefiere el término «predinástico» y Moortgat (*op. cit.*, pp. 59-94) «histórico antiguo». Pero cf. M. E. L. Mallowan, CAH, I: 8 (1967), Parte I, pp. 3-6, que defiende enérgicamente la terminología convencional.

De esta manera, la civilización tiene un comienzo relativamente tardío en la baja Mesopotamia, después de que había ya seguido su curso durante cientos de años en la parte superior del valle (12). Las razones son fáciles de comprender. Esta región carece, en general, de la lluviosidad suficiente para mantener una agricultura viable. Los cultivos dependen del agua de los ríos que cruzan el territorio en dirección al golfo Pérsico. Ahora bien, estas corrientes están sujetas a desbordamientos periódicos que, cuando no están bien controlados, llegan incluso a cambiar el curso de·las aguas y lanzan devastadoras avalanchas sobre las llanuras, creando grandes ciénagas y espacios lagunosos, que impiden todo tipo de cultivos. La tierra no fue sometida a un laboreo intensivo hasta que no se tuvieron a mano las técnicas necesarias para poner en marcha un sistema de diques y drenado de zanjas. Y no era ésta tarea de un día. El trabajo de drenar y preparar la tierra y de construir ciudades debió prolongarse durante siglos. Por otra parte, una vez que el extraordinariamente rico suelo se hizo aprovechable, debieron de acudir por miles los pobladores para posesionarse de él. Este proceso de colonización y construcción estuvo ya en marcha en el período Obeid. Quién fuera este pueblo y cuándo llegó, es una cuestión discutida, relacionada con el enojoso problema de los orígenes de los sumerios. Pero, sean quienes sean, ellos fueron los fundadores de la civilización en la baja Mesopotamia. Aunque su cultura era poco brillante, llevaron a cabo construcciones de proporciones monumentales, por ejemplo el primer templo de Eridu. Su cerámica, aunque inferior artísticamente a la de Halaf, demuestra un mayor dominio de la técnica. La difusión de esta cerámica por toda la alta Mesopotamia y aun más allá, indica que la influencia cultural se extendió ampliamente.

c. *El período protoliterario*. La siguiente fase, la warkana, fue probablemente más bien corta (hasta el 3300 o más tarde). Si se desarrolló a partir de la obeidiana, o si fue traída por recién llegados de fuera, es una cuestión en la que tampoco nos podemos detener. La subsiguiente fase protoliteraria (de los siglos XXXI al XXIX), trajo en todo caso una explosión de progreso como pocas en la historia del mundo. Fue éste un período de gran desarrollo urbano en la curso del cual la civilización mesopotámica adquirió su forma definitiva. El sistema de diques y canales que permitió un cultivo intenso de la llanura aluvial fue completamente desarrollado en este tiempo. La po-

(12) Se ha venido admitiendo generalmente que la primera población sedentaria de la baja Mesopotamia hizo su aparición en la segunda mitad del quinto milenio. Pero tal vez este hecho se produjo mucho antes, porque, dado el gradual hundimiento del terreno, tal vez los primeros poblados se hallen hoy sepultados bajo las aguas. Cf. S. N. Kramer, *The Sumerians* (The University of Chicago Press, 1963), pp., 39 s., y el artículo de G. M. Lees y N. L. Falcon allí citado (*Geographical Journal* 118 [1952], pp. 24-39). Fuera como fuera, la sedentarización se inició antes del período Obeid.

blación creció rápidamente y surgieron por todas partes grandes ciudades; se desarrollaron, donde aún no las había, ciudades-Estado. Templos de ladrillos de barro, construidos en plataformas sobre el nivel de las inundaciones, y de las que es un brillante ejemplo el gran tamplo compuesto de Warka (Erek), muestran elementos característicos de la arquitectura de los templos mesopotámicos a lo largo de los siglos posteriores. Por todas partes se descubren nuevas técnicas. Estaban en uso la rueda y los hornos para cocer cerámica, que hacían posibles artículos de gran perfección técnica. Se desarrolló el proceso de la moltura del grano y, después, de la fundición del cobre. Primorosos sellos cilíndricos, que reemplazan a los antiguos sellos acuñados, atestiguan un raro desarrollo artístico.

Pero ningún paso hacia adelante fue tan forjador de época como la invención de la escritura. Los primeros textos conocidos por nosotros proceden, en todas partes, de los siglos en torno al cuarto milenio. Aunque los especialistas no son aún capaces de leerlos, parecen ser documentos de inventario y de negocios, atestiguando así la creciente complejidad de la vida económica. Y dado que la vida económica se centraba alrededor del templo, podemos sospechar que en torno al santuario se desarrollaba ya la organización característica de la ciudad-Estado, familiar para nosotros desde el tercer milenio. En todo caso, podemos señalar el hecho de que el umbral de la literatura había sido franqueado unos dos mil años antes de que Israel surgiera como pueblo. Y no se debe suponer que este florecimiento cultural sea algo sucedido en un rincón, sin influencia alguna más allá de los confines de Mesopotamia. Por el contrario, como veremos dentro de un momento, existe la irrefutable prueba de que antes del final de este período hubo vínculos de intercambio cultural y comercial con Palestina y el Egipto predinástico.

d. *Los sumerios.* Los creadores de la civilización en la baja Mesopotamia fueron los sumerios, pueblo que constituye uno de los más grandes misterios de toda la historia. Acerca de su raza y de la fecha en que llegaron, sólo tenemos conjeturas. Los monumentos los pintan como un pueblo sin barba, rechonchos y de ancha cabeza, aunque las pruebas esqueléticas no están siempre de acuerdo con esto último. Su lenguaje, de tipo aglutinante, no está relacionado con ninguna lengua conocida, viva o muerta. El tiempo y modo de su llegada —sea que fueran ellos los autores de la vieja cultura obeidiana o que llegaran más tarde y construyeran sobre fundamentos puestos por otros— son puntos sobre los que no se ha llegado a un acuerdo (13). No obstante es evidente que los sumerios estaban ya en la

_____

(13) Para la discusión, además de las obras citadas en la nota 9, cf. E. A. Speiser, *Mesopotamian Origins* (University of Pennsylvania Press, 1930); *id m,* «The Sumerian Problem Reviewed» (HUCA, XXIII, Parte I [1950/51], pp. 339-

baja Mesopotamia hacia la mitad del cuarto milenio. Dado que los primeros textos que conocemos están en sumerio, podemos presumir que fueron los sumerios quienes introdujeron la escritura. Ellos dieron estructura, en el período protoliterario, a aquella brillante cultura que podemos apreciar en su forma clásica al amanecer el tercer milenio.

3. *Egipto y Palestina en el cuarto milenio.* Tenemos que proceder aquí algo más sumariamente, ya que ni Egipto ni Palestina ofrecen en este período nada que se pueda comparar con la asombrosa civilización de la Mesopotamia predinástica. Sin embargo, una serie de culturas nos llevan, en ambos países, desde la edad de la piedra, através del cuarto milenio, hasta el tercero.

a. *Culturas calcolíticas en Palestina.* Aunque la historia de Palestina en el cuarto milenio tiene ciertos puntos oscuros, está claramente atestiguado el desarrollo de la vida ciudadana en diversas partes del país. Al parecer, algunas regiones alcanzaron, por vez primera, en este período, la etapa de la sedentarización (14). Durante todo este tiempo, Palestina estuvo, a juzgar por algunos indicios, dividida en dos provincias culturales, una en las áreas septentrionales y centrales y otra en las meridionales. De todas las culturas de este período, la ghassuliana (así llamada por Tuleilat el-Ghassul, en el valle del Jordán, donde fue primeramente identificada) es la más sorprendente. En la actualidad se conocen varios emplazamientos más, concretamente en las cercanías de Beer-seba y al norte del Négueb. Las pruebas del radiocarbono indican que floreció en las centurias inmediatamente anteriores y posteriores al 3500 a. C. Aunque es una cultura urbana sin grandes pretensiones materiales, da muestras de un considerable progreso artístico y técnico. Aún se manufacturaban herramientas de piedra, pero el cobre estaba también en uso. La cerámica, aunque no comparable con la de Halaf desde un punto de vista artístico, demuestra una técnica excelente. Las casas eran construidas de ladrillos hechos a mano, cocidos al sol y, con frecuencia, sobre fundamentos de piedra. Muchas de ellas estaban decoradas por dentro y por fuera con elaborados frescos polícromos sobre una superficie de yeso. Algunos dibujos, como una estrella de ocho puntas, un pájaro, y diversas figuras geométricas, son ejemplares; uno, muy

---

355); H. Frankfort, *Archaelogy and the Sumerian Problem* (The University of Chicago Press, 1932); N. S. Kramer, «New Light on the Earky History of the Ancient Near East» (AJA, LII [1948], pp. 156-164); *idem., op. cit.* (en nota 12); W. F. Albright y T. O. Lambdin, CAH, I: 4 (1966), pp. 26-33.

(14)   Para este período, cf. Albright, AP, pp. 65-72; *idem*, en R. W. Ehrich, ed., *op. cit.*, pp. 47-57; G. E. Wright, *The Pottery of Palestine from the Earliest Times to the End of Early Bronze Age* (American Schools of Oriental Research, 1937); *idem, Eretz Israel*, V (1958), pp. 37-45; también las obras de Wright y de Vaux citadas en la nota 1.

deteriorado, representa un grupo de figuras sentadas, muy posiblemente dioses. Extrañas máscaras de elefantes tienen algún innomi-
nado fin cúltico, mientras que el hecho de que los muertos fueran
enterrados con alimentos y utensilios colocados a su lado indica
la creencia en alguna especie de existencia futura. Ninguna de estas
culturas calcolíticas fue grandiosa; pero la difusión de su cerámica
característica por Palestina y regiones adyacentes demuestra que los
poblados eran ciertamente numerosos en este tiempo.

    b. *Las culturas predinásticas en Egipto.* Como ya se ha dicho, la
cultura más antigua conocida en Egipto es la fayumiana neolítica
(Fayum A), que data de la última parte del quinto milenio. Hay
una cadena ininterrumpida de culturas, tanto en el Alto como en el
Bajo Egipto, que nos lleva, a todo lo largo del cuarto milenio, hasta
los umbrales de la historia, en el tercero. En el Alto Egipto tenemos,
por orden descendente, la badariana, la amratiana y la guerzana,
así denominadas por los respectivos lugares en que fueron por primera vez identificadas. Una evolución paralela —pero no idéntica—
puede observarse en el Norte. No necesitamos describir detalladamente estas culturas (15). Presentan, en todo caso, un cuadro pobre
si se las compara con el calcolítico de Mesopotamia, aunque esto
puede ser debido en parte a lagunas en nuestro conocimiento. Al contrario de Mesopotamia, el Egipto predinástico gozaba de un marcado
aislamiento, debido principalmente a su geografía. Separado de Asia
por desiertos y mares, el largo valle serpenteante del Nilo ejercía un
efecto divisorio dentro del mismo país. Había una notable diferencia
de culturas locales, especialmente marcada entre el alto y el bajo
Egipto. Pero en ninguna de sus fases puede llamarse espléndido el período calcolítico de Egipto. Se conocía la cerámica, pero no había
punto de comparación, ni artístico ni técnico, con los artículos de la
Mesopotamia contemporánea. Las casas eran de juncos tejidos o de
adobes; la construcción de monumentos era desconocida en aquella
lejana época. Fueron, en resumen, culturas urbanas pobres, escasamente capaces de grandes realizaciones en el espíritu. El florecimiento
de la cultura egipcia vino más tarde.

    Sin embargo, fue aquí donde se pusieron los fundamentos de la
civilización. Los egipcios predinásticos fueron probablemente los antepasados de los egipcios de los tiempos históricos, como una mezcla
de razas camitas, semitas y (especialmente en el sur) negroides. Hicieron grandes progresos en el desarrollo de la agricultura, culti-

─────────────

    (15) Para una ulterior lectura, cf. Kantor, en R. W. Ehrich, ed., *op. cit.*;
W. C. Hayes «Most Ancient Egypt» (JNES, XXIII [1964], pp. 217-274). Elise
J. Baumgartel, «Predynastic Egypt» (CAH, I: 9a [1965]); también J. Vandier,
Manuel d'archéologie égyptienne, vol. I (París, A. et J. Picard, 1952). Para una discusión
de nivel más popular, cf. J. Vercoutter, en Bottéro, Cassin, Vercoutter, eds., *op. cit.*,
pp. 232-257.

vando toda suerte de cereales, frutas y legumbres, así como también
el lino. Esto significaba que, como en Mesopotamia, podía ser sostenida una creciente densidad de población. Se emprendió con ritmo
creciente la tarea de drenaje e irrigación, y ya que esto (de nuevo
como en Mesopotamia) debe haber requerido un esfuerzo conjunto
entre ciudades, podemos dar por supuesto que comenzó a existir
alguna forma de gobierno local (16). Se usaba el cobre, y puesto que
sus yacimientos debieron estar o en el Sinaí o en el desierto oriental,
se emprendió ya entonces la explotación de las minas. Como las naves
activaban el comercio a lo largo del Nilo, decreció el aislamiento local.
Probablemente hacia el fin del cuarto milenio los varios nomos locales
se unieron en dos grandes reinos, uno en el Alto y otro en el Bajo
Egipto. Finalmente (una vez más como en Mesopotamia), se inventó
la escritura jeroglífica; y hacia el período de la primera Dinastía
ya había progresado hasta rebasar su forma primitiva.

    c. *Contactos internacionales en la prehistoria.* Durante la mayor
parte del período predinástico la cultura egipcia se desarrolló con
pocas señales de contacto con el mundo exterior. Al final del cuarto
milenio, sin embargo, cuando la cultura protoliteraria florecía en Mesopotamia, y el período calcolítico dejaba paso al subsiguiente bronce I en Palestina, hay pruebas de un vivo intercambio cultural (17).
Tipos de cerámica palestinenses encontrados en Egipto demuestran
un intercambio entre los dos países, mientras que una similar ates-
tación prueba que Egipto estaba ya entonces en contacto con el
puerto cedrero de Biblos. Aún más sorprendente es el testimonio de
que Egipto, en el último período guerzano, estaba en contacto con la
cultura protoliteraria de Mesopotamia y la copió profundamente.
Este préstamo se ejerce, aparte de las formas de la cerámica, en el
área de los sellos cilíndricos, en variados motivos artísticos y en rasgos arquitectónicos; algunos llegan a pensar que también la escritura se desarrolló bajo la influencia mesopotámica. No sabemos
cómo fueron transmitidos estos contactos, más claramente atestiguados en el sur de Egipto, pero la presencia de impresiones de sellos
del tipo de Jemdet Nasr en lugares tales como Meguiddó y Biblos
arguye que existía una gran ruta comercial a través de Palestina y
Siria. En todo caso, tenemos prueba de que hubo un período de contacto internacional y transfusión cultural entre los confines del mundo

---

    (16) Se discute, con todo, si los trabajos de irrigación son suficientes, por sí
solos, para explicar la formación de los primeros estados centralizados. Cf. los
argumentos a favor y en contra en C. H. Kraeling y R. M. Adams, eds., *City Invin-
cible* (The University of Chicago Press, 1960), pp. 129-131, 279-282, *et passim.*

    (17) Cf. W. Helck, *Die Beziehungen Ägyptens zu Vorderasien im 3. und 2. Jahr-
tausend v. Chr.* (Wiesbaden, O. Harrasowitz, 1962); también Kantor, en R. W.
Ehrich, ed., *op. cit.; idem,* JNES, I (1942), pp. 174-213; *ibid.,* XI (1952), pp. 239-
250; H. Frankfort, *The Birth of Civilization in the Near East* (Indiana University
Press, 1951), pp. 100-111.

bíblico antes de·que amaneciera el sol de la historia. Aunque el contacto con Mesopotamia parece haber cesado virtualmente en el período de la primera Dinastía (siglo XXIX o antes), Egipto continuó en relación ininterrumpida con Palestina y Siria durante los siglos venideros.

B. El antiguo Oriente en el tercer milenio a.C.

1. *Mesopotamia en el primer período histórico.* Propiamente hablando, la historia comienza a principios del tercer milenio. Es decir, se entra por primera vez en una edad documentada por inscripciones contemporáneas, que, al contrario de los textos anteriores que hemos mencionado, pueden ser leídas. Aunque los textos arcaicos de los inicios de este período (ca. 2800) ofrecen aún dificultades, los siglos siguientes presentan una profusión de material en su mayor parte inteligible para los especialistas.

a. *La época clásica sumeria (protodinástica) (ca.* 2850-2360). La civilización sumeria se revela ya fijada en su forma clásica al comienzo de la historia (18). El país estaba organizado en un sistema de ciudades-Estado, en su mayor parte muy pequeñas, de las que una docena, más o menos, nos son conocidas por sus nombres. Aunque ora unas ora otras llegaban a prevalecer sobre sus vecinos, nunca se consiguió una unificación permanente y completa de la tierra. Aparentemente, tal cosa era contraria a la tradición y al sentimiento, y era incluso considerado como un pecado contra los dioses (19). La ciudad-Estado era una teocracia gobernada por el dios; la ciudad y sus terrenos eran propiedad del dios; el templo, su casa solariega. Alrededor del templo, con sus jardines, campos y almacenes, se organizó la vida económica. El pueblo, cada cual en su puesto, eran los jornaleros del dios, trabajadores de su propiedad. La primera cabeza del Estado era el «lugal» («gran hombre»), el rey, o el «ensi», sacerdote del templo local que gobernaba como virrey del dios, el gerente de sus propiedades. Este segundo personaje podía ser o bien el señor de una ciudad independiente o bien un vasallo del *lugal,* en otra ciudad. La monarquía, fuera como fuese en la práctica, no fue absoluta en teoría; el poder era ratificado por la sanción de la elección divina. A pesar de la tradición de que la monarquía había descendido del cielo al principio de los tiempos, es evidente que el gobierno

---

(18)   Para este período, cf. C. J. Gadd, CAH, I: 13 (1962); M. E. L. Mallowan, *ibid.,* I: 16 (1968); D. O. Edzard en Bottéro, Cassin, Vercoutter, eds., *op. cit.,* pp. 52-90; también la obra de S. N. Kramer citada en la nota 12. Asimismo W. W. Hallo y W. K. Simpson, ANEH, cap. II.

(19)   Cf. Frankfort, *Birth of Civilization* (en nota 17), pp. 49-77; *idem, Kingship and the Gods* (The University of Chicago Press, 1948), pp. 215-230.

había pertenecido, originariamente, a una asamblea de la ciudad, y
que la monarquía se había desarrollado al margen de ésta, primero
como una medida de emergencia, después como una institución permanente (20).

De cualquier modo, se necesitaba este sistema para una estabilidad política que hiciera posible una cierta prosperidad. La vida
urbana y la alegría estaban sólidamente armonizadas, señalando
un adelanto en la estabilidad económica. Las guerras, aunque sin
duda frecuentes y bastantes encarnizadas, eran esporádicas y locales;
fue esencialmente un tiempo de paz en el que pudo florecer la vida
económica. Una mejor agricultura permitió el sostenimiento de una
población más numerosa; la vida urbana, a su vez, dio lugar a una
mayor especialización en las artes y oficios. Las ciudades, aunque
pequeñas para nuestros tiempos, eran bastante grandes para los de
entonces. Aunque la mayoría de las casas eran humildes, fueron
numerosos los grandes templos y palacios. La metalurgia y la or-
febrería alcanzaron un nivel de perfección pocas veces superado.
Se empleaban, para propósitos tantos militares como pacíficos,
vehículos de ruedas sólidas, arrastrados por bueyes o asnos. El comercio y los contactos culturales alcanzaron gran expansión. Alrededor de los templos florecieron las escuelas de escribas que produjeron una abundante literatura. La mayoría de las fábulas épicas
y mitos que nosotros conocemos por copias posteriores fueron escritos en este tiempo, aunque con anterioridad habían sido transmitidos oralmente durante siglos.

b. *La religión de los sumerios* (21). La religión de los sumerios
era un politeísmo altamente evolucionado, sus dioses —aunque con
una considerable fluidez en lo tocante a sexo y función— estuvieron
ordenados, ya en los primitivos tiempos, según un complejo panteón
de relativa estabilidad. La suprema cabeza del panteón fue Enlil,
señor de la tormenta. Los cultos de los diversos dioses eran celebra-
dos en las ciudades donde se creyó que ellos tenían sus moradas.
Nipur, centro del culto de Enlil, gozó de una posición neutral, recibiendo ofrendas votivas de todo el país y no llegando a ser nunca
la sede de una dinastía. Aunque el prestigio del dios nacía y moría
con el de la ciudad en que tenía su residencia, no fueron éstos dio-

---

(20) Cf. T. Jacobsen, «Primitive Democracy in Ancient Mesopotamia»,
(JNES, II [1943], pp. 159-172); G. Evans, JAOS, 78 (1958), pp. 1-11.

(21) Cf. J. Bottéro, *La religion babylonienne* (París, Presses Universitaires de
France, 1952); E. Dhorme, *La religion de Babylonie et d'Assyrie* (1949); S. H. Hooke,
Babylonian and Assyrian Religion (Londres, Hutchinson's University Library, 1953).
Albright, FSAC, pp. 189-199; cf. también, recientemente, T. Jacobsen, *Treasures
of Darkness: A History of Mesopotamian Religion* (Yale University Press, 1976); pero
cf. también A. L. Oppenheim, *Ancient Mesopotamia* (The University of Chicago
Press, 1964), cap. IV y la sección «Why a 'Mesopotamian Religions' Should
Not Be Written».

ses locales, sino que se les consideró con una función cósmica y se les otorgó dominio universal.

El orden de los dioses fue concebido a modo de reino o Estado celeste, según el módulo de una asamblea de ciudad. La paz del orden terreno así colocada sobre la balanza precaria de voluntades en pugna, podía ser trastornada en cualquier momento. Una lucha por el poder sobre la tierra era también un proceso válido en el reino de los dioses. La victoria de una ciudad sobre las otras significaba el respaldo de sus pretensiones ante Enlil, rey de los dioses. Las calamidades sobre la tierra reflejaban el enojo de los dioses por alguna afrenta. La función del culto era servir a los dioses, aplacar su ira y mantener así la paz y la estabilidad. Los sumerios tenían un sentido desarrollado de la justicia y de la injusticia; se suponía que las leyes terrenas eran un reflejo de las leyes del dios. Aunque ninguno de los códigos conocidos es tan antiguo, las reformas de Urukagina de Lagáš (ca. siglo XXIV) (que tomó varias medidas de acuerdo con las «leyes justas de Ningirsu», destinadas a poner un término a la opresión del pobre) demuestran que el concepto de ley es muy antiguo. Con todo, debe decirse que, como acontece en todo paganismo, los sumerios establecieron distinción entre ofensas morales y puramente rituales.

c. *Semitas en Mesopotamia: Los acadios.* La suerte de las diversas ciudades-Estado sumerias no nos concierne. Aunque de vez en cuando una dinastía local, como Eannatum de Lagáš (siglo XXV), o Lugalzaggisi de Erek (siglo XXIV) pudo haber ejercido un control efímero sobre la mayor parte de Sumer (Lugalzaggisi pretende haber salido a campaña desde el golfo Pérsico hasta el Mediterráneo) (22), ninguno de ellos pudo dar una decisiva unificación a todo el país.

Los sumerios no fueron, de todas formas, el único pueblo que habitaba Mesopotamia; había también una población semita. Estos semitas son conocidos como acadios, después del establecimiento de su primer imperio. Aunque no hay pruebas de que ellos precedieran a los sumerios en la llanura Tigris-Eufrates, no eran, en modo alguno, unos recién llegados. No hay duda de que ellos habían sido seminómadas en las áreas del noroeste de Sumer desde los más remotos tiempos y que venían presionando, en número creciente, desde el cuarto milenio. A mediados del tercer milenio constituyeron una considerable porción de la población, la porción predominante en la parte norte de Sumer. Estos semitas abrazaron la cultura sumeria en todo lo esencial y la adaptaron a sí mismos. Aunque hablaban una lengua semita (acádico) enteramente diferente de la su-

---

(22) Aunque tal vez a través de intermediarios, la influencia sumeria sobre Occidente fue ciertamente profunda y muy anterior a la mitad del tercer milenio, como lo indican claramente los textos de Ebla (cf. infra).

meria, emplearon la escritura silábica cuneiforme para escribirla; los textos en acádico se remontan hasta mediados del tercer milenio. También adoptaron el panteón sumerio, aunque añadieron dioses propios y aplicaron nombres semitas a otros. Tan a fondo se llevó a cabo esto que es imposible distinguir con precisión los elementos semíticos de los sumarios en la religión mesopotámica. Cualesquiera que fueran las tensiones que pudieron haber existido entre ambas poblaciones, no hay pruebas de un conflicto racial o cultural (23). Es indubitable que tuvo lugar una creciente mezcla de razas.

d. *El imperio de Acad (ca.* 2360-2180); *Ebla.* En el siglo XXIV tomó el poder una dinastía de gobernantes semitas que creó el primer imperio verdadero de la historia del mundo (24). El fundador fue Sargón, una figura cuyos orígenes están envueltos en el mito. Su poderío arrancó de Kiš, derrotó a Lugalzaggisi de Erek y sometió a todo Sumer hasta el golfo Pérsico. Después, trasladando su residencia a Acad (de localización desconocida, pero cerca de la posterior Babilonia) emprendió una serie de conquistas que se hicieron legendarias. A Sargón le sucedieron dos de sus hijos, y después su nieto Naramsin, que pudo jactarse de hazañas tan espectaculares como las del mismo Sargón. Además de Sumer, los reyes de Acad gobernaron toda la alta Mesopotamia, como lo demuestran las inscripciones y los documentos de negocios de Nuzi, Nínive, Chagar-Bazar y Tell Ibraq. Pero su control se extendió, al menos intermitentemente, desde Elam al Mediterráneo, mientras que las expediciones militares se adentraron en las tierras montañosas del Asia Menor, en el sureste de Arabia y quizás más lejos. Los. contactos comerciales se extendieron hasta el Valle del Indo (25).

Los reyes de Acad dieron a la cultura sumeria una expresión política que rebasaba los límites de la ciudad-Estado. Aunque conservaron la tradición de que el poder se derivaba de Enlil, surgió probablemente una teoría un poco diferente acerca de la realeza. El Estado no se centró en el templo del dios, como había hecho la ciudad-Estado, sino en el palacio. Existen algunas pruebas de que los reyes de Acad se arrogaron prerrogativas divinas; Naramsin es pin-

---

(23) Cf. especialmente T. Jacobsen, JAOS, 59 (1939), pp. 485-495.

(24) Para este período, cf. C. J. Gadd, CAH, 1: 19 (1969); también J. Bottéro, en Bottéro, Cassin, Vercoutter, eds., *op. cit.*, pp. 91-132.

(25) Naramsin conquistó Magan (en textos tardíos, nombre de Egipto) y comerció con Meluhha (más tarde, Nubia); algunos especialistas creen que, efectivamente, conquistó Egipto (cf. Scharff-Moortgat, AVAA, pp. 77, 262 s., para las opiniones divergentes de ambos autores). Pero Magan debe localizarse probablemente en el sureste de Arabia (Oman), mientras que Meluhha es —también probablemente— el valle del Indo. Respecto del comercio con este área en el tercer milenio, cf. A. L. Oppenheim, JAOS, 74 (1954), pp. 6-17; más recientemente, G. F. Dales, JAOS, 88 (1968), pp. 14-23, que ofrece más bibliografía (en la nota 7).

tado en proporciones gigantescas, llevando la ornamentada tiara
de los dioses, mientras su nombre aparece con el determinativo divino (26). El triunfo de Acad apresuró el ascendiente de la lengua
acádica. Las inscripciones regias fueron escritas en acádico y se re-
gistró una considerable actividad literaria en esta lengua. Probablemente tuvo su origen en este período el así llamado dialecto
hímnico-épico. Al mismo tiempo, el arte, liberado de los uniformes
cánones sumerios, gozó de un notable resurgimiento. Aunque según los criterios de la historia el poder de Acad fue de breve duración, duró por más de cien años.

Nuestro conocimiento de este período se ha ampliado considerablemente tras la publicación y estudio por especialistas de los textos
recientemente descubiertos en Ebla (Tell Mardikh, en el norte de
Siria, al sur de Alepo) (27). El conjunto abarca más de 16 000 documentos, aunque una vez estudiados y cotejados es posible que el número de tablillas completas, en todo o en parte, se reduzca a menos
de la mitad de esta cifra. En su mayoría están escritos en sumerio,
pero muchos de ellos muestran un lenguaje semítico del noroeste
con afinidades con el ugarítico y con el fenicio tardío (y el hebreo),
que algunos han bautizado (tal vez con cierta precipitación) como
«paleocananeo». El contenido se centra principalmente en cuestiones económicas y comerciales. Hay también, con todo, textos de rango
oficial (decretos reales, correspondencia, tratados), así como textos
léxicos, silabarios y textos religiosos (que mencionan varias divinidades sumerias y semitas occidentales, sin que falten los que hacen
referencia a los mitos de la Creación y el Diluvio). Estos escritos contienen varios nombres personales que se corresponden con los que
hallamos entre los israelitas y sus antepasados. Hay también algunos
elementos que han podido ejercer su influencia en las historias patriarcales. Volveremos más tarde sobre esta cuestión.

Es evidente que Ebla, de la que antes apenas si se sabía algo
más que el nombre, fue uno de los grandes centros de poder de aquella época. Aunque se discute la datación exacta de los textos, parece
que Ebla alcanzó su apogeo hacia la mitad del tercer milenio y que
su poder llegó a rivalizar con el de Acad. Las relaciones comerciales
y diplomáticas alcanzaban por el este, a través de Mesopotamia,
hasta Assur (Asiria) y Elam, por el noroeste hasta Anatolia, por el
oeste hasta Chipre y por el sur, a través de Siria y Palestina, hasta
la misma frontera egipcia. Parecen mencionarse varios lugares de
Palestina que sólo habían aparecido hasta ahora en documentos

---

(26) Cf. Frankfort, *Kingship and the Gods*, pp. 224-226; para la estela de
Naramsin, cf. Pritchard, ANEP, lámina 309.

(27) Hasta el momento, todas las afirmaciones tienen un cierto carácter
de provisionalidad, y están basadas en los informes preliminares de los excavadores;
cf. G. Pettinato, BA, XXXIX (1976), pp. 44-52; P. Matthiae, *ibid.*, pp. 94-113·

varios siglos posteriores (Jerusalén, Jasor, Meguiddó, Dor, Ašdod, Gaza, etc.) (28). La ambición de Ebla entró, al fin, en colisión con Acad. Al parecer, sus fuerzas atacaron y sometieron a Mari, en el Eúfrates medio. Esta acción sirvió de detonante para la ofensiva de Sargón hacia el este, en el curso de la cual parece que Ebla fue vencida y forzada a someterse. Pero más tarde —acaso durante los reinados de los dos sucesores de Sargón— Ebla resurgió de nuevo, volvió a recuperar Mari y tal vez durante algún tiempo se impuso a Acad. Fue probablemente Naramsin quien restableció definitivamente la situación, tomando y destruyendo Ebla y poniendo fin a su poder. Las tablillas de Ebla prometen proporcionar un sorprendente caudal informativo. Pero se le advierte al lector que cuanto aquí se ha dicho es ejercicio de tanteo y está sujeto a corrección a la luz de futuras investigaciones (29).

2. *Egipto y Asia occidental en el tercer milenio.* Coincidiendo casi exactamente con los primeros textos descifrables de Mesopotamia, surge Egipto en la historia como nación unificada. Cómo, concretamente, fueron unidos los dos reinos predinásticos del alto y bajo Egipto —si fue o no después de un primer intento fracasado— es cuestión controvertida. Pero en el siglo XXIX los reyes del alto Egipto habían conquistado la supremacía y habían sometido a su dominio a todo el país; el rey Narmer (primera Dinastía) es pintado llevando la corona blanca del sur y la roja del norte y representado en gigantescas proporciones, como conviene a un dios (30). Puede decirse que nunca se perdió el recuerdo del doble origen de la nación, sino que fue perpetuado, en los tiempos posteriores, por las insignias y títulos reales.

a. *El imperio antiguo (siglos XXIX-XXIII).* Los fundamentos del imperio antiguo fueron puestos por los faraones de la primera y segunda Dinastías (siglos XXIX-XXVII) (31). Con el surgir de la tercera Dinastía (ca. 2600) penetramos en la época del florecimiento clásico de Egipto, en cuyo tiempo todos los rasgos característicos de su cultura asumieron una forma que ha servido desde enton-

---

(28) Hay que añadir, con todo, que la lectura de algunos de estos nombres parece estar sujeta a discusión; cf. infra, cap. 2 y nota 37.

(29) Recientemente parecen estar sujetas a discusión algunas de las conclusiones de Pettinato; cf. R. Biggs, BA, XLIII (1980) pp. 76-87; también algunos artículos en BARev., VI (1980), pp. 48-59.

(30) Ver la paleta de Narmer, ANEP, láminas 296-297.

(31) Seguimos aquí las cronologías de A. Scharff (Scharff-Moortgat, AVAA) y de H. Stock (*Studia Aegyptiaca II* [*Analecta Orientalia* 31, Roma Pontificio Instituto Bíblico, 1949]), que en lo esencial están de acuerdo (cf. Albright, en R. W. Ehrich, ed., *op. cit.*, p. 50). Pero numerosos especialistas desearían situar los indicios de la I Dinastía hacia el 3100, y esta opinión parece preferible. Cf. W. C. Hayes, CAH I: 1 (tercera ed. 1970), pp. 173-193; también W. K. Simpson, en Hallo and Simpson, ANEH, p. 299.

ces como norma. Esta fue la época de las pirámides. La más antigua de ellas es la pirámide escalonada que Zóser, de la tercera Dinastía, hizo construir en Menfis; con el templo mortuorio que hay en su base, es la más antigua construcción que se conoce en piedra tallada. Con todo, son mucho más maravillosas las pirámides de Jeops, Jefren y Mikerinos, de la cuarta Dinastía (siglos XXVI-XXV), igualmente en Menfis. La Gran Pirámide, de 481 pies de altura, tiene una base cuadrada de 755 x 755 pies, y se emplearon en su construcción unos 2.300.000 bloques de piedra tallada, de un peso medio de dos toneladas y medio cada uno. Estos bloques eran elevados a puro músculo, sin ayuda de máquinas; y esto con un error máximo prácticamente nulo (32). Lo cual, en verdad, nos enseña a respetar profundamente la habilidad técnica del antiguo Egipto, mil años antes de que naciera Israel. Nos ofrece también el espectáculo de la totalidad de los recursos del Estado organizados en orden a preparar el lugar de descanso final del dios-rey. Las pirámides fueron construidas también por los faraones de la quinta y sexta Dinastías (siglos XXV-XXIII). Aunque fueron menos espléndidas, fue en ellas donde se hallaron los llamados «textos de las pirámides». Estos textos consisten en sortilegios y encatamientos ordenados a asegurar el libre paso del faraón al mundo de los dioses y son los más antiguos textos religiosos de Egipto que nosotros conocemos. Aunque proceden de la última época del Imperio antiguo, su contenido se remonta hasta los tiempos protodinásticos.

A lo largo de todo este período Egipto continuó en contacto con Asia. Aunque las pruebas de la influencia de Mesopotamia desaparecen al comienzo de las Dinastías, las relaciones con Fenicia, Palestina y países vecinos continuaron con escasas interrupciones. Las minas de cobre del Sinaí, trabajadas en los tiempos predinásticos, fueron explotadas regularmente. El contacto con los países cananeos es atestiguado por el intercambio de tipos de cerámica y otros objetos y la introducción de palabras egipcias en el cananeo y viceversa. Varios faraones narran sus campañas en Asia. Aunque esto no quiere decir que Egipto tuviera ya organizado su imperio asiático, demuestra que éste estaba ya a punto y capacitado para proteger militarmente los intereses comerciales que allí tenía (33). En todo caso, Biblos era virtualmente una colonia, como en todos los períodos de for-

---

(32)   Cf. J. A. Wilson, *The Burden of Egypt* (The University of Chicago Press, 1951), pp. 54 s. El error de encuadramiento no se eleva a más del 0,09 por 100 y la desviación de nivel es del 0,004 por 100.

(33)   Algunos creen que existen indicios de una intervención militar ya desde la época de Narmer; cf. Y. Yadin, IEJ, 5 (1955), pp. 1-16; S. Yeivin, IEJ, 10 (1960), pp. 193-203, etc. Para otros, en cambio, los mencionados indicios testifican solamente una activa relación comercial, p. e. Ruth Amiran, IEJ, 24 (1974), pp. 4-12.

taleza egipcia. Ya que Egipto es un país sin arbolado, Biblos —salida para los espesos bosques del Líbano— fue siempre de importancia vital para él. Inscripciones votivas de varios faraones y otros objetos atestiguan una influencia egipcia allí a lo largo de todo el Imperio antiguo. Antes de finalizar el tercer milenio, los cananeos desarrollaron en Biblos una escritura silábica inspirada en los jeroglíficos de Egipto.

b. *Estado y religión en Egipto.* La organización del Estado en Egipto difirió notablemente de la contemporáne amesopotámica. El faraón no era virrey que gobernaba por elección divina, ni era un hombre deificado: *era* dios, Horus visible en medio de su pueblo. Teóricamente, todo Egipto le pertenecía, todos sus recursos estaban a disposición de sus proyectos. Aunque el país estaba entonces dirigido por una complicada burocracia encabezada por el Visir, también éste estaba sometido al dios-rey. No se desarrolló en Egipto ningún código de leyes. Aparentemente, no había necesidad de ninguno de ellos; no había lugar para ninguno de ellos. Bastaba la palabra del dios-rey (34). No es, por consiguiente, que faltara el concepto mismo de ley, ya que sin él no puede subsistir ningún Estado. Aunque el poder del faraón era teóricamente absoluto, no gobernaba de forma arbitraria, sino que tenía en cuenta las normas aceptadas. Su deber como dios-rey era mantener la *ma'at* (justicia). Y aunque el sistema era absolutista, y bajo él ningún egipcio era, en teoría, libre, y a pesar de que la suerte de los campesinos debió ser increíblemente penosa, no existieron barreras rígidas que impidieran a hombres del más humilde origen el ascenso a las posiciones más elevadas, si la fortuna les favorecía. Fue un sistema que a los ojos de los egipcios encerraba recursos abundantes para mantener la paz y la seguridad del país. El egipcio no veía su mundo como una situación fluctuante, una cosa problemática, como lo veía el mesopotánico, sino como un orden invariable establecido en la creación, tan regular en su ritmo como las crecidas del Nilo. La piedra angular de este orden invariable era el rey-dios. En vida protegía a su pueblo, y a su muerte pasaba a vivir en el mundo de los dioses, para ser sucedido por su hijo, también dios. La sociedad, encabezada por el rey-dios, estaba así anclada con seguridad en el ritmo del cosmos. A nuestro modo de ver, el espectáculo del Estado agotando sus recursos para erigir una tumba al faraón, no puede parecer más que una insensatez, y, por parte del mismo faraón, desprecio egoísta por el bienestar de su pueblo. Pero los egipcios apenas lo veían así. Aunque el Estado absoluto representaba una carga demasiado pesada para ser soportada indefinidamente y fueron introducidas algunas modificaciones, los egipcios, al menos, en teoría, nunca rechazaron tal sistema.

---

(34) Cf. J. A. Wilson, en *Authority and Law in the Ancient Orient* (JAOS, Suppl. 17 [1954]) pp. 1-7.

La religión egipcia, como la mesopotámica, era un politeísmo altamente evolucionado (35). Ciertamente ofrece un cuadro de suma confusión. A pesar de varios intentos de sistematización hechos en los primeros tiempos (las cosmogonías de Heliópolis y Hermópolis, la teología de Menfis), nunca se llegó a conseguir un panteón ordenado a una cosmogonía consistente. La fluidez de pensamiento fue una característica de la mente egipcia. Sin embargo, la religión egipcia no puede llamarse primitiva. Aunque muchos de sus dioses eran representados en forma de animal, faltaban las características esenciales del totemismo: el animal representaba la forma en que la misteriosa fuerza divina se manifiesta. Y aunque el prestigio de un dios podía fluctuar con el de la ciudad donde se le daba culto, los dioses supremos de Egipto no eran dioses locales, sino que eran venerados en todo el país y se les atribuía un dominio cósmico.

c. *Palestina en la edad del bronce antiguo.* En Palestina la mayor parte del tercer milenio cae en el período conocido por los arqueólogos como el bronce antiguo. Este período —o la fase de transición que conduce a él— comenzó al final del cuarto milenio, cuando florecía en Mesopotamia la cultura protoliteraria y en Egipto la guerzana, y se prolongó hasta muy entrado el tercer milenio (36). Aunque Palestina nunca desarrolló una cultura material ni remotamente comparable a las culturas del Eúfrates y el Nilo, el tercer milenio muestra un notable progreso también en este país. Dado que presenta una amplia coincidencia cronológica con el apogeo de Ebla, puede muy bien suponerse una conexión con esta ciudad. Fue una época de gran desarrollo urbano, en la que la población aumentó, se construyeron ciudades y posiblemente se formaron algunas ciudades-Estado. Varias de las ciudades que aparecen más tarde en la Biblia parecen haber existido ya en esta época, a juzgar por las excavaciones: Jericó (reconstruida después de un vacío de siglos), Meguiddó, Bet-šan, Ay, Guézer, etc. (los textos de Ebla mencionarían

---

(35)   Cf. H. Frankfort, *Ancient Egyptian Religion* (Columbia University Press. 1948); también J. Vandier, *La religion égyptienne* (Paris, Presses Universitaires de France, 1944); Wilson, *op. cit.*; J. Cérny, *Ancient Egyptian Religion* (Londres, Hutchinson's University Library, 1952); S. Morenz, *Egyptian Religion* (trad. inglesa, Ithaca, N. Y., Cornell University Press, 1973); Albright, FSAC. pp. 178-179.

(36)   Para este período, cf. Wrigt, BANE, pp. 81-88; Albright en R. W. Ehrich, ed., *op. cit.*, pp. 50-57; R. de Vaux, CAH I: 15 (1966); también Kenyon, *Digging*, cap. VI-VIII; Anati, *op. cit.*, pp. 317-373. Se discuten tanto la extensióón de este período como la denominación que debe aplicársele. En opinión de Wright, el inicio se situaría en una fecha posterior al 3300, mientras que otros autores lo sitúan dos siglos más tarde. Miss Kenyon llama al período ca. 3200-2900 (llamado de ordinario EB I) «proto-urbano» y al período ca. 2300-1900 (de ordinario EB IV y MB I) «intermedio del bronce antiguo al bronce medio», reservando la denominación de «bronce antiguo» sólo para el período intermedio. Para estas cuestiones, cf. además E. D. Oren, BASOR, 210 (1973), pp. 20-37; W. G. Dever, *ibid.*, pp. 37-63.

otros nombres, incluido el de Jerusalén). Estas ciudades, aunque poco grandiosas, estaban sorprendentemente bien construidas y sólidamente fortificadas, como lo demuestran las excavaciones (37).

La población predominante en Palestina y Fenicia en este período fue la cananea, un pueblo del que nos ocuparemos más adelante (38). Su lengua fue probablemente antecesora de la hablada por los cananeos de los tiempos israelitas y de la cual el hebreo bíblico fue un dialecto. De este mismo tipo parece haber sido la lengua de Ebla y es probable que fuera hablada, bajo diversas formas dialectales, en todo el espacio siro-palestino. En cualquier caso, los nombres de las más antiguas poblaciones conocidas por nosotros son uniformemente semitas. Es probable que los mitos que conocemos por los textos de Ras Šamra (siglo XIV) se remonten hasta prototipos de este período y que la religión cananea fuera, en lo esencial, la misma que aquí nos muestra, más tarde, la Biblia (39). Aunque Palestina no aporte inscripciones del tercer milenio, los cananeos de Biblos, como hemos dicho, habían desarrollado una escritura silábica inspirada en la egipcia.

3. *El antiguo Oriente en la aurora de la edad patriarcal.* Los siglos finales del tercer milenio nos conducen al punto de partida de la era en que comienza la historia de Israel. Fueron tiempos agitados, con movimientos, migraciones e invasiones que trastornaron los cuadros establecidos en todas las partes del mundo bíblico. En Mesopotamia llegó a su término la dilatada historia de la cultura sumeria; en Egipto fue un tiempo de desintegración y confusión; en Palestina, de devastación completa.

a. *Mesopotamia: la caída de Acad y el renacimiento sumerio.* Hemos visto que en el siglo XXIV el poder pasó de las ciudades-Estado sumerias a los reyes semitas de Acad, que crearon un gran imperio. Después de las conquistas de Naramsin, sin embargo, el poder de Acad decayó rápidamente y pronto, después del 2200, llegó a su fin a causa del asalto de un pueblo bárbaro, denominado los «gutios». Este pueblo, que habitaba en los montes Zagros, retuvo el dominio

---

(37)   En algunos puntos, la muralla tiene un espesor de 25 a 30 pies e incluso más. La gran muralla doble (podría decirse que dos muros separados), que en algún tiempo se pensó que había sido destruida por Josué, pertenece a este período; cf. Kenyon, *ibid.*

(38)   Algunos autores ponen en duda que a este pueblo se le pueda llamar «cananeo», p. e., S. Moscati, *The Semites in Ancient History* (Cardiff, University of Wales Press, 1959), pp. 76-103. Pero esta parece ser la denominación más adecuada; cf. R. de Vaux, RB, LXV (1958), pp. 125-128; *idem*, CAH, I: 15 (1966), pp. 27-31; Albright, YGC, pp. 96-98. Para los cananeos en general, cf. *idem*, «The Role of the Canaanites in the History of Civilization» (rev. ed., BANE, pp. 328-362).

(39)   Ya hemos dicho que dioses como El, Dagan (Dagón), Rešef, Adad (Hadad) y otros, que conocemos por los textos de Ugarit y de la Biblia, fueron adorados en Ebla, en el tercer milenio.

del país por cerca de cien años. Sobrevino una breve edad oscura, de la que pocos recuerdos quedan, durante la cual los hurritas se infiltraron en la región este del Tigris, mientras los amorreos se hicieron fuertes a lo largo de la Mesopotamia superior (más tarde hablaremos de estos pueblos). Pero, una vez alejado el control de los gutios, es probable que las ciudades sumerias pudieran mantener una existencia semi-independiente en el sur.

De hecho, al destruir los gutios el poder de Acad, prepararon el camino a un renacimiento de la cultura sumeria, que llegó a su florecimiento bajo la 3.ª Dinastía de Ur (Ur III, ca. 2060-1950). Por este tiempo fue roto el dominio de los gutios y el país liberado por Utu-Hegal, rey de Erek; pero éste fue rápidamente derrocado por Ur-nammu, fundador de Ur III. Aunque los reyes de Ur hablan poco de guerras, fueron capaces, probablemente, de controlar la mayor parte de la llanura mesopotámica y otros gobernadores, de regiones más distantes, tenían que reconocer, al menos nominalmente, su autoridad (40). Al darse a sí mismos el título de «reyes de Sumer y de Acad» y de «reyes de las cuatro partes del mundo», se proclamaron continuadores tanto del imperio de Sargón como de la cultura sumeria. Se discute si, o hasta qué punto, reclamaron para sí prerrogativas divinas, como habían hecho los reyes de Acad. Algunos de ellos escribieron sus nombres con el determinativo divino y tomaron el título de «dios de este país». Pero esto puede haber sido poco más que un lenguaje convencional, ya que seguía persistiendo la noción de realeza por divina designación. Aunque el rey era en teoría monarca absoluto y los gobernantes de las distintas ciudades eran simples delegados suyos, estos últimos disfrutaban de hecho de un considerable grado de independencia en la gestión de los negocios locales.

Bajo los reyes de Ur III floreció la cultura sumeria. El fundador, Ur-Nammu, es célebre no sólo por sus muchas construcciones y por la actividad literaria que señaló su reinado, sino, sobre todo, por su código de leyes, el más antiguo de los hasta ahora conocidos (41).

La mejor prueba de este renacimientto viene, sin embargo, de Lagaš, donde fue *ensi* un Gudea. No podemos entrar aquí en el estu-

---

(40)   El hecho de que un príncipe de Byblos de hacia el 2000 a. C. se dé el título de *ensi* (vicerrey) indica que la influencia política se extendía hasta las costas mediterráneas; cf. Albright, IGC, p. 99 y las referencias allí dadas. Pero ignoramos si se trataba de un control efectivo o simplemente nominal. Para todo este período, cf. C. J. Gadd, CAH, I: 22 (1965); D. O. Edzard en Bottéro, Cassin, Vercoutter, eds., *op. cit.*, pp. 133-161; Kramer, *op. cit.* (en nota 12).

(41)   Este código sólo es conocido por copias tardías y mal conservadas; cf. Pritchard, ANE Suppl. pp. 523-525, donde se da la traducción y algunas referencias.

dio de su datación, que es muy discutida (42). Gobernó en Lagaš en calidad de «Pastor de Ningirsu» y fue un *ensi* al antiguo uso sumerio en la tradición del reformador Urukagina. Primorosas estatuillas y objetos de arte producido en su tiempo ofrecen el más alto grado de la destreza artística sumeria.

Pero si este renacimiento fue glorioso, fue también el último. La cultura sumeria había llegado al final de su recorrido. Incluso el lenguaje sumerio estaba agonizando. Aunque las inscripciones de Ur III están en sumerio, el acádico lo fue reemplazando como lengua del pueblo. Hacia el siglo XVIII cesó completamente como lengua hablada, aunque sobrevivió como lengua de la enseñanza y de la liturgia (como el latín) durante muchos siglos más. Los sumerios y los semitas se mezclaron a fondo en este tiempo y los últimos llegaron a ser el elemento predominante. Incluso algunos de los reyes de Ur (Šu-sin, Ibbi-sin), aunque de dinastía sumeria, tuvieron nombres y sin duda también sangre semitas. En Mesopotamia, hacia los orígenes de Israel, había subido y bajado toda una marea de civilización. La cultura sumeria comenzó a existir, tuvo un magnífico recorrido de más de mil quinientos años y finalmente desapareció. Israel nació en un mundo ya antiguo.

b. *Egipto: primer período intermedio (ca. siglos XXII-XXI)*. Mientras tanto, en Egipto se extinguió la gloria del Imperio antiguo. Ya antes de que la sexta Dinastía llegara a su fin, había comenzado a desintegrarse progresivamente el poder monolítico del Estado como poder efectivo y fue pasando, de forma creciente, de manos del faraón a las de la nobleza provincial hereditaria. Hacia el siglo XXII, aproximadamente cuando los gutios estaban destruyendo el poder de Acad, entró Egipto en un período de desorden y depresión, conocido como el primer período intermedio. Fue una desunión interna, con faraones rivales pretendientes al trono. Los administradores de provincia, no controlados por la corona, ejercieron una autoridad feudal y llegaron a ser en realidad reyes locales. Algunas poblaciones en el bajo Egipto fueron virtualmente independientes bajo consejos locales. La situación se agravó por la infiltración de seminómadas asiáticos en el delta. Reinó la confusión; la ley y el orden fueron quebrantados y el comercio languideció. Puesto que probablemente no se mantuvo el sistema de irrigación del que dependía la vida del país, hubo indudablemente hambre y penalidad extremas.

---

(42) Si, como se supone, Nemmakhni de Lagaš, que fue asesinado por Ur-nammu, fue el predecesor de Gudea, entonces este Gudea debe ser identificado con el *ensi* de este nombre durante el reinado de Šu-sin de Ur; cf. Albright, ARI, p. 228. Pero si Nammakhni fue un sucesor, entonces Gudea debió florecer hacia el final de la dominación gutia; cf. Edzard, en Bottéro, Cassin, Vercoutter, eds., *op. cit.*, pp. 100, 122-125; Kramer, *op. cit.*, pp. 66-68; C. J. Gadd, CAH, I: 19 (1963), pp. 44 s.

Fue un tiempo de seria depresión. Y esta depresión entró, al parecer, en el alma egipcia. De este período, o de un poco más tarde, poseemos una literatura rica y, predominantemente, de tipo suplicante, que refleja el estado de ánimo de los tiempos. Al lado de una preocupación por la justicia social (v. g.: El campesino elocuente) se nota una profunda confusión y pesimismo, y la sensación de que la situación estaba desarticulada (p. e.: Los Consejos de Ipu-wer, el Diálogo del misántropo con su alma, la Canción del harpista) (43). A muchos egipcios, golpeados como estaban por la adversidad, les debió parecer que todo lo que ellos habían conocido y en lo que habían confiado, les fallaba, y que la misma civilización, después de un milenio de constante progreso, había llegado a su fin. ¡Y esto, mucho antes de que Abraham naciera! Desde luego, si así lo pensaban, andaban equivocados. A mediados del siglo XXI, aproximadamente cuando la cultura sumeria revivía bajo los reyes de Ur, una familia tebana —la Dinastía XI— pudo reunificar todo el país y terminar el caos. Cuando comenzó el segundo milenio, Egipto entró en su segundo período de prosperidad y estabilidad bajo los faraones del imperio medio.

c. *Palestina: invasores nómadas.* Al final del tercer milenio (hacia el siglo XXIII-XX), cuando se pasa de la fase final de la edad del bronce antiguo a la primera fase del bronce medio —o quizás en un período de transición entre los dos— existen pruebas abundantes de que la vida en Palestina sufrió un importante desgarro a manos de elementos seminómadas que presionaron en el país. Ciudad tras ciudad (a cuanto sabemos, *todas* las grandes ciudades) fueron destruidas, algunas con increíble violencia. La civilización del bronce antiguo llegó a su fin. Una similar catástrofe se abatió también, al parecer, sobre Siria. Los nuevos venidos no reconstruyeron ni habitaron las ciudades que destruyeron. Parece más bien que (ellos o los supervivientes de la cultura del bronce antiguo) llevaron durante algún tiempo un género de vida nómada en el borde exterior de la zona. Sólo poco a poco se reinició el asentamiento y la reconstrucción de poblados. Se sabe que al final del tercer milenio existían algunas ciudades, especialmente en Transjordania, en el valle del Jordán y al sur, en el Négueb, pero eran muy pequeñas, toscamente construidas y sin pretensiones materiales. Hasta aproximadamente el siglo XIX no volvió a soplar sobre el país una fresca y vigorosa brisa cultural que permitió la reiniciación de la vida urbana.

_____

(43) Cf. Albright, FSAC, pp. 183-189. De ordinario se sitúan en este período —y tal vez con razón— las *admoniciones de Ipu-wer.* Pero recientemente se han aducido sólidos argumentos que las fechan en el segundo período intermedio; cf. J. Van Seters, *The Hyksos* (Yale University Press, 1966), pp. 103-120.

Se ignora el nombre que aquellos nuevos nómadas se daban a sí mismos. Es indudable que pertenecían a varios grupos tribales y que cada uno de ellos tenía su propio nombre. Es, con todo, muy probable, que todos ellos formaran parte de aquel grupo general de pueblos semitas noroccidentales conocidos como amorreos que venían presionando desde tiempo atrás sobre el Creciente Fértil (44). Es también probable que los semitas que se infiltraron en Egipto durante el primer período intermedio fueran de estirpe similar. Más adelante hablaremos de estos pueblos. Quizá, si nuestros ojos fueran suficientemente perspicaces, podríamos alcanzar a ver entre ellos —o siguiéndolos, como una parte del mismo movimiento general—, las figuras de Abraham, Isaac y Jacob.

Así estaba, pues, el escenario de la historia del mundo en el que los antepasados de Israel estaban a punto de entrar (45). Si hemos precisado este escenario con mayor cuidado del que parecería necesario, es para que los orígenes de Israel puedan ser vistos en una perspectiva no limitada, sino contra el fondo fluyente de muchos siglos y civilizaciones ya antiguas.

---

(44)   Se discute si a este pueblo debe llamársele «amorita» o «amorreo»; cf. Moscati, *op. cit.* Con todo, y a juzgar por las pruebas de que disponemos, es la denominación más apropiada; cf. las referencias a de Vaux en la nota 38; también Kathleen M. Kenyon, *Amorites and Canaanites* (Londres, Oxford University Press, 1966), que se muestra de acuerdo con la denominación generalizada, pero reserva el término «cananeo» para la cultura que surgió en la edad del bronce medio.

(45)   Los testimonios de Ebla han inducido a algunos a sugerir que Abraham debería ser fechado precisamente en este período (edad del bronce antiguo); cf. D. N. Freedman, BA, XLI (1978), pp. 143-164. Pero (cf. el addendum, *ibid.*, p. 143), hasta que los textos de Ebla no sean publicados y estudiados, todas las conclusiones parecen ser prematuras.

Primera Parte

ANTECEDENTES Y COMIENZOS
La edad de los Patriarcas

Capítulo 1

EL MUNDO DE LOS ORIGENES DE ISRAEL

LA PRIMERA mitad del segundo milenio (aproximadamente 2000-1550) nos lleva a la época de los orígenes de Israel. Tal vez un día, en el curso de estos siglos, salió el Padre Abraham de Jarán, con la familia, rebaños y siervos, para buscar tierra y descendencia en el lugar que su Dios le había de mostrar (1). O, para decirlo de otro modo, tuvo lugar una migración a Palestina de pueblos seminómadas, entre los que deben buscarse los antepasados de Israel. Así comenzó aquella cadena de sucesos, tan portentosos para la historia del mundo, y tan redentores —el creyente diría tan providencialmente guiados— que llamamos historia de Israel.

Puede objetarse, sin duda, que comenzar la historia de Israel desde tan antiguo es muy arriesgado y es hacer un uso indebido de la palabra «historia». Esta objeción, si se levanta, no carece de cierto valor. Propiamente hablando, la historia de Israel no puede decirse que comienza de hecho hasta el siglo XIII, y aun más tarde, cuando encontramos, establecido en Palestina, un pueblo llamado Israel, cuya presencia está atestiguada por datos arqueológicos e inscripciones contemporáneas. Con anterioridad, sólo encontramos seminómadas errantes que recorren fugazmente el mapa de los años, en ningún documento contemporáneo recordados, dejando tras de sí una huella impalpable de su paso. Estos nómadas, antecesores de Israel, no pertenecen a la historia, sino a la prehistoria de este pueblo.

Sin embargo, nosotros debemos comenzar aquí, dado que la prehistoria de un pueblo —en todo lo que puede ser conocida— es también parte de la historia de este pueblo. Además, Israel no procedía en realidad de una raza indígena de Palestina; vino de otra parte y tuvo siempre conciencia de este hecho. A través de un cuerpo de tradiciones sagradas completamente sin igual en el mundo antiguo, conservó la memoria de la conquista de su país, la larga marcha por el desierto que le llevó hasta él, las experiencias maravillosas por

---

(1)   Pero cf. también la nota 45 de la página 53.

las que pasó, y antes de eso, los años de dura servidumbre en Egipto. Recordaba también cómo, todavía siglos antes, sus antepasados habían venido de la lejana Mesopotamia para recorrer el país que ahora llamaban suyo. Admitido que intentar emplear estas tradiciones como fuentes históricas presenta graves problemas que no pueden ser eludidos, las tradiciones deben ser consideradas en todo caso con seriedad. Debemos comenzar por la época a que se refieren, valorarlas a la luz de esta fecha en lo que tienen de aprovechable y decir entonces lo que podamos de los orígenes de Israel. Nuestra primera tarea es describir el mundo de aquel tiempo para obtener una perspectiva acertada. Tarea no fácil, porque fue un mundo sumamente confuso, escenario tan lleno de personajes que resulta difícil seguir la acción. Sin embargo debemos intentarlo, con toda la claridad y brevedad posibles.

A. El antiguo Oriente ca. 2000-1750 a. c.

1. *Mesopotamia (ca.* 2000-1750) (2). El segundo milenio comenzó con la tercera Dinastía de Ur (Ur III: ca. 2060-1950) que dominó sobre la mayor parte de la llanura mesopotámica y fue un último y glorioso resurgimiento de la cultura sumeria en progreso. Pero este feliz estado no iba a durar mucho tiempo. Al cabo de ciencuenta años el dominio de Ur llegó a su fin, sin que surgiera un sucesor que ocupara su puesto. Sobrevino un período de inestabilidad y languidez, con dinastías rivales que se saqueaban mutuamente (3).

a. *La caída de Ur III: los amorreos.* El poder de Ur nunca estuvo totalmente centralizado. Las dinastías locales gozaron —según la

---

(2) Seguimos para todo este período la cronología «baja» desarrollada por W. F. Albright e independientemente por F. Cornelius, que colocan a Hammurabi en 1728-1686 y la primera Dinastía de Babilonia, ca. 1830-1530. Cf. Albright, BASOR, 88 (1942), pp. 28-33 y un cierto número de artículos sucesivos (los más recientes: *ibid.* 176 [1964], pp. 38-46; *ibid.* 179 [1965], pp. 38-43; también YGC, pp. 53, 232 s.); Cornelius, *Klio,* XXXV (1942), p. 7; más recientemente, *idem, Geisstesgeschichte der Frühzeit,* II: 1 (Leyden, E. J. Brill, 1962), pp. 165-176. Esta cronología tiene muchos argumentos a favor y es generalmente admitida, p. e., R. T. O'Callaghan, *Aram Naharaim* (Roma, Pontificio Instituto Bíblico, 1948); A. Moortgat en AVAA; H. Schmökel, *Geschichte des Alten Vorderasiens* (HO, II: 3 [1957]; W. Helck, *Die beziehungen Ägyptens zu Vorderasien im 3 und 2. Jahrtausend v. Chr.* (Wiesbaden, O. Harrassowitz, 1962). Pero la cronología ligeramente más alta de S. Smith (*Alalakh and Chronology* [Londres, Luzac, 1940]) que coloca a Hammurabi en 1792-1750, tiene también defensores y ha sido adoptada en la edición revisada de CAH. Se dan también cronologías más altas y más bajas que las aquí reseñadas; cf. E. F. Campbell, BANE, pp. 217 s., para las referencias.

(3) Para este período, cf. D. O. Edzard, *Die «zweite Zwischenzeit» Babyloniens* (Wiesbaden, O. Harrassowitz, 1957); C. J. Gadd, CAH, I: 22 (1965); también Edzard, en Bottéro, E. Cassin, J. Vercoutter, eds., *The Near East: The Early Civilizations* (trad. inglesa, Londres, Weidenfeld and Nicholson, 1967), pp. 157-231, para este período y el siguiente.

antigua tradición sumeria de la ciudad-Estado— de un considerable grado de independencia. Como la autoridad central era débil, se fueron independizando una tras otra, hasta que el último rey de Ur III, Ibbi-sin, quedó reducido a poco más que un gobernador local. Los primeros en obtener la independencia fueron los Estados de la periferia: Elam en el este, Asur (Asiria) en el Tigris superior y Mari en el Eúfrates medio. El colapso de Ur comenzó cuando Išbi-irra, oficial del ejército de Mari, se proclamó gobernador de Isin y fue extendiendo poco a poco su poder sobre amplias regiones del norte de Sumer. Ibbi-sin, enfrentado con una grave penuria de alimentos en la capital, debida en parte a las malas cosechas y en parte a las incursiones de los nómadas contra los campos de labor, no pudo detener su avance. El fin sobrevino poco más tarde (ca. 1950), cuando los elamitas invadieron el país, tomaron y devastaron Ur y se llevaron cautivo a Ibbi-sin.

Sumo interés tiene el papel desempeñado en estos acontecimientos por un pueblo llamado «amorreo» (nombre familiar al lector de la Biblia, pero con un alcance más restringido). Durante varios siglos el pueblo del noroeste de Mesopotamia y del norte de Siria fue llamado en los textos cuneiformes *amurru*, esto es: «occidentales». Este vocablo, según parece, llegó a ser un término general que se aplicaba a los que hablaban los distintos dialectos semíticos del noroeste que se hallaban en aquella área, incluyendo con toda probabilidad las razas de que más tarde se originaron tanto los hebreos como los arameos. Desde finales del tercer milenio, semitas noroccidentales seminómadas habían estado presionando sobre todas las partes del Creciente Fértil, invadiendo Palestina y convirtiendo la alta Mesopotamia virtualmente en país «amorreo». Mari, que había dependido durante algún tiempo de Ur, fue gobernada por un rey amorreo y tuvo una población predominantemente amorrea. Con la caída de Ur, los amorreos inundaron todas las regiones de Mesopotamia. Fueron conquistando ciudad tras ciudad y hacia el siglo XVIII todos los Estados de Mesopotamia eran gobernados prácticamente por dinastías amorreas. Aunque los amorreos adoptaron la cultura y, en buena parte, la religión de Sumer y Acad, y aunque escribían en acádico, sus nombres y otros testimonios lingüísticos denuncian su presencia por todas partes (4).

b. *Rivalidades dinásticas en la baja Mesopotamia hacia la mitad del siglo XVIII.* La herencia de Ur III fue recibida por numerosos pequeños Estados rivales. Los principales, en la baja Mesopotamia,

---

(4) Da cuenta de las recientes discusiones sobre este pueblo G. Bucellati, *The Amorites of the Ur III Period* (Istituto Orientale di Napoli, 1966); A. Haldar, *Who Were the Amorites?* (Leyden, E. J. Brill, 1971); M. Liverani, «The Amorites» (POTT, pp. 100-133).

fueron Isin y Larsa, ambos gobernados por dinastías amorreas, la primera fundada por Išbi-irra de Mari, a quien ya hemos mencionado anteriormente, y la otra por un cierto Naplanum. Estas dinastías se empeñaron en largas rivalidades cuyos detalles no nos interesan. Aunque ambas dinastías pudieron mantenerse por unos 200 años, y aunque los gobernantes de Isin se daban el nombre de «reyes de Sumer y de Acad», reclamando así la sucesión del poder de Ur III, ninguna de las dos pudo proporcionar estabilidad al país.

La debilidad de ambos Estados permitió que, mientras tanto, se fortalecieran peligrosos rivales. Notable entre éstos fue Babilonia, ciudad poco oída hasta entonces. Aprovechando esta situación confusa, se estableció en ella, ca. 1830, una dinastía amorrea (I Babilonia) bajo un cierto Sumu-abum, que pronto comenzó a extender su poder a expensas de sus vecinos inmediatos, en particular de Isin. Pero estas rivalidades no llegaban a un punto definitivo y, al parecer, tenían escasas consecuencias, porque ninguno de los contendientes tenía poder bastante para desencadenar una guerra de conquista total. De todas formas, la dinastía reinante de Larsa fue destronada cuando (ca. 1770) Kudur-mabuk, príncipe de Yamutbal (distrito de la región del Tigris oriental, junto a la frontera de Elam, donde se había establedido una tribu amorrea del mismo nombre) presionó sobre la ciudad, se apoderó de ella y nombró como gobernador a su hijo Warad-sin. Aunque Kudur-mabuk es nombre elemita, puede muy bien tratarse de un capitán de origen semita nordoccidental cuya familia hubiera entrado al servicio de los elamitas (se le llama «padre de Yamutbal, padre de Amurru»); en cualquier caso, son acádicos los nombres de sus dos hijos, Warad-sin y Rim-sin.

Se puede suponer que semejante inestabilidad política traería consigo una depresión económica. Así sucedió, como lo demuestra la notable disminución del número de documentos comerciales. Sin embargo no se extinguió, en modo alguno, la luz de la cultura. En Nipur y en algunas otras partes, florecieron las escuelas de escribas que copiaban cuidadosamente antiguos textos sumerios y los transmitían a la posteridad. También son de esta época dos códigos de leyes recientemente descubiertos: uno, en sumerio, promulgado por Lipit-Ištar de Isin (ca. 1870); el otro, en acádico, del reino de Ešnunna (de fecha incierta, pero no posterior al siglo XVIII) (5). Ambos pueden muy bien considerarse como anteriores al famoso código de Hammurabi y prueban sin lugar a dudas que este último se hallaba dentro de una extensa y antigua tradición legal que se remonta hasta el código de Urnammu de Ur, y aun antes. Al igual que el

---

(5)   Cf. F. R. Steele, «The Code of Lipit-Ishtar» (AJA, 52 [1948], p. 425-450); A. Goetze, *The Laws of Eshnunna* (AASOR, XXXI (1956); Pritchard, ANET, pp. 159-163 para la traducción de ambos.

código de Hammurabi, también éstos muestran notables parecidos
con el Código de la Alianza de la Biblia (Ex. cap. 21-23) e indican
que la tradición legal de Israel se desarrolló en un ambiente similar.

    c. *Estados rivales en la alta Mesopotamia*. En la alta Mesopota-
mia, mientras tanto, algunas regiones dependientes en otros tiempos
de Ur se constituyeron como Estados de cierta importancia. Entre
ellas tienen especial interés Mari y Asiria. Mari, como ya hemos indicado, era la patria de Išbi-irra, que ayudó a apresurar el final del
poderío de Ur. Colocada en el curso medio del Eúfrates, era una
ciudad antigua, que asumió un papel importante a lo largo del tercer
milenio. Su población durante el segundo milenio fue predominantemente de semitas del noroeste (amorreos), de la misma raza que los
antepasados de Israel. Más tarde hablaremos de su edad de oro en
el siglo XVIII, bajo la dinastía de Yagid-lim, y también de los textos
allí encontrados, de capital importancia para comprender los orígenes de Israel.

    Por lo que respecta a Asiria, así llamada por la ciudad de Asur
situada en el curso superior del Tigris (y también por su dios nacional), era uno de los pocos Estados de Mesopotamia no gobernados
aún por dinastías amorreas. Aunque los asirios eran acádicos por
lengua, cultura y religión, aparecen como procedentes de origen
mixto; una combinación de la antigua estirpe acádica con la hurrita,
con semitas del noroeste y otros linajes. Los primeros reyes asirios
eran «habitantes de tiendas», es decir, seminómadas, y al parecer
semitas del noroeste; pero ya a comienzos del segundo milenio toman
nombres acádicos (incluyendo un Sargón y un Naramsin, a la manera de los grandes reyes de Acad) y se tienen a sí mismos por los
verdaderos continuadores de la cultura sumerio-acádica. Y así,
cuando uno de ellos (Illu-šuma) invadió brevemente Babilonia,
se jactó de venir a liberar a los acadios (esto es, a librarlos del dominio amorreo y elamita).

    Comenzando, según parece, ya antes de la caída de Ur III, y
continuando a lo largo del siglo XIX, Asiria prosiguió una vigorosa
política de expansión comercial hacia el norte y el noroeste. Lo sabemos por los textos de Capadocia, miles de tablillas en asirio antiguo
encontradas en Kaniš (Kültepe), en Asia Menor. Estas tablillas nos
muestran colonias de mercaderes asirios viviendo en sus propios
barrios fuera de las ciudades y comerciando con los habitantes de
cada localidad, intercambiando las manufacturas asirias por productos nativos. Esto no significaba, indudablemente, una conquista militar; aunque los mercaderes gozaban de ciertos derechos de extra-
territorialidad, pagaban varios tipos de impuestos a los gobernantes
locales. La explicación más probable es que, en el agitado período
que acompañó a la caída de Ur III, la ruta normal desde Babilonia
hacia el noroeste a lo largo del Eúfrates quedaba expuesta a los sa-

queos de las bandas de nómadas y que, en consecuencia, los asirios juzgaron oportuno abrir una nueva ruta, siguiendo el curso del Tigris, para alcanzar, cruzando Mesopotamia, las tierras hititas, por un camino que discurría más al norte. La aventura llegó a su fin a comienzos del siglo XVIII, por causas desconocidas y, tras un corto período de reactivación después de mediada la centuria, fue de nuevo abandonada (6). Tanto los textos de Capadocia como los de Mari, algo más tarde, arrojan valiosa luz sobre la edad patriarcal.

Era inevitable que la ambición de los diversos Estados, Asiria, Mari, Babilonia, y otros, acabara en colisión. Se estaba fraguando una lucha sorda, que pronto había de estallar.

2. *Egipto y Palestina ca.* 2000-1750 *a. C.* En agudo contraste con la confusión política reinante en Mesopotamia, Egipto presenta, a comienzos de la edad patriarcal, un cuadro de notable estabilidad. Ya hemos visto cómo a finales del tercer milenio, el poder del Imperio antiguo había concluido en aquel período de confusión y depresión llamado primer período intermedio. Pero a comienzos del segundo milenio Egipto había alcanzado la unidad total y se estaba preparando para entrar en un nuevo período de prosperidad, quizás el más próspero de su historia, bajo los faraones del imperio medio.

a. *La Dinastía XII* (1991-1786) (7). El caos del primer período intermedio había pasado y el territorio quedó unificado hacia la mitad del siglo XXI, con la victoria de Mentuhotep, príncipe procedente de Tebas (Dinastía XI). Aquí comienza el imperio medio. Aunque el dominio de la Dinastía XI sobre todo Egipto fue breve (ca. 2040-1991) (8) y finalizó en un período revuelto, se hizo con el poder el visir Amenemhet, que inauguró la Dinastía XII.

No es tarea nuestra trazar la historia de esta dinastía, la más capaz —bajo numerosos aspectos— de cuantas ha tenido Egipto (9). Al trasladar su capital de Tebas a Memfis, pudo mantenerse en el poder durante más de doscientos años. Bajo su gobierno, Egipto

---

(6)   Para un ulterior análisis de estas colonias, cf. J. Mellaart, CAH, I: 24, part. 1-6 (1964), pp. 41 ss.; Hildegard Lewy, CAH, I: 24 part. 7-10 (1965); *idem*, CAH, I: 25 (1966), pp. 26 ss.; A. Goetze, *Kleinasien* (Munich, C. H. Beck, 1957), pp. 64-81. Cf. también la discusión resumida de M. T. Larsen, JAOS 94 (1974), pp. 468-475.

(7)   Las fechas son las de R. A. Parker (*The Calendars of Ancient Egypt* [The University of Chicago Press, 1950], pp. 63-69), ampliamente aceptadas hoy día, p. e., W. C. Hayes, CAH, I: 20 (1964); W. Helck, *Geschichte des Alten Agyptens* (HO, I: 3 [1968]); E. F. Campbell, BANE, pp. 220 ss. ,etc.

(8)   Para las fechas, cf. H. Stock, *Studia Aegyptiaca II: Die erste Zwischenzeit Ägyptens* (Roma, Pontificio Instituto Bíblico, 1949); cf. p. 103; también, Hayes, *ibid.*, p. 18.

(9)   Además de las obras generales, cf. H. E. Winlock, *The Rise and Fall of the Middle Kingdom in Thebes* (Toronto, Macmillan, 1947); Hayes, *ibid.*; J. Vercoutter, en Bottéro, Cassin, Vercoutter, eds., *op. cit.*, pp. 347-382.

gozó de uno de los períodos de estabilidad más notables de toda su dilatada historia. Seis faraones, todos ellos llamados Amenemmes (Amenemhet) o Sesostris (Senusret) tuvieron un reinado medio de unos 30 años. La estabilidad estaba, además, garantizada mediante un sistema de corregencia, practicado por la mayoría de los soberanos, según el cual el hijo quedaba asociado al trono del padre antes de que éste muriera. Se puso fin al caos de la independencia feudal y aunque no se regresó al absolutismo monolítico del Imperio antiguo, el poder volvía a estar centrado en la corona y administrado por la burocracia real.

Con todo, Egipto no pasó del Imperio antiguo al Imperio medio sin ciertos cambios internos. El colapso del imperio antiguo y el surgimiento y subsiguiente represión de la aristocracia feudal dio indadablemente un vuelco a la estructura social y permitió que nuevos elementos alcanzaran una alta posición. Además, la debilitación del antiguo absolutismo trajo consigo la democratización de las prerrogativas reales. Se ve esto más claramente en las creencias relacionadas con la vida futura. Pues mientras que en el Imperio antiguo la vida futura parece haber sido algo exclusivo del faraón, en el Imperio medio (como han demostrado los textos de Coffín) los nobles (y por tanto todo el que tenía dinero para pagar sus ritos funerarios), podía esperar ser justificado ante Osiris en la otra vida. Con la llegada al poder de la Dinastía XII, también el dios Amón, de poca importancia hasta entonces, fue elevado a primer rango e identificado con Ra como Amón-Ra.

Los faraones de la Dinastía XII concibieron ambiosos proyectos encaminados a promover la prosperidad nacional. Un elaborado sistema de canales hizo del Fayum un lago de contención de los desbordamientos del Nilo, consiguiendo así muchos acres más de tierra de cultivo. Una cadena de fortalezas a lo largo del istmo de Suez defendía el país de las incursiones de las bandas semitas. Las minas de cobre del Sinaí fueron abiertas y explotadas una vez más. Se desarrolló el comercio, por el curso superior del Nilo hasta Nubia, a través del Wadi Hammamat, por el mar Rojo hasta Punt ·(Somalia), a través de los mares con Fenicia y Creta e incluso Babilonia, como lo demuestra el así llamado depósito de Tód, con su rico almacén de objetos del estilo Ur III, y aun más antiguos (10). Egipto, en suma, alcanzó una prosperidad raramente superada en toda su larga historia. En consecuencia, florecieron las artes pacíficas. La medicina y las matemáticas alcanzan el punto culminante de su desarrollo. Se cultivan todos los géneros de literatura, incluyendo obras didácticas· (la instrucción de Merikare, de Amenemhet, etc.), cuentos y

---

(10) Esto sitúa a Amenemhet II en 1929-1895; cf. Albright, BASOR, 127 (1952), p. 30; A. Scharff, en AVAA, pp. 107 s.

narraciones autobiográficas (el marinero náufrago, la historia de Sinuhé), poemas y textos proféticos (la profecía de Neferrehu). Fue la edad de oro de la cultura egipcia.

b. *Egipto en Asia.* Aunque aquella fue, esencialmente, una era de paz para Egipto, los faraones del Imperio medio no se limitaron a actividades pacíficas. Ocuparon el valle del Nilo hasta la segunda catarata, llevaron sus campañas hasta los confines de Nubia, y contra los libios por el oeste, mientras que por el este mantenían abiertas las rutas que conducen a la mınas de Sinaí. Hay indicios, además, de que el control egipcio se extendía sobre la mayor parte de Palestina, Fenicia y el sur de Siria (11). Este control era impreciso, sin duda si no ya esporádico. Pues, aunque poseemos conocimientos detallados de una sola campaña militar (la de Sesostris III, en el curso de la cual fue tomada Siquem) (12), no hay razón para dudar del hecho del dominio egipcio sobre estas tierras. Biblos era una colonia egipcia que tal vez durante una gran parte de este período estuvo gobernada directamente desde Egipto, y no por medio de príncipes nativos (13). Numerosos objetos de origen egipcio encontrados en varios lugares de Palestina (Guézer, Meguiddó, etc.), atestiguan la influencia egipcia en este país. Objetos similares en Qatna, Ras Šamra y otros lugares, muestran que los intereses diplomáticos y comerciales de Egipto alcanzaban a toda Siria.

La ampliación del control egipcio en Asia puede ser mejor conocida por los Textos de Execración. A las dos series de ellos desde hace tiempo conocidas, se ha añadido recientemente una tercera. Se remontan a las primeras centurias del segundo milenio (14) e ilustran cómo el faraón anhelaba obtener poderes mágicos para dominar a sus enemigos actuales o futuros. En la primera serie, las imprecaciones contra diversos enemigos estaban escritas en jarros o

---

(11)   Esto se niega con frecuencia. Pero cf. especialmente Albright, BASOR, 83 (1941), pp. 30-36; 127 (1952), pp. 29 s.; más recientemente, YGC, pp. 54 s. Cf. también la ponderada discusión de G. Posener, CAH, I: 21 (1965), part. 1-3.

. (12)   Cf. Pritchard, ANET, p. 230. El nombre «Siquem» ha sido puesto en duda, pero aparece, en todo caso, en los Textos de Execración (más abajo).

(13)   Esto se deduce, entre otras cosas, del hecho de que los Textos de Execración no mencionan un príncipe de Biblos, sino solamente «clanes»; cf. Albright, BASOR, 176 (1964), pp. 42.; *ibid.*, 184 (1966), pp. 28 s. Otros opinan, en cambio, que no se menciona al gobernador porque era un súbdito leal y la incursión iba dirigida directamente contra los elementos rebeldes del territorio, cf. p. e. M. Noth, AOTS, p. 26.

(14)   De ordinario, estos Textos son fechados en los siglos XIX y XVIII. Pero Albright coloca el primer grupo (publicado por K. Sethe en 1926) a finales del siglo XX y el segundo (publicado por G. Posener en 1940), en las postrimerías del siglo XIX. El nuevo grupo (descubierto en Mirguissa, Nubia) se situaría entre los dos anteriores; cf. JAOS 74 (1954), pp. 223-225; BASOR, 83 (1941), pp. 30-36; más recientemente, BASOR, 184 (1966), p. 28; YGC. pp. 47 s. Cf. Pritchard, ANET, pp. 328 s., para el texto y la discusión.

pucheros de barro, que eran hechos añicos y, de este modo, la imprecación se hacía eficaz. Las imprecaciones estaban escritas, en la segunda serie, sobre figurillas de arcilla que representaban cautivos
atados (la tercera serie incluye, al parecer, los dos tipos). Los lugares mencionados indican que la esfera de influencia egipcia incluía
el oeste de Palestina, Fenicia, hasta un punto al norte de Biblos y
el sur de Siria. La historia de Sinuhé (siglo XX) (15), confirma
esta conclusión, ya que Sinuhé —oficial egipcio caído en desgra-
ma esta conclusión, ya que Sinuhé —oficial egipcio caído en desgracia— se vio obligado a escapar de Biblos hacia el oriente, a la tierra
de Quedem, para quedar fuera del alcance del faraón.

c. *Palestina (ca.* 2000-1750) a. C. (16). Los primeros siglos del
segundo milenio testifican una lenta recuperación en Palestina, tras
el cataclismo y la confusión ya mencionados en el capítulo anterior.
Baste recordar aquí que en la última parte del tercer milenio Palestina sufrió una ruptura de muy graves proporciones cuando invasores nómadas penetraron en las regiones interiores. Las ciudades
fueron destruidas y abandonadas una tras otra y llegó a su fin la
civilización del bronce antiguo. Siguió a continuación, como ya
hemos indicado, un considerable intervalo durante el cual los nuevos
venidos, junto con los supervivientes de la cultura anterior, llevaron
una existencia seminómada, antes de iniciar un lento asentamiento
en pequeños poblados sin fortificar. Hacia fines del tercer milenio,
había algunos de estos asentamientos en varios lugares de la región,
pero especialmente al este del Jordán y en el Négueb. Con todo, los
situados en el borde exterior de la zona no fueron de larga duración.
Aunque al norte de Transjordania se mantuvo una población sedentaria durante los siglos siguientes, en el sur, y una vez llegado a su
final el bronce medio (hacia el siglo XIX), parece que la ocupación
sedentaria se extinguió o fue en todo caso, muy escasa hasta bien
entrado el siglo XIII (17). La situación en el Négueb presenta rasgos

(15)   Cf. Pritchard, ANET, pp. 18-22 para el texto.

(16)   En la clasificación de Albright (cf. AP, pp. 83-96) esto cae en el bronce
medio I y II A; en la de miss Kenyon (cf. *Digging Up Jerico,* nota 36 del capítulo
anterior) serían los intermedios EB-MB y MBI (además de los comienzos del MBII).
Las fechas y las relaciones de estos períodos son un tema muy discutido; cf. especialmente W. G. Dever, «The Beginning of the Middle Bronze Age in Syria-Palestine».
Mag. Dei, pp. 3-38; *idem,* IJH, pp. 79-86 (donde se da más bibliografía).

(17)   Cf. N. Glueck, AASOR, XVIII-XIX (1939); pero también *idem, The
Other Side of the Jordan* (American Schools of Oriental Research, rev. ed., 1970),
pp. 138-191. Pero los posteriores descubrimientos (tumbas del bronce medio en
Amann, un santuario del bronce reciente en las cercanías de esta localidad, etc.) im-
ponen algunas modificaciones en las conclusiones de Glueck, aunque tal vez no
esenciales por lo que se refiere al sur de Transjordania; cf. Glueck, AOTS, pp. 443 s.;
también R. de Vaux, RB. LXXIX (1972), pp. 436 s. Para el norte de Transjordania durante este período, cf. S. Mittmann, *Beiträge zu Siedlungsund Territorialsges-
chichte des ñordlichen Ostjordanlandes* (Wiesbaden, Otto Harrassowitz, 1970).

similares (aquí parece que la ocupación sedentaria, reducida a su
expresión mínima, se prolongó hasta el siglo X) (18). No obstante,
desde los inicios del siglo XIX, la Palestina occidental experimentó
un notable resurgimiento bajo el impulso de una fresca y vigorosa
influencia cultural que se difundió por toda la región de Palestina
y Siria. Se inició de nuevo una animada reconstrucción de ciudades
y floreció la vida urbana, tal vez como consecuencia de la llegada
de nuevos grupos de inmigrantes o porque un creciente número de
seminómadas pasó a la etapa de sedentarización. Este proceso de
asentamiento está testificado no sólo por la documentación arqueo-
lógica, sino también por los Textos de execración que hemos mencionado en líneas anteriores. Los primeros de estos Textos (el grupo
Sethe) mencionan muy pocas ciudades (en el sur de Palestina sólo
es posible identificar con seguridad a Jerusalén y Ascalón), mientras
que aparece una nutrida lista de clanes nómadas con sus jefes respectivos. Pero en los Textos posteriores (grupo Posener) la lista registra ya un número de ciudades mucho mayor, especialmente en
Fenicia, en el sur de Siria y en el norte de Palestina. Hay aquí, probablemente, un exacto reflejo del desarrollo de la vida sedentaria
dentro de un espacio que, como mucho, abarca un puñado de generaciones. A pesar de todo, parece ser que amplias zonas, particularmente en las regiones montañosas del centro y del sur (donde los
únicos nombres identificables de las listas son Siquem y Jerusalén)
seguían estando muy escasamente sedentarizadas.

Apenas puede dudarse que estos recién llegados fueran amorreos
de la misma estirpe de los semitas del noroeste que hemos encontrado
en Mesopotamia. Sus nombres, por cuanto sabemos, apuntan unánimemente en esta dirección (19). Su modo de vida está espléndidamente ilustrado en la historia de Sinuhé, pero de modo especial en
las narraciones del Génesis, si es correcta nuestra idea de que la
migración de los antepasados de Israel formaba parte de este auténtico
movimiento de pueblos. Este pueblo no trajo a Palestina un cambio
étnico fundamental, ya que ellos mismos pertenecían al tronco común
semítico del noroeste que sus antecesores. Aún más, una vez sedentarizados, adoptaron la lengua y en gran parte la cultura cananea del
bronce medio; al tiempo de la conquista israelita (siglo XIII) no se
podía hacer una distinción clara entre ambos elementos (20).

---

(18)   Para la historia de la ocupación del Négueb, cf. Y. Aharoni, AOTS,
pp. 384-403; también N. Glueck, *Rivers in the Desert* (2.ª ed. W. W. Norton, 1968).
Respecto del detallado informe de Glueck, conviene consultar las reseñas de BASOR
entre 1953 y 1960 y más recientemente 179 (1965), pp. 6-29.

(19)   Especialmente en los Textos de Execración; cf. también Albright
«Northwest-Semitic Names in a List of Egyptian Slaves from the Eighteenth Century B. C.» (JAOS, 74 [1954], pp. 222-233).

(20)   Para los términos «cananeo» y «amorreo» cf., las notas 38 y 44 del
capítulo anterior. Cf. también M. Liverani, POTT, pp. 100 ss.; A. R. Millard,

d. *El fin del Imperio medio.* Después del reinado de Amenemhet III (1842-1797) comenzó a debilitarse la Dinastía XII y pocos años después llegó a su fin. Si esto ocurrió simplemente a causa de no haber encontrado un sucesor firme, o a causa de que los nobles feudales, largo tiempo reprimidos por el poder real, comenzaron a afirmarse fuertemente, o bien porque había comenzado ya la presión de pueblos extranjeros que empujó finalmente a Egipto a su abatimiento, es cuestión que nosotros podemos dejar de lado. A la Dinastía XII siguió la XIII. Pero aunque esta Dinastía continuaba la tradición de Tebas, por lo cual es clasificada como perteneciente al Imperio medio, el poder egipcio desapareció rápidamente. Seguramente después de una sucesión de gobernantes de los que nada sabemos, hubo un breve resurgimiento bajo Neferhotep I (cap. 1740-1729), que pudo ejercer una autoridad al menos nominal en Biblos, ahora gobernada por «príncipes» con nombres amorreos. Uno de éstos, llamado en egipcio «Entin» (es decir, Yantin), parece ser el Yantin-'ammu mencionado en los textos de Mari. Si esto es cierto, se ha conseguido un apreciable sincronismo entre Egipto y Mesopotamia (21). El colapso de Egipto era, en todo caso, inevitable, dada la interna disgregación existente. Los jefes tribales de Palestina y Siria —que por este tiempo se han hecho sedentarios, construían ciudades y se convertían en reyezuelos— eran enteramente independientes del faraón, cuyo control en el mejor de los casos era débil. También era débil la situación en el interior. Desde los comienzos de la XIII Dinastía, algunas regiones del Delta occidental se proclamaron independientes bajo la llamada XIV Dinastía. El dominio faraónico en toda la zona septentrional de Egipto se fue haciendo cada vez más tenue, a medida que los pueblos asiáticos se iban infiltrando en el territorio y consolidaban sus posiciones. A no tardar, Egipto entraría en un período oscuro, bajo dominadores extranjeros.

B. EL ANTIGUO ORIENTE CA. 1750-1550 A.C.

1. *Lucha por el poder en Mesopotamia durante el siglo XVIII.* Mientras el Imperio medio egipcio llegaba a su fin, se agudizó en Mesopotamia la lucha por el poder, que acabaría con el triunfo de Babilonia

---

ibid., pp. 29 ss. Miss Kenyon (cf. *Amorites and Canaanites* [Londres, Oxford University Press, 1966]) opina que la civilización «cananea» del bronce medio evolucionó a partir de una amalgama del bronce antiguo con la influencia revitalizadora de los invasores «amorreos»; a su parecer, el hogar de esta nueva cultura se encuentra en la zona de Biblos.

(21)   Esto constituye, de hecho, un sólido argumento a favor de la cronología «baja» de este período para Mesopotamia (cf. nota 2, supra), ya que demuestra que la «edad de Mari» —y, por tanto, también Hammurabi— deben situarse en la última parte del siglo XVIII. Para las pruebas relativas a Biblós, cf. Albright, BASOR, 99 (1945), pp. 9-18; 176 (1964), pp. 38-46; 179 (1965), pp. 38-43; 184 1966), pp. 26-34.

bajo el gran Hammurabi. Actores principales de este drama fueron, junto a Babilonia, Larsa, Asiria y Mari.

    a. *Expansión de Larsa y Asiria.* Después de la caída de Ur III, fue Mesopotamia, durante 200 años, el escenario de pequeñas rivalidades dinásticas. Los rivales más importantes en el sur, a comienzos del siglo XVIII, fueron Isin, Larsa y Babilonia, ciudades todas gobernadas por dinastías amorreas. Hacia 1770, Kudur-mabuk, príncipe de Yamutbal, derribó, como ya hemos visto, la dinastía de Larsa y colocó allí como gobernador a su hijo, Warad-sin. A este último le sucedió su hermano Rim-sin, que se mantuvo en el trono durante 60 años (1758-1698). Al igual que ya había hecho su hermano, también Rim-sin tomó el título de «rey de Sumer y de Acad», proclamando de este modo su derecho a ser considerado el continuador de la tradición de Ur III. Durante su largo reinado, no sólo acometió un ambicioso programa de construcción y de obras públicas, sino que puso en marcha una política expansionista, que puso casi todo el sur de Mesopotamia bajo su poder. El momento de máximo apogeo se produjo cuando, hacia la mitad de su reinado, derrotó y conquistó Isin, la antigua rival de Larsa. Con esta conquista, el control de Rim-sin se extendía por el norte hasta la frontera misma de Babilonia, cuyo gobernador era (1748-1729) Sin-muballit, padre de Hammurabi. Cuando Hammurabi subió al trono heredó un territorio sumamente reducido y seriamente amenazado.

    Mientras tanto, los dos Estados más importantes de la alta Mesopotamia eran Mari y Asiria, la primera con población amorrea gobernada por la dinastía de Yagid-lim y la segunda regida por reyes con nombres acádicos. Pero Asiria no era capaz por sí misma de resistir la presión amorrea, por lo cual hacia la mitad del siglo XVIII la dinastía nativa fue derrocada y reemplazada por gobernantes amorreos. El primero de éstos fue Samši-adad I (1750-1718), quien al subir al trono se lanzó a una vigorosa política que hizo de Asiria, en poco tiempo, la primera potencia de la alta Mesopotamia. Aunque los detalles de sus conquistas no son suficientemente claros, pudo someter la mayor parte del territorio comprendido entre los montes Zagros y el norte de Siria, y aun llegar al Mediterráneo, donde erigió una estela. Fue también capaz de restablecer, durante un corto período de tiempo, la colonia comercial de Kuriš, en Capadocia, que Asiria había mantenido durante todo el siglo XIX. Samši-adad se llamaba a sí mismo «rey del mundo» *(Sar kiššati),* siendo el primer gobernante asirio que tomó este título.

    La principal de sus conquistas, sin embargo, fue Mari, de la que se apoderó derribando a Yajdun-lim, perteneciente a la dinastía nativa, e instalando allí como virrey a su hijo Yasmaj-adad. Más tarde fortaleció su posición por medio del casamiento de este último con una

princesa de Qatna, importante Estado en el centro de Siria (22). Al
mismo tiempo presionó sobre el sur, con el resultado de que llegó a
ser una amenaza para Babilonia tan grande como lo fue Rim-sin.

b. El «período de Mari» (ca. 1750-1697). Asiria, sin embargo,
no pudo mantener sus conquistas. En muy pocos años se habían vuelto los papeles y Mari le sucedió —por breve tiempo— como primera
potencia de la alta Mesopotamia.

La historia de este período ha sido brillantemente ilustrada por
las excavaciones hechas en Mari inmediatamente antes y después de
la segunda Guerra Mundial (23). Estos descubrimientos sacaron a la
luz no solamente una ciudad de grandes proporciones y riquezas, sino
también más de 20.000 tablillas y fragmentos en antiguo acádico, de
las cuales unas cinco mil representan la correspondencia oficial, mientras que el resto son documentos de negocios y economía. La luz
que estos textos pueden arrojar sobre los orígenes de Israel es tema
sobre el cual hemos de volver. Parece que después de unos 16 años
de dominio asirio bajo Yasmaj-adad, hijo de Šamši-adad, Zimri-lim,
perteneciente a la dinastía nativa, pudo arrojar a los invasores y establecer de nuevo la independencia. Bajo Zimri-lim (ca. 1730-1697)
Mari alcanzó su cenit, llegando rápidamente a constituirse como
uno de los mayores poderes de entonces. Sus fronteras se extendían
desde los límites con Babilonia hasta un punto no lejos de Karkemiš. Mantenía relaciones diplomáticas con Babilonia (con la que había
pactado una alianza defensiva) y con varios Estados de Siria. Es particularmente interesante una de las cartas de Mari, la cual nos dice
que las principales potencias de aquel tiempo eran, junto a Mari,
Babilonia, Larsa, Ešnunna, Qatna y Alepo (Yamkhad); ¡todos estos
reyes, salvo Rim-sin de Larsa, llevaban nombres amorreos!

Mari organizó un ejército eficiente, en el cual los carros tirados por caballos tenían ya una cierta aplicación. Parece que conocían también desarrolladas técnicas de asedio, incluyendo el arie-
te (24); y un sistema de señales con hogueras hicieron posible la rapidez de las comunicaciones, cosa esencial en una tierra amenazada
continuamente por belicosos vecinos y por las incursiones de bandas
seminómadas.

Mari fue una gran ciudad. Su palacio, de 2,5 hectáreas de extensión (alrededor de 200 x 120 metros en sus mayores dimensiones)

---

(22)   Sobre la situación política en Siria, cf. Albright, BASOR, 77 (1940),
pp. 20-32; 78 (1940), pp. 23-31; 144 (1956), pp. 26-30; 146 (1957), pp. 26-34;
también J. R. Kupper, CAH, II: 1 (1963).

(23)   Cf. A. Parrot, AOTS, pp. 136-144; A. Malamat, «Mari» (BA XXXIV
[1971], pp. 2-22. En estos dos artículos se ofrece más bibliografía.

(24)   Sobre los arietes, cf. infra, nota 38. Para las armas y tácticas de este
período en general, cf. Y. Yadin, The Art of Warfare in Biblical Lands (McGraw-
Hill, 1963), vol. I, pp. 58-75.

que se componía de cerca de 300 habitaciones (incluyendo cuartos
de estar, cocinas, almacenes, escuelas, cuarto de aseo y sumideros)
debía ser una de las maravillas del mundo. La abundancia de documentos administrativos y de negocios muestra que la actividad
económica estaba altamente organizada. Su comercio se extendía
libremente por todas partes: a Biblos, Ugarit (Ras Šamra) en la
costa; allende el mar hasta Chipre y Creta y llegando incluso hasta
Anatolia. Pero aunque Mari estuvo en contacto con Jasor, en Palestina, los textos no mencionan a Egipto, sumido de nuevo en un
período de confusión y ya a la espera del colapso del Imperio medio.
Aunque sus escribas escribían en acádico, la población de Mari, en
su mayoría, eran semitas del noroeste (amorreos), con alguna pequeña
mezcla de estirpe acádica y hurrita. Como era de esperar, su religión
era una mezcla de rasgos característicos de los semitas del noroeste y
de Mesopotamia, manteniendo en su panteón dioses de ambas regiones. En resumen, este pueblo era semita noroccidental, de origen primitivamente seminómada, que había adoptado la cultura acádica y
que hablaba una lengua semejante a la de los antepasados de Israel.
Ya tendremos ocasión más adelante de volver sobre este tema.

   c.   *Triunfo de Babilonia: Hammurabi* (1728-1686). Pero la victoria, en la lucha por el poder, no iba a ser ni para Mari ni para
Asiria, ni para Larsa, sino para Babilonia. El forjador de esta victoria
fue el gran Hammurabi (25). Cuando Hammurabi subió al trono,
Babilonia estaba en una precaria situación, amenazada en el norte
por Asiria y en el sur por Larsa, y en rivalidad por el noroeste con
Mari. Hammurabi, sin embargo, pudo cambiar la situación y levantar a Babilonia hasta la cima del poder mediante un vigoroso
esfuerzo y una serie de movimientos estratégicos, incluyendo una
no pequeña dosis de cínico desprecio hacia los tratados que había
concluido. Desconocemos los detalles. Baste decir que Rim-sin, con
el que Hammurabi había hecho alianza, fue atacado, arrojado de
Isin y forzado a confinarse en Larsa, en el sur; más tarde fue arrojado
de allí, perseguido y hecho prisionero. Mientras tanto Hammurabi
debilita a Asiria con golpes certeros de tal manera que su amenaza
desaparece definitivamente, hasta que cae al fin bajo el poder de
Babilonia. Finalmente, teniendo firmemente asegurada bajo su mano
la mayor parte de la baja Mesopotamia, se volvió contra Zimri-lim
de Mari, con el que también estaba aliado. En el año 32 de su reinado (1697) cayó Mari en su poder. Pocos años más tarde, quizás
a causa de una rebelión, fue totalmente arrasada. Al fin, Hammurabi,
era dueño de un pequeño imperio que comprendía la mayor parte

---

   (25)   Además de las obras generales, cf. F. M. T. de L. Böhl, «King Hammurabi of Babylon» (*Opera Minora* [Groninga, J. B. Wolters, 1953], pp. 339-363
(primera publicación 1946); también C. J. Gadd, CAH, II: 5 (1965).

de las llanuras ribereñas entre los montes Zagros y el desierto, llegaba
por el sur hasta el golfo Pérsico e incluía algunas partes de Elam.
Su control se extendía por el norte hasta Nínive, por el noroeste
incluía Mari, en el Eúfrates medio. Pero hasta dónde llegaron sus
campañas, más allá de estos puntos, es cosa que escapa a nuestros
actuales conocimientos (26).

Bajo Hammurabi conoció Babilonia un floreciente movimiento
cultural. Así, Babilonia, que antes de la primera dinastía era un insignificante lugar, se convierte ahora en una gran ciudad. Sus construcciones fueron probablemente más impresionantes que las de la
misma Mari, aunque no pueden ser restauradas a causa de encontrarse actualmente bajo la superficie de las aguas. Con la prosperidad
de Babilonia, el dios Marduk fue elevado al primer puesto en el
panteón; la torre Etemenanki fue una de las maravillas del mundo.
La literatura y todas las formas del saber florecieron como muy
pocas veces había sucedido en la antigüedad. Una gran cantidad de
textos provienen de este tiempo, poco más o menos: copias de antiguos relatos épicos, p. e., narraciones babilónicas de la creación y
el diluvio; vocabularios, diccionarios y textos gramaticales sin igual
en el mundo antiguo; tratados de matemáticas que señalan el progreso en álgebra, no superados ni siquiera por los griegos; textos
de astronomía y compilaciones y clasificaciones de toda suerte de
conocimientos. Junto con esto —porque esta no era aún la edad del
método científico— se tenía también interés por toda clase de seudo-
ciencias: astrología, magia, hepatoscopia y otras semejantes.

La más importante, con todo, de todas las realizaciones de Hammurabi fue el famoso código de leyes que publicó al final de su reinado (27). Este no era, naturalmente, un código legal en el sentido
moderno de la palabra, sino una nueva formulación de la tradición
legal conseguida en el tercer milenio y representada por los códigos
de Ur-nammu, de Lipit-Ištar y por las leyes de Ešnunna, de que
ya hemos hablado; las leyes posteriores de Asiria, así como el Código
de la Alianza (Ex. 21-23) son también formulaciones de la misma
o parecida tradición. El código de Hammurabi no representa, por
lo tanto, una nueva legislación que intentase desplazar todo otro
modo de procedimiento legal, sino que más bien significa un esfuerzo por parte del Estado para suministrar una pauta oficial de la tradición legal para ser tenida como norma, de manera que pudiera
servir de árbitro entre las distintas tradiciones legales existentes en
las diversas ciudades y en los territorios exteriores del reino. Es,

(26)　No conocemos ninguna campaña de este monarca en el norte de Siria.
Una noticia publicada en abril de 1974 en ASOR informa del hallazgo, en Alalaj,
de un sello con una inscripción en la que el gobernador de la ciudad se designa
a sí mismo como «el siervo de Hammurabi». Pero esto no es prueba suficiente ni
menos aún concluyente de una conquista militar.

(27)　Cf. Pritchard, ANET, pp. 163-180 para la traducción.

pues, en todo caso, un documento de suma importancia por la luz que arroja sobre la organización social de aquel tiempo, y por los numerosos paralelos que ofrece con las leyes del Pentateuco.

2. *Período de confusión en el antiguo Oriente.* La última parte del período patriarcal fue una época de confusión. Aun cuando Hammurabi llevó a Babilonia al cenit de su poder, comenzó a caer sobre el mundo antiguo un oscuro período. A todo lo largo de Mesopotamia, Siria y Palestina hay pruebas de pueblos en movimiento. Egipto entró en un período de dominio extranjero durante el cual son prácticamente nulas las inscripciones nativas, mientras que en Babilonia las glorias de Hammurabi desaparecían rápidamente.

a. *Egipto: los hicsos.* Ya hemos visto cómo en el siglo XVIII había declinado el poder del Imperio medio. Al debilitarse la autoridad central, Egipto no pudo seguir manteniendo por más tiempo su posición en Asia y quedaba expedito el camino para la infiltración de pueblos asiáticos en el Delta, y finalmente, para el sometimiento de todo el país a unos gobernantes extranjeros llamados hicsos. Quiénes eran estos hicsos y de dónde vinieron es una cuestión muy debatida (28). Frecuentemente son descritos como invasores salvajes bajando del norte e inundando Siria y Egipto como un torrente. Pero este cuadro necesita probablemente corrección. El término «hicsos» significa «jefes extranjeros» y era aplicado por los faraones del Imperio medio a los príncipes asiáticos. Es probable que los conquistadores adoptaron este título que después llegó a designar a todo el conjunto de invasores. Dado que los nombres de sus primeros gobernantes parecen ser hasta donde llega nuestro conocimiento, cananeos o amorreos (29), podemos juzgar que los hicsos eran predominantemente de la estirpe de los semitas noroccidentales, aunque esto sólo verosímilmente, ya que tienen también otros elementos. Adoraban a los dioses cananeos, cuya divinidad suprema era Ba'al, identificado con el dios egipcio Seth. Es probable que la mayoría de los jefes hicsos fueran príncipes cananeos o amorreos procedentes de Palestina y del sur de Siria, como los que conocemos por los Textos de Execración, que aprovechando la debilidad de Egipto se lan-

---

(28)   Incluye interesantes análisis J. Van Seters, *The Hyksos* (Yale University Press, 1960); también J. von Beckerath, *Untersuchungen zur politischen Geschichte der zweiten Zwischenzeit in Ägypten* (Glückstadt, J. J. Augustin, 1964); W. C. Hayes, CAH, II: 2 (1962); A. Alt, «Die Herkunft der Hyksos in neuer Sicht» (1954; reimpresión KS, III, pp. 72-98); T. Säve-Söderbergh, «The Hyksos in Egypt» (JEA, 37 [1951], pp. 53-71); H. Stock, *Studien zur Geschichte und Archäeologie der 13 bis 17 Dynastie Ägyptens* (Glückstadt-Hamburgo, J. J. Augustin, 1942).

(29)   Incluyendo un *'Anat-hr* y un *Ya'qub-* Jacob)-*hr*. Tal como Albright ha hecho notar (cf. YGC, p. 50), el último componente de estos nombres (*hr* o *'r*) debe leerse como *'Al* (o *'Ali,* *'Eli*) que aparece como nombre divino en la Biblia y también como denominación de Ba'al («el excelso») en los textos ugaríticos.

zaron sobre el país. Y así los hicsos pueden ser considerados como un fenómeno de alguna manera paralelo al de los dinastas amorreos cuyas incursiones hemos visto en Mesopotamia. Pero a juzgar por los nombres de los últimos gobernantes hicsos —que, junto a algunos típicamente egipcios, como por ejemplo, Apofis, parecen ser en parte, indo-arios y casi siempre de origen desconocido— es posible que este episodio de la historia de Egipto esté de alguna forma relacionado con el movimiento de pueblos indo-arios y hurritas, del cual hablaremos ahora (30). La invasión parece haber tenido lugar en dos oleadas. Los príncipes asiáticos que, según parece, estaban establecidos en el Delta ya antes del final del siglo XVIII, se fueron haciendo progresivamente independientes y comenzaron a consolidar su posición y a extender su autoridad en el Bajo Egipto. A continuación, a mediados del siglo XVII, llegó de Asia una nueva oleada de guerreros, mejor organizada y, al parecer, de composición muy mezclada, y se hizo con el poder. Los jefes de este grupo se convirtieron en los fundadores de la llamada XV Dinastía, que extendió rápidamente su control a todo el territorio egipcio. Los hicsos colocaron su capital en Avaris, ciudad cercana a la frontera nordeste, fundada, según parece, por ellos, y desde la cual gobernaron a Egipto por unos cien años (ca. 1650-1542) (31). En opinión de la mayoría los antepasados de Israel entraron en Egipto durante este tiempo.

Los hicsos controlaban también un imperio en Asia, lo que fue sin duda la causa de que colocaran su capital donde lo hicieron. Este imperio incluía ciertamente Palestina, como lo muestran los miles de escarabajos y otros objetos allí encontrados. Pero cuánto más hacia el norte se extendió su imperio, es una pregunta sin respuesta. Algunos creen que llegó hasta el norte de Siria, alcanzando incluso el Eúfrates. Esto no es de suyo imposible, ya que no existía ningún poder que pudiera cortarles el paso; además, se han descubierto por toda Palestina y Siria, incluso hasta Karkemiš, tipos de fortificación asociada a los hicsos. Pero que el faraón hicso extendiera su autoridad efectiva por toda esta área es otra cuestión. Por otra parte, restos atribuidos a Khayana, rey de los hicsos, han sido hallados hasta

---

(30) Aunque existe discusión entre los especialistas (p. e. Van Sters, *op. cit.*, pp. 181-190; von Beckerath, *op. cit.*, pp. 114 s.; también R. de Vaux, RB, LXXIV [1967], pp. 481-503), parece que los hicsos deben haber incluido elementos hurritas y otros no semitas; cf. Helck, *Beziehungen* (en nota 2); *Geschichte* (en nota 7); también Albright, YGC, pp. 50 s. Albright aduce el argumento de que Salatis, fundador de la XV Dinastía, tiene el mismo nombre (indo-ario) que Za'aluti (Zayaluti), capián mandeo mencionado en los textos de Alalaj; cf. BASOR, 146 (1957), pp. 30-32.

(31) Las fechas son de Helck, *Gesichte*, pp. 131-143, que se basa, para calcularlas, en la cronología «baja» de la XVIII Dinastía (cf. R. A. Parker, JNES, XVI [1957], pp. 39-43). Si se sigue la cronología más alta de M. D. Rowton (JNES, XIX [1960], pp. 15-22) las fechas deben adelantarse unos 25 años.

en Creta y Mesopotamia. Pero esto, aunque demuestra que el faraón de los hicsos tenía una posición influyente en el mundo, no es prueba más que de amplias relaciones comerciales. La extensión de las posesiones de los hicsos en Asia nos es desconocida.

Sólo después de un siglo de dominio hicso estalló la lucha que había de librar a Egipto de los aborrecidos invasores. El poder de los hicsos en el alto Egipto era, cuando más, precario. Casi desde los inicios mismos de su dominación, una línea de príncipes tebanos (llamada la XVII Dinastía), gobernó los nomos más meridionales de Egipto como a vasallos. Bajo la jefatura de esta dinastía, se inició la lucha por la libertad. Fue, al parecer, una guerra encarnizada. Su primer caudillo, Seqenen-re fue, a juzgar por su momia, gravemente herido y probablemente muerto en batalla. Pero su hijo Kamose pudo, mediante extraordinarios esfuerzos, reunir a sus compatriotas y continuar la lucha. El libertador, sin embargo, fue Amosis (1552-1527), hermano de Kamose, que es considerado como el fundador de la Dinastía XVIII. Amosis atacó repetidamente a los hicsos hasta que les obligó a encerrarse en su capital, Avaris, cerca de la frontera nordeste. Al final (hacia 1540 o algo después), fue tomada Avaris y arrojados de Egipto los invasores. Entonces Amosis los persiguió hasta Palestina, donde, después de un asedio de tres años, conquistó la fortaleza de Šarujen, en la frontera sur de esta tierra. El camino hacia Asia quedaba abierto. El período del imperio egipcio, durante el cual sería indiscutiblemente la mayor potencia de entonces, estaba a la vista.

b. *Movimientos raciales en Mesopotamia. Siglos XVII y XVI.* Coincidiendo con la invasión de Egipto por los hicsos, hubo también una gran presión de pueblos nuevos sobre todas las partes del Creciente Fértil. Entre estos pueblos se encontraban los hurritas (32), cuyo lugar de origen parece haber sido las montañas de Armenia y cuyo lenguaje era semejante al del futuro imperio de Urartu. Mencionados por primera vez en los textos cuneiformes hacia el siglo XXIV, muchos de ellos, como ya hemos notado, invadieron el norte de Mesopotamia, particularmente la región este del Tigris, cuando los gutios destruyeron el imperio de Acad. Pero aunque los textos de Mari y algunos otros indican la presencia de hurritas, la población de la alta Mesopotamia durante el siglo XVIII era aún predominantemente amorrea. En los siglos XVII y XVI, sin embargo, hay ya una enorme influencia de los hurritas en todas las partes del Creciente Fértil: en

---

(32) Respeto de los hurritas, cf. O'Callaghan, *op. cit.*, pp. 37-74; Goetze, *Hethiter, Churriter und Assyrer* (Oslo, H. Aschehoug, 1936); I. J. Gelb, *Hurrians and Subarians* (The University of Chicago Press, 1944); E. A. Speiser, «Hurrians and Subarians» (JAOS, 68 [1948], pp. 1-13); cf. *idem*, AASOR, XIII (1931/1932), pp. 13-54; *idem*, *Mesopotamian Origins* (University of Pennsylvania Press, 1930), pp. 120-163; también J. R. Kupper, CAH, II: 1 (1963).

la región este del Tigris, sur y suroeste a lo largo de toda la alta Mesopotamia y norte de Siria y aun hasta el sur de Palestina. También ocuparon las tierras de los hititas. Hacia la mitad del segundo milenio la alta Mesopotamia y el norte de Siria estaban saturadas de hurritas.

Nuzi, en la región este del Tigris (como lo indican textos del siglo XV) era casi totalmente hurrita; Alalaj, en el norte de Siria, ya sólidamente hurrita en el siglo XVII (33), llegó a serlo de una manera total (como lo demuestran textos del siglo XV). Presionando a los hurritas, y en parte moviéndose con ellos, aparecen los indo-arios, probablemente como parte del movimiento general que llevó una población indo-aria al Irán y a la India. Umman-manda, mencionado en Alalaj y otros lugares, era sin duda uno de ellos (34). Más tarde volveremos a hablar de estos pueblos. Con sus rápidos carros sembraron el terror por todas partes. Antes del siglo XV, cuando sobrevino el período oscuro, se extendió a lo largo de la alta Mesopotamia el imperio Mitanni, que tuvo gobernantes indo-arios, pero con población fundamentalmente hurrita. Estos movimientos citados sirven sin duda para explicar por qué Hammurabi no pudo extender sus conquistas hacia el norte y hacia el oeste más de lo que lo hizo y por qué el imperio que construyó no fue duradero. Y ciertamente no lo fue. Ya bajo su sucesor Samsu-iluna (1685-1648) se desmoronó y aunque la dinastía pudo mantenerse aún más de 150 años, nunca logró recobrar el poder. Esto fue debido en parte a disgregación interna ya que los Estados sojuzgados recobraron la independencia. Y así, poco después de la muerte de Hammurabi, un Ilu-ma-ilu, descendiente de la línea de Isin, se rebeló y fundó una disnatía en el sur (la dinastía de la Tierra del Mar).

A pesar de todos los esfuerzos, Babilonia nunca pudo reducir a su rival, de suerte que la tierra patria quedó definitivamente dividida en dos partes. Ni siquiera Babilonia quedó inmune del alcance de la presión externa de los nuevos pueblos. En el reinado del sucesor de Hammurabi, un pueblo llamado casita (coseos) comenzó a aparecer en el país. Poco se sabe acerca del origen de este pueblo, salvo que procedían de las altiplanicies de Irán. Quizás empujados por la presión indo-aria se esparcieron desde las montañas, como habían hecho los gutios antes de ellos, y comenzaron a apoderarse

---

(33) Cf. D. J. Wiseman, *The Alalakh Tablets* (Londres, British Institute of Archaelogy de Ancara, 1953); E. A. Speiser, JAOS, 74 (1954), pp. 18-25. El nivel VII, donde se encontró el cuerpo más antiguo de textos, debería fecharse probablemente en el siglo XVII, mejor que en el XVIII; cf. Albright, BASOR 144 (1956), pp. 26-30; 146 (1957), pp. 26-34; R. de Vaux, RB, LXIV (1957), pp. 415 s.

(34) Cf. Albright, BASOR, 146 (1957), pp. 31 s.; también *ibid.*, 78 (1940), pp. 30 s.; pero cf. Kupper, CAH, II: 1 (1963), pp. 40 s.

poco a poco de las regiones adyacentes a la llanura mesopotámica.
Su potencia rivalizó pronto con la de Babilonia y al fin poco a poco
puso en peligro incluso la existencia de esta última.

c. *Palestina en el período hicso.* Palestina no escapó, claro está,
a este oleaje. Después de todo, formaba parte del imperio de los hicsos y los mismos hicsos procedían al parecer en buena parte de allí
y del sur de Siria. Además, hay abundantes testimonios de que en
este período (35) sufrió Palestina una invasión por su parte norte
que trajo consigo nuevos elementos patricios. Por lo que, si en los
textos más antiguos todos los hombres de Palestina son prácticamente semíticos, en el transcurso de los siglos XV y XIV, aunque los nombres semitas siguen predominando, abundan los hurritas e indo-arios.
Es claro, por tanto, que las sucesivas invasiones de hurritas e indo-
arios referidas más arriba se preocuparon no poco de Palestina. Probablemente (como en el caso de Mesopotamia), una aristocracia
indo-aria influyó sobre un sustrato hurrita plebeyo y ocasionalmente
patricio. La Biblia menciona frecuentemente a los hurritas (horitas)
en Palestina (36) mientras que los faraones del Imperio conocían
este país como Hurru.

Estas gentes nuevas trajeron consigo nuevas y terribles armas y
técnicas militares. Los carros tirados por caballos y los arcos dobles (37)
que poseían les daban una movilidad y una eficacia sin parecido en
el mundo de entonces. Los carros, aunque conocidos desde mucho
tiempo atrás en Asia occidental, fueron perfeccionados entre los
indo-arios y utilizados por ellos como una arma táctica de gran eficacia. Es probable que los hicsos adoptaran las nuevas técnicas de
los indo-arios y que las emplearan en la conquista de Egipto, donde
eran entonces desconocidas. Por este tiempo apareció también un
nuevo tipo de fortificación. Al principio consistía en un glacis de
tierra apisonada, arcilla, grava y recubrimiento de argamasa,
situado en la ladera o pendiente de la cresta sobre la que se alzaba
la muralla. Más tarde, la tierra fue sustituida por piedras, de modo
que el glacis circuía la gran muralla con talud que corría al pie de

---

(35)   En la terminología de Albright MB II B-C; en la Miss Kenyon MB II.
Cf. nota 16, supra.

(36)   Cf. W. F. Albright, «The Horites in Palestine» (*From the Pyramids to
Paul*, L. G. Leary, ed. (Nueva York, Nelson, 1935), pp. 9-26). Tal vez algunos
otros grupos no identificados, mencionados en la Biblia (hivitas, jebuseos, etc.), eran
también hurritas; cf. E. A. Speiser, «Hurrians», IDB, II, pp. 664-666. Pero cf. R. de
Vaux, «Les Hurrites de l'histoire et les Horites de la Bible» (RB, LXXIV [1967],
pp. 481-503). Para de Vaux es dudoso que exista alguna relación entre los horitas
(joritas) y los hurritas (en su opinión los hurritas no llegaron hasta después de pasado
este período).

(37)   Aunque los arcos dobles pueden haber sido conocidos ya en la temprana
época del imperio de Acad, fueron al parecer poco utilizados en las primeras
centurias del segundo milenio; cf. Yadin, *op. cit.*, vol. I, pp. 47 s., 62-64; también
idem, IEJ, 22 (1972), pp. 89-94.

la colina. Se intentaba así probablemente una defensa contra los arietes, de uso ya generalizado en aquella época (38). Muy pronto, todas las grandes ciudades de Palestina contaron con fortificaciones de este género. Se han descubierto además, en varios lugares, recintos rectangulares, de ordinario junto al nivel del terreno adyacente a la ciudad amurallada, en la colina y rodeados de altos terraplenes de tierra apisonada, con una fosa en su base inferior. Estos recintos fueron conocidos en Egipto, en toda Palestina y Siria (p. e. Jasor, Qatna) e incluso en Karmemiš, sobre el Eúfrates. Durante mucho tiempo se ha creído que estas fortificaciones fueron construidas para defender los campamentos en que se alojaban los carros, caballos y restante impedimenta de los guerreros hicsos; pero aunque tal vez fuera éste su propósito original, hay pruebas de que la construcción de varios tipos diferentes fue hecha de tal modo que acabaron por convertirse en suburbios de las mismas ciudades, cuya población —incrementada sin duda por el número de tropas y de sus seguidores— no podía ya alojarse dentro del primitivo recinto amurallado (39). También por este tiempo desapareció por completo la patriarcal simplicidad de la vida seminómada de los amorreos. Las ciudades eran numerosas, bien construidas y, como hemos visto, poderosamente fortificadas. Hubo un aumento generalizado de la población, unido a un notable avance de la cultura material. Parece haberse desarrollado el sistema de ciudad-Estado característico de Palestina antes de la conquista israelita. El país estaba dividido en varios reinos minúsculos, o provincias, cada una de ellas con su propio gobernante, sujeto, sin duda, a un alto control del exterior. La sociedad tenía una estructura feudal, con la riqueza muy desigualmente repartida; al lado de las hermosas casas de los patricios, se encontraban las chozas de los siervos semilibres. No obstante, las ciudades de esta época evidencian una prosperidad tal como raramente conoció Palestina en la antigüedad.

d. *El antiguo imperio hitita y la caída de Babilonia.* Como ya hemos dicho, el período oscuro de Egipto finalizó hacia 1540 con la expulsión de los hicsos y la subida de la Dinastía XVIII. Pero Babilonia no fue tan afortunada; para ella, su período oscuro fue mucho más profundo. Ya internamente debilitada y asediada por las incursiones casitas, cayó hacia el 1530 y la primera Dinastía llegó a su fin. El

---

(38)   Cf. Y. Yadin, «Hyksos Fortifications and the Battering Ram» (BASOR, 137 [1955], pp. 23-32). Para similares fortificaciones en el bronce antiguo, cf. J. D. Segar y O. Borowski, BA, LX (1977), esp. pp. 158-160.

(39)   Para una descripción de este tipo de fortificaciones, cf. Yadin, *op. cit.,* vol. I, pp. 67 s.; respecto de Jasor, cuyo recinto amurallado abarcaba más de 175 acres, cf. *idem, Hazor* (Londres, Oxford University Press, 1972), esp. lámina II. Para las diferentes interpretaciones de estas estructuras, cf., los artículos de G. R. H. Wright y P. Parr en ZDPV, 84 (1968).

golpe de gracia no fue asestado por los casitas, ni por ningún otro rival vecino, sino por una invasión hitita procedente de la lejana Anatolia.

No nos podemos detener aquí en el enojoso problema del origen de los hititas (40). Su nombre se deriva de un pueblo no indo-europeo, llamado hatti, que hablaba una lengua sin parentesco alguno con ninguna familia lingüística conocida. Es poco lo que se sabe de este pueblo, pero es seguro que en el tercer milenio se había establecido en los espacios centrales y septentrionales del Asia Menor, en una área en torno a Hattusas (Boghasköy), más tarde capital del imperio hitita. Se ignora si el nombre se lo dieron los propios hititas o si tiene otro origen. Aunque Hatti es el equivalente filológico de «hitita», para evitar confusiones con el pueblo conocido en la historia posterior bajo este nombre, a los primeros se les suele denominar como harri o proto-hititas. En el curso del tercer milenio, Asia recibió una nueva población cuando varios grupos, que hablaban lenguas indoeuropeas estrechamente emparentadas entre sí (luvio, nesio, palaic) comenzaron a avanzar desde el norte, penetraron en esta zona y se instalaron en ella. Los recién venidos recubrieron la población anterior y se mezclaron con ella. Al fin, la lengua hatti fue desplazada por la nesia en su propio hogar, con el resultado de que esta última fue conocida como lengua hitita y a sus hablantes como hititas. Escribieron su lengua (nesio, pero también luvio) en signos cuneiformes, tomados en préstamo de Mesopotamia —aunque también se desarrollo una escritura jeroglífica para un dialecto del luvio.

Al comenzar el segundo milenio —y tal como demuestran los textos de Capadocia del siglo XIX— los países hititas estaban organizados en un sistema de ciudades-Estado: Kussara, Nesa, Zalpa, Hattusas, etc. Sin embargo, parece que ya a comienzos del siglo XVII se puso en marcha un cierto proceso de unificación, bajo los reyes de Kussara. El primer período hitita en sentido estricto se produjo con el establecimiento del llamado imperio hitita antiguo. Tradicionalmente se atribuye este logro a Labarnas (¿finales del siglo XVII?), pero los comienzos parecen ser más antiguos (41). En todo caso, antes de mediado el siglo XVI existía ya en el este y centro de Asia Menor un fuerte imperio hitita en el que encontramos al hijo de Labarnas, Hattusilis I, presionando hacia el sur en Siria —como lo harán todos los reyes hititas siempre que puedan— y poniendo

---

(40) Cf. O. R. Gurney, *The Hittites* (Penguin Books, 1952); también, K. Bittel, *Grundzüge der Vor- und Frühgeschichte Kleinasiens* ((Tubinga, Ernst Wasmuth, 2.ª ed., 1950); A. Goetze, *opera cit.* (en notas 6 y 32); más recientemente, J. Mellaart, CAH, I: 24 (1964), part. 1-6; *ibid.*, II: 6 (1962); H. A. Hoffner, POTT, pp. 197-228.

(41) Las tabletas de Alalaj parece indicar que un rey hitita guerreó contra Alepo algunas generaciones antes de Labarnas; cf. Albright, BASOR, 146 (1957), pp. 30 s.

sitio a Yamkhad (Alepo). Alepo cayó finalmente bajo su sucesor
Mursilis I, quien entonces (ca. 1530) aventuró un golpe audaz a
través del país hurrita, bajando por el Eúfrates, hasta Babilonia. El
éxito le acompañó. Babilonia fue tomada y saqueada y el poder de
la primera Dinastía, que se había sostenido durante 300 años, llegó
a su fin.

Esto no significa, sin embargo, que toda Mesopotamia pasase a
manos hititas. La hazaña de Mursilis fue simplemente una incursión; nunca logró incorporar a su imperio el valle del Eúfrates.
Por el contrario, el antiguo imperio hitita, bloqueado por la presión
hurrita desde el este y debilitado por su crónica inhabilidad para
asegurar la sucesión al trono sin violencia (el mismo Mursilis fue
asesinado), declinó rápidamente. El poder hitita se refugió por más
de un siglo en Asia Menor, teniendo poca importancia en el escenario de la historia. Mientras tanto en Babilonia tomaron el control
los casitas, aunque en rivalidad durante cierto tiempo con los reyes
de las tierras del mar; una dinastía casita se mantuvo en el poder
durante unos 400 años (hasta el siglo XII). Fue un período oscuro
para Babilonia en el cual nunca volvió a ocupar una posición prominente; las artes pacíficas languidecieron, y los negocios no volvieron a la normalidad hasta un siglo más tarde. Al mismo tiempo,
frente a la presión de sus vecinos, Asiria fue reducida a un pequeño
Estado, apenas capaz de subsistir. Así vemos que durante toda la
edad patriarcal nunca se llegó a conseguir una estabilidad política
permanente en Mesopotamia.

Interrumpimos por el momento nuestra narración en este punto, con Egipto reviviendo y Mesopotamia hundida en el caos. Si
los antepasados de Israel entraron o no durante este tiempo en Egipto, es asunto sobre el que volveremos. Pero el conjunto de las narraciones de los caps. 12 al 50 del Génesis deben ser vistas sobre el fondo
de estos tiempos que acabamos de describir.

Capítulo 2

LOS PATRIARCAS

Las NARRACIONES patriarcales (Gn. 12 al 50) forman el primer capítulo de esta gran historia teológica de los orígenes de Israel que encontramos en los primeros seis libros de la Biblia. En ellas se nos dice que, siglos antes de que Israel tomara posesión de Canaán, llegaron de Mesopotamia sus antepasados y anduvieron vagando como seminómadas por todo el país, apoyados en las promesas de su Dios de que un día esa tierra pertenecería a su posteridad. Prácticamente, todo lo que conocemos de los orígenes de Israel y de su prehistoria antes de que iniciara su vida como pueblo en Palestina, procede de la narración del Exateuco, que nos conserva la tradición nacional referente a estos sucesos tal como el mismo Israel los recordaba. Ningún otro pueblo de la antigüedad tuvo tradiciones que se le puedan comparar. Verdaderamente, por la riqueza de los detalles, la belleza literaria y la profundidad teológica no tienen paralelo entre las de su género en toda la historia. Los recientes hallazgos (p. ej. en Ebla), pueden tal vez aportar algunas modificaciones al cuadro que nos presentan y, además, en ningún caso podemos dar fechas exactas para los patriarcas, pero la mayor parte de las narraciones que se refieren a ellos tienen su mejor contexto en los siglos descritos en el capítulo anterior.

Teniendo esto a la vista, pudiera parecer sencillo escribir la historia de los orígenes de Israel y aun la vida misma de los patriarcas. Pero no es así. No sólo es imposible relacionar, con precisión aproximada, los sucesos bíblicos con los eventos de la historia contemporánea, sino que las narraciones son tales en sí mismas que constituyen el mayor problema de la historia de Israel. El problema, en una palabra, se refiere al grado en que estas tradiciones primitivas pueden ser usadas —si lo pueden ser en algún grado— como base para la reconstrucción de los sucesos históricos. Se trata de un problema que no puede ser rehuido. Si plantearlo puede causar impaciencia a los que piensan que el texto bíblico debe ser aceptado sin discusión, eludirlo podría parecer a los de la opinión contraria una evasión del problema, que haría inútil nuestra discusión. Será mejor, por tanto, decir aquí algunas palabras referentes a la naturaleza del problema y al procedimiento que vamos a seguir (1).

A. LAS NARRACIONES PATRIARCALES: EL PROBLEMA Y EL METODO A SEGUIR

1. *Naturaleza del material.* El problema de la descripción de los orígenes de Israel está incluido en el de la naturaleza del material a nuestra disposición. Si se admite que la historia sólo puede ser escrita con seguridad a base de documentos contemporáneos, es fácil ver la verdad de la precedente afirmación, ya que las narraciones patriarcales no son ciertamente documentos históricos contemporáneos de los sucesos que narran. Aun cuando muchos puedan tener el sentimiento de que la inspiración divina asegura su precisión histórica, despachar el problema mediante un recurso al dogma no sería prudente. Con seguridad, la Biblia no necesita reclamar para sí inmunidad respecto de un riguroso método histórico, antes puede esperarse que resista la investigación a que son sometidos otros documentos de la historia.

a. *La hipótesis documentaria y el problema de las narraciones patriarcales.* Dado que la tradición ha sostenido que las narraciones patriarcales fueron escritas por Moisés (que vivió siglos más tarde) ninguna teoría las ha considerado como documentos contemporáneos. Sólo con el triunfo de la crítica bíblica, en la segunda mitad del siglo XIX, y el sometimiento de la Biblia a los métodos de la historiografía moderna, se planteó por primera vez el problema. Se desarrolló la hipótesis, que gradualmente logró el consentimiento unánime de los especialistas, de que el Exateuco estaba compuesto por cuatro grandes documentos (además de otros menores) llamados J, E, D y P, el primero de los cuales (J) se escribió en el siglo IX y el último (P) después del destierro. Esta hipótesis hizo, muy comprensiblemente, que los críticos consideraran las primitivas tradiciones de Israel con cierto escepticismo. Puesto que de ninguno de los documentos se ha sostenido que fuera ni siquiera remotamente contemporáneo de los sucesos descritos, y puesto que quedaba pro-

---

(1)   Cf. mi monografía *Early Israel in Recent History Writing: A Study in Method* (Londres, S. C. M. Press, Ltd, 1956). El problema metodológico sigue siendo objeto de discusiones; cf. p. e. G. E. Wright, «Old Testament Scholarship in Prospect» (JBR, XXVIII [1960], pp. 182-193); *idem*, «Modern Issues in Biblical Studies: History and the Patriarchs» (ET, LXXI [1960], pp. 292-296); G. von Rad, «History and the Patriarchs» (ET, LXXII [1961], pp. 213-216); M. Noth, «Der Beitrag der Archäelogie zur Geschichte Israel» (VT, Supplm., vol VII [1960], pp. 262-282); G. E. Mendenhall, «Biblical History in Transition» (BANE, pp. 32-53); R. de Vaux, «Method in the Study of Early Hebrew History» (*The Bible in Modern Scholarship,* J. P. Hyatt, ed., [Abingdon Press, 1965], pp. 15-29). Cf. también las notas 12 y 13, infra.

hibido acudir al presupuesto de una doctrina de la Escritura que garantizara con seguridad la exactitud de los sucesos, se siguió una valoración extremadamente negativa. Aunque se concedió que las tradiciones podían contener reminiscencias históricas, nadie pudo asegurar con exactitud cuáles fueran éstas. Se vacilaba en dar valor a las tradiciones al reconstruir la historia de los orígenes de Israel. Así, cuanto a los relatos patriarcales, aunque se les estimó por la luz que arrojan sobre las creencias y prácticas de los períodos respectivos en que los diversos documentos fueron escritos, su valor como fuente de información referente a la prehistoria de Israel fue tenido por mínimo, si no nulo (2). Abraham, Isaac y Jacob eran considerados comúnmente como antepasados epónimos de clanes y aun como figuras míticas y su existencia real fue con frecuencia negada. La religión patriarcal, tal como está descrita en el Génesis, fue considerada como una proyección a tiempos pasados de creencias posteriores. En la línea de las teorías evolucionistas que aparecieron por entonces, la religión contemporánea de los antepasados nómadas de Israel fue descrita como animismo o polidemonismo.

Aun hoy día, a pesar del creciente reconocimiento de que el juicio anterior fue demasiado severo, el problema no ha sido resuelto. La hipótesis documentaria goza todavía de general aceptación y es necesariamente el punto de partida de cualquier discusión. Aunque la explicación evolucionista de la historia y de la religión de Israel, que va unida al nombre de Wellhausen, encontraría hoy pocos defensores, y a pesar de que los documentos mismos hayan llegado a ser considerados por la mayoría bajo una luz enteramente nueva, la hipótesis documentaria no ha sido, en general, abandonada (3). Incluso aquellos que declaran su renuncia a los métodos del criticismo literario en favor de los de la tradición oral, se sienten obligados a trabajar con bloques de material que corresponden más o menos a los designados por los símbolos J, E, D y P (4). Conserva toda su fuerza el problema suscitado por los fundadores del criticismo bíblico. La mayoría de los tratados de historia de Israel han tendido, hasta hoy, a una valoración negativa de las tradiciones primitivas y se resisten a contar con ellas como fuentes de información histórica.

---

(2) Así, clásicamente, J. Wellhausen, *Prolegomena zur Geschichte Israels* (Berlín, 1905[5]).

(3) Pero está siendo atacada en su forma convencional: cf. R. Rendtorff, *Das Überlieferungsgeschichtliche Problem des Pentateuch* (BZAW, 147 [1977]); H. H. Schmid, *Der sogennante Jahwist: Beobachtungen und Fragen zur Pentateuchforschung* (Zurich, Theologischer Verlag, 1976). Cf. también la discusión entre varios especialistas en JSOT, 3 (1977), Ninguno de ellos aboga, por supuesto, por una vuelta a las posiciones tradicionales.

(4) Ver C. R. North en OTMS, pp. 48-83, especialmente sus anotaciones a la obra de la escuela de Upsala.

b. *Nueva luz sobre las tradiciones patriarcales*. No obstante, aunque no deba minimizarse la gravedad del problema, se hace cada vez más evidente que se abre paso una nueva y más amistosa valoración de las tradiciones. No se ha llegado a esta conlusión por razones dogmáticas, sino a causa de las varias líneas de estudio objetivo que se ha centrado en el problema y han obligado a una revisión de las afirmaciones anteriormente mantenidas. Lo más importante, con mucho, de estas líneas ha sido la luz arrojada por los hallazgos arqueológicos referentes a la época de los orígenes de Israel. Hay que constatar que, cuando se desarrolló la hipótesis documentaria, apenas se tenía conocimiento de primera mano sobre el antiguo Oriente. Aún no había sido esclarecida la gran antigüedad de su civilización y apenas se conocía la naturaleza de sus diversas culturas. En ausencia de un punto objetivo de referencia para valorar las tradiciones, fue fácil que los hombres dudaran del valor histórico de documentos tan distanciados de los sucesos que relatan y, considerando a Israel en el aislamiento de una perspectiva reducida, supusieran para su primer período las más bárbaras costumbres y creencias.

Apenas si es necesario decir que esta situación ha cambiado radicalmente. Han sido excavados docenas de lugares y, a medida que han ido saliendo a la luz y han sido analizados los hallazgos de material y las inscripciones, la edad patriarcal se ha visto iluminada de una manera increíble. Tenemos ahora decenas de millares de textos literarios contemporáneos de los orígenes de Israel. Los más importantes son: los textos de Mari del siglo XVIII (cerca de 25.000), los textos de Capadocia del siglo XIX (varios millares), miles de documentos pertenecientes a la primera Dinastía babilónica (siglos XIX al XVI), los textos de Nuzi del siglo XV (varios millares), las tablillas de Alalaj de los siglos XVII y XV, las tablillas de Ras Šamra (de hacia el siglo XIV, pero conteniendo material mucho más antiguo), los Textos de Execración y otros documentos del Imperio medio egipcio (siglos XX al XVIII), y varios más. A todo ello hay que añadir los recién descubiertos textos de Ebla, al norte de Siria (unos 16.000) que, aunque procedentes de una época considerablemente más antigua (hacia la mitad del tercer milenio) y todavía no publicados ni bien estudiados, arrojarán sin duda mucha luz sobre el problema de los orígenes de Israel. Cuando se descubrió el bronce medio, se advirtió claramente que las narraciones patriarcales, lejos de ser creaciones literarias de la época de la monarquía, eran, en muchos aspectos, auténtico reflejo de lejanos tiempos, muy anteriores a la fase en que Israel comenzaba a constituirse en pueblo. Más tarde veremos algo acerca de esto. La única deducción posible es que las tradiciones, cualquiera que sea su veracidad histórica, son, en realidad, muy antiguas.

Indudablemente, el conocimiento de todo esto no ha obligado a los especialistas al abandono general de la hipótesis documentaria, pero ha permitido amplias modificaciones de esta hipótesis y una nueva apreciación de la naturaleza de las tradiciones. Hoy día está bien comprobado que todos los documentos, prescindiendo de la fecha de su composición, contienen material antiguo. Aunque los autores de los documentos elaboraron este material e imprimieron en él su propio carácter, es dudoso —aun cuando no se pueda demostrar detalladamente— que cada uno de ellos acarreara material *de novo*. Esto significa que, si bien los documentos pueden ser fechados con aproximación, el material no puede ser ordenado en ellos según una clara progresión cronológica. No se puede afirmar que los documentos más antiguos deban ser proferidos a los más recientes, o que el fechar un documento equivalga a pronunciar un veredicto acerca de la edad y el valor histórico de su contenido. El veredicto debe darse en cada unidad individual de tradición, estudiada por sí misma.

Apenas sorprende, por tanto, que en los últimos años haya habido un interés creciente por el examen de las más pequeñas unidades de tradición a la luz de los métodos de la crítica de las formas y de los datos comparativos. Aunque no se puede hablar de unanimidad en los resultados, tales estudios han sido voluminosos y fructíferos. Citaremos algunos de ellos en éste y sucesivos capítulos. El resultado ha sido demostrar con un alto grado de probabilidad que numerosos poemas, listas, leyes y narraciones aun en los documentos posteriores, son de origen muy antiguo y de gran valor histórico. Esto ha significado, a su vez, que ha llegado a ser posible una descripción mucho más positiva del primitivo Israel.

Además, el hecho de que los documentos, aunque varios siglos posteriores, reflejen auténticamente el medio ambiente del tiempo de que hablan, ha conducido a un creciente aprecio del papel de la tradición oral en la transmisión del material. Es universalmente reconocido que gran parte de la literatura del mundo antiguo —relatos épicos, saber tradicional, material litúrgico y legal— han sido transmitidos oralmente. Aun en tiempos más recientes, en las sociedades donde los documentos escritos son raros y la proporción de ignorancia es alta, se sabe que secciones enteras de literatura tradicional han sido transmitidas oralmente a lo largo de generaciones, y aun de siglos. E incluso cuando el material fue transmitido en forma escrita, no fue necesariamente abandonada la tradición oral, sino que pudo continuar ejerciendo su función al lado de la tradición escrita, sirviendo esta última como control, pero no como sustituto de la primera (5). La tenacidad con que la tradición oral actúa va-

---

(5) Cf. Albright, FSAC, pp. 64-81. La bibliografía sobre el tema es tan vasta que no podemos recensionarla aquí; cf., la discusión en R. C. Culley, ed., *Oral Tradition and Old Testament Studies* (Missoula, Mont.: Scholars Press, 1976). Da algunos ejemplos de la acción de la tradición oral en tiempos relativamente

ría con el tiempo y las circunstancias y no debe, por tanto, ser exagerada ni minimizada. Dado que la poesía se recuerda más fácilmente que la prosa, es razonable suponer que el material en verso o condensado en fórmulas fijas, como lo fue comúnmente el material legal, sería transmitido con mayor fidelidad que cualesquiera otras formas de discurso. Deben hacerse siempre, además, concesiones a la tendencia de la tradición oral a estereotipar el material dentro de formas convencionales, a configurarlo, reagruparlo, tamizarlo y, a veces, a comunicarle un propósito didáctico. Por otro lado, la transmisión oral tiende a ser más constante cuando se conoce la escritura y ésta puede frenar los desvaríos de la imaginación, y cuando un clan organizado tiene interés en mantener vivas las tradiciones ancestrales. Se puede decir que estas condiciones habían alcanzado un favorable desarrollo entre los hebreos en la época en que sus tradiciones fueron tomando cuerpo, puesto que los hebreos sentían de un modo particularmente intenso los vínculos de clan y culto y la escritura estuvo en uso general en todos los períodos de su historia. Por tanto, podemos dar por supuesto que, entre los documentos del Pentateuco, tal como los leemos, y los sucesos que narran, existe una corriente de tradición ininterrumpida y viva, aunque compleja. Podemos afirmar también que, aun después de haber dado comienzo el proceso de fijación por escrito, la tradición oral continuó su papel modelador, tamizador e incrementador del material.

c. *Más allá de los documentos: la formación de la tradición.* La historia de las tradiciones patriarcales antes de que desembocaran en los diversos documentos, puede ser trazada sólo en parte y esto por deducción. Como no hay aquí huellas del documento D, y el P, aunque suministra un armazón cronológico y genealógico, añade poco a la narración, se asigna a J y E la mayor parte del material (6). Estos dos documentos poseen, a pesar de numerosas divergencias, una notable homogeneidad esquemática y narran fundamentalmente la misma historia. Es realmente probable que las actuales divergencias entre ambos sean aún menores de lo que parece, puesto que quizá cuando ambos fueron unidos (probablemente después del 721), en una narración única (JE), uno de los dos (generalmente J) sirvió de base y el otro de complemento, con el resultado de que donde ambos eran paralelos, se tendió a eliminar uno de ellos, y sólo en los puntos divergentes se conservaron ambos relatos (7). Si esto es verdad, las diferencias que se observan representan el área máxima, no la mínima de divergencia.

---

modernos T. Boman, *Die Jesus-Überlieferung im Lichte des neueren Volkskunde* (Gotinga, Vandenhoeck and Ruprecht, 1976), pp. 9-28.

(6)   Ver las introducciones y comentarios; también M. Noth, *Ueberlieferungsgeschichte des Pentateuchs* (Stuttgart, W. Kohlhammer, 1948), pp. 4-44.

(7)   Cf. Albright, FSAC, p. 80; Noth, *op. cit.*, pp. 25-28.

Es probable que J y E transmitan material que se remonta a un fondo de tradiciones comunes. Las diferencias entre ellos hacen difícil que E dependa de J, mientras que sus semejantes hacen igualmente difícil creerlos completamente independientes entre sí. En todo caso, parece más razonable considerarlos como recensiones paralelas de una antigua épica nacional o de un cuerpo de tradiciones nacionales compuesto y transmitido en diferentes regiones del país (8). Aunque E es tan fragmentario que no permite una reconstrucción de las líneas generales de su antepasado o fuente común, puede admitirse que este antepasado existió de hecho al fondo de ambas fuentes, al menos en aquellos puntos en que fluyen paralelas. Cabría también imaginar otra alternativa, en el sentido de que E representa una recensión nueva de J, hecha en el norte de Israel, tras la división de la monarquía. Esta recensión reelaboró y revisó el material transmitido por J, para acomodarlo a sus propios puntos de vista, pero acudiendo también a tradiciones antiguas no recogidas por J (9). Se trata de un problema de difícil solución, debido, no en último término, a la naturaleza fragmentaria de E (10). Pero los grandes temas narrativos del Pentateuco se hallan presentes en ambas fuentes y es muy probable que estuvieran también ya en el cuerpo de tradiciones de las que extrajeron, en definitiva, su material. Y dado que J es fechado generalmente en el siglo X, esto significa que estas tradiciones debieron existir ya fijadas de alguna forma en la época de los jueces.

No sabemos si la fuente de J y E fue transmitida oralmente o por escrito, o de ambas formas. Tampoco sabemos si fue estructurada en forma de poesía épica o fue una recopilación o tuvo ambas formas. Pero la suposición de un original poético es admisible ya por el simple hecho de que en esta forma parece más aceptable una larga transmisión (11). En todo caso, hubo aquí, ciertamente, una larga historia de transmisión. Pero los detalles de esta historia están fuera de nuestro conocimiento, y probablemente lo estarán siempre. Los intentos para reconstruir una tradición-historia completa son demasiado especulativos y tienen demasiada poca base de prueba

---

(8) Así R. Kittel, GVI, I, pp. 249-259; Albright, FSAC, p. 241; Noth, *op. cit.*, pp. 40-44.

(9) Esta ha sido la última posición de W. F. Albright; cf. CBQ XXV (1963), pp. 1-11; YGC, pp. 25-37. Para su posición anterior, cf. la nota precedente.

(10) A pesar de su naturaleza fragmentaria, E representa una obra originariamente coherente, con sus propios puntos de vista y sus intereses específicos; cf. H. W. Wolff, «Zur Thematik der elohistischen Fragmente im Pentateuch» (*EvTh*, 27 [1969], pp. 59-72).

(11) Algunos (p. e. E. Sievers) han defendido incluso que se puede discernir un original métrico bajo el texto actual del Génesis: cf. Kittel, CVI, pp. 251 s.; Albright, FSAC, p. 241; también, *idem*, YGC, pp. 1-46; también F. M. Cross, *Canaanite Myth and Hebrew Epic* (Harvard University Press, 1973), p. 124 et passim.

objetiva para dar seguridad. Lo único que podemos dar por supuesto es que las tradiciones surgieron separadamente, en conexión con los sucesos que narran, en su mayor parte, sin duda, en forma de poemas heroicos (como el Cántico de Débora). Podemos suponer también que, con el transcurso del tiempo, las tradiciones que se relacionaban con diversos individuos —Abraham, Isaac, Jacob— fueron agrupados en ciclos tradicionales más amplios, que posteriormente fueron estructurados dentro de una especie de épica de los antepasados. Más tarde aún, esta épica fue unida a las tradiciones del Exodo, del Sinaí y de la conquista, para formar una gran historia épica de los orígenes de Israel.

A lo largo de todo este camino, las tradiciones experimentaron indudablemente un proceso de selección, refracción y estabilización. El material fue organizado según un esquema de motivos convencionales, mientras que las tradiciones inadaptables o de interés no general, fueron abandonadas y olvidadas. Y todas las tradiciones, aun las que originalmente afectaban a grupos pequeños, fueron esquematizadas dentro de un marco nacional de referencia, como tradiciones constitutivas del pueblo israelita. Al mismo tiempo, otras tradiciones que no estaban incluidas en los primitivos documentos o en su fuente, fueron transmitidas de una manera semejante, algunas para entrar en el Pentateuco por separado (por ej. Gn 14), y otras por medio de uno de los documentos posteriores. Pero los detalles del proceso no pueden ser precisados. Todo lo que se puede decir con seguridad es que la corriente de transmisión se remonta a la misma edad patriarcal y que las tradiciones, recitadas y transmitidas entre los diversos clanes, alcanzaron forma estable, como parte de la gran narración épica de los orígenes de Israel, ya en los períodos primitivos de la vida de Israel en Palestina.

Es cierto que el anterior punto de vista, ampliamente aceptado en la actualidad, ha sido vigorosamente impugnado en los últimos años por algunos especialistas, para quienes las narraciones patriarcales son, en mayor o menor grado, creaciones literarias imaginativas, de una fecha muy posterior (la primera época de la monarquía o incluso el período del exilio), con escaso apoyo en tradiciones orales y sin intención de escribir historiografía real o de hacer afirmaciones históricas (12). No es éste el lugar adecuado para analizar a fondo

---

(12)   T. L. Thompson, *The Historicity of the Patriarchal Narratives* (BZAW 133 [1974]), sitúa la composición de J en los primeros tiempos de la monarquía, pero opina que su autor no sólo no disponía de una tradición real del lejano pasado, sino que tenía además escaso interés en recordar hechos históricos. J. Van Seters, *Abraham in History and Tradition* (Yale University Press, 1975) sitúa la composición de J en el exilio, argumentando que refleja más las circunstancias de este período que las de la edad de los orígenes de Israel. Ninguno de estos dos especialistas descubre genuinas reminiscencias históricas en las secciones narrativas.

estas opiniones. Pero, aun reconociendo que sus defensores exponen sus argumentos con erudición y pericia, es dudoso que su postura consiga general aquiescencia o permanente asentimiento (13).

Fechar la composición de J en el exilio parece, en todo caso, muy probable, por una serie de razones. No es la menor de ellas el hecho de que a los patriarcas se les describe a menudo llevando a cabo acciones que estaban prohibidas por la ley israelita y que, probablemente, resultaban ofensivas para el pueblo piadoso del exilio. Por ejemplo, el matrimonio de Abraham con su hermanastra (Gn 20, 12, en claro contraste con Lv 18, 9, 11; Dt 27, 22); Jacob está casado al mismo tiempo con dos hermanas (Gn 29, etc., contrariando a Lv 18, 18); Abraham planta un árbol sagrado (Gn 21, 33, en contra de la prescripción de Dt 16, 21) y Jacob erige estelas sacras (Gn 22, 28, etc.) (14). ¿Podía un autor del exilio trazar un cuadro de los venerables antepasados en el que se les describe realizando acciones de las que sabía que escandalizarían a sus lectores? Se comprende con facilidad que las narraciones patriarcales, con su insistencia en las promesas firmes y eternas de Dios, tenían que cobrar nueva actualidad en el exilio, cuando todo parecía haberse perdido. Pero resulta difícilmente admisible que hayan sido escritas por vez primera en esta fecha tardía.

Está, por supuesto, muy difundida la opinión de que las narraciones patriarcales recibieron forma literaria en la primera época de la monarquía (fecha generalmente admitida para J) y cabe esperar que hayan quedado huellas de este hecho. Pero parece muy poco verosímil que un autor del siglo X haya querido utilizarlas —y menos aún que hayan sido aceptadas y creídas— si no hubieran respondido a tradiciones ya por entonces antiguas y apreciadas por amplios sectores de la población. Que las narraciones patriarcales desarrollan antiguas tradiciones es, por un lado, y a priori, cierto y, por otro, cuentan con el apoyo de varias líneas de pruebas, algunas de las cuales se expondrán más adelante.

2. *Valoración de las tradiciones como fuentes históricas.* Aunque la comprobación de la antigüedad de las tradiciones patriarcales les añade ciertamente una presunción de autenticidad, no por eso se las puede ya establecer como fuentes fidedignas de historia. ¿Cómo, pues, hemos de valorarlas y usarlas, en orden a la reconstrucción de los orígenes de Israel? Ciertamente no nos es lícito minimizar el problema implicado aquí. Si rechazar las tradiciones, o seleccionar de ellas

(13) Cf. J. T. Luke, «Abraham and the Iron Age: Reflections on the New Patriarchal Studies» (JSOT 4 [1977], pp. 35-47). Sus puntos de vista críticos son, en mi opinión, tan fundamentales como convincentes; cf. también la crítica hecha a Van Seters por H. Cazelles, VT, XXVIII (1978), pp. 241-255.

(14) Cf. N. M. Sarna, BARev., III (1977) para ésta y otras críticas a la posición de Van Seter.

sólo lo que a cada uno le parece razonable, no representa un modo de proceder científicamente justificable, nadie puede negarse a aceptar la naturaleza y las limitaciones de las pruebas.

a. *Limitaciones de las pruebas.* Debe admitirse la imposibilidad de escribir, en el sentido propio de la palabra, una *historia* de los orígenes de Israel, y esto a causa de las limitaciones de las pruebas tanto arqueológicas como bíblicas. Ni siquiera aceptando la narración bíblica tal como suena es posible reconstruir la historia de los orígenes de Israel. Quedan demasiadas cosas oscuras. La narración del Génesis está pintada en claro-oscuro, sobre un simple cañamazo, sin perspectiva de fondo. Describe algunos individuos y sus familias que se mueven en su mundo casi como si fueran los únicos habitantes de él. Si se mencionan los grandes imperios de entonces, o los pequeños pueblos de Canaán, apenas son más que voces entre bastidores. Si se concede una modesta importancia a los faraones de Egipto, no se les menciona por su nombre: no sabemos quiénes fueron. En toda la narración del Génesis no se nombra ni una sola figura histórica que pueda de alguna manera ser identificada. No se menciona a ningún antepasado hebreo que pueda ser controlado por alguna inscripción contemporánea. Y dado que eran nómadas de escasa importancia, no es probable que puedan serlo alguna vez. Como conclusión, es imposible decir en qué siglos vivieron de hecho Abraham, Isaac y Jacob. Ya sólo esto bastaría para impedir una narración histórica satisfactoria.

Tampoco podemos aportar pruebas arqueológicas. Nunca se acentuará demasiado que, a pesar de toda la luz que se ha arrojado sobre la edad patriarcal, a pesar de todo lo que se ha hecho para justificar la antigüedad y autenticidad de la tradición, no está arqueológicamente comprobado que las narraciones patriarcales sucedieran exactamente tal como la Biblia las narra. Vista la naturaleza del caso, no puede ser de otro modo. Al mismo tiempo —y esto debe afirmarse con igual énfasis— no ha habido ninguna prueba que haya puesto en evidencia contradicción alguna con los sucesos de la tradición. El testimonio de la arqueología es indirecto. Ha prestado el cuadro de los orígenes de Israel, tal como está diseñado en el Génesis, un aire de probabilidad y ha proporcionado la perspectiva para entenderlo, pero no ha demostrado al detalle la verdad de las narraciones, ni lo puede hacer. No sabemos nada de la vida de Abraham, Isaac y Jacob, fuera de lo que nos dice la Biblia, quedando los detalles fuera de control de los datos arqueológicos.

b. *Limitaciones inherentes a la naturaleza del material.* Toda literatura debe ser interpretada a la luz del género a que pertenece. Esto no es menos cierto tratándose de la literatura bíblica. Las narraciones patriarcales, por tanto, han de ser valoradas por lo que son. Para empezar, forman parte de una gran historia teológica que comprende la totalidad del Hexateuco y que pretende no sólo recordar los sucesos de los orígenes de Israel tal como eran recordados en la tradición sagrada, sino también iluminar, a través de ellos, los actos redentores de Dios en favor de su pueblo. ¡Lo cual no es, evidentemente, un demérito! Es, precisamente, lo que proporciona a la narración valor eterno como palabra de Dios. Los simples hechos de la historia de Israel, nos interesarían muy poco, si no fueran una historia de fe. Con todo, esto significa que no deben confundirse el hecho y su interpretación teológica. Siendo el historiador un hombre, no puede escribir una historia desde el ángulo de Dios (a). Aunque él puede estar realmente convencido de que la historia de Israel estaba divinamente guiada, como la Biblia lo dice (¡y él puede afirmarlo así!), son hechos humanos los que debe recordar. Debe perfilarlos lo mejor que pueda, a través de documentos que interpreta teológicamente.

Más aún, hay que tener presente la larga corriente de transmisión oral a través de la cual pasaron las tradiciones y la forma de estas tradiciones. Esto no quiere decir que se ponga en tela de juicio la historicidad esencial del material Poemas heroicos, épicos y prosa saga son todos ellos formas de narrar historia. Quizás en aquellas épocas y lugar fueron éstas las formas más adecuadas, si no las únicas —y ciertamente, para los propósitos teológicos del Pentateuco fueron formas muchos mejores— que lo podría haber sido nuestro erudito género histórico. El tipo de material nunca puede decidir la cuestión de historicidad, el grado de la cual no debe ser, necesariamente, mínimo —ciertamente no en el caso de unas tradiciones, tan únicas como las del Pentateuco—. Del hecho de que las narraciones patriarcales no hayan llegado hasta nosotros bajo la forma de anales históricos no puede concluirse que carezcan de intención historiográfica o que no deban ser analizadas para intentar extraer la información histórica que contienen (15). No obstante, y a pesar de que parece posible demostrar que las narraciones incluyen una tenaz memoria histórica, el material es de tal naturaleza que, sobre esta base, no podemos acometer la tarea de trazar una secuencia ordenada de los acontecimientos ni reconstruir la historia de las migraciones patriarcales —y mucho menos aún la biografía de los patriarcas mismos— (16).

Podemos, por otra parte, constatar que los sucesos fueron enormemente más complejos de lo que las narraciones bíblicas afirman.

---

(15) Como sugiere Thompson, *op. cit.* Cf. la crítica de Luke, *op. cit.*, esp. pp. 35-38.

(16) Algo similar ocurre con los Evangelios; aunque éstos siguen siendo nuestra fuente primaria para el conocimiento del Jesús histórico, el material es de tal naturaleza que todos los intentos hechos hasta ahora por trazar una biografía de Jesús han fracasado —y muy probablemente seguirán fracasando siempre.

Los relatos han sido fijados como tradición nacional, pero originariamente no lo fueron, puesto que nacieron antes de que Israel fuera nación. Muestran, por otra parte, la tendencia de la épica a encerrar complejos movimientos de grupo en acciones de individuos aislados. En la simple y esquemática narración del Génesis subyacen grandes migraciones de clanes, de las que no faltan algunas insinuaciones en la narración misma. De un modo superficial se podría concluir que Abraham salió de Jarán acompañado tan solo de su mujer, de Lot y su mujer y de unos pocos criados (Gn. 12, 5). Pero pronto se hace evidente (13, 1-13) que Lot y Abraham son jefes de grandes clanes, (¡aunque Abraham no tiene hijos todavía!) El hecho de que Abraham pudiera poner en pie de guerra a trescientos dieciocho comnatientes (14, 14), arguye que su clan era, verdaderamente, considerable. Y con toda seguridad, la destrucción de Siquem por Simeón y Leví (cap. 34), no fue obra de dos individuos aislados, sino de dos clanes (cf. 49, 5-7).

En todo caso, los orígenes de Israel no fueron materialmente tan simples. Teológicamente, todos eran descendientes del mismo hombre, Abraham; físicamente, procedían de diferentes estirpes. No podemos dudar que clanes de origen afín —muchos de los cuales contribuyeron más tarde a formar la raza israelita— fueron emigrando a Palestina por docenas en el segundo milenio, para mezclarse allí y multiplicarse con el tiempo. Cada clan tuvo, sin duda, su tradición de migración. Pero con la formación de la confederación israelita bajo una fe que hacía remontar sus primeros orígenes hasta Abraham, las tradiciones o quedaron establecidas como de toda la nación, o suprimidas. En modo alguno debemos simplificar los orígenes de Israel, ya que fueron sumamente complejos.

c.   *Metodo a seguir*. En la discusión sobre los orígenes de Israel haríamos bien en atenernos a un método tan rígidamente objetivo como sea posible. Repetir la narración bíblica sería un procedimiento insulso: el lector la puede revisar mejor por sí mismo. Se debe insistir en que, por lo que atañe a la historicidad de la mayor parte de sus detalles, las pruebas externas de la arqueología no ofrecen un veredicto ni en pro ni en contra. Por tanto, picotear y escoger en las tradiciones, concediendo historicidad a esto y negándosela a aquello otro, es un procedimiento muy subjetivo, que no refleja más que las propias predilecciones. Tampoco es método objetivo trazar la historia de las tradiciones y aquilatar su valor histórico mediante el examen de las mismas tradiciones. La crítica de la forma, tan indispensable para entender e interpretar las tradiciones, no puede, dada la naturaleza de este caso, pronunciar un juicio sobre la historicidad, en ausencia de pruebas externas.

El único cauce seguro e idóneo consiste en un examen equilibrado de las tradiciones sobre el fondo del mundo contemporáneo, y a su luz establecer aquellas conclusiones positivas que las pruebas permitan. Las reconstrucciones hipotéticas, por plausibles que puedan parecer, han de ser evitadas. Muchas cosas quedarán oscuras. Pero puede decirse lo suficiente para asegurar que las tradiciones patriarcales están firmemente ancladas en la historia.

B. ENCUADRAMIENTO HISTORICO DE LAS NARRACIONES PATRIARCALES

1. *Los patriarcas en el contexto de los comienzos del segundo milenio.* Cuando las tradiciones son examinadas a la luz de los documentos, la primera afirmación que ha de hacerse es la ya sugerida, a saber, que las narraciones patriarcales encuadran incuestionable y auténticamente en el ambiente del segundo milenio, concretamente en el de los siglos apuntados en el capítulo anterior, y no en los de un período posterior. Las pruebas son tan abundantes que no podemos volver a revisarlas todas (17).

a. *Primitivos nombres hebreos en relación con el marco del segundo milenio.* En primer lugar, los nombres de las narraciones patriarcales encuadran perfectamente en una agrupación que sabemos fue corriente tanto en Mesopotamia como en Palestina en el segundo milenio, concretamente entre el elemento amorreo de la población (18). Entre los nombres de los mismos patriarcas, por ejemplo, el de «Jacob» se encuentra en un texto de Chagar-bazar del siglo XVIII, en la Mesopotamia superior (Ya'qub-el), como nombre de un jefe hicso (Ya'qub-hal) y como nombre de un lugar de Palestina (Ya'qob-el) en una lista de Tutmosis III del siglo XV, mientras que nombres construidos con la misma raíz son hallados en una lista egipcia del siglo XVIII y en Mari. El nombre «Abraham» (Abamram) es conocido por los textos de Babilonia de la primera dinastía y posiblemente por los Textos de Execración (19), y también se encuentran en Mari nom-

---

(17) Cf. Albright, YGC, pp. 47-95; también BA, XXXVI (1973), pp. 5-33; H. H. Rowley, «Recent Discovery and the Patriarchal Age» (*The Servant of the Lord and Other Essays* [rev. ed., Oxford, Blackwell, 1965], pp. 283-318); Wright, BAR, cap. III; A. Parrot, *Abraham and His Times,* Fortress Press, 1968); (H. Cazelles y A. Feuillet, eds., *Supplément au Diccionnaire de la Bible,* vol. VII, fasc. XXXVI [París, Letouzey et Ané, 1961], cols. 81-156); R. de Vaux, EHI, I, parte I, «The Patriarchal Traditions».

(18) Ver especialmente W. F. Albright, «Northwest-Semitic Names in a List of Egyptian Slaves from the Eighteenth Century B. C.» (JAOS, 74 [1954], pp. 222-233); M. Noth, *Die israelitischen Personennamen im Rahmen der gemeinsemitischen Namengebung* (BWANT, III: 10 [1928]); *idem,* ZDPV, 65 (1942), pp. 9-67 (también pp. 144-164); *idem,* «Mari und Israel» (*Geschichte und Altes Testament,* G. Ebeling, ed. [Tubinga, J. C. B. Mohr, 1953], pp. 127-152; *idem,* JSS, I (1956), pp. 322-333.

(19) Cf. Albright, BASOR, 83 (1941), p. 34; 88 (1942), p. 36; JBL, LIV (1935), pp. 193-203.

bres que contienen los mismos componentes. Aunque no se encuentra
el nombre de «Isaac» y, al parecer, tampoco el de José, ambos tienen
un tipo característico enteramente primitivo. Además, «Najor» se encuentra en los textos de Mari como una ciudad (Nahur) de las cercanías de Jarán (como en Gn 24, 10) gobernada en el siglo XVIII por
un príncipe amorreo. Los textos asirios posteriores (que conocían
«Nahur» como «Til-nahiri»), conocían también «Til-turabi» (Teraj)
y «Serug». De entre los nombres de los hijos de Jacob, «Benjamín» es
conocido en Mari como nombre de una amplia confederación de
tribus. El nombre «Zabulón» se encuentra en los Textos de Execración, mientras que nombres construidos con las mismas raíces que los
de Gad y Dan son conocidos en Mari. «Ismael» —y tal vez también
«Leví»— se encuentran en Mari, en tanto que nombres afines a
«Aser» e «Isacar» se hallan en una lista egipcia del siglo XVIII (20).

A todo ello deben añadirse los recientes textos de Ebla donde
—como hemos dicho (21)— figuran numerosos nombres que nos
resultan familiares por la lectura de la Biblia: Abraham, Eber (Gn 10,
21 ss.; 11, 14 ss.), Ismael, Esaú, David, Israel y otros. Hemos dicho
asimismo que se mencionan también algunas ciudades que llevan
nombres similares a los de varios antepasados de Israel (cf. Gn 11,
20-26): Phaliga (Peleg), Sarugi (Serug), Til-turaji (Teraj), Najur
(Najor) y Jarán.

Debe concederse, por supuesto, que muy probablemente ninguno de estos casos hace referencia a los patriarcas bíblicos. Pero
la profusión de tales nombres en documentos contemporáneos muestra claramente que la alta Mesopotamia y Siria del norte contaban
con una población similar a la de los antepasados de Israel ya en la
edad del bronce medio e incluso muchos siglos antes. Y esto confirma
por un lado la confianza en la antigüedad de las tradiciones y, por
otro, añade verosimilitud a la afirmación bíblica según la cual los
antepasados de Israel emigraron de esta área general. El hecho de
que se hayan encontrado ejemplos de algunos de estos nombres en
textos que descienden hasta el primer milenio no desvirtúan en nada
esta impresión. Los nombres son, en efecto, de un tipo arcaico y,
por lo demás, no eran característicos de la posterior nomenclatura
israelita. Más aún, en varios casos los autores bíblicos no entendían
ya su significado y acudieron repetidas veces a etimologías populares
para explicarlos (22). Ni uno sólo de los nombres de los patriarcas
y sólo unos pocos de las personas que estuvieron relacionadas con

---

(20)   Cf. Albright, JAOS, 74 (1954), pp. 227-231. «Job» también se encuentra en esta lista, en los Textos de Execración y en otros lugares.

(21)   Cf. G. Pettinato, BA, XXXIX (1976), pp. 42-52; D. N. Freedman,
BA, XL (1977), pp. 2-4; P. C. Maloney, BARev., IV (1978), pp. 4-10. Pero cf. también las precauciones recomendadas en el Prólogo, p. 45 y en nota 29.

(22)   Cf. de Vaux, EHI, I, pp. 199 s.

ellos reaparecen de nuevo, a lo largo del período bíblico, como nombres propios. Así, pues, en este aspecto las narraciones patriarcales tienen un alto índice de autenticidad.

b. *Costumbres patriarcales en relación con la situación del segundo milenio.* Numerosos incidentes de la narración del Génesis encuentran explicación a la luz de las costumbres vigentes en el segundo milenio. Los textos de Nuzi, que reflejan la ley consuetudinaria de una población predominantemente hurrita del este del Tigris, en el siglo XV, son aquí particularmente provechosas. Aunque estos textos proceden de un siglo relativamente tardío y de una zona que nunca fue recorrida por los patriarcas hebreos, estaban sin duda insertos en un cuerpo de tradiciones legales ampliamente difundidas y, desde luego, muy antiguas. Debe recordarse que ya en el siglo XVIII la población semita del área superior del Creciente Fértil estaba fuertemente mezclada con los hurritas y que, unas pocas centurias más tarde, estos hurritas eran el elemento predominante de la zona. Sería realmente sorprendente que sus costumbres fueran ignoradas por la población «amorrea» de aquellas regiones —como lo seguro es, por el contrario, que debieron tomar varios elementos de ellas—. En cualquier caso, los textos de Nuzi arrojan luz sobre un cierto número de incidentes dispersos que, de otro modo, resultarían inexplicables (23). Por ejemplo, el temor de Abraham (Gn 15, 1-4) de que su esclavo Eliecer llegara a ser su heredero, se entiende a la luz de la adopción de un esclavo, tal como se practicaba en Nuzi. Los matrimonios sin hijos podían adoptar un hijo, que les debía servir durante toda su vida y heredarles a su muerte. Pero si nacía un hijo natural, el adoptado tenía que devolver el derecho de herencia. De igual modo, en el caso de Sara, que dio su esclava Agar a Abraham como concubina (16, 2-4), algunos contratos matrimoniales de Nuzi obligaban a la esposa, si no tenía hijos, a proporcionar una sustituta a su marido. Si de tal unión nacía un hijo, la ley de Nuzi prohibía la expulsión de la esclava y de su hijo, lo cual explica la repugnancia de Abraham a expulsar a Agar e Ismael (21, 10 s.). Para las narraciones de Labán-Jacob son particularmente iluminadores los textos de Nuzi. La adopción de Jacob en la familia de Labán, la condición que se les impuso de no tomar otras mujeres que las hijas de Labán (31, 50), el resentimiento de Lía y de Raquel contra Labán (31, 15) y, finalmente, el hurto que hace Raquel de los dioses de Labán (24),

---

(23) Además de las obras citadas en la nota 17, cf. C. H. Gordon, «Biblical Customs and the Nuzi Tablets» (BA, III [1940], pp. 1-12); *idem, The World of the Old Testament* (Doubleday, 1958), pp. 113-133; R. T. O'Callaghan, CBQ, VI (1944), pp. 391-405; y especialmente E. A. Speiser, *Genesis* (AB, 1964), *passim,* donde se analizan unos veinte paralelos.

(24) Se discute la significación de la posesión de los dioses. Probablemente no llevaba aparejado el título de la herencia (así Speiser, *op. cit.,* pp. 250 s.; Anne E. Draffkorn, JBL, LXXVI [1957], pp. 391-405), pero podría tal vez constituir

todo tiene paralelo en las costumbres de Nuzi. Pero esto son sólo algunos casos aislados, elegidos entre otros muchos.

Hay también otros paralelos, próximos a los textos de Nuzi, respecto de los cuales existen pruebas que indican que en el segundo milenio estaban en vigor, en varias partes del Creciente Fértil, costumbres similares en torno al matrimonio, la adopción, la herencia y otros aspectos relacionados con estas cuestiones. Así, por ejemplo, un contrato matrimonial del siglo XV, celebrado en Alalaj, al norte de Siria (cuya población había sido durante largo tiempo de predominio hurrita), indica que el padre podía quedar desligado de la ley de la primogenitura y designar al hijo que debería ser considerado como «primogénito». El marido estipulaba que si su esposa no tenía hijos, debería tomar en matrimonio a su propia sobrina (no una esclava). Pero, si más adelante, la primera esposa tenía un hijo, éste debería ser considerado como primogénito, aunque el marido hubiera tenido antes otros hijos de su (o sus) otras mujeres. Todo ello trae de nuevo a la memoria el ya mencionado episodio de Sara y Agar. Pero recuerda también por qué Jacob eligió a Efraím como «primogénito», en lugar de Masasés, aunque éste era el hijo mayor de José (Gn 28, 8-26) y por qué, también, repudió a su hijo mayor, Rubén, en favor de José, el hijo de su mujer favorita, Raquel (Gn 48, 22; 49, 3 s.; cf. Cr 5, 1 s.) (25). Esta costumbre, que parece haber estado ampliamente difundida en la edad patriarcal, estaba expresamente prohibida por la ley israelita posterior (Dt 21, 15-17). Podrían añadirse nuevos ejemplos, pero no disponemos del espacio suficiente.

No debe exagerarse, ciertamente, la fuerza demostrativa de estos paralelos y de otros que podrían citarse. Por sí solos no prueban que las tradiciones patriarcales se remonten al segundo milenio, y menos aún nos permiten fechar a los patriarcas en un siglo concreto. Por otra parte, se trata de paralelos de desigual valor. En algunos casos, este paralelismo es cercano y estrecho, y hasta sorprendente, en otros es más lejano de lo que una lectura superficial pudiera sugerir y en otros, finalmente, se encuentran mejores paralelos en siglos posteriores (26). Podría argumentarse que puesto que se trata de costumbres practicadas en un área tan extensa, que, además, varían poco y muy gradualmente a lo largo de los siglos, resultaba fácil

una especie de pretensión a la jefatura en el seno de la familia; cf. M. Greenberg, JBL, LXXXI (1962), pp. 239-248. Evidentemente, los dioses tenían una importancia que superaba la de su simple valor material o intrínseco, de tal suerte que Labán parecía más preocupado por su pérdida que por la de su propiedad o sus hijas.

(25) Cf. I. Mendelsohn, BASOR, 156 (1959), pp. 38-40; D. J. Wiseman, AOTS, pp. 127 s.

(26) Cf. las precauciones y una valoración equilibrada en de Vaux, EHI, pp. 241-256.

dar a las narraciones patriarcales un cierto colorido de antigüedad, sin que por ello tengan que reflejar rasgos o figuras genuinamente arcaicos, procedentes de un lejano pasado (27). No obstante, si estos paralelos, en la medida en que son válidos, no demuestran la antigüedad de las narraciones patriarcales, tampoco prueban en modo alguno lo contrario y más bien, sumados a otras pruebas, tienden a confirmar esta antigüedad.

Fuera como fuere, es un hecho que los paralelos estrictos entre la Biblia y las referidas costumbres se encuentran únicamente en las narraciones patriarcales, pero no en las de épocas posteriores. Más aún, no sólo estas costumbres no tienen reflejo en la posterior ley de Israel, sino que en el siglo X, cuando se procedió a la primera redacción escrita del cuerpo del Pentateuco, ya no se entendía su significado. Así, por ejemplo, Gn 31 describe sólo el aspecto burlesco del robo y ocultamiento de los dioses de Labán por Raquel, y parece desconocer el alcance legal que pudo tener el incidente. Es muy sólida la convicción de que las narraciones patriarcales son un reflejo auténtico de las costumbres sociales prevalentes en el segundo milenio.

c. *Los desplazamientos patriarcales y el modo de vida en el escenario del segundo milenio.* Además de lo antes dicho, es actualmente evidente que el modo de vida de los patriarcas y la naturaleza de sus desplazamientos, tal como son descritos en el Génesis, encuadran perfectamente en el medio político y cultural de comienzos del segundo milenio.

Los patriarcas son presentados como seminómadas que viven en tiendas y recorren Palestina y sus regiones limítrofes en todas direcciones, en busca de pastos para sus rebaños, haciendo, a veces, largos viajes hasta Mesopotamia o Egipto. No eran auténticos *bedu'*, largos viajes hasta Mesopotamia o Egipto. No eran auténticos beduinos; no vivían en el desierto ni se adentraban profundamente en él, si no era siguiendo rutas a lo largo de las cuales podían contar con suficientes manantiales o aprovisionamiento de agua (por ejemplo, la ruta de Egipto). Acampaban con frecuencia cerca de las ciudades y, al parecer, mantenían casi siempre amistosas relaciones con las poblaciones sedentarias; a veces permanecían en un lugar el tiempo suficiente para cultivar los campos, al menos dentro de ciertos límites (por ejemplo, Gn 26, 12). Pero —a excepción de Lot— nunca se establecieron de forma permanente en las ciudades, ni se integraron en la población urbana, ni poseyeron tierras propias, a no ser pequeñas parcelas adquiridas para enterrar a sus muertos (caps. 23, 33, 19; 50, 5). En una palabra, no se describe a los patriarcas como nómadas camelleros al estilo de los que aparecerán más tarde y hasta nues-

_____

(27) Cf. especialmente las obras de Van Seters y de Thompson citadas en la nota 12.

tros propios días, sino como pastores seminómadas de rebaños de
ovejas y otro ganado menor, que cargaban sus bultos sobre asnos y
limitaban sus movimientos a las regiones sedentarias y sus alrededores, en busca de pastos estacionales. Las pocas referencias a los camellos (p. ej., 12, 16; 24) parecen ser retoques anacrónicos introducidos
para hacer las narraciones más vivas a los oyentes posteriores. Auténticos nómadas camelleros no aparecen en la narración del Génesis.

Así debió suceder, efectivamente. Aunque el camello era, desde
luego, conocido ya desde los primeros tiempos, y aunque pudo haber
sido domesticado en algunos casos aislados en algún período (es probable que los nómadas poseyeran rebaños de camellos semisalvajes
para asegurar su provisión de leche, pelo y piel), parece que la domesticación efectiva de este animal como medio de transporte tuvo lugar
entre los siglos XV y XIII, en el interior de Arabia. Los nómadas
camelleros no aparecen en la Biblia hasta los días de Gedeón (Jc,
caps. 6 al 8) (28). Sería erróneo imaginarse a los pastores nómadas
del segundo milenio surgiendo en oleadas desde el desierto, lanzando
incursiones incesantes contra los campos de labor y atacando a los
campesinos de los poblados. Al contrario, pastores y campesinos se
adaptaban entre sí, como dos segmentos de una sociedad «dimórfica»,
cuyas actividades se cumplimentaban mutuamente (29). Eran frecuentes los movimientos de flujo y reflujo entre ambos grupos y a
menudo se encontraban en los dos una misma población. Más que
entre pastores y aldeanos, las fricciones se producían entre estos dos
grupos y la autoridad central de los señores de las ciudades. Los patriarcas eran más bien pastores seminómadas como los que conocemos por la historia de Sinuhé (siglo XX) o los textos de Mari, en los
que no se hace mención del camello y cuyos tratados eran, por lo general, sellados con el sacrificio de un asno (30). De hecho, es muy probable que los textos de Mari nos proporcionen la más valiosa analogía

---

(28)   A pesar de las objeciones de algunos autores (p. e. J. P. Free, JNES,
III [1944], pp. 187-193; recientemente Kitchen, *op. cit.*, pp. 79 s.), no parece que
existen menciones seguras de la domesticación del camello en los textos de este
período; cf. W. G. Lambert, BASOR, 160 (1960), pp. 42 s. Para la domesticación
de estos animales, cf. R. Walz, ZDMG, 101 (1951), pp. 29-51; *ibid.*, 104 (1954),
pp. 45-87; Albright, YGC, pp. 62-64, 156; *idem*, «Midianite Donkey Caravans»
(H. T. Frank y W. L. Reed, eds., *Translating and Understanding the Old Testament*
[Abingdon Press, 1970], pp. 197-205, especialmente 201 s.).

(29)   Cf. especialmente N. K. Gottwald, «Were the Early Israelites Pastoral
Nomads?» (J. J. Jackson y M. Kessler, eds., *Rhetorical Criticism: Essays in Honor of
James Muilenburg* [Pittsburg, Pickwick Press, 1974], pp. 223-255); *idem*, *BARev.*,
IV (1978), pp. 2-7; W. G. Dever, IJH, pp. 102-120 (donde se da más bibliogra-
fía).

(30)   Cf. F. M. Cross, *Canaanite Myth and Hebrew Epic*, pp. 265 s. A los habitantes de Siquem se les llamaba *bene hamôr* («hijos del asno», es decir, de la alianza);
su dios era *Ba'al berith* («Señor de la alianza»); cf. Gn. cap. 34; Jos. 24, 32; Jue. 9, 4.

de aquella vida nómada que se nos cuenta de los patriarcas (31). Su apariencia sería muy parecida a la de aquellos seminómadas —vestidos con ropajes multicolores y moviéndose a pie con sus bienes e hijos cargados en asnos— que vemos pintados en la pared de una tumba del siglo XIX, en Beni-Hasán, de Egipto (32).

Los desplazamientos de los patriarcas concuerdan, además, perfectamente, con la situación de principios del segundo milenio. Hay desde luego algunos anacronismos: por ejemplo, la mención de Dan en Gn. 11, 14 (cf. Jc. 18, 29) y de los filisteos en Gn. 21, 32-34; 26 (aunque hubo algunos contactos en esta época con los egeos, los filisteos llegaron mucho más tarde). Cabría esperar que narraciones transmitidas durante siglos serían adornadas, en el transcurso del tiempo, con retoques actualizantes. No obstante, el cuadro en conjunto permanece auténtico. La facilidad con que los patriarcas se desplazan de Mesopotamia a Palestina y viceversa, concuerda bien con la situación conocida por los textos de Mari, que muestran que la libre comunicación, no impedida por ninguna sólida barrera, era posible en todas partes del Creciente Fértil. Los movimientos de los patriarcas en Palestina caen perfectamente dentro de la situación de los Textos de Execración, cuando el país, escasamente o nada ayudado por Egipto, estaba muy débilmente habitado por una población sedentaria. Las pinturas de Beni-Hasán ilustran la libertad con que los grupos podían moverse de Asia a Egipto y la historia de Sinuhé muestra la facilidad de comunicación entre Egipto y Palestina-Siria.

Hasta los detalles de las andanzas patriarcales tienen sabor de autenticidad. Los patriarcas son descritos como trashumantes en la región central montañosa de Palestina, desde el área sur de Siquem hasta el Négueb, en el Négueb y en el este del Jordán. Pero no anduvieron por el norte de Palestina, valle del Jordán, llanura de Esdrelón o la llanura costera (salvo en el lejano sur). Esto concuerda con la situación en Palestina bajo el Imperio medio tal como es conocido por la arqueología y por los Textos de Execración. La cordillera central estaba por este tiempo débilmente poblada. Una gran parte del territorio se hallaba cubierta por bosques (cf. Jos 17, 18), aunque con áreas aptas para pastos de rebaños nómadas. Los patriarcas nomadeaban, pues, donde los nómadas de aquel tiempo lo hicieron; pero, significativamente, no donde hubieran nomadeado en los días de la monarquía. Cabe añadir que, por cuanto se ha podido averiguar, las ciudades mencionadas en las narraciones patriarcales —Siquem, Betel, Jerusalén, Hebrón— existían ya en el bronce me-

---

(31) Cf. Dever, *ibid.*, y las obras citadas aquí, especialmente las de J. R. Kupper y A. Malamat.

(32) Cf. Pritchard, ANEP, lámina 3.

dio II (33). En este sentido al menos, las narraciones no son ana-crónicas.

Por supuesto, nada de lo hasta ahora aducido constituye una *prueba* de que las narraciones patriarcales se apoyen en tradiciones que se remontan a los primeros tiempos del segundo milenio. Pero los indicios, considerados en su conjunto, señalan claramente que se adaptan bien a las circunstancias de la época y consolidan nuestra confianza de que conservan una vieja y tenaz memoria histórica.

2. *La datación de los patriarcas.* Concedido todo lo anteriormente expuesto, ¿no nos permiten estos indicios fijar la fecha de las migra-ciones patriarcales con mayor precisión? Desgraciadamente, no. Lo más que se puede decir, por mucho que nos desagrade, es que los sucesos reflejados en los capítulos 12 al 50 del Génesis encuadran mejor, en su máxima parte, en el período descrito, es decir, aproxi-madamente entre los siglos XX al XVII (bronce medio II). Pero carecemos de datos suficientes para fechar a los patriarcas en un siglo o unos siglos concretos. Y, además, debemos tener en cuenta la posi-bilidad de que las narraciones patriarcales combinen o mezclen la memoria de acontecimientos que se desarrollaron a lo largo de un gran período de tiempo.

a. *Limitaciones de las pruebas.* Si seguimos la propia cronología bíblica, podemos suponer que los patriarcas pueden ser fijados exac-tamente el período descrito. Es interesante que el arzobispo Usher colocara el nacimiento de Abraham en 1996 y la bajada de José a Egipto en 1728, lo cual concuerda sorprendentemente con la posición antes mencionada (34). Pero la cuestión no es tan sencilla. Aparte el hecho de que no podemos atribuir a la cronología bíblica, en su primer período, una tal precisión (¡si así lo hiciéramos tendría-mos que colocar la creación en el 4004 a. C.!) esta cronología resulta en sí misma completamente ambigua. Por ejemplo, mientras Ex. 12, 40 señala 430 años para la estancia de Israel en Egipto, los LXX, en el mismo lugar, incluyen también la estancia de los patriarcas en Palestina en estos 430 años; y puesto que la cronología del Génesis señala para esta última 215 años (cf. Gn 12, 4; 21, 5; 25, 26; 47, 9), el tiempo pasado en Egipto queda reducido a la mitad. Aunque respecto de otras referencias, que parecen reducir la permanencia

---

(33) Aunque se menciona repetidas veces a Beer-šeba, parece que la ciudad no fue construida hasta el período israelita. Pero debe advertirse que las narraciones nunca hablan de una ciudad de Beer-šeba (salvo la nota de Gen. 26, 33, que explica el nombre posterior del lugar), ni tampoco de sus habitantes, sino sólo de un pozo y de un lugar sagrado. De aquí no se sigue necesariamente que el gran pozo allí excavado esté relacionado con los patriarcas y las tradiciones vinculadas a este lugar, pero sí que su origen debe situarse hacia el siglo XII, como cree Y. Aharoni; cf. BA, XXXIX (1976), pp. 55-76.

(34) Cf. James Ussher, *Annales Veteris Testamenti* (Londres 1650), pp. 1, 6, 14.

en Egipto solamente a dos o tres generaciones —p. eje., Ex. 6, 16-20, donde se dice que Moisés había sido nieto de Kohaz, hijo de Leví, que entró en Egipto con Jacob (Gn 46, 11)— puede decirse simplemente que las generaciones no han sido íntegramente conservadas (35), es claro que no se puede establecer la datación de los patriarcas a base de cálculos tomados de la cronología bíblica.

Tampoco la documentación extrabíblica puede resolver el problema, por la sencilla razón de que es imposible relacionar alguna persona o suceso de los caps. 12 al 50 del Génesis con personas o sucesos conocidos por otras fuentes, para, de este modo, establecer un sincronismo. Largo tiempo se pensó que Gn. 14 podía ser una excepción a este estado de cosas —y quizá lo sea— pero hasta ahora es un enigma. Los intentos por identificar a Amrafel rey de Šinar, con Hammurabi —lo cual, de ser cierto, nos permitiría colocar a Abraham entre el 1728 y el 1686— deben ser abandonados. No solamente no hay pruebas de que Hammurabi hiciera campañas por el oeste, sino que tampoco se puede llevar a cabo la identificación de los nombres (36). Es cierto que la narración, aunque tal vez tardía en su forma actual, parece reflejar una vieja tradición. No sólo describe un marco geográfico plausible, sino que los nombres de los reyes invasores cuadran bien con la nomenclatura de la edad del bronce. El nombre Aryok (Arriwuk) se encuentra en los textos de Mari; Tidal, si es el mismo que «Tudhalias», fue el nombre de varios reyes hititas, incluyendo uno del siglo XVII; y Kedorlaomer es marcadamente elamita, aunque no atestiguado por otros documentos. Además, la palabra usada para denominar a los criados de Abraham (v. 14), «*kaníkîm*» que parece ser de origen egipcio y no se halla en ningún otro lugar de la Biblia, se encuentra en una carta del siglo XV de Taanak de Palestina y probablemente en los Textos de Execración. Pero el incidente, aunque parece auténtico, no puede ser aclarado desde nuestros conocimientos de los sucesos de la edad del bronce medio.

Acaso los textos de Ebla puedan arrojar alguna luz sobre el incidente, pero cualquier conclusión es, por el momento —y para

---

(35)   Cf. D. N. Freedman, BANE, pp. 204-207, quien acentúa que las genealogías primitivas pasan comúnmente del padre al nombre del clan; Ex. 6, 16-20 significaría, pues, que Moisés era el hijo de Amram, del clan de Quejat, de la tribu de Leví. Cf. también K. A. Kitchen, *Ancient Orient and Old Testament* (Inter Varsity Press, 1966), pp. 53-56; A. Malamat, JAOS, 88 (1968), p. 170; también Albright, BP, p. 9, sobre este punto.

(36)   Pero cf. F. Cornelius, ZAW, 72 (1960), pp. 1-7; *idem, Geistesgeschichte der Frühzeit*, II: 2 (Leyden, E. J. Brill, 1967), pp. 87 s. Cornelius mantiene la identificación y relaciona el incidente con la invasión de Egipto por los hicsos. Albright establece una conexión entre «Amrafel» y Yamutbal (distrito de las fronteras de Elam) y ve aquí un episodio del ataque contra Egipto, tal vez vinculado al colapso de la XX Dinastía; cf. BASOR, 163 (1961), pp. 49 s.; YGC, pp. 60 s.

decirlo con palabras suaves—, prematura. En un primer momento se afirmó que las cinco ciudades de la llanura (Gn 14, 2) —Sodoma, Gomorra, Admá, Seboyim y Belá— aparecían mencionadas en una tableta económica de Ebla y, además, en el mismo orden que en la Biblia. Quedaría así demostrado que las ciudades existieron realmente y que mantuvieron estrechas relaciones mutuas por aquella época. Pero ahora parece que tal afirmación es discutible (37). Mientras que algunos especialistas admiten la mención de Sodoma y Gomorra, otros la niegan. Se discute, además, la lectura de todos los nombres restantes y, en todo caso, parece que no todos ellos figuran en la misma tableta. También se discuten los nombres de otros lugares de Palestina que se decía figuraban en los textos. Sea cual fuere la luz que, en el futuro, puedan aportar los documentos de Ebla, por el momento no es posible clarificar desde ellos el episodio de Gn 14. Ya hemos dicho que Ebla estuvo relacionada con las tierras elamitas (Hamazi), pero no tenemos noticias de una incursión hacia el oeste bajo mando elamita — lo cual está muy lejos de querer significar que no tuviera lugar, ya que son muy fragmentarios nuestros conocimientos de este período. Con todo, y fuera cual fuere la realidad subyacente en este episodio, debió acontecer en el tercer milenio, ya que, al parecer, las ciudades de la llanura dejaron de existir desde finales de la edad del bronce antiguo (38). Pero aun siendo así, esto no quiere decir ya que debamos fechar a Abraham en este milenio, aunque, insistimos una vez más, futuros descubrimientos pueden llevarnos a una datación más exacta. Debemos contar con la posibilidad (¿o probabilidad?) de que las narraciones del Génesis retengan, bajo los nombres de unas determinadas personas, la memoria de sucesos que acontecieron a lo largo de un período de tiempo mucho más dilatado de lo que sugiere una lectura superficial de la Biblia.

b. *Los patriarcas y la edad del bronce medio*. Pero aunque no podamos fechar a los patriarcas con precisión, y a reserva de que futuros descubrimientos puedan obligar a un replanteamiento total de la descripción que aquí presentamos, las pruebas de que por el momento disponemos sugieren que donde mejor se encuadra la máxima parte de las tradicionales patriarcales es en el contexto de los primeros siglos del segundo milenio (bronce medio II). No es tan sólo que la nomenclatura de estas narraciones ofrezca, como ya hemos dicho, estrechos paralelismos con los textos de este período; es que, además,

---

(37) Sobre este párrafo, cf. D. N. Freedman, BA LXI (1978), pp. 143-164; nótese el adendum de la p. 143; cf. también BARev., V (1979), pp. 52 s.

(38) Es posible que estas ciudades respondan al tipo de las del sur del mar Muerto; cf. *BARev.*, VI (1980), pp. 27-36. El prolongado asentamiento y el cementerio de las cercanías de Bab edh-Dhra, tal vez relacionado con ellas, dejó de usarse en el bronce antiguo IV.

una fecha para las migraciones patriarcales situada en las centurias inmediatamente posteriores a ca. el 2000 a. C., concuerdan espléndidamente con los datos suministrados por la arqueología y por otras fuentes extrabíblicas (39). Recordemos que en la última parte del tercer milenio había llegado ya a su fin la civilización del bronce antiguo: las ciudades fueron destruidas y abandonadas y siguió un período (fin del bronce antiguo y bronce medio I) de vida semisedentaria. Tan sólo después de un largo intervalo se reinició la tarea de construir ciudades y la vida urbana reemprendió su curso (bronce medio IIA). Se discute sobre quiénes fueron los agentes de la destrucción y de la subsiguiente recuperación; pero debemos dar por supuesto que se trataba de gentes nuevas (40). Con toda probabilidad, estos nuevos venidos eran amorreos, pueblo del que ya hemos oído hablar antes, y que parece haberse movido en oleadas, por tierras de Palestina, durante un largo período de tiempo (41). Ya hemos indicado que los amorreos y otros grupos similares venían presionando, desde los inicios del segundo milenio, por todos los confines del Creciente Fértil. Ellos fueron el instrumento que puso fin al poder de Ur III en Mesopotamia y, al parecer, desempeñaron un importante papel en la época de turbulencias de la historia de Egipto conocida como primer período intermedio. Tanto los reyes de Ur como los faraones de Egipto tomaron, aproximadamente por el mismo tiempo, medidas defensivas contra estos grupos (comienzos del siglo XX). Es indudable que una parte de esta población recaló en Siria y Palestina. Es también razonable suponer que, entre ellos, figuraban algunos elementos cuyos descendientes llegarían a ser un día miembros del pueblo de Israel.

El mundo de las narraciones patriarcales es, en general, el correspondiente a la edad del bronce medio. En esta época, la población de la alta Mesopotamia era predominantemente amorrea, con

---

(39) Una magnífica síntesis de estos datos en W. G. Dever, IJH, pp. 70-120. Dever llega a la conclusión (pp. 117-120) de que si la tradición tiene algún contenido histórico (y, en nuestra opinión, lo tiene, y muy acentuado), donde mejor se encuadra es en la edad del bronce medio (más concretamente en el bronce medio II A y los inicios del II B, hacia los años 2000-1800 a. C.). Para una síntesis bien trazada, cf. J. E. Heusman, CBQ, XXXVII (1975), pp. 1-16.

(40) Esto lo niega T. L. Thompson, *op. cit.*, esp. cap. 7. Pero resulta difícil creer que la civilización del bronce reciente quedara tan totalmente «autodestruida» sólo como consecuencia de guerras internas. Debe, además, tenerse en cuenta la profunda ruptura que parece haberse producido a comienzos del bronce medio II; cf. Dever, *ibid.*

(41) Esta es la posición de Dever *(ibid.)*, de Vaux (EHI, I, pp. 264-266) y otros muchos. P. W. Lapp (cf. *Biblical Archaeology and History* [Nueva York y Cleveland, World Pub. Co., 1969], pp. 96-107 opina, en cambio, que los destructores de la cultura del bronce antiguo fueron invasores procedentes del norte profundo (con un primer punto de desencadenamiento en el Asia Central). Este punto de vista cuenta con un menor grado de aceptación.

creciente mezcla hurrita. Fue una etapa en la que no existían grandes imperios y era posible trasladarse sin impedimentos en todas las direcciones (como en los textos de Mari). Este cuadro concuerda mucho peor con lo que sabemos del período siguiente (bronce reciente), porque como veremos, en la primera época la alta Mesopotamia fue sede del imperio Mitanni y Palestina y Siria eran partes del imperio egipcio, y posteriormente el norte de Siria fue dominado por los hititas, siendo la alta Mesopotamia un muro de contención entre ellos y la renaciente Asiria.

La Palestina de las narraciones patriarcales, la del bronce medio. Los patriarcas se movían por Transjordania, la cordillera central y el Négueb; fuera de los reyes de la llanura del Jordán (Gn 14) no encontraron reyes de ciudades, excepto Melquisedec, rey de Jerusalén, y el rey de Guerar en la llanura costera (caps. 20 y 26). Aun Hebrón (caps. 14, 13 y 23) y Siquem (33, 18-20; 34) parecen estar en manos de confederados tribales (36). Esto refleja perfectamente la situación de los Textos de Execración (de hacia el siglo XIX), cuando grupos tribales empezaron a infiltrarse poco a poco en el interior de Palestina, escasamente poblada, y comenzaron a sedentarizarse. Y no refleja el bronce reciente, cuando Palestina —tal como la conocemos por los hallazgos egipcios y por la Biblia, estaba organizada en un sistema de ciudades-Estado de tipo feudal y formaba parte del imperio egipcio. Además, los patriarcas no encontraron nunca egipcios en Palestina; y, desde luego, no hay señales allí de ninguna clase de dominio egipcio. Ni siquiera encuadra bien en el turbulento período de Amarna (siglo XIV). Entonces, como veremos, dinastas locales ayudados por elementos incontrolados llamados *jabiru* estaban ocupados en aumentar sus intereses a costa de los de sus vecinos, o en sacudir por completo el yugo del faraón. Fue una época de continuos disturbios. Pero en la narración del Génesis se pueden apreciar pocas huellas de tales turbulencias. Ninguno de los reyes de ciudad, ni de sus dependencias, están comprobados. El cuadro no es de una provincia revuelta; con raras excepciones (Gn 14; 34) los patriarcas se mueven en un país en paz.

c. *El ámbito de la edad patriarcal.* Todo lo anterior no quiere decir que nosotros podamos afirmar que ninguno de los sucesos de los capítulos 12 al 50 hayan tenido lugar después del siglo XVI. Es muy posible que hayan sucedido algunos. Por ejemplo, el cap. 34, que refleja una primera fase de la ocupación israelita de Palestina, cuando las tribus de Simeón y Leví conquistaron violentamente el área de Siquem, solamente para ser después arrojados y dispersos (Gn. 49, 5-7), puede muy bien referirse a sucesos del bronce reciente. Es posible también, que el cap. 38 que trata de asuntos internos de Judá, pertenezca asimismo a una primera fase de ocupación, cuando elementos de dicha tribu comenzaron a infiltrarse en el sur palestino. Pero, sobre todo, la repetida mención de los arameos en las narraciones de Labán y Jacob sugiere (salvo que sea un anacronismo, cf. infra), que estas narraciones reflejan una migración posterior de elementos de los antepasados de Israel, desde el norte, en el bronce reciente, dado que los arameos no aparecen claramente testificados en los textos asirios hasta el siglo XII (aunque, casi con entera seguridad, su presencia es anterior). Los movimientos que llevaron a los antepasados de Israel a Palestina representan indudablemente un proceso de lento desarrollo, que se prolongó durante varios siglos.

Ni siquiera podemos afirmar con certeza cuándo bajó Israel a Egipto. Tanto el faraón que favoreció a José como el que «no conoció a José», permanecen sin identificar. Y además, no estando de acuerdo con la misma Biblia, como hemos visto, en lo que respecta al tiempo de la permanencia en Egipto, no podemos partir de la fecha probable del éxodo para decidir el problema. Aunque resulta sugestivo considerar al faraón del tiempo de José como uno de los reyes hicsos —que, siendo semitas, es probable que fueran hospitalarios con otros semitas— y buscar al faraón que «no conoció a José» entre los gobernantes del Imperio nuevo, no hay ninguna prueba de ello. No debemos olvidar que los semitas tuvieron acceso a Egipto en todos los períodos, como nos lo demuestra la Biblia y los hallazgos egipcios. Y puede ser que el preguntarse cuándo bajó Israel a Egipto sea un planteamiento equivocado de la cuestión: no existía aún el pueblo de Israel. La sencilla narración bíblica encierra sucesos de gran complejidad. No nos es necesario, por tanto, suponer que los padres de todos los que participaron en el éxodo, entraran en Egipto al mismo tiempo. La gran inconsistencia de la tradición bíblica puede ser un reflejo de esto. Es, pues, imposible establecer una fecha exacta para la entrada de Israel en Egipto, y señalar así el fin del período patriarcal. Pero el núcleo de las narraciones patriarcales concuerda mejor con la edad del bronce medio (con algunos elementos anteriores, como acaso Gn, cap. 14) y otros que parecen llevarnos al siguiente bronce reciente. Podemos aceptar que en el período siguiente muchos de los componentes de lo que sería el pueblo de Israel se encontraban en Palestina, algunos de ellos ya asentados en lo que más tarde sería su área tribal. De ellos, una parte tomó el camino de Egipto.

C. Los antepasados de los hebreos y la historia

1. *La migración de los patriarcas.* Admitido, pues, que las narraciones patriarcales tienen un gran sabor de autenticidad, ¿qué ulteriores declaraciones positivas pueden ser hechas? Primeramente que no se puede seguir negando la historicidad de la tradición de que los antepasados de Israel hayan procedido originariamente de la alta

Mesopotamia, con cuya población seminómada se sentía estrechamente emparentados.

a. *La tradición bíblica*. La tradición bíblica es unánime en este punto. Dos de los documentos mencionan expresamente a Jarán como punto de partida de la migración de Abraham (Gn. 11, 32; 12, 5 (P), y, consiguientemente, como la residencia de Labán, pariente de Abraham (p. e., 27, 43; 28, 10; 29, 4 (J). En algunos pasajes Labán es colocado en Paddan-aram (25, 20; 28, 1-7; 31, 18 (P), otro nombre para la misma región, si no para el mismo lugar (42) y en otros (24, 10 (J), en la ciudad de Najor (Nahur) —en el valle de Balih, cerca de Jarán—, en Aram-naharaim (Mesopotamia). Solamente el material atribuido a E deja de hacer mención específica de la tierra de Jarán —probablemente como consecuencia de su misma naturaleza fragmentaria— pero sabía también (31, 21) que la residencia de Labán estaba allende el Eufrates. La tradición está, además, confirmada por Jos. 24, 2 s., pasaje generalmente asignado a E o a D, pero mucho más antiguo que éstos.

Alguno argumentará, seguramente (43), que la residencia de Labán, en la forma original de la tradición, estaba situada en las fronteras de Galaad (la localidad de Gn. 31, 43-55), que subsiguientemente fue trasladada al este de Siria —donde (cf. la historia de Sinuhé) parece haber estado el país de Quedem (cf. 29, 1, «el pueblo del este» (Benê Quedem)— y sólo más tarde, con el resurgimiento de Jarán como centro arameo de caravanas, a Mesopotamia. Pero aunque desde luego, los antepasados del futuro Israel provinieron, sin duda, de diferentes lugares, es una explicación poco convincente de una tradición tan sólida. Es, además, discutible que los pasajes en cuestión puedan llevarnos a semejantes conclusiones. Tanto Labán como los Benê Quedem eran pueblos no sedentarios, de los que cabe suponer que se moverían por todas partes, como se sabe que hicieron los benjaminitas («pueblo del sur»), de los textos de Mari. Una tradición que coloque a Labán cerca de Galaad no es increíble en sí misma, ni contradice la de los orígenes mesopotámicos de Israel, que es antigua y unánime.

---

(42) Paddan-aram puede significar «la ruta (acad. *padânu*) de Aram»: cf. R. T. O'Callaghan, *Aram Naharaim* (Roma, Pontificio Instituto Bíblico, 1948), p. 96. Jarán (acad. *harrânu*) significa también «ruta» (cf. E. Dhorme, *Recueil Edourd Dhorme* [París, Imprimirie Nationale, 1951], p. 218). Otros, sin embargo, sugieren «la llanura [aram, *paddânâ*] de Aram» (cf. Os. 12, 12); cf. Albright, FSAC, p. 237; R. de Vaux, RB, LV (1948), p. 323.

(43) Cf. Noth, *Pentateuchal Traditions*, pp. 100, 199 s.; también HI, pp. 83 s. Pero en sus últimos escritos Noth parecía más dipuesto a admitir que los antepasados de Israel procedían de Mesopotamia: cf. «Die Ursprünge des alten Israel im Lichte neuer Quellen» (*Arbeitsgemeinschaft für Forschung des Landes Nordrein-Westfalen*, n.º 94 [1961], especialmente pp. 31-33).

b. *La tradición a la luz de la documentación.* En todo caso, una tradición tan unánime no puede ser dejada a un lado sin grave causa, y a la vista de las pruebas sería subjetivo hacerlo así. Muchas de estas pruebas acaban de ser mencionadas, y no es necesario repetirlas: p. e., las pruebas referentes al norte de Mesopotamia, de que en la primera mitad del segundo milenio existía allí una población de la misma estirpe que los hebreos; o el hecho de que varias de las costumbres de los patriarcas corrían paralelas a las de la población hurrita aproximadamente el mismo lugar y tiempo, y otras muchas. Todos estos son hechos históricos y han de ser reconocidos como tales.

A esta serie de pruebas, convincentes por sí mismas, pueden añadirse otra más. Por citar una solamente, el fenómeno de la profecía, tal como lo encontramos en la Biblia, tiene estrechísimos paralelos con los textos de Mari. No podemos entrar aquí en un análisis pormenorizado (44). Pero dados los numerosos paralelos entre las costumbres y las instituciones vigentes en el pueblo que hallamos en estos textos y las de los antepasados de Israel, debe admitirse algún tipo de conexión. Aunque la profecía, tal como se desarrolló en Israel, constituye un fenómeno específico de este pueblo, único en el mundo antiguo, los textos de Mari nos proporcionan algunos elementos de su prehistoria. Como este fenómeno estaba vigente en Israel al menos ya en la época de los jueces (Débora, Samuel, etc.), y parece haber sido, desde los orígenes, uno de los rasgos distintivos de su vida religiosa, el mejor modo de explicar estos paralelos con los textos de Mari es admitir que la profecía llegó a Israel por intermedio de unos antepasados que procedían de un medio cultural parecido (45).

A todo esto puede añadirse el hecho, bien conocido, de que la ley casuística israelita, tal como aparece en el Libro de la Alianza (Éx. caps. 21-23) presente estrechísimos puntos de contacto con la tradición legal de Mesopotamia, especialmente con la ejemplificada

---

(44) La síntesis más completa del material la ofrece F. Ellermeier, *Prophetie in Mari und Israel* (Herzberg am Harz, editorial Erwin Jungfer, 1968). Presenta una excelente orientación H. B. Huffmon, *Mag. Dei*, cap. 8. Incluyen otras discusiones, a la luz de los textos recientemente publicados, A. Malamat, «Prophetic Revelations in New Documents from Mari and the Biblie» (VT Suppl., vol. XV [1966], pp. 207-227); J. G. Heintz, «Oracles prophétiques et «guerre sainte» selon les archives royales de Mari et l'Ancient Testament» (VT, Suppl. vol. XVII [1969], pp. 112-138); W. L. Moran, «New Evidence from Mari on the History of Prophecy» (*Biblica*, 50 [1969], pp. 15-56); J. F. Ross, «Prophecy in Hamath, Israel and Mari» (HTR, LXIII [1970], pp. 1-28).

(45) Cf. Albright, YGC, pp. 79-87; *idem*, BA, XXXVI (1973), pp. 22-26; Wright, BAR, pp. 44 s. Para una descripción del fresco de Mari, en el que aparecen rasgos que recuerdan el jardín del Edén, cf. A. Parrot, AOTS, p. 139. En dicho fresco figuran corrientes cósmicas que fluyen de vasos servidas por dioses, dos árboles, un querubín.

en los códigos de Ešnunna y de Hammurabi. Ignoramos si también entre los cananeos existían tradiciones legales parecidas, pero hay que añadir que, hasta el momento, no se han descubierto códigos de leyes ni en Siria ni en Palestina. Hoy día está generalizada la opinión de que el Libro de la Alianza refleja prácticas legales israelitas del primer período de su existencia como pueblo, en un tiempo en que aún había mantenido contacto alguno con Mesopotamia. Pero esta tradición legal es tan antigua, no se puede afirmar que sea de origen cananeo, ni recibida a través de Canaán, aunque, por supuesto, pudo ser adaptada en muchos puntos a las condiciones de esta región. En consecuencia, la suposición más razonable es que fue llevada a Palestina por grupos que emigraron, en el curso del segundo milenio, desde zonas en las que eran conocidas las costumbres de la jurisprudencia mesopotámica.

Lo mismo puede decirse de las narraciones de la creación y el diluvio de Gn. 2 y 6-9. Como es bien sabido, estas narraciones tienen trazos —que no deben ser exagerados— semejantes al material mesopotámico sobre el mismo tema, pero por cuanto hasta ahora conocemos, estos trazos son muy escasos —y superficiales— respecto de la literatura cananea o egipcia. Tienen también trasfondo mesopotámico las narraciones del jardín del Edén, la Torre de Babel y otras que nos ha legado Génesis, 1-11. Pero ya que estas narraciones fueron de alguna manera conocidas por los hebreos al menos en el siglo X (fecha comúnmente asignada al J), que no hay pruebas de que las tomaron de los cananeos, y que entre su establecimiento en Palestina y el resurgimiento de la monarquía de Israel no tenemos noticias de ningún contacto con Mesopotamia, y dado que existen pruebas de que al. menos la versión babilónica del diluvio fue conocida en Palestina en tiempos pre-israelitas (se ha descubierto en Meguiddó un fragmento del poema de Guilgaméš que data del siglo XIV), la única solución lógica es suponer que las tradiciones que subyacen en el fondo de la narración del Génesis sobre los orígenes fueron traídas desde Mesopotamia por grupos emigrantes de la primera mitad del segundo milenio. Y aunque no podemos demostrarlo, es de todo punto probable que esta misión corrió a cargo de aquellos mismos «amorreos», entre los que se encontraban los antepasados de Israel. En todo caso, una fecha posterior para este legado es sumamente improbable.

Los datos expuestos son múltiples y convincentes. Aunque no es necesario, por supuesto, asumir que todos los varios antepasados del futuro Israel procedían de un mismo lugar, es forzoso concluir que al menos un contingente importante de ellos tenía, de hecho, sus orígenes en Mesopotamia. A la tradición bíblica según la cual los patriarcas emigraron de esta zona, debe concedérsele historicidad en sus puntos esenciales.

c. *Ur de los caldeos.* La otra tradición (Gn. 11, 28, 31; 15, 7) de
que Téraj, padre de Abraham, había emigrado a Jarán desde Ur de
los caldeos, es menos segura. Ciertamente, no hay nada intrínsecamente improbable en ello. Ur y Jarán estaban unidas por lazos del
comercio y la religión, siendo ambas centros del culto al dios luna.
Atendido el hecho de que nombres asociados al culto de este dios no
son desconocidos entre los antepasados hebreos (p. ej., Téraj, Labán,
Sara, Milcaj), sería temerario negar que la tradición pueda apoyarse
en circunstancias históricas (46). No es imposible que algunos clanes
semíticos del noroeste, que se hubieran infiltrado en el sur de Mesopotamia, emigraran posteriormente hacia el norte, hacia Jarán,
quizá en los turbulentos días de la caída de Ur III. Aunque es verdad que Babilonia no fue llamada Caldea, por cuanto sabemos,
hasta el siglo XI, cuando los caldeos, pueblo arameo, irrumpieron
violentamente, esto podría ser considerado como un anacronismo
natural.

No obstante, es mejor ser precavidos. No solamente los LXX no
hacen mención de Ur, leyendo simplemente «el país de los caldeos»,
sino que algunos otros pasajes (Gn. 24, 4, 7) parecen colocar el lugar
de nacimiento de Abraham en la alta Mesopotamia. Mientras que
la lectura de los LXX puede ser el resultado de una corrupción textual (47), es también posible que el país de origen de los antepasados
de los hebreos estuviera más hacia el norte (48). No podemos estar
seguros. En todo caso, las tradiciones patriarcales muestran pocas
señales de influencia del sur mesopotámico.

d. *Los antepasados hebreos y los arameos.* Los antepasados de Israel, aunque predominantemente de raza semita del noroeste, fueron, sin duda, una mezcla de muchas estirpes. El reconocimiento de
este hecho está reflejado en la misma Biblia, que acentúa el parentesco de Israel no solamente con Moab, Ammón y Edom (Gn. 19,
30-38; 36) sino también (25, 1-5; 12-18) con numerosas tribus árabes, incluyendo Madián. En todo caso, los hebreos sintieron una
fuerte atracción por el parentesco con los arameos. No solamente
colocan en Aram-naharim, o en Paddan-aram el hogar de sus parientes mesopotámicos, sino que el mismo Labán es llamado repetidas veces un arameo: 25, 20; 28, 1-7 (P); 31, 20, 24 (JE). Cierto
que este parentesco es explicado de varios modos en las genealogías.

---

(46) Cf. E. Dhorme, *op. cit.*, pp. 205-245; más recientemente, de Vaux,
EHI, I, pp. 187-192; Albright, BASOR, 163 (1961), pp. 44-46.

(47) La explicación que ofrece Albright (BP, p. 97) de las diferencias tex-
tuales es admisible.

(48) Cf. H. Gordon, que defiende que el Ur de Abraham no es el famoso
centro urbano del sur; cf. *BARev.*, III (1977), p. 20 s., 52. Se dice que un texto
de Ebla menciona un Ur en las cercanías de Jarán; cf. P. C. Maloney, *BARev.*, IV
(1978), p. 8. Pero, por supuesto, este dato necesita ulterior confirmación.

En el cap. 10, 21-31 los arameos son descendientes de Sem a través
de una línea paralela a la de Eber, el tradicional antepasado de los
hebreos, mientras que en 22, 20-24 arameos y caldeos son descendientes de Najor, hermano de Abraham. Pero la tradición es muy antigua; los hombres tribales del primitivo Israel tenían una confesión
cúltica que comenzaba (Dt. 26, 5): «Un arameo errante fue mi
padre».

Una tradición tan profundamente enraizada no debe rechazarse
sin sólidas razones. Es cierto que las primeras menciones de los arameos que aparecen en los textos se remontan al siglo XII, en documentos que descubren a los reyes de Asiria en lucha contra este pueblo
en varias regiones del valle del Eufrates y en el desierto de Siria.
Más tarde se les puede encontrar ya por toda Siria y la alta Mesopotamia, donde su lengua desplazó con sorprendente rapidez a las
anteriores habladas en la zona (algunos siglos más tarde el arameo
fue la lengua franca del Sudoeste asiático). Por el momento, no disponemos de pruebas que testifiquen la presencia aramea en etapas
anteriores (49). Sabemos que el nombre de «Aram» figura en los
textos de Mari (siglo XVIII) y en otros de hacia el año 2000 e incluso
anteriores. Pero es dudoso que estas referencias tengan relación con
el pueblo arameo. Otro tanto cabe decir de los ajlamu, con los que
a veces se identifica o al menos se asocia a los arameos y que aparecen con frecuencia en los textos de los siglos siguientes. El hecho de
que Ajlamu figure en los textos de Mari como nombre personal es
una prueba harto frágil a favor de la presencia de arameos o de
«ajlamu» en aquellas áreas en fechas tan tempranas.

Por otra parte, no es probable que la presencia de los arameos
en las últimas etapas del segundo milenio signifique una reciente
irrupción de nómadas del desierto, ya que los primitivos arameos
se componían verosímilmente de elementos seminómadas de origen
mixto ya presentes en el desierto de Siria, a lo largo de las franjas
limítrofes de las zonas sedentarizadas. Cabe suponer que la lengua
aramea se derivaba de un dialecto que se desarrolló a nivel local en
el este de Siria o el noroeste de Mesopotamia y se fue extendiendo
gradualmente sobre zonas cada vez más amplias del Creciente Fértil
y de sus bordes exteriores, a medida que los diversos pueblos iban
federándose con los arameoparlante o iban cayendo, por las causas
que fueren, bajo su influencia. Entre los que adoptaron la lengua
aramea —y, por tanto, se convirtieron en «arameos»— había elementos de la antigua población «amorrea» que vivía a orillas del Eufrates superior, así como sus tributarios. El proceso se vio indudable-

---

(49)   Es posible que se mencione a los arameos en el siglo XIV, pero no,
al parecer, en fechas anteriores. Cf. R. de Vaux, EHI, I, pp. 200-209, para una
juiciosa revisión de las pruebas; también A. Malamat, POTT, pp. 134-401; W. F.
Albright, CAH, II: 23 (1966), pp. 46-53.

mente favorecido por la relativa similitud del arameo respecto de su propia lengua. Ya hemos indicado que «amorreos» (o «amoritas») es una palabra acádica que significa «occidentales» y designaba a los diferentes pueblos semitas occidentales de la alta Mesopotamia y de Siria en la edad patriarcal y en épocas anteriores. Podría, pues, incluir muy bien a aquellos pueblos de toda esta zona cuyos descendientes se convirtieron más tarde en arameoparlantes. Entre ellos, los antepasados de Israel. Dicho de otra forma, los antepasados de Israel y los de los posteriores arameos pertenecían al mismo grupo étnico y lingüístico. Así, pues, cuando Israel situaba sus orígenes en «la llanura de Aram» y hablaba de sus padres como de «arameos errantes», le asistían buenas razones para hacerlo así.

De este fondo —que algunos denominan «protoarameos» (50)— surgieron los antepasados de Israel.

Por razones desconocidas para nosotros, ellos mismos se separaron, probablemente a principios del segundo milenio, y emigraron a todo lo largo de Palestina, juntamente con otros de los que nada sabemos, para dar a esta tierra una nueva infusión de población. Quizá la descripción bíblica de continuos contactos con Mesopotamia y de nuevas emigraciones de allí procedentes (narraciones de Isaac y Jacob) nos permiten suponer que los antepasados de Israel llegaron a Palestina en varias oleadas, durante cierto período de tiempo, prolongado probablemente hasta el bronce reciente. Pero los detalles están más allá de nuestro alcance. La lengua de los patriarcas fue presumiblemente una forma del semítico nordoccidental, sin grandes diferencias respecto de la hablada en Mari. Pero, a medida que se fueron debilitando los lazos con su tierra de origen, fueron asimilando el cananeo, del que el hebreo es un dialecto (justamente en el momento en que sus parientes de Mesopotamia adoptaban el arameo). En Palestina, los antepasados de Israel estuvieron en contacto con otros grupos de origen semejante, con los que se sentían emparentados; entonces se mezclaron, se dispersaron y se multiplicaron de una manera mucho más compleja de lo que las narraciones bíblicas indican, aun cuando algunas narraciones (p. ej., las historias de Lot, Ismael y Esaú) lo reflejan claramente.

2. *Los patriarcas como figuras históricas.* Las pruebas que se pueden aducir nos dan motivos verdaderamente suficientes para afirmar que las narraciones patriarcales están firmemente basadas en la historia. Pero ¿debemos detenernos aquí? ¿Debemos considerar a los patriarcas como el reflejo de los movimientos de un clan imperso-

---

(50)   P. E. Noth «Die Ursprünge des alten Israel» (vide nota 43), especialmente pp. 29-31; de Vaux, EHI, I, pp. 207-209. Pero se recomienda precaución. Se discuten las relaciones existentes entre la lengua de Mari, el arameo, cananeo, etcétera. Sobre esta cuestión, cf. W. L. Moran, BANE, pp. 56 s. y las referencias que da este autor.

nal? ¡De ninguna manera! Podemos acometer la tarea de reconstruir las vidas de Abraham, Isaac y Jacob con la confiada creencia de que fueron verdaderos individuos históricos concretos.

a. *Jefes de clanes seminómadas.* Son pocos los que hoy día ponen en duda las afirmaciones anteriores. Los primeros intentos por reducir a los patriarcas a no más que una libre creación de la leyenda, antepasados epónimos de clanes, o figuras atenuadas de dioses, han sido tan generalmente abandonados que no se requiere discusión. El sabor de autenticidad de las narraciones nos impide desechar a los patriarcas como legendarios, y la descripción que de ellos se hace no es, de modo alguno, mitológica. Hay, seguramente, motivos folklóricos en los relatos. Pero éstos pertenecen al desenvolvimiento de la narración, no a sus figuras centrales, que son presentadas de un modo más realista; estos motivos, con todo, demuestran la tendencia de toda la literatura antigua a ajustarse a formas convencionales. El intento de presentar a los patriarcas como epónimos ancestrales que fueron adorados como dioses se basó, en todo caso, en una considerable mala inteligencia de la documentación; por ejemplo, la falsa impresión de que Téraj aparece en los textos de Ras Šamra como un dios lunar (51), o la interpretación errónea de algunos nombres, como Jacob (Ya'aqub-el) como «Jacob es Dios» (52), que de hecho significa «Protéjate El (Dios)». El esfuerzo por reducir a los patriarcas a desdibujados epónimos violenta, sobre todo, las pruebas, que van a ser aducidas, relativas a la naturaleza de su religión, pruebas que nos obligan a considerarlos como figuras históricas concretas.

Ahora bien, como hemos dicho, los patriarcas no fueron tan sólo individuos aislados, sino jefes de clanes bastante numerosos. Las sencillas narraciones encierran complejos movimientos de clan, en las que el individuo se confunde con el grupo, y cuyos hechos reflejan los de este mismo grupo. Pero los patriarcas no deben resolverse en epónimos. Después de todo, Palestina estuvo ocupada, a principios del segundo milenio, por clanes seminómadas, cada uno de los cuales, evidentemente, estaba gobernado por un individuo verdadero y concreto, aunque no conozcamos su nombre. Si los patriarcas representan grupos similares, y hay razón para creerlo, es sofístico negar que los líderes de estos grupos fueran también individuos concretos, es decir, que Abraham, Isaac y Jacob fueron jefes de clanes que vivieron en el segundo milenio a. C.

---

(51) H. H. Rowley, *The Servant of the Lord* (vide nota 17), pp. 307-309 para las referencias.

(52) Oesterley y Robinson, *History of Israel* (Oxford, Clarendon Press, 1932), I, pp. 52 ss., 91; A T. Olmstead, *History of Palestine and Syria* (Charles Scribner's Sons, 1931), p. 106.

En realidad, y por lamentable que ello sea, esto es todo lo que la documentación externa nos permite decir. Haremos bien en recalcar que no conocemos nada de Abraham, Isaac y Jacob fuera de lo que la Biblia nos dice y carecemos de medios para controlar los detalles de la narración. No podemos situar a los patriarcas en el tiempo con mayor precisión. Se puede investigar su historia, o parte de ella, o se pueden ordenar los hechos a gusto, pero se debe recordar que, al hacerlo, nos movemos fuera de las pruebas objetivas. Podemos estar absolutamente seguros de que los acontecimientos de aquel tiempo fueron mucho más complejos de lo que la Biblia indica: un intrincado esquema de la confederación, proliferación y división de numerosos grupos de clan. Pero la naturaleza del material es de tal índole, y tales los límites de nuestro conocimiento, que intentar una reconstrucción sería especulación inútil. Así y todo, un método legítimo nos permite, en ausencia de pruebas objetivas, trazar hipotéticamente la historia de las tradiciones y enjuiciarlas sobre esta base. La narración de la Biblia refleja cuidadosamente los tiempos de que nos habla. Pero a lo que dice de las vidas de los patriarcas, no podemos añadir nada.

b. *Los Jabiru (habiru o hapiru)*. La Biblia describe a los patriarcas como hombres pacíficos (p. ej., Gn 26), dispuestos a recorrer grandes distancias para evitar el choque con sus vecinos. Evidentemente, esto se debía a que no eran ni numerosos ni lo bastante fuertes para hacer frente a la enemistad de jefes más poderosos (p. e., 34, 30). En ocasiones, sin embargo, se les representa acudiendo a la violencia. Recuérdese el traidor asalto de Simeón y Leví contra Siquem (capítulo 34), o la tradición (48, 22) de que Jacob se apoderó de terrenos cerca de Siquem por la fuerza de las armas (53). Pero el ejemplo clásico es el cap. 14, cuando Abraham, con sus 318 siervos, persigue a los reyes invasores para rescatar a Lot y su familia. Es interesante que sólo aquí se llama a Abraham «hebreo». De hecho, a lo largo de toda la narración del Génesis este término es usado sólo aquí y en la historia de José. Debemos tener presente que aunque estamos acostumbrados a llamar hebreos a los israelitas (y a los judíos de hoy), de ordinario ellos no se llamaban así, sino más bien Benê Yisra'el (es decir, israelitas). El nombre de «hebreos», a decir verdad, nunca aparece prácticamente en el Antiguo Testamento, salvo en las narraciones del primer período (54) y aun entonces fundamentalmente sólo en boca de algún extraño hablando de los israelitas (p. e., Gn. 39, 14, 17; Ex. 2, 6; I Sm. 4, 6, 9) o de algún israelita que quiere iden-

---

(53) Génesis 33, 19 afirma que los compró. Aunque ambas versiones son generalmente atribuidas a E, parecen referirse a la misma tierra (nótese la alusión a «Siquem» en 48, 22); cf. Noth, *Pantateuchal Traditions*, p. 83.

(54) Solamente Dt. 15, 12; Jr. 34, 9, 14, que hace alusión a una ley antigua (Ex. 21, 2) y Jonás 1, 9, que es un arcaísmo.

tificarse ante los extraños (p. e., Gn. 40, 15; Ex. 3, 18; 5, 3). Después de las guerras filisteas el término cayó en desuso, al parecer.

Esto suscita la cuestión de la relación de los hebreos con los grupos conocidos como jabiru, abiru o habiru (55), confirmados por los textos en un espacio de tiempo que coincide vigorosamente con la aparición de los «hebreos» en la Biblia. Se trata de un problema que ha sido largamente discutido (56). Las palabras «hebreo» (libri) —aparentemente derivación popular del nombre del antepasado Eber (Gn. 11, 14-17)— y jabiru (habiru) son seductoramente similares. Aunque notables especialistas niegan que los dos nombres puedan identificarse etimológicamente (57), alguna conexión parece al menos posible, si no probable. Con todo, aunque así sea, no podemos identificar sin más a los hebreos con los jabiru. Los jabiru se encuentran demasiado lejos para permitirnos una tal afirmación. En Mesopotamia, por ejemplo, están atestiguados durante los períodos de Ur III, Babilonia y más tarde. En los textos de Nuzi (siglo XV), juegan un papel especialmente predominante, mientras que los documentos de Mari (siglo XVIII) y Alalaj (siglos XVII XV) atestiguan su presencia en la alta Mesopotamia a lo largo de la edad patriarcal. En Anatolia los conocen los textos capadocios (siglo XIX) y también los de Boghazhöy (siglo XIV). Son igualmente mencionados en los textos de Ras Šamra (siglo XIV). Los documentos egipcios del período imperial (siglos XV al XII), se refieren a ellos como a enemigos y rebeldes en Asia, y como a esclavos en Egipto. Las cartas de Amarna (siglo XIV) ofrecen la mejor documentación acerca de ellos, cuando aparecen en Palestina y regiones adyacentes como perturbadores de la paz. Evidentemente, un pueblo que se halla a todo lo largo del oeste asiático desde finales del tercer milenio hasta el siglo XI poco más o menos, no puede identificarse alegremente con los antepasados de Israel.

El término «jabiru-japiru», con todo, cualquiera que sea su origen (y esta es una cuestión discutida) parece que al principio se refería no a una unidad étnica, sino a un estrato de la sociedad. A esta conclusión se llega en razón no solamente de su amplia dispersión geográfica, sino también por el hecho de que sus nombres, en la medida

---

(55) Por los textos de Ras Šamra parece que debe preferirse la primera transcripción, aunque algunos no están de acuerdo. El ideograma SA.GÁZ, que aparece con frecuencia, se usa indistintamente.

(56) Ver para esto un útil resumen en M. Greenberg, *The Hab/piru* (American Oriental Society, 1955), donde se citan las obras más importantes y son anotados y discutidos los textos correspondientes; también J. Bottéro, *Le problème des Habiru à la 4ème rencontre assyriologique internationale* (*Cahiers de la Societé Asiatique*, XII [1954]). La discusión se ha prolongado; cf. de Vaux, «Le probleme des Hapiru après quince années» (JNES, XXVII [1968], pp. 221-228), con recensión de la bibliografía más reciente; también H. Cazelles, POTT, pp. 1-28.

(57) Greenberg, *op. cit.*, pp. 3-12, para una historia de la discusión.

en que los conocemos, no pertenecen a una sola unidad lingüística y cambian de unas regiones a otras. Podían ser jabiru hombres de distintas razas y lenguas. El término denota, al parecer, una clase de pueblo sin ciudadanía, sin lugar determinado en la estructura social de aquel tiempo. Llevando, a veces, una existencia pastoril, viviendo en paz o en razzias, aposentándose en las ciudades cuando tenía oportunidad. Pudieron, en tiempos revueltos, asalariarse (como en las cartas de Amarna) en calidad de tropas irregulares, a cambio de cualquier ganancia que pudiera obtener (58). Pudieron, forzados por la necesidad, ponerse a disposición de algún jefe de guarnición, como clientes, o venderse como esclavos (así en Nuzi). En Egipto, muchos de ellos fueron empleados como obreros en varios proyectos reales. Alguna vez, sin embargo, algunos de ellos —como José— ascendieron a un puesto elevado (59).

En vista de ello, aun cuando no podemos identificar a la ligera a los antepasados de los hebreos con los jabiru (particularmente no con los de Amarna), es legítimo considerarlos como pertenecientes a esta clase. Así lo han juzgado otros y así se identifican ellos mismos en alguna ocasión, aunque nosotros no lo podemos comprobar. Apenas se puede dudar, como veremos, que entre los jabiru que trabajaron como esclavos en Egipto bajo Ramsés II no se encontraron componentes de Israel. Es interesante que los jabiru concluían un acuerdo, o un pacto, jurando, algunas veces, por «los dioses de los «jabiru» (60), expresión que tiene paralelo exacto con «el Dios de los hebreos» que hallamos en Ex. 3, 18; 5, 3; 7, 16.

c. *Los patriarcas y la historia. Resumen.* Concluimos, pues, que los patriarcas fueron figuras históricas, una parte de aquella migración de pueblos semitas nordoccidentales (amorreos), que trajeron una población nueva a Palestina en las primeras centurias del segundo milenio a. C. Se trataba de clanes como los mencionados en los Textos de Execración y en otros lugares. Muchos de ellos se establecieron pronto allí donde pudieron encontrar tierra y se organizaron en ciudades-Estado, conforme a un patrón feudal. Es probable que gran

(58) Albright, BASOR, 163 (1961), pp. 36-54; CAH, II: 20 (1966), pp. 14-20), al igual que otros ya antes que él, deriva el término de la raíz *'pr* y cree que su significado original es «polvoriento»; lo relaciona con su tesis de que los hebreos *('Apiru)* eran, al principio, caravaneros que utilizaban asnos para el transporte; cuando ya no pudieron vivir del comercio, se dedicaron a otras ocupaciones (incluido el bandolerismo). Albright cree también que Abraham fue uno de estos comerciantes caravaneros.

(59) Así en los textos de Babilonia de los siglos XII y XI; cf. Greenberg, *op. cit.*, pp. 53 s.

(60) Especialmente frecuente en los textos hititas; cf. Greenberg, *op. cit.*, pp. 51 ss. Existen también enigmáticas referencias «al dios Hapiru» en una lista asiria (y quizá en otras partes): cf. Albright, BASOR, 81 (1941), p. 20; Greenberg, *op. cit.*, p. 55 para las referencias.

parte de la aristocracia de los hicsos fuera reclutada entre su clase patricia. Pero este movimiento de pueblos fue, sin duda, muy complejo y se prolongó durante un gran período de tiempo. Hubo algunos elementos que no encontraron un lugar en la emergente estructura de las ciudades-Estado. Muchos de ellos prolongaron durante generaciones su vida pastoril y seminómada, recorriendo las zonas no sedentarizadas, sobre todo en las áreas montañosas centrales y meridionales y en el Négueb, en busca de pastos estacionales para sus rebaños. Otros se sedentarizaron y se hicieron pequeños campesinos que, en numerosas ocasiones, cayeron sin duda bajo el poder de los agresivos señores de las ciudades. Y hubo todavía otro grupo, sin tierras y sin raíces, que, al no hallar un puesto adecuado en las estructuras sociales, se conviertieron en bandidos y hombres fuera de la ley (jabiru o japiru).

Dado que estos pueblos, muchos de los cuales vinieron a contribuir definitivamente a la corriente sanguínea de Israel, llegaron a Palestina a lo largo de un dilatado espacio de tiempo y procedentes de varias direcciones, debemos hacer notar que los orígenes de Israel fueron, desde luego, extremadamente complejos.

Sin embargo, las tradiciones de que los antepasados de Israel habían venido de Mesopotamia no pueden ser negadas, a la luz de las pruebas. Nosotros podemos suponer, aunque ningún texto contemporáneo los menciona, que entre estos clanes emigrantes se desplazaban un Abraham, un Isaac y un Jacob, jeques de clanes considerables, que recordaban sus orígenes en la «llanura de Aram» cerca de Jarán. Aunque no podemos situar con precisión, dento de este proceso, a ninguno de los patriarcas,es probable que los primeros antepasados de Israel llegaran a Palestina en los inicios de la edad del bronce medio (¿o tal vez ya antes?) y que fueran seguidos por otros en el curso del tiempo. Es también probable que ya mucho antes del fin del bronce reciente se hallaran en Palestina muchos de los componentes del futuro Israel y que algunos de ellos ocuparan ya lo que serían sus áreas tribales en los tiempos históricos. Posiblemente, a comienzos del período hicso algunos de ellos (p. ej., José), se encaminaron a Egipto para ser después seguidos por otros, bajo la presión de tiempos difíciles. Y al final se encontraron esclavos del Estado.

3. *La religión de los patriarcas.* Pero no nos podemos contentar solamente con demostrar que los patriarcas fueron individuos históricos del segundo milenio a. C. Debemos preguntarnos, además, cuál es su puesto en la historia de la religión, y especialmente en la religión de Israel. Aquí estriba, en realidad, nuestro principal interés por ellos. De no ser por esto no nos interesarían más que los otros seminómadas innominados que recorrieron el mundo hace muchos siglos. La Biblia, por supuesto, considera a Moisés como el fundador de la religión de Israel, y en realidad lo fue. Pero también

con Abraham comienza la religión y la fe de Israel. Ciertamente, con él comienza la historia de la Redención, que es el tema central de los dos testamentos de la Biblia. Ya hemos dicho que Abraham dejó Jarán por mandato de su Dios, habiendo recibido la promesa de una tierra y de una posteridad en el lugar que se le mostraría (Gn. 12, 1-3). Esta promesa, repetidas veces renovada (caps. 15, 5; 13-16) 18, 18 s., etc.), y sellada por una alianza (caps. 15, 7-12; 17-21, etc.) fue dada también a Isaac (caps. 26, 2-4, etc.) y a Jacob (caps. 28, 13-15; 35, 11 ss., etc.) y, condensada, a Moisés (Ex. 3, 6-8; 6, 2-8, etc.) y comenzó a realizarse (aunque nunca se realizó completamente) con la donación de la tierra prometida. Visto así, Abraham aparece como el primer ascendiente de la fe de Israel.

Pero ¿está todo esto de acuerdo con los hechos, o se trata de una proyección al pasado de creencias posteriores, como supusieron los especialistas de hace unos años? Aunque nunca nos sea lícito minimizar el problema aquí encerrado, la respuesta debe ser que la religión patriarcal, tal como está descrita en el Génesis, no es un anacronismo, sino que presenta un fenómeno histórico (61).

a. *La naturaleza del problema.* No es fácil deducir de las narraciones del Génesis la naturaleza de la religión patriarcal. Según uno de los documentos (J), el Dios de los patriarcas no fue otro que Yahvéh. No sólo llamó a Abraham de Jarán (Gn. 12, 1), y conversó con todos los patriarcas, sino que fue adorado por los hombres desde tiempos antiquísimos (Gn. 4, 26). Pero en otras partes (Ex. 6, 2 ss.) se dice explícitamente que aunque fue realmente Yahvéh quien se apareció a los patriarcas, ellos no le conocieron por su nombre. Los otros hilos de la narración (E y P), evitan por tanto cuidadosamente la mención de Yahvéh hasta llegar a Moisés, y hablan de la divinidad patriarcal simplemente como «Dios» (Elohim). En todo caso, todas las narraciones concuerdan en que los patriarcas adoraron a Dios bajo diversos nombres: El Šadday (Ex. 6, 3; Gn. 17, 1; 43, 14, etc.); El'Elyon (Gn. 14, 18-24; El 'Olam (Gn. 21, 33): El Ro'i (Gn. 16, 13; cfr. Yahvéh Yir'eh, Gn. 22, 14); El Betel (Gn. 31, 13; 35, 7).

Ahora bien, teológicamente hablando no hay, en realidad, contradición en esto. Todas las narraciones patriarcales fueron escritas desde el punto de vista de una teología yahvista, por hombres que fueron adoradores de Yahvéh. Que ellos usaran o no este nombre,

(61) Ver especialmente A. Alt, *Der Gott der Väter* (BWANT, III: 12 [1929]; reimpreso, KS, I pp. 1-78); más recientemente, F. M. Cross, HTR, LV (1962), pp. 225-259, y en especial *Canaanite Myth and Hebrew Epic*, cap. I; también Albright, FSAC, pp. 236-249; R. de Vaux, «El et Baal, le dieu des pères et Yahweh» (*Ugaritica*, VI [París, Librairie Paul Geuthner, 1969], pp. 502-517). Para la historia de la discusión, cf. H. Weidmann, *Die Patriarchen und ihre Religion im Licht der Forschung seit Julius Wellhausen* (FRLANT, 94 [1968]).

nunca dudaron que el Dios de los patriarcas era actualmente Yahvéh, Dios de Israel, a quien los patriarcas adoraron consciente o inconscientemente. Con todo, no podemos atribuir a los patriarcas la fe del Israel posterior. Aunque pudiera ser teológicamente legítimo, históricamente no es exacto afirmar que el Dios de los patriarcas fue Yahvéh.

El yahvismo comienza con Moisés, como asegura explícitamente la Biblia y como lo piden todos los argumentos. Cualquiera que sea el origen del culto a Yahvéh, no se han encontrado todavía indicios de él antes de Moisés. No podemos, por consiguiente, hablar de un yahvismo establecido, y ni siquiera primitivo, en la época de los patriarcas.

Por otra parte, es completamente erróneo despachar como un anacronismo la religión patriarcal. Los especialistas de hace unos años acostumbraron hacerlo así. Encontrando poco contenido histórico en las tradiciones patriarcales en cuanto tales, consideraron el diseño de promesa y testamento en ellas descrito como una proyección al pasado de creencias posteriores, e intentaron explicar la religión de los antepasados de Israel a la luz de los elementos preyahvistas que sobrevieron en el Israel posterior, o a la luz de las creencias y prácticas de los árabes pre-islámicos. La religión de los ascendientes de los hebreos fue descrita, generalmente, como una forma de animismo, más concretamente como un polidemonismo. Esto es, en todo caso, completamente erróneo. Aparte que el método empleado es muy discutible, es muy dudoso, además, a la luz de todo lo que ahora sabemos, que tal tipo de religión haya existido alguna vez en el antiguo Oriente, en los tiempos históricos, excepto *quizá* (los grandes dioses fueron adorados a lo largo de todos los siglos que podemos explorar), en forma de reminiscencias supervivientes de la edad de la piedra. Las religiones del segundo milenio no ofrecen, ciertamente, nada de esto.

La descripción de la religión patriarcal debe ser examinada, como hicimos al hablar de las tradiciones, como un todo, a la luz de lo que conocemos de la religión de comienzos del segundo milenio, especialmente la de aquellos elementos semíticos noroccidentales de que procedieron los ascendientes de Israel. La documentación, aunque no tan completa como sería de desear, es, con todo, considerable. Esto nos permite ver que la religión de los patriarcas fue de un tipo característico, completamente distinta del paganismo oficial de Mesopotamia y, a fortiori, del culto de la fertilidad de Canaán, y muy alejada del polidemonismo de los manuales. La pintura que de ella nos hace el Génesis no es ciertamente, a pesar de algunos hechos anacrónicos, una mera proyección al pasado del yahvismo posterior.

b. *El Dios de los patriarcas.* En la narración del Génesis cada patriarca es presentado como emprendiendo, por una libre y personal elección, el culto de su Dios, al cual en seguida se entregaba. Que esto no es un anacronismo, está atestiguado principalmente por ciertas arcaicas apelaciones de la divinidad, encontradas en las narraciones, que indican un estrecho lazo personal entre el padre del clan y su Dios. Estas son: el Dios de Abraham *('elohê 'abraham:* p. e., Gn. 28, 13; 31, 42, 53) (62); el Padrino de Isaac *(paad yišjaq:* 31, 42, 53) (63); el Campeón (el Poderoso) de Jacob *('abîr ya'aqob;* 49, 24). El Dios era la divinidad patronal del clan. Esto está espléndidamente ilustrado en el cap. 31, 36-55, donde (v. 53) Jacob jura por el Padrino de Isaac, y Labán por el Dios de Najor, es decir, que cada uno jura por el dios del clan de su padre. Paralelos aducidos de las sociedades arameas y árabes de los primeros siglos del cristianismo (64) y también de los textos de Capadocia y otros documentos de la edad patriarcal y posteriores (65), hacen casi cierto que el establecimiento de una relación personal y contractual entre el jefe del clan y el Dios del clan, representa un fenómeno común y antiguo entre los nómadas semitas (66). El relato de la alianza patriarcal parece, desde este punto de vista, auténtico en sumo grado. Que no hay, en todo caso, una mera proyección al pasado de la alianza sinaítica, queda demostrado por las desemejanzas entre ambas, que mencionaremos dentro de un instante. Hay que añadir que el peculiar idiotismo «cortar la alianza» (p. ej., 15, 18), frecuentemente encontrado en las narraciones, está atestiguado ahora en un texto de Qatna de hacia el siglo XV (67).

(62) Algunos autores (p. e. J. P. Hyatt, VT, V [1955], p. 130) sugieren que el nombre fue propiamente «el defensor de Abraham» (cf. Gn. 15, 1); otros (como F. M. Cross, siguiendo a M. Dahood) prefieren «el benefactor de Abraham» (cf. *Canaanite Myth and Hebrew epic,* p. 4).

(63) La sugerencia de Albright (FSAC, p. 248) de que *pajhad* significa, estrictamente hablando, «padrino», ha gozado de general aceptación; pero la discute D. R. Hillers (JBL, XCI [1972], pp. 90-92), para quien es preferible la traducción de «temor» (en el sentido de «objeto de culto o de veneración»).

(64) En Alt, cuya obra (citada en nota 61) es básica para toda la subsiguiente discusión.

(65) Especialmente J. Lewy, «Les textes paléo-assyriens et l'Anciente Testament» (RHR, XC [1934], pp. 29-65). Aunque Alt no acepta los paralelos de Lewy, parecen ser válidos. Cf. recientemente Cross, *ibid.,* pp. 9-11. Los dioses patriarcales no fueron anónimos minor genii.

(66) En el antiguo Sumer, el hombre del común, sintiendo sin duda que los dioses supremos le eran remotos e inasequibles, se vinculaba a menudo a un dios personal, de ordinario una figura de segundo rango en el panteón, que vigilaba por sus personales intereses; cf. T. Jacobsen, en H. Frankfort y otros, *The Intellectual Adventure of Ancient Man* (The University of Chicago Press [1946], pp. 202-204). Tal vez reflejen una concepción paralela los dioses patriarcales familiares de los amorreos; cf. G. E. Wright, *Interpretation,* XVI (1962), pp. 4-6.

(67) Cf. Albright, BASOR, 121 (1951), pp. 21 s. Para la terminología y la práctica del establecimiento de alianzas en el antiguo mundo semita, cf. Cross, *ibid.,* pp. 265-273.

Otra aclaración acerca de la relación personal entre el individuo y la divinidad patronal es ofrecida por ciertos nombres que aparecen tanto en el primitivo Israel como entre sus vecinos semitas noroccidentales. Especialmente instructiva es una clase de nombres compuestos de 'ab (padre), 'aj (hermano) y 'amm (pueblo, familia).La Biblia ofrece gran número de nombres de esta índole, y dado que son muy frecuentes hasta alrededor del siglo X, pero muy raros a partir de esta fecha, son ciertamente de un tipo muy antiguo (68). Nombres del mismo tipo están profusamente comprobados entre elementos amorreos de la población en la edad patriarcal, y debemos suponer que fueron característicos (69). Puesto que muchos nombres semíticos tienen un significado teológico, y puesto que los elementos 'ab, aj y 'amm son intercambiables con el nombre de la divinidad (p. e., Abiezer-Eliezer, Abimélek-Elimélek, Abiram-Jehoram), tales nombres tienen importancia para esclarecer las creencias. Así, por ejemplo, Abiram/Ajiram significa «Mi (divino) Padre/Hermano es exaltado»; Abiezer/Ajiezer, «Mi (divino) Padre/Hermano es ayuda (para mí); Eliab «Mi Dios es Padre (para mí); Abimélek/Ajimélek «Mi (divino) Padre/Hemano es (mi) rey»; «Ammiel (El Dios de) mi pueblo es Dios (para mí)», y así otros. Estos nombres arrojan una brillante luz sobre la primitiva fina sensibilidad del nómada acerca de la relación entre el clan y la divinidad. El Dios era la cabeza invisible de la casa, cuyos miembros eran los miembros de su familia.

Otros nombres, a la vez personales y divinos, son igualmente significativos, porque prueban abundantemente que los antepasados de los hebreos adoraron a Dios bajo el nombre de «El». No sólo tenemos nombres como Ismael: «Oigame El (Dios)», Jacob-el (así en varios textos), «Protéjame El (Dios)», sino que están, además, los nombres divinos antes mencionados: El Šadday, El'Elyon, El'Olam, El Ro'i, etc. Dado que aparecen comúnmente en conexión con santuarios antiguos (p. e., El'Olam en Beer-šeba (Gn. 21, 33), El' Elyon en Jerusalén (14, 17-24) y dado que algunos de ellos están atestiguados en otras partes como apelaciones de la divinidad, es indudable que tienen un origen pre-israelita. Podemos suponer que cuando los antepasados de los hebreos comenzaron a recorrer Palestina, las divinidades de sus clanes —fuera cual fuere su nombre— comenzaron pronto a identificarse, en razón de los rasgos comunes, con el «El»

---

(68) P. e., Abiram, Ajiram, Eliab, Abimélek, Ajimélek, Abiezer, Ajiezer, Abinoam, Ajinoam, Ammiel, Ammijur, Ammišadday. Los ejemplos podrían facilmente multiplicarse.

(69) P. e., reyes de Babilonia I, como Hammurabi, Ammi-saduqa, Ammidirana, Abi-ešuh; príncipes de Biblos, como Yantim'ammu, Abi-šemu Los paralelos son numerosos en Mari (M. Noth, «Mari und Israel» [ver nota 17]) y en los Textos de Execración (Albright, BASOR, 83 [1941], p. 34.

adorado en los cultos locales bajo aquellos nombres (70). Desgraciadamente, ninguno de ellos nos permite identificar con absoluta certeza la divinidad en cuestión. Por un lado, «El» es el nombre de la
principal divinidad del panteón cananeo (si bien fue rápidamente
desplazado de su posición, en la mentalidad cananea, en beneficio
de Baal-Hadad, dios de las tormentas). Podría argüirse que los diferentes *'elimes* son manifestaciones de El. Por otro lado, y atendido el
hecho de que El es el vocablo semita que designa a «dios», podría
también tratarse de un simple sustitutivo del nombre de otra divinidad, de modo que no podemos aceptar acríticamente que tales nombres se refieran siempre y necesariamente al dios padre El. Ahora
bien, parece claro que *'olam* fue un título de El, conocido también
en los textos como «creador» (así, El'Elyon de Gn 14, 18-20); de
donde puede concluirse que probablemente los patriarcas adoraron
a sus divinidades ancestrales identificándolas con El. Esta conclusión
cuenta con el apoyo adicional del título *'el 'elohe Yisrael* de Gn. 33, 20
(cf. también 46, 3), que de ordinario se traduce por «El, el Dios
de Israel» (es decir, de Jacob). Además, Šadday, que parece significar «el de la montaña (cósmica)», y que es, con mucho, el más
repetido de estos nombres (71), no figura, al parecer, en los textos
como apelativo de El; más aún, no está vinculado, en las secciones
narrativas del Génesis, a unos santuarios específicos. Tal vez fue éste
un título de una antigua divinidad patriarcal de origen amorreo, introducida en Palestina por los antepasados mismos de los hebreos y
y luego identificada con El (que quedaría, por tanto, asociado con la
montaña cósmica) y adorado como El-Šadday (72). En cualquier
caso, las divinidades patriarcales no fueron simples númenes locales,
ya que estos nombres testifican la creencia en un Dios que es más
alto, dotado de poder permanente, que vigila los asuntos de su pueblo.
El, 'Olam, 'Elyon y Šadday fueron, por tanto, considerados por el
posterior Israel como nombres o títulos deseables para Yahvéh,
mientras que, en cambio, se rechazaba enfáticamente el de Baal.

---

(70)   Para esta sección, cf. especialmente las obras de Cross citadas en la
nota 61. Incluyen otras discusiones: O. Eissfeld, «El and Yahwes» (JSS, I [1956],
pp. 25-37); M. Haran, «The Religion of the Patriarchs» (ASTI, IV [1965], pp. 30-
55); de Vaux, *op. cit.* (en la nota 61).

(71)   Es un frecuente componente de antiguos nombres personales, p. e.,
Šadday-'or, Šadday-'ammi, 'Ammi-šadday; cf. también nombres con sür («roca,
montaña»): Pedasur, Elisur, etc. Sobre Šadday, cf. Albright, JBL, LIV (1935),
pp. 180-193; Cross, *ibid.*, pp. 52-60.

(72)   Lo admite como posible Cross *(ibid.)* y lo defiende con vigor L. R.
Bailey (JBL, LXXXVII [1968], pp. 434-438), quien acentúa el *bêl sadê* mencionado en los antiguos textos de Babilonia como un dios supremo de los amorreos;
cf. también J. Ouellette, JBL, LXXXVIII (1969), pp. 470 s.

c. *La naturaleza de la religión patriarcal*. Aunque es imposible describir detalladamente la religión de los patriarcas, debido a lagunas en nuestro conocimiento, era, evidentemente, de un tipo familiar en aquel mundo. Respecto de las experiencias religiosas pesonaless que los patriarcas pudieron haber tenido no podemos, por supuesto, añadir nada a lo que la Biblia nos dice. Que los antepasados de Israel fueron algún tiempo paganos, es cierto, a priori, y está además afirmado por la misma Biblia (Jos. 24, 2-14). Acerca de los dioses que adoraron sólo tenemos conjeturas, aunque atendida la tradición de Ur-Jarán (ciudades ambas, como fue dicho más arriba, centros del culto lunar) y ciertos nombres personales tales como Téraj y Labán, etc., podemos suponer que la familia de Abraham fue algún tiempo adoradora de Sin. Con todo, no podemos saberlo y en todo caso sería peligroso generalizar, siendo tan diversos los ambientes de los diversos componentes del posterior Israel. Tampoco podemos saber qué espiritual experiencia impelió a Abraham a prestar atención a la voz de un dios «nuevo» que le hablaba, para, renunciando a los cultos de sus padres, marchar, bajo su mandato, a una tierra extraña. Sin duda existieron factores económicos, pero en vista de la naturaleza personal de la religión patriarcal, podemos estar seguros que la experiencia religiosa jugó su parte. La emigración patriarcal fue un acto de fe, condicionado por las circunstancias de aquel tiempo, pero no menos real (73).

En todo caso, cualesquiera que hubieran sido sus experiencias personales, cada patriarca proclamaba al Dios que le había hablado como su Dios personal y patrono de su clan. El cuadro que nos pinta el Génesis de una relación personal entre el individuo y su Dios, mantenida por la promesa y sellada por la alianza, tiene una gran autenticidad. La creencia en las divinas promesas parece representar, en efecto, un elemento original de la fe de los antepasados de Israel (74). Tal como está descrita (p. ej., Gn. cap. 15) es primariamente una promesa de tierra y posteridad. Nada desea tanto un pastor seminómada. Si los patriarcas siguieron totalmente a Dios, si creyeron que les había hecho alguna promesa —y seguramente debieron creerlo así, pues de otra suerte no le hubieran seguido—, entonces debemos suponer que tierra y posteridad constituyeron el núcleo fundamental de esa promesa. Tampoco es anacrónica la descripción de una alianza (es decir, una relación contractual entre el adorador y su Dios). Difícilmente puede ser una retroproyección de la alianza sinaítica,

---

(73) Cf. W. Eichrodt, *Religionsgeschichte Israels* (Berna, Francke Verlag, 1969), p. 10 que lo considera como una héjira.

(74) Ver especialmente Alt, KS, I, pp. 63-67; M. Noth, VT, VII (1957), pp. 430-433, en la crítica de Hoftijzer, *Die Verheissung an die drei Erzväter* (Leyden, E. J. Brill, 1956), que está en desacuerdo; también R. E. Clements, *Abraham and David* (Londres, SCM Press, 1967), pp. 23-34.

como a menudo se ha pensado, dado que hay diferencias importantes entre las dos. Ambas, desde luego, están descritas como partiendo de una iniciativa divina. Pero mientras que la alianza sinaítica
se basaba en un acto de gracia ya realizado y estaba estructurada
en unas estipulaciones rigurosas, la alianza patriarcal descansaba
sólo en la promesa divina y pedía al adorador únicamente confianza (p. ej., cap. 15, 6) (75).

La religión patriarcal era, pues, una religión de clan, en la que
el clan era exactamente la familia del dios-patrón. Aunque debemos
suponer que dentro del clan se adoraba principalmente, si no exclusivamente, al dios-patrón, sería erróneo llamar monoteísmo a esta
clase de religión. Tampoco podemos saber si fue una religión sin
imágenes; ciertamente la de Labán no lo era (Gn. 31, 17-35). Con
todo, no se parecía ni al politeísmo oficial de Mesopotamia ni al
culto de la fertilidad de Canaán, de cuyas orgías no hay huellas
en los relatos del Génesis. Podemos ciertamente suponer que estas
últimas repugnaban a los sencillos nómadas como Abraham, Isaac
y Jacob. Fuera como fuere, es interesante comprobar que entre los
nombres con componente «El» que aparecen en estas narraciones,
no figura ninguno compuesto de «Baal». Es probable que la narración
del inminente sacrificio de Isaac (Gn. cap. 22) refleje la convicción de
Israel (convicción ciertamente correcta) de que sus antepasados nunca
habían tolerado la práctica de los sacrificios humanos, conocida entre
sus vecinos. El culto de los patriarcas, es descrito como extremadamente simple, como se hubiera esperado que fuera. En su centro estaba el sacrificio del animal, como entre todos los semitas. Pero se realizaba sin clero jerárquico organizado, en cualquier lugar, por mano
del mismo padre del clan. Como los patriarcas se movían dentro de
Palestina, entraron en contacto con los diversos santuarios: Siquem,
Betel, Beeršeba, etc.; allí fueron, indudablemente, practicados y per-
petuados sus cultos, identificándose con los cultos ya familiares en
estos lugares. El culto patriarcal, sin embargo, no fue nunca un culto
local, sino siempre un culto a la divinidad ancestral del clan.

d. *Los patriarcas y la fe de Israel.* Cuando los clanes patriarcales
pasaron al torrente sanguíneo de Israel y sus cultos fueron sometidos
al de Yahvéh —procedimiento teológico absolutamente legítimo—
podemos estar seguros de que la estructura y la fe de Israel fue mo-
delada por este fenómeno más profunda de lo que conocemos.
Ya hemos sugerido que la tradición legal de Israel le debió ser trans-

---

(75) Especialmente G. E. Mendenhall, BA, XVII (1954), pp. 26-46, 50-76
(reprod. BA *Reader*, 3 [1970], pp. 3-53) sobre los esquemas de alianza en Israel.
M. Weinfeld (JAOS, 90 [1970], pp. 184-203) cree que existen paralelos entre la
alianza patriarcal (y davídica) y la «concesión real», en virtud de la cual el supremo
señor promete al vasallo fiel tierras y una dinastía permanente; cf. también J. D.
Levenson, CBQ, XXXVIII (1976), pp. 511-514.

mitida por sus propios antepasados seminómadas, muchos de los
cuales se hicieron sedentarios en Palestina ya desde principios del
segundo milenio, más bien que por mediación estrictamente cananea. Lo mismo pasó, sin duda alguna, con sus tradiciones de los
primeros tiempos, por no decir nada de las de las mismas emigraciones ancestrales, que configuradas en el espíritu del yahvismo, llegaron
a ser vehículos de su específica teología de la historia. Sobre todo,
Israel había recibido en herencia un sentido de solidaridad tribal,
de solidaridad entre el pueblo y Dios, que debió haber contribuido
más de lo que podemos suponer a ese fuerte sentido de pueblo tan
característico de él durante todo el tiempo por venir.

Además de esto, se engastó en la mentalidad israelita el esquema
de promesa y alianza. Podemos suponer que cuando algunos elementos que más tarde habían de ser incorporados a Israel, se asentaron en Palestina y comenzaron a multiplicarse, la promesa de tierra
y descendencia fue considerada por ellos como cumplida. Los cultos
ancestrales, ahora practicados en santuarios locales, adquirieron así
un prestigio enorme. Otros elementos, sin embargo, que más tarde
habían de formar igualmente parte de Israel, no se hicieron sedentarios tan pronto, sino que continuaron su existencia seminómada,
mientras que un tercer grupo (el verdadero núcleo del Israel posterior) se encaminó a Egipto. La promesa inherente a su tipo de religión permaneció, pues, sin cumplimiento; dado que este cumplimiento no se realizó hasta la invasión de Palestina bajo la égida del
yahvismo, la fe hebrea clásica vio, con razón, este último acontecimiento como el cumplimiento de la promesa hecha a sus padres. Así,
la idea de una alianza, sostenida por la promesa incondicional de
Dios, sobrevivió, en prosperidad y adversidad, en la mentalidad
hebrea, modelando poderosamente la esperanza nacional, como
veremos.

Tenemos que poner término a nuestra discusión. Aun cuando
quedan muchas dudas, se ha dicho lo bastante para asegurar la confianza de que la descripción bíblica de los patriarcas está profundamente enraizada en la historia. Abraham, Isaac y Jacob se encuentran, en el sentido más auténtico, en los orígenes de la historia y de
la fe de Israel. No sólo representan el movimiento que trajo a los
componentes de Israel a Palestina, sino que sus creencias peculiares
ayudaron a delinear la fe de Israel, tal como sería más tarde (76).
Con ellos empieza, también, la búsqueda incansable del cumplimiento de la promesa que aunque realizada en la donación de la
tierra y la descendencia, no será nunca satisfecha con esta dádiva,

---

(76) Alt (*op. cit.*, p. 62) llama, con expresión feliz, al dios (o dioses) de los
patriarcas *paidagogoi* hacia Yahvéh, Dios de Israel.

sino que, como un dedo indicador, debe guiar, a través de todo el Antiguo Testamento, a la ciudad cuyo constructor y creador es Dios (Hb. 11, 10). Abraham estuvo muy lejos de conocer lo que inició. No carece, pues, de razón histórica que los cristianos y judíos le reconozcan unánimemente como el Padre de toda la fe (Gl.15, 16; Rm. 4, 3; Hb. 11, 8-10).

Segunda Parte

EL PERIODO FORMATIVO

Capítulo 3

EXODO Y CONQUISTA
La formación del pueblo de Israel

Aunque muchos de los componentes de Israel han estado en escena desde la primera mitad del segundo milenio o incluso antes, los comienzos del pueblo israelita vinieron más tarde. En esto concuerdan la documentación externa y la Biblia. La Biblia narra cómo los hijos de Jacob, después de haber bajado a Egipto y haber vivido allí mucho tiempo, fueron llevados, bajo la guía de Moisés, al Sinaí, donde recibieron la alianza y la ley, que hizo de ellos un pueblo peculiar. Subsiguientemente, después de varias andanzas, entraron en Palestina y se apoderaron de ella. Estas son las conocidas narraciones que leemos desde el libro del Exodo hasta el de Josué. Aunque hay aquí involucrados problemas cronológicos, pruebas que se aducirán más tarde muestran claramente que el término del proceso que narran estas historias había sido alcanzado lo más tarde al final del siglo XIII. Después de esta fecha encontramos al pueblo de Israel establecido en este país que les pertenecería durante siglos.

Pero describir cómo comenzó a existir Israel no es fácil, principalmente porque las tradiciones bíblicas, de las que proviene el conjunto de nuestra información, son —como las historias de los patriarcas— difíciles de evaluar. Muchos las ven con el más profundo escepticismo. Ignorar el problema, ateniéndose meramente a la narración bíblica, o anticipar reconstrucciones hipotéticas de los sucesos, carecería, en ambos casos, de valor. Seguiremos, pues, el procedimiento adoptado en la sección precedente, a saber, examinar las tradiciones bíblicas a la luz de los documentos en cuanto sea posible, y hacer entonces las afirmaciones positivas que parezcan justificadas con estos argumentos. Puesto que, de cualquier modo, qué se los interprete, los sucesos de la cautividad egipcia, el éxodo y la conquista deben caer dentro del período del imperio egipcio, esto es, en la edad del bronce reciente (ca. 1550-1200), nuestra primera ocupación es proveernos del fondo histórico necesario, con la mayor brevedad posible. Podemos adelantar aquí algo sumariamente.

Mientras que las migraciones de los patriarcas nos conducen a todas las partes del Asia occidental en la edad del bronce medio, en la edad del bronce reciente todos los componentes del futuro Israel se mantuvieron dentro de los confines del imperio egipcio, ya en Palestina y países adyacentes, ya en el mismo Egipto. Podemos, pues, narrar nuestra historia desde una perspectiva egipcia, con referencias a otra naciones cuando así parezca necesario.

A. Asia occidental en el bronce reciente: el imperio egipcio (1)

1. *La Dinastía XVIII y el surgimiento del imperio.* En el bronce reciente entró Egipto en su período imperial, durante el cual fue, sin lugar a dudas, la primera potencia del mundo (2). Arquitectos del imperio fueron los faraones de la Dinastía XVIII, que fue fundada cuando los hicsos fueron expulsados de Egipto y que retuvo el poder por casi 250 años (1552-1306), proporcionando a Egipto un poderío y un prestigio inigualado en toda su larga historia.

a. *El avance egipcio en Asia.* Hemos descrito ya cómo (ca. 1540), el vigoroso Amosis expulsó a los hicsos de Egipto y, persiguiéndolos hasta Palestina, dejó abierto el camino hacia Asia. Sus sucesores, llamados todos Amenofis o Tutmosis, fueron uniformemente hombres de energía, y de habilidad militar que, más o menos, parece haber sido encendida por la resolución de que la catástrofe de los hicsos no volviera a suceder nunca más; ellos defenderían las fronteras de Egipto lo más dentro posible de Asia. El Ejército egipcio, equipado con armas perfeccionadas tomadas a los hicsos, el carro de caballos y el arco doble, fue irresistible. Cayó sobre Palestina con increíble violencia, arrasando y abandonando una ciudad tras otra. En un tiempo sorprendentemente corto —bajo Tutmosis I (ca. 1507-1494).— las armas egipcias se extendieron por el norte hasta el Eufrates. No obstante, parte porque la resistencia fue obstinada, parte porque la reconquista llegó más allá que la organización efectiva y tenía

---

(1) Para las fechas de la Dinastía XVIII seguimos la cronología de Borchard-Edgerton-Albright (cf. BASOR, 88 [1942], p. 32), con las modificaciones de N. B. Rowton (cf. BASOR, 126 [1952], p. 22) y las del mismo Albright (BASOR, 118 [1950], p. 19). Para la Dinastía XIX, se siguen las fechas de Rowton (JEA, 34 [1948], pp. 57-74; cf. A. Nalamat, JNES, XIII [1954], pp. 233 ss.), de acuerdo con las modificaciones del mismo Albright para el final de la Dinastía (AJA LIV [1950], p. 170). Para las fechas de los reyes hititas, seguimos a O. R. Gurney (*The Hittites* [Penguin Books, Inc., 1952], pp. 216 ss.), con algunas modificaciones. Para las fechas de los reyes asirios tomamos las que se encuentran en Albright, FSAC; cf. H. Schmökel, *Geschichte des Alten Vorderasien (Hardbuch der Orientalistik,* II: 3 (Leiden. E. J. Brill, 1957), pp. 187-195.   ·

(2) Para este período, ver G. Steindorff y K. C. Seele, *When Egypt Ruled the East* (The University of Chicago Press, 1942); también T. G. H. James, CAH, II: 8 (1965); W. C. Hayes, CAH, II: 9 (1962).

que ser rehecha continuamente, los faraones se vieron obligados a repetir sus campañas en Asia. Tutmosis III (ca. 1490-1436), el más hábil táctico de todos ellos, hizo no menos de 12 de estas campañas, principalmente contra los restos de los odiados hicsos que, en una confederación centrada en Cades del Orontes, molestaban aún a los egipcios en el sur de Palestina (3). Finalmente, aniquilándolos, llegó hasta el Eufrates.

Tutmosis III condujo a Egipto al cenit de su poder; en su tiempo el imperio se extendió hasta una línea que llegaba aproximadamente por el norte desde el Eufrates hasta la desembocadura del Orontes y por el sur hasta la cuarta catarata del Nilo en Nubia.

b. *El imperio Mitanni.* El avance egipcio hacia el norte no encontró oposición por parte de los hititas que, después de la incursión de Mursilis en Babilonia (ca. 1530), entraron en un período de inestabilidad y debilitamiento. En cambio encontró el imperio Mitanni, cuya capital estaba en Wassugani (sitio desconocido pero probablemente en la parte superior del Jabor) y que se extendía a todo lo largo de la Mesopotamia superior. Este Estado, fundado a finales del siglo XVI, tuvo una población predominantemente hurrita, pero sus gobernantes, como sus nombres lo indican (Suttarna, Saussatar, Artatama, Tušratta) fueron indo-arios. Adoraban los dioses vedas (Indra, Mitra, Varuna) y estaban fortalecidos con patricios carros de guerra, conocidos como *marya (nnu)*. Ya hemos visto cómo en los siglos XVII al XVI, no sin conexión con la invasión de Egipto por los hicsos, hubo una gran presión hurrita, junto con elementos indoarios, sobre todo el Creciente Fértil, incluso hasta en el sur de Palestina. Estos indo-arios, según parece, introdujeron el carro de combate como arma táctica y de ellos la tomaron los hicsos. En Mitanni, donde estaban concentrada la fuerza hurrita, éstos y los arios consiguieron un *modus vivendi* que llevó a una simbiosis (4). Hubo matrimonios mixtos, con lo que también los hurritas consiguieron entrar en la clase gobernante. Mitanni parece haber alcanzado su cenit bajo Saussatar (ca. 1450), un contemporáneo de Tutmosis III, en cuyo tiempo su poder se extendió desde la región este del Tigris (Nuzi), hasta el norte de Siria, y tal vez hasta el Mediterráneo por el occidente. Asiria fue un Estado dependiente; los reyes de Mitanni llevaron de allí un rico botín a su capital.

El avance egipcio llevó, naturalmente, al choque con Mitanni, cuyos reyes, probablemente, respaldaron la federación de Cades contra Egipto. A pesar de las victorias de Tumotsis III, Mitanni estaba muy lejos de sentirse derrotado. Durante medio siglo siguió intentando recuperar su ascendencia en Siria. Las guerras fueron incesantes hasta que, en el reinado de Tutmosis IV (ca. 1412-1403),

---

(3) Ver la narración gráfica de la batalla de Meguiddó en ca. 1468 en Pritchard, ANET, pp. 234-238.

se firmó un tratado de paz, en virtud del cual, los reyes de Mitanni daban una hija en matrimonio al faraón, práctica que persistió durante toda la existencia de Mitanni (desde Tutmosis IV hasta Amenofis IV). Aunque no era un tratado entre iguales (el faraón no daba una hija en cambio) fue sin duda ventajosa para ambas partes, especialmente desde que los hititas, que resurgieron bajo una nueva dinastía de reyes, comenzaron, poco antes del 1400, a presionar una vez más en el norte de Siria. Ni Egipto ni Mitanni deseaban luchar en dos frentes. La alianza sirvió para contener a los hititas durante una generación más. Dado que el tratado debió fijar las fronteras y las zonas de influencia, Egipto pudo consolidar su imperio en Asia.

   2. *El período de Amarna y el fin de la Dinastía XVIII*. El imperio egipcio se mantuvo intacto hasta el siglo XIV, cuando tuvo lugar una sorprendente revolución que amenazó dividirlo. Este tiempo turbulento es llamado período de Amarna, por haberse encontrado en Ajatatón (Tell el Amarna), por breve tiempo capital del imperio, las famosas cartas de Amarna.

   a. *Amenofis IV (Ejnatón) y la herejía de Atón*. El héroe —o villano— de esta historia fue Amenofis IV (ca. 1364-1347), hijo de Amenofis III y de su esposa Teye. Este joven rey fue propulsor del culto de Atón (el Disco Solar) que declaró dios único, y en cuyo honor cambió su propio nombre en Ejnatón (Esplendor de Atón). Encontrándose al principio de su reino en abierto conflicto con los poderosos sacerdotes de Amón, supremo dios de Egipto, se retiró pronto de Tebas a una nueva capital (Ajatatón), que fue trazada y construida por orden suya. No podemos detenernos en los muchos problemas relativos a las causas de este conflicto. No se puede creer que Ejnatón fuera el único responsable, especialmente desde que aparecen vestigios de las enseñanzas de Atón, y antecedentes de la crisis misma, una generación o más antes de que el joven faraón hubiera nacido. Es posible que los factores económicos, particularmente la alarma a causa de la fuerza creciente de los sacerdotes de Amón, jugaran un papel tan importante como el celo religioso (4). Probablemente hubo fuertes personalidades al lado del trono —entre ellas la madre del rey, Teye; su esposa Nefertitis; los sacerdotes de Heliópolis que lo habían educado— que guiaron la política real.

   De cualquier modo, debemos recordar el hecho de que, a menos de un siglo de Moisés, apareció en Egipto una religión de carácter monoteísta. Esto fue ciertamente lo que causó la lucha (5); el faraón era visto como un dios y la condición de los otros dioses, su existencia o no existencia, no fue formalmente aclarada. Con todo, el

---

   (4) Recientemente, H. Kees, *Das Priestertum im ägyptischen Staat* (Leiden, E. J. Brill, 1953), pp. 79-88.
   (5) P. e., J. A. Wilson, *The Burden of Egypt* (University of Chicago Press, 1951), pp. 221-228.

hecho de que Atón fuera saludado como el único dios, creador de todas las cosas, junto al cual (o como el cual) no hay otro (6), autoriza a decir que el culto de Atón fue, cuando menos, algo que se aproxima estrechamente al monoteísmo. En cualquier caso, estamos advertidos de que las tendencias monoteístas no fueron desconocidas en el segundo milenio a. C.

b. *El imperio egipcio en el período de Amarna.* Tras la conclusión de la paz con Mitanni, fueron escasas las grandes expediciones militares de los faraones hacia el territorio asiático. En los últimos años de su reinado, Amenofis III, enfermo, se mantuvo relativamente inactivo, mientras que su hijo Ejnatón, absorbido por los temas de la política interior, prestaba poca atención a los problemas del imperio. En consecuencia, se debilitó la posición de Egipto en Asia (7). Las cartas de Amarna lo revelan con claridad. Escritas en acádico, el idioma diplomático de entonces, representan la correspondencia oficial con la corte de Ejnatón y de su padre Amenofis III. Aunque la mayor parte proviene de los vasallos del faraón en Palestina y Fenicia, se incluyen cartas incluso de las cortes de Mitarnni y Babilonia (8). Ellas nos muestran a Palestina y países adyacentes en tumulto. Los reyes de las ciudades buscan su provecho a costa de sus vecinos y cada uno acusa a los otros de deslealtad a la corona. Los vasallos leales piden al faraón que envíe al menos refuerzos para ayudarles a mantener sus posiciones. Otros, aunque protestando externamente lealtad, disimulan la subversión, y otras, en fin, están en abierta rebelión. Entre los perturbadores sobresalen los jabiru (o SA.GAZ), que ya hemos mencionado. Pero, en contra de lo que muchas veces se ha supuesto (9), no son una invasión reciente de nómadas del desierto. Aparecen, más bien, como perturbadores de la paz, bandoleros, pueblo errante sin ciudadanía opuesto al orden establecido, pronto —por un precio— a hacer causa común con los rebeldes contra el faraón. Se apoderaron- de extensas áreas, incluyendo terrenos en las cercanías de Siquem. Mientras que estos sucesos, por razones

---

(6) Ver el himno a Atón: Pritchard, ANET, pp. 369-371.

(7) Pero cf. E. F. Campbell, *Mag. Dei*, cap. 2 (especialmente p. 45), quien sugiere que el cuadro ha sido exagerado y que las cartas de Amarna describen una situación absolutamente normal para la época.

(8) El total de estas cartas, incluyendo algunas descubiertas en Palestina, supera las 350; cf. Pritchard, ANET, pp. 483-490, que presenta una selección. La bibliografía sobre el tema es muy vasta. Da una excelente orientación E. F. Campbell, «The Amarna Letters and the Amarna Period» (BA, XXIII [1960], pp. 2-22); más recientemente, W. F. Albright, «The Amarna Letters from Palestine» CAH, II: 20 [1966]).

(9) En definitiva, tampoco las cartas dan esta impresión; hablan más bien de «esclavos que se han hecho 'apiru», o de ciudades y territorios «convertidos en 'apiru» (es decir, en rebeldes contra la autoridad). Cf. Campbell, *ibid.*, p. 15; G. E. Mendenhall, BA, XXV (1962), pp. 72 s., 77 s.

que aparecerán después, no tienen nada que ver con el libro de
Josué, es probable que representen una primera fase de la ocupación
israelita de Palestina.

La situación de Egipto se hizo aún más crítica por un resurgimiento del poder hitita en el norte. Hemos visto cómo la alianza con
Mitanni tuvo por finalidad, al menos en parte, una mutua protección
contra la agresión por este costado. Mientras Egipto fue poderoso, se
consiguió esta finalidad. Pero la debilidad de Egipto, por desgracia
para él, coincidió con el surgir del imperio hitita bajo el gran Šuppiluliuma (ca. 1375-1335) (10). Aprovechándole de las dificultades de
Egipto, este rey presionó por el sur hasta el Líbano y apartó del control
egipcio la mayor parte de Siria y el norte de Fenicia. Posiblemente
estuvo detrás de algunos de los alborotos que molestaron a Palestina.
Mientras tanto, Mitanni quedó abandonado en una terrible situación. Con el país desgarrado entre las facciones pro-egipcias y pro-
hititas, Tušratta, el único rey independiente de Mitanni, recurrió
apremiantemente a la corte egipcia en demanda de ayuda, pero en
vano. Forzado a enfrentarse solo con los hititas, perdió pronto su
trono y su vida. Su hijo, Matiwaza, aceptó la protección hitita, asumiendo el poder en calidad de vasallo. Con él termina la historia
de Mitanni. Mientras tanto, en el este, Asiria, libre ya del control
de Mitanni, se elevaba a nuevas alturas de poder bajo Assurbalit I
(ca. 1356-1321).

c. *El fin de la Dinastía XVIII*. Las innovaciones religiosas de
Ejnatón ni fueron populares ni duraron mucho tiempo. Cuando,
después de una ruptura con la reina Nefertitis, murió Ejnatón, en
muy oscuras circunstancias, las innovaciones llegaron a su fin. Ejnatón fue sucedido por su yerno Tut-ank-atón (ca. 1347-1338), cuya
magnífica tumba fue descubierta en 1922 y, muerto éste, por un antiguo oficial llamado Aya (ca. 1337-1333). Pueden verse indicios del
abandono del culto de Atón en el hecho de que Tut-ank-atón cambiara su nombre por el de Tut-ank-amón y trasladara la residencia
real de Ajatatón a Memfis. La guerra con los hititas en este tiempo
se pudo mantener alejada a duras penas. A la muerte de Tut-ank-
amón, la reina (11) hizo una súplica inaudita, señal del grave apuro
en que se encontraba Egipto: pidió a Šuppiluliuma uno de sus hijos
como esposo. Suppiluliuma consintió, aunque de mala gana, pero
el joven príncipe hitita fue asesinado en el camino por los egipcios
del partido opuesto. El hecho de que no estallara una guerra a gran

(10) Sobre estos acontecimientos, cf. A. Goetze, «The Struggle for the
Domination of Syria (1400-1300 B. C.)» (CAH, II: 17 [1965]) también K. A.
Kitchen, *Suppiluliuma and the Amarna Pharaohs* (Liverpool University Press, 1962).
(11) Parece que no hay acuerdo sobre si esta reina fue Nefertitis o Ank-
es-en-amón, viuda de Tut-ank-amón: p. e. Scharff y Moortgat, AVAA, pp. 146 ss.,
356, que toman posiciones opuestas.

escala, pudo ser debido en parte a una plaga que azotó por este tiempo a los países hititas. Pero, sin duda, también la fuerza creciente de Asiria, capaz ahora de dominar a Babilonia y amenazar seriamente al este de Mitanni, precavió al hitita a no exponer su flanco mediante un excesivo avance por el sur. Esto fue una suerte para Egipto, puesto que, de haber estallado la guerra en este tiempo hubiera podido ser expulsado de Asia por completo.

Puede con entera razón atribuirse al general Horemheb (ca. 1333-1306), que asumió el poder a la muerte de Aya, que el imperio egipcio no terminara con el período de Amarna. Y dado que fue él quien acabó con el caos y devolvió a Egipto su poderosa condición, se le adscribe frecuentemente a la siguiente Dinastía, la XIX. Pero, por otra parte, dado que no estuvo emparentado con el faraón que le sucedió y dado que él reclamó para sí ser el legítimo sucesor de Amenofis III, sería mejor inscribirle entre sus predecesores. De cualquier modo, con él terminaron todos los vestigios de la herejía de Atón. Ya sea por una convicción personal, ya porque odiaba lo que aquella herejía había significado para Egipto, o por ambas cosas, empezó a arrancar de raíz, con una crueldad incomparable, toda huella de esta reforma que para él era anatema. Al mismo tiempo tomó medidas para erradicar la corrupción de las estructuras administrativas y judiciales del país. Sus esfuerzos acabaron con la crisis y dispuso a Egipto para asumir de nuevo un papel activo en Asia.

3. *Asia occidental en el siglo XIII: la Dinastía XIX.* A Horemheb le sucedió otro general, Ramsés, que procedía de Avaris, la antigua capital de los hicsos, y cuya familia se tuvo por descendiente de los reyes hicsos. Aunque Ramsés (I), reinó poco tiempo (ca. 1306-1305), traspasó el poder a su hijo Setis I y así se convirtió en el fundador de la Dinastía XIX. Los faraones de esta Dinastía acometieron la empresa de recuperar las pérdidas egipcias en Asia. Esta resolución hacía inevitable la guerra con los hititas, largo tiempo amenazante (12).

a. *La guerra hitita: Ramsés II.* Setis I (ca. 1305-1290) emprendió pronto la tarea de restaurar el inseguro imperio asiático de Egipto. En el primer año se apoderó de Betšán, en el norte de Palestina, como lo demuestra una estela suya allí descubierta, y podemos suponer que pronto tuvo bajo su firme dominio toda Palestina. Más tarde chocó, cerca de Betšán, con los 'apiru, indudablemente uno de los muchos grupos que figuran en las cartas de Amarna (13). Avan-

---

(12) Para este período, R. O. Faulkner, «Egypt: From the Inception of the Nineteenth Dinasty to the Death of Ramesses III» (CAH, II: 23 [1966]); A. Goetze, «The Hittites and Syria 1300-1200 B. C.» (CAH, II: 24 [1965]); Helck, *op. cit.*, pp. 179-192.

(13) Para estas y otras inscripciones de Setis, cf. Pritchard, ANET, pp. 153-255. Sobre la estela más pequeña de Bet-šan, que menciona a los jabiru, cf. Albright, BASOR, 125 (1952), pp. 24-32.

zó hacia el norte llegando hasta Cades, con la esperanza, sin duda, de arrancar la Siria central al control hitita.

La guerra entre las dos potencias era inevitable. Bajo el hijo y sucesor de Setis, Ramsés II (ca. 1290-1224), estalló formalmente. Ambos, Ramsés y el rey hitia Muwattalis (ca. 1306-1282) dirigían los más poderosos ejércitos de aquel tiempo (los hititas tenían quizás cerca de 30.000 hombres). Ambos emplearon gran número, tanto de mercenarios como de tropas nativas, echando mano los egipcios de contingentes de Sardina, y los hititas de Dárdanos, Luka y otros. Más tarde diremos algo más sobre estos pueblos. El gran choque tuvo lugar en el año quinto de Ramsés, cuando su Ejército, marchando en columna extendida en dirección norte, hacia Siria, cayó en una emboscada en las cercanías de Cades y fue casi completamente deshecho. Con no excesiva modestia nos cuenta Ramsés cómo su propio valor personal salvó la jornada y convirtió la derrota en una aplastante victoria (14). Pero no hubo tal victoria. Aunque el ejército egipcio pudo escapar a la destrucción total, se vio obligado a retroceder hacia el sur, con los hititas hostigando su retaguardia, hasta la región de Damasco. El espectáculo de los derrotados egipcios acosados por revoltosos —sin duda incitados por los hititas— se prolongó hasta la misma Ascalón. Fueron necesarios cinco años de duros combates para que Ramsés pudiera controlar la situación y restablecer la frontera septentrional a lo largo de una línea que iba desde las costas fenicias por el este hasta el norte de Beirut. La reconquista de Siria quedó descartada.

Aunque la guerra continuó aún durante otra década, o más, no hubo al parecer, ningún golpe decisivo por ninguna de las dos partes. La paz llegó finalmente cuando Hattusilis III (ca. 1275-1250), hermano de Muwattalis, que destronó al hijo y sucesor de éste, se apoderó del trono hitita. Fue sellada con un tratado, copias del cual han sido halladas en Egipto y en Bogahzköy, y duró tanto como el imperio hitita. Indudablemente, esto sucedió porque ambas potencias estaban exhaustas. Pero los hititas tenían razones más urgentes para desear la paz. Por el este de su país, Asiria, bajo los sucesores de Assurbalit, Adad-nidari I (ca. 1297-1266) y Salmanasar I (ca. 1265-1235), se convertía en una amenaza creciente, que trataba con insistencia de arrancar al control hitita las regiones de Mitanni. Con tal amenaza a su costado, los hititas no podían continuar la guerra con Egipto. De hecho, muy poco tiempo después, Asiria ocupó la mayor parte de Mitanni.

La segunda mitad del largo reinado de Ramsés II llevó a Egipto la paz y constituyó uno de los mayores períodos de actividad constructora de su historia.

---

(14) **Para estos y otros textos referentes a la guerra hitita, cf. Pritchard, ANET, pp. 255-258.

Verdaderamente interesante para nosotros es la reconstrucción de Avaris, ahora de nuevo convertida en capital, comenzada por Setis I y continuada por Ramsés. Este llamó a Avaris «la casa de Ramsés». En textos de este período aparecen repetidamente los 'apiru como esclavos estatales trabajando en los proyectos reales. Interesante también es el hecho de que en pocos períodos de su historia estuvo Egipto más abierto a la influencia asiática. Esto no es sorprendente si se consideran los intereses asiáticos de Egipto, la presencia de numerosos semitas en Egipto, la ubicación de la capital —en otro tiempo capital de los hicsos— justamente en la frontera, y el hecho de que la casa real proclamaba su linaje o ascendencia hicsa. Cientos de palabras semitas entraron en el lenguaje egipcio y los dioses cananeos fueron adoptados en el panteón egipcio e identificados con las deidades nativas. Entre éstos estaban Ba'al (identificado con Seth) Haurón (identificado con Horus), Rešef, Astarté, Anat y otros. La importancia de estos sucesos como telón de fondo de la esclavitud de Israel en Egipto es asunto sobre el que volveremos.

b. *El fin de la Dinastía XIX.* Al morir Ramsés II, después de un largo y glorioso reinado, le sucedió su décimo tercer hijo, Menefta, que era un hombre ya maduro. Menefta no pudo vivir en paz durante su corto reinado (ca. 1224-1211). Comenzó un tiempo de confusión que acabó sumergiendo al Asia occidental en un caos al que la Dinastía XIX no pudo sobrevivir.

Como sabemos por una estela de su quinto año (ca. 1220), Menefta, como sus predecesores, emprendió una campaña en Palestina. Entre los enemigos allí derrotados enumera al pueblo de Israel (15). Esta es la primera referencia a Israel en una inscripción contemporánea y prueba que Israel estaba ya en el país por estas fechas. Evidentemente este hecho tiene relación con la datación de la conquista. Pero, por desgracia, no estamos seguros de si este Israel era parte del grupo que procedía de Egipto (lo que es posible, pero para lo que carecemos de pruebas) o si se trataba de un grupo tribal llamado Israel, ya asentado en la región desde tiempos pre-mosaicos. También en su quinto año tuvo que hacer frente Menefta a una invasión de libios y pueblos del mar que se movían en una gran horda sobre Egipto a lo largo de la frontera oeste. Solamente con una gran energía y en una terrible batalla pudo rechazarlos. Entre los pueblos del mar, Menefta enumera Sardina, 'Aqiwaša, Turuša, Ruka Luka) y Šakaruša. Estos pueblos, alguno de los cuales (Luka y Sardina) hemos encontrado como mercenarios en la batalla de Cades, eran de origen egeo, como sus nombres indican, v. gr., Luka son los licios, 'Aquiwaša (también los Ahhayawa del sudoeste de

_____

(15)   Para el texto, ver Pritchard, ANET, pp. 376-378 y cf. aquí la nota 18.

Asia menor) son probablemente los aqueos; Sardina daría poco tiempo después su nombre a Sardinia y los Turuši aparecen después como los tirseos (etruscos) de Italia (16). Nos parece estar tratando de sucesos relacionados con la irrupción de la confederación micena, sucesos apenas anteriores o contemporáneos de la guerra de Troya, en una palabra, de una fase de aquellos eventos reflejados en la Ilíada y la Odisea.

Aunque Menefta dominó la situación, no sobrevivió mucho tiempo a su triunfo. Después de cuatro soberanos sin ninguna importancia (hasta el 1200 o un poco más tarde), sobrevino un período de confusión del que tenemos muy pocas noticias. Apenas cabe duda de que durante estos años de disturbios el control egipcio de Palestina fue prácticamente abandonado, circunstancia que con seguridad ayudó a Israel a consolidar su posición en el país.

c. *La caída del imperio hitita*. Mientras Egipto pasaba por una etapa turbulenta, el imperio hitita experimentó un inmenso desastre. Pocas veces ha habido una potencia en el mundo que se haya desplomado tan repentina y completamente (17). Habiendo rivalizado con Egipto, a comienzos del siglo XIII, por el control del Asia occidental, los hititas comenzaron a tener, a mediados de este mismo siglo, crecientes dificultades para mantener su posición frente a las coaliciones de los pueblos egeos del Asia menor occidental. A pesar de sus triunfos temporales, no pudieron evitar el desastre. En las décadas siguientes al 1240 fueron absorbidos por una vorágine de migración racial que rompió las amarras de su débil estructura y los borró para siempre del mapa de la historia. Hacia finales de siglo faltan testimonios inscripcionales y es evidente que los hititas habían desaparecido. Los agentes de esta catástrofe fueron, sin duda, representantes de los numerosos grupos que los egipcios llamaban «pueblos del mar». Al principio del siglo XII, según veremos, comenzaron a lanzarse sobre la costa siria en un torrente destructor, para batir de nuevo las puertas de Egipto.

Con la caída de los hititas y el ocaso de Egipto sólo uno de los tres antiguos rivales por la supremacía permaneció en pie. Este fue Asiria que, habiendo conquistado y saqueado Babilonia y ocupado toda la alta Mesopotamia hasta el Eufrates, alcanzó el cenit de su primera expansión bajo Tukulti-ninurta I (1234-1197). Pero tam-

---

(16)   Sobre todo este tema, cf. especialmente W. F. Albright, «Some Oriental Glosses on the Homeric Problem» (AJA, LIV [1950], pp. 162-176); más reciente, A. Strobel, *Der spätbronzezeitliche Seevölkerström* (BZAW, 145 [1976]). Más adelante volveremos sobre estos «pueblos del mar».

(17)   Sobre la caída del imperio hitita, ver Albright, *ibid.*; Gurney, *op. cit.* pp. 38-58; K. Bittel, *Grundzüge der Vor-und Frühgeschcihte Kleinasiens* (Tubinga, Ernst Wasmuth, 1950²), pp. 72-86; R. Dussaud, *Prélydiens, Aittites et Achéens* (París, Paul Geuthner, 1953), pp. 61-88.

poco esto, como veremos, iba a perdurar. La lucha por el poder en el bronce reciente terminó con la desaparición o agotamiento de los contendientes.

4. *Canaán en el siglo XIII a.C.* Nuestro bosquejo nos ha conducido a los comienzos del siglo XII, en cuyo tiempo podemos suponer que Israel estaba ya asentado en Palestina. Pero sería mejor, antes de proceder a una valoración de los relatos bíblicos echar primero una ojeada a Canaán, tal como estaba antes de la ocupación israelita.

a. *La población de Canaán.* La Biblia, normalmente, se refiere a la población pre-israelita de Palestina como a cananeos o amorreos.

Aunque estos términos no son, estrictamente hablando, inter-cambiables, resulta difícil establecer una clara diferencia entre ellos cuando son mencionados en la Biblia. Fuera cual fuere la derivación de este nombre (18), en la época del Imperio egipcio, Canaán era el título oficial de una provincia o distrito que incluía la Palestina occidental (pero no Transjordania), la mayor parte de Fenicia y el sur de Siria. Así, pues, «cananeo» podía ser también la denominación de la población, predominantemente semita nordoccidental, de esta provincia —densamente establecida a lo largo de la costa, en la lla-nura de Esdrelón y en el valle del Jordán y más escasa en las áreas montañosas— cuya cultura se derivaba de una antigua tradición asentada durante siglos en la franja oriental del Mediterráneo. Por otra parte, «amorreo» era, como ya se ha dicho, una palabra acádica que designaba a los «occidentales» y estaba en uso en la época pa-triarcal e incluso antes como denominación general de varios pueblos de semitas del noroeste de la alta Mesopotamia y Siria. Entre ellos se encontraban los antepasados de Israel. Estos elementos nómadas que se infiltraron en Palestina al final del bronce antiguo y recorrie-ron especialmente las montañas del interior, en las que acabaron por asentarse eran, en el sentido antes indicado, «amorreos». En los días del Imperio existió un reino de Amurru en Siria y, algo más tarde, como veremos, había Estados amorreos establecidos en Trans-jordania. Aunque en algunos pasajes parece que la biblia conserva esta distinción (p. ej., Nm. 13, 29; Dt. 1, 7), donde los cananeos son colocados en la costa y los amorreos en la montaña, las más de las veces usa estos términos en sentido amplio, si no como sinónimos (19).

(18) Algunos creen que se deriva de una palabra que significa «merchante», «comerciante en tinte púrpura»; aplicada primeramente a Fenicia, que era el centro de estos tintes y de la industria textil («fenicio» [en griego *phoinix*] se derivaría también de la palabra «púrpura»), incluyó más tarde en su significado a otros países situados al este y al sur; cf. B. Maisler (Mazar), BASOR, 102 (1946), pp. 7-12; Albright, BANE, p. 356; *idem*, CAH, II: 33 (1966), p. 37. Para otros autores, «Canaán» fue inicialmente un término geográfico, que sólo más tarde se aplicó al producto; cf. R. de Vaux, «Le pays de Canaan» (JAOS, 88 [1968], pp. 23-30).

(19) Para los amorreos y cananeos, cf. A. R. Millard y M. Liverani, POTT, pp. 1-28, 100-133 respectivamente.

Esto se justifica por el hecho de que, en tiempo de la conquista, los «amorreos», que habían estado largo tiempo sedentarizados, tomaron el lenguaje, la organización social y mucha parte de la cultura de Canaán. La población pre-israelita predominante no fue, por tanto, diferente del mismo Israel en raza y lenguaje.

Palestina albergaba también otros elementos, particularmente indo-arios y huritas, que llegaron allí, como ya vimos, en el período hicso. Muchos de los pueblos que la Biblia enumera como habitantes pre-israelitas del país (hititas, jiveos, joritas, jebuseos, guirgaseos, perezeos, etc.), representan, sin duda, elementos no semitas de la población, aunque algunos de ellos no puedan ser identificados con certeza. Los hurritas (junto con elementos indo-arios) se hallaban ciertamente en Palestina y debieron ser numerosos, ya que los egipcios en este tiempo se refieren a Palestina como Jurru. La similitud de nombres sugeriría establecer una conexión entre estos hurritas y los joritas de la Biblia, y así lo hacen de hecho algunos autores (20). Pero dado que la Biblia menciona a los joritas sólo en Edom (p. e. Gn. 14, 6; 36, 20-30), donde no se conoce la presencia de hurrita, y atendido que *jor* significa «cueva» en hebreo, otros autores piensan que se trata de una población troglodita pre-edomita. Pero es posible que los jiveos o jivitas fueran también joritas (es decir, hurritas); de hecho, todos estos nombres son muy parecidos en hebreo y los LXX los emplean de vez en cuando (Gn. 34, 2; Jos. 9, 7) indistintamente (21). Si fue así, tubo enclaves hurritas en Gabaón, Siquem (Gn. 34, 2) y en área del Líbano (Jos. 11, 3; Jc. 3, 3) y, sin duda, también en otros lugares. Los hititas, situados principalmente en los alrededores de Hebrón (Gn. 23, 10; 25, 9, etc.), constituyen un enigma, ya que el control hitita nunca alcanzó hasta estas regiones tan meridionales. Pero existen pruebas de que en el bronce reciente, y coincidiendo con las migraciones de los pueblos del Mar y el colapso del imperio hitita, se produjo un amplio desplazamiento de pueblos desde Anatolia y otras regiones hititas hacia el sur, en Siria y Palestina (22). Esto podría explicar la mención de los hititas entre los habitantes pre-israelitas de Palestina, cuya población estaba sin duda muy mezclada. Pero todos estos pueblos, ya con mezcla

---

(20) De todas formas, de Vaux lo rechaza enérgicamente, «Les Hurrites de l'histoire et les Horites de la Bible» (RB, LXXIV [1967], pp. 481-503).

(21) Nótese también que a Sibeón el hivita (Gn. 36, 2), un poco más adelante (36, 20) se le llama «jorita». Algunos autores han propuesto que los hivitas eran joritas (hurritas), mientras que los joritas de Edom eran los habitantes pre-edomitas (no hurritas) del país; pero Mendenhall argumenta que los hivitas procedían originalmente de Cilicia *(qu-welhu-we)*; cf. *The tenth Generation*, pp. 154-163.

(22) Cf. especialmente Mendenhall, *ibid.*, cap. VI. Para otra documentación sobre asentamientos hititas en áreas del dominio egipcio en la época pre-israelita, cf. A. Kempinski, BARev, V (1979), pp. 21-45.

de otros orígenes, ya con elementos predominantemente semitas del
noroeste, llegaron a ser esencialmente cananeos en la cultura.

   b.   *La cultura y la religión de Canaán.* Palestina en el bronce reciente, aunque algo retrasada en comparación con Fenicia, fue sin
embargo parte de una gran unidad cultural que se extendía desde la
frontera egipcia hasta Ras Šamra por el norte (23). Aunque su riqueza tuvo un marcado declive durante el período de los hicsos,
debido sin duda al desorden egipcio, su cultura material era aún
impresionante. Las ciudades estaban bien construidas, con fuertes
defensas, drenaje y, en algunos casos (p. ej., Jerusalén) túneles excavados con la intención de asegurar el abastecimiento de agua en
caso de asedio. Elegantes casas patricias rodeadas de chozas para
los siervos ilustran el carácter feudal de aquella sociedad. Los cananeos fueron un pueblo comerciante, grandes exportadores de madera de construcción y líderes en la industria textil y el teñido de
la púrpura. Estuvieron en contacto no sólo con Egipto y Mesopotamia, sino incluso con los países egeos, como lo demuestra concretamente la abundancia de cerámica micena en toda Palestina
y Siria por los siglos XIV y XIII y también las importaciones de
Minos en un primer período. El nombre «Kaftor» (Creta), conocido
en Mari (siglo XVIII), se encuentra también en documentos de Ras
Šamra (siglo XIV).

   Sin embargo Canaán no alcanzó su conquista suprema en la cultura material, sino en la escritura. Antes de concluir el tercer milenio, los cananeos de Biblos desarrollaron una escritura silábica
inspirada en la egipcia. En el bronce reciente, los escribas cananeos
no sólo escribieron con profusión en acádico, y ocasionalmente en
egipcio y en otras lenguas, sino que de la misma escritura cananea se derivaron algunas escrituras diferentes. Entre éstas estuvo
el alfabeto lineal, cuya invención se ha de atribuir a los cananeos.
Llevada de Fenicia a Grecia, vino a ser el antecesor de nuestro propio alfabeto (24). Igualmente notables son los textos de Ras Šamra
(siglo XIV) que, junto a variados documentos en diversas lenguas,
incluyen escritos cananeos en un alfabeto formado por caracteres
cuneiformes. Aquí tenemos, puesto por escrito, en un espléndido es-

---

   (23)   Sobre la cultura e historia de los cananeos, ver especialmente Albright
«The Role of the Canaanites in the History of Civilization» (ed. rev. BANE,
pp. 328-362).

   (24)   Para la evolución del alfabeto proto-cananeo, cf. F. M. Cross, BASOR,
134 (1954), pp. 15-24 y las obras citadas en este lugar; también F. M. Cross y
T. O. Lambdin, BASOR, 160 (1960), pp. 21-26. Para las inscripciones proto-
sinaíticas de ca. 1550-1450, cf. Albright, *The Proto-Sinaitic Inscriptions and Their
Decipherment* (Harvard-University Press, 1966). Incluyen obras más generales
D. Diringer, *The Alphabet* (Londres, Hutchinson's Scientific and Technical Pu-
blications, 2.ª ed. 1949); I. J. Gelb, *A Study of Writing* (The University of Chicago
Press, ed. rev., 1963).

tilo poético con muchos parecidos con el verso hebreo primitivo, el mito y la narración épica de Canaán. Este material, cuyo origen es varios siglos más antiguo, aporta valiosos conocimientos acerca de la religión y culto cananeos (25). Se debe hacer hincapié, una y otra vez, en que los orígenes de Israel coincidieron con un período de abundante literatura.

La religión cananea, sin embargo, no nos presenta un cuadro agradable (26). Fue en efecto, una forma de paganismo extraordinariamente envilecida, especialmente en lo tocante al culto de la fecundidad. La cabeza nominal del panteón, pero con un papel inoperante, era el dios padre, El. La principal divinidad activa era Ba'al (Señor) título de Hadad, antiguo dios semita de las tormentas, que reinaba como jefe de los dioses en una encumbrada montaña al norte. Entre las divinidades femeninas estaban Ašerá (en la Biblia también el nombre de un objeto de culto de madera: Jc. 6, 25 s., etc.), Aštarté (en la Biblia Aštarot o Aštoret) y Anat (en los textos de Ras Šamra la esposa de Ba'al, pero conocida en la Biblia sólo para nombres de lugares, p. e., Bet-Anat). Estas diosas, aunque imprecisas en personalidad y función, representan el principio femenino en el culto de la fecundidad. Son representadas como prostitutas sagradas o madres encinta, o, con una sorprendente polaridad, como diosas sanguinarias de la guerra. Importante en el mito cananeo era la muerte y resurrección de Ba'al, que correspondía a la muerte y resurrección anual de la naturaleza. Cuando el mito era reactualizado con un ritual mimético, se creía que las fuerzas de la naturaleza eran avivadas y que la ansiada fecundidad del suelo, animales y hombres quedaba asegurada. Como en todas las religiones de esta clase, prevalecieron numerosas prácticas envilecedoras, entre las que se incluían la prostitución sagrada, la homosexualidad y diversos ritos orgiásticos. Fue la clase de religión con la que Israel, aun tomando mucho de la cultura de Canaán, nunca pudo pactar en buena conciencia (27).

c. *Canaán políticamente.* Aunque poseía unidad cultural, Canaán estaba políticamente diferenciado. Cuando los países cananeos fueron incorporados al imperio egipcio, los diversos pequeños Estados allí

(25) Para las traducciones, ver C. H. Gordon, *Ugaritic Literature* (Roma, Pontificio Instituto Bíblico, 1949); Pritchard, ANET, pp. 129-155 (por H. L. Ginsberg).

(26) Para un esquema adecuado, ver Albright, ARI, pp. 68-94; recientemente, J. Gray, *The Legacy of Canaan* (VT, suppl. vol. V [1957]; Wright, BAR, cap. 7.

(27) Contra la suposición de que la religión cananea estaba única y enteramente preocupada por el culto a la fertilidad y se desinteresaba de los aspectos sociales precave J. Gray, «Social Aspects of Canaanite Religion» (VT, Suppl., vol. XV [1966], pp. 170-192). De todas formas, el cuadro general sigue siendo más bien depresivo.

existentes fueron incorporados a la corona y sus reyes se convirtieron en feudatarios del faraón. Palestina era un mosaico de tales Estados, ninguno de ellos de gran extensión. Los egipcios mantuvieron el control por medio de reyezuelos de ciudad, que eran los responsables de entregar el tributo estipulado. También distribuyeron sus propios comisarios y guarniciones militares en puntos estratégicos por todo el país. Bajo la administración egipcia, que estaba notoriamente corrompida, y no solamente esquilmaba el país sino que en ocasiones enviaba a los soldados a recoger los pagos atrasados en forma de saqueo, Palestina menguó drásticamente en riqueza, como se dijo arriba. La pobreza de la clase media en la sociedad feudal cananea aceleró indudablemente el proceso.

La mayor concentración de ciudades-Estado estaba en la llanura, permaneciendo el interior de las montañas abundantemente arbolado, pero escasamente poblado. Entre el período de Amarna y la conquista israelita, sin embargo, las ciudades-Estado parecen haberse casi duplicado, con la consiguiente disminución del poder de cada una de ellas (28). Quizá los egipcios, calculando que sería más fácil tratar con Estados pequeños que con grandes, apoyaron esto. También, según parece, el desarrollo de la industria de los ladrillos cocidos, que permitió revestir las cisternas cavadas en la roca porosa, hizo posible el establecimiento en regiones donde la falta de agua lo había impedido hasta entonces (29). No hay que decir que en los períodos de debilidad egipcia (y uno de ellos fue el final del siglo XIII) las ciudades-Estado quedarían desorganizadas y sin ayuda. Humanamente hablando, esto fue lo que hizo posible la conquista israelita.

Al este del Jordán la situación era algo diferente. Como ya se ha dicho en el capítulo anterior, a comienzos del segundo milenio se resistró una brusca interrupción de la ocupación sedentaria de las regiones centrales y, sobre todo, meridionales de Transjordania. Con todo, al sur del Jabboq hay algunos escasos indicios de población sedentaria (pero prácticamente ninguno al sur del Arnón) hasta finales del bronce reciente (aunque, por supuesto, futuras explota-

---

(28) Cf. Albright, BASOR, 87 (1942), pp. 37 s. La documentación de que disponemos indica que por aquella época sólo existía en la región una línea de (muy pequeñas) ciudades fortificadas, en todo lo que sería más tarde el área del reino de Judá. Algunos cálculos estiman que la población total (incluidos los nómadas) apenas sería superior a los 25.000 habitantes, o algo más; cf. Albright, CAH, II: 20 (1966), pp. 11 s.

(29) Los ejemplos de estos revestimientos son conocido incluso en la edad del bronce antiguo: cf. P. W. Lapp, BASOR, 195 (1969), p. 113 con una referencia a Albright, AP, p. 113). Pero, al parecer, su uso sólo comenzó a generalizarse en la edad del bronce reciente.

ciones pueden sacar algunos a la luz (29a). Pero después de este período comenzaron a aparecer nuevas poblaciones en esta zona, que llegarían a ser vecinos de Israel a lo largo de su historia. Estos fueron los edomitas y los moabitas. Los primeros se establecieron en las tierras altas al este de la Arabá, entre el extremo del Mar Muerto y el golfo de Acabá, mientras que los segundos lo hicieron al norte de Edom, en la parte este del Mar Muerto. Ambos pueblos estaban gobernados por reyes al aparecer en la historia (Gn. 36, 31-39; Nm. 20, 14; 22, 4); pero no sabemos cómo se constituyeron en Estados. Probablemente estos dos pueblos aparecieron en esta área en el decurso del siglo XIII, ya que ambos son mencionados por vez primera (lo mismo que Israel) en los textos de la XIX Dinastía. Pero su configuración como Estados debió acontecer algo más tarde, ya que son escasos los signos de vida sedentaria en estas regiones antes del siglo XII. Un tercer pueblo, los ammonitas, debió llegar aún más tarde (no son mencionados en algunos de los antiguos poemas, mientras que sí se menciona a Edom y Moab, Ex. 15, 15; Nm. 24, 17 ss.), pero ya estaban establecidos allí, a lo largo de las fuentes del Jabboq, cerca del borde del desierto, en tiempos de los jueces (Jc. 11). Además, en el curso del siglo XIII se fundaron en Transjordania dos importantes Estados amorreos (Nm. 21, 21-35). Uno de ellos, centrado en Ješbón, controlaba gran parte del sur de Galaad y se había extendido hasta el sur del Arnón a expensas de Moab. El otro estaba situado a lo largo de las fuentes del Yarmuk, en Bašán; pero sus dimensiones e historia nos son desconocidas.

Este es el escenario en que Israel iba a comenzar pronto su vida como pueblo. Las narraciones bíblicas del cautiverio egipcio, éxodo y conquista, han de ser entendidas en el contexto del período aquí delineado.

.B.   LAS TRADICIONES BIBLICAS A LA LUZ DE LOS DOCUMENTOS

En las narraciones del éxodo y conquista, nos enfrentamos con un problema que, en lo esencial, es el mismo que teníamos planteado en las tradiciones patriarcales, aunque el intervalo entre el suceso y su relato escrito es menor. Seguiremos, por tanto, sin repetir lo dicho, las directrices adoptadas en el capítulo anterior. Examinaremos la tradición bíblica a la luz de la documentación de que podemos disponer y expondremos entonces aquellas conclusiones que

---

(29.ª)   Los restos cerámicos parecen indicar que en el bronce tardío hubo en Moab cinco emplazamientos; se han identificado también tres restos cerámicos pertenecientes al hierro antiguo I; cf. J. M. Miller, BASOR, 234 (1979), pp. 43 ss.

parezcan tener justificación. De nuevo hemos de tener en cuenta que no poseemos medios que testifiquen los detalles de la narración bíblica. Pero, aunque podemos estar seguro de que los acontecimientos contemporáneos fueron más complicados de lo que una ligera lectura de la Biblia podría sugerir, podremos decir lo bastante para justificar nuestra afirmación de que su narración está fundamentada en sucesos históricos.

1. *La esclavitud egipcia y el éxodo a la luz de los documentos.* Realmente, apenas se puede dudar que los antepasados de Israel fueron esclavos en Egipto y que escaparon de allí de un modo maravilloso. Casi nadie lo pone en duda actualmente.

a. *Israel en Egipto.* Aunque en las narraciones egipcias no hay testimonios directos acerca de la presencia de Israel en Egipto, la tradición bíblica exige crédito a priori; ¡no es la clase de tradición que un pueblo se inventaría! Aquí no se trata del relato heroico de una migración, sino del recuerdo de una ignominiosa servidumbre de la que sólo pudo librarles el poder de Dios. Algunos factores proporcionaban apoyo objetivo. Los nombres egipcios, que prevalecen en el primitivo Israel, especialmente en la tribu de Leví, arguyen ciertamente una conexión con Egipto. Entre estos nombres están los de Moisés mismo, Jofní, Finefás, Merarí y, posiblemente, Aarón y otros (30). No debe minusvalorarse el valor de este testimonio. Está fuera de duda que hubo un gran número de semitas en Egipto durante este período y que debieron ser especialmente numerosos en el delta nordoriental. Como ya se ha dicho antes, cientos de vocablos semitas entraron en la lengua egipcia, mientras que las divinidades cananeas se agipciaban y recibían culto gracias a un proceso de identificación con sus homólogos egipcios. Además, numerosos textos del siglo XV confirman la presencia de los 'habiru (japiru) en Egipto. Los 'abiru fueron llevados allí ya en tiempos de Amenofis II (ca. 1438-1412), si no antes, puesto que en documentos de las Dinastías XIX y XX aparecen repetidamente como esclavos del Estado. Apenas podemos dudar de que entre ellos se encontraban los componentes del futuro Israel.

Se nos dice que los hebreos fueron obligados a trabajar en la construcción de Pitom y Ramsés (Ex. 1, 11). La primera ciudad se halla en Tell er-Rettâbeh, al oeste del lago Timsá, en el noroeste de Egipto; la segunda no es otra que la antigua capital de los hicsos,

---

(30) Cf. T. J. Meek, AJSL, LVI (1939), pp. 113-120; Albright, YGC, pp. 143 s. Sobre Moisés, cf. J. G. Griffiths, JNES, XII (1953), pp. 225-231). «Moisés» (de un verbo que significa «engendrar», «producir», «sacar») es un elemento que figura en los nombres de Tut-mosis, Ram-ses, etc., pero en el que se ha suprimido el nombre de la divinidad. Sobre los nombres de las dos comadronas, Sifrá y Pua (Ex. 1, 15), de un tipo genuinamente antiguo, cf. Albright, JAOS, 74 (1954), p. 229.

Avaris, reconstruida y elevada de nuevo a capital por Setis y Ramsés II y denominada por este último la «casa de Ramsés» (31). Parece cierto que Ex. 1, 1 se refiere a ésta. Es interesante observar que la capital se llamó de ordinario «casa de Ramsés» sólo hasta el siglo XI y que, a partir de entonces, parece que el nombre cayó en desuso, siendo remplazado por el más común de Tanis (32). En el reinado de Horemheb (ca. 1336-1306) se celebró el cuatrocientos aniversario de la fundación de la ciudad. Más tarde, Ramsés II erigió allí una estela. Si hay conexión entre esto y los tradicionales 430 años (Ex. 12, 40) de la estancia de Israel en Egipto (en Gn. 15, 13, 400 años) y si su llegada allí tuvo lugar en el período de los hicsos, es incierto y no se puede insistir en ello. Pero la coincidencia de las figuras, y más tarde el hecho (Nm. 13, 22) de que se diga que Hebrón fue construida siete años antes que Zoan (Avaris), hace sospechar que los hebreos conocieron la era de Avaris. En cualquier caso, la tradición de la esclavitud en Egipto no puede ser puesta en tela de juicio.

b. *El Éxodo.* No tenemos testimonios extrabíblicos del éxodo mismo. Pero el testimonio que la Biblia nos da es tan impresionante que poca duda queda de que haya ocurrido efectivamente una liberación tan notable. Israel recordó siempre el éxodo como el suceso constitutivo que dio principio a su existencia como pueblo. Fue desde el principio el centro de su confesión de fe, como lo atestiguan antiguos poemas (Ex. 15, 1-8), credos (Dt. 6, 20-25; 26, 5-10; Jos. 24, 2-3) y otros numerosos testimonios, que se remontan al período más antiguo de su historia y se prolongan hasta el final del período bíblico y aún más allá (32). Una creencia tan antigua y enraizada sólo tiene explicación admitiendo que Israel salió en aquel tiempo de Egipto en medio de sucesos tan admirables que se grabaron para siempre en su memoria.

Por lo que se refiere a estos sucesos no podemos añadir nada a lo que la Biblia nos cuenta. En la narración bíblica se ve cómo los hebreos, intentando escapar, fueron acorralados entre el mar y el Ejército egipcio y se salvaron cuando un viento secó las aguas y les permitió pasar (Ex. 14, 21-27). Los perseguidores egipcios, atrapados por el flujo del mar, se ahogaron. ¡Si Israel vio en esto la mano de Dios, el historiador no tiene ciertamente pruebas para contradecirlo.

---

(31)   Se ha discutido mucho si Avaris (Casa de Ramsés) debe localizarse en Sân-el-Hagar o en Qantir, algunas millas más al sur. No podemos adentrarnos aquí en el estudio de esta cuestión; cf. J. Van Seters, *The Hyksos* (Yale University Press, 1966), pp. 127-151, donde se analizan los pros y los contras de cada solución y se da ulterior bibliografía.

(32)   Es cierto que se encuentran en fechas verdaderamente tardías algunas referencias al nombre de «Casa de Ramsés»; cf. D. B. Redford, VT, XIII (1963), p. 409. Pero son sumamente escasas y dan a entender que esta denominación ya no estaba en uso. Es dudoso que los israelitas de tiempos posteriores hayan conocido la ciudad de Ramsés.

No es sorprendente que los relatos egipcios no lo mencionen. No solamente los faraones no acostumbraban celebrar sus fracasos, sino que un asunto que atañía tan sólo a una partida de vagabundos fugitivos debió haber sido para ellos de escasa importancia. Esperaríamos una narración de ellos en los anales egipcios con tan escasa esperanza como una descripción de la Semana Santa en los anales de César. Para César aquello no tuvo importancia.

Ya que muchos de los lugares mencionados son difíciles de identificar, la localización exacta del éxodo es incierta (33). No es probable que Israel haya cruzado la punta misma del mar Rojo (Golfo de Suez). Está tan al sur que la caballería egipcia los habría capturado con toda seguridad antes de que ellos hubieran llegado allí. No podemos suponer que el mar Rojo se extendiera entonces más al norte de sus actuales riberas hasta unirse con los lagos Amargos, pues ahora se puede demostrar que no fue así (34). Además, el mar (yam sûf) es propiamente el «mar de las Cañas», no el mar Rojo (en el mar Rojo no hay cañas). Dado que Israel se había establecido en los alrededores de Avaris, llamados Gošén, o «el país de Ramsés» (Gn. 47, 11), o en la llanura de Zoan (Sal. 78, 12, 43) y que además otros lugares relacionados con el éxodo pueden muy bien ser localizados en este área, es probable que el mar de las Cañas fuera una extensión de agua al este de Avaris —posiblemente un brazo del lago Menzaleh— y que el cruce tuviera lugar no lejos del actual el-Qántara, en el canal de Suez. Sin embargo, no podemos estar seguros, ni tiene mucha importancia en ningún sentido. La localización precisa del éxodo tiene tan poca importancia para la fe de Israel como la del Santo Sepulcro para la cristiandad.

c. *La fecha del éxodo*. Esta cuestión, muy relacionada con la de la conquista, ha ocasionado muchos debates (35). Pero, aunque no se puede establecer una fecha exacta, podemos estar razonablemente seguros de que el éxodo tuvo lugar no antes del siglo XIII. Ciertamente la Biblia establece de una manera explícita que transcurrieron 480 años desde el éxodo hasta el año cuarto de Salomón (ca. 958), (I R 6, 1). Esto aparentemente colocaría el éxodo en el siglo XV, y parecería favorecer así la opinión de que la conquista tuvo lugar

---

(33) Incluyen las discusiones más importantes: H. Cazelles, «Les localisations de l'Exode et la critique litteraire» (RB, LXII [1955], pp. 321-364); M. Noth, «Der Schauplatz des Meereswunders» *(Festschrift Otto Eissfeldt*, J. Fuck. ed. [Halle, M. Niemeyer, 1947], pp. 181-190); Albright, «Baal-Zephon» *(Festschrift Alfred Bertholet* [Tubinga, J. C. B. Mohr, 1950], pp. 1-14); cf. Wright, BAR, pp. 60-62, 67 ss., para un resumen y más amplia bibliografía.

(34) Cf. Albright, BASOR, 109 (1948), pp. 15 ss.

(35) Para un resumen de las antiguas opiniones, cf. H. H. Rowley, *From Joseph to Joshua* (Londres, Oxford University Press, 1950); una síntesis más reciente de la documentación y de los problemas relacionados con la conquista en J. M. Miller, IJH, pp. 213-284.

en el período de Amarna. Pero esta opinión ha sido casi del todo abandonada (36), principalmente porque contradice las pruebas arqueológicas que se refiere a la conquista y que mencionaremos más adelante. Sin embargo, dado que el cuarenta es un número perfecto bien conocido, usado a menudo para designar una generación (como los cuarenta años de estancia en el desierto), podría darse que estos cuatrocientos ochenta años fueran asimismo un número perfecto para significar 12 generaciones (37). Es probable que una generación (desde el nacimiento del padre al nacimiento del primer hijo), alcanzara entonces unos 25 años, lo que nos daría unos 300 años, mejor que los 480, y una fecha para el éxodo hacia la mitad del siglo XIII. Aunque no hay que urgir mucho esta cifra —pues no es exacta— lo expuesto parece ser más o menos correcto.

En todo caso, se requiere una fecha del siglo XIII. Si los hebreos trabajaron en Avaris, debieron haber estado en Egipto al menos durante el reinado de Setis I (ca. 1305-1290) y probablemente en el de Ramsés II (ca. 1290-1224), bajo el cual se terminó la reconstrucción de esta ciudad. Por otro lado, si la destrucción de varias ciudades de Palestina hacia el final del siglo XIII (cf. más abajo) debe relacionarse, como muchos opinan, con la conquista israelita, la salida de Egipto debió ocurrir en la anterior generación. Si el Israel derrotado por Menefta en el año quinto del reinado de este faraón (ca. 1220) era parte del grupo que salió de Egipto, tendríamos una fecha fija a partir de la cual poder trabajar. Pero, por desgracia, el dato no es seguro. Además, el encuentro de Israel con los edomitas y moabitas (Nm. caps. 20 y 21) nos impide (a menos que el episodio sea declarado tradición no histórica y se le separe de las tradiciones del éxodo) establecer una fecha anterior al siglo XIII (primera vez que figuran estos pueblos en los textos contemporáneos) y más bien tiende a sugerir una fecha en el siglo XII, dado que no parece que estas áreas estuvieran ocupadas antes por una población sedentaria. No podemos dar una fecha exacta para el éxodo ni afirmar bajo qué faraón tuvo lugar. Pero señalar el siglo XIII, tal vez en la segunda mitad del reinado de Ramsés II (38), parece una suposición razonable (39).

---

(36)   La ha defendido, con todo, recientemente, J. J. Bimson, *Redating the Exodus and Conquest* (JSOT, Suppl. Series 5 [1978]). Bimson expone sus argumentos con habilidad, pero en ellos se parte en muy buena medida del supuesto de rebajar la fecha del final del bronce medio en casi un siglo, lo que parece discutible.

(37)   En ausencia de una tradición fijada por escrito, tanto los fenicios como los cartagineses cuentan las generaciones por cuarenta años; cf. Albright, CAH, II: 33 (1966), p. 39.

(38)   Con todo, D. N. Freedman ofrece una serie de interesantes argumentos para situar el éxodo en una fecha más tardía, durante el reinado de Ramsés III (comienzos del siglo XII); cf. «Early Israelite History in the Light of Early Israelite Poetry» (H. Goedicke y J. J. M. Roberts, eds., *Unity and Diversity: Essays*

2. *La marcha por el desierto a la luz de la documentación.* No podemos acometer la tarea de reconstruir al detalle la marcha de Israel por el desierto, debido a que aquellos sucesos fueron sin duda mucho más complicados de lo que la narración bíblica sugiere ya que casi ninguno de los lugares mencionados puede ser identificado con seguridad. Pero apenas puede dudarse que fue en este período cuando Israel recibió su fe distintiva y llegó a constituirse como pueblo.

a. *La marcha hacia el Sinaí.* Según la Biblia, esto último tuvo lugar en el monte Sinaí (u Horeb, como también es llamado), adonde se dirigió Israel después de abandonar Egipto.

Desgraciadamente, la localización del Sinaí es incierta. Se le localiza, tradicionalmente, en Yebel Musa, en la punta sur de la península del Sinaí. Algunos especialistas, sin embargo, creyendo que el lenguaje de Ex. 19, 16-19, sugiere una erupción volcánica, prefieren localizarle al este del golfo de Acabá, en el noroeste de Arabia (Madián), donde existen algunos volcanes apagados. Pero no sólo la narración no da la impresión de que el Sinaí esté a tan considerable distancia de Egipto, sino que Ex. 19, 16-19 puede igualmente sugerir muy bien una violenta tormenta de montaña. El narrador probablemente echó mano de la imagen de un fenómeno aterrador en su intento de describir la terrible majestad de Yahvéh que se aparece. El hecho de que los madianistas se encuentren cerca del Sinaí (Ex. 3, 1; 18, 1) no es sorprendente, ya que hay razones para creer que por aquellas fechas Madian era una confederación amorfa y poco estructurada de tribus que controlaban las rutas comerciales del sur de Transjordania, el Négueb y la península del Sinaí (40). Entre ellos figuraban los kenitas (herreros), caldereros ambulantes cuyo oficio les hacía recorrer extensas áreas y que indudablemente obtenían el metal necesario para su profesión en las minas de cobre del Sinaí y la Arabá (41).

También se ha sugerido una localización en la parte norte de la península del Sinaí. Esto puede apoyarse en la tradición (Ex. 17, 8-16) de que Israel combatió en estos alrededores a Amaleq, un pueblo otras veces encontrado en el Négueb y en el desierto de Sur, al oeste de Cades (Nm. 14, 43-45; I S, 15, 7; 27, 8). Además, algunos

---

in the History, Literature, and Religion of the Ancient Near East [Baltimore, Johns Hopkins University Press, 1975], pp. 3-35).

(39) Algunos especialistas opinan que las revueltas que agitaron a Palestina tras la derrota egipcia en Cades constituyeron el fermento que hizo posible la huida; cf. Albright, YGC, pp. 137 s.; también Aharoni, LOB, p. 178.

(40) Cf. O. Eissfeld, JBL, LXXXVII (1968), pp. 383-393; W. F. Albright, «Midianite Donkey Caravaneers» (H. T. Frank y W. L. Reed, eds., *Translating and Understanding the Old Testament* [Abingdon Press, 1970], pp. 197-205); W. J. Dumbrell, «Midian - A Land or a League?» (VT, XXV [1975], pp. 323-327).

(41) Sobre las minas de Timna, en la Arabá, que florecieron en este período, cf. B. Rothenberg, *Timna* (Londres, Thames and Hudson, 1972).

pasajes sugieren que Israel se dirigió directamente de Egipto a Cades (Ex. 15, 22; Jc. 11, 16). Tal vez la Biblia combine aquí las tradiciones de varios de los grupos que huyeron de Egipto, o las de algunos de ellos al menos. De hecho, el incidente de las codornices (Nm. 11, 31 ss.) sugiere una marcha a lo largo de las costas mediterráneas, donde aparecen de ordinario estas aves migratorias. Pero ninguno de estos indicios es decisivo para una localización al norte del Sinaí. No solamente fue Amaleq un pueblo nómada que pudo haber vagado por todas partes, sino que hay tradiciones que exigen que el Sinaí esté a una considerable distancia de Cades (Num. 33, 2-49; Dt. 1, 2) (42). Realmente, de haber estado el monte Sinaí cerca de Cades —un área al borde mismo de la zona tribal que Judá reclamaba para sí (Jos. 15, 3) y estrictamente controlada por los israelitas durante todos los períodos— resulta sorprendente que no haya jugado un papel más destacado como lugar de culto en la posterior historia de Israel.

Por otra parte, la localización en el sur puede apoyarse en una tradición que se remonta a los primeros siglos del cristianismo y casi con toda certeza a tiempos anteriores. Y satisface de una manera aceptable a los datos bíblicos. En las cercanías estaban las famosas minas egipcias de cobre de Serabit el-Kadim. Esto concuerda con la tradición de que los ascendientes de Moisés, llamados también kenitas (herreros) (Jc. 1, 16), se encuentran en dicho lugar. Sin duda las minas les suministraban el metal que usaban en su industria. No es necesario suponer que una marcha en esta dirección habría de llevar a los hebreos a un choque con las tropas egipcias, ya que los egipcios no tenían guarnición permanente en las minas. Los hebreos pudieron pasar sin ser molestados, excepto en los períodos intermitentes en que los equipos mineros estaban trabajando. Todo considerado, por consiguiente, nos parece preferible para el Sinaí una localización que se acerca a la tradicional. Pero debemos admitir que no lo sabemos. Tampoco el problema es de vital importancia para la historia de Israel.

b. *Moisés y los orígenes del yahvismo.* Aunque la localización del Sinaí no es seguro, es tan seguro como una cosa puede serlo que fue allí donde Israel recibió la ley y la alianza que le constituyó como pueblo. Hablaremos de la naturaleza de la fe de Israel en el capítulo siguiente. Pero apenas puede dudarse que los orígenes de esta fe están en el Sinaí. Cabe demostrar que el yahvismo llegó a Palestina con Israel. Por una parte, Israel adoró a Yahvéh desde los comienzos

---

(42) Algunos piensan que Nm cap. 33 se basa en una antigua ruta de peregrinación: cf. Noth, PJB, 36 (1940), pp. 5-28. Aunque los «cuarenta días» de I R 19, 8 no es más que una cifra redonda para indicar un viaje muy largo, implica una distancia, desde Beer-šeba, superior a las cincuenta millas, que hay hasta Cades.

de su historia. Por otra parte, antes de esta época no existe ningún indicio de yahvismo ni en Palestina ni en ningún otro lugar; los esfuerzos por encontrar el nombre «Yahvéh» en textos de un período anterior han fracasado por igual (43). Con esto está de acuerdo la unánime tradición bíblica, primitiva y posterior, que rememora los orígenes de Israel en el desierto. En algunos de los más antiguos poemas que poseemos, Yahvéh es designado «el del Sinaí» (Jc. 5, 4 ss.; Sal. 68, 8; cf. Dt. 33, 2). Debe suponerse que una tradición tan unánime y antigua descansa sobre hechos históricos.

Es verdad que algunos especialistas, observando que algunos credos antiguos (Dt. 6, 20-25; 26, 5-10 Jos. 24, 2-13) no mencionan el Sinaí, separan los sucesos del éxodo y del Sinaí, y afirman que pertenecen a grupos diferentes y a épocas distintas, y que las tradiciones relativas a ellas fueron combinadas más tarde, después del asentamiento en Palestina (44). Pero semejante aserto se basa en teorías que ponen en duda el valor histórico de las tradiciones y que, por lo demás, no gozan de general aceptación (45). También es discutible que la conexión de estos diversos acontecimientos sea obra de un segundo nivel de reelaboración de la historia de la tradición, ya por el simple hecho de que parecen estar relacionados entre sí en poemas verdaderamente antiquísimos que la Biblia nos ha conservado. En el canto de María (Ex. 15, 1-18, del siglo XII), Dios guía a su pueblo a través del mar para llevarle hasta su «santa morada» (vers. 13), «su monte», «su santuario» (vers. 17) — expresiones que se refieren probablemente al Sinaí, más que al santuario de la Tierra Prometida

---

(43) Entra como componente de numerosos nombres personales amorreos de Mari y de otras partes (Yawwi- 'il y otros similares); pero no significa (en contra de lo que algunos han opinado), «Yahvéh es Dios», sino «el dios crea/ produce-» o «quiera dios-»). La presencia de *yhw'* en nombres de lugares de las listas egipcias de los siglos XIV y XIII no es prueba suficiente de que en los tiempos pre-mosaicos se conociera un dios llamado Yahvéh —pero, por otra parte, como veremos luego, tampoco es imposible. Sobre esta cuestión, cf. Albright, YGC, pp. 146-149; F. M. Cross, *Canaanite Myth and Hebrew Epic* (Harvard University Press, 1973), cap. I (cf. pp. 44 ss., 60 ss.). Algunos autores creen encontrar este nombre, bajo la forma abreviada *ya*, en nombres propios del tercer milenio de los textos de Ebla; cf. G. Pettinato, BA, XXXIX (1976), pp. 44-52. Pero otros lo niegan; cf. P. C. Maloney, BARev, IV (1975), p. 9, para la discusión de este tema.

(44) Especialmente M. Noth, *A History of Pentateuchal Traditions* (trad. inglesa, Englewood Cliffs, N. J. Printice Hall, 1972); *idem*, HI, pp. 126-137; G. von Rad, «The Form-Critical Problem of the Hexateuch» (*The Problem of the Hexateuch and Other Essays* [trad. inglesa, Edimburgo y Londres, Oliver and Boyd; Nueva York, McGraw-Hill, 1966], pp. 1-78).

(45) P. e. A. Weiser, *The Old Testament: Its Formation and Development* (trad. inglesa, Association Press, 1961), pp. 81-99; W. Beyerlin, *Origins and History of the Oldest Sinaitic Traditions* (trad. inglesa, Oxford, Blackwell 1965); también H. B. Huffmon, «The Exodus, Sinai and the Credo» (CBQ, XXVII [1965], pp. 101-113). Respecto del modo como han sido tratadas estas tradiciones, cf. S. Herrmann, *A History of Israel in Old Testament Times* (trad. inglesa, Londres, SCM Press, y Filadelfia, Fortress Press, 1975).

(monte Sión) (46). Y en el canto de Débora (segunda mitad del
siglo XII), el Sinaí (Jc. 5, 4 s.) aparece vinculado con la marcha
hacia la Tierra Prometida. Dado que estos poemas parecen haber
surgido a una distancia temporal de los acontecimientos no superior
a un siglo, es dudoso que las tradiciones del éxodo, del Sinaí y las
restantes hayan existido alguna vez desconexionadas entre sí. Puede,
pues, admitirse que el grupo protagonista del éxodo es el mismo que
se detuvo en el Sinaí y que, a continuación, reanudó la marcha hacia
la Tierra Prometida.

Sobre todos estos acontecimientos se alza la figura de Moisés.
Aunque no conocemos nada de su vida, salvo lo que nos dice la Biblia (cuyos pormenores no aduciremos como pruebas), pudo ser, sin
duda, lo que fue, tal como la Biblia lo describe: el gran fundador de
la fe de Israel. Los intentos por disminuir su figura son extremadamente inconsistentes (47). Los sucesos del éxodo y del Sinaí requieren
una gran personalidad tras ellos. Una fe tan única como la de Israel exige un fundador tan necesariamente como le exige el cristianismo, o el Islam, dentro de esta materia. ¡Negar este papel a
Moisés nos obligaría a colocar otra persona... con el mismo nombre!

Si Yahvéh fue adorado o no antes de Moisés, es una cuestión
a la que no se puede responder. Muchos científicos sostienen la idea
de que Yahvéh era conocido entre los clanes madianitas (kenitas)
de la península del Sinaí, y que Moisés lo aprendió de ellos a través
de su suegro Jetró (48). No es imposible. Jetró, de quien se dice que
fue sacerdote (Ex. 3, 1) no sólo ayudó a Moisés con un sabio consejo (Ex. 18, 13-27), sino que también presidió un sacrificio e incluso
ofreció sacrificios pacíficos en presencia de Yahvéh (Ex. 18, 10-12).
Aunque la conclusión no se sigue necesariamente, se puede aceptar
esto como señal de que Jetró era ya´ en aquel tiempo un adorador
de Yahvéh. Pero debe añadirse que el pasaje no exige necesariamente
esta interpretación y son muchos los especialistas que opinan que
no se le debe entender en este sentido (49). De todas formas, parece
razonable admitir una cierta conexión entre la religión de Israel
y la de los madianitas, sobre todo a la luz de los recientes descubrimientos hechos en las minas de cobre de Timna, en la Arabá, al sur
del mar Muerto. Durante las Dinastías XIX y XX, estas minas

---

(46)   Cf. D. N. Freedman, *art. cit.* (en nota 38), pp. 5-7; también E. F.
Campbell, *Interpretation*, XXIX (1975), pp. 143 s.

(47)   Y concretamente los de Noth, *op. cit.*, pp. 156-175; *idem*, HI, pp. 134 s.

(48)   Esta opinión ha sido popularizada especialmente por K. Budde: *Religion
of Israel to the Exile* (G. P. Putnam's Sons, 1899), cap. I. Cf. Rowley, *op. cit.*, pp. 149-
160, para una defensa y bibliografía.

(49)   P. e. R. de Vaux, «Sur l'origine kénite ou madianite du Yahvisme»
(Albright Volume: Eretz Israel, IX [1969], pp. 28-32). Este autor opina que nosotros hemos pretendido presentar la narración como una conversión de Jetró ·al
yahvismo.

fueron explotadas por los egipcios que, al parecer, emplearon mano
de obra madianita (¿kenita?) para el laboreo. En aquel lugar se
erigió un templo a Hathor. Cuando (hacia la mitad del siglo XII),
los egipcios abandonaron la explotación, la continuaron durante
algún tiempo los mismos madianitas. Entonces sustituyeron el templo de Hathor por otro dedicado a su propia divinidad.' Se trataba,
al parecer, de un santuario-tienda (se han descubierto hoyos para
estacas y cantidades de telas rojas y amarillas). Las esculturas de
Hathor fueron derribadas o mutiladas. Todo esto recuerda la tienda-
santuario de Israel en el desierto y también, acaso, la prohibición
de imágenes que fue, desde los inicios, una de las características de
la fe israelita. También se ha descubierto en este santuario la imagen
en bronce dorado de una serpiente, que nos trae el recuerdo de la
serpiente de bronce que se dice alzó Moisés (Nm. 21, 4-9), así como
el Nejuštán que podía contemplarse en el templo todavía siglos más
tarde (2 R. 18, 4) (50). Todos estos datos son, sin duda, indicios
de que existió una cierta conexión entre la religión de Israel y la
de los madianitas. Podría también admitirse, como algunos han
hecho, la hipótesis de que Yahvéh era el Dios de una confederación
bastante amplia de tribus del sur de Palestina en el siglo XIII y antes.

Debemos confesar, sin embargo, que no sabemos si Israel tomó,
o no, de los madianitas, el culto a Yahvéh. Es posible que Yahvéh
hubiera sido adorado entre los antepasados del propio Moisés, tal
vez entre la familia de su madre (si es que el nombre de Yokébed
es un compuesto de Yahvéh, lo cual no es seguro) (51). También
puede considerarse otra posibilidad, que supone que «Yahvéh» era
una fórmula litúrgica, que fue aplicada al dios patrón de los antepasados de Moisés y que luego el propio Moisés adoptó como nombre
oficial del Dios de Israel (52). Pero nos movemos en el campo de
las simples conjeturas. Realmente no sabemos si Yahvéh era el adorado
antes de Moisés o no. Si lo fue, podemos estar seguros de que al pasar
por Moisés, el yahvismo adquirió un nuevo contenido y se convirtió
en una realidad. La fe y la historia de Israel comienzan con Moisés.

c. *Nuevas marchas por el desierto.* De acuerdo con el libro de los
Números, Israel, después de su partida del Sinaí, tuvo durante cierto tiempo como centro focal a Cades, un gran oasis a unos 80 kiló-
metros al sur de Beeršeba. Después del intento fracasado de atacar

---

(50) Sobre estas cuestiones, cf. B. Rothenberg, *Timna*, Respecto de los
detalles y de las pinturas, consultar su índice.

(51) Cf. J. P. Hyatt, «Yahweh as the God of My Father» (VT, V [1955],
pp. 130-136); *idem*, «The Origin of Mosaic Yahwism» (*The Teacher's Yoke: Studies
in Memory of Henry Trantham* [Baylor University Press, 1964], II Parte, pp. 85-93).

(52) Cf. Albright, JBL, LXVII (1948), pp. 377-381; YGC., pp. 29 s.,
146-149; D. N. Freedman, JBL, LXXIX (1960), pp. 151-156; F. M. Cross, HTR,
LV (1962), pp. 225-259; este autor se pregunta (p. 256) si tal vez *du yahwi* no es
un epíteto de El («El, que crea»).

a Palestina por el sur, prosiguiendo su marcha dieron un gran rodeo
por Transjordania, que culminó en la conquista del reino amorreo
de Ješbón. La documentación arroja poca luz sobre estas tradiciones.
Las correrías hebreas no pueden ser determinadas con precisión,
primero porque la mayoría de los lugares mencionados son de localización desconocida, y segundo porque a veces es difícil armonizar
unas tradiciones con otras. Es probable que los desplazamientos de
varios grupos hayan sido mezclados en la tradición tal como nosotros
la poseemos.

No obstante, podemos decir que el cuadro presentado es auténtico. La incapacidad de Israel de penetrar en el país por el sur, y
su largo recorrido por territorio edomita y moabita reflejan exactamente la dificultad que debió tener un grupo así para atravesar por
este tiempo las franjas de tierra laborable, fuertemente defendidas
en el sur por los amalecitas y otros, y en el este por Edom y Moab
Pero es arduo problema precisar la fecha exacta en que ocurrieron
estos acontecimientos. Los datos son ambiguos (e incompletos) y,
por el momento, no nos permiten dar una respuesta precisa. De un
lado, el hecho de que estos relatos no mencionen todavía el camello,
ni siquiera en relación con los madianitas, indica que se están refiriendo a un período relativamente temprano (¿siglo XIII?), es decir,
antes de que este animal fuera utilizado como medio de transporte (53).
De otro lado, las exploraciones en superficie de Transjordania parecen indicar que esta región no conoció el resurgimiento de la vida
sedentaria hasta el siglo XII, o incluso más tarde. Si este dato es
correcto, tendríamos que situar la llegada de Israel después de 1200,
cuando los edomitas y moabitas aún no se habían sedentarizado y
sus «reyes» no eran més que jefes nómadas (cosa no imposible en
sí misma). Analizaremos este aspecto del problema en los párrafos
siguientes. Por otra parte, la tradición de la marcha a través de Transjordania es muy antigua, estando confirmada en algunos de los poemas más viejos de la Biblia (Jc. 5, 4, ss.; Dt. 33, 2; Nm. 23; 24) (54).
Aunque no podemos reconstruir detalladamente los sucesos, podemos
estar seguro de que la tradición refleja exactamente acontecimientos
históricos.

3. *La conquista de Palestina a la luz de las pruebas.* Por lo que hace
a las narraciones de la conquista, la documentación externa puesta
a nuestra disposición es considerable e importante. Pero es preciso
añadir que, aunque muy voluminosa, es también ambigua —si no

.(53)   Cf. los artículos de Eissfeld y Albright citados en la nota 40. Los madianitas utilizaban ya los camellos en el siglo XII (cf. Ju., caps. 6-8) y, al parecer,
la vista de estos animales constituyó una terrible novedad.

(54)   Acerca de las alusiones históricas de los poemas de Balaam (Nm caps.
23 y 24), que reflejan un período antiquísimo, cf. Albright, JBL, LXIII (1944),
pp. 207-233.

confusa— en numerosos puntos y que no siempre es tarea fácil armonizarla con las narraciones bíblicas.

a. *La tradición bíblica.* Los problemas dimanan en parte de la Biblia misma, porque nos presenta varios relatos, no siempre coherentes, de la conquista. Según el relato principal (Jos. 1-12), la conquista representa un esfuerzo conjunto de todo Israel y fue, además, repentina, sangrienta y total. Después del paso maravilloso del Jordán y el derrumbamiento de las murallas de Jericó, tres fulgurantes campañas, hacia el centro del país (caps. 7 al 9), hacia el norte (cap. 11) y hacia el sur (cap. 10), dieron a los israelitas el control de toda Palestina (cf. 11, 16-23). Los habitantes indígenas fueron totalmente exterminados, el país repartido entre las tribus (caps. 13 al 21). Pero junto a esto, la Biblia presenta otro cuadro de la ocupación de Palestina que prueba claramente que hubo un largo proceso, llevado a cabo por los esfuerzos de clanes individuales y, además, sólo parcialmente conseguido. Esto se ve bien en Jueces, cap. I, aunque algunos pasajes de Josué (13, 2-6; 15, 13-19, 63; 23, 7-13) revelan que conocen esta realidad. Aquí podemos ver claramente cuán lejos estuvo de ser completa la ocupación israelita de Palestina. Y lo que es más, ciudades citadas como conquistadas ya por Josué y por todo Israel (p. e., Hebrón, Debir, Jos. 10, 36-39), son conquistadas aquí por una acción individual (Jc. 1, 9-15).

Ha prevalecido durante largo tiempo la moda de creer en un cuadro posterior a expensas del anterior. Las narraciones de Josué forman parte de una gran historia de Israel, desde Moisés hasta el exilio, que comprende los libros Deuteronomio-Reyes y probablemente ha sido compuesto en fecha tardía, en el siglo VII. Muchos piensan que el cuadro de una invasión conjunta de Palestina es una idealización del autor. Consideran éstos las narraciones como una serie de tradiciones separadas, con un carácter principalmente etiológico (e. d. desarrolladas para explicar el origen de alguna costumbre o de algún mojón) con un contenido histórico mínimo, desconectadas en sus orígenes unas de otras, o en su mayor parte sin conexión con Josué, que fue un héroe de la tribu de Efraím y que secundariamente fue puesto como jefe de la unidad de Israel (55). Estos defienden que no hubo en absoluto ninguna invasión de conjunto, sino que las tribus israelitas ocuparon Palestina mediante un gradual y, en su mayor parte, pacífico proceso de infiltración. Pero esta visión del problema parece ser tan unilateral y tan convencionalista como la que contempla la conquista como una operación militar unitaria,

---

(55)   Este es el punto de vista de A. Alt, M. Noth y de sus discípulos: p. e., Alt, «The Settlement of the Israelites in Palestine» (*Essays on Old Testament History and Religion* [trad. inglesa, Oxford, Brackwell, 1966], pp. 133-169); Noth, HI, pp. 68-84. Para una síntesis de la discusión, cf. M. Weippert, *The Settlements of the Israelite Tribes in Palestine* (trad. inglesa, Londres, SCM Press, 1971).

masiva y bien organizada. Lo cierto es que ambas opiniones contienen sin duda elementos de verdad. Los acontecimientos a través de los cuales se asentó Israel en el suelo palestino fueron indudablemente mucho más complejos que lo que sugiere la simplista exposición de cada una de las opiniones citadas.

    b.   *Las pruebas arqueológicas* (56). Aunque carecemos de medios para comprobar la veracidad de todos y cada uno de los detalles de la narración de Josué, las pruebas arqueológicas indican claramente que al final del bronce reciente Palestina se vio sumergida bajo el oleaje de una gran catástrofe. Numerosas ciudades —de algunas de las cuales dice la Biblia que fueron conquistadas por Israel— fueron destruidas por esta época. Muchos especialistas (tal vez la mayoría) han considerado estas pruebas como señal de que la conquista israelita se llevó a cabo en el siglo XIII a. C.

    Ahora bien, las pruebas arqueológicas, siempre ambiguas, lo son aquí más que ninguna otra parte. En concreto, siempre ha sido difícil encajar a Jericó en esta perspectiva, sobre todo a la luz de las recientes excavaciones (57). Es muy poco lo que se sabe de esta ciudad en el bronce reciente. Consta, sí, que la ciudad existió, pero la colina ha sido de tal modo barrida por el viento y la lluvia que se ha desvanecido casi por entero todas las huellas. Parece que se trataba de un lugar pequeño. No se han encontrado vestigios de murallas (aunque es posible que hubieran sido reparadas y vueltas a usar las formidables fortificaciones del bronce medio, tal como ocurrió en otros lugares de Palestina en el bronce reciente) (58). Los restos cerámicos son tan escasos que es difícil determinar cuándo llegó a su fin la ocupación. Pero aunque las pruebas de que disponemos no excluyen la posibilidad de que la caída se produjera en el siglo XII, es preciso añadir que no existen huellas de tal destrucción. Ante pruebas tan incompletas, por el momento es necesario suspender el juicio (59).

    Ay también es problema. Generalmente identificada con el-Tell, cerca de Betel, las excavaciones han demostrado que fue destruida

---

    (56)   Una síntesis reciente de la documentación en J. M. Miller, IJH, cap. IV, especialmente pp. 252-262; ya antes, P. W. Lapp, «The Conquest of Palestine in the Light of Archaeology» (*Concordia Theological Monthly*, XXXVIII [1967], pp. 283-300); también Wright, BAR, cap. V.

    (57)   Analiza adecuadamente el tema Kathleen M. Kenyon, *Digging Up Jericho* (Londres, Ernest Benn; Nueva York, Frederick A. Praeger, 1957), cap. 11.

    (58)   Cf. Albright, BP, pp. 28 s.; AOTS, pp. 214 s.; Y. Yadin, *The Art of Warfare in Biblical Lands* (McGraw-Hill, 1963), vol. p. 90.

    (59)   Miss Kenyon establece (cf. AOTS, pp. 273 s.) que no hay nada en el bronce reciente de Jericó que sea característico del siglo XIII. Pero dados los escasos restos llegados hasta nosotros (en la cima de la colina apenas queda nada que sea posterior al tercer milenio), no se tiene certeza alguna sobre el momento en que llegó a su fin la ocupación del bronce reciente.

hacia finales del tercer milenio y que no volvió a ser ocupada hasta
el siglo XII (60). Por consiguiente, no pudo ser destruida por Israel
en el siglo XIII. Esto ha hecho que los unos se hayan preocupado
por el problema de la identificación (61), los otros hayan considerado
este relato como leyenda y que otros hayan adoptado otras posiciones. La idea más aceptable es que la narración de Jos. 8 relataba originariamente la toma de Betel, de la cual ya hemos hablado en Jc. 1,
22-26, pero que no aparece mencionada en el libro de Josué. Probablemente el relato se relacionó más tarde con Ay, bajo la impresión
de que esta ciudad fue la precursora cananea de Betel y de que esta
ciudad fue destruida por Josué. Después de todo, ambos lugares están
separados por apenas kilómetro y medio de distancia (62). Sea como
fuere, consta al menos que Betel fue destruida en la segunda mitad
del siglo XIII por un incendio terrible que dejó una capa de ceniza
y restos de varios pies de profundidad (63). La bien construida ciudad
cananea que precedió a la catástrofe fue reemplazada por otra de
construcción singularmente pobre, que solamente puede ser atribuida
a Israel (hay tres ciudades sucesivas, con idéntica cultura, todas de
los siglos XII al XI).

Junto a esto se sabe que varios lugares del sur de Palestina, de
los que se nos dice que fueron tomados por Israel, fueron destruidos
a finales del siglo XIII. Entre ellos están Debir, o Kiryat-séfer (Jos. 10,
38 ss.), y Lakíš (vv. 31 ss.) La primera (probablemente Tell Beit
Mirsim, en el suroeste de Judá) fue completamente destruida por
un gran incendio; la subsiguiente ocupación es típica de los primeros
tiempos de Israel. La segunda (Teel ed-Duweir) fue igualmente saqueada y según parece permaneció desierta durante dos siglos.
Una fuente hallada en las ruinas lleva anotaciones que datan del año
cuarto de un faraón. Si este era Menefta —lo cual ajustaría espléndidamente— Lakíš debió caer poco después de 1220. En todo caso,

---

(60)   Las recientes excavaciones en Ay han supuesto una amplia confirmación de los primeros resultados a que llegó Mme. Krause-Marquet; cf. J. A.
Callaway, BASOR, 178 (1965), pp. 13-40; 196 (1969), pp. 2-16; 198 (1970),
pp. 7-31; también JBL, LXXXVII (1968), pp. 312-320.

(61)   De todas formas, et-Tell es el único emplazamiento adecuado para
Ay en esta zona. Respecto de Jirbet Haiyan, donde algunos autores habían intentado localizar Ay, ahora se sabe que nunca estuvo ocupado antes del período
romano; cf. J. A. Callaway y M. B. Nicol, BASOR, 183 (1966), pp. 12-19. También parece que deben rechazarse otras localizaciones propuestas por algunos
autores; cf. Callaway, BASOR, 198 (1970), pp. 10-12.

(62)   Cf. Albright, BASOR, 74 (1939), pp. 11-23; BP, p. 29 s. Es muy poco
probable que el nombre original del lugar fuera Ay («Ruina»); tal vez se llamara
Bet-on (Bet-avén): cf. Jos. 7, 2; 18, 2; 1 S 13,5.

(63)   Cf. J. L. Kelso, W. F. Albright y otros, *The Excavation of Bethel*, AASOR,
XXXIX (1968), especialmente pp. 31 s.

debe indicarse una fecha no muy alejada de este tiempo (64). Además
de éstas, también fue destruida en el siglo XIII Eglón (vv. 34 ss.) —si
es que se identifica con Tell el-Hesi, como parece probable—, pero en
este caso es imposible una mayor precisión. También se dice que
Josué destruyó Jasor (11, 10), ciudad importante de Galilea, localizada
en Tell el-Qedah, al norte del lago de Galilea. Recientes excavaciones
han mostrado que Jasor, que por entonces era una de las ciudades
más grandes de Palestina, fue igualmente destruida en la última parte
del siglo XIII, la gran ciudad inferior que hemos mencionado antes,
nunca fue reconstruida, pero en el siglo XII hubo durante algún
tiempo, en la cima de la colina, un asentamiento similar a los israelitas de Galilea superior por aquella misma época (65).

Las pruebas aducidas son, sin duda, impresionantes y ofrecen
sólido apoyo a la opinión, ampliamente difundida, de que la conquista israelita fue violenta y tuvo lugar en la última parte del siglo XIII. Aunque no podemos, por supuesto, demostrar que los
destructores de estas ciudades fueran los israelitas (raras veces aporta
la arqueología esta clase de prueba), la hipótesis que los considera
autores de estos hechos no es en modo alguno caprichosa. Es, con
todo, preciso añadir que hay otras pruebas que no encajan fácilmente
en este cuadro. Así, algunas ciudades que figuran, con mayor o menor
relieve, en las narraciones bíblicas, no parece haber existido (o fueron
en todo caso insignificantes) y, si existieron, no hay indicios de que
fueran destruidas al final del bronce reciente. Además de Jericó y Ay,
ya mencionadas, se incluyen en este apartado Gabaón, de la que se
dice que era «una ciudad grande, como una ciudad real» (Jos. 10, 2)
pero que, en el mejor de los casos, no pasaba de ser el siglo XIII, un
lugar sin importancia; Hebrón (Jos. 10, 36 s.), donde no hay ruinas
que atestigüen que estuviera fundada por esta época; Arad y Jormá
(Nm. 21, 1-4; Jos. 12, 14) que, al parecer, tampoco existían por
aquel entonces. Además, si Debir debe localizarse en Jirbet Rabud
mejor que en Tell Beit Mirsim, como muchos creen hoy día (66),
existió ciertamente al final del bronce reciente, pero no fue, a cuanto
sabemos, destruida.

---

(64)   Sobre las excavaciones de Lakíš, cf. Olga Tufnell, AOTS, pp. 296-308.
Pero, como hace notar de Vaux (RB, LXXV [1968], p. 432), las razones aducidas
por Miss Tufnell para demostrar (*ibid.* 302) que la ciudad no pudo ser destruida
por los israelitas no son válidas, porque, en primer lugar, la autora no interpreta
bien Jos. 11, 13 (que se refiere sólo a las ciudades de Galilea) y, en segundo lugar,
el escarabajo de Ramsés III, descubierto en la superficie, no es elemento decisivo
para la datación. Además, como hace notar Albright, el nombre del escarabajo
fue usado también por Ramsés II: cf. Wright, BAR, p. 83.

(65)   Para las excavaciones de Jasor, cf. Y. Yadin, AOTS, pp. 243-263
y las referencias dadas en este artículo; también F. Maass, «Hazor und das Problem
der Landnahme» (*Von Ugarit nach Qumran* [BZAW, 77, 1958], pp. 105-117).

(66)   Cf. M. Kochavi, IDB Suppl., p. 222.

Por supuesto, ninguno de estos datos hecha totalmente por tierra la teoría de una conquista en el siglo XIII. En algunos casos (por ejemplo, Ay, Debir) se discute la localización, de modo que no sabemos con certeza si se trata de las ciudades mencionadas en la Biblia. En otros casos (Gabaón, Hebrón, Jirbet Rabud), las excavaciones son, por ahora, incompletas y tal vez futuros descubrimientos den otro cariz a la cuestión. Además, la ausencia de un determinado nivel de destrucción no prueba necesariamente que una ciudad concreta no haya sido tomada por los israelitas, ya que la conquista fue en buena parte una insurrección interna, como se indicará más adelante. La destrucción de las ciudades debió ser la excepción, no la regla. ¿Por qué un pueblo que acababa de liberarse de la opresión de la clase dominante habría de incendiar la ciudad en que vivía?

No obstante, debemos contar con la posibilidad de que en algunos casos se haya producido en la narración bíblica una especie de ensamblaje y mezcla de diferentes acontecimientos. La «conquista» israelita de Palestina era, ya entonces, un suceso que se proyectaba muy hacia atrás en el pasado; se había iniciado con las migraciones patriarcales, en la edad del bronce, y no llegó a su punto final hasta los días de David. El Israel que surgió se perfilaba como una estructura basada en grupos de origen heterogéneo. Es posible que algunos de estos grupos conservaran tradiciones de la conquista llevada a cabo por sus antepasados cuando entraron en el país. Cabe también imaginar que cuando la tradición normativa de la conquista tomó perfiles concretos, se combinaran —diríamos que bajo el título general de «La conquista» (67)— elementos que habían acontecido en realidad a gran distancia temporal unos de otros.

Todo lo anterior equivale a confesar que, en el estado actual de nuestros conocimientos, no tenemos datos seguros sobre la fecha de la fase principal de la conquista de Israel. Aun así, el siglo XIII sigue contando con numerosos indicios a su favor y es seguro que seguirán teniendo partidarios. Pero aumenta también el número de especialistas que, ya sea por razones arqueológicas o de otro tipo, argumentan que la fecha debería rebajarse al siglo XII (68). Es du-

---

(67) Y. Aharoni expone la interesante hipótesis de que la tradición de la toma de Arad y Jormá (Nm 21, 1-4; Jos. 12, 14) —ciudades que al parecer no existieron en el bronce reciente— reflejaría la destrucción de aquellos lugares al final del bronce medio II, aproximadamente por la época en que los hicsos fueron expulsados de Egipto; cf. «Nothing Early and Nothing Late: Re-Writing Israel's Conquest» (BA, XXXIX [1976], pp. 55-76).

(68) Cf. G. Mendenhall, *The Tenth Generation*, cap. VI; J. A. Callaway, JBL, LXXXVII (1968), pp. 112-130; *idem*, BASOR, 196 (1969), pp. 2-16; *ibid.*, 198 (1970), pp. 7-31; E. F. Campbell, *Interpretation*, XXIX (1975), pp. 151-154; también D. N. Freedman, *art. cit.* (en nota 38). ¿Cayeron tal vez Lakíš y otras ciudades a comienzos del siglo XII, como parece sugerir el escarabajo de Ramsés III descubierto en la mencionada ciudad? (cf. supra, nota 64).

doso que puedan demostrar que su hipótesis es correcta. Por el momento, la cuestión debe quedar *sub judice*. Pero no parece existir muchas dudas sobre el hecho de que la fase principal tuvo lugar en la transición del bronce reciente a la edad del hierro (poco antes o, más probablemente, poco después del 1200 a. C.) y que fue mucho más que una infiltración pacífica de pastores nómadas, ya que llevó aparejados rudos combates y una gran catástrofe política y socioeconómica,

C. La formacion del pueblo de Israel

1. *La complejidad de los orígenes de Israel.* La documentación que se acaba de aducir muestra claramente que, a la hora de describir los sucesos que culminaron en la formación del pueblo de Israel, debemos evitar a toda costa las simplificaciones excesivas. Por la Biblia se podría adquirir la impresión de que el nacimiento de Israel fue un simple proceso genealógico: doce hijos de Jacob, con sus familias, setenta personas en total (Gn. 46, 27), bajaron a Egipto y, habiéndose multiplicado, hasta formar una gran multitud, salieron de allí, marcharon en grupo compacto por el desierto, cayeron sobre Palestina y la conquistaron. Pero esto no es tan sencillo. La Biblia también nos da pruebas de que el pueblo de Israel se formó a través de un complicado proceso e incluyó componentes de origen sumamente diverso.

a. *Pruebas tomadas de los relatos del éxodo y del desierto.* Difícilmente pudieron participar en el éxodo todos los antepasados del futuro Israel, ya que el número de los fugitivos no pudo ser muy grande. Cierto que en Nm. (1, 46; 26, 51) se asegura que Israel, en su marcha, pudo juntar unos 600.000 hombres en edad militar, lo cual significaría dos o tres millones en total, contando las mujeres y los niños. Esta cifra, que es elevada aun para la población de Israel bajo la monarquía, está fuera de toda posibilidad para el tiempo del éxodo. No solamente es muy difícil que setenta personas hayan podido multiplicarse tanto en tan poco tiempo, sino que una hueste así, marchando en orden cerrado (y no fue así) ocuparía una extensión más de dos veces superior a la distancia que hay entre Egipto y el Sinaí (69). No tenían por qué temer al ejército egipcio. Aunque el total quedaría drásticamente reducido entendiendo la palabra «mil» ('elef) como una unidad inferior de tribu, estas listas, con todo, representan un período tardío de la historia de Israel (70). Hay aquí,

___

(69)   Cf. A. Lucas (PQE, 1944, pp. 164-168) quien, sobre la base del incremento de población del Egipto de entonces, calcula que 70 hombres tendrían en 430 años, unos 10.363 descendientes. El lector puede calcular que una muchedumbre de dos millones y medio, marchando en columna de cuatro en fondo, al modo antiguo, alcanzaría una extensión de 350 millas.

(70)   G. E. Mendenhall, «The Census Lists of Numbers I and 26» (JBL, LXXVII [1958], pp. 52-66) defiende, con argumentos persuasivos, que los números

con toda seguridad, una cierta precisación teológica, como si se dijera: ¡todos los que eran israelitas estaban allí! También se puede decir que el grupo del éxodo *era* Israel, porque sin el éxodo, Israel nunca hubiera existido. Pero no hay que tomar literalmente los números. La misma Biblia nos presenta un grupo mucho más reducido, cuyas necesidades son satisfechas por dos parteras (Ex. 1, 15-22), que cruza el mar Rojo en una noche y que se acobarda ante un enemigo más numeroso que ellos. El número que participó en el éxodo sería apenas superior a unos cuantos miles. Es difícil que todo el futuro Israel pudiera descender físicamente de ellos.

Por otra parte, ellos mismos eran un grupo mixto, de ningún modo descendientes todos ellos de Jacob. Había allí (Ex. 12, 38; Nm. 11, 4) una «compleja multitud» una «chusma»; por implicación, su número era considerable. Se trataba probablemente de esclavos fugitivos, quizá 'apiru, e incluso hasta egipcios (Lv 24, 10). Los nombres egipcios mencionados arriba pueden argüir sangre egipcia en Israel. Había también sangre madianita. El suegro de Moisés era un madianita, de cuyo clan se dice que se unió a Israel en la marcha (Nm. 10, 29-32). Más tarde encontramos a sus descendientes tanto en medio de Israel (Jc. 1, 16; 4, 11) como entre los amalecitas del Négu`eb (I S 15, 6). Por otra parte, Caleb, figura eminente en la tradición, y cuyo clan se estableció más tarde en el área de Hebrón (p. e., Jos. 14, 13 ss.); (Jc. 1, 10-20), lo mismo que Otniel, que ocupó Debir (p. e., Jos. 15, 16-19; Jc. 1, 11-15) es llamado kenizzita, es decir, perteneciente a un clan edomita (cf. Gn. 36, 11, 15). Aunque no eran judíos, los calebitas llegaron a ser reconocidos como de aquella tribu en medio de la cual se habían establecido (Jos. 15, 13). Las pruebas no se agotan con esto. Pero bastan para mostrar que Israel, en el desierto fue una reunión de grupos de origen diverso, alguno de los cuales, sin duda no procedían ni de Egipto ni del Sinaí, pero que, podemos decir, se hicieron conversos.

b. *Pruebas tomadas de las narraciones de la conquista.* La Biblia insinúa varias veces que la ocupación israelita de Canaán fue un asunto complicado y que Israel mismo era de composición mixta. Ya hemos mencionado el cuadro que presente Jc. 1. El material de este capítulo es diverso y describe, sin duda, en parte, los incidentes ocurridos durante la lucha de Israel por el control del país, pero, en parte, también la situación que se produjo mucho más tarde, cuando Israel, bajo la monarquía, impuso trabajos forzados a la población cananea. El estado incompleto de la conquista es, en todo caso, evidente. Israel no pudo ocupar ni la llanura costera ni la planicie

---

se refieren a las cuotas con que cada clan debía contribuir, en la época de los jueces, siendo el total de 5.500 a 6.000 soldados. Este autor prefiere ahora el reinado de Saúl o los primeros años del reinado de David; cf. *Mag. Dei*, p. 146. Otros ven aquí las listas del censo de David; cf. Albright, FSAC, pp. 290 s.

de Esdrelón, mientras que también en la montaña lograban mantenerse algunos enclaves cananeos, como Jerusalén (Jc. 1, 21), que
no fue tomada hasta el tiempo de David (II S. 5, 6-10). Y dado que
la mayor parte de estas tierras fueron incorporadas a última hora a
Israel, esto significa que el Israel posterior incluía gentes, cuyos antepasados no sólo no tuvieron parte en la conquista, sino que se habían
resistido activamente a ella.

Pero pueden traerse pruebas todavía más directas acerca de la
absorción de población no israelita. Existía, desde luego, el pueblo
de la confederación gabaonita (Jos. 9), que habiendo hecho un hábil
pacto con Israel, fue perdonado. Aunque se dice que fueron hechos
esclavos, y aunque permanecieron por algún tiempo como grupo
aparte en Israel (II S 21, 1-9), al fin fueron ciertamente absorbidos.
El alto de Gabaón fue muy famoso en tiempos posteriores (I R 3, 4-15);
conforme a una tradición (I Cr. 16, 39), la Tienda se estableció allí
definitivamente. Pero esto no es más que un ejemplo aislado. Registrados entre los clanes de Manasés (Jos. 17, 2 ss.) están Jéfer, Tirsá
y Siquem. Los dos primeros están registrados (Jos. 12, 17, 24) como
ciudades cananeas conquistadas por Israel, y Siquem fue también una
ciudad cananea (amorrea) (Gn. 34) que cayó en poder de los 'apiru
en el siglo XIV y siguió existiendo como enclave, dentro de Israel,
incluso en la época de los jueces, con un templo de El-Berit (o Baal-
Berit, cf. Jc. 9, 4, 46). Estas ciudades fueron absorbidas por Israel
e incorporadas a la estructura tribal de Manasés.

Aún hay más pruebas de que algunos componentes de Israel
habían existido en Palestina antes de que tuviese lugar la conquista.
En algunos antiguos poemas, aparecen expresamente asociados al
mar y al comercio marítimo no sólo Dan y Aser (Jc. 5, 17), sino también Zabulón e Isacar (Dt. 33, 18 s.; Gn. 49, 13), aunque en tiempos
posteriores ninguna de estas tribus, salvo Aser, habitaba en las pro-
ximidades de la costa (71). Tal vez se haya conservado aquí un trazo
de la prehistoria de estas tribus antes del siglo XIII, en la que pudieron efectivamente haberse instalado cerca del mar. Más aún, en el
sistema clásico de clanes, Rubén, Simeón y Leví son los hermanos
mayores, lo cual significa que en algún tiempo habían sido clanes
poderosos. Después de la conquista, ya no se dio este caso. Rubén,
con sus posesiones de Transjordania expuestas a los saqueos de los
moabitas, desapareció virtualmente de la historia hacia el siglo XI.
Simeón perdió pronto la independencia, siendo absorbido por Judá

---

(71)   Idealmente el territorio de Dan se extendía hasta el mar, pero también
se nos informa de que Dan fue incapaz de conquistarlo y se vio obligado a buscar
nuevas tierras en las fuentes del Jordán (Jos. 19, 40-48; cf. Ju. cap. 18). Algunos
especialistas asocian a Dan con los danuna, uno de los pueblos del mar. Aunque
semejante hipótesis no puede ser comprobada, tampoco es imposible; cf. F. A.
Spina, JSOT, 4 (1977), pp. 60-71.

(Jos. 19, 1-9). Leví cesó por completo de ser una tribu profana. Sin embargo, nosotros sabemos (Gn. 34; 49, 5-7) que Simeón y Leví habían sido en otro tiempo clanes belicosos que habían atacado alevosamente y conquistado Siquem para ser a continuación vencidos y dispersados. Aunque no es seguro, resulta tentador asociar estos hechos con los sucesos descritos en las cartas de Amarna, donde leemos que, en el siglo XIV, el jefe de los jabiru, Lab'ayu, se hizo con el control de Siquem y, con sus hijos y aliados, dominaba un área extensa, que iba desde la costa mediterránea hasta Galaad y, por el sur, desde la llanura de Esdrelón hasta el territorio de Jerusalén (72). Aunque este pequeño imperio tuvo, sin duda, corta duración, los jabiru siguieron actuando en esta zona (como se ha dicho antes, Setis I chocó con ellos en las montañas próximas a Bet-šan, casi en vísperas del éxodo). No existen razones para dudar de que retuvieran bajo su poder Siquem hasta los días de la conquista. Es interesante notar que la narración de Josué no relata la conquista de Palestina central (sólo da la lista del capítulo 12, y en ella no se menciona a Siquem). No es menos interesante el hecho de que las excavaciones en los terrenos de Siquem no prueben que haya habido por este tiempo una destrucción (73). Pero, por otra parte, es claro que Israel dominaba este área, pues había allí un centro tribal. La única conclusión posible es que se habían establecido aquí elementos 'apiru (hebreos), junto con otros cananeos (amorreos) tal vez aliados con ellos, que más tarde hicieron causa común con Israel y quedaron absorbidos en su estructura. De hecho, tal como ya hemos dicho, es posible (¿probable?) que haya existido en Palestina central, en el siglo XIII e incluso antes, una agrupación tribal llamada Israel (el nombre es pre-mosaico y no-yahvista) que, después de la conquista, abrazó la fe yahvista y entró en masa —y prestó el nombre— a la liga tribal israelita que surgió de estos acontecimientos (74)

Además de esto, existen pruebas de que varios grupos penetraron en Palestina independientemente de la conquista principal, y fueron absorbidos por Israel. El sur de Palestina proporciona el mejor ejemplo. Aquí encontramos, al lado de Judá y Simeón (absorbido a su vez por Judá), kenitas, kenizzitas, yerajmaelitas (I S 27, 10; 30, 29) y otros. Es probable que en su mayor parte se hubieran in-

---

(72) Cf. G. E. Wright, *Schechem* (McGraw-Hill, 1965), Apéndice 2 (en E. F. Campbell), «Shechem in the Amarna Archive»; también Campbell, *Mag. Dei*, pp. 39-45.

(73) Para un informe sobre las excavaciones, cf. Wright, *ibid.*, y, más resumidamente, *idem*, AOTS, pp. 355-370. En la primera de las obras citadas, pp. 247 s., se encuentra una lista exhaustiva de los informes de las primeras cuatro campañas. Para informes sobre las campañas subsiguientes, cf. Wright, y otros, BASOR, 180 (1965), pp. 7-41; R. J. Bull y E. F. Campbell, BASOR, 190 (1968), pp. 2-41.

(74) Cf. especialmente D. N. Freedman, *art. cit.* (en nota 38), p. 10.

filtrado directamente por el sur. Ya hemos dicho (Nm. 14, 4 ss.), que cuando Israel intentó penetrar en el país por esta dirección, fue claramente derrotado en Jormá y obligado a retroceder. Pero otra narración (Nm. 21, 1-3) habla de una gran victoria en el mismo lugar; más tarde encontramos a los kenitas y a otros en posesión de esta área (Jc. 1, 16 ss.) Esto refleja probablemente la penetración de varios grupos procedentes directamente del desierto junto a Cades. Tales grupos fueron eventualmente absorbidos en la estructura de Judá. Hubo también absorción de sangre cananea: testigo Šélaj, hijo de Judá y de una cananea (Gn. 38, 5), y que, sin embargo, fue más tarde el nombre de un clan de Judá que habitó varias ciudades, incluida Marešs (I Cr. 4, 21) (75).

Esto no agota las pruebas. Pero ya se ha dicho lo suficiente para señalar la complejidad del problema con el que nos tenemos que enfrentar, y prevenimos contra una excesiva simplificación. Israel llegó a la existencia a través de un proceso sumamente complejo. La estructura de sus clanes se fue completando con linajes de origen diverso, y no podemos dudar que encontró su forma constitutiva solamente después de su establecimiento en Palestina.

2. *La ocupación israelita de Palestina: Resumen y reconstrucción.* En el intento de presentar las pruebas dentro de un cuadro coherente, sería prudente evitar una reconstrucción demasiado detallada de los hechos. Nosotros nos contentaremos con hablar en términos generales, con plena conciencia de que todo cuanto se diga sobre el tema tiene una cierta dosis de hipótesis y esté sujeto a corrección, a la luz de posteriores informaciones (76).

a. *Telón de fondo de la conquista.* Atendida la documentación aducida en páginas anteriores —por no decir nada de la misma tradición bíblica— la ocupación israelita de Palestina no puede ser contemplada como una infiltración pacífica de clanes nómadas, que se fueron asentando lentamente en áreas hasta entonces deshabitadas y que sólo más tarde tuvieron enfrentamientos ocasionales (si es que los hubo) con sus vecinos cananeos. Pero, por otra parte, la documentación que presenta la Biblia, y el curso probable de los aconteci-

(75) Cf. R. de Vaux, «The Settlement of the Israelites in Southern Palestine and the Origins of the Tribe of Judah» (Frank and Reed eds., *op. cit.* [en nota 40], pp. 108-134); también Aharoni, LOB, pp. 224-227.

(76) La exposición que sigue se atiene en sus puntos esenciales a los puntos de vista de G. E. Mendenhall, a quien expreso aquí mi cordial agradecimiento por lo mucho que le debo. Mendenhall expuso por vez primera sus ideas sobre la conquista en un importante artículo, «The Hebrew Conquest of Palestine» (BA, XXV [1962], pp. 66-87) y, desde esta fecha, las ha venido desarrollando en diversos escritos; cf. *The Tenth Generation* (1973), *passim; Mag. Dei,* cap. 6; BA, XXXIX (1976), pp. 152-157, etc. Como era de esperar, sus puntos de vista provocaron amplias discusiones; cf., por ejemplo, JSOT, 7 (1978), donde la posición de Mendenhall es atacada por A. J. Hauser y T. L. Thompson y defendida por el propio Mendenhall y (con algunas diferencias de acento) por N. K. Gottwald.

mientos mismos, nos impiden imaginarnos a los israelitas surgiendo súbitamente del desierto, por decenas de millares, y desencadenando una formidable invasión que, en el curso de unas pocas y rápidas campañas, redujeron el país a humeantes ruinas. Como ya hemos visto, los grupos procedentes de Egipto no pudieron ser muy amplios. Incluso admitiendo que su número aumentó enormemente durante el período en que estuvieron golpeando a las puertas de Palestina oriental, su tamaño debió ser relativamente pequeño (al menos comparado con el de la población de Palestina). ¿Cómo habría podido un grupo comparativamente pequeño, pobremente armado y sin conocimientos de las técnicas de asedio, apoderarse de ciudades protegidas por sólidas murallas y defendidas, al menos en algunos casos, por soldados profesionales bien adiestrados? Si alguien responde (siguiendo el ejemplo de la Biblia) que contaban con la ayuda de su Dios y que, poseídos por el entusiasmo de la guerra santa, fueron capaces de llevar a cabo hazañas inimaginables, entonces sigue en pie la pregunta de cómo es posible que el Israel que surgió de la conquista y se asentó a ambas orillas del Jordán fuera durante muchos años, inferior a los habitantes de las ciudades. ¿De dónde procedían todos estos israelitas, si no todos ellos hicieron la marcha por el desierto? ¿Cómo fue posible, humanamente hablando, la conquista de Palestina? La respuesta sólo puede ser ésta: la conquista fue, hasta cierto punto (y en un grado cuya amplitud exacta tal vez nunca lleguemos a conocer) un «asunto interno». Un amplio número de hebreos estaban asentados en Palestina desde mucho tiempo atrás y se unieron a los hebreos procedentes del desierto. Esta unión fue la chispa que incendió a Palestina. De la fusión de los dos grupos surgió la liga tribal israelita en su forma normativa.

Ya hemos visto en el capítulo anterior que, lo más tarde en los inicios del bronce medio, se pusieron en marcha aquellos movimientos migratorios que llevaron a los antepasados de Israel a Palestina. Podemos suponer que ya antes del fin del bronce reciente, en el siglo XIII, se hallaban en el país todos los diversos elementos cuyos descendientes formarían más tarde parte de Israel, ya sea asentados en las ciudades y pueblos o viviendo como pastores en las franjas exteriores. Es probable que ya en una época premosaica muchos distritos de Palestina tuvieran los nombres tribales llegados hasta nosotros por documentos posteriores. Aunque todos estos pueblos adoptaron la lengua, la cultura y, en cierta medida, la religión de Canaán, muchos de ellos conservaron sus tradiciones patriarcales y perpetuaron el culto de los dioses ancestrales (así, al parecer, el El'berit de Siquem y El-'Elyon de Jerusalén). Por consiguiente, de acuerdo tanto con el fondo histórico como con la tradición, una porción apreciable de la población de Palestina no presentaba ninguna diferencia esencial respecto de Israel. Hemos visto también que los

hicsos que dominaron Egipto durante los siglos XVII y XVI pertenecían básicamente a la estirpe de semitas nordoccidentales. Por
aquella época, hubo en Egipto muchos pueblos de la misma sangre
que Israel, ya que fueron muy numerosos los semitas asentados en
el país. Quizá hubiera entre ellos algunos miembros del clan de Jacob
(historia de José). Pero otros muchos de estos mismos pueblos permanecieron en Palestina y nunca estuvieron en Egipto. Y, con toda
seguridad, muchos de los que estuvieron en Egipto volvieron cuando
los hicsos fueron expulsados.

Durante el período del Imperio, Palestina estuvo dividida, como
ya hemos visto, en un número de ciudades-Estado relativamente
pequeñas, cada una de ellas regida por un «rey» que ejercía el control,
en calidad de vasallo del faraón, sobre los pueblos y los territorios
adyacentes a sus modestos dominios. La sociedad tenía una estructura feudal, apoyada en una clase patricia hereditaria, un campesinado semi-libre y numerosos esclavos; la clase media estaba, al parecer, reducida a su mínima expresión. Bajo este sistema, la suerte
de los pobres era muy dura, y no debió mejorar gran cosa durante
aquellos siglos en los que la riqueza del país sufría el drenaje de los
tributos y el desgobierno egipcios. Para empeorar el cuadro, las interminables contiendas entre los señores de las ciudades, que a menudo Egipto fingía ignorar, debieron ser desastrosas para los campesinos pobres, que muchas veces ni siquiera podían cultivar sus campos
y se veían expoliados por las contribuciones o con las cosechas confiscadas. Las cartas de Amarna nos exponen con claridad esta situación.
Nos muestran a los 'apiru creando disturbios de una a otra punta
del país. Como ya hemos dicho, estos 'apiru no eran nuevos llegados
presionando desde el desierto. Se trataba más bien de un pueblo
desarraigado, carente de un puesto en la sociedad establecida, que
ni se alienaba de ella ni se integraba en sus estructuras, un conjunto
de hombres que vivían su propia existencia en áreas remotas de los
confines, prestos a alistarse en las cuadrillas de salteadores y bandidos. Esclavos, campesinos oprimidos y mercenarios mal pagados
podían sentir la tentación de unirse a ellos, es decir, de «hacerse
hebreos». A veces, se alzaban con el control de unas zonas determinadas. Ya hemos visto cómo coronaron con éxito la tarea de consolidar un considerable dominio con centro en Siquem. Los señores de
las ciudades temían a este pueblo, pedían al faraón protección contra
sus ataques y se lanzaban mutuas acusaciones de connivencia con
ellos. Estos temores estaban bien justificados, porque los 'habiru
suponían una grave amenaza para el sistema del que formaban parte
privilegiada.

Tenemos pocas noticias de los sucesos de Palestina entre el período de Amarna y la conquista israelita. Es de suponer que cuando
los faraones de la XIX Dinastía restablecieron el poder egipcio, en

teoría se estabilizaría de nuevo la situación y se pondría coto a la actividad de los rebeldes. Pero se mantuvo el duro sistema y las injusticias ingerentes y, a una con él, como es de suponer, el desasosiego. Es dudoso que aquellos reyezuelos pudieran contar con la lealtad de muchos de sus súbditos. Como ya hemos visto, los 'abiru se mantuvieron activos durante este período. Al parecer, pudieron conservar el control de Siquem y prolongaron sin duda su existencia cuasi-tribal en algunas zonas del país. Las mismas ciudades-Estado debían contener amplia población hebrea de la misma estirpe y el mismo fondo general que los hebreos del éxodo, crecientemente distanciados de la sociedad feudal y dispuestos a hacer causa común con cualquiera que les ofreciera otras alternativas. Para ellos, la sociedad feudal era abominable. Cuando se debilitó el poder egipcio, la situación de muchos de los señores de las ciudades se hizo insostenible.

b. *Esclavitud egipcia y éxodo*. De todas formas, el núcleo de lo que más tarde sería Israel se hallaba en Egipto, sujeto a servidumbre. Aunque los antepasados de Israel entraron, sin duda, en Egipto en el período de los hicsos, otros hebreos (los jabiru) llegaron o fueron llevados allí en diversas épocas. Amenofis II (ca. 1438-1412) trajo entre sus prisioneros de guerra 3.600 de ellos (77); no sabemos cuántos fueron apresados por otros faraones en sus campañas asiáticas. Por esta razón hemos tenido que ser cautos al establecer una fecha para la bajada de Israel a Egipto. Aunque aún no existía el pueblo de Israel, llegaron, sin duda, en varias épocas, componentes de este pueblo. Aunque la afirmación (Ex. 6, 18-20) de que el abuelo de Moisés había estado entre los que entraron en Egipto, puede ser armonizada con los 430 años de que habla el cap. 12, 40, suponiendo (¡suposición perfectamente correcta!) que algunas generaciones han sido suprimidas en la lista (78), quizá sería mejor no intentar armonizala. Puede ser que esto refleje el hecho de que algunos antepasados de Israel habían estado en Egipto desde la época de los hicsos, mientras que otros llegaron recientemente. Es indudable que los hebreos entraron y salieron de Egipto en distintas épocas y de modos totalmente ignorados por nosotros. La memoria de una permanencia egipcia puede haber sido sostenida por muchos del futuro Israel cuyos antecesores no habían participado en el éxodo.

Pero muchos hebreos, sobrevivientes de la ocupación de los hicsos o prisioneros de los faraones del imperio nuevo, permanecían aún en Egipto bajo la Dinastía XIX y fueron empleados en trabajos forzados en los proyectos de construcción de Setis I y Ramsés II. Algunos de éstos (pero no todos, ya que los 'apiru se encuentran en Egipto también en la Dinastía XX), más una chusma mixta (Ex. 12, 38), que incluía esclavos de todas clases, algunos de ellos con tradi-

_____

(77)   Pritchad, ANET, p. 247.

ción patriarcal, otros sin ella, formaron el grupo que efectuó el éxodo
en el siglo XIII. Este grupo,· guiado por Moisés, se constituyó en núcleo de Israel. En su marcha hacia el Sinaí recibieron su fe peculiar
y fueron organizados en alianza como pueblo de Yahvéh. Volveremos
sobre esta alianza en el próximo capítulo. Pero la comunidad así
formada estaba llamada a ser el núcleo de Israel, ya que la nueva
e recibida fue elementos constitutivo de este pueblo.

En vista de lo anteriormente expuesto, es inútil preguntar cuál
de las doce tribus estaba en Egipto y participó en el éxodo. Aunque
no todo el futuro Israel estaba allí, nunca llegaremos a saber qué
elementos fueron eliminados de esta o aquella tribu y sustituidos
por otros. Realmente, no podemos hablar de tribus en Egipto, porque no había ningún sistema tribal, solamente un conglomerado de
esclavos de diversas procedencias tribales. Es cierto que la Biblia atribuye los papeles más importantes a José y, de los clanes de Lía, a
Leví (y nótense los nombres egipcios en la familia de Moisés, ya re-
feridos). Sería capcioso, por tanto, negar que elementos de Lía y de
Raquel estuvieran en Egipto. Podemos pensar que algunos componentes del clan de José habían estado desde hacía tiempo en Egipto,
y más tarde se unieron, quizá en diversas ocasiones, con elementos
de los clanes de Lía (como sucede en la historia de José y sus hermanos). Pero esto es ir más lejos de lo que las pruebas seguras permiten.
Posiblemente había en Egipto elementos hallados más tarde en todas
las doce tribus, ya que estos esclavos hebreos debían proceder de
diversas regiones palestinas y muchos de ellos establecerían vínculos
con los parientes entre los que sus familiares se asentaron, como es
natural, cuando regresaron a la patria. Pero aún no había surgido
el clásico sistema tribal.

Pues aunque, como veremos, los orígenes de la estructura peculiar de
Israel se sitúan en el Sinaí, esta estructura no fue definitivamente
fijada hasta después del establecimiento en Canaán. No obstante,
dado que el grupo que tuvo las experiencias del éxodo y del Sinaí
era el verdadero núcleo y constitutivo de Israel, la Biblia tiene razón,
en un sentido profundo, al insistir en que todo Israel estaba allí. Es
probable también que todos los clanes posteriores tuvieran elementos
que se jactaban de una ascendencia que entroncaba con estos sucesos.

c. *Conquista y fusión.* Según la Biblia, el grupo formado por la
alianza en el Sinaí, se movió hacia Cades, en cuyo gran oasis se estableció durante un considerable espacio de tiempo. Allí, sin duda,
se puso en contacto con otros grupos que frecuentaban aquella región, incluyendo acaso algunos que habían abandonado Egipto por
diversos medios. Algunos de estos grupos conservaban tradiciones
cúlticas ancestrales similares a las practicadas —así lo hemos supuesto— en la familia de Moisés. El yahvismo debió ser una poderosa
llamada para aquellos esclavos fugitivos y otras gentes desarraigadas.

No sólo les ofrecía una comunidad y una identidad que nunca antes habían tenido, sino que, además, proclamaba a Yahvéh como el Dios que los había liberado y que tenía poder para guiarlos a la Tierra que había prometido a sus antepasados. Podemos suponer que se registraron numerosas conversiones. No obstante, los hebreos no contaban aún con capacidad suficiente para forzar el paso hacia Palestina. Se nos dice (Mm. 14, 39-45) que intentaron cruzar directamente el Négueb, pero que fueron rechazados sin conseguir avanzar un solo paso. Entonces prosiguieron durante años su marcha por el desierto. Podemos suponer que en este período fueron ganando no sólo nuevos adeptos, sino también una mejor organización —hasta asemejarse más a un ejército irregular con sus campamentos de seguidores que a una típica banda de nómadas—. Finalmente, tras un recorrido circular en cuyos detalles no podemos detenernos, aparecieron en las tierras altas del este de Palestina y, evitando cuidadosamente todo tipo de enfrentamiento con Edom y Moab, cayeron sobre el reino de Ješbón, destruyéndolo (cap. 21, 21-32). Habían puesto pie en la Tierra Prometida.

No sabemos exactamente cómo se obtuvo esta primera victoria. La Biblia dice repetidas veces que el rey Sijón fue derrotado por Israel en una batalla en la que el monarca perdió la vida y que los israelitas se apoderaron del país y de sus ciudades. Si estas ciudades intentaron defenderse, o si hubo resistencia en la población, son cosas sobre las que nada se nos dice. Tampoco la narración de Números habla de matanzas del pueblo por lo israelitas. Parece que aquel reino amorreo fue fundado aproximadamente una generación antes por soldados aventureros procedentes del interior de Siria; pero existen razones para creer que el pueblo sobre el que ejercían su dominio se componía principalmente de campesinos y pastores hebreos, que habían emigrado desde el este de Palestina, buscando sin duda libertad y mejores oportunidades (cf. Jc. 12, 4, donde se echa en cara a los galaaditas ser fugitivos de Efraím); a buen seguro, no sentían gran afecto por su rey y por la casta militar que le rodeaba (78). Es posible que cuando aparecieron los israelitas por las cercanías, aquellos hebreos, galvanizados por la nueva fe de la que sin duda habían oído hablar, saludaran a los nuevos venidos como a potenciales libertadores y que desertaran en tal número de las filas de Sijón que éste sólo pudo contar con la yuda de su puñado de tropas profesio-

---

(78)   Para esta reconstrucción, cf. Mendenhall, «The Hebrew Conquest of Palestine». Como nota el autor, resulta un tanto extraño que la tradición hebrea haya conservado una canción que celebra la victoria obtenida por un rey *amorreo* (Nm 21, 27-30); pero el hecho resulta explicable si suponemos que en aquella acción participaron también tropas hebreas, que combatieron contra Moab, antes de la llegada de Israel. Y entonces se habría conservado la tradición de *aquellos* hebreos. Para las relaciones de Rubén con Palestina oriental, cf. Noth, HI, pp. 63-65.

nales. Previo acuerdo, los hebreos abrieron las puertas del país a los israelitas — más aún, se hicieron israelitas (79). Fuera como fuere, aquella victoria otorgó a Israel la posesión de la mejor tierra entre el Arnón y el Yabboq (Nm. 21, 24); las siguientes conquistas (vers. 33-35) —que obedecían tal vez al mismo esquema— ampliaron sus dominios hacia el norte, en territorio de Basán. Las narraciones y poemas de Balaam (caps. 22-24) reflejan con exactitud la consternación que causaron aquellas victorias. Los clanes y poblados debieron convertirse por docenas al yahvismo, llenando las estructuras de Israel y aumentando enormemente su capacidad militar. Los primeros poemas han conservado el recuerdo de un centro tribal al este del Jordán (cf. caps. 23-24), que se refleja también en la tradición que subyace en el fondo de la narración del Deuteronomio (Dt. caps. 1-4).

No tardaron en llegar al oeste de Palestina noticias de los sucesos y de la fe procedente del desierto. La excitación debió ser enorme. Sobre todo los elementos más descontentos de la población hebrea debieron preguntarse si no podían también ellos albergar la esperanza de librarse de sus odiados dominadores. El estallido de la conflagración era inevitable. Debió ser aproximadamente en la transición del siglo XIII al XII (ya hemos dicho que no pueden darse fechas más exactas) cuando Israel se hizo también con el control de Palestina occidental. De hecho, no puede excluirse la posibilidad de que algunas tribus individuales o grupos de tribus se alzaran contra los señores de las ciudades ya antes de la llegada del yahvismo (80). Pero fue la nueva fe la que hizo que la conflagración fuera ya incontrolable y la que actuó como catalizador que cristalizó en la formación de Israel como pueblo unido. El proceso debió ser complejo y, sin duda, de larga duración. Dada la naturaleza del material de que disponemos, no podemos describir con detalle todas las etapas.

Pero no existen razones para dudar de que, tal como la Biblia dice, se trató de una empresa sangrienta y brutal. Yahvéh dio a su pueblo la Tierra Prometida a través de la guerra santa (81). Al mis-

---

(79)   Al pueblo procedente del desierto se le llama aquí israelitas, aunque no es seguro que ellos mismos usaran ya este nombre. Quizá sería más acertado llamarle simplemente «el pueblo de Yahvéh» (es decir, los yahvistas), tal como hace el antiguo poema de Ex. 15, 1-18. Tal vez el nombre de Israel fue tomado de una federación tribal existente ya en Palestina, con la que los nuevos venidos hicieron causa común y a la que comunicaron su fe yahvista. Es también posible (probable) que algunos miembros del grupo del éxodo sintieran ya su parentesco con este Israel y que, en consecuencia, se dieran a sí mismos el nombre de israelitas. Sobre este punto, cf. Freedman, *art. cit.* (en nota 38) especialmente pp. 20-22.
(80)   Cf. Freedman, *ibid.*, p. 21, quien sugiere que algunas de las narraciones de Ju. cap. 1 y también de Josué podrían referirse a incidentes de este tipo.
(81)   Esto no justifica la suposición de que la guerra santa fuera, por necesidad, puramente defensiva, como hace G. von Rad, *Der heilige Krieg im alten Israel* (Zurich, Zwingli-Verlag, 1951). Cf. F. M. Cross, «The Divine Warrior» (*Biblical*

mo tiempo, es preciso recordar que el *jerem* sólo fue aplicado en el caso de algunas ciudades cananeas que ofrecieron resistencia; la población de Palestina no fue, en modo alguno, exterminada. Al contrario, hay motivos para suponer que amplias capas de esta población —especialmente los hebreos, pero también otros— hicieron causa común con los israelitas y les proporcionaron ayuda voluntaria.

Podemos suponer que los israelitas del grupo mosaico entraron en Palestina occidental llevando consigo la nueva fe y que numerosos poblados y ciudades estaban dispuestos a abrazar su causa. En algunos casos, este paso se realizó de forma libre y voluntaria, como por ejemplo en Siquem, que no fue conquistada y que, sin embargo, formó parte de Israel desde los primeros tiempos. En otros, la causa fue el temor (p. e., Gabaón). Y en otros, en fin, la población local debió simplemente rebelarse contra sus gobernantes y quienes les apoyaban y se hicieron con el control sin grandes batallas ni general derramamiento de sangre. Este proceso puede explicar por qué en las listas de la Biblia se reseñan como conquistadas por Israel algunas ciudades de Palestina central, pero sin que la noticia se acompañe de una narración de la acción militar (y, en algunos casos, sin que existan pruebas arqueológicas de destrucción). Israel las conquistó desde dentro.

Pero no todo se redujo a revueltas locales. Hubo también operaciones militares de vasto alcance. (Aunque no podemos reconstruir la carrera militar de Josué, no hay razones para dudar de que desempeñó un papel dirigente destacado en estas campañas, tal como la Biblia dice). Cabe imaginar que los reyezuelos de las ciudades cananeas, incapaces de controlar los territorios adyacentes cuando los pueblos y ciudades iban cayendo en poder del enemigo, formaran coaliciones entre sí para intentar yugular la rebelión. Tal vez la campaña de Menefta, en el curso de la cual el faraón afirma haber derrotado a Israel, fuera la respuesta a una llamada de socorro de estos reyezuelos. Se trataba, sin duda, de combates fluctuantes, que se prolongaron durante muchos años y que tal vez se iniciaron con revueltas aisladas y acciones de guerrilla emprendidas ya antes de la llegada del grupo mosaico, aunque intensificadas con la presencia de estos nuevos elementos. Los israelitas debieron sufrir también algunos reveses, de los que nada dice la Biblia. Algunas zonas debieron ser ocupadas y perdidas más de una vez. Pero la marcha de los acontecimientos era ya irreversible. Los israelitas derrotaron a las coaliciones y —apoyados sin duda muchas veces por la traición de algunos elementos desafectos (recuérdese el caso de Betal, Jc. 1, 22-26)— adquirieron poder suficiente para conquistar y reducir a

Motifs, A. Altmann ed., [Harvard University Press, 1966] pp. 11-30, especialmente pp. 17-19); también R. de Vaux, *Ancient Israel* (trad. inglesa, Londres, Darton, Longman and Todd; Nueva York, McGraw-Hill, 1961), pp. 261 s.

escombros las ciudades fortificadas. Al final, aunque todavía pudieron mantenerse algunos enclaves cananeos y aunque los combates y los enfrentamientos se prolongaron durante muchos años, los israelitas se apoderaron del país que habían de ocupar durante los siglos siguientes.

Poco después de acabada la conquista, representaciones de todos los elementos de que se componía Israel —es decir, de los que habían adorado a Yahvéh en el desierto y de los hebreos de Palestina recientemente unidos a ellos— se dieron cita en Siquem y, en solemne alianza, se comprometieron a ser el pueblo de Yahvéh y adorarle sólo a él (82). Jos 21 nos ha conservado el recuerdo de aquel acontecimiento (sea cual fuere la historia de su transmisión). Con él, la estructura tribal de Israel asumía su forma clásica y puede decirse que se iniciaba la historia del pueblo de Israel.

---

(82)   Es probable que la divinidad del santuario de Siquem, que era de tipo patriarcal y a la que se llama en Gn. 33, 20 «El-Elohe-Israel» (es decir, El, Dios del Israel [Jacob] [patriarcal]), fuera identificada con Yahvéh, Dios de (el pueblo) de Israel. Respecto del santuario de Siquem y de la tradición bíblica, cf. Wright, *op. cit.* (en nota 72), pp. 123-138.

Capítulo 4

CONSTITUCION Y FE DEL PRIMITIVO ISRAEL

La Liga Tribal

En LOS CAPITULOS anteriores hemos visto cómo Israel tomó posesión de su tierra y comenzó allí su vida como pueblo. Esto, en sí mismo, no fue un suceso excepcional y la historia apenas se habría fijado en él, si estos nuevos llegados no hubieran traído consigo una fe completamente sin paralelo en el mundo antiguo. No se puede hacer ninguna historia de Israel sin alguna reflexión sobre esta fe, ya que fue lo único que hizo que Israel sobresaliera en su medio ambiente, y le convirtió en el fenómeno distintivo y creador que él fue. Fuera de esto, la historia de Israel ni sería explicable ni, puede añadirse, tendría especial interés. Es necesario, por tanto, que nos detengamos en este punto, para decir algunas palabras referentes a la naturaleza de la primitiva religión de Israel y a las instituciones características en las que se encuentra expresada durante el primitivo período de su historia, aunque sea imposible hacerlo adecuadamente en breve espacio.

Esto nos va a introducir directamente en el tema de la primitiva organización tribal de Israel. La religión de Israel no puede ser analizada en abstracto, como un conjunto de creencias sobre Dios, sobre el mundo y sobre el modo correcto de regir la existencia, que todos los israelitas estarían dispuestos a admitir. Un análisis semejante significaría su deformación. La religión de Israel no consiste en creencias abstractas, sino que se centra más bien en una intensa conciencia de la relación que se cree existe entre Dios y el pueblo, es decir, en la fe en que Yahvéh ha elegido a Israel como objeto de su especial favor, a lo que Israel corresponde comprometiéndose a ser su pueblo. Esta fe consigue dos cosas: poner en pie la primitiva organización tribal israelita y conferirle su carácter distintivo. En nuestra discusión no tenemos más remedio que dar una importancia decisiva al entramado de la estructura tribal de Israel, puesto que desde aquí se desarrollan y adquieren su forma normativa las tradiciones sagradas, las creencias y las instituciones del pueblo.

A. EL PROBLEMA DEL METODO

1. *Problema y método.* La naturaleza de la religión del primitivo Israel suscita problemas en torno a los cuales apenas hay acuerdo entre los especialistas. Esto ha sucedido principalmente a causa de que los documentos que la describen han sido clasificados, a partir del resurgimiento del criticismo bíblico, con pocas excepciones, como producto de siglos posteriores. ¿Cómo podemos estar seguros de cuáles son los caracteres primitivos, si hay alguno, en su descripción de la religión monoteísta y cuáles son reflejo de creencias de épocas posteriores? El problema es verdaderamente serio y no puede ser soslayado ligeramente.

a. *¿Cómo se debería describir la religión del primitivo Israel?* Los manuales antiguos describían generalmente la religión de Israel en términos de un desarrollo evolutivo desde las formas inferiores a las más elevadas. Se dudaba que los documentos del Pentateuco pudieran ofrecer información digna de confianza en lo que respecta a las creencias de la misma época mosaica. La elevada idea de Dios y el vigoroso elemento ético de la descripción bíblica de la religión mosaica, así como la noción misma de alianza, han hecho que se la considere generalmente como una proyección al pasado de creencias posteriores. Además, puesto que se daba por supuesto que Israel alcanzó su unidad solamente con el surgir de la monarquía, y puesto que un código de ley y un culto oficial sólo pueden desarrollarse cuando existe un cierto grado de unidad externa, se afirmaba que ambas cosas reflejaban también unas condiciones posteriores. Como resultado, la religión del primitivo Israel fue vaciada de contenido. Fue descrita, convencionalmente, como un henoteísmo, es decir, la adoración exclusiva de una divinidad tribal-nacional, que no niega la realidad de las divinidades patronales de otros pueblos (1). Se creía que el monoteísmo ético apareció sólo en el destierro y después, como resultado del esfuerzo de los profetas.

Hoy día, apenas puede hallarse quien pretenda describir así la religión de Israel. Aparte el reconocimiento de la imposibilidad de considerar la historia de una religión como un simple desarrollo monolineal, y la dificultad de clasificar cronológicamente el material bíblico de acuerdo con el refinamiento de las ideas e instituciones que en ella se encuentran, las pruebas positivas han abierto una nueva perspectiva. Por una parte, el actual conocimiento de las religiones antiguas hace muy discutible que el henoteísmo, en sentido tradicional, existiera en el antiguo Oriente. Las religiones antiguas fue-

---

(1) Los especialistas bíblicos emplean, en general, este sentido; cf. *New Standart Dictionary of the English Language,* Funk & Wagnalls Company, 1955. En sentido lato, el vocablo es muchas veces sinónimo de «monolatría»: p. e. *Webster's New World Dictionary* (The World Publishing Company, 1953), «creer en un dios sin negar la existencia de otros».

ron todas politeísmos desarrollados, a cuyos dioses supremos se concedía el dominio cósmico, y eran de un tipo más elevado que el dios tribal-nacional asignado a Israel. Aparecieron tendencias de sentido monárquico e incluso monoteísta (2), y surgió una religión, que al menos en un caso (culto de Atón) bordeó el monoteísmo. Si la fe de Israel hubiera sido henoteísta, resultaría difícil explicar por qué tan religión comparativamente tan primitiva, fue la única que alcanzó tan incomparables alturas. El henoteísmo es, con toda evidencia, una descripción insuficiente de la fe del primitivo Israel.

Por otra parte, como todos los estudios sobre unidades individuales de tradición han revelado que todos los documentos contienen un material de mayor antigüedad que los mismos documentos escritos, se ha visto claramente que de ningún modo carecemos de testimonios directos de la fe del primitivo Israel, como se había supuesto formalmente. Además, si la primitiva organización tribal israelita fue tal como la describiremos a continuación, es evidente que la unidad de Israel data de fecha anterior a la monarquía; sus tradiciones sagradas e instituciones características habían alcanzado ya su forma constitutiva en los primeros tiempos de su vida en Palestina. Se impone, pues, un cuadro más positivo de la religión del primitivo Israel.

b. *Fuentes primarias de conocimiento*. No obstante, al describir la religión del primitivo Israel es necesario ponerse cuidadosamente en guardia contra los anacronismos. Nosotros, por tanto, basaremos nuestra discusión, en la medida de lo posible, sobre el material que parezca, con razonable probabilidad, remontarse a los primeros tiempos de la vida de Israel como pueblo (siglos X y anteriores). Este material no es, de ningún modo, insignificante. Hoy día es generalmente admitido que gran parte de la materia legal del Pentateuco se remonta a los primeros períodos. El Código de la Alianza (Ex. 21-23; cf. cap. 34), lejos de datar del siglo noveno, como aseguraba la crítica ortodoxa, se remonta con toda certeza, a un origen muy anterior y refleja los procedimientos legales de la época de los jueces (3). El material básico de los otros códigos legales (D y H), es asimismo de origen muy antiguo (4). En cuanto al decálogo, representa un elemento fundamental y original de la alianza que hizo de Israel

---

(2) Cf. Albright, FSAC pp. 209-236, para una revisión de las pruebas.
(3) Es posible que fuera codificado en los comienzos de la monarquía, pero el material es más antiguo. H. Cazelles, *Etudes sur le Code de l'Alliance* (París, Letouzey et Ane, 1946), llega a datar gran parte de este material legal en la generación de Moisés. Algunas leyes tienen un origen pre-mosaico, como veremos más adelante.
(4) Cf. G. von Rad, *Deuteronomiumstudien* (trad. inglesa, Londres, SCM Press, 1953); G. E. Wright, IB, II (1953), pp. 323-326. Para el material de H. cf., por ejemplo, K. Elliger, ZAW, 67 (1955), pp. 1-25; también H. Graf Reventlow, *Das Heiligkeitsgesetz* (WMANT, 6 [1961]).

un pueblo. Realmente, no hay motivo serio para pensar que no se encuentre en su forma original mosaica, o incluso en una forma anterior (5) (detrás de las versiones paralelas de Ex. 20 y Dt 5). Además, una comparación entre los documentos, (fijado con probabilidad en el siglo X) y E muestra que los elementos básicos de la tradición del Pentateuco y los temas principales de su teología habían sido ya fijados en el período de los jueces en un cuerpo de tradiciones del que surgieron ambos documentos (6). Añádase a esto que de las historias de los jueces y de otros relatos antiguos pueden sacarse valiosas aclaraciones relativas a la fe de Israel y a las prácticas de su período primitivo, que aunque fijadas en los libros mucho después, se remontan, por tradición oral y —o— escrita a los tiempos primeros.

Igual importancia tiene, a este respecto, un grupo de poemas que, a la luz de los recientes estudios sobre los primitivos versos hebreos, parecen proceder sustancialmente, en su forma actual, de los primeros tiempos de la historia de Israel (siglos XIII al X) (7). Entre éstos se encuentra el canto de María (Ex. 15, 1-8, de comienzos del siglo XII) (8); el canto de Débora (Jc. 5, segunda mitad del siglo XII) (9); los oráculos de Balaam (Nm. cap. 23-24) (10); la bendición de Moisés (Dt. cap. 33) (11); el canto de Moisés (Dt.

---

(5)   En los últimos años se ha defendido repetidas veces (tal vez tantas como se ha negado) el origen mosaico del decálogo. La bibliografía sobre el tema es demasiado extensa para reseñarla aquí. Pero fuera cual fuere el origen del decálogo en su forma actual, no existen razones serias para negar la gran antigüedad de algunos de sus preceptos. Más aún, si la alianza fue tal como la describimos en las páginas siguientes, se trata justamente del tipo de mandamientos que serían de esperar.

(6)   Cf. M. Noth, *A History of Pentateuchal Traditions* (1948; trad. inglesa Englewood Cliffs, Nueva J., Prentice - Hall, 1972), pp. 38-41.

(7)   Este punto de vita ha sido defendido por W. F. Albright en numerosos escritos, y a lo largo de toda su carrera; cf., entre los más recientes, YGC, pp. 1-52; cf. también F. M. Cross y D. N. Freedman, *Studies in Ancient Yahwistic Poetry* (Baltimore, Johns Hopkins Press, 1950). Para las discusiones recientes sobre las fechas de algunos de estos poemas, cf. Albright, *ibid.;* D. A. Robertson, *Linguistic Evidence in Dating Early Hebrew Poetry* (Missoula, Mont, SBL Dissertation Series, 3 [1972]); y especialmente D. N. Freedman, «Divine Names and Titles in Early Hebrew Poetry» *(Mag. Dei,* cap. 3). Llama la atención la pequeña área que abarca el desacuerdo entre los especialistas.

(8)   Cf. Cross y Freedman, «The Song of Miriam» (JNES, XIV [1955], pp. 237-250); Cross, *Canaanite Myth and Hebrew Epic* (Harvard University Press, 1973), pp. 112-144; Freedman, «Strophe and Meter in Exodus 15» (H. N. Bream, R. D. Heim, C. A. Moore, eds., *A Light Unto My Path: Old Testament Studies in Honor of Jacob M. Myers* [Filadelfia, Temple University Press, 1974], pp. 163-203).

(9)   Las discusiones han sido numerosas; recientemente R. G. Boling, *Judges* (AB, 1975), pp. 101-120.

(10)   C. Albright, «The Oracles of Balaam» (JBL, LXIII [1944], pp. 207-233).

(11)   Cf. Cross y Freedman, «The Blessing of Moses» (JBL, LXIII [1944], pp. 207-233).

cap. 32) (12); la bendición de Jacob (Gn. cap. 49) (13); algunas partes del Salmo de Habacuc (Hab. cap. 3) (14); poemas como los del Sal. 29 (15) y Sal. 68 (16) y sin duda otros más. Así pues, tenemos una impresionante abundancia de material que nos proporciona testimonios de primera mano en lo que toca a la fe de Israel entre los siglos XIII y X a.C. Desde luego, es difícil, y a veces imposible, distinguir entre la contribución propia de Moisés y de las creencias de la época del desierto y las características que se desarrollaron después del establecimiento en Palestina. Con todo, no hay razón para pensar que la fe de Israel cambiara con la sedentarización, o que adquiera su carácter esencial después de este acontecimiento. Por el contrario, las pruebas nos obligan a encuadrarla, en todos sus elementos esenciales, en la época del desierto y atribuirla a'Moisés, que aparece así, de acuerdo con la Biblia, como el gran fundador de Israel.

B) La fe del primitivo Israel

1. *Israel, el pueblo de Yahvéh. La sociedad de la Alianza.* El Dios de Israel, desde el comienzo de su historia, fue Yahvéh (en nuestras antiguas traducciones españolas Jehová, el Señor, y, a veces, Dios).

---

(12)   O. Eissfeld, *Das Lied Moses Deuteronomium* 32: 1-43 *und das Lehrgedicht Asaphs Psalm* 78 *samt einer Analyse der Umgebung des Mose-Liedes* (Berlín, Akademie-Verlag, 1958) fecha el poema en el siglo XI. También dan esta fecha W. F. Albright, VT, IX (1959), pp. 339-346 y G. E. Mendenhall, «Samuel's Broken *Rib*': Deuteronomy 32» *(No Famine in the Land: Studies in Honor of John L. McKenzie,* J. W. Flanagan y Anita W. Robinson eds., [Missoula, Mont, Scholars Press, 1975], pp. 63-74). Esta última obra rechaza la tesis de G. E. Wright, para quien la pieza en su forma actual, se remonta al siglo IX; cf. «The Lawsuit of God: A Form-Critical Study of Deuteronomy 32» (B. W. Anderson y W. Harrelson, eds., *Israel's Prophetic Heritage: Essays in Honor of James Muilenburg,* N. Zork, Harper and Brothers, Londres, SCM Press, 1962), pp. 26-67).

(13)   Cf. B. Vawter, «The Canaanite Background of Genesis 49» (CBQ, XVII [1955], pp. 1-18); J. Coppens, «La bénediction de Jacob» (VT, Suppl., vol. IV [1957], pp. 97-115); O. Eissfeld, «Silo und Jerusalem» *(ibid.,* pp. 138-147); E. A. Speiser, *Genesis* (AB, 1964), pp. 361-372; H. J. Zobel, *Stammesspruch und Geschichte* (BZAW, 95 [1965]).

(14)   Cf. Albright, «The Psalm of Habakkuk» *(Studies in Old Testament Prophecy,* H. H. Rowley, ed (Edimburgo T. & T. Clark, 1950), pp. 1-18.

(15)   Cf. P. C. Craigie, VT, XXII (1972), pp. 143-151; D. N. Freedman y C. F. Hyland, HTR, LXVI (1973), pp. 237-256; también F. C. Fensham, «Psalm 29 and Ugarit» *(Studies in the Psalms: Papers Read at the* 6th *Meeting of Die Ou-Testamentiese Werkgemeenskap in Suid Afrika* [Potchefstroom, Pro Rege-Pers Beperk, 1963], pp. 84-99).

(16)   Albright, «A Catalogue of Early Hebrew Lyric Poems» (HUCA, XXIII [1950/51], parte I, pp. 1-39), que considera esta composición como una colección de *incipits* que van de los siglos trece al diez, llevada a cabo hacia la época de Salomón. Cf. también S. Iwry, JBL, LXXI (1952), pp. 161-165. S. Mowinckel *(Der Achtundsechzigste Psalm* [Oslo, J. Dybwad, 1953], da una interpretación completamente diferente, pero fecha la composición, en su forma original, en la época de Saúl.

Está suficientemente claro que fue Israel quien trajo consigo, del desierto, este culto a Yahvéh, pues, como hemos visto, no es posible hallar ninguna huella de él en Palestina, ni en otros lugares, antes de su llegada. Dudar que esta fe le fue comunicada por una gran personalidad religiosa, es decir, por Moisés, es completamente subjetivo. La idea israelita de Dios fue única en el mundo antiguo y un fenómeno que no admite explicación racional. No obstante, entender su fe a base de conceptos de divinidad es un error fundamental. La religión de Israel no se apoyaba en abstracciones teológicas ni en principios éticos, sino en el recuerdo de experiencias históricas interpretadas y respondidas en fe. Israel creyó que Yahvéh, su Dios, le rescató con mano fuerte de Egipto e hizo de él su pueblo, por medio de una alianza.

a. *El favor de Yahvéh y la respuesta de Israel: elección y alianza.* Es cierto que las nociones de elección y alianza no tuvieron un concepto formal en el primitivo Israel. Pero ambas son fundamentales para entenderse a sí mismo y entender a su Dios desde los comienzos.

Cuanto a la elección, no es posible hallar un solo período en la historia de Israel en el que no haya creído que era el pueblo elegido de Yhavéh (17), y que su llamamiento fue señalado por la liberación del éxodo. En los períodos posteriores el concepto es tan obvio que no es necesario insistir en ello. Baste recordar cómo los profetas y escritores deuteronómicos, para no decir nada de la unanimidad práctica de la literatura bíblica posterior, se remiten continuamente al éxodo como a inolvidable ejemplo del poder y de la gracia de Yahvéh llamando a su pueblo para sí. Pero aun concediendo que sus expresiones fueron más claras y su vocabulario más característico en la literatura de los siglos VII y VI (18), la noción de elección fue algo dominante en la fe de Israel ya desde el principio. Es central en la teología del yahvista (siglo X) que, habiendo narrado la vocación de Abraham, encuentra cumplidas las promesas en los sucesos del éxodo y de la conquista. También el elohísta narra la llamada de los patriarcas de Israel (Ex. 19, 3-6) como «propiedad personal de Dios entre todos los pueblos» (19). Por lo demás, como ya hemos

---

(17)   Para la noción de elección cf. H. H. Rowley, *The Biblical Doctrine of Election* (Londres, Luttersworth Press, 1950); G. E. Wright, *The Old Testament Against Its Environment* (Londres, SCM Press, 1950); también G. E. Mendenhall, IDB, II, pp. 76-82.

(18)   Th. C. Vriezen, *Die Erwählung Israels nach dem Alten Testament* (Zurich, Zwingli-Verlag, 1953). Pero cf. K. Koch, ZAW, 67 (1955), pp. 205-226, para la misma terminología sobre los salmos.

(19)   Para este pasaje y otras formulaciones de alianza similares, cf. J. Muilenburg, VT, IX (1959), pp. 347-365. La palabra traducida por «posesión personal» o «posesión propia» *(segullah)* figura en una carta de Ugarit, donde al parecer la utiliza el soberano hitita para describir al rey de Ugarit como su «propiedad privada»; cf. D. R. Hillers, *Covenante The History of a Biblical Idea* (Baltimore) .The Johns Hopkins University Press, 1969, p. 151.

visto, tanto el yahvista como el elohísta encontraron estos temas ya presentes en las tradiciones a partir de las cuales redactaron sus escritos. Pero, más al fondo aún, en el que posiblemente sea el más antiguo poema que la Biblia nos ha conservado (Ex. 15, 1-18), no se le llama a Israel por este nombre, sino que se dice de él que es el pueblo de Yahvéh, el pueblo que él ha «rescatado» (vers. 13) y «comprado» (o tal vez mejor «creado», vers. 16). Términos similares reaparecen en éste y en otros poemas antiguos. Israel ha sido rescatado de Egipto por el favor gracioso de Dios y guiado a su «campamento» —o «morada»— santo» (15, 13); es un pueblo separado, reconocido por Yahvéh como su propiedad personal (Nm. 23, 9; Dt. 33, 28 s.; cf. 32, 8 ss.), seguro bajo la continua protección de su acción poderosa (Jc. 5, 11; Sal. 68, 19 ss.). De todo ello se deduce claramente que, ya desde los primeros tiempos, Israel se consideraba a sí mismo como un pueblo escogido por Yahvéh y objeto de su especial favor. Y habría que añadir que en ninguno de sus escritos (hay que hacer notar cómo las más antiguas tradiciones narrativas presentan, en general, a Israel, como cobarde, desagradecido y rebelde) se atribuye la elección a ningún mérito por parte de Israel, sino solamente al favor inmerecido de Yahvéh.

Según la Biblia, Israel respondió al favor de Yahvéh entrando en alianza con él para ser su pueblo y vivir según sus mandamientos. En otras palabras, Israel se constituyó en pueblo de Yahvéh mediante alianza. A buen seguro, habrá quienes nieguen esto, arguyendo que la genuina noción de alianza entró en Israel en una fecha más bien tardía. Volveremos sobre este punto. Pero este juicio es difícil de aceptar sin mayores precisiones. No sólo es demasiado relevante el puesto que ocupa la alianza ya desde los primeros estratos del Pentateuco, como para suprimirla por un procedimiento crítico; es que, además, muchas cosas del Antiguo Testamento no se explican sin ella. En particular es un hecho que la organización tribal del período más antiguo de Israel se entiende de modo óptimo como régimen de alianza (otro tema debatido sobre el que también habrá que volver). Como ya hemos visto, Israel se formó con elementos de una procedencia extraordinariamente heterogénea y se mantuvo sin necesidad de un gobierno central y sin aparato estatal, e, incluso, durante más de doscientos años, consiguió sobrevivir y mantener su identidad como pueblo con increíble cohesión y en las circunstancias más adversas. Es difícil de comprender cómo pudo ocurrir todo esto, de no haberse articulado entre sí sus variados componentes mediante la fuerza cohesiva de un pacto solemne o tratado (i. e., una alianza), contraída ante su Dios. Tenemos una historia de tal alianza en Jos. 24, 1-28. Aquí Josué, hablando en nombre de Yahvéh, recita las *magnalia Dei* ante la asamblea de los hombres de las tribus, comenzando por la elección de Abraham y terminando por la conquista

de la tierra, y, con este trasfondo, reta al pueblo a escoger entre el
servicio de Yahvéh y el de cualquier otro dios, dando con ello perfectamente a entender que su elección personal ya ha sido hecha.
Al declarar el pueblo que su elección es Yahvéh, Josué contrae,
juntamente con ellos, el pacto de servir a Yahvéh, y a él sólo, después
de llamarles la atención sobre la gravedad del paso que están dando
y de advertirles que se aparten de todos los otros dioses. Lo mismo
que en todos los otros casos de formulación de alianza, se entra
también aquí en ella como respuesta a un favor gratuito ya recibido.
Aunque este pasaje nos ha sido transmitido dentro del llamado
corpus histórico deuteronómico (Josué hasta II Reyes), no debe ser
considerado como una libre creación del deuteronomista, sino que
puede suponerse que descansa sobre una tradición antigua. Según
buen número de estudiosos, es posible que conserve la memoria de
la formación de la liga tribal israelita en suelo palestino. En todo caso,
debe remontarse a los tiempos en que ciertos elementos que no rendían culto a Yahvéh entraron en la estructura tribal de Israel mediante pacto solemne.

De este modo, la existencia de Israel como pueblo quedó archivada en la memoria de una común experiencia, cuyos protagonistas,
que forman el núcleo de Israel, y le confieren su expresión definitiva.
Aunque no podemos dar cuenta de todos los detalles de la narración
bíblica, es incuestionable que está basada en la historia. En todo
caso, no hay razón para dudar de que esclavos hebreos escaparon
de Egipto de forma prodigiosa (¡y bajo el liderazgo de Moisés!) y
de que ellos interpretaron su liberación como una intervención graciosa de Yahvéh, el «nuevo» Dios en cuyo nombre se les presentó
Moisés. Tampoco hay razón objetiva para dudar de que este mismo
pueblo se dirigió entonces hacia Sinaí, donde pactaron con Yahvéh
la alianza de ser su pueblo. Así, de lo que no lo era, nacía una nueva
sociedad, y no precisamente de la sangre, sino de la experiencia
histórica y de la decisión moral. Cuando la memoria de estos acontecimientos fue llevada a Palestina de la mano de quienes los habían
vivido y a una con la fundación de la liga tribal en torno a la fe
yahvista —por supuesto mediante alianza— el éxodo y el Sinaí se
convirtieron en la tradición normativa de todo Israel: todos nuestros
antepasados pasaron el mar guiados por Yahvéh y se constituyeron
en su pueblo por la alianza solemne del Sinaí; nosotros confirmamos
esta alianza en la Tierra Prometida y la seguiremos confirmando
hasta el fin.

b. *La forma de Alianza.* Parecen haber existido notables semejanzas entre la forma de alianza, tal como ésta aparece en la perícopa
del Sinaí, en Jos, cap. 24, en el Deuteronomio y en otras partes de
la Biblia, y ciertos tratados de soberanía del imperio hitita (i. e., tra-

tados entre el Gran Rey y sus vasallos) (20). Por cierto que la alianza israelita difícilmente puede haber sido tomada de modo directo de los modelos hititas, dado que el imperio hitita ya había desaparecido antes de entrar Israel en escena. Pero es posible que el origen de este tipo de tratados no fuera específicamente hitita, sino que más bien representen formas de tratado ampliamente usadas en el antiguo Oriente en el segundo milenio a. C., aunque los vestigios de ese tiempo sólo hayan llegado hasta nosotros por textos del Imperio Hitita (21). Además, existen datos abundantes de que, al final del bronce reciente, Palestina y los territorios circundantes fueron profundamente afectados por migraciones que descendían del norte (Anatolia y otros países en un tiempo miembros del Imperio Hitita) (22), de modo que, aun en el caso de ser atípicamente hitita esta forma de tratado que acabamos de mencionar (probablemente no lo era), no existe a priori razón para negar a los fundadores de Israel el conocimiento de la misma.

Estos tratados comienzan típicamente con un preámbulo en el que el Gran Rey se identifica a sí mismo «Así habla...», añadiendo su nombre, títulos y el nombre de su padre. Luego sigue un prólogo, con frecuencia bastante largo, en el que el rey hace el recuento de sus anteriores relaciones con el vasallo, poniendo el acento en la benevolencia de sus actuaciones, lo que obliga al vasallo a perpetua gratitud. Cuando el Gran Rey habla directamente a su vasallo, es típica la forma de relación «Yo-Tú». A continuación vienen las estipulaciones, que establecen al detalle las obligaciones impuestas y que deben ser aceptadas por el vasallo. Es característico de estas estipulaciones la prohibición de mantener relaciones exteriores al Imperio y de ser hostil a otros vasallos. El vasallo debe responder a la llamada a las arlas, y debe hacerlo de buen grado (lit., «con todo tu corazón»); el incumplimiento lleva consigo la ruptura del tratado. El vasallo debe poner ilimitada confianza en el Gran Rey, y de ningún modo proferir ni tolerar palabras inamistosas sobre él. Debe comparecer en su presencia con el tributo anual y someter a su juicio cualquier controversia con otros vasallos. Las condiciones disponen

---

(20) Esto ya ha sido insinuado hace veinticinco años por G. E. Mendenhall, en «Ancient Oriental and Biblical Law» y en «Covenant Forms in Israelite Tradition» (BA, XVII [1954], pp. 26-46, 49-76; repr., *Biblical Archaeologist Reader*, 3 E. F. Campbell and D. N. Freedman, eds., [Nueva York: Doubleday Co., Inc., 1970], pp. 3-53). Las semejanzas han sido observadas independientemente por K. Batzer, *The Covenant Formulary* (Trad. ingl. de la 2.ª ed., Oxford: Blackwell, 1971). Para una presentación popular práctica, cf. Hillers, *op. cit.*

(21) Por ejemplo, aunque no tenemos textos de tratado agipcios, las cartas del Amarna sugieren que existía una forma semejante de compromiso entre el Faraón y sus vasallos; cf. E. F. Campbell, «Two Amarna Notes» *(Mag. Dei* cap. 2, esp. pp. 34-52).

(22) Cf. Mendenhall, *The Tenth Generation* (Baltimore, Johns Hopkins University Press, 1973), cap. VI.

algunas veces que se guarde una copia del tratado en el santuario del vasallo y que se lea públicamente cada cierto tiempo —seguramente para recordarle las obligaciones que ha asumido y el solemne juramento de lealtad que ha hecho. Como testigos del tratado se invoca a los dioses, tanto los de las tierras hititas como los del vasallo, y hasta otros (montañas, ríos, cielos, tierra, etc.); todos ellos son registrados. La obediencia y la desobediencia llevan consigo sanciones en forma de bendiciones y maldiciones que los dioses proclaman descargar sobre el vasallo, según los casos.

Los paralelos bíblicos de la forma de alianza, tal como la hemos descrito, saltan a la vista, y no vamos a discutirlos todos aquí. Existe el preámbulo de identificación del Señor de la alianza (cf., «Yo, Yahvéh, soy tu Dios», Ex. 20, 2; o, «Esto dice Yahvéh el Dios de Israel» (Jos, 24, 2). El prólogo histórico repite también un modelo estereotipado, y puede ser muy breve (cf., «que te ha sacado del país de Egipto, de la casa de servidumbre», Ex. 20, 2), o bastante largo (cf. el largo recuento de los hechos salvadores de Yahvéh en Jos. 24, 2b-13). Las estipulaciones de los tratados hititas tienen también su paralelo con las de la alianza de Israel. Lo mismo que sobre los vasallos del Gran Rey pesa la prohibición de establecer alianzas fuera del imperio hitita, los israelitas tienen que guardarse del tratado con cualquier soberano divino que no sea Yahvéh. De igual modo que los vasallos deben evitar la enemistad con los otros vasallos y someter toda controversia al juicio del Gran Rey, las cláusulas del decálogo prohíben las acciones que pudieran atentar contra los derechos de otros compañeros israelitas y destruir la paz de la comunidad. En la liga tribal israelita la respuesta al llamamiento a las armas era claramente reconocida como obligatoria (cf. Jc. 5, 14-18, 23; 21, 8-12). Así como el vasallo tenía que aparecer ante el Gran Rey con el tributo estipulado, el israelita debía comparecer también regularmente ante Yahvéh —no debiendo hacerlo «con las manos vacías» (Ex. 23, 14-17; 34, 18-20). La provisión de depositar una copia del tratado en el santuario y de leerla periódicamente en público, tiene también su paralelo en Israel (cf. Dt. 10, 5; 31, 9-13) (23). Por supuesto, en la alianza bíblica no podían invocarse dioses como testigos (pero en Jos. 24, 22 y 27, son llamados como testigos en primer lugar el pueblo mismo y luego la piedra sagrada). No obstante, reminiscencias de este tenor pueden encontrarse en ciertos discursos requisitorios de los libros proféticos (cf. Is., 1, 2 ss.; Miq. 6, 1 ss.), lo mismo que en el antiguo canto de Moisés (Dt. 32, 1), donde cielos y tierra, montes y collados son llamados a declarar contra las prevaricaciones del pue-

---

(23) El hecho de aue se diga que Josué escribió las palabras de la alianza en un libro (Jos 24, 26) sugiere la tradición de que se guardaba un documento de alianza en el santuario de Siquem; cf. Hillers, *Covenant*, p. 64.

blo (24). Por otra parte, las bendiciones y maldiciones ocupan un lugar destacado especialmente en el Deuteronomio (cf. caps. 27 a 28), pero ciertamente ya eran conocidas mucho antes, como lo prueban reminiscencias de este tipo en la predicación de los primitivos profetas (25). Así, por ejemplo, Jc. 5, 23 indicaría que ya desde el principio era una práctica en uso el invocar maldiciones sobre quienes habían quebrantado las obligaciones de la alianza.

c. *Antigüedad de la forma de alianza en Israel.* Paralelos como los arriba descritos son llamativos y parecería que prestan una base poderosa a la argumentación a favor de la antigüedad de la alianza israelita y también de su enorme importancia en la vida social del pueblo. No obstante no se puede olvidar que buen número de estudiosos no están muy de acuerdo en ello y más bien piensan que Israel adoptó la forma de tratado en un período relativamente tardío en su historia, como forma de expresión de su relación con Dios (26). No les faltan razones para ello y, por eso, sus argumentos no se pueden rechazar del todo sin someterlos primero a examen. Hay ante todo un hecho, y es que ciertamente la forma de tratado a la que nos estamos refiriendo no desapareció en el siglo XIII, con la caída del imperio hitita, ya que muchas de sus estructuras esenciales siguen estando presentes en los tratados arameos y asirios por lo menos hasta los siglos octavo y séptimo; por consiguiente, no se puede excluir la posibilidad de que Israel recibiera esa forma y la adaptara a sus fines, por ejemplo, en el período de la división de los reinos, y no en los comienzos de su historia. Además, no cabe duda de que la expresión formal más clara de la alianza se encuentra en el libro del Deuteronomio (al que se asigna comúnmente el siglo VII como fecha de composición) —por supuesto mucho más clara que en los lugares del Exodo que narran los acontecimientos del Sinaí, en los que se hace preciso componer la forma de alianza a partir de fragmentos aislados. Y, por fin, es también un hecho que la palabra «alianza» *(berit)* aparece con relativa poca frecuencia en la literatura incuestionablemente anterior al siglo VII. Sólo Oseas, entre los profetas anteriores a esta fecha, emplea la palabra en su sentido teológico,

---

(24) Hay bastante literatura sobre estos discursos; cf. J. Harvey, *Le Plaidoyer prophétique contre Israël après la rupture de l'alliance* (Brujas y París; Desclée de Brouwer; Montreal, Les Éditions Bellarmin, 1967); consultar además nuestra bibliografía.

(25) Este rasgo es más saliente en Oseas que en otros profetas, excepto quizás Jeremías; cf. D. R. Hillers, *Treaty Curses and the Old Testament Prophets* (Roma, Pontificio Instituto Bíblico, 1964).

(26) Hay amplia literatura. Para un mejor seguimiento de la discusión se pueden ver varias obras de D. J. Mc-Carthy; la más reciente, *Treaty and Covenant: A Study in Form in the Ancient Oriental Documents and in the Old Testament* (Roma, ed. Instituto Bíblico, 1978). Aunque Mc-Carthy cree que la experiencia del Sinaí se entendió siempre en forma de alianza, duda de que fuera concebida originalmente de acuerdo con la forma de tratado.

y no más de dos o tres veces. Estas consideraciones y otras semejantes mueven a algunos a creer que Israel asumió la forma de tratado y la adaptó a sus fines en una fecha relativamente tardía. Algunos se han atrevido incluso a asegurar que la noción genuina de alianza no jugó gran papel en el pensamiento de Israel hasta los escritores deuteronómicos del siglo VII (27).

Pero por más peso que parezcan tener estas consideraciones, se puede dudar de que sean tan concluyentes como aparecen a una mirada superficial. Por una parte, aunque la forma de tratado que estamos discutiendo ciertamente sobrevivió hasta el período asirio, lo hizo sin embargo con notables modificaciones que no podemos pasar por alto (28). La más importante de ellas es que el prólogo histórico que pasa revista a las anteriores relaciones de soberano y vasallo, y que es una estructura fundamental tanto de los tratados hititas como de las formulaciones clásicas de alianza en la Biblia (Ex. 19, 3-6; Jos., cap. 24; cf. I S, cap. 12), no se encuentra en los tratados que se conocen del primer milenio (29), mientras que las maldiciones que dan fuerza al tratado adquieren mayor elaboración y crueldad, y las bendiciones tienden a desaparecer. Estamos sin duda ante una concepción diferente de la relación soberano-vasallo, una relación basada más en las amenazas y en la fuerza bruta que en la benevolencia y la persuasión. Nada más lejos del espíritu de la alianza bíblica, por lo que es difícil de creer que la concepción israelita de alianza haya podido provenir de tales tratados. No cabe duda de que los tratados asirios influenciaron el pensamiento israelita del siglo VII, pero esto no sería explicable si para entonces Israel no se hubiera considerado a sí mismo como el pueblo vasallo de un Señor bastante más amable que los reyes asirios. Ciertamente esto no es una prueba de que Israel conocía la forma de tratado en una época primitiva, pero sí de que en la forma y el espíritu la alianza bíblica está más cerca de los tratados hititas del primer milenio, que de ninguna otra forma de tratado hasta ahora conocido.

----

(27)   P. ej., L. Perlitt, *Bundestheologie im Alten Testament* (WMANT, 36, 1969); E. Kutsch, *Verheissung und Gesetz: Untersuchungen zum sogennanten «Bund» im Alten Testament* (BZAW, 131, 1973).

(28)   Cf. H. B. Huffmon, «The Exodus, Sinaí and the Credo» (CBQ, XXVII, [1965], pp. 101-103); K. A. Kitchen, *Ancient Orient and Old Testament* (Inter-Varsity Press, 1966), pp. 90-102. Para una selección de estos tratados, cf. Pritchard, ANET, pp. 203-206; ANE Supl., pp. 529-541. Sobre los tratados arameos del siglo octavo, cf. J. A. Fitzmyer, *The Aramaic Inscriptions of Sefîre*, (Roma: Pontificio Instituto Bíblico, 1967).

(29)   Un fragmento deteriorado de un tratado entre Assurbanapal y el pueblo de Quedar parece contener una alusión a pasadas relaciones y puede constituir una excepción; cf. K. Deller y S. Parpola, *Orientalia*, 37 [1968], pp. 464-466. Pero el largo prólogo que pasa revista a los pasados favores del soberano no responde ciertamente al estilo de los tratados asirios tal como nosotros los conocemos.

Tampoco es decisivo ni sorprendente el hecho de que la forma de alianza aparezca en su más clara expresión en el Deuteronomio, mientras que en la perícopa del Sinaí y en otras partes se presenta de forma fragmentaria. En ningún lugar de la Biblia nos encontramos con un documento de alianza-tratado en su forma original. Solamente contamos con relatos narrativos de alianzas y, quizás, de su actualización ritual. Esto, juntamente con el nuevo contenido que les proporcionaba le fe de Israel, hace que en cierto sentido se explique su necesaria forma fragmentaria. También hay que recordar que la recíproca del Sinaí tal como la encontramos en nuestras biblias es el producto final de un proceso extraordinariamente largo y complejo de transmisión y reelaboración, en el curso del cual el material ha sido desplazado de su contexto original y, por ello, se ha desvanecido su esquema ritual. En tales circunstancias, difícilmente cabía esperar formas completas. Sin embargo, en la misma perícopa del Sinaí pueden descubrirse la mayor parte de los elementos usuales de la forma de tratado y, quizás todos, explícita o implícitamente, en el relato de la alianza en Jos. cap. 24; este relato se remonta seguramente a una tradición muy antigua (30). El hecho de que la alianza adquiera su más clara expresión en el Deuteronomio no puede tomarse como prueba de que el concepto no fuera conocido mucho tiempo antes.

La presencia relativamente limitada de la palabra «alianza» *(berit)* antes del siglo VII, es menos decisiva. En primer lugar, porque habría que declarar ciertos pasajes clave, que hablan de una alianza entre Dios y el pueblo, como deuteronómicos o posteriores (cf. Gn. 15, 8; Ex. 19, 3-6; 24, 7 ss.; 34, 10 y 27; Jos. 24; también II S 23, 5; Sal. 89, etc.). Si esto estuviera probado, ciertamente habría que decir que la presencia de esta palabra sería muy limitada. En segundo lugar, porque un concepto puede perfectamente hallarse presente antes de que se haya desarrollado una terminología fija para expresarlo. Por ejemplo, como veíamos más arriba, la terminología corriente para expresar el concepto de elección parece haberse fijado en el siglo VII y aún más tarde, pero según todas las apariencias, Israel se ha considerado a sí mismo, desde los tiempos más antiguos, como pueblo de Yahvéh, elegido por él gracias a un especial favor.

Muy bien puede haber ocurrido lo mismo con el concepto de alianza. En todo caso, lo cierto es que una amplia terminología, tanto de la época temprana como de la tardía, empleada por la Biblia para describir la relación Dios-pueblo, se encuentra abundantemente representada en textos del antiguo Oriente que se remontan a la edad de bronce reciente y tratan de la relación señor-vasallo. Te-

---

(30) Sobre este tema y otros de esta sección, cf. E. F. Campbell, *Interpretation* XXIX (1975), pp. 148-151.

niendo en cuenta que algunos de estos textos proceden de la misma Palestina (las cartas del Amarna), no hay razón para creer que los israelitas no hayan estado, desde el principio, al corriente de esta terminología y de la relación de tratado que ella implica (31).

Hay que admitir que, en Israel, no se puede probar la antigüedad de la forma de alianza. Los datos de que disponemos no nos permiten hablar de prueba. Pero estos mismos datos nos dan razón para creer que ya desde tiempos muy remotos existía en Israel la conciencia de una relación con Yahvéh, que en su estructura esencial al menos nos remite a los elementos básicos de un tratado entre soberano y vasallo. Se trataba de una relación que se apoyaba en la benevolencia graciosa con que el Señor divino liberaba a su pueblo de la esclavitud y le otorgaba la tierra; el pueblo quedaba obligado a gratitud perpetua, a servirle a él sólo y a vivir observando sus cláusulas, por temor de ofenderle y atraerse la ira divina. Es notorio que esta concepción de alianza tiene un énfasis notablemente deferente de que se encuentra en los relatos de los patriarcas. Allí, la alianza consiste en promesas incondicionales de futuro, en las que la única obligación del destinatario era la de confiar. Aquí, por el contrario, la alianza se basa en acciones gratuitas ya realizadas, y se completa con una obligación vinculante. Ya veremos cómo estas dos concepciones entran más adelante en una cierta tensión.

d. *La alianza: El reinado de Yahvéh.* Hay un profundo significado teológico en el hecho de que, desde los orígenes de su existencia como pueblo, Israel concibiera su relación con Dios, en analogía con la forma del tratado de soberanía, como una relación de vasallo a Señor. Justamente aquí tiene su comienzo la noción, tan central para el pensamiento de los dos Testamentos, de la autoridad de Dios sobre su pueblo, del Reino de Dios (32). Aunque pasa por muchas mutaciones en el curso de los siglos, no se trata de una noción tardía que presuponga la existencia de la monarquía, ya que la organización tribal de Israel fue una tecnocracia bajo la soberanía de Yahvéh (33).

---

(31)   Se incluyen expresiones como «oír (i.e. obedecer) las palabras», «amar», «odiar», «temer», «conocer» (i.e. reconocer), «doblegarse», «mostrar favor», etc. La literatura sobre el tema es muy dispersa; cf. Campbell, *ibid.*, para un breve resumen. Sobre esta terminología en los textos del Amarna, cf. Campbell, *Mag. Dei*, pp. 45-52.

(32)   Esto ya fue percibido correctamente hace años por W. Eichrodt, *Theology of the Old Testament*, vol. I (trad. ingl., de la 6.ª ed., OTL, 1961), pp. 39-41.

(33)   Debido a que el título de «rey» se aplica raramente a Yahvéh en la literatura primitiva, se pensó durante mucho tiempo que el concepto nació bajo la monarquía. Pero el reconocimiento de que la alianza sigue un modelo *político* pone la discusión bajo una nueva luz. Quizás el hecho de que la palabra *melek* tenía en Palestina la connotación de reyezuelo de una ciudad hizo que los israelitas pensaran que no era un nombre apropiado para Yahvéh, el Soberano divino. Sobre el tema, cf. G. E. Wright, *The Old Testament and Theology* (Harper y Row 1969), cap. 4; y especialmente G. E. Mendennall, «Early Israel as the Kingdom of Yahweh» (*The Tenth Generation*, cap. I).

Los símbolos del culto primitivo eran símbolos de esta soberanía: el arca era el trono de Yahvéh (Nm. 10, 35 ss.) (34), la vara de Moisés era su cetro, las suertes sagradas su tabla del destino. Los poemas primitivos le proclaman,.en ocasiones dadas, rey (Ex. 15, 18; Nm. 23, 21; Sal. 29, 10 ss.; 68, 24). Se debe notar que una creencia así difícilmente pudo haberse desarrollado *desde dentro* de la confederación tribal. Hay que pensar que era más bien constitutiva de dicha confederación. Sus orígenes deben buscarse en el desierto y, podemos suponer, en la obra del mismo Moisés.

De este modo el pacto no fue, en ningún sentido, un contrato entre iguales, sino más bien la aceptación por parte del vasallo de las proposiciones del supremo Señor. Esto permitió la imposición de condiciones en la elección e introdujo en la noción que Israel tenía de sí mismo, como pueblo elegido, una nota moral que nunca le sería permitido olvidar, aunque lo intentara. No fue un pueblo superior, favorecido porque lo mereciera, sino un pueblo desvalido, que ha recibido una gracia inmerecida. Su Dios-Rey no era un genio nacional, unido a él por lazos de sangre y culto, sino un Dios cósmico, que le ha elegido a él en medio de una aflictiva situación y a quien él ha elegido por un acto moral libre. Su sociedad estaba así fundamentada no en la naturaleza sino en la alianza. Estando basada la obligación religiosa en el favor preveniente de Yahvéh, la alianza no garantizaba a Israel, de ningún modo, el beneplácito de Yahvéh para el futuro como algo que le fuera debido. La alianza se mantendría solamente mientras fueran cumplidas las estipulaciones divinas; su mantenimiento requería obediencia y renovación continua, en cada generación, por medio de una elección moral libre. Las estipulaciones de la alianza consistían primariamente èn que Israel aceptase el dominio de su Dios-Rey, que no tuvieran trato con ningún otro dios-rey y que obedeciera su ley en todos los tratos con los demás súbditos de su dominio (e. d., la alianza con los hermanos). Estas estipulaciones explican la dirección de las recriminaciones proféticas posteriores contra el pecado nacional y también la gran importancia de la ley en Israel durante todos los períodos de su historia.

e. *Alianza y promesa.* La fe del primitivo Israel estuvo igualmente caracterizada por una confianza en las promesas divinas y una exhuberante expectación de sucesos favorables en el futuro. Sería, sin duda, equivocado hablar de éste como de una escatología. No se puede hallar una doctrina de «cosas últimas» en la religión del primitivo Israel, ni siquiera, en realidad, de anticipación de algún final de sucesos dentro de la historia que pueda ser calificado, al

---

(34) Albright (JBL, LXVII [1948], pp. 378 s.) sugiere que el nombre del arca era «[nombre de] Yahvéh Sebaot que está sobre querubines» (cf. I Sam. 4, 4). Sobre este simbolismo, cf. Eichrodt, Theology of the Old Testament, vol. I, pp. 107 s.

menos en sentido amplio, como una escatología. No obstante, los orígenes de la futura esperanza de Israel, que un día habían de desembocar en una escatología completamente desarrollada, se apoyan en su fe en la antigua alianza. Aunque buena parte del lenguaje y la forma pueda haber sido tomada de los pueblos paganos vecinos de Israel, es imposible considerar la escatología del Antiguo Testamento como un préstamo de estos mismos pueblos. Dado que carecieron de todo sentido histórico, las religiones paganas no desarrollaron ni remotamente una escatología. Tampoco se originó en el culto real posterior, y menos aún fue una proyección al futuro de ambiciones nacionales frustradas, aunque estas cosas ciertamente influyeron profundamente en su desarrollo. Sus orígenes se remontan a la estructura de la misma fe primitiva de Israel (35).

Esto apenas puede sorprender. El elemento promesa fue, como ya hemos visto, una característica original de la religión patriarcal. Y puesto que el núcleo de Israel provino de esta ambiente, era de esperar que, una vez que las divinidades patriarcales fueran identificadas con Yahvéh, este elemento entraría dentro de la fe constitutiva de Israel. Por otra parte, Yahvéh no se presentó a Israel en Egipto como el mantenedor de un *status quo*, sino como un Dios que llama a su pueblo de la nada a un futuro nuevo, a una esperanza. Y la alianza, aunque pidiendo obediencia estricta a sus cláusulas, so pena de ser rechazados, llevaba también la certeza implícita de que, cumplidas sus obligaciones, el favor del supremo Señor permanecería eternamente.

En todo caso, se puede ver reflejada en la primitiva literatura de Israel una exhuberante confianza en el futuro. Antiguos poemas narran cómo Yahvéh liberó a su pueblo, a quien pudo conducir a su «campamento santo», y después, victoriosamente, a la Tierra Prometida (Ex. 15, 13-17). Describen a Israel como un pueblo bendecido por Dios (Nm. 23, 7-10, 18-24), receptor de la promesa (v. 19), contra el cual no vale ninguna maldición ni encantamiento. Le serán dadas abundantes riquezas (Nm. 24, 3-9; Gn. 49, 22-26; Dt. 33, 13-17) y la victoria sobre todos sus enemigos (Dt. 33, 25-29); quien le bendiga será bendito, y quien le maldiga será maldito (Nm. 24, 9 s.; Jc. 5, 31; Gn. 12, 3). De este modo, sin duda, le alentaron desde los tiempos más antiguos sus poetas y videntes, prometiéndole la continua posesión de su tierra y la bendición de su Dios. Aunque esta esperanza estuvo impregnada de elementos terrenos, contiene, no obstante, los gérmenes de cosas más altas.

Estas características —elección y alianza, cláusulas de la alianza y sus promesas— constituyeron la estructura de la fe de Israel desde sus orígenes, y así permanecieron a todo lo largo de su histo-

---

(35)   Eichrodt, *Theology of the Old Testament*, vol. I, pp. 472-501; F. C. Fensham, «Covenant, Promise and Expectation in the Bible», ThZ, 23 (1967), pp. 305-322

ria. Aunque el transcurso de los años trajo consigo muchas mudanzas, la fe de Israel nunca cambió esencialmente su carácter.

2. *El Dios de la alianza*. Debemos aclarar de nuevo que la fe de Israel no se centró en una idea de Dios. No obstante, su concepción de Dios fue, desde el principio, tan notable y tan sin paralelo en el mundo antiguo que es imposible apreciar la singularidad de su fe sin alguna discusión sobre ella.

a. *El nombre de «Yahvéh»*. El nombre del Dios de Israel fue, como ya hemos dicho, Yahvéh. La discusión sobre el significado de este nombre, acerca de lo cual hay poco acuerdo entre los especialistas, está fuera de cuestión en este lugar. Es probable, sin embargo, que Yahvéh sea una forma causativa del verbo «ser» (36), como en ciertos nombres personales amorreos de Mari y de otras partes *(Yahwi-* 'il y similares: por ejemplo, «El dios crea/produce...» o «Quiera el dios...»). Podemos suponer que Yahvéh era una advocación litúrgica de la divinidad, probablemente de El, conocida de los hebreos en tiempos premosaicos, y adoptada por Moisés como nombre oficial del Dios de Israel. Así, la fórmula enigmática de Ex. 3, 14, en su forma original en tercera persona, pudo haber sido *yahweh ašer yahxeh* («Yahvéh que crea/trae al ser»), con el nombre de Yahvéh en sustitución de El (la fórmula «El, que crea» —con un verbo diferente— es conocida por los textos de Ras Šamra) (37). O quizás la fórmula original haya sido *yahweh ašer yinweh* («El es quien hace que sea lo que llega a ser»), que tiene paralelos en los textos egipcios del período imperial, en los que fórmulas semejantes se aplican a Amon-Ra y Atón (38)—, lo que sugiere que, en el contexto de Ex. cap. 3 y siguientes, Moisés reivindica para su Dios nada menos que los títulos y prerrogativas del dios principal del panteón egipcio. De cualquier modo, se advierte bien que, ya desde el principio, Israel adoraba a un Dios con dominio cósmico, no una divinidad de tipo local.

b. *Sólo Yahvéh es Dios*. Desde sus comienzos, la fe de Israel prohibió la adoración de cualquier otro Dios que no fuera Yahvéh. Esta prohibición, expresada en su forma clásica en el primer mandamiento (donde las palabras: «delante de mí» tienen el sentido de «junto a mí», cf. RSV, marg. y también Ex. 22, 20; 34, 14), está en perfecta consonancia con la naturaleza de la alianza: el vasallo úni-

_____

(36) Esta explicación, propuesta primeramente por P. - Haupt, ha sido defendida repetidas veces por Albright: p. ej., JBL, XLIII (1924), pp. 370-378; *ibid.*, LXVII (1948), pp. 377-381; FSAC, pp. 259-261; YGC, pp. 168-172. Cf. también C. N. Freedman, JBL, LXXIX (1960), pp. 151-156; y especialmente F. M. Cross, *Canaanite Myth and Hebrew Epic*, pp. 60-75 (más literatura en nuestra bibliografía). Recientemente se ha objetado que el verbo «él hace ser» puede con frecuencia la fuerza de «él hace que sucedan las cosas» (poniendo el acento en la actuación de Yahvéh sobre los acontecimientos), más bien que «él crea»; cf. W. H. Brownlee, BASOR, 226 (1977), pp. 39-45.

(37) Esta explicación la sugiere Cross, *ibid.*

(38) En este sentido, Albright; cf. las obras de la nota 36.

camente puede tener un supremo señor. Aunque los israelitas adoraron con frecuencia a otros dioses, como abundantemente lo testifica el Antiguo Testamento, nunca se le excusó o perdonó esta falta. Yahvéh es un Dios celoso, que no tolera rivales (Ex. 20, 5). Ni siquiera se pensó que pudiera tener rivales. Creador de todas las cosas, sin intermediario o ayuda (Gn. 2, 4b-25, J) no tuvo panteón, ni esposa (el hebreo carece de una palabra que signifique «diosa»), ni descendencia. Consiguientemente, Israel no desarrolló ningún mito ni aceptó ninguno a no ser desvitalizándolo (39). Esta emancipación de poemas míticos es muy primitiva y puede observarse en la más antigua literatura de Israel. Así, por ejemplo, en Ex. 15, 1-18, el mar no es un Monstruo del Caos, Yam o Tiamat, sino solamente el mar; el enemigo con el que Yahvéh tiene que luchar es el faraón de Egipto, y no algún poder cósmico. Por lo que respecta a los dioses de Egipto, no son considerados dignos de mención.

Es cierto que a Yahvéh se le creía rodeado de un ejército de los cielos, o una asamblea, sus ángeles, o «sus santos» (Dt. 33, 2; Sal. 29, 1; Gn. 3, 22; 11, 7, etc.) En un pasaje (Sal. 82) los dioses de las naciones son descritos como miembros de esta asamblea que por su mal comportamiento han sido degradados al estado de mortales. La noción de corte celestial fue común a Israel y a sus vecinos paganos. Pero, aunque existió repetidamente la tentación de rendir culto a estos seres, fue algo siempre censurado (p. e., Dt. 4, 19; II R 23, 4; Jr. 8, 2). Por otra parte, la corte celestial jugó, cuando podía, un papel más importante en los períodos posteriores que en los primeros (p. e., I R 22, 19-23; Is. cap. 6; Job. caps. 1 y 2; Is. 40-48 *passim;* Nh. 9, 6). Esto no demuestra en sí mismo la existencia de un politeísmo, sino de ángeles, demonios y santos en la teología judía o cristiana. En la fe constitutiva de Israel, Yahvéh nunca estuvo rodeado de o colocado en un panteón. En realidad, el hecho de que sea llamado «Elohim» (Dios en plural), constituye probablemente una indicación de que él *es* la totalidad de las manifestaciones de la divinidad (40). Se puede añadir que las divinidades patriarcales sobrevivieron sólo identificadas con Yahvéh, pero no como rivales o como dioses subordinados.

---

(39)   Esto no equivale, en modo alguno, a negar la posibilidad de que en el culto y la mentalidad de Israel no haya habido elementos con fondo mítico. Pero la concepción israelita de la realidad no era mito-poética. Sobre este tema, cf. B. S. Childs, *Myth and Reality in the Old Testament* (Londres, SCM Press, 1960); F. M. Cross, «The Divine Warrior» *(Biblical Motifs,* A. Altmann, ed., [Harvard University Press, 1966], pp. 11-30); también *Canaanite Myth and Hebrew Epic.*

(40)   Posiblemente de El (cf. El Sadday, El 'Olam, etc.) y de otras divinidades patriarcales. En las cartas de Amarna (cf. Pritchard, ANET, pp. 483-490), el vasallo se dirige con frecuencia al faraón llamándole «mis dioses, mi dios sol» con lo que indica que el faraón es su panteón. Cf. Albright, FSAC, pp. 213 s.; M. H. Pope, «El in the Ugaritic Texts» (VT, Suppl., vol. II [1955]), p. 20 s.

c. *¿Fue monoteísta la religión mosaica?* La cuestión es planteada con frecuencia, y probablemente es inevitable que así sea (41). Pero es una cuestión estéril hasta que no sean bien definidos los términos. Es preciso recordar que nosotros planteamos la pregunta según nuestras propias categorías de pensamiento y colocamos en ellas a un pueblo antiguo que no pensaba según estas mismas categorías. Si se habla de monoteísmo en sentido ontológico, entendiendo por tal la afirmación explícita de que sólo existe un Dios, se puede preguntar si la fe del primitivo Israel encaja en esta concepción. Pues aunque le estaba prohibido adorar otros dioses, fuera de Yahvéh, su literatura primitiva no niega explícitamente la existencia de otros dioses. Hay, además, pasajes donde la existencia de otros dioses parece ser ingenuamente supuesta (v. g., Ex. 18, 11; Jc. 11, 24; I S 26, 19) —aunque hay que notar que estos pasajes son casi tan frecuentes en períodos posteriores— cuando Israel era ciertamente monoteísta (p. e., Dt. 4, 19; Sal. 95, 3; 97, 9; II Cr. 2, 5) como en los primeros y pueden representar en buena parte una acomodación del lenguaje, como cuando nosotros hablamos de los dioses del Congo. Por otra parte, si queremos evitar la palabra «monoteísmo» nos será difícil encontrar otra más satisfactoria. Ciertamente la fe de Israel no fue politeísta. Ni siquiera un henoteísmo o una monolatría, ya que, aunque no se negaba expresamente la existencia de otros dioses, tampoco fue admitido su estado, indulgentemente, como de dioses. A causa de estas dificultades, muchos especialistas buscan un término de compromiso: monoteísmo incipiente, monoteísmo implícito, monoteísmo práctico, y otros semejantes.

Como decíamos antes, nos encontramos ante un problema de definición (42). Aunque la primitiva fe de Israel no era un monoteísmo en sentido filosófico, sí lo era probablemente de la única manera en que podía ser entendido en aquella situación. Israel no negaba la existencia de otros dioses (en el mundo antiguo los dioses eran realidades, y se veían sus imágenes en todos los templos), pero sí les negaba el status de *dioses*. Puesto que estaba obligado por alianza a servir sólo a Yahvéh y a él le atribuía todo poder y autoridad, Israel no podía dirigirse a los otros en cuanto dioses (cf. Dt. 32, 37 ss.). ¡El vasallo sólo podía tener un soberano! Los otros dioses se volvieron irrelevantes, fueron desplazados y se quedaron sin lugar en el pan-

---

(41) La defensa clásica del monoteísmo mosaico es la de Albright: FSAC, pp. 257-272; cf. también Wright, *ibid* (Ver nota 25). En fuerte desacuerdo, ver T. J. Meek. JBL, LXI (1942), pp. 21-42; *ídem*, JNES, II (1943), pp. 122 ss. Otros adoptan posturas intermedias: p. e. H. H. Rowley, ET, LXI (1950), pp. 333-338; ZAW, 69 (1957), pp. 1-21; Eichrodt, *Thelogie des alten Testaments*, vol. I (ver nota 18) pp. 141-146.

(42) Cf. G. E. Mendenhall, BANE, pp. 40-42; Wright, *The Old Testament and Theology*, pp. 107 s.; también C. J. Labuschagne, *The Incomparability of Yahweh in the Old Testament* (Leiden, E. J. Brill, 1966), p. 142-149.

teón. El único Dios de Israel era *Dios:* Yahvéh, que le había dado el
ser de pura gracia y bajo cuya única soberanía se había comprometido a vivir. A los otros dioses no se les concedía ni participación en la
creación, ni función en el cosmos, ni poder sobre los acontecimientos,
ni culto; fueron despojados de todo lo que les pudiera hacer dioses,
y convertidos en nonadas, en una palabra, fueron «adeificados».
Aunque tardaron siglos en delinearse todas las implicaciones del monoteísmo, en este sentido funcional Israel creyó en un solo Dios
desde el principio.

Qué influencia, si hubo alguna, tuvo el culto de Atón en la religión mosaica es una pregunta que no se puede constestar. Puesto
que floreció poco antes de Moisés, y puesto que alguno de sus rasgos
sobrevivió en la religión oficial de Egipto, es posible alguna influencia. Pero, si así fue, fue indirecta y no fundamental. En su estructura esencial el yahvismo fue tan poco parecido a la religión
egipcia como era posible.

d. *La prohibición de imágenes.* En agudo contraste con las religiones paganas, en las que la imagen del dios representaba su presencia
visible, el yahvismo fue anicónico; estaban absolutamente prohibidas
las representaciones de la divinidad. Esto está establecido, en su
forma clásica, en el segundo mandamiento y fue, ciertamente, un
rasgo de la fe primitiva de Israel. Este aspecto está en perfecta ar-
monía con todos los testimonios del Antiguo Testamento, los cuales,
aunque acusan repetidamente a Israel de hacerse ídolos de dioses
paganos, no dan ninguna clase de referencia a ninguna imagen de
Yahvéh (43). Aunque no podemos afirmar que nunca fuera hecha
ninguna, tal cosa debe haber sido, al menos, muy rara. Se han encontrado con frecuencia, por supuesto, en las ciudades israelitas, figurillas de diosas-madres (aunque son muy raras en las ciudades más
antiguas de Palestina central). Es probable que sólo fueran utilizadas
como objetos de encantamiento por el pueblo supersticioso, como una
ayuda en los partos, pero aun así testifican que el sincretismo se
mantenía tenazmente arraigado en Israel. Debe insistirse en el hecho
de que hasta ahora, las excavaciones no han aportado ni un solo caso
cierto de una imagen de Yahvéh (44). Esto es, ciertamente, un argumento en pro de la antigüedad y tenacidad de la tradición anicónica
del yahvismo. Si esto hace estéril, en el terreno del arte, la fe de Israel,

---

(43)   Como veremos más adelante, los becerros de oro erigidos por Jeroboam
(I R 12, 28 ss.) no eran imágenes de Yahvéh. Sobre la naturaleza anicónica de la
religión de Israel, cf. Albright, ARI, pp. 113-115; YGC, pp. 168-180.

(44)   Son totalmente desconocidas las imágenes masculinas. La imagen de
una divinidad masculina descubierta en lo que parece ser un complejo cúltico de
Jasor, del siglo XI, podría tal vez constituir la única excepción o, al menos, el
primer ejemplo de un santuario israelita idolátrico; cf. Y. Yadin, *Hazor* (Londres,
Oxford University Press, 1972), pp. 132-134 y lámina XXIV.

también le libró de concepciones sensibles de la divinidad, y le salvaguardó de la idea pagana de que el poder divino podía ser manipulado, para fines personales, mediante una imagen visible.

El primitivo Israel no espiritualizó, desde luego, a su Dios, ni le concibió de una manera abstracta. Por el contrario, le pensó en términos intensamente personales, empleando al mismo tiempo, para describirle, antropomorfismos que para nuestro gusto son ingenuos, si no ya crudos. Aunque este elemento es más importante en la primitiva literatura que en la posterior, se le encuentra en todos los períodos. Probablemente, ninguna religión llegó a concebir su divinidad de una manera tan personificada como Israel, evitando al mismo tiempo los antropomorfismos. La fe de Israel, con todo, no oscureció en ningún caso la distancia entre el hombre y Dios, el cual fue en todos los tiempos el santo y soberano Señor, al que de ninguna manera se puede acercar familiar o ligeramente.

e. *Naturaleza del Dios de Israel.* Además de todo lo anteriormente dicho, Yahvéh se diferenció de los dioses paganos por su naturaleza esencial. Los paganismos antiguos fueron religiones de la naturaleza, la mayoría de cuyos dioses eran identificados con los cuerpos celestes, o con las fuerzas y funciones de la naturaleza, o con la misma naturaleza, sin carácter moral particular. Sus hechos, tal como están descritos en el mito, reflejaban más bien el rítmico e inmutable orden de la naturaleza, del que dependía la vida de la sociedad terrena. Por medio de la re-actualización del mito y la ejecución de los actos rituales señalados para la renovación de los poderes cósmicos, se apelaba a éstos como a mantenedores del *status quo.* Aunque concebida como actuando en los sucesos, tal acción no era considerada ni como la base de una obligación de la comunidad, ni como una intencionalidad, sino más bien como algo cumplido o manifestado en perspectivas rituales. El antiguo paganismo no tuvo sentido alguno de una guía divina en la historia (45).

Yahvéh, por el contrario, era un Dios de tipo totalmente diverso. No fue identificado con ninguna fuerza natural, no fue localizado en ningún punto del cielo o de la tierra. Aunque tenía bajo su control los elementos (Jc. 5, 4s, 21) y los cuerpos celestes (Jos. 10, 12s), y guiaba las alas de la tempestad (Sal. 29), no fue nunca con-

---

(45) El carácter único de la fe de Israel bajo este aspecto ha sido discutido, especialmente por B. Albrektson, *History and the Gods* (Lund, C. W. K. Gleerup, 1967). No podemos abordar aquí esta cuestión; pero las reacciones contra unas opiniones que acentúan demasiado los contrastes no deben conducir al extremo contrario de olvidar las diferencias. El hecho cierto es que ninguno de los paganismos antiguos tuvo una concepción de la acción divina en la historia ni remotamente comparable con la de la Biblia; cf. la síntesis de B. S. Childs en JSS, XIV (1969), pp. 113-116. H. Gese, «Geschichtliches Denken im Alten Orient und im Alten Testament» (ZThK, 55 [1958], pp. 127-145) más que negar los contrastes lo que hace es definirlos con mayor precisión y claridad.

siderado ni como un dios-sol, ni como un dios-luna, ni como dios de las tormentas. Y aunque daba la bendición de la fecundidad (Gn. 49, 25s; Dt. 33, 13-16), no fue, en modo alguno, un dios de la fertilidad. Yahvéh gozaba de poder sobre toda la naturaleza, pero sin que existiera en él un aspecto de ésta más característico que otro. La naturaleza, en la fe de Israel, aunque no era considerada como desprovista de vida, fue despersonalizada y «desmitizada».

El poder de Yahvéh no fue, en efecto, asociado a las acciones constantes de la naturaleza, sino a los sucesos irrepetibles de la historia. Y en estos sucesos él obra intencionalmente. Al sacar a su pueblo de Egipto, mostró su poder salvador, mandando a todas las fuerzas de la naturaleza —plagas, agua del mar, viento, terremotos y tormenta— que sirvieran a su propósito. Además, socorre una y otra vez a su pueblo en sus peligros con sus acciones salvadoras (Jc. cap. 5). Y estas acciones poderosas de Yahvéh, coleccionadas y recitadas cultualmente, constituyeron la base de la obligación de Israel para con él (46). Aunque su culto pudo adquirir mucha importancia, y aunque pudo ser ejecutado mecánicamente, Israel no pudo nunca considerar el culto como una técnica para coaccionar la voluntad divina. Tampoco pudo dar lugar a la magia, aunque ésta sobrevivió en la práctica popular (p. e. Ex. 20, 7; 22, 18). Yahvéh no fue un mantenedor benigno de un *status quo* a quien se pudiera aplacar mediante ritos, sino un Dios que había llamado a su pueblo del *status quo* del duro cautiverio a un nuevo porvenir, y que exigía de ellos obediencia a sus justas leyes. La fe de Israel, así fundamentada en sucesos históricos, fue la única en el mundo antiguo que tuvo un sentido penetrante de los designios y de la llamada divina en la historia.

C. Constitucion del primitivo Israel: la liga tribal y sus instituciones

1. *La liga tribal israelita.* Durante unos doscientos años, desde el principio de su vida en Palestina hasta el nacimiento de la monarquía, Israel existió como un sistema de tribus (tradicionalmente doce), dotado de una tenue organización. A lo largo de todo este período, no tuvo ni un gobierno central ni un aparato de Estado. A pesar de ello, se las arregló para sobrevivir como una entidad consciente de sí misma, claramente separada de los vecinos de su entorno, logrando, además, una increíble cohesión incluso bajo las circunstancias más adversas. Es importante que nos detengamos un poco en este punto, ya que el sistema tribal de Israel se prolongó durante

---

(46)   Acerca de este rasgo fundamentel de la teología de Israel, ver G. E. Wright, *Got Who Acts* (Londres, S. C. M. Press, Ltd., 1952).

mucho tiempo y le prestó la estructura que llevó a su última forma normativa las tradiciones sagradas y las instituciones características del pueblo.

a. *Naturaleza del sistema tribal.* Este tema ha dado lugar a un amplio debate. Hace unos 50 años, Martín Noth avanzó la hipótesis de que había que entender al primitivo Israel como una anfictionía o confederación sagrada de doce tribus unidas en el culto de Yahvéh, análoga a organizaciones similares que existieron en Grecia, Asia Menor e Italia algunos siglos más tarde (47). Los puntos de vista de Noth fueron presentados de modo tan hábil y persuasivo que tuvieron una amplia aceptación y estuvieron durante algún tiempo a punto de alcanzar un total consenso. Sin embargo, recientemente han sido sometidos a una crítica devastadora por varios estudiosos y desde varios puntos de vista, lo que quizás muestre que la analogía ha sido llevada demasiado lejos (48). Para evitar confusiones, sería mejor prescindir del uso de la palabra «anfictionía» respecto del antiguo Israel; los paralelos, aunque clarificadores, son inexactos y, además, han sido traídos de un período posterior de otra cultura. Sin embargo, aunque la tesis de Noth requiere modificaciones, no podmos rechazarla en su totalidad demasiado apresuradamente (49). De hecho, el primitivo Israel parece haber existido como una liga sagrada de tribus que se fundaba en la alianza con Yahvéh. Esto es discutido y seguramente lo seguirá siendo, pero se tiene la fuerte sensación de que todavía no ha sido propuesta una explicación alternativa satisfactoria sobre el origen de Israel.

Ciertamente no podemos suponer que esta realidad que llamamos Israel se haya formado y mantenido frente a la adversidad, exclusiva o primariamente, mediante lazos de parentesco de sangre (50). Es un hecho que la Biblia traza la descendencia de todas las tribus remontándose al patriarca Jacob (Israel), y esto conduciría a

---

(47) M. Noth, *Das System der zwölf Stämme Israels* (BWANT, IV: 1 [1930], reimpreso Darmstadt, Wissenschaftliche Buchgesellschaft 1966).

(48) Entre los que la han criticado están: H. M. Orlinsky, «The Tribal System of Israel and Related Groups in the Period of the Judges» *(Oriens Antiquus*, I [1962], pp. 11-20); G. Fohrer, «Altes Testament - 'Amphiktyonie' und Bund?» (ThLZ, 91 [1966], cols. 801-816, 893-904; G. W. Anderson, «Israel: Amphictyony: 'am; kahal; 'edah.» H. T. Frank y W. L. Reed, eds., *Translating andUnderstanding the Old Testament: Essays in Honor of Herbert G. May* [Abingdon Press, 1970], pp. 135-151; R. de Vaux, EHI, cap. XXIII (vol. II, pp. 695-715); A.D.H. Mayes, *Israel in the Period of the Judges* (Londres, SCM Press, 1974); C.H. J. Geus, *The Tribes of Israel* (Assen-Amsterdam, van Gorcum, 1976).

(49) Cf. O. Bächli, *Amphiktyonie im Alten Testament* (Basilea, ed., Friedrich Reinhard, 1977), que parece una advertencia contra el rechazo de una hipótesis antes de haber encontrado otra mejor con que reemplazarla (cf. p. 181).

(50) Sobre éste y los párrafos siguientes hay que consultar algunos escritos de G.E. Mendennall, p. ej., «Social Organization in Early Israel» *(Mag. Dei*, cap. 6); «Tribe and State in the Ancient World: The Nature of the Biblical Community» *(The Tenth Generation*, cap. VII).

suponer que Israel era realmente una unidad de parentesco. Pero la terminología de parentesco se emplea frecuentemente en la Biblia para expresar una solidaridad social, un sentimiento de unión, que podía haber nacido de otros factores. El parentesco de sangre o la pertenencia a un tronco racial o lingüístico común ha sido pocas veces en la historia el factor determinante de la formación y conservación de unidades sociales y políticas más amplias. Lo que hace más al caso es que existen abundantes datos de que no todos los israelitas estaban realmente ligados entre sí por vínculos de sangre. Como vimos en el capítulo anterior y la misma Biblia lo deja bien claro, Israel —tanto los que vinieron del desierto como los que estaban ya en Palestina y entraron en su estructura— incluía elementos del origen más heterogéneo, que difícilmente podían proceder de un solo árbol familiar. Incluso las diferentes tribus representaban sin duda unidades territoriales más que familiares (aunque, naturalmente, mediante matrimonio, llegaron sin duda a crearse entre las tribus lazos de real parentesco). Por otra parte, nunca fue la sangre el tronco racial o la lengua lo que separó a Israel de sus vecinos más inmediatos (cananeos, moabitas, amonitas, edomitas, etc.), sino más bien la tradición (o, si se prefiere, la ideología) a la que estaba vinculado. Hablando teológicamente, se puede designar con justicia a Israel como una familia; pero desde un punto de vista histórico, ni sus orígenes, ni el proceso de su existencia pueden ser descritos en términos de parentesco de sangre.

Menos todavía podemos creer que el pueblo de Israel se hizo gradualmente, a través de un período de tiempo, al verse las tribus una y otra forzadas a emprender acciones conjuntas para responder a emergencias comunes. Tales emergencias eran bastante frecuentes; y la memoria de la ayuda dada y recibida puede haber durado generaciones, y puede haber contribuído mucho a estrechar los vínculos de sentimiento y cohesión de las tribus inmediatamente afectadas. Pero por este camino no se puede explicar la formación de Israel ni su voluntad obstinada de sobrevivir como pueblo. Las alianzas militares, tanto antiguas como modernas, son cosa notoriamente frágil; una vez pasadas las crisis que las ocasionan, estas alianzas se rompen. Si la unidad de Israel hubiera nacido como mero resultado de una coalición de cara al peligro, no habría aguantado más de lo que lo hicieron las alianzas de los reyes cananeos para responder a su invasión. Ciertamente el miedo constante de un peligro común intensificó el sentido de unidad de Israel, pero no pudo, por sí mismo, crearlo. En realidad, el canto de Débora (Jc. 5), del siglo XII, nos cuenta cómo en cierta ocasión, algunas tribus, que ya tenían pactos de unidad con otras más inmediatamente amenazadas, y por esta razón tenían que sentir la obligación de prestar ayuda, no hicieron honor a su compromiso. En este caso, no fue la emergencia común lo que creó la unidad. Antes de que el peligro golpeara, el sentido de unidad ya estaba presente y sobrevivió a pesar de que algunos de los elementos de la unión no cumplieron lo que se esperaba de ellos. La unidad de Israel como pueblo no se forjó en las crisis de los días de los Jueces (Jc. 5 nos cuenta seguramente una de las primeras), y sobrevivió, se puede decir, casi a pesar de ellas.

Finalmente, tampoco podemos buscar la explicación del fenómeno del primitivo Israel apelando a la común religión —en el sentido de que los elementos heterogéneos de los que se componía Israel habrían convergido en una unidad y se habrían hecho capaces de sobrevivir como pueblo distinto solamente por el hecho de rendir todos ellos culto a Yahvéh. Esta afirmación en modo alguno pretende minimizar la parte que le toca a la fe yahvista en la formación de Israel. Podemos creer que si un grupo de hebreos no hubiera pasado las experiencias del éxodo y del Sinaí y dirigido sus pasos hacia Palestina, llevando consigo una nueva fe, el catalizador que activó la formación de Israel no habría estado presente y el Israel de la Biblia nunca habría existido. Fue precisamente la fe yahvista la que, a través de los siglos, separó a Israel de sus vecinos como pueblo distinto. Pero no podemos apelar de una forma simplista a la religión común como explicación suficiente de la existencia de Israel. La religión común, por sí misma, raramente ha creado, en toda la historia, partiendo de elementos dispares, una unidad social y política más amplia con capacidad de larga permanencia; ni siquiera ha sido capaz de impedir que los correligionarios se combatieran entre sí. En el mundo en el que nació Israel, las relaciones entre grupos tribales estuvieron siempre amenazadas, sin que importara mucho qué fe religiosa profesaban. Cuando un nuevo grupo llegaba a la vecindad de otro, casi con toda seguridad estallaba la guerra, a menos que un acuerdo formal (tratado o alianza) facilitara las relaciones de buena vecindad. Yendo más a nuestro tema, hay que recordar que, si es cierto lo que decíamos en el capítulo anterior, no todos los miembros de Israel eran yahvistas desde el principio. El yahvismo fue traído del desierto por un grupo relativamente pequeño. La inmensa mayoría de los que llegaron a ser miembros de Israel eran antiguos habitantes del país, y no rindieron culto a Yahvéh hasta que, después de la conquista de la tierra, abrazaron la recién llegada fe. No hay que pensar que esto se hizo gradualmente, por conversión individual y como resultado de una actividad misionera en el sentido moderno. La única explicación satisfactoria es que aconteció en una solemne ceremonia de «conversión masiva» como la gran asamblea de Siquem que se describe en Jos. 24.

Admitimos que no se puede probar que la posición que aquí tomamos es la correcta: los datos a nuestro alcance no permiten hablar de prueba. Pero es una posición que ajusta perfectamente con estos datos y, además, nos proporciona una explicación creíble del fenómeno del primitivo Israel. Podemos admitir con cierta seguridad que Israel se constituyó en Palestina como una confederación de tribus unidas en alianza con Yahvéh.

b. *Funcionamiento del sistema tribal.* Al parecer, la liga tribal se formó poco tiempo después del final de la lucha por la tierra. En el período siguiente, encontramos a las tribus, por lo menos a la mayor parte de ellas, en posesión de las tierras que les habrían de pertenecer ya durante siglos. Conocemos estas posesiones tribales de un modo bastante preciso gracias a ciertas listas de límites que pueden leerse en Jos. 13-19, y que, a pesar de haber sido confeccionadas, posiblemente en los días de la monarquía, reflejan, según parece, una situación premonárquica (51). No describimos aquí estos límites, que pueden apreciarse muy bien en el mapa. En el interior de la confederación, las tribus parecen haber estado en pie de igualdad. El hecho de que la genealogía tradicional (Gn. 29, 16-30, 24; 35, 16-20), aunque traza la descendencia de todas las tribus desde el tronco común del antepasado Jacob, no las hace nacer a todas (Gad, Aser, Dan, Neftalí) de las legítimas esposas de Jacob, Lía y Rebeca, sino de las dos esclavas, Zilpá y Bilhá, puede hacer suponer que se percibía la existencia de desigualdades. Sin embargo, no hay nada en los relatos que autoricen esta suposición. Al contrario, algunas tribus de descendencia plena (Simeón, Rubén) perdieron pronto importancia, mientras que ciertas tribus de la línea de las concubinas como Neftalí y Dan (Jc. 4, 6; 13, 2 ss.) dieron jefes a Israel.

No podemos estar seguros de que los miembros de la liga fueran siempre los mismos, y tampoco sabemos si la liga constaba desde el principio de las clásicas doce tribus, o si originalmente era más pequeña y se completó con el tiempo su estructura. El hecho de que, en el canto de Débora, Manasés —o al menos una parte de él— fuera conocido entonces bajo el nombre de Makir (Jc. 5, 14; cf. Jos. 17, 1, etc.), mientras que la población de las tierras altas de Galaad —una mezcla de gaditas y elementos josefitas (Nm. 32; 39 ss.; Jos. 13, 24-31, etc.)— era designada como el clan de Galaad (Jc. 5, 17; 11, 1 s., etcétera), posiblemente indica, aunque no sea seguro, que el número de los miembros de la liga fluctuaba a través de los años. Todavía más, el hecho de que ni Judá ni Simeón sean mencionados en el canto de Débora puede indicar, como creen muchos, que en el siglo XII la liga tenía solamente diez miembros (52). Estas cuestiones no las

(51) Cf. Albright, ARI, pp. 119 s. Nosotros referimos solamente las listas de límites (Jos. 15, 1-12; 16, 1-3, 5-8; 17, 7-10; 18, 11-20, juntamente con materiales de los caps. 13 y 19), no las listas de ciudades; cf. especialmente, A. Alt, «Das System der to Stammesgrenzen im Buche Josua» (KS, I, pp. 193-202); también M. Noth, Das Buch Josua (HAT, 2.ª ed., 1953); más recientemente, Aharoni, LOB, pp. 227-239.

(52) Esto no es seguro. Puede ser simplemente que Judá, como estaba separado de las otras tribus por un cinturón de ciudades cananeas, no podía enviar

podemos resolver con seguridad, pero parece que el sistema clásico se estabilizó antes del fin del período, puesto que en la bendición de Jacob (Gn. 49; probablemente del siglo XI) aparecen las doce tribus (y Judá aparece también en la bendición de Moisés, que es ligeramente anterior; cf. Dt. 33).

El sistema tribal era, al menos desde nuestro punto de vista, extremadamente débil. El primitivo Israel no tenía aparato estatal, ni gobierno central, ni ciudad capital, ni sistema administrativo, ni burocracia. Las cláusulas de la alianza era lo único que mantenía la paz entre las tribus y garantizaba su acción conjunta. La sociedad tribal era patriarcal en su organización y sin la estratificación característica de la sociedad feudal cananea. Aunque los ancianos de los clanes, en virtud de su posición, se reservaban los litigios, de acuerdo con el proceder tradicional, y eran respetados por la prudencia de sus consejos, faltaba todo aquello que pudiera parecer un gobierno organizado. La confederación tenía su punto central en el santuario que guardaba el arca de la alianza, que residía en Silo, por lo menos al final del primer período. Allí acudían los componentes de las tribus los días de fiesta, para buscar la presencia de Yahvéh, renovar con él la alianza y dirimir los puntos litigiosos y de mutuo interés entre los clanes. Cada tribu estaba probablemente representada por su jefe, quizá el *nasí*, que, gracias a su posición, gozaba de una especial protección divina (Ex. 22, 28) (53).

Este sistema tribal no era probablemente único. Aunque no deben exagerarse ciertas analogías con las antifictionías griegas, un tipo u otro de confederaciones tribales eran comunes en el mundo de aquellos días y continuó siéndolo durante siglos (como se puede ver en los textos de Mari). Como indicábamos en el capítulo anterior (54), es probable que los medianitas, que tuvieron contactos con Israel en el desierto, constituyeran justamente una de esas confederaciones. Algunos estudiosos han pensado que ciertos templos aislados, de la edad de bronce, descubiertos cerca de Amán, en Siquem y en la ladera del monte Garizim, eran santuarios de las ligas tribales pre-israelitas (55). También puede ser, como ya hemos sugerido, que existiera en el centro-norte de la Palestina pre-mosaica una pequeña liga llamada «Israel». Y hasta es posible que las listas de doce tribus arameas (Gn. 22, 20-24), doce tribus ismaelitas (Gn. 25, 13-16), doce edomitas

---

ayuda, y por eso no se le menciona; cf. R. Smend, *Jahwekrieg und Stämmebund* (FRLANT, 84 [1963], pp. 12 s.; O. Eissfeld, CAH, II, 34 [1965], p. 15.

(53) Sobre los *nasi* cf. Noth, *Das System*, Excursus III. La naturaleza de este oficio es muy debatida; cf. E.A. Speiser, CBQ, XXV (1963), pp. 11-117; R. de Vaux, EHI, II, pp. 710-712; especialmente, Mendenhall, *Mag. Dei*, cap. 6 (cf. pp. 136, 146).

(54) Cf. p. 149, y nota 40, con sus referencias; también Mendenhall, *The Tenth Generation*, cap. IV (cf. p. 108).

(55) Cf. E. F. Campbell y G.E. Wright, BA, XXXII (1969), pp. 104-116.

(Gn. 36, 10-14), quizás de los seis hijos de Queturá (Gn. 25, 2), y
una lista de los clanes joritas (Gn. 36, 20-28), indiquen que semejantes federaciones existían por doquier entre los vecinos de Israel.
Desgraciadamente poco o nada conocemos sobre la estructura y funcionamiento de tales ligas. Pero podemos suponer que la liga israelita
difería de ellas menos en su forma externa que en su ideología, la
alianza con Yahvéh, fundamento de la existencia de Israel.

Donde mejor se puede ver el funcionamiento de la anfictionía
es en el libro de los jueces. Aquí vemos a los clanes manteniéndose en
una existencia precaria, rodeados de enemigos y sin Gobierno organizado de ninguna clase. En tiempo de peligro, se levantaba un juez
(šófet), un hombre sobre el que «caía el espíritu de Yahvéh» (p. e., Jc.
3, 10; 14, 6), que reunía a los clanes y rechazaba al enemigo. Aunque
Israel debió de tener alguna organización militar, no había ejército
permanente; el peso de la batalla recaía únicamente sobre los clanes
reunidos. Bien que no podían ser forzados a responder, ciertamente
estaban obligados a hacerlo, y eran maldecidos si no lo hacían (Jo. 5,
15-17, 23), ya que la llamada a las armas era la llamada a la guerra
santa de Yahvéh. Aunque los jueces gozaban de gran prestigio, no eran
de ningún modo reyes. Su autoridad no era ni absoluta, ni permanente, ni en ningún caso hereditaria; se apoyaba únicamente en sus
cualidades personales (el *charisma*) (56), que constituían la señal de
que sobre él reposaba el espíritu de Yahvéh. De hecho, cuando
Gedeón se negó terminantemente a aceptar la corona (Ju. 8, 22 s.),
y tal como muestra el sarcástico apólogo de Yotam, se rechazaba
como un insulto la idea misma de la monarquía. La autoridad de los
jueces respondía perfectamente a la fe y constitución del primitivo
Israel: el Dios-Rey, jefe directo de su pueblo a través del representante designado por su espíritu.

c. *Los orígenes del sistema tribal.* Por el canto de Débora (Jc. 5)
aparece claro que la anfictionía estaba en pleno funcionamiento en
el siglo XII. Así, pues, se puede suponer que fue definitivamente constituida poco después de la conquista, cuando diversos elementos sedentarios del país, reconocieron en Yahvéh al Dios que les había
dado la victoria sobre los señores de las ciudades, abrazaron la fe de
los nuevos venidos y, en solemne alianza, se obligaron también ellos
a ser pueblo de Yahvéh. Es probable, como ya hemos dicho, que el
relato del gran pacto de Siquem (Jos. cap. 24) nos presenta un cuadro de este suceso —la formación del pueblo de Israel en suelo palestino— o, al menos, un paso (tal vez entre otros varios) en esta dirección. Pero aunque el sistema tribal israelita no adquirió su forma
normativa hasta Palestina, sería equivocado suponer que fue aquí

---

(56) Esta feliz designación (original de Max Weber) ha sido brillantemente
aplicada y desarrollada por A. Alt: *Die Staattenbildung der Israeliten in Palästina* (KS,
II, pp. 1-65).

donde se originó la sociedad de la alianza. No es sólo que la liga tenía expresa conciencia de que su Dios procedía del Sinaí (p. e., Ju. 5, 4 s.; Dt. 33, 2), sino que sus tradiciones sagradas recordaban la alianza que había hecho con ellos en aquel lugar. Sería completamente extraño que la constitución definitiva de Israel en aquel tiempo se hubiera originado en Palestina. Y, en verdad, si no fue el núcleo de Israel ya en alianza con Yahvéh y recordador de sus actos poderosos, el que irrumpió en Palestina y obtuvo espectaculares victorias, es difícil comprender por qué, grupos de origen tan mezclado y geográficamente tan aislados, pudieron reunirse en una federación bajo el absoluto dominio de Yahvéh. Y con todo, que esto sucedió casi inmediatamente después de la conquista, es cierto.

Nos vemos, pues, obligados a suponer que los orígenes de la liga de la alianza, como los del yahvismo mismo, se remontan al Sinaí. La liga fue de hecho la expresión externa de la primitiva fe yahvista. Si el yahvismo se originó en el desierto (como así sucedió) podemos concluir lo mismo para la sociedad de la alianza, ya que yahvismo y alianza son correlativos. A menos que supongamos que el yahvismo fue traído a Palestina como una idea abstracta, o como una religión de la naturaleza que posteriormente cambió su carácter, debemos admitir que fue traído por un pueblo que estaba en alianza con Yahvéh. Ciertamente, la comunidad formada en el Sinaí no fue una liga tribal israelita en su forma definitiva, sino más bien una confederación de familias más pequeñas unidas entre sí. Podemos suponer, sin embargo, que cuando este núcleo, a lo largo de sus marchas, se multiplicó y proliferó del modo descrito en el capítulo precedente, consiguió considerables adhesiones de convertidos y llegó a constituir una formidable coalicción de clanes. Cuando este grupo se encaminó hacia Palestina y se estableció allí, elementos ya sedentarios fueron absorbidos dentro de su estructura a través de creencias como la alianza en el pacto de Siquem. Este fue, en algún sentido, un nuevo pacto, que se hacía con una nueva generación y con elementos que antes no habían sido adoradores de Yahvéh (Jos. 24, 14 s.). Pero fue también una reafirmación y extensión de la alianza hecha en el Sinaí, en la cual se fundamenta la existencia de Israel.

2. *Las instituciones de la liga tribal*. En el primitivo Israel, como en todas las sociedades, la religión encontró su forma de expresión en algunas instituciones tangibles. Las más importantes entre éstas son el santuario central de la liga, el culto con sus fiestas sagradas y, sobre todo, la ley de la alianza. Aunque no podemos estudiar a fondo todas estas instituciones, es necesario dar alguna noticia de ellas.

a. *El santuario central*. El centro focal de la liga israelita a lo largo de toda su historia fue el santuario que contenía el arca de la alianza, el trono de Yahvéh invisible. Al principio fue una tienda-santuario que tuvo, como el arca, sus orígenes en el desierto, como lo demuestra su peculiaridad de portátil y numerosos paralelos antiguos y modernos (57). Las fuentes del Pentateuco se refieren al santuario del desierto como «la tienda de Reunión», (*'ohel mô'ed*) —es decir, el lugar donde Yahvéh se reunía con su pueblo y le comunicaba su voluntad— o simplemente como «la tienda, el tabernáculo» *(miškam)*, con el peso de la presencia de Yahvéh «acampando» en medio de su pueblo (58). Nuestra descripción de este santuario (Ex, 25-31; 35-40) proviene del P y ha sido generalmente considerada como una proyección completamente idealizada del templo futuro a un lejano pasado. Es más posible, sin embargo, que la descripción se apoye en las tradiciones de la tienda-santuario erigida por David (II S 6, 17) que fue, a su vez, sucesora del santuario de la liga y, probablemente, copiada de él, aunque, sin duda, con retoques (59). Hay algunas pruebas (cf. I S 1, 9; 3, 3), de que la tienda fue remplazada con una estructura permanente antes del fin del período de los jueces. Pero si así fue, persistió el sentimiento de que la habitación de Yahvéh era propiamente una tienda (II S 7, 6 s.). No podemos dudar de que tanto la tienda-santuario portátil como el trono portátil del Dios-Rey (el arca), fueron herencia de la fe del primitivo Israel en el desierto.

El santuario central no fue, sin duda, exclusivo, ya que existieron otros santuarios que eran libremente tolerados. A causa de este hecho, y debido a que el tabernáculo es raramente mencionado en el período de los jueces, se pensó generalmente, en algún tiempo, que Israel no había tenido por entonces un culto central. Esto es ciertamente equivocado. No sólo los grandes santuarios de peregrinación fueron costumbre en la mayoría de los antiguos pueblos orientales, sino que la organización tribal de Israel —al igual que organizaciones semejantes en todas partes— exige un punto focal en un santuario central. Aunque no estaba excluida la adoración en otros lugares, el santuario del arca fue el santuario oficial de la liga tribal y el corazón de su vida social (60).

---

(57)   Acerca del santuario portátil de El mencionado en los textos de Ugarit cf. Albright, BASOR, 91 (1943), pp. 39-44; *ibid.*, 93 (1944), pp. 23-25. Para los restos del santuario-tienda madianita descubierto cerca de las minas de cobre de Timna, cf. supra, cap. 3 y las referencias allí dadas.

(58)   Para el tabernáculo, cf. especialmente F. M. Cross, BA, X (1947), pp. 45-68; también R. de Vaux, «Arche d'alliance et tente de réunion» *(Bible et Orient* [París, Les Editions du Cerf, 1967], pp. 261-276); *ídem, Ancient Israel* (trad inglesa, Londres, Darton, Longman and Todd; Nueva York, McGraw-Hill 1961; paperbach, 1965), pp. 294-302.

(59)   Cross, *ibid.* M. Haran (JBL, LXXXI [1962], pp. 14-24) argumenta que la descripción se refiere en definitiva a un santuario de madera y con cortinas que existía en Silo. Sobre las notables semejanzas entre un templo del siglo X descubierto en Arad y el tabernáculo descrito por la Biblia, cf. Y. Aharoni, BA, XXXI (1968), pp. 2-32.

(60)   Sobre la función del santuario del arca en la liga, cf. Mendenhall, *Mag. Dei.*, pp. 144 s.

La Biblia (Jos. 18, 1; Jc. 18, 31; I S 1, 3, etc.), coloca el centro tribal, después de la conquista, en Silo, lugar céntrico situado en Efraín, y según parece, de ninguna importancia anteriormente (61). Quizá fue elegido a causa de su carencia de asociaciones extrañas. No se sabe cuándo ocurrió esto. Las tradiciones relacionadas con Guilgal (Jos. 4, 5, etc.), así como su enorme prestigio (I S 11, 14 s.; 13, 4-15; Am. 5, 5), hace suponer que el centro tribal debió haber estado allí alguna vez, posiblemente durante la conquista (62). Es verosímil que el santuario de la anfictionía estuviera situado primero en Siquem y después en Betel (63). Pero no podemos estar seguro de ello. Aunque la ceremonia constitutiva de la liga fue celebrada en Siquem (Jos. 24), y aunque Siquem fue en todas las épocas un importante santuario, el hecho de tener antecedentes premosaicos parecía hacerle menos apropiado como lugar permanente para centro de la liga tribal. Por lo que respecta a Betal fue también un santuario importante, con lazos patriarcales, y ya hemos dicho que en una ocasión (Jc. 20, 26-28) estuvo allí el arca. Pero el arca fue llevada con frecuencia al campo, y la misma narración (Jc. 21, 21) coloca el campamento israelita en Silo. Aunque es bastante posible que el centro tribal fuera cambiado más de una vez, nuestras fuentes le colocan solamente en Silo. Y allí estaba cuando se llevó a cabo la liga tribal.

b. *Clero y culto*. Al frente del santuario central había un clero, presidido por un sumo sacerdote; este oficio, fue, según parece, hereditario (I S 1-3) (64). Esto era de esperar, ya que todas las naciones vecinas tenían clero organizado (el título de «sumo sacerdote» es conocido en Ras Šamra) y dado que, en realidad, así lo pedía una eficacia práctica. De seguro la teoría posterior de que todo el personal del culto debía ser levita, y todos los sacerdotes de la casa de Aarón, no vigía en el primitivo Israel. Los santuarios locales fueron ciertamente servidos por hombres de distintas genealogías e incluso pudieron oficiar no-levitas ante el arca, como sucedió con Samuel, quien a pesar de ser efraimita (I S 1, 1) ejerció los oficios sacerdotales en Silo (I S 2, 18 ss.) y en otros lugares (I S 9, 11-13; 13, 5-15). No obstante, es evidente que una rama levita adquirió un prestigio considerable. Los sacerdotes de Silo se proclamaron, según parece, descendientes de Moisés, como los de Dan (Jc. 18,30),

---

(61)   Sobre las excavaciones hechas en este lugar, cf. Marie-Louise Buhl y S. Holm-Nielsen, *Shiloh: The Danish Excavations at Tell Sailun, Palestine, in 1926, 1929, 1932, and 1963: The Pre-Hellenistic Remains* (Copenhague, Museo Nacional de Dinamarca, 1969).

(62)   Cf. H. J. Kraus, VT. I (1951), pp. 181-199, que cree que a Siquem le sucedió Guilgal.

(63)   Noth, HI, pp. 94 s. cree, por ejemplo, que primero fue trasladado de Siquem a Betel, luego a Guilgal y, finalmente, a Silo.

(64)   Para esta sección, cf. Albright, ARI, pp. 107-110.

mientras que los de Betel pretendían ser de la familia de Aarón (65). Un cierto efraimita se alegró de encontrar a un levita extraviado para que le sirviera de capellán (Jc. 17, 7-13). Leví ganó prestigio, sin duda, por el hecho de que el mismo Moisés fue considerado como de este clan, lo cual probablemente explica la preferencia por los sacerdotes levíticos, especialmente en el santuario de la liga. Por otra parte, «levita» era también una denominación funcional que significaba «uno comprometido por un voto»; y así, pudieron llegar a ser levitas hombres de cualquier clan dedicados a Yahvéh. En el transcurso del tiempo, fueron, de este modo, reconocidas como levitas, a causa de su función, muchas familias sacerdotales e individuos que no pertenecían a la línea de Leví, como sucedió con Samuel (I Cr. 6, 28).

En lo tocante a los sacrificios del primitivo Israel, no estamos bien informados, dado que nuestra principal fuente de conocimiento (Lv. 1-7) corresponde probablemente a la práctica posterior del templo (66). Pero, puesto que hay pocas cosas sobre la tierra más conservadoras que las relativas al culto, y puesto que el templo fue, como veremos, el sucesor del santuario de la liga tribal, la práctica posterior fue, probablemente, un desarrollo de prácticas primitivas, aunque ciertamente enriquecidas y aumentadas. Los textos de Ras Šamra y otras pruebas demuestran cómo el sistema sacrificial de Israel, aunque menos elaborado, tuvo numerosas semejanzas con el de los cananeos en lo referente a la ofrenda de animales y, en cierta medida, en la terminología y en la forma externa de diversos sacrificios (67). Alguna relación se debe dar por supuesta. En los días del desierto, el culto de Israel fue, sin duda, muy simple, pero es difícil probar (por Amós, 5, 21-27; Jr. 7, 21-23) que no hubiera absolutamente ninguno. Con el establecimiento en Palestina y la absorción de grupos sedentarios, junto con sus santuarios y tradiciones cultuales, el culto israelita, tomando algunos de estos elementos, quedó enriquecido. Esto, desde luego, entrañaba el peligro de una infiltración de ritos paganos y de la noción pagana de los sacrificios. Pero Israel no tomó indistintamente, sino que tendió más bien a

---

(65)   Sobre las casas sacerdotales rivales en el primitivo Israel, cf. la aguda disertación de F. M. Cross, *Canaanite Myth and Hebrew Epic*, pp. 195-215.

(66)   Pero cf. M. Haran, *Scripta Hierosolymitana*, VIII (1961), pp. 272-302, quien argumenta que el ritual de P refleja prácticas pre-salomónicas. Para el sacrificio en Israel, cf. R. de Vaux, *Studies in Old Testament Sacrifice* (Cardiff, University of Wales Press, 1964); H. H. Rowley, «The Meaning of Sacrifice in the Old Testament» (1950; reimp. *From Moses to Qumran* [Londres, Luttersworth Press, 1963], pp. 67-107; J. Pedersen, Israel: *Its Life and Culture*, vols. III-IV (Copenhague, P. Branner, 1940), pp. 299-375.

(67)   Cf. Albright, ARI, pp. 92-94; FSAC, pp. 294 ss.; R. Dussaud, *Les origines cananéennes du sacrifice israélite* (París, Presses Universitaires de France, 1941²). Con todo, no deben exagerarse las semejanzas: cf. J. Gray, ZAW, 62 (1949/50), pp. 207-220.

elegir solamente aquello que fuera compatible con el yahvismo y a llenarlo de un nuevo contenido. Así, el sacrificio humano y los ritos de la fertilidad no encontraron nunca acogida en el yahvismo constitutivo y la idea de sacrificio como alimento para el dios tendió a desaparecer en la penumbra. Además, la fe de Israel no permitió nunca aceptar la noción pagana de sacrificio como un *opus operatum*.

El culto de Israel primitivo, sin embargo, no se centraba en un sistema sacroficial, sino en determinadas grandes fiestas del año (68). El Código de la alianza enumera tres (Ex. 23, 14-17; 34, 18-24), en las cuales se esperaba que el adorador se presentase ante Yahvéh: la fiesta de los ácimos (y la Pascua), de las semanas y de la recolección. Todas estas fiestas eran más antiguas que Israel y a excepción de la Pascua, tenían un origen agrícola. Israel las tomó de otros. Y no es sorprendente que así lo hiciera. Lo notable es que Israel les diese tan pronto un nuevo significado, concediéndoles un sentido histórico. Dejaron de ser meras fiestas de la naturaleza y se convirtieron en ocasión de celebrar los poderosos actos de Yahvéh para con Israel. Es probable que estas fiestas, por razones prácticas, fueran celebradas tanto en santuarios locales como en Silo. Pero lo que está probado es una gran fiesta anual en Silo, a la que acudían los israelitas piadosos (Jc. 21, 19; I S 1, 3, 21). Aunque no se nos dice, se trataría probablemente, de la fiesta otoñal de la recolección, en el cambio de año. Es también sumamente probable, y muy posiblemente en conexión con esta fiesta anual, que hubiera un ceremonial normal de renovación de la alianza —cada año o cada siete años (Dt. 31, 9-13)— a la que acudirían los hombres de las tribus con sus tributos para el Dios-Rey, para escuchar el recitado de sus benévolas acciones y la lectura de la ley y renovar después, con las bendiciones y maldiciones, su juramento de alianza con él. Esto, y no el sacrificio, era el corazón de la vida cultural de la anfictionía. Su culto no fue, por tanto, una simple repetición ahistórica del material recibido, como sucedía en las religiones paganas, sino precisamente un rememorador de la historia.

c. *La ley de la alianza   su desarrollo.* Como sociedad fundamentada en la alianza, la ley de la alianza fue el factor central de la vida de Israel desde sus comienzos (69). Y, desde luego, la verdadera naturaleza de la sociedad de la alianza exige algún con-

---

(68)   Para estas solemnidades, cf. de Vaux, *Ancient Israel*, vol. II, pp. 484-506; Pedersen, *op. cit.*, vols. III-IV, pp. 376-465; H. J. Kraus, *Worship in Israel* (trad. inglesa, Oxford, Blackwell; Richmond, John Knox Press, 1966), pp. 26-70

(69)   Cf. A. Alt, «The Origins of Israelite Law» (trad. inglesa, *Essays on Old Testament History and Religion*, pp. 79-132); M. Noth, *The Laws in the Pentateuch and Other Studies* (trad. inglesa, Edimburgo, y Londres, Oliver and Boyd Ltd., 1966; Filadelfia, Fortress Press, 1967), pp. 1-107; cf. también las obras de Mendenhall citadas en la nota 20, *supra*.

cepto de ley. Elemento integrante de la fórmula de la alianza eran, como ya hemos visto, las cláusulas que el supremo Señor imponía a sus súbditos. Aunque estas cláusulas no constituyeron un código legal, tuvieron, no obstante, estatuto de ley; por ellas se regulaban las acciones de los miembros de la comunidad, tanto en lo referente a su Dios como entre sí. Y cuando se intentó aplicar esto a la situación diaria, se desarrolló inevitablemente una tradición legal. Es cierto, por tanto, que la ley en Israel representa, no un fenómeno tardío, sino algo cuyo origen es excepcionalmente antiguo. Siendo, de hecho, sus comienzos correlativos con los de la alianza con Yahvéh, podemos creer que se apoyan en la obra del mismo Moisés.

Como es bien sabido, la ley del Pentateuco muestras numerosas semejanzas con los códigos legales de Mesopotamia del segundo milenio (el código de Hammurabi y otros). Se debe admitir alguna conexión. Las leyes del Pentateuco, por lo que se refiere a la forma, se encuadran en dos grandes categorías: apodíctica y casuística. Esta segunda («si un hombre —entonces—», y otras semejantes), tiene amplios paralelos en otros códigos antiguos, tanto en la forma como en el contenido, y no es, en modo alguno, peculiar de Israel. La otra («tú harás/no harás»), por el contrario, tiene sus paralelos más cercanos en los tratados de vasallaje antes mencionados y puede admitirse que su lugar propio estuvo en la ceremonia de la alianza, donde se utilizó para exponer las cláusulas divinas (70). El decálogo, completamente apodíctico en la forma y expresado en su mayor parte en forma negativa, es un claro ejemplo de ello. No es propiamente un código legal, ya que ni previene todas las contingencias ni establece ninguna sanción, excepto la implícita de la ira de la divinidad. Establece, más bien, las cláusulas divinas, definiendo las áreas de conducta prohibidas (o mandadas) y dejando en camino libres otras áreas. Pero precisamente porque las cláusulas de la alianza no legislan casos particulares, podemos suponer que comenzó a desarrollar muy pronto una ley casuística (todavía en el desierto) (cf. Ex. 18, 13-27), según las circunstancias lo requerían. No se puede determinar en qué medida la legislación actual reproduce la forma original dada por Moisés y su generación. Pero no puede dudarse que Moisés fuera el gran legislador. Pues aunque ciertamente no escribió él todas las leyes del Pentateuco, como la tradición decía,

(70)   La tentativa de E. Gerstenberger, *Wesen und Herkunft des «apodiktischen Rechts»* (WMANT, 20 [1965]); también JBL, LXXXIV [1965], pp. 38-51) por situar a las prohibiciones apodícticas en el ethos tribal (es decir, en las instrucciones y amonestaciones que los jefes de familia transmitían a sus hijos), no ha sido coronada por el éxito; cf. la reseña de H. B. Huffmon, *Interpretation*, XXII (1968), pp. 201-204. Además, Gerstenberger *(Wesen und Herkunft*, pp. 50-54) minimiza sin razón la diferencia imperativa entre la prohibición prudente (*'al* con yusivo) y el mandamiento apodíctico *(lo'* con imperfecto); cf. mis observaciones, JBL, XCII (1973), pp. 185-204.

fue él quien estableció las cláusulas constitutivas de la alianza, a las que todas las leyes particulares se debían ajustar y cuya finalidad debían expresar.

En Palestina se encontró el yahvismo en una situación nueva. Su ley tuvo que expresar lo que la voluntad de Yahvéh quería en esta situación. Podemos suponer que a causa de esta necesidad tomaron de otros muchas tradiciones y fórmulas legales. Este préstamo no lo tomaron directamente de Mesopotamia, y aun menos de Canaán (la legislación de Israel no refleja en modo alguno la estratificación de la sociedad feudal cananea), sino probablemente de los pueblos absorbidos en su estructura y que pertenecían a la misma estirpe que la de sus propios antepasados, cuya tradición legal era, en último término, originaria de Mesopotamia. Tampoco esta aceptación de material legal fue indiscriminada. Unicamente fueron adoptadas aquellas maneras de proceder que eran compatibles con el espíritu del yahvismo (v. g., notar cómo el castigo de la mutilación cayó en desuso). Por otra parte, todo el conjunto fue sometido a la voluntad justiciera de Yahvéh, que es el mantenedor de la ley (v. gr., Ex. 22, 22-24). El código de la alianza (Ex. 21-23; cf. 34), que no es un código oficial del Estado, sino una mera descripción de los procedimientos judiciales normativos de Israel en la época de los jueces, es el mejor ejemplo de este proceso. En él son propuestos la mayoría de los mandamientos del decálogo, y son provistos de sanciones, en la mayor parte de los casos la muerte (v. g., Ex. 21, 15, 15; 22, 30), aunque el hurto requiere solamente la restitución (Ex. 22, 1-4) y se hace distinción entre el homicidio y el asesinato (Ex. 21, 12-14). Pero hay también un conjunto de otras determinaciones, muchas de ellas con paralelos en otros códigos, a través de las cuales se expresaba en una situación concreta el espíritu de la alianza de Yahvéh.

Considerando el procedimiento judicial de esta época, podemos suponer que la justicia era dictada normalmente por los ancianos del pueblo, en conformidad con la tradición. Los sacerdotes eran llamados a juzgar los casos más difíciles, por medio del oráculo o de la ordalía (cf. Nm. 5, 11-31; Dt. 17, 8-11), y también por poseer un mayor conocimiento de la ley. Según parece, el dar instrucciones relativas a la ley y a sus aplicaciones, fue primitivamente una función levítica. Los llamados jueces menores (Jc. 10, 1-5; 12, 7-15), también parecen haber representado un papel directivo en la administración de la ley. Sin poseer el carácter carismático de los demás jueces, fueron elegidos como funcionarios de la liga, cuya función fue interpretar la ley de Yahvéh para todo Israel y dirimir las controversias surgidas entre las tribus (71). De todo esto se deduce claramente

---

(71) Cf. M. Noth, «Das Amt des 'Richters Israels'» (1950; reimpr. *Gesammelte Studien zum Alten Testament*, vol. II [Munich, Chr. Kaiser Verlag, 1969], pp. 71-85).

que la anfictionía, aunque no debe ser confundida con la comunidad
de la ley postexílica, fue una sociedad basada, desde sus comienzos,
en la ley.

D. Historia de la liga tribal: epoca de los jueces

1. *Situación del mundo ca.* 1200-1050 *a C* Podemos admitir que
la ocupación israelita de Palestina se había completado, y que
la confederación tribal estaba formada, lo más tarde, a mediados
del siglo XII. Como hemos visto, Egipto estaba en ese momento muy
debilitado. Después de haber logrado rechazar, bajo Menefta
(ca. 1224-1211) a los Pueblos del Mar, entró en el período de confusión inherente al colapso de la Dinastía XIX, durante el cual Egipto
perdió el control efectivo sobre sus posesiones en Asia. Esto dio a Israel
la oportunidad de establecerse firmemente en su país. Aunque Egipto
se movilizó muy pronto para afirmar de nuevo su autoridad, no lo
pudo hacer de una manera permanente y el imperio llegó rápidamente a su fin.

a. *La Dinastía XX: fin del imperio egipcio.* El orden fue finalmente
restablecido en Egipto cuando subió al poder la Dinastía XX, bajo
Set-naht y su hijo Ramsés III (ca. 1183-1152) (72). Con este último,
que trabajó vigorosamente por recuperar el prestigio egipcio en Asia,
pareció iniciarse un nuevo período imperial. Aunque no están claros
los pormenores de sus operaciones (se jacta de haber llevado a cabo
amplias campañas al norte de Siria, respecto de las cuales los especialistas se muestran altamente escépticos, por decirlo con palabras
suaves) (73), Ramsés coronó ciertamente con éxito su propósito de
restablecer el control egipcio en la llanura de Esdrelón, donde fue
reconstruida la fortaleza de Bet-šán.

Sólo conjeturas se pueden hacer acerca de cómo hubiera sido
la historia de Israel de haber tenido éxito Egipto en el restablecimiento de su imperio. Pero no sucedió esto. Egipto tuvo que soportar muy pronto una serie de fuertes ataques llevados a cabo por los
Pueblos del Mar, así como por los libios y las tribus aliadas, que le

---

(72)   Las fechas de este período son muy inciertas. Las que damos aquí
siguen a W. Helck, *Geschichte des Alten Agyptens* (HO, I:3 [1968]), pp. 193-205.
Pero si la ascensión al trono de Ramsés II se sitúa en el 1304 mejor que en el 1290
(cf. supra, cap. 3, nota 1), entonces la de Ramsés III debe situarse entre el 1200
y el 1195.

(73)   Sobre las listas de Medinet Habu de Ramsés III cf. M. C. Astour,
JAOS, 88 (1968), pp. 733-752.

dejaron exhausto. Estos pueblos, algunos de cuyos contingentes habían sido rechazados por Menefta, estaban ahora en plena acción, habían sometido la costa este del Mediterráneo y sembraban la destrucción hasta el sur de Palestina, donde tal vez algunos de ellos se habían establecido ya con anterioridad, como tropas de guarnición al servicio de los faraones. Por esta época, iniciaron, junto con sus mujeres, sus hijos y sus bienes, la marcha hacia el sur por tierra y mar, en un formidable movimiento migratorio que amenazaba tanto las posesiones egipcias en Asia como al propio Egipto. En el año octavo de Ramsés se libró una batalla naval en las bocas mismas del Nilo. Entre estos Pueblos del Mar, Ramsés enumera a los Peresata (Pelasata), es decir, los filisteos, así como a los Danuna (daneos), Wašaša, Šakaruša y Tjikar (Tjikal) quizá los Sikil (¿sicilianos?) de la Odisea (74). No podemos narrar al detalle las diferentes batallas. Aunque Ramsés se gloría de las victorias en cada ocasión, y aunque ciertamente logró rechazar la ola invasora, Egipto se salvó a duras penas. Falto de fuerzas para arrojar a los invasores de Palestina, el faraón se vio obligado a hacer de la necesidad virtud, permitiendo a algunos de ellos (filisteos, Tsikal y tal vez algunos otros) establecerse allí como vasallos, empleándolos como mercenarios de las guarniciones, tanto de Palestina como de Egipto (75). De este modo, los filisteos —que por una ironía del destino, darían su nombre a Palestina—, aparecieron en escena tan sólo unos pocos años, como mucho, después de la llegada de Israel.

El imperio egipcio no se recobró nunca. Agotado por las guerras, empobrecida cada vez más su economía por las pródigas donaciones a los templos, cuyas enormes posesiones estaban libres de impuestos, la situación interna de Egipto no era saludable. Y así, cuando Ramsés III fue asesinado, se precipitó el final. Sus sucesores, de Ramsés IV a Ramsés XI (ca. 1152-1069), se mostraron uniformemente inadecuados a la situación. Aunque los derechos egipcios en Palestina fueron mantenidos por algún tiempo (ha sido encontrada en Meguiddó una estatua con una inscripción en su base a Ramsés VI), comenzaron, poco a poco, a convertirse en mera teoría y pronto desaparecieron por completo. La historia de Wen-Amón (ca. 1060) ilustra gráficamente el colapso del prestigio egipcio (76); aun en Bi-

---

(74) Para el asentamiento de los Pueblos del Mar en Palestina, cf. Albright, *ibid.*, pp. 24-33; G. E. Wright, BA, XXII (1959), pp. 54-66; *ibid.*, XXIX (1966), pp. 70-86. Cf. además lo dicho en el cap. III y las referencias dadas en este lugar.

(75) Para el texto, cf. Pritchard, ANET, pp. 25-29; respecto de las discusiones, cf. Albright, «The Eastern Mediterranean About 1060 B.C.» *(Studies Presented to David Moore* [Washington University, vol. I, 1951], pp. 223-231).

(76) Para el texto, cf. Pritchard, ANET, pp. 25-29; para la discusión, cf. Albright, «The Eastern Mediterranean About 1060 B. C.» *(Studies Presented to David Moore Robinson* [Washington University, vol. I, 1951], pp. 223-231).

blos, durante largo tiempo tan egipcia como el mismo Egipto, el embajador real fue recibido con burlas y grave insolencia. En el mismo Egipto la ley y el orden estaban quebrantados; las tumbas de los faraones llegaron a ser saqueadas. La Dinastía XX llegó a su fin ca. 1069. y ocupó su lugar la XXI (tanita). Pero esta Dinastía, en rivalidad con los sacerdotes de Amón, que habían llegado a ser tan poderosos como los mismos faraones, y prácticamente independientes, fue igualmente incapaz. Un Egipto tan debilitado internamente no pudo hacer nada por recuperar su posición en el extranjero. Sus días como imperio estaban contados.

b. *El oeste asiático en los siglos XII y XI.* No existía ningún poder rival que heredase los despojos de las posesiones asiáticas de Egipto. El imperio hitita había desaparecido. Asiria, que en el siglo XIII estaba en la cumbre de su poderío, entró, con el asesinato de Tukultininurta I (ca. 1197) en un siglo de debilidad durante el cual llegó a ser oscurecida por la sombra de Babilonia, que por esta época (ca. 1150) estaba de nuevo regida por una dinastía nativa. Es cierto que Asiria conoció un breve resurgimiento bajo Tiglat-Piléser I (ca. 1116-1078) que conquistó Babilonia y cuyas campañas le llevaron por el norte hasta Armenia y Anatolia y por el oeste hasta el Mediterráneo en la parte norte de Fenicia. Esto, sin embargo, no fue duradero; a su muerte Asiria comenzó a vacilar de nuevo y se hundió en la decadencia durante casi doscientos años. La razón de todo esto hay que atribuirla en gran parte a los arameos que, por este tiempo, iban aumentando su presión en todas las partes del Creciente Fértil. Siria y la alta Mesopotamia llegaron a tener una por blación predominantemente aramea. Las arameos establecieron pronto en estas regiones una serie de pequeños Estados, entre los que se encuentran Šam'al, Karkemiš, Bet-eden y Damasco. Asiria, también sometida a esta infiltración, apenas fue capaz de defender sus fronteras, y menos aún de salir a campaña fuera de su territorio. Cualesquiera que fueran los problemas a que el naciente Israel tuviera que hacer frente, estaba libre para continuar su desenvolvimiento sin amenaza de ninguna potencia mundial.

Canaán, mientras tanto, falta del apoyo del poder imperial, había recibido un terrible golpe. Los israelitas ocuparon las tierras montañosas de Palestina y los Pueblos del Mar la mayor parte de la costa, mientras que el hinterland de Siria fue ocupado progresivamente por los arameos. Aunque sobrevivieron aquí y allá algunos enclaves cananeos, y sin duda muchas áreas tuvieron restos de población cananea, los cananeos perdieron la mayor parte de sus posesiones en el campo. Es verdad que las ciudades fenicias conocieron un asombroso resurgimiento; hacia la mitad del siglo XI Biblos y otras ciudades eran de nuevo florecientes centros de comercio. Pero el gran oeste, la expansión colonial fenicia, comenzaría algo más tarde.

El centro de gravedad de los filisteos, que dominaban la costa de Palestina y ocupaban algunos puntos estratégicos en la llanura de Esdrelón, era una pentápolis constituida por Gaza, Ascalón, Ašdod, Eqrón y Gat, cada una de las cuales estaba gobernada por un *tirano* (seren). Asentados originariamente como vasallos del faraón o como mercenarios, es muy probable que fueran de hecho independientes, al desaparecer el poder egipcio. Aunque mantuvieron un floreciente comercio terrestre y marítimo y durante largo tiempo cultivaron los contactos con su antigua patria, se adaptaron pronto a su nuevo entrono y fueron asimilando progresivamente la religión y la cultura cananeas. Estudiaremos más tarde la crisis en que ellos sumirán a Israel. Aunque estos dos pueblos no llegaron inmediatamente a las manos, podemos suponer que cuando los filisteos presionaron a lo largo de sus fronteras, ocupando ciudades como Guézer y Bet-Šemes, el choque se hizo inevitable. Los filisteos gozaban de un monopolio local de la manufactura del hierro, secreto que probablemente habían aprendido de los hititas, quienes habían retenido igual monopolio. Esto les daba una tremenda ventaja que, como veremos, supieron explotar.

2. *Israel en Canaán: los dos primeros siglos.* Nuestros conocimientos sobre las vicisitudes de Israel durante la fase inicial de su vida en Palestina provienen casi exclusivamente del libro de los jueces. Y dado que este libro se nos presenta como una serie de episodios independientes, la mayoría de los cuales no pueden ser relacionados con alguna precisión con sucesos externos, se hace imposible escribir una historia continua de este período. No obstante, la impresión que se obtiene —de una lucha continua, aunque intermitente, alternando los períodos de paz con las épocas de crisis tanto internas como externas— es completamente auténtica. Ello concuerda perfectamente con las pruebas arqueológicas, que muestran que los siglos XII y XI fueron más revueltos que ningún otro en la historia de Palestina. La mayor parte de sus ciudades fueron destruidas, y algunas de ellas (por ejemplo, Betel) varias veces, durante este período (77).

a. *Posición de Israel en Palestina: adaptación y ajustamiento.* Las posesiones de Israel no constituyeron una perfecta unión territorial. Aunque las áreas montañosas de Palestina estaban en gran parte en sus manos, no pudo, por guerrerar a pie, aventurarse en la llanura para hacer frente a los carros de guerra patricios de aquellas ciudades-Estado (v. g., Jos. 17, 16; Jc. 1, 19). Tanto la banda costera, como la llanura de Esdrelón, quedaron fuera de su control (78). Al establecerse allí los israelitas, parte se entremezclaron con los

---

(77)   Cf. Albright, AP, pp. 110-122; Wright, BAR, cap. VI, para las pruebas.
(78)   Si Jueces 1, 18 es correcto debe ser considerado como pre-filisteo y contemporáneo. Pero LXX contradice al TM en este punto.

cananeos (Jc. 1, 31 ss.), parte se les sometieron (Gn. 49, 14 ss.) Incluso en la montaña quedaron enclaves cananeos (v. g., Jerusalén).

Esta situación colaboraba con los factores geográficos para poner en acción fuerzas centrífugas. Las tribus galileas estaban separadas de sus congéneres por las posesiones cananeas de Esdrelón. Entre las tribus del este y del oeste se extendía la profunda fosa del Jordán. Y aun en el mismo centro de la región montañosa, donde las comunicaciones están cortadas por innumerables valles laterales, el terreno era tal que favorecía la formación de pequeños cantones, cada cual con sus costumbres locales, tradiciones y dialectos. Podemos suponer, por tanto, que los cultos locales, muchos de ellos con tradiciones patriarcales, ejercieron un efecto localizador en la vida religiosa y tendió a considerar como menos importante el santuario del arca, especialmente en aquellos que residían lejos. Los intereses locales tendieron, naturalmente, a ser preferidos al bien común. No es sorprendente, por tanto, que la unión de los clanes estuviera generalmente en relación directa con la proximidad del peligro, ya que las contingencias a que Israel tuvo que hacer frente fueron, en su mayoría, de carácter local. Estos factores sirven para aclarar la impresión de extrema desunión que refleja el libro de los jueces. En realidad, a no ser por el poder espiritual de la liga de la alianza con sus instituciones peculiares, Israel apenas hubiera podido mantenerse unida.

La época de los jueces constituyó para Israel una etapa de adaptación y ajustamiento. Pero, en contra de lo que tal vez muchos nos hemos acostumbrado a imaginar, no debemos concebir este período como una transición gradual a la vida sedentaria de grupos nómadas del desierto no habituados a cultivar el suelo. Como ya se ha hecho notar en páginas anteriores, la mayoría numérica de los que entraron a formar parte de la liga tribal israelita llevaban ya desde tiempo atrás un género de vida sedentaria en el país y para ellos no hubo tal período de transición. Pero ni siquiera los israelitas que procedían del desierto eran nómadas auténticos. En su mayor parte eran hebreos con largos años de experiencia sedentaria como esclavos del Estado de Egipto. No idealizaron el desierto, ni se lo imaginaron como su hábitat natural; sus tradiciones sagradas lo recordaban más bien como un lugar lleno de peligros, en el que habrían perecido sin remedio si su Dios no les hubiera salvado repetidas veces. Debemos recordar, con todo, que la mayoría de los miembros de la liga israelita procedían de los estratos más bajos y más oprimidos de la sociedad y que su pobreza rayaba en la desesperación; no había entre ellos miembros de la casta feudal y eran pocos los artesanos hábiles. La pobreza de este pueblo y su falta de conocimientos técnicos quedan bien ilustradas por el hecho, ya antes apuntado, de que sus ciudades eran increíblemente toscas y vacías de pruebas de cultura material. No obstante, la época de los jueces testifica una mejora lenta pero significativa de la economía de Israel. La introducción, por este tiempo, de caravanas camelleras para el transporte por el desierto y la expansión del comercio por el mar, en el que parece que intervinieron algunas tribus israelitas (Jc. 5, 17), contribuyeron indudablemente a la prosperidad general. El descubrimiento del barro cocido para recubrir las cisternas, de que ya hemos hablado, permitió a los terrenos montañosos soportar una creciente densidad de población; fueron construidas numerosas ciudades donde antes no había existido ninguna. Se consiguió una tierra adicional para el cultivo mediante la tala de bosques que cubrían la mayor parte de las tierras montañosas al este y al oeste del Jordán (Jos. 17, 14-18).

La adaptación se realizó también en niveles más profundos. Como ya queda dicho, hubo una gran apropiación, principalmente, sin duda, a través de los diferentes elementos absorbidos en la estructura de Israel, en lo tocante a procedimientos legales y formas de sacrificio. Fueron adaptadas, y sirvieron de vehículo a la fe yahvista, las tradiciones ancestrales conservadas desde antiguo en el país. Mucho más serios, con todo, fueron los comienzos de tensión con la religión cananea. Esto era inevitable. Algunos de los elementos absorbidos por Israel eran cananeos y otros lo eran al menos en parte, en razón de la cultura cananea. Y aunque, como miembros de Israel, todos se convirtieron en adoradores de Yahvéh, muchos de ellos, sin duda, siguieron siendo paganos en su corazón. Podemos suponer también que los santuarios locales perpetuaron prácticas premosaicas que, en su mayoría, estaban poco conformes con el yahvismo. Era inevitable que algunos israelitas consideraran la religión agrícola como una parte integrante de la vida campesina y comenzaran a invocar a los dioses de la fertilidad. Otros, sin duda, acomodaron el culto de Yahvéh con el de Ba'al, y aun llegaron a confundirlos. El libro de los jueces es, indudablemente, exacto al describir este período como de irregularidad teológica.

b. *Carisma y gobierno.* Muy poco es lo que podemos añadir a lo que la Biblia nos narra acerca de los diversos jefes, llamados jueces, que surgieron en este período para salvar a Israel de sus enemigos. Aunque el orden en que son presentados parece ser, más o menos, cronológico, no podemos señalar fecha precisa para ninguno de ellos. Los jueces no tuvieron, en modo alguno, idéntica fisonomía. Alguno (v. g. Gedeón), se lanzó a cumplir su tarea bajo el imperativo de una profunda experiencia de vocación divina; otro (Jefté), no fue más que un bandolero que supo cómo obtener una estipulación ventajosa; otro (Sansón), fue un simpático embustero, cuya fabulosa fuerza y picarescas travesuras llegaron a ser legendarias. Ninguno, al menos por lo que sabemos, condujo a todo Israel a la batalla. Todos, sin embargo, parecen haber tenido una cosa en común; fueron hombres que, destacando en tiempo de peligro, unieron a los clanes contra el enemigo en virtud únicamente de ciertas cualidades personales (carismas) que probaban ante sus compatriotas que el espíritu de Yahvéh estaba con ellos.

Del primer juez Otniel (Jc. 3, 7-11), se dice que rechazó la invasión de Cušan-rišathaim de Aram-naharaim. Quién sea este invasor se desconoce; incluso su nombre está retocado (Cušán de doble iniquidad). Dado que Otniel era del sur del país, algunos han supuesto que esta amenaza vino de Edom (Aram y Edom se confunden fácilmente en hebreo y en Hab. 3, 7, Cušan aparece en paralelismo con Madián) (79). Sin embargo, dado que por una lista de Ramsés III se conoce en el norte de Siria (Aram) un distrito de Qusana-ruma (Kušânrom), la invasión pudo venir también de esta región, posiblemente a principios del siglo XII, durante la confusión que acompañó a la caída de la Dinastía XIX (80). Pero no podemos estar seguros.

Es probable que la victoria de Ehúd contra Moab (Jc. 3, 12-30), ocurriera a principios del siglo XII. La tierra moabita situada al norte del Arnón había sido, antes de la llegada de Israel, ocupada por Sijón el amorreo (Nm. 21, 27-30), al cual, a su vez, se la arrebató Israel, siendo ocupada, en consecuencia, por Rubén (Jos. 13, 15-23). Parece que Moab no sólo recobró esta tierra, sino que atravesando el Jordán penetró en territorio benjaminita. Aunque los moabitas fueron rechazados, no sabemos si también fueron arrojados de la tierra de los rubenitas o no. Es posible que Rubén, que pronto dejó de existir como clan efectivo, fuera completamente eliminado en el curso de estos sucesos (81).

De Šamgar (Jc. 3, 11), no conocemos prácticamente nada. No es llamado juez y al parecer ni siquiera era israelita (82). Sin embargo, su mención en Jc. 5, 6 demuestra que fue una figura histórica, que surgió antes de Débora, acaso en la primera mitad del siglo XII, cuando los Pueblos del Mar comenzaban a penetrar en el país. Es probable que fuera un reyezuelo de la ciudad de Bet-Anat en Galilea,

---

(79) Cf. también Kušu en los Textos de Execración: Albright, BASOR, 83 (1941), p. 34.

(80) Cf. Albright, ARI, pp. 110, 205, nota 49; M. F. Unger, *Israel and the Arameans of Damascus* (Londres, James Clake & Company, Ldt., 1957), pp. 40 ss.; también A. Malamat, JNES-XIII (1954), pp. 231-242, que identifica a Cušanrišathaim con un usurpador semita que gobernó en Egipto per este tiempo.

(81) Pero también es posible que tuviera lugar durante los disturbios de los días de Jefté; cf. A. H. van Zyl, *The Moabites* (Leiden, E. J. Brill, 1960), p. 133.

(82) El nombre parece ser hurrita; cf. J. M. Myers, IB, II (1953), p. 711 para la discusión del problema y las referencias; también Albright, YGC, p. 43. Para otras explicaciones del nombre y la función histórica de esta enigmática figura, cf. F. C. Fensham, HNES, XX (1961), pp. 197 s.; Eva Danelius, JNES, XXII (1963), pp. 191-193; A. van Selms, VT, XIV (1964), pp. 294-309; B. Mazar, JNES, XXIV (1965), pp. 301 s.; Aharoni, LOB, pp. 208, 244; P. C. Craigie, JBL, XCI (1972), pp. 239 s.

quizá jefe de una confederación que, rechazando a los filisteos, se salvó a sí mismo y a Israel.

La victoria de Débora y Baraq (Jc. 4-5), aunque de datación discutida, puede colocarse muy bien, a la luz de las pruebas arqueológicas, ca. 1125 (83) o un poco antes. Como ya hemos indicado, Israel nunca pudo llegar a dominar la llanura de Esdrelón, que fue como una cuña que le dividía casi en dos mitades. En el siglo XII, la confederación cananea que dominaba la región, en alianza quizá con elementos egeos (a los que pudo haber pertenecido Sísara), reprimieron duramente a los vecinos clanes israelitas, reduciendo a alguno de ellos a esclavitud (Gn. 49, 14 ss.). Se hizo un llamamiento general de tropas a la que respondieron los clanes desde el norte de Benjamín hasta Galilea (Jc. 5, 14-18), aunque algunos no respondieron inmediatamente, mostrando una notable falta de entusiasmo. Se obtuvo la victoria cuando un aguacero torrencial inutilizó los carros canaeos, permitiendo a los infantes israelitas hacer una matanza entre sus ocupantes (84). Aunque esto no dio a los israelitas el dominio de Esdrelón (Betšan, por ejemplo, permaneció fuera de su control, pudieron ahora moverse libremente y establecerse allí sin ser molestados por algún tiempo.

Las actividades de Gedeón (Ju. 6-8) deben situarse también, probablemente, en el siglo XII, pero son inciertas sus relaciones con Débora y Baraq (85). Ya hemos dicho que Esdrelón y las tierras montañosas adyacentes estaban sometidas a frecuentes correrías de nómadas camelleros procedentes del desierto: madianitas, junto con amalecitas y los Bené-Quedem (6, 1-6). Este es el primer ejemplo de tal fenómeno de que tenemos noticia. La domesticación efectiva del camello había sido efectuado algo antes, en el interior de Arabia y se había extendido ya a las confederaciones tribales del sur

---

(83) La batalla se libró en Tanak (Ju. 5,19); el lenguaje implica que esta ciudad existía por aquel tiempo. Ahora bien, tanto Tanak como Meguiddó fueron violentamente destruidas ca. 1125 o un poco antes, y ya sólo eran ruinas. Tanak durante más de un siglo. Resulta tentador asociar la destrucción de estas ciudades con la victoria de Baraq; cf. P. W. Lapp, BA,XXX (1967), pp. 2-27 (especialmente 8 y s.). Con todo, Y. Aharoni fecha la batalla en el siglo XIII; BA, XXXIX (1976), p. 75.

(84) Para la relación entre los dos relatos de los cap. 4 y 5 cf. los comentarios. La mención del rey de Jasor en el cap. 4 parece una intrusión, ya que esta ciudad fue destruida por los israelitas aproximadamente un siglo antes (cf. Jos. cap. 11) Para otra explicación, cf. Aharoni, LOB, pp. 200-208; cf. Y. Yadin, *Hazor* (Londres, Oxford University Press, 1972) pp. 131 s.

(85) Ju. 9, 42-49 nos informa de que Abimélek, hijo de Gedeón, destruyó Siquem y el templo de El-Berit allí existente. Las excavaciones han revelado que Siquem y su área sacra fueron destruidas —y la segunda nunca ya reconstruida— antes del final del siglo XII. Esta destrucción debe relacionarse con la acción de Abimélek; la actividad de Gedeón fue algo anterior. Cf. G. E. Wright, *Shechem* (McGraw-Hill, 1965), pp. 78, 101 s., 128, etc.; más resumidamente, *ídem*, AOTS, pp. 355-370.

y este de Palestina, dándoles una movilidad tal como nunca antes habían tenido. Los israelitas, atemorizados por estas bestias terribles, fueron presa del pánico. Y puesto que las incursiones se producían, según parece, anualmente por el tiempo de la recolección, la situación se hizo pronto desesperada; de no haber sucedido algo, muy bien hubiera podido Israel ser arrojado de su tierra. Gedeón, un manasita y —a pesar de su nombre «Yerubbaal»— hombre henchido del celo por Yahvéh (6, 25-32), provocó la ocasión. Juntando su propio clan y los vecinos (6, 34 ss.; 7, 23) cayó sobre los madianitas y los arrojó a la desbandada del país. Las victorias de Gedeón le consiguieron una especie de anómala autoridad; su pueblo, cono la fragilidad de esta autoridad, quiso hacerle rey. De Gedeón se dice llanamente que rehusó, y se dice en un lenguaje que expresa enteramente el espíritu del primitivo Israel (8, 22 ss.) (86). Es verdad que, más tarde, acaso en los últimos días de la anfictionía, Abimélek, hijo de Gedeón, habido de una concubina siquemita (8, 31), se proclamó a sí mismo como rey de la ciudad de su madre (cap. 9). Pero esta fue una realeza local, según el esquema de las ciudades-Estado, de ningún modo típica de Israel. Y tampoco fue duradera.

Jefté (Jc. 11-12) y Sansón (Jc. 13-16) surgieron hacia el final de esta época. El primero fue un saqueador galadita, un japiru, que demostró cualidades carismáticas (11-29) al rechazar a los ammonitas. Este pueblo, que se había beneficiado grandemente a causa del desarrollo del comercio caravanero, anhelaba extender sus dominios sobre las posesiones israelitas de Transjordania. La historia de Jefté nos demuestra que los sacrificios humanos podían ser practicados en Israel a pesar de su incompatibilidad con el yahvismo; también nos muestra cómo fácilmente los celos tribales podían encender una guerra civil. De Sansón poco se puede decir, salvo que sus historias reflejan de un modo auténtico la situación en la frontera filistea antes de que la guerra estallase abiertamente (87). Y pudo muy bien suceder que esta clase de incidentes fronterzos provocara a los filisteos a una acción más ofensiva contra Israel.

c. *Tenacidad del sistema tribal.* Puede parecer sorprendente que la liga tribal sobreviviese tanto tiempo, siendo como era una forma floja (por no decir débil) de gobierno. Siempre se mantuvieron a

---

(86) Se afirma a menudo (p. e. G. Henton Davies, VT, XIII [1963š, pp. 151-157) que Gedeón aceptó la realeza. Pero el lenguaje empleado en cap. 9, 1 ss. no exige esta conclusión; cf. J. L. McKenzie, *The World of the Judges* (Prentice-Hall, 1966), pp. 137-144.

(87) O. Eissfeld, CAH, II:34 (1965), pp. 22 s., sitúa estos incidentes al principio de este período, y antes de la migración de Dan hacia el norte. Es imposible llegar a la certeza absoluta. Pero no hay razones para creer que la migración afectara a la totalidad de la tribu de Dan. Es indudable que algunos clanes danitas continuaron residiendo en ciudades situadas junto a la frontera filistina durante todo este período. Para la tribu de Dan, cf. F. A. Spina, JSOT, 4 (1977), pp. 60-71,

la defensiva, y con la posible excepción de la victoria de Débora, Israel no consiguió nuevos territorios. Realmente, parece que Israel tenía menos robustez al final del período que al principio. Rubén había sido prácticamente suprimido, probablemente a consecuencia de un ataque moabita. Dan, quizá, en última instancia, a causa de una presión filistea, había sido incapaz de mantener sus posiciones en el llano de Šefelá (Jc. 1, 34-36) y se había visto obligado a emigrar hacia el norte y hacerse allí con nuevos territorios (Jc. 18). Aunque es posible que algunos clanes danitas continuaran viviendo en su antiguo territorio, fueron, lo mismo que sus vecinos de Judá, severamente reprimidos por los filisteos. De hecho, todos los clanes continuaron teniendo en sus territorios enclaves cananeos de los que no pudieron apoderarse (Jc. 1).

Tampoco fue capaz la anfictionía de refrenar las fuerzas centrífugas en acción. No pudo revigorizar la pureza del yahvismo, ni persuadir, en ninguna época, a Israel a una acción conjunta, ni pudo prevenir tampoco las rivalidades intertribales encendidas en la misma guerra (Jc. 12, 1-6). Por otra parte, en caso de crimen por parte de los miembros de una tribu contra los de otra (19-20), no había un remedio de última instancia para obligar al desagravio, salvo la llamada a todos los clanes contra la tribu delincuente, ya que ésta se volvía reacia a entregar a los culpables. Y aunque esto era un procedimiento completamente propio, que representaba la acción del vasallo leal de Yahvéh contra el vasallo rebelde, nos ofrece el espectáculo de la liga tribal en guerra consigo misma, un método indudablemente desastroso de administrar justicia.

Y con todo, la liga sobrevivió durante cerca de doscientos años. Esto fue en parte por que, siendo las emergencias a las que Israel tuvo que hacer frente de carácter local, podían ser resueltas con la convocación irregular de los clanes. Pero también fue debido a que, al circunscribir la acción de los clanes a asuntos bien determinados, dejándolos en libertad para los restantes, la organización tribal expresaba perfectamente el espíritu de la alianza de Yahvéh que la había creado. Fue una organización enteramente típica del primitivo Israel. En todo este período no llevó a cabo Israel ningún movimiento para crear un Estado, y, sobre todo (el caso de Abimélek es claramente atípico) no para imitar el esquema de ciudad-Estado de Canaán. En realidad, la auténtica idea de monarquía era anatema para los verdaderos israelitas, como lo demuestra la negativa a ser rey por parte de Gedeón (Jc. 8, 22 ss.) y el apólogo sarcástico de Yotam (Jc. 9, 7-21). Yahvéh, el supremo Señor de su pueblo, le gobierna y le salva por medio de sus representantes carismáticos.

Esta situación pudo haber continuado indefinidamente de no haber sobrevenido la crisis filistea, que, enfrentó a Israel con una emergencia que la anfictonía no pudo resolver y que la obligó a un cambio fundamental.

Tercera Parte

ISRAEL BAJO LA MONARQUIA

La época de la autodeterminación Social

Capítulo 5

DE LA CONFEDERACION TRIBAL AL ESTADO DINASTICO
Nacimiento y desarrollo de la monarquía

LA CRISIS que provocó la caída de la liga tribal de Israel se produjo en la última parte del siglo XI. Este fenómeno puso en movimiento una cadena de acontecimientos que, en poco menos de una centuria, transformó totalmente a Israel y le convirtió en una de las potencias más vigorosas del mundo contemporáneo. Este período de tiempo, más bien corto, debe ocupar nuestra atención con algún detenimiento, porque es uno de los más significativos de la historia israelita (1).

Tenemos a nuestra disposición, afortunadamente, fuentes que son extraordinariamente completas (los dos libros de Samuel y el I de los Reyes, caps 1 al 11) y de un alto valor histórico, siendo gran parte del material contemporáneo, o casi contemporáneo, de los sucesos descritos. Para los últimos días de David tenemos en la incomparable «historia de la sucesión del trono» (II S 9-20; I R 1-2) un documento con tal sabor de testigo ocular que difícilmente pudo ser escrito muchos años después de haber subido al trono Salomón. Ya que el autor de esta obra conoció y usó los relatos del arca (I S 4, 1b-7, 2; II S 6 [7] y, al menos en su mayor parte las narraciones del Saúl y David que forman el núcleo de I S (y II S 1-4), podemos suponer que también éstas, aun sin ser tradiciones históricas en sentido estricto, tuvieron un origen primitivo y una forma fija a mediados del siglo X. La restante información referente a David y las noticias más fundamentales referentes a Salomón nos han

---

(1) Para todo este capítulo, cf. especialmente A. Alt, «The Formation of the Israelite State in Palestine» (1930); *Essays on Old Testament History and Religion* [trad. inglesa, Oxford, Blackwell, 1966], pp. 171-237). En las páginas que siguen, se irá reconociendo puntualmente lo que debo a este autor. Otros estudios recientes: O. Eissfeldt, «The Hebrew Kingdom» (CAH, II:34 [1965]); J. A. Soggin, *Das Konigtum in Israel* (BZAW, 104 [1967]); G. Buccellati, *Cities and Nations of Ancient Syria* (Roma, Istituto di Studi del Vicino Oriente, 1967).

llegado en forma de extractos de anales oficiales, o compendios de ellos, y tienen un valor excepcional. En resumen, estamos mejor informados acerca de este período que acerca de ningún otro de la historia de Israel.

A. Primeros pasos hacia la monarquia: Saul

1. *La crisis filistea y el fracaso de la organización tribal.* Después de unos doscientos años de existencia, la confederación israelita sucumbió bajo la agresión filistea. Como ya indicamos en el capítulo precedente, los filisteos arribaron a Palestina no mucho después del mismo Israel y vivieron lado a lado con él, en intermitente pero creciente fricción, durante la mayor parte de la época de los jueces. Finalmente, los filisteos se embarcaron en un programa de conquista que condujo a Israel a un desastre total.

a. *Naturaleza de la amenaza filistea.* Los filisteos fueron una clase de enemigo con el que la floja organización tribal israelita no podía contender. No eran, al parecer, un pueblo especialmente numeroso, sino más bien una aristocracia militar, que gobernaba una población predominantemente cananea con la que, como indican los nombres de sus dioses y la mayor parte de sus nombres personales, fueron mezclándose progresivamente. Parece, con todo, que fueron formidables guerreros, con una fuerte tradición militar, ya sea porque consideraban a Israel una amenaza, o para garantizar la seguridad de las rutas comerciales que unían la costa con el interior, acometieron la tarea de controlar todo el oeste palestino. Fueron así, para Israel, la mayor amenaza con que hasta entonces había tenido que enfrentarse. A diferencia de sus anteriores enemigos, los filisteos no suponían una amenaza limitada que afectase solamente a las tribus más cercanas, ni tal que la confederación tribal pudiera habérselas con ella en una batalla; con miras a la conquista, amenazaron a Israel en su totalidad y en su misma existencia. Fueron, además, soldados disciplinados y mejor armados, sobre todo porque detentaban el monopolio del hierro (2). Cuando el terreno se lo permitía, empleaban también carros de combate (3). Y lo que es más, aunque sin un Gobierno central, los tiranos de sus ciudades tenían la habilidad de

---

(2) Es probable que la armadura de Goliat (I S 17, 5-7) fuera desacostumbrada sólo por razón de su tamaño. La única arma ofensiva descrita (la lanza) tenía punta de hierro. Cuanto a la espada «no había ninguna parecida» (I S 21, 9). Para las armas de los filisteos, cf. Y. Yadin, *The Art of Warfare in Biblical Lands* (McGraw-Hill [1963], vol. II, pp. 248-253, 336-345, 354 ss).

(3) Es probable que los filisteos adoptaran los carros de los cananeos cuando llegaron a este país. Pero es asimismo probable que, dado que su modo de utilizar este arma seguía el esquema hitita (Y. Yadin, *ibid.*, p. 250), es decir, con tres hombres sobre el carro en vez de dos, y guerreros armados con lanza, pero no con arco, la conocieran ya en épocas anteriores.

actuar concertadamente, algo así habían hecho algunas veces los reyezuelos cananeos, pero no por mucho tiempo. Los contingentes israelitas de la confederación, mal preparados y mal equipados, poca resistencia podían oponer a un enemigo tal en batalla abierta.

Los orígenes de la agresión filistea son oscuros. Probablemente comenzaron por dominar las ciudades-Estado cananeas que habían quedado en la llanura costera y en Esdrelón, y asimismo a otros Pueblos del Mar que allí había. Las colindantes tribus israelitas de Judá y Dan experimentaron, igualmente, su empuje, la última, como hemos visto, hasta ser expulsada de la mayor parte de sus posesiones. Hubo, sin duda, una serie interminable de incidentes fronterizos, como lo atestiguan las historias de Sansón, que debieron contribuir a provocar a los filisteos a una actividad más agresiva.

b. *Israel bajo el yugo filisteo*. El golpe decisivo fue dado algo después de 1050 a.C., cerca de Afeq, en el borde de la llanura costera (I S 4). Los israelitas, que intentaban oponerse al avance filisteo, después de ser derrotados en un primer encuentro, llevaron el arca desde Silo, con la esperanza de que la presencia de Yahvéh les daría la victoria. En vez de esto, el resultado fue una completa derrota. El ejército fue desbaratado, Jofní y Pinejás, los sacerdotes que llevaban el arca, fueron muertos y el arca misma fue capturada por los filisteos que procedieron a ocupar la tierra. Silo fue tomada y el santuario tribal destruido (4). Fueron colocadas guarniciones filisteas en los puntos estratégicos (I S 10, 5; 13, 3 ss.; 23). Además, los filisteos, para impedir las manufacturas de armas y proteger su propio monopolio del hierro, prohibieron a Israel la industria metalúrgica que poseía y le hizo depender, para todos servicios, de los artesanos filisteos (I S 13, 19-22). De hecho, el hierro no abundó en Israel hasta el reino de David (5).

La ocupación filistea del país israelita no fue, indudablemente, completa. Aunque dominaron el Négueb, gran parte de la montaña central y, por supuesto, la llanura de Esdrelón, no es seguro que extendieran su control sobre la totalidad de Galilea, y ciertamente no sobre el este del Jordán. Incluso en las montañas centrales hubo zonas no dominadas, como lo demuestra el hecho de que, a pesar de los esfuerzos filisteos, los israelitas fueron capaces, en lo sucesivo, de armarse por sí mismos y organizar la resistencia. Pero era todo

---

(4) Se ha argumentado (cf. la obra de M.-L. Buhl y S. Holm-Nielsen citada en la nota 61 del cap. 4) que no existen pruebas arqueológicas de esta destrucción; pero al parecer, se han descubierto recientemente estos vestigios; cf. BARev, I (1975), p. 3. Según los textos de Jeremías (7, 12 ss.; cf. 26, 6) y Sal. 78, 60 ss., existen pocas dudas sobre la destrucción de Silo, probablemente por esta época. En cualquier caso, ya no volvió a jugar ningún papel en la historia de Israel.

(5) El primer objeto de hierro fechable es una punta de arado de Guibea, del tiempo de Saúl; cf. G. E. Wright, JBL, LX (1941), pp. 36. s.; también L. A. Sinclair, BA, XXVII (1964), pp. 55-57.

cuanto podían hacer por el momento. La confederación, con sus fuerzas dispersas y desarmadas, su santuario central destruido y su sacerdocio muerto o disperso, estaba sin fuerzas. Aunque los filisteos devolvieron pronto el arca a suelo israelita, a causa del terror que les inspiró una plaga (I S 5-7), es probable que se reservaran un control superior sobre la misma; el arca quedó olvidada en Kiryat-yearim durante una generación (6). El antiguo orden cayó y nunca más volvería ser creado.

c. *El fin del orden antiguo: Samuel.* El espíritu conductor de Israel en estos días aciagos fue Samuel. Dedicado a Yahvéh desde antes de su nacimiento por un voto de nazareato (I S 1, 11), Samuel había pasado su juventud junto al santuario central, como un protegido del viejo sacerdote Elí. Cuando cayó Silo, él regresó, al parecer, a su antiguo hogar en Rama, donde gozó de fama como hombre santo y como dador de oráculos (cap. 9). Samuel no fue, sin embargo, un mero vidente de aldea, como lo indica su acción posterior. Parece que de hecho fue un sucesor de los jueces, especialmente de los «jueces menores» (Jc. 10, 1-5; 12, 7-15), cuya función se refería, en algún sentido, a la administración de la ley de la alianza entre las tribus. Nosotros le vemos, dotado de este poder, residiendo no lejos de algún centro tribal moviéndose en un circuito regular entre ciertos santuarios importantes (I S 7, 15-17). Podemos estar seguros de que Samuel trabajó más que cualquier otro por conservar viva la antigua tradición.

Apenas sabemos nada de lo que ocurrió durante los años de la ocupación filistea, antes de cuyo fin se dice de Samuel que era un hombre viejo. La voluntad de resistir se mantenía viva, y la tradición carismática se continuaba gracias particularmente a las bandas de profetas extáticos que aparecieron por este tiempo. Más tarde diremos algo de estos profetas. Los vemos moviéndose en bandas, inflamados en frenesí de derviches, «profetizando» al son de la música (I S 10, 5-13; 19, 18-24). Representan un fenómeno con paralelos en Canaán y tierras limítrofes hasta Anatolia y Mesopotamia (7). Sólo podemos hacer conjeturas sobre las causas que dieron origen a la profecía extática que apareció en Israel por aquella época. Indudablemente, la desaparición del santuario central y de su culto creó un vacío espiritual que promovió el rápido desarrollo de movimientos carismáticos libres entre el pueblo. Pero la presencia filistea también jugó un papel, ya que aquellos profetas intentaban, a través de su

---

(6)   Cf. I S 7, 1 ss.; II S cap. 6. Saúl no tenía el arca; leer «efod» por «arca» en I S 14, 18, con los LXX, como concuerdan los comentadores.

(7)   Los paralelos más cercanos son los proporcionados por los textos de Mari, donde aparecen «consagrados» o devotos extáticos, cf. la nota 44 del cap. 2, y las obras citadas en ella. Cf. también H. B. Huffmon, «The Origins of Prophecy» (*Mag. Dei*, cap. 8).

furor extático, encender a los hombres en el celo de la guerra santa de Yahvéh, contra los odiados invasores. Al parecer, Samuel dio dirección a este movimiento, impulsado indudablemente por el deseo de expulsar a los filisteos y por buscar para el desacreditado sacerdocio de Silo un sustitutivo que pudiera insertarse en la tradición yahvista (8). No podemos decir cuántas veces se encendió el fervor patriótico dentro de la resistencia armada durante estos años. Es probable que hubiera choques y que, aquí y allá, contingentes filisteos fueran atacados y destruidos. Quizá el relato idealizado de I S 7, 3-14 contenga un resumen de estos choques. Pero durante mucho tiempo los clanes no tuvieron la capacidad de librar la batalla que era necesaria para arrojar del país al invasor. Fueron muchos los israelitas que debieron constatar que su caso era desesperado, mientras no se pudiera encontrar una caudillaje más fuerte.

2. *El primer rey: Saúl*. En estas circunstancias fue cuando Israel eligió a Saúl, un benjaminita de la ciudad de Guibea, para rey. No es sorprendente que lo hiciera, atendida su desastrada situación. Pero tampoco sorprende, sin embargo, que el paso fuera dado casi a modo de experimento y con gran resistencia de muchos ya que la monarquía era una institución totalmente extraña a la tradición israelita.

a. *La elección de Saúl*. El relato de la elección de Saúl ha llegado hasta nosotros en dos (probablemente al principio tres) narraciones paralelas, una tácitamente favorable a la monarquía, la otra ásperamente hostil. La primera (I S 9, 1-10, 16) narra cómo Saúl fue ungido privadamente por Samuel en Rama; se continúa en 13, 3b-3b-15. Unido a esta narración está el relato, originalmente separado, de la victoria de Saúl sobre Ammón y la subsiguiente aclamación popular (cap. 11), en Guilgal. La otra rama presenta a Samuel (8; 10, 17-27), presidiendo la elección de Saúl en Mispá, después de ceder, con amargas protestas, a la petición del pueblo.

En vista de estos relatos diversos no podemos pretender reconstruir la cadena de los hechos. Pero no sería acertado desechar la segunda de estas tradiciones como si fuera reflejo posterior de una amarga experiencia de la monarquía, como muchos han hecho (9). Cualquiera que fuera la época del suceso, difícilmente puede dudarse que un paso tan drástico como éste, que llevaba consigo un tal rompimiento con la tradición, provocaría oposición desde el princi-

---

(8) A Samuel se le puede considerar con entera justicia fundador del movimiento profético de Israel; cf. W. F. Albright, *Samuel and the Beginnings of the Prophetic Movement in Israel* (The Goldenson Lecture for 1961; Hebrew Union Collegue Press); *ídem*, YGC, pp. 181-189. El oficio de profeta estuvo constantemente vinculado al de los jueces carismáticos.

(9) I S presenta un cuadro auténtico de la realeza feudal cananena y ciertamente no debe ser fechado en época tardía; cf. I. Mendelsohn, BASOR, 143 (1956), pp. 17-22. Para una equilibrada valoración de la tradición, cf. A. Weiser, *Samuel: seine geschichtliche Aufgabe and religiose Bedeutung* (FRLANT, 81 [1962]).

pio. Los sentimientos personales de Samuel aparecen ambiguos. Pero
podemos estar seguros de que la decisión que tomó, fue tomada, voluntaria o involuntariamente, ante la demanda popular, expresada,
sin duda, por los ancianos de las tribus (I S 8, 4 ss.). Que tomó una
parte principal en los procedimientos está atestiguado en todas las
ramas de la narración, y atendida su posición, esto es lo que cabía
esperar. Con todo, es enteramente cierto que Samuel, cualesquiera
que fueran sus sentimientos iniciales, rompió pronto con Saúl y se
convirtió en acerbo enemigo suyo. Es probable, en todo caso, que él
viera el paso con recelo desde el principio hasta el fin, tal como
acentúa la segunda de las narraciones, temiendo a dónde podría
llevar, aunque actuando bajo presión, y porque él no veía otra salida.

La elección de Saúl fue por designación profética y por aclamación popular (I S 10, 1 ss.; 11, 14 ss.) El hecho de que fuese benjaminita, es decir, de una tribu situada en el centro y directamente
amenazada, pero tan pequeña que los recelos quedaran reducidos a
un mínimo, pudo haber influido en la elección. Pero Saúl fue aceptado primariamente porque con su victoria sobre Ammón (cap. 11)
demostró poseer dones carismáticos, como tuvieron los jueces antes
de él. Este fue probablemente el primer combate que entabló. Los
ammonitas, aprovechando la situación calamitosa de Israel, habían
invadido las posesiones israelitas de Transjordania, como habían
hecho antes, en los días de Jefté, y poniendo sitio a Yabéšgalaad
le impusieron vergonzosas e inhumanas condiciones de rendición.
Cuando la noticia llegó a Saúl, se condujo como un típico carismático.
«El espíritu de Yahvéh cayó sobre él» (vers. 6), y cortando en pedazos los bueyes con que estaba arando, envió los pedazos a las
tribus, convocándolas a agruparse. Los clanes, o algunos de ellos,
según lo permitían las circunstancias, respondieron y se consiguió
una gran victoria. Ya queda dicho que el pueblo, convencido por el
proceder de Saúl de que había sido designado por Yahvéh, lo llevó
al antiguo santuario de Guilgal y allí le proclamó rey solemnemente.

b. *Nuevas victorias de Saúl*. Las primeras empresas de Saúl fueron tales que justificaron la confianza puesta en él, particularmente
cuando consiguió infligir a los filisteos una importante derrota que
dio a Israel respiro y nuevas esperanzas. Debido a la confusión del
texto, los detalles de esta acción (I S 13-14) no están claros. Parece,
con todo, que después de un encuentro preliminar, en el que fue
derrotada una guarnición filistea (13, 3) (10), y después de algunas represalias filisteas (I S 13, 17 ss.), se produjo un choque en el paso de

---

(10) El TM lo coloca en Gueba (Yeba'), al noroeste de Guibea, exactamente
al sur del paso de Mikmaš. Con todo, los LXX los colocan en el mismo Guibea.
Los nombres son tan frecuentemente confundidos en la narración que se hace
imposible decir cuál es el correcto. Guibea fue destruida hacia este tiempo, y
después reconstruida. ¿Ocurrió esto en el transcurso de estos sucesos?

Mikmaš que, debido principalmente al heroico arrojo de Jonatán, hijo de Saúl, concluyó con una aplastante victoria para Israel. Los filisteos fueron puestos en fuga (I S 14, 23, 31), los hebreos que estaban a su servicio desertaron (I S 14, 21), mientras que todos los de la Montaña de Efraím cobraron ánimo y se reunieron en torno a Saúl. Esta fue su mayor victoria. Aunque no había sido destruido el ejército filisteo, y no había desaparecido en modo alguno su amenaza (es probable que, a pesar del cap. 13, 5 las fuerzas combatientes no fueran muy numerosas), las tropas de ocupación fueron desalojadas de la montaña. Saúl tendría desde entonces libertad de movimientos dentro del país. Las batallas posteriores se entablarían en los límites de la llanura. Israel se abría de nuevo a la esperanza.

Todo el reinado de Saúl se consumió en combates (11) (I S 14, 47 ss., 52). Además de sus batallas con los filisteos, se describe una victoria sobre Amaleq en una narración aislada (cap. 15) que incluye un relato sobre la ruptura de Saúl con Samuel. Probablemente este pueblo, cuyo hogar estaba en el desierto de Cades, se había aprovechado, como Ammón, de la comprometida situación de Israel para hacer incursiones en el Négueb. Que Saúl pudiera arrojarlos más hacia el sur, atestigua su libertad de acción. Indica también que su autoridad y su responsabilidad tenían un alcance nacional. En algún tiempo durante su reinado Saúl tomó también duras medidas contra los restos de la confederación gabaonita (II S 21, 1, 4, 2f.) a despecho del pacto que habían hecho con Israel en los tiempos de la conquista (Jos. 9). Al parecer, muchos de ellos fueron muertos y otros obligados a huir. Ignoramos las razones que tuvo Saúl para hacer esto. Acaso porque los gabaonitas habían colaborado, o se habían hecho sospechosos de colaboración con los filisteos. El hecho, como veremos, nunca fue olvidado.

c. *Naturaleza del reinado de Saúl.* Una de las fuentes (I S 8, 5, 20) denuncia la monarquía como una imitación de las naciones paganas. Y así fue, en el sentido de que era una institución extraña a Israel, mientras que era común en otras partes, y por tanto sugerida a Israel por su medio ambiente. Pero la monarquía de Israel fue sin embargo única. No fue ciertamente estructurada según el sistema feudal de ciudad-Estado propio de Canaán o de los filisteos. Aunque pudo haber tomado algunos rasgos de los reinos nacionales de Edom, Ammón (12), fue siempre un fenómeno característicamente israelita que al principio modificó las antiguas estructuras lo menos posible.

---

(11) Nada sabemos de las guerras con Edom, Moab y Soba, mencionadas en I S 14, 47. Pero no es improbable, dada la situación; cf. M. F. Unger, *Israel and the Arameans of Damascus* (Londres, James Clarke & Company, Ltd., 1957), pp. 43 ss.

(12) Cf. Alt, *op. cit.* (KS, II), pp. 29 ss.; Noht, HI, p. 171. Pero, desde luego, conocemos demasiado poco de estos Estados, aunque, al menos Edom parece haber mantenido durante generaciones el principio dinástico (cf. Gn. 36, 31-39).

Saúl, lo mismo que los jueces que le precedieron, había surgido al estilo antiguo, como un héroe carismático. Es realmente muy probable, que si él se hubiera continuado, se hubiera manifestado como tal (13). En el caso de Saúl se añadió, sin embargo, un rasgo nuevo, ya que fue ungido por Samuel y aclamado por el pueblo como rey. Ocupaba, pues, una posición similar a la que —bajo otras circunstancias— se le ofreció a Gedeón y éste rechazó (Ju. 8, 22 s.). Es interesante observar que la fuente que nos habla de la unción (I S 9, 1 a 10, 16; 13, 4b-15) no aplica a Saúl el título de rey *(mélek)*, sino el de «jefe» o «comandante» *(nagid)* (14). Tal vez esto indique que ni Samuel ni los ancianos de las tribus tenían la intención de elevar a Saúl a la realeza en el sentido convencional de la palabra, sino que sólo deseaban servirle como a caudillo militar electo de las tribus, con base permanente. Pero fuera cual fuere su intención, podemos tener la certeza de que desde el principio el pueblo pensó en Saúl como en un rey y que muy pronto se dirigió a él como a tal (el título era usual entre los vecinos de Israel y se le aplica normalmente a Saúl en otras fuentes). Esto significa que la autoridad de Saúl era reconocida como permanente, o al menos «mientras durase», lo cual equivale a lo mismo. Pero al mismo tiempo que esto significaba ciertamente una innovación, no representaba ningún abierto rompimiento con la tradición antigua. Saúl fue aclamado por Israel en el antiguo centro de la anfictionía de Guilgal (I S 11, 14 ss.). Que lo fuera como *naguîd* o como *melek*, su tarea consistió en ejercitar la función de juez, reuniendo a su pueblo para luchar contra los enemigos de Yahvéh. Aparte de lo que Samuel pudiera pensar de Saúl, los sacerdotes tribales, que quedaban, se reunieron en torno a él y le acompañaron en sus campañas (I S 14, 3, 18).

No tenemos noticias de que Saúl hiciera cambio alguno en la estructura interna de Israel. Acaso no tuvo oportunidad, pero tampoco lo deseó. La organización tribal quedó tal como era; no se des-

---

(13)   Nuestros puntos de vista sobre el reinado de Saúl siguen, en líneas generales, los defendidos por Alt *(op. cit.*, pp. 183-205). Otros autores atribuyen a este reinado un carácter más institucional: por ej., W. Beyerlin, «Das Königscharisma bei Saul» (ZAW, 73 [1961], pp. 186-201). Pero aunque es indudable que ya en el reinado de Saúl comenzaron a aparecer estas tendencias institucionales, no representaban una neta ruptura con el pasado; cf. J. A. Soggin, «Charisma und Institution im Königtum Sauls» (ZAW, 75 [1963], pp. 54-65).

(14)   Fuera cual fuera la etimología de esta palabra, este parece ser su sentido por aquella época; cf. Albright, *Samuel* (en nota 8), pp. 15 s.; BP, pp. 47 s. Aparece con esta significación en los tratados de Sefire del siglo VIII; cf. J. A. Fitzmyer, *The Aramaic Inscriptions* of Sefire (Roma, Pontificio Instituto Bíblico, 1967), pp. 112 s. Se ha argumentado que la unción de Saúl pertenece a un estrato tardío de la tradición y que el título de *naguid* no comenzó a usarse hasta los días de Salomón; cf. N. D. Mettinger, *King and Messiah* (Lund, C. W. K. Gleerup, 1976), capt. IV y IX. Pero, según parece, esto dista mucho de ser cierto; cf. G. M. Williamson, VT, XXVIII (1978), pp. 499-509.

arrolló ninguna maquinaria burocrática administrativa (15). Saúl no tuvo harén ni oficiales (excepto su primo Abner que estaba al frente de las fuerzas tribales (I S 14, 50 ss.) (16), ni corte espléndida (cf. 20-25; 22, 6); su establecimiento en Guibea, tal como nos lo revela la arqueología, fue más fortaleza que palacio (17). Seguramente se puede ver en la costumbre de Saúl de reunir jóvenes soldados junto a su persona para un servicio permanente (14, 52) los comienzos de un ejército regular, y también de una aristocracia militar. Pero, para Saúl, esto no era más que una mera necesidad de la guerra: él no hubiera podido sobrevivir apoyándose únicamente en las fuerzas tribales.

Pero aunque Saúl favoreció a sus partidarios, muchos de ellos pertenecientes a su misma tribu (I S 22, 7), no era un rey tribal. Aunque probablemente nunca guió a todo Israel a la batalla (¡tampoco lo habían hecho los jueces!), es probable que estuviera más cerca de conseguirlo que ninguno de sus predecesores, aunque no fuera más que porque la emergencia era nacional. Saúl, además, gozó de considerable popularidad en todo el país. Su liberación de Yabéš-galaad le obtuvo la devoción imperecedera de esta ciudad (31, 11-13). Aunque algunos autores dudan que Saúl fuera reconocido como rey en Judá, es probable que lo fuera (aunque tal vez con algún acuerdo especial). Jóvenes de esta tribu estaban a su servicio y pudo contar allí con muchos amigos (23, 19 ss.; 26, 1 ss.). Hubo incluso algunos que defendieron su causa frente al propio David (23, 19 ss.; 26, 1 ss.) (18). El reinado de Saúl, en una palabra, comenzó con buenos auspicios, dando a Israel un respiro en su vida y una nueva inyección de valor.

3. *Declive de Saúl y surgimiento de David*. El respiro, con todo, fue temporal. Desconocemos hasta cuándo alcanzó la duración del reinado de Saúl y la datación es conjetural (probablemente en la década anterior o posterior al 1000 a.C). Acabó con un triste fracaso, que dejó a Israel, si era posible, peor que antes. Las razones de esto

---

(15) Aharoni, LOB, pp. 255-257 ve en las áreas mencionadas en II S 2, 8 s. cinco distritos administrativos creados por Saúl. La afirmación parece discutible.

(16) No se sabe con certeza si Abner era primo o tío de Saúl, aunque esta última hipótesis parece más convincente; cf. A. Malamat, JAOS, 88 (1968), p. 171.

(17) Cf. Wright, BAR, p. 122 para una breve descripción. Para la historia de esta fortaleza, cf. L. A. Sinclair, AASOR, XXXIV-XXXV (1960), pp. 1-52; *ídem*, BA, XXVII (1964), pp. 52-64 y, con algunas modificaciones a la luz de las recientes exploraciones, P. W. Lapp, BA, XXVIII (1965), pp. 2-10. Pero cf. también las observaciones de J. M. Miller, VT, XXV (1975), pp. 145-166.

(18) La tradición nos dice (I S 22, 3 s.) que David temió hasta tal punto por la suerte de sus padres que pidió asilo para ellos en Moab. Sobre este incidente, cf. A. D. H. Mayes, *Israel in the Period of the Judges* (Londres, SCM Press, 1974), pp. 2-4.

fueron múltiples, no siendo la menor de ellas el mismo desafortunado Saúl.

a. *Rompimiento de Saúl con Samuel: declive personal de Saúl.* Saúl fue un personaje de tragedia. De apariencia espléndida (I S 9, 2; 10, 23), modesto (9, 21), muy generoso y dispuesto a confesar sus faltas (11, 12 ss.; 24, 16-18), siempre fieramente valeroso, había en él, sin embargo, una inestabilidad emocional que iba a llevarle a la ruina. Siempre de temperamento veleidoso, sujeto al frenesí de la excitación (10, 9-13; 11, 6 ss.), se ve que cuando se ejercía presión en su mente, se desconcertaba enormemente, oscilando como un péndulo entre momentos de lucidez y disposiciones de ánimo oscuras en las que, incapaz de una acción inteligente, se entregaba a un comportamiento capaz de indisponerle aun con sus más allegados. Probablemente ya antes de su caída Saúl no estaba muy cuerdo.

Hay que confesar, con toda honradez, que tuvo que hacer frente a una situación que hubiera puesto a prueba la capacidad del más equilibrado. Su misma posición le colocó bajo la tremenda tensión de tener que exhibir cualidades carismáticas no sólo una vez, sino continuamente, en un esfuerzo dramático. La amenaza filistea persistía; a pesar de los éxitos ocasionales, Saúl no podía dar el golpe decisivo que se requería para eliminarla. Además, la fiera independencia de las tribus obstaculizaba el ejercicio de cualquier autoridad real; salvo sus partidarios personales, Saúl no pudo levantar una fuerza guerrera digna de confianza que mantuviera el campo. Lo peor de todo fue su disputa con Samuel. Nuestros dos relatos de este hecho dejan las razones un tanto en el misterio. Acaso Samuel no estuviera por encima de la envidia personal; acaso receloso del nuevo orden, necesitó tan sólo la más simple excusa para rechazarlo. Pero existían razones más profundas, como lo testifican los dos relatos. En I S 13, 4b-15 se acusa a Saúl de usurpar la función del sacerdocio de la liga, mientras que el cap. 15 se dice que había violado el «*jerem*», un aspecto de la ley sagrada concerniente a la conducta en la guerra santa. Lo probable es que Samuel, que había esperado mantener el nuevo orden al servicio del antiguo, sospechó que Saúl pretendía alzarse con toda la autoridad, tanto religiosa como política, y así revocó públicamente la designación de Saúl. Esto, indudablemente, aceleró la desintegración personal de Saúl. ¡Era puesta en duda su propia posición ante Israel! Comenzó a asaltarle la sospecha de que se había desvanecido el carisma sobre el cual descansaba su designación. En lugar del entusiasmo carismático, vinieron sobre él hundimientos depresivos («el espíritu malo de Yahvéh») (I S 14-23), de los que sólo podían librarle los acordes de la música, y durante los que atacaba ciegamente a los que le rodeaban.

b. *La aparición de David: celos de Saúl.* Lo que, sin embargo, llevó a Saúl más allá de los límites de lo racional fue la popularidad del joven héroe David. Nuestras fuentes no nos permiten decir de qué manera atrajo David por primera vez la atención de Saúl (19). Era, ciertamente, un mozo de Belén, del que se decía que era un músico hábil (I S 16, 14-23) y estaba, probablemente, entre aquellos jóvenes de que Saúl acostumbraba rodearse (14 52). Pronto ganó fama por sus brillantes hazañas, en particular cuando mató al gigante filisteo Goliat (17, 1-18, 5). Es verdad que II S 21, 19 atribuye este hecho a Elijanán (I Cr. 20, 5 es un intento de armonización), lo que ha llevado a muchos a suponer que la acción de un soldado subalterno ha sido transferida aquí a David. Pero no solamente la tradición que atribuye el hecho a David es antigua (I S 21, 9), sino que la fama de David se basaba ciertamente en alguna o algunas hazañas espectaculares de este tipo. En realidad, no es imposible que Eljanán (propiamente Baal-janán (?) cf. Gn. 36, 38; I Cr. 1, 49) y David sean la misma persona, siendo este último, quizás, un nombre de trono (20).

En todo caso, David ganó fama y posición (I S 18, 13), la amistad imperecedera de Jonatán, hijo de Saúl, y la mano de Mikal, hija del mismo Saúl (I S, 18, 20-27) (21). Pero cuando las hazañas posteriores aumentaron de tal manera su popularidad que eclipsaron la del mismo Saúl, éste no pudo soportarlo por más tiempo. Sintiendo que el pueblo consideraba a David como su héroe carismático, temía que quisieran también proclamarle rey (18, 7 ss.). Llevado de unos celos insensatos, se volvió completamente contra David y repetidas veces intentó matarle (p. e., 19, 9-17), de tal manera que David no tuvo finalmente otro recurso que huir. Ni siquiera entonces se calmaron las sospechas del rey. Le parecía que todos estaban tramando contra él, aun su propio hijo Jonatán y sus más allegados partidarios (20, 30-34; 22, 7 s.). Cuando supo que la familia sacerdotal de Silo, ahora establecida en Nob, cerca de Jerusalén, había ayudado inconscientemente a David en su huida, les dio muerte cruelmente y demolió

---

(19) I S 17, 1 a 18, 5 no puede armonizarse, tal como está, con 16, 14-23 (en 17, 55-58 David era un desconocido para Saúl y los de su séquito, pero según 16, 14-23 había estado ya estre los servidores del rey). Con todo, el texto más breve de LXXB (sólo 17, 1-11, 32-40, 42-49, 51-54) descarta la mayor parte de las incongruencias [cf. especialmente S. R. Driver, *Notes on the Hebrew Text of de Books os Samuel* (Oxford, Clarendon Press 1913²], pp. 137-151); el cap. 16, 14-23 y la forma original de 17, 1 a 18, 5 *pueden* haber formado un relato seguido.

(20) Cf. A. M. Honeyman. JBL, LXVII (1948), pp. 23 ss.; L. M. von Pákozdy ZAW, 67 (1957), pp. 257-259. En II S 21, 19, el padre de Elcanan es Yaare-oregim, de Belén; pero *'oregim* es una evidente dittografía, y como *ya'are* no puede ser correcto, puede ser que se trate de una corrupción de *yisai* (Jessé). Es mejor no relacionar el nombre «David» con el *dawidum* de los textos de Mari, dado que la lectura es dudosa.

(21) De nuevo LXXB ofrece un texto más corto de I S cap. 18 (cf. Driver, *op. cit.* pp. 151-155), omitiendo la promesa de Merab a David por parte de Saúl, pero incluyendo el casamiento de David con Mikal.

su santuario (21, 1-9; 22, 9-19). En cuanto a Mikal, se la quitó a David y se la dio a otro (I S 25, 44).

Esto no era, evidentemente obra de una mente racional. Aunque David era, sin duda, ambicioso, no hay pruebas de que estuviera entonces conspirando contra Saúl. Saúl andaba demasiado perturbado para ver las cosas con claridad. Su comportamiento debió causarle un daño irreparable e hizo que muchos pusieran en duda su competencia. La matanza de los sacerdotes provocó un particular desagrado (nótese que los mismos seguidores de Saúl rehusaron levantar la espada contra ellos) (I S 22, 17 ss.). Con este acto, rompió Saúl todos los lazos con el orden tribal y, dado que el único superviviente huyó a David (I S 22, 20-23), echó el sacerdocio en brazos de su rival. Lo que era peor, Saúl se veía ahora obligado a retirar sus fuerzas de los filisteos y dedicarse a cazar a David. Había caído sobre Israel un cisma al que difícilmente podía hacer frente.

c. *David fuera de la ley.* David huyó a los desiertos de su nativo Judá (I S 22, 1 ss.), donde se le unieron sus parientes, junto con los descontentos, fugitivos y oprimidos de toda clase. Con este desecho de rufianes y bandoleros, se formó pronto una vigorosa fuerza de choque de cuatrocientos hombres.

Por algún tiempo llevó David una existencia precaria como jefe de bandidos *(japiru)*, oscilando entre los dos extremos y procurando mantenerse en el justo centro, atacando a los filisteos en cuanto se le ofrecía oportunidad (23, 1-5), escabulléndose continuamente de las garras de Saúl (23, 19-24, 22; 26) y sosteniéndose mientras tanto mediante la «protección» que exigía a las ciudades ricas que podían pagarla (25, 7 ss., 15 ss.). Durante este intervalo David se casó dos veces (25, 42 ss.), en ambos casos, probablemente, con la esperanza de fortalecer su posición mediante la alianza con familias influyentes. Pero de hecho su posición era insostenible. Atrapado entre los filisteos, Saúl y una población en la que muchos —bien porque les molestaban las tasas impuestas, o porque eran leales a Saúl, o porque temían represalias— le consideraban como una molestia, o algo peor (23, 12; 25, 10; 26, 1), se encontró pronto en una situación desesperada. Tomando, pues, a sus hombres, ahora seiscientos, se pasó a Akiš, rey de Gat, y le ofreció sus servicios (27, 1-4) (22).

El rey filisteo, gozoso por este cambio de acontecimientos, recibió cordialmente a David, le aceptó como vasallo y le dio la ciudad de Siquelag (lugar incierto, pero en el Négueb de Judá), como pose-

---

(22) La localización de Gat es incierta. Incluyen las recientes discusiones: Aharoni, LOB, pp. 250 s.; Hann. E. Kassis, JBL, LXXXIV (1965) pp. 259-271; G. E. Wright, BA, XXIX (1966), 78-86. Se ha argumentado que Akiš (así Kassis y Wright) no era uno de los cinco señores filisteos, sino simplemente un rey-vasallo. Tal vez esta afirmación esté en lo cierto, aunque no estoy convencido de que el lenguaje de I S cap. 29 imponga esta conclusión.

sión feudal. Akiš esperaba, naturalmente, que desde allí haría el mayor daño posible a Israel. Pero David, que no era un traidor en su corazón y no deseaba que sus paisanos le tuvieran por tal, continuó desempeñando un tortuoso papel. Mientras convencía a Akiš mediante informes falsos de que hacía incursiones en Judá, se empleaba en acosar a los amalecitas y otras tribus del sur del desierto, cuyas incursiones habían molestado siempre a los vecinos clanes israelitas (I S 27, 8-12). Por estos medios, y mediante una juiciosa distribución del botín entre clanes estratégicos y ciudades del Négueb de Judá (I S 30, 26-31), pudo convencer a su pueblo de que continuaba siendo su leal protector y amigo. Es indudable que en el curso de estos sucesos la fuerza militar de David iba en aumento.

d. *Muerte de Saúl.* El final de Saúl se produjo a los pocos años de arrojar a David de su lado (23). En este intervalo, la guerra filistea había sido descuidada. Saúl, obsesionado por echar mano a David, no estaba en condiciones de proseguirla, mientras que los filisteos, no queriendo arriesgar sus fuerzas en una nueva invasión de las montañas, esperaban su oportunidad para el golpe decisivo. La oportunidad se presentó pronto. No mucho después de la defección de David, y quizás alentados por ella, los filisteos reunieron sus fuerzas en Afeq, escenario de su victoria sobre Israel una generación antes. Pero en lugar de avanzar hacia las colinas, o esperar el ataque desde ellas, marcharon paralelos a la costa, hacia el norte, por la llanura de Esdrelón. Saúl marchó hacia el norte a su encuentro y acampó al pie del monte Gelboé (I S 28, 4; 29, 1). La estrategia filistea era clara. La ruta de Esdrelón estaba bajo su control y a lo largo de ella podían contar con la ayuda de los Pueblos del Mar y de las ciudades-Estado cananeas aliadas con ellos. Además, tenían campo donde sus carros podían maniobrar (II S 1, 6), junto con la posibilidad de separar a Saúl de las tribus galileas del norte. Es menos claro por qué Saúl se dejó arrastrar a la batalla en un lugar así. Es posible que, simplemente, hubiera llegado al culmen de la desesperación y estuviera dispuesto a jugar la última baza (24).

---

(23)   Acaso tres o cuatro años después. La estancia de David entre los filisteos duró poco más de un año (I S 27, 7), y fue un «fuera de la ley» acaso durante dos o tres años (?).

(24)   C. E. Hauer, CBQ, XXXI (1969), pp. 153-167, cree que la agresión partió de Saúl; siguiendo la línea de su estrategia global, intentó insertar a las tribus galileas en su reino y, al actuar así, cortaba o al menos amenaza las rutas de acceso de los filisteos hacia sus guarniciones de Bet-šan y otros lugares, provocando, por tanto, su reacción. Carecemos de información suficiente para dirimir la cuestión. Pero el hecho de que Saúl se arriesgara a entrar en combate en un terreno desfavorable y con funestos presagios, sugiere un alto grado de desesperación.

La batalla estaba perdida antes de empezada. Al parecer, el trágico Saúl lo sabía; conforme a la tradición (I S 28), el espíritu de Samuel, muerto hacía tiempo, llamado por él por medio de una pitonisa en Endor, se lo había anunciado así. Pero no había retirada posible y Saúl nunca fue un hombre falto de valor. El resultado fue un desastre total (I S 31). Las fuerzas israelitas fueron aniquilidas, los tres hijos de Saúl murieron y el mismo Saúl, gravemente herido, se suicidió. Cuando los filisteos encontraron el cuerpo de Saúl, le cortaron la cabeza y la colgaron junto con los cuerpos de sus tres hijos, de la muralla de Bet-šan. Posteriormente, los hombres de Yabéš-galaad, movidos por una gratitud imperecedera hacia Saúl, robaron los cuerpos, con riesgo de sus vidas, y les dieron digna sepultura. Por lo que respecta a David, pudo evitar tomar parte en la batalla, porque los jefes filisteos no se fiaban de él y le enviaron a casa (I S 29). Esto fue una suerte para David. Qué habría hecho de habérsele pedido que entrara en batalla contra su propio pueblo, no lo sabremos nunca.

B. La monarquía unida en Israel: el rey David (ca.   1000-961)   (25)

1. *Subida de David al poder.* El desastre de Gelboé dejó a Israel a merced de los filisteos que, según parece, aprovecharon su ventaja y ocuparon, cuando menos, la mayor parte del país que habían poseído antes de que Saúl apareciera en escena. Aunque no se aventuraron en Transjordania, y quizá tampoco muy al interior de Galilea, establecieron una vez más sus guarniciones en la región central (II S 23, 14) (26). El caso de Israel parecía desesperado. Sin embargo se levantó de nuevo con increíble rapidez y al cabo de pocos años se había convertido en la primera nación de Palestina y Siria. Esta fue la obra de David.

a. *David e Išbaal: reyes rivales.* Los derechos de la casa de Saúl se continuaban en su hijo superviviente Išbaal (27), que había sido

(25)   Las fechas del reinado de David son aproximadas. II S 5, 4 y I R 11, 42, conceden 40 años a David y otros 40 a Salomón, pero esto, por supuesto, es una cantidad redondeada. Con todo, ambos tuvieron largos reinados y 40 años para cada uno no está muy lejos de lo exacto. Si colocamos la muerte de Salomón en 922 (cf. infra, nota 61), y tomamos al pie de la letra los 40 años, tenemos ca. 961-922 para Salomón, y 1000-961 para David. Cf. Albright, ARI, p. 130; ídem en *Mélanges Isidore Lévy* (Bruselas, 1955 [*Annuaire de l'Institut de Philologie et d'Historie Orientales et Slaves*, XIII, 1953]), pp. 7 ss.

(26)   Este incidente ocurrió, casi con seguridad, durante la guerra final de David contra los filisteos. Cf. infra, p. 239 .

(27)   La forma correcta («Baal existe»: cf. Albright, ARI, p. 207, nota 62) está conservada en I Cr. 8, 33; 9, 39. Is-bóšet («hombre de vergüenza») es una corrección intencional de los escribas; cf. Mefibóšet (II S 4, 4; etc.), y Merib-baal (I Cr. 8, 34; 9, 40).

llevado por su pariente Abner —que de algún modo había escapado a la matanza de Gelboé— a Majanaim de Transjordania y allí proclamado rey (II S 2, 8 ss.) Fue un Gobierno en el exilio, si Gobierno puede llamarse, como lo indica su ubicación fuera del alcance de los filisteos. Aunque pretendía gobernar sobre un amplio territorio (Palestina central, Esdrelón, Galilea y Galaad), apenas si pasaba de simple pretensión. No hay pruebas de que Išbaal gobernara de hecho en estos territorios, ni siquiera de que le siguieran los hombres de su tribu. Aún no era reconocido el principio de dinastía hereditaria. Aunque muchos israelitas pudieran haber aceptado tácitamente a Išbaal el hecho de que fuera hijo de Saúl no significaba que podía contar con su lealtad. Sus exigencias, sin base real en la mentalidad de los clanes, se fundamentaban únicamente en Abner y algunos otros, leales a la casa de Saúl por razones personales (28).

David, mientras tanto, se había convertido en rey de Judá en Hebrón (II S 2, 1-4). Que hiciera esto con consentimiento filisteo es evidente, ya que él era su vasallo y difícilmente hubiera podido dar tal paso sin su aprobación. Por otra parte, los filisteos, cuya política era «divide y gobernarás», lo deseaban. Al mismo tiempo es indudable que el pueblo de Judá recibió bien a David. Después de todo, era uno de ellos, un jefe fuerte que podía cuidar de su defensa, y que estaba en situación de poder mediar entre ellos y sus opresores filisteos. Fue, pues, aclamado rey por consentimiento popular y ungido en el antiguo santuario de Hebrón.

David era, de este modo, como Saúl, un héroe militar proclamado rey. Pero este encumbramiento al poder llevaba consigo algunos aspectos nuevos. David era un soldado curtido, que debía gran parte de su reputación a sus tropas personales, era ya un señor feudal con posesiones privadas, y había tomado el trono como vasallo de una potencia extranjera. Además, al aclamarle, Judá ejecutaba un acto independientemente del resto de las tribus. ¡Un paso, verdaderamente, muy alejado del esquema antiguo! Aunque rey de Judá, David no era un gobernante tribal. Su autoridad se extendía sobre un área que incluía varios elementos tribales, además de Judá: simeonitas, calebitas, otnielitas, yerajmeelitas y kenitas (I S 27, 10;

_____

(28) Algunos autores creen que el reinado de Saúl fue entendido de forma dinástica: p. e. Buccellati, *op. cit.*, pp. 195-200; W. Beyerlin, ZAW, 73 (1961), pp. 186-201; M. Ottoson, *Gilead: Tradition and History* (Lund, C. W. K. Gleerup, 1969), pp. 200 s. Evidentemente, Saúl y su familia habrían deseado establecer una dinastía; si Išbaal llevó adelante sus pretensiones regias, es porque era el único superviviente de Saúl. Pero hay que distinguir entre una pretensión dinástica y la general aceptación de la misma. El hecho de que Išbaal nunca fuera aclamado por el pueblo (cf. II S 2, 8 s.), que nunca reuniera a las tribus a su alrededor, y que, además, incluso cuando estaba en vida el pueblo se fuera pasando cada vez más a David (II S 3, 17-19) muestra claramente que su pretensión tenía poca base popular. Cuando le abandonó su protector Abner, Išbaal se encontró totalmente desamparado.

30, 14; Jc. 1, 1-21). Esta área surgió como una formación política consistente. El Estado de Judá apareció como una entidad separado dentro de aquel Israel sobre el que Išbaal hacía reclamaciones. Ambos, «Israel» y «Judá», comenzaron desde entonces a asumir nuevas connotaciones.

b. *Fin de Išbaal.* La carrera de Išbaal finalizó al cabo de dos años (II S 2, 10). Durante este tiempo las relaciones entre los reyes rivales, aun siendo hostiles, no llegaron nunca a guerra abierta. El único encuentro de que tenemos noticia (II S 2, 12-32) fue una especie de escaramuza que tuvo importancia sólo porque en ella murió, a manos de Abner, un hermano de Joab, pariente y general de David, y esto tuvo serias repercusiones. Išbaal era claramente incapaz de mantener una guerra, mientras que David, no queriendo ampliar irreparablemente la brecha en Israel, prefirió obtener su propósito por vía diplomática. Con este fin, hizo ofrecimientos a los hombres de Yabéš-galaad, cuya lealtad para con Saúl conocía (II S 4b-7); se casó también (II S 3, 3) con la hija del rey de Gešur, Estado arameo al noroeste del Mar de Galilea, probablemente para ganarse un aliado a espaldas de Išbaal. Asimismo —y acaso por este mismo tiempo— entró en relaciones amistosas con Ammón (II S 10, 2) con el mismo propósito sin duda.

Išbaal, por otra parte, era débil e ineficaz. Es indudable que sus seguidores comenzaron a darse cada vez más cuenta de ello y pusieron sus esperanzas en David (cf. II S 3, 17). Finalmente, Išbaal se querelló contra Abner, acusándole de haber tenido relaciones con una antigua concubina de Saúl (3, 6-11), cargo que, de ser cierto, pudo haber significado que Abner tenía intenciones de apoderarse del trono. El incidente muestra quién tenía el poder. Abner, airado, dio pasos para transferir su obediencia a David y urgió a los ancianos de Israel a hacer lo mismo (3, 12-21). David recibió con agrado estas iniciativas, pidiendo solamente que le fuese devuelta Mikal, la hija de Saúl. Aun cuando Abner fue asesinado por Joab (3, 22-39), no se desmoronó la candidatura de David. El pueblo comprendió que esto era un ajuste personal de cuentas y al parecer creyó en las protestas de inocencia de David, después de todo, él no ganaba nada con el crimen. Išbaal, perdido todo apoyo, fue pronto asesinado por dos de sus oficiales (cap. 4), quienes trajeron la cabeza a David, esperando una recompensa. Pero David, ansioso de apartar de sí toda sospecha de complicidad en este para él afortunado suceso, les hizo ejecutar sumariamente. Y, una vez más, la mayor parte del pueblo le creyó, según parece.

c. *David rey de todo Israel.* No quedando nadie que pudiera mantener las reclamaciones de la casa de Saúl, el pueblo consagró a David en Hebrón y allí, en solemne alianza, le proclamó rey de todo Israel (II S 5, 1-3). El incidente, en su conjunto, ilustra la tenacidad de la tradición carismática. Lo que decidió el triunfo en favor de

David fue el hecho de que el pueblo viera en él al hombre sobre el que descansaba el espíritu de Yahvéh. Išbaal había perdido la partida precisamente porque, no siendo reconocido el principio de sucesión, no había dado pruebas de cualidades carismáticas. Aunque David no había aparecido en escena a la manera de Saúl o de los jueces, era no obstante un hombre de tipo carismático. Es decir, un hombre capaz de un caudillaje inspirado, cuyos continuos éxitos evidenciaban que Yahvéh le había designado (29). David fue, de este modo, lo mismo que Saúl, un jefe *(naguîd)*, por designación divina, que había sido hecho rey *(melek)* en una alianza personal con el pueblo (como probablemente lo había sido Saúl) y por aclamación. Lo mismo que Saúl, fue ungido en un santuario de antiguo renombre.

No obstante, el nuevo reino estaba muy alejado del orden antiguo. No solamente la ascensión de David no se produjo según la forma clásica; la base de su poder no era, en absoluto, la de la liga tribal, que no aparece como tal. Al contrario, se constituía ahora como rey, por aclamación, también sobre las tribus del norte, a un jefe militar ya rey de Judá con el consentimiento filisteo. En otras palabras, quedaban unidos en la persona de David el reino ya gobernado por él en el sur, y el área reclamada por Išbaal en el norte. La unidad del nuevo Estado fue, por tanto, bastante frágil. Los clanes del sur, aunque formaban parte del reino de Saúl, habían estado relativamente aislados y habían seguido muchas veces sus propios caminos. La rivalidad entre la casa de Saúl y David debió conducir a las dos secciones a un mayor distanciamiento. David lo advirtió, sin duda alguna, e hizo grandes esfuerzos para no aumentar la brecha. Probablemente fue por esto por lo que no rompió las hostilidades con Išbaal y por lo que en público, y podemos suponer que con sinceridad, se lavó las manos de toda complicidad en las muertes de Saúl, Abner e Išbaal. Y la razón para exigir el retorno de Mikal fue de seguro la esperanza de un hijo varón que pudiera unificar las pretensiones de su casa y la de Saúl, una esperanza que quedó fallida. Sin embargo, a pesar de los esfuerzos de David, continuaron sobreviviendo tanto las reclamaciones de la casa de Saúl como los celos regionales, por no decir nada de otras molestias. Fueron éstos problemas que la monarquía nunca logró solucionar.

2. *Aseguramiento y consolidación del Estado.* El nuevo Estado tuvo que luchar muy pronto por su existencia. Los filisteos comprendieron perfectamente que la proclamación de David constituía una

---

(29) No estamos en este punto de acuerdo con la opinión de A. Alt (cf. KS, II, pp. 37-42, 129) de que el *carisma* no desempeñó ningún papel efectivo en la elección de David, y de que II S 5, 2, al presentarle como *naguîd* de Yahvéh acude a una ficción destinada a presentar la realeza de David de acuerdo con los antiguos esquemas. Aunque David no era una carismático a la manera de Gedeón o de Saúl (¡tampoco Jefté lo fue!), fue, sin duda, elegido precisamente porque sus éxitos convencieron al pueblo de que él era el «designado» por Yahvéh.

declaración de independencia por parte del reunificado Israel. Y esto no lo podían tolerar. Sabían que tenían que desbaratar a David, y desbaratarle pronto.

a. *Lucha final con los filisteos.* La primera fase de la lucha fue decidida cerca de Jerusalén (II S 5, 17-25). El grueso de las fuerzas filisteas se dirigió hacia las montañas y tomó posiciones cerca de esta ciudad, que estaba aún en manos cananeas, y probablemente bajo dependencia filistea (30). Tenían la clara intención de separar a David de las tribus del norte por su punto más vulnerable y, al mismo tiempo, socorrer a sus guarniciones de Judá, amenazadas ahora por David desde su base, establecida en la fortaleza de Adullam (23, 13-17; cf. 5, 17). El acierto de la estrategia filistea se evidencia por el hecho de que aun a pesar de una derrota a manos del pequeño pero fuerte ejército de David, volvieron a plantear la batalla en el mismo lugar. Pero una vez más, se encontraron con una aplastante derrota y fueron completamente arrojados de las montañas (II S 5, 25; I Cr. 14, 16), según parece para no volver ya nunca.

El curso ulterior de la guerra no aparece claro. Podemos sospechar que David, dándose cuenta de que la amenaza sobre Israel no terminaría permaneciendo siempre a la defensiva, aprovechó su ventaja y llevó la guerra a territorio filisteo; en realidad así lo afirma II S 5, 25 y los incidentes de 21, 15-22 que en parte pueden pertenecer a este contexto. Pero aunque es claro que David quebrantó el poder de los filisteos, ignoramos el alcance exacto de sus conquistas. Tenemos sólo el texto enigmático de II S 8, 1, que no puede ser puesto en claro. Puede considerarse como dato seguro que ocupó la llanura costera hasta un punto al sur de Joppe, ya que esta zona quedó más tarde dividida en tres distritos administrativos de Salomón (I R 4, 9-11). Es también seguro que, en el sur, expulsó a los filisteos del suelo palestino y que hizo avanzar la frontera israelita muy hacia el interior del territorio filisteo. Gat fue conquistada por Israel, como lo muestran las fortificaciones alzadas aquí por Roboam (II Cr. 15, 8) (31).

---

(30) Algunos especialistas opinan que, por esta época, David ya se había apoderado de Jerusalén: p.e. Aharoni, LOB, pp. 260; Eissfeld, CAH, II:34 (1965), pp. 44-46. Es imposible llegar a la certeza. Pero los sucesos de II S ca. 5 no conservan un orden cronológico. Según el v. 17, los filisteos atacaron apenas se enteraron de que David había sido aclamado por todo Israel. ¿Se habría arriesgado David a lanzar una ofensiva sobre Jerusalén, con el riesgo de verse a su vez atacado por la espalda? Además, David reinó 7 años y medio en Hebrón (II S 5, 5), es decir, que permaneció allí 5 años después de su aclamación —que aconteció inmediatamente después de la muerte de Isbaal (cf. cap. 2, 10). Resulta difícil creer que hubiera esperado tan largo tiempo para trasladarse a Jerusalén, si ya hubiera conquistado la ciudad en la primera fase de su reinado.

(31) I Cr. 18, 1 afirma que David tomó Gat. Aunque este texto no debe preferirse al de II S 8, 1, tal vez sea correcto. No existe contradicción con I R 2,

Es probable que el territorio de Eqrón, que caía dentro de las reclamaciones de Dan (Jos. 19, 40-46) fuera ocupado en su totalidad o al menos en gran parte. Por otro lado (cf. I R 9, 16), parece que David no pudo apoderarse de la ciudad cananea de Guézer, que estaba bajo control filisteo (32) y tampoco hay pruebas de que hubiera conseguido reducir las ciudades de Ašdod, Ascalón y Gaza. Atendidas sus conquistas posteriores, se hace difícil creer que David no fuera capaz de llevar a cabo estas capturas, de habérselo propuesto. Tal vez los filisteos capitularon y ya no fueron necesarias más campañas. O tal vez, como algunos especialistas creen, David se abstuvo de penetrar en estas áreas, porque sabiendo que Egipto reclamaba la soberanía sobre ellas, quiso evitar posibles roces con el faraón (33). No lo sabemos. Fuera como fuere, la amenaza filistea había desaparecido y los filisteos, privados de fuerza, se vieron obligados a reconocer la supremacía de Israel (cf. II S 8, 12). Contingentes de soldados profesionales filisteos aparecen más tarde como mercenarios al servicio de David (II S 8, 18; 15, 18, etc.).

La nueva capital Jerusalén. Libre del peligro exterior, pudo David dedicarse a la consolidación interna de su poder. Con este fin, después de algunos años de gobierno en Hebrón, conquistó la ciudad jebusea de Jerusalén, y trasladó allí su residencia permanente. Con esta maniobra no sólo eliminaba David un enclave cananeo en el centro del país, sino que obtenía también una capital desde la que podría gobernar un Estado de alcance nacional. Hebrón, ubicado muy al sur y en tierra de Judá, no hubiera sido aceptada permanentemente como capital por las tribus del norte. Pero una capital en el norte difícilmente hubiera sido aceptada por Judá. Jerusalén, colocada céntricamente entre las dos secciones, no perteneciendo territorialmente a ninguna tribu, ofrecía una excelente solución.

No está claro cómo conquistó David la ciudad, ya que el texto (II S 5, 6-10) está extraordinariamente corrompido (34). Pero cier-

---

39 s., ya que el rey de Gat mencionado en este pasaje era indudablemente un vasallo de Salomón. Las tropas militares constituían un contingente especial entre los mercenarios de David (II S 15, 18). No es necesario suponer, como hacen algunos, que la Gat conquistada por David no sea la misma y bien conocida ciudad-Estado filistea.

(32) Pero esto dista mucho de ser seguro: cf. Aharoni, LOB, p. 272. Es posible que Guézer se sometiera a David, como hicieron otras muchas ciudades-Estado cananeas (cf. infra), en cuyo caso el ataque del faraón (cf. infra) habría constituido una flagrante violación de las fronteras del territorio de Israel.

(33) Cf. especialmente A. Malamat, JNES, XXII (1963), pp. 1-17; también G. E. Wright, BA, XXIX (1966), pp. 70-86; igualmente, O. Eissfeldt, *Kleine Schriften*, vol. II (Tubinga, J. C. B. Mohr, 1963), pp. 453-456. Es preciso añadir, con todo, que David no pareció demasiado preocupado por posibles reclamaciones egipcias en lugares palestinos.

(34) De EVV se podría deducir que los hombres de David entraron en la ciudad a través de su conducto subterráneo de agua. Acaso lo hicieran así,

tamente lo hizo con sus tropas personales (v. 6), no con elementos tribales. Jerusalén pasó a ser posesión personal de David («la ciudad de David»). La población jebusea no fue ni sacrificada ni desterrada (cf. II S 24, 18-25), lo que significa que la ciudad difícilmente pudo haber recibido en seguida una gran afluencia de israelitas. Aunque los israelitas afluyeron a la capital en número creciente con el transcurso de los años, es probable que al principio fueron pocos los que se trasladaron allí, aparte la propia familia de David y su séquito (ya en sí una masa considerable). La nueva capital sirvió indudablemente para poner el Gobierno por encima de los recelos tribales. Pero para Israel, ser gobernado desde una capital de atmósfera y pasado no israelita, que era posesión personal del rey, representaba ciertamente un nuevo distanciamiento de la antigua estructura.

c. *Traslado del arca a Jerusalén.* Cualesquiera que fueran los cambios por él introducidos, David comprendió perfectamente la fuerza espiritual de las antiguas instituciones de Israel. Se ve esto claramente en la decisión tomada, no mucho después de haberse establecido en Jerusalén, de trasladar el arca de la alianza desde Kiryat-yearim, donde yacía abandonada desde hacía más de una generación, a la capital de la nación. Con este fin se levantó una tienda-santuario y el arca fue llevada con gran pompa y regocijo —aunque no sin contratiempo— e instalada en Jerusalén (II S 6). Como sacerdotes del nuevo santuario señaló David a Abiatar, de la familia sacerdotal de Silo (cf. I S 22, 20; 14, 3) y a Sadoq, de origen desconocido (35). La trascendencia de esta acción nunca será demasiado ponderada. Fue una maniobra de David para hacer de Jerusalén la capital no sólo política sino también religiosa del reino. Por medio del arca trató de ligar el antiguo orden de Israel al Estado recientemente creado, como su legítimo sucesor y de hacer del Estado el patrono y protector de las instituciones sagradas del pasado. David demostró ser más avisado que Saúl. Mientras Saúl había abandonado el arca y arrojado de sí a sus sacerdotes, David estableció arca y sacerdocio en el santuario nacional oficial. Fue un golpe maestro.

---

porque hoy se sabe que el extremo superior del conducto estaba situado dentro de los muros de Jerusalén; cf. Kathleen M. Kenyon, *Jerusalem* (Londres, Thames and Hudson; Nueva York, McGraw-Hill, 1967), cap. II. De todas formas, la palabra *sinnôr* (v. 8) es oscura y no se la menciona en I Cr. 11, 4-9.

(35)   Las genealogías de I Cr. 6, 4-8; 24, 1-3, etc., dan a Sadoq una ascendencia levítica (aaronítica). Pero muchos creen que fue el sacerdote de la Jerusalén jebusea: p. e. H. H. Rowley, JBL, LVIII (1939), pp. 113-141; recientemente G. E. Mendenhall, *Interpretation*, XXIX (1975), pp. 163 s. F. M. Cross opina, en cambio, que era un sacerdote de Hebrón, que pretendía ser descendiente de Aarón (y, por consiguiente, rival de los sacerdotes de Silo, que pretendían ser descendientes de Moisés); cf. *Canaanite Myth and Hebrew Epic* (Harvard University Press, 1973), pp. 207-215.

Para ligar los sentimientos de las tribus a Jerusalén debió hacer más de lo que nosotros podemos imaginar.

Podría uno, en verdad, maravillarse de que David, que pronto construyó para sí un palacio en Jerusalén (II S 5, 11; 7, 1), nunca construyera un templo apropiado para albergar el arca. La Biblia (II S 7) nos da una explicación: David fue disuadido por un oráculo profético. Aunque parece que el arca estuvo albergada en Silo en un edificio permanentemente (I S1, 9;3,3), persistíaa ún, especialmente entre los círculos proféticos, un tenaz recuerdo de los orígenes del yahvismo en el desierto, junto con el sentimiento de que la erección de un templo bajo patrocinio regio constituía una peligrosa ruptura con la tradición. Es probable que Natán y quienes compartían su opinión albergaran la esperanza de que el nuevo santuario fuera una especie de reactivación y perpetuación del viejo centro tribal y no les agradara la idea de verlo sustituido por un santuario dinástico al estilo cananeo, en el que los reyes jugaban un papel primordial (36). David simpatizaba con este sentimiento, o más probablemente, le parecía prudente condescender con él. El proyecto fue, por tanto, diferido.

d. *Consolidación ulterior del Estado.* Aunque la Biblia narra solamente la conquista de Jerusalén, David obtuvo también el control de las demás ciudades-Estado cananeas que aún existían en Palestina. Eran éstas muy numerosas, a lo largo de la llanura costera, tanto al norte como al sur del Monte Carmelo, en Esdrelón y también en Galilea (cf. Jc. 1, 27-35). Aunque algunas de ellas tenían ya sin duda alguna población israelita, ninguna había estado nunca bajo control israelita, al menos de modo permanente. Cómo cayeron estas ciudades-Estado bajo Israel, no lo sabemos. Pero es cierto que fueron tomadas por David y es igualmente cierto que esto sucedió al principio de su reinado, ya que difícilmente se hubiera podido embarcar en guerras exteriores mientras le quedase terreno propio por conquistar. Probablemente la mayoría eran vasallos o aliados de los filisteos y, cuando el poder filisteo fue quebrantado, traspasaron su alianza a David, con poca o ninguna resistencia (37).

Con esto, el territorio israelita quedaba plenamente redondeado. Fue, en realidad, el término de la conquista de Canaán. El nombre «Israel», que propiamente había designado una confederación tribal, cuyos miembros ocupaban una parte del área de Pales-

---

(36)   Sobre esta cuestión, cf. J. A. Soggin, ZAW, 78 (1968), pp. 182-188; R. de Vaux, *Jerusalem and the Prophets* (The Goldenson Lecture of 1965 [Hebrew Union College Press]; texto francés revisado y ampliado en RB, LXXIII [1966], pp. 481-509); para una perspectiva algo diferente cf. A. Weiser, ZAW, 77 (1965), pp. 153-168.

(37)   Cf. Alt., KS, II, pp. 50-52. Juc. 1, 27-35, refleja la situación existente bajo David y Salomón.

tina, significaba ahora una entidad geográfica que abarcaba virtualmente todo el país. Numerosos cananeos entraron dentro de la estructura de Israel. Pero no fueron integrados, a excepción quizá de casos aislados, dentro del sistema tribal. Sus ciudades-Estado fueron anexionadas, más bien, en bloque a Israel, pasando los señores de las ciudades y la población a ser súbditos de la corona. Es evidente que esto significaba un nuevo avance sobre la estructura antigua hacia un reino de las tribus. Y es igualmente evidente que el problema de ajustamiento y de fricción con la cultura y religión cananeas cobraba nuevas dimensiones.

3. *Construcción del imperio.* Puesta en orden su propia casa, David quedaba en libertad para emprender acciones ofensivas contra sus vecinos. No sabemos si él se embarcó en su carrera victoriosa por la señal de un «destino manifiesto», o tropezó con ella en el transcurso del tiempo. Dado que nuestras fuentes (II S caps. 8 y 10-12), no tienen un orden cronológico, no siempre podemos estar seguros de la concatenación de los acontecimientos. El resultado final fue que David se hizo dueño de un imperio considerable.

a. *La guerra ammonita: intervención aramea.* La primera guerra de David fue contra Ammón (38). Que él deseara la guerra o no, un afrentoso insulto a sus embajadores provocó el conflicto (II S 10, 1-5); ultrajado, David envió un ejército, bajo el mando de Joab, contra la capital ammonita Rabbá (Rabbat-ammón). Los ammonitas, mientras tanto, cayendo en cuenta de la enormidad que habían cometido, pidieron ayuda a los Estados arameos situados al norte de ellos (v. 6-8). Probablemente estos Estados habían sido fundados hacía poco y es posible que tuvieran elementos aún no del todo sedentarios. Se trataba de los Estados de Maaka (al sur del monte Hermón), el país de Tob (al parecer al sur de Siria y al este del mar de Galilea), Bet-rejob y Zobá, un gran Estado situado al norte de Damasco, y que incluía el área este de la región del Antilíbano y controlaba todo el este de Siria, desde el Haurán hasta el valle del Eufrates.

Los arameos llegaron justo a tiempo de tomar por la espalda al ejército israelita, cuando éste se disponía al asalto de Rabbá (39) (II S 10, 8-14). Pero Joab, cambiando rápidamente el orden de sus

---

(38) La guerra ammonita (II S caps. 10 al 12), en la que intervino Zobá, precede por lo menos a la campaña de II S 8, 3-8, en la que este monarca fue derrotado. Pero no estoy seguro de que estos dos pasajes se refieran a la misma campaña, como sugiere O. Eissfeldt (JBL, LXXIX [1960], pp. 371 s.).

(39) I Cr. 19, 7 sitúa la batalla en Medebá. Pero este lugar parece estar demasiado al sur, aunque admitimos que los arameos intentaron estorbar las operaciones de David contra Moab (infra); cf. Aharoni, LOB, p. 263. Si el texto masorético es correcto en II S 8, 13, también acudieron en ayuda de los edomitas, pero muchos especialistas siguen los LXX y leen «Edom» en vez de «Aram».

tropas, los arrojó a la desbandada del campo. La intervención ara-mea, sin embargo, no cejó, ya que Hadadézer, rey de Zobá (40), no queriendo resignarse a perder la partida, armó una fuerza de refres-co y la envió en ayuda de Ammón (vv. 15-19). Pero el ejército de David se movió hacia el norte de Transjordania, encontró a los arameos y los derrotó, dejando muerto a su jefe en el campo. No pudiendo ya los arameos resistir más y habiéndose rendido a Israel los vasallos de Hadadézer (Maaka, Tob), se reanudó el sitio de Rabbá (11, 1). Resultó una operación difícil. Mientras se proseguía fatigosamente, David, que había permanecido en Jerusalén, se vio envuelto en un desgraciado asunto con Betsabé (11, 2-12; 25), que enturbiaría su nombre para siempre y atraería sobre su cabeza la dilacerante re-pulsa del profeta Natán. Al final, con todo, Rabbá fue tomada (12, 26-31) y la población destinada a trabajos de esclavos, pro-bablemente en proyectos reales por todo el reino. La corona ammoni-ta fue colocada en la cabeza de David, es decir, David, rey de Judá y de Israel, gobernó también como rey de Ammón, ejerciendo proba-blemente su autoridad por medio de un delegado nativo (cf. 17, 27).

b. *Conquista del sur de Transjordania.* David redondeó su territo-rio por el este con la conquista de Moab y Edom. A causa de la es-casez de información (II S 8, 2, 13 ss.) no podemos decir cuándo lo llevó a efecto, ni la provocación concreta que le movió a ello. Muy posiblemente no necesitó ninguna. Tampoco conocemos los detalles de las campañas, excepto que la batalla decisiva contra Edom parece haber tenido lugar en la Arabá, al sur del mar Muerto. Ambos países fueron tratados con brutal severidad. El ejército moabita fue diezmado por ejecuciones en masa, a sangre fría. Moab pasó a ser Estado vasallo, tributario de David (41). También Edom fue someti-do a represalias terribles y sistemáticas (cf. I R 11, 15-18). Sus casas reales fueron exterminadas, excepto un hijo de Hadad, que fue lle-vado por sus servidores a un lugar seguro en Egipto. David entonces colocó guarniciones y gobernadores en Edom y le rigió como una provincia conquistada.

c. *Conquistas de David en Siria.* No sabemos si antes o después de estas campañas descritas, resolvió David tomar venganza de Hada-dézer, rey de Zobá (II S 8, 3-8), por su intervención en la guerra

---

(40) El nombre del rey de Zobá, Hadadézer hijo de Rejob (II S 8, 3), sugiere que se trataba de una familia procedente de Bet-Rejob. Sobre estas ciudades y los propósitos de David en esta región, cf. Albright, CAH, II:33 (1966), pp. 46-53; A. Malamat, JNES, XXII (1963), pp. 1-6; B. Mazar, BA, XXV (1962), pp. 98-120 (cf. pp. 102 s.); *ídem,* JBL, LXXX (1961), pp. 16-28; Unger, *op. cit.,* pp. 42-46.

(41) Esto viene sugerido por el modo de hablar de II S 8, 2. Si fue así, el rey de Moab fue dejado con vida en su trono, como vasallo de David: cf. Noth, HI, p. 193; Alt, KS, p. 70.

ammonita. Hadadézer se veía quizá apurado, después de sus reveses
a manos de David, para mantener sometidas las tribus seminómadas
de la llanura siria. De una manera que no aparece clara, David cayó
sobre él, quizá por sorpresa, y obtuvo una victoria decisiva, cap-
turando la mayor parte de los carros arameos. Por sorprendente que
parezca en un estratega de su talla, David no supo usar adecuadamente este armamento: desjarretando los caballos, se quedó sólo con
unos 100 carros, destruyendo el resto. El carro no era aún un arma
con la que los israelitas se sintieran familiarizados y preferían combatir a pie (42). David continuó sus victorias derrotando a los arameos
de Damasco, que habían acudido en ayuda de Hadadézer. Entonces
puso guarniciones en Damasco y la hizo, según parece, la cabeza
administrativa de la provincia siria de su imperio (43).

Esta campaña fue pingüe, en términos de botín, para David,
particularmente en abastecimiento de cobre, que tomaba de las ciudades del reino de Hadadézer situadas al norte de Celesiria, donde
se obtenía este mineral (44). David recibió, además, pródigos presentes del rey de Jamat, cuyo territorio estaba situado al norte del
de Zobá, a lo largo del Orontes (II S 8, 9 ss.) Este rey, satisfecho
sin duda de ver a Zobá aplastado, e impresionado por la fuerza de
David, deseó establecer relaciones amistosas con su nuevo vecino (45).
También como resultado indirecto de sus conquistas, pero ya muy
avanzado su reinado, hizo David un tratado con Jiram, rey de Tiro
(II S 5, 11 ss.) (46). Este tratado, mutuamente ventajoso, se pro-

---

(42)   Pero cf. Yadin, *op. cit.* (en nota 2) vol. II, p. 285, quien cree que David
actuó así porque ya contaba con una fuerza de carros suficiente. Aunque carecemos de información sobre la materia, David debió introducir los carros, siquiera
fuera de forma limitada.

(43)   No sabemos bajo qué modalidades gobernó David el territorio de
Zobá. Si no mantuvo a Hadadézer en el trono, en calidad de vasallo, debió administrar la zona desde Damasco, por medio de guarniciones y gobernadores
instalados en el área conquistada. Cf. A. Malamat, JNES, XXII (1963), pp. 1-6,
Maaká y Tob se convirtieron, al parecer, en estados vasallos, tras la derrota aramea
en Transjordania (cf. II S 10, 18 s.).

(44)   Las ciudades mencionadas (II S 8, 8; I Cr. 18, 8) —Berotay, Tebah
(Tibhat), y Cun (las dos últimas conocidas por los textos egipcios del imperio
nuevo)—están situadas en el valle entre los dos Líbanos, al sur de Hums: cf. Albright, ARI, pp. 130 ss.; Unger, *op. cit.*, p. 44.

(45)   Es imposible saber si se trató de un pacto entre iguales o entre soberano
y vasallo, aunque lo segundo parece más probable; cf. A. Malamat, JNES, XXII
(1963), pp. 6-8. Por otro lado, el tratado con Tiro (cf. infra) parece haber sido
entre iguales; cf. F. C. Fensham, VT, Suppl. vol. XXVII (1969), pp. 71-87.

(46)   Jiram (Ajiram) reinó ca. 969-936; cf. Albright, ARI, p. 128; *ídem*,
en *Mélanges Isidore Levy* (cf. nota 25), pp. 6-8; también H. J. Katzenstein, *The
History of Tyre* (Jerusalén, The Scrocken Institute for Jewish-Research, 1973),
pp. 81 s., 349. Pero F. M. Cross pretende que las fechas son más altas, ca. 980-947
(y elevaría también, consiguientemente, las de David y Salomón); cf. BASOR,
208 (1972), p. 17. Por consiguiente, el reinado de David sólo coincidió con el

longó a todo lo largo del reinado de Salomón y demostró tener un incalculable significado económico como veremos.

4. *El Estado de David* (47). Con las rápidas e inesperadas conquistas de David, se había transformado Israel en la principal Potencia de Palestina y Siria. Es probable que fuera, por el momento, más fuerte que ninguna otra potencia del mundo contemporáneo. Con todo ello, tomaba parte, irrevocablemente, en un nuevo orden.

a. *Dimensiones y composición del Estado.* El imperio de David, aunque no muy grande para nuestra apreciación, era para los antiguos de unas dimensiones bastante respetables. Lo que los filisteos habían intentado hacer, lo hizo David, y aún más. Su dominio era casi equivalente al que tuvo el imperio egipcio en Asia bajo la Dinastía XIX. Incluía toda Palestina, este y oeste, desde el desierto hasta el mar, con su frontera sur adentrándose en el desierto de Sinaí siguiendo una línea desde el golfo de Acabá hasta el Mediterráneo por el torrente de Egipto (Waldi el-'Arîš). Los cananeos de Palestina habían sido incorporados al Estado, mientras que los filisteos, reducidos a una estrecha franja meridional, junto con Moab, Edom y Ammón, de una manera o de otra, pagaban tributo. Todo el sur y centro de Siria estaba incluido en el imperio, según parece como una provincia. La frontera de David limitaba al norte con la de Tiro, a lo largo de la región posterior del Líbano, hasta un punto cercano a Cades del Orontes, donde torcía por el este hasta el desierto, formando frontera con Jamat, que tal vez también pagaba tributo. David pudo haber ejercido control, al igual que Hadadézer, sobre las tribus arameas situadas más lejos, hacia el noroeste, hasta alcanzar el valle del Eúfrates. Ciertamente nadie podía impedírselo, tras la derrota de Zobá.

La verdadera naturaleza de tal Estado presagiaba un cambio total respecto del orden antiguo. Israel no sería ya nunca más una confederación tribal dirigida por un *naguîd* que hubiera sido aclamado rey, sino un complicado imperio, organizado bajo la corona. La confederación tribal no fue ya más un término equivalente a Israel; ni siquiera comprendía la mayor parte de él; sólo con limitaciones se podía afirmar que era su centro. El centro de este nuevo Israel era, en aquel momento, el mismo David. La unión del norte de Israel con Judá, por la que el nuevo Israel había comenzado a existir, era una unión en la persona de David. La ciudad capital era posesión personal de David. La población cananea anexionada a Israel estaba sometida a la corona, no a las tribus israelitas en cuanto tales. El imperio extranjero había sido obtenido y mantenido gracias

---

Jiram unos pocos años. Tal vez David hizo tratos ya antes con Abibaal, padre de Jiram, pero no tenemos informes sobre ello.

(47)   Para toda esta sección, además de las obras ya citadas, cf. A. Alt, «Das Grossreich Davids» (cf. KS, II, pp. 66-75); también K. Galling, *Die israelitische Staatverfassung in ihrer vorderorientalischen Umwelt (Der Alte Orient*, 28: III/IV, 1929).

principalmente al ejército profesional de David, no a las fuerzas
tribales de Israel. Aunque estas últimas fueron empleadas (al menos
en la guerra ammonita), si David hubiera tenido que confiar únicamente en ellas, hubieran resultado imposibles sus conquistas.
Todas las regiones sometidas, según diversos acuerdos, debían obediencia a David y habían de ser administradas por él. Israel quedaba
estructurado según un nuevo diseño. Una concentración del poder
en la corona se hizo, por consiguiente, inevitable.

   b. *La administración del Estado.* Excepto dos listas de empleados
de su Gobierno (II S 8, 15-18; 20, 23-26), conocemos muy poco de la
maquinaria administrativa de David (48). Puesto que no es nombrado
ningún visir (primer ministro), podemos suponer que David presidió
activamente su propio Gobierno. Los empleados mencionados son:
el jefe de las fuerzas israelitas *(saba')* y general en jefe en el campo
de batalla, que era Joab; el jefe de las tropas extranjeras mercenarias
(ceretos y peleteos) (49); el heraldo real *(mazkîr);* el secretario
real, o secretario del Estado *(sôfer),* los dos sumos sacerdotes, Sadoq
y Abiatar (a lo cual el cap. 8, 18 añade que los propios hijos de David fueron hechos sacerdotes). La segunda lista, posterior, añade
un oficial de la leva, probablemente señalado para supervisar a los
extranjeros obligados a trabajos en los proyectos reales. Faltando
un modelo nativo, David estructuró su burocracia, al menos en parte,
sobre esquemas egipcios (que pudo haber aprendido a través de las
ciudades-Estado cananeas, sobre todo Jerusalén, que él conquistó) (50). Además de estos altos cargos, había desde luego, cargos
inferiores, en la corte y en otras partes del país, así como gobernadores y personal diverso en los territorios conquistados. Pero de su
número, función y organización no sabemos nada.

   Tampoco estamos bien informados por lo que respecta a las normas administrativas que David pudo tomar. Aunque no hemos ha-

---

   (48) Para toda esta cuestión, cf. especialmente T. N. D. Mettinger, *Solo-
monic State Officials: A Study of the Civil Government Officials of the Israelite Monarchy*
(Lund, C. W. K. Gleerup, 1971). Un comentario más breve en J. Bright, «The
Organizarion and Administration of the Israelite Empire» *(Mag. Dei,* ca. 10).

   (49) Normalmente interpretados como «cretenses y filisteos» (asimilando
el segundo nombre al primero); pero cî. la propuesta de Albright, CAH, II:32
(1966), p. 29 («cretenses ligeramente armados»). Los filisteos constituían, al
parecer, la médula del ejército profesional de David. Figura también un contingente de guittitas (hombres de Gat) (II S 15, 18).

   (50) Cf. R. de Vaux, «Titres et fonctionnaires égyptiens a la cour de David
et de Salomon» (1939, reimp. *Bible et Orient* (París, Les Editions du Cerf, 1967),
pp. 189-201); J. Begrich, «Sofer und mazkir» (ŽAW, 58 [1940], pp. 1-29). Nombres
cómo Šavša o Sisa (cf. I Cr. 18, 16; I R 4, 3) y el de su hijo Elijoref pueden ser de
origen egipcio; pero respecto del primero cf. A. Cody, RB, LXXII (1965), pp. 381-
393. También puede ser un título oficial la denominación de «amigo del rey» (II S
15, 37; 16, 16; cf. I R 4, 5), con probables paralelos egipcios; cf. H. Donner, ZAW,
73 (1961), pp. 269-277.

blado de una tasación sistemática, y aunque David pudo, sin duda, sufragar en parte los gastos del Estado con las propiedades de la corona y los tributos de los pueblos subyugados, podemos suponer que su censo (cap. 24) fue la base de una reorganización fiscal completa y probablemente también de un reclutamiento. El hecho de que los círculos proféticos señalasen esto como un pecado contra Yahvéh, indica que estaban involucradas innovaciones drásticas. Es, en efecto, probable que la organización militar fuese revisada radicalmente por David y Salomón, al mismo tiempo que existen algunas pruebas de que David dividió a Judá en distritos con propósitos administrativos (51). Si la lista de ciudades de refugio de Jos. 20 pertenece al reinado de David (52), puede reflejar un esfuerzo para restringir las venganzas entre individuos y clanes, a las que el primitivo Israel, como todas las sociedades tribales, estaban tan frecuentemente expuesto. Sin embargo, parece que David intervino poco, o nada, en materias judiciales, dejando que fueran administradas de una manera local, como antes. Aunque a los individuos se les garantizaba el derecho de apelación al rey (II S 14, 1-24), el hecho de que hubiera descontento a este respecto (III S 15, 1-6), indica que aún no había sido establecida una maquinaria judicial eficiente.

La política de David en materia religiosa fue dictada por el deseo de legitimar el Estado, a los ojos del pueblo, como sucesor verdadero del antiguo orden de Israel. Por tanto, apoyó el nuevo santuario de Jerusalén, donde había sido aposentada el arca, como institución oficial del Estado. Los asuntos religiosos eran administrados por sus dos sumos sacerdotes, que eran miembros de su Gobierno. Según la tradición del cronista, que no ha de ser rechazada a la ligera, David fue un magnánimo protector del culto, enriqueciéndole de diversas formas, particularmente en lo que se refiere a la música (53). Si la lista de las ciudades levíticas (Jos. 21) refleja situaciones del reinado de David (54), se aprecia algún plan (aunque probable-

---

(51)   La lista de ciudades de Jos. 15, 21-62 refleja la organización administrativa de Judán en los días de la monarquía. Pero la lista procede probablemente del siglo X (cf. infra); el sistema es más antiguo y tal vez se remonte al mismo David; cf. F. M. Cross y G. E. Wright, JBL, LXXV (1956), pp. 202-226.

(52)   Cf. Albright, ARI, pp. 124 ss,; también M. Löhr, *Das Asylwesen im Alten Testament* (Halle, M. Niemeyer, 1930). La institución, en sí misma, debe ser, con todo, anterior. Cf. recientemente M. Greenberg, JBL, LXXIIIV (1959), pp. 125-132.

(53)   Sobre la antigüedad de la música en el Templo de Israel, cf. Albright, ARI, pp. 125-129.

(54)   Cf. Albright, «The List of Levitic Cities» *(Louis Ginzberg Jubilee Volume* [American Academy for Jewish Research, 1954], pp. 49-73); ARI, pp. 117-120; también Aharoni, LOB, pp. 269-273. Tal vez la mención de Guézer (ver s. 21) se debe al deseo de indicar que este paso se dio bajo el reinado de Salomón (cf. I R 9, 16), pero cf. Aharoni, *ibid.*, p. 272 (y también nota 32, supra).

ménte nunca se llevó a cabo) para el establecimiento de los levitas
por todo el reino, con la finalidad de acentuar la solidaridad nacional
y promover la lealtad a la corona mediante la difusión del culto
oficial por extensas áreas.

La corte de David, aunque modesta en comparación con la de
Salomón, fue, no obstante, de una considerable magnitud. Tuvo
diversas mujeres y numerosos hijos (II S 3, 2-5; 5, 13-16), además
de un importante harén, con los celos e intrigas que eran de esperar.
Hay que añadir a esto un creciente número de clientes y pensionados
«que comían a la mesa del rey» (p. e., caps. 9; 19, 31-40). Rodeando la persona de David estaba su guardia de honor, los «treinta»
(23, 24-29), cuerpo selecto elegido entre las propias tropas del rey,
que tal vez le sirvió de supremo consejo militar (55). Aunque la
corte de David no era ningún cuadro de lujo sibarita, difícilmente
pudo ser tan rústica como había sido la de Saúl.

5. *Ultimos años de David*. Al acabar las guerras de conquista se hallaba aún David en la flor de la vida (56). Continuó reinando hasta
su vejez. Sus últimos años, sin embargo, no fueron pacíficos, sino
que estuvieron impregnados de incesantes intrigas y violencias, y
hasta hubo una rebelión armada que puso en peligro el porvenir
del Estado. Las causas de estos disturbios fueron diversas. Pero en
el fondo se agitaba la cuestión de la sucesión al trono, cuestión para
la que el joven Estado no tenía ni precedente ni respuesta preparada.

a. *El problema de la sucesión al trono*. Israel por este tiempo se
había resuelto en monarquía. Pero no sólo esto, sino que el nuevo
Israel era un logro tan particular de David, y tan centrado en su
persona, que muchos debieron pensar que sólo a un heredero de él
le sería posible mantenerlo unido; uno de los hijos de David debía
sucederle. Pero ¿quién? No se había dado ninguna respuesta a esta
cuestión. Como era de esperar, surgieron sangrientas rivalidades y
el palacio se estremeció con la intriga. El mismo David, padre in-
dulgente que había viciado enteramente a sus hijos (I R 1, 6), fue
en parte responsable. Rehusando, al parecer, definirse a sí mismo,
no hizo nada por aclarar la situación y acabar con el complot. Además, no había desaparecido del todo la costumbre de Israel de seguir a un jefe carismático; si, aun en vida del mismo David, apareciera un «hombre nuevo», muchos estarían preparados para aclamarle. Hijos ambiciosos no perdonaron esfuerzos para convencer al populacho de que ellos eran el «hombre nuevo» (II S 15, 1-6; I R 1, 5).

---

(55) Así Yadin, *op. cit.*, vol. II, p. 277; K. Elliger, «Die dreissig Helden
Davids» (1935); reimp. *Kleine Schriften zum Alten Testament* (Munich, Chr. Kaiser
Verlag, 1966), pp. 72-118, cree que la organización copiaba un esquema egipcio;
pero cf. B. Mazar, VT, XIII (1963), pp. 310-30.

(56) Salomón, que era ya adulto a la muerte de David, nació durante las
guerras (II S 12 .24 ss.) que ocuparon la primera parte del reino de David.

Pero, aunque es probable que la mayoría de los israelitas comprendieron que el próximo rey sería uno de los hijos de David, otros no estaban dispuestos a conformarse. Por una parte, el principio de la sucesión dinástica era una novedad que muchos no estaban preparados para aceptar. Por otra parte, las pretensiones de la casa de Saúl no se habían extinguido en modo alguno. La conducta de David hacia los descendientes de Saúl había tenido una apariencia un tanto ambigua. Había intentado por todos los medios atraerse a los seguidores de Saúl, e incluso había confiado unir su casa con la de Saúl por medio de Mikal, hija de Saúl, como ya hemos visto. Esta esperanza sin embargo quedó frustrada cuando él y Mikal riñeron y se separaron (II S 6, 20- 23) sin tener hijos. Los descendientes de Saúl, recordando cuán oportunamente se había aprovechado David de su caída, no le creían inocente de complicidad en ella. Tampoco podían olvidar que había entregado a los hijos varones supervivientes de Saúl para ser ejecutados por los gabaonitas (II S 21, 1-10), exceptuando sólo a Mefibóset, hijo paralítico de Jonatán, a quien hizo pensionado de su corte. Sean los que fueren los motivos de David (57), los seguidores de Saúl creyeron que fue una maniobra cínica para exterminarlos (II S 16, 5-8). Se alegrarían, por tanto, de ver destruida la casa de David.

Además de estas tensiones, existieron diversas quejas que hombres hábiles supieron aprovechar. Aunque no se nos dice con detalle cuáles fueron estas quejas, hubo ciertamente resentimiento por la instrusión del Estado sobre la independencia tribal, resentimiento por la corte incipiente y por la posición privilegiada de los partidarios de David. Hubo sin duda sinnúmero de pequeñas celotipias personales entre cortesanos ambiciosos, de las que nada sabemos, Existía descontento por la administración de justicia (II S 15, 1-6). Además, la conquista y mantenimiento del imperio exigía año tras año nuevas levas israelitas para servir, con poco provecho para ellos mismos y cada vez más como meros auxiliares de las tropas de David; probablemente ellos respondieron con decreciente entusiasmo y al fin tuvo que hacerse un reclutamiento obligatorio para incorporarlos. Y, desde luego, los recelos tribales, siempre crónicos en Israel, continuaron en ebullición. Había combustible suficiente para un incendio y la cuestión de la sucesión al trono encendió la chispa.

b. *Rebelión de Absalón (II S 13-19)*. La primera y más grave crisis fue provocada por Absalón, hijo de David habido de una princesa aramea de Gešur (II S 3, 3). El disturbio comenzó cuando la hermana de Absalón fue violada y humillada por su medio hermano Amnón,

---

(57) Cf. H. Cazelles, PEQ, 87 (1955), pp. 165-175; A. Malamat, VT, V (1955), pp. 1-12; F. C. Fensham, BA, XXVII (1964), pp. 96-100; también A. S. Kapelrud, *La Regalita Sacra/The Sacral Kingship* (Leiden, E. J. Brill, 1959), pp. 294-01.

hijo mayor de David (v. 2). Absalón, después de esperar su hora durante dos años completos, intervalo en el que David no tomó ninguna clase de medidas, asesinó a Amnón a sangre fría (13, 20-39). Acaso seamos injustos con Absalón, si le achacamos que se aprovechó de esta excusa para eliminar a un primer pretendiente al trono... y acaso no... Absalón pasó tres años en el exilio, en el país de su madre, y sólo se le permitió volver gracias a los buenos oficios de Joab, para ser finalmente perdonado —después de dos años más— por David (cap. 14). Inmediatamente comenzó Absalón a tramar un complot para apoderarse del trono. Sin duda sentía aversión hacia David por haber dejado sin castigo a Amnón y haberle condenado a él por un acto que entonces el sentir común le habría perdonado. Indudablemente sabía que, aunque olvidado de una manera aparente, y aun viviendo probablemente el hijo mayor, su padre, con toda seguridad, le hubiera preferido. Cuatro años (58) consagró a la preparación, ganándose el favor del pueblo con ocasión de sus pleitos, mientras que establecía contactos con agentes por todo el país (cap. 15, 1-12). Después, madurado ya su plan, se trasladó a Hebrón, se hizo ungir rey y, levantando la bandera de la rebelión, marchó sobre Jerusalén con un ejército considerable. David, completamente desprevenido, se vio obligado a abandonar la ciudad y huir (vv. 13-37).

Aunque los partidarios de Saúl dieron su bienvenida a la rebelión de Absalón, pensando que había llegado la hora de su venganza (16, 1-8) (59), no era un golpe contra la casa davídica —a la que pertenecía Absalón— ni tampoco un levantamiento tribal. Parece, más bien, que se basaba en un conjunto de agravios indefinibles y que tenía partidarios en todo el país, y no en menor número en Judá, y en la misma casa de David. Ajitófel, consejero de Absalón (15, 12), era de la tribu de Judá y tenía un hijo que pertenecía a la guardia de honor de David (23, 34) (59), mientras que el general de la rebelión, Amasa, era estrecho pariente tanto de Joab como de David (II S 17, 25; I Cr. 2, 15-17). Además, el fin de la revuelta (¡que comenzó en Hebrón!), encontró a Judá excesivamente reacio hasta para acercarse a David (II S 19, 11-15).

No es probable, sin embargo, que la mayoría de los israelitas apoyasen a Absalón. Además, gran parte de la corte de David, las autoridades eclesiásticas y, sobre todo, sus tropas personales, se mantuvieron fieles (II S 15, 14-29). David huyó al este del Jordán, probablemente porque estaban estacionados allí algunos contingentes del ejército, así como vasallos y amigos en los que David podía confiar (17, 27-29), uno de los cuales, un hermano de Janún, el antiguo enemigo de David (cf. 10, 1 ss.), era probablemente su legado en

---

(58) Leer así en II S 15, 7; ver los comentarios.
(59) La conducta de Mefibóset es ambigua. Aunque negó su deslealtad, parece que David no le creyó (II S 19, 24-30).

Ammón. Cuando Absalón, que se había detenido imprudentemente en Jerusalén (17, 1-23), emprendió al fin la persecución, sus abigarradas fuerzas dieron poco trabajo a Joab y sus tropas, encontrando el mismo Absalón ignominiosa muerte a manos del propio Joab (cap. 18). A partir de este momento cesó la rebelión. Toda las regiones de Israel se apresuraron a hacer las paces con David y restaurarle en su trono (19, 9 ss.).

c.   *Rebelión de Seba (II S 20).* Pero antes de que David hubiera podido regresar a Jerusalén, estalló una nueva revuelta, esta vez como resultado de un agravio tribal. David se había portado generosamente con los partidarios de Absalón, absteniéndose de represalias y garantizando la amnistía aun para aquellos que más a fondo estaban implicados (19, 11-30) (60). Cuando los ancianos de Judá se retiraron, al parecer temerosos de acercarse a él a causa de su grave participación en la revuelta, él les llamó a su lado con palabras amistosas y con la promesa de que Amasa, el general rebelde, reemplazaría a Joab como jefe de las tropas. David, desde luego, no podía olvidar que Joab había dado muerte a Absalón contra su expreso mandato y que después le echó en cara una lacerante lista de sus debilidades (vv. 5-7). Pero las tribus del norte considerando la determinación de David como un manifiesto favoritismo y se despecharon (II S 19, 41-43). Después de un intercambio de enconadas palabras, la rebelión estalló de nuevo.

Esta rebelión, que era un intento de apartar al norte de Israel de su unión con Judá en la persona de David, es una espléndida muestra de la frágil naturaleza de esta unión y un presagio de la disolución que había de venir. Su jefe, el benjaminista Šeba, hijo de Bikri, puede haber sido un pariente de Saúl (cf. Becorat I S 9, 1). Se actuó con toda rapidez. Marchando apresuradamente hacia Jerusalén, David envió en seguida a Amasa para reunir a todas las fuerzas de Judá. Pero al retrasarse Amasa más de lo esperado, David despachó sus tropas personales. Cuando al fin llegó Amasa con las fuerzas, Joab le atravesó con su propia espada y reasumió el mando. La campaña fue breve. Šeba no tuvo, al parecer, mucho apoyo, puesto que al acercarse las tropas de David, él se retiró hasta el extremo norte huyendo para refugiarse allí y fue asesinado por los ciudadanos, que no tenían gran entusiasmo por su causa. Así acabó la rebelión, dejando asegurado el trono de David. Se tiene la impresión, una vez más, de que las tropas profesionales de David jugaron un papel decisivo.

d.   *La sucesión de Salomón al trono (I R 1).* Pero la incógnita de la sucesión al trono no estaba más despejada que antes. Según pa-

---

(60)   Por supuesto, David no había *olvidado* a Šemei (cf. I R 2, 8 ss.), ni había creído a Mefibóšet (cf. v. 29). Pero era lo bastante avisado para comprender que las represalias contra estos dos sáulidas no harían sino empeorar la situación.

rece, David había prometido a Betsabé que Salomón le sucedería
(vv. 13, 17), pero no había hecho nada por cumplirlo, y mientras
tanto se había vuelto anciano y débil. La ambigüedad dio valor a
Adonías, el mayor de los hijos que le quedaban a David (II S 3, 4),
para tratar de obetener el deseado premio. Sabiendo sin duda que
Salomón se estaba preparando para el puesto, y sintiendo que el
derecho era suyo, Adonías —como antes Absalón— comenzó a ganarse el populacho, negociando mientras tanto con Joab, que ya no
era *persona grata* para David, y con el sacerdote Abiatar. Después,
reuniendo a sus hermanos y otros dignatarios para una fiesta en la
fuente sagrada de En-roguel, se proclamó a sí mismo rey. El partido de Salomón, que incluía al profeta Natán, al sacerdote Sadoq y
a Benaias, jefe de los mercenarios de David, actuó rápidamente. Co-
rriendo hacia David, le informaron de lo que estaba sucediendo y
le pidieron que adoptase una decisión. David, en consecuencia, ordenó que Salomón fuese hecho rey al instante. Escoltado por las
tropas personales de David (vv. 33, 38), fue llevado a la fuente sagrada de Guijón, ungido allí por Sadoq y aclamado rey por la multitud. Al oir Adonías la conmoción, y sabiendo que su su causa estaba
perdida, huyó al altar en busca de refugio y rehusó salir de alli
hasta que Salomón juró no matarle.

Todo este asunto fue, claramente, una intriga palaciega. Con
Adonías estaba el general Joab; con Salomón, Benaias, un oficial que
sin duda deseaba llegar a general, y lo logró (I R 2, 35). A cada
uno le seguía uno de los sacerdotes rivales, para suerte de uno e
inmensa desgracia del otro (vv. 26 ss., 35). Es indudable que la
palabra de David tuvo peso suficiente para dirimir la cuestión.
Pero es interesante —y seguramente no es mera coincidencia— que
la victoria esté de nuevo con la parte que cuenta con el apoyo de
las tropas. Aunque el pueblo aceptó el hecho consumado, la aclamación popular fue una ficción; y Salomón no pudo ni siquiera ofrecer
una ficción de dotes carismáticas. La antigua norma para elegir
gobernantes había desaparecido.

C. La monarquia unida en Israel: Salomon
(ca. 961-922) (61)

1. *Salomón como estadista: la política nacional.* Pocas figuras son
más difíciles de valorar que Salomón y no sólo porque las noticias
referentes a él no sean tan completas como sería de desear, ni estén
en orden cronológico. Obviamente, fue un hombre de gran sagacidad,

---

(61)   Cf. supra la nota 25. La fecha para el fin del reinado de Salomón, sobre
la que se basan los cálculos, es de Albright (BASOR; 100 [1945], pp. 16-22); cf.
también M. B. Rowton, BASOR, 119 (1950), pp. 20-22. Otros sistemas cronológicos
tienen ligeras diferencias; cf. cap. VI, nota 1, infra, para las referencias.

capaz de desarrollar hasta el grado sumo las potencialidades económicas del imperio creado por David. Al mismo tiempo, demostró en otros asuntos una ceguera, por no decir estupidez, que precipitó al imperio hacia su desintegración. Salomón, debido en parte a la situación a la que tuvo que hacer frente, fue tan distinto de su padre como era posible. No fue guerrero ni tuvo necesidad de serlo, ya que ningún enemigo exterior amenazaba su reino. Políticamente, su tarea no fue ni defender su Estado ni aumentarlo, sino sólo mantenerlo. Y en esto fue, por lo general, afortunado.

a. *Consolidación del poder bajo Salomón.* Habiendo subido al trono como corregente con su padre, Salomón tuvo poca dificultad para tomar posesión del imperio. Dado que Adonías y su partido se le habían rendido cobardemente, no fue necesario ningún derramamiento de sangre. Pero cuando, al poco tiempo, murió el anciano David (I R 2, 10 ss.), Salomón se movió rápida y cruelmente para apartar todo lo que pudiera poner en peligro su autoridad (vv. 13-46). Adonías, que al pedir la mano de Abišag, concubina de David, indicaba que aún no había olvidado sus derechos al trono (cf. v. 22; II S 16, 21 ss.), fue inmediatamente ejecutado. Abiatar, perdonada su vida a causa de su pasada lealtad hacia David, fue despojado de su oficio y desterrado a su casa de Anatot. Joab, presintiendo que le llegaba su turno, huyó a buscar refugio en el altar del santuario. Pero su rival, el nada escrupuloso Benaias, fue allí por orden de Salomón y le mató, y heredó su puesto. Por lo que respecta a Šemeí, el saulista que había maldecido a David cuando éste huía de Absalón (II S 16, 5-8), se le ordenó confinarse en la ciudad y después, con el primer pretexto de desobediencia, fue ejecutado.

Se nos dice (II R 2, 1-9) que Joab y Šemeí fueron eliminados por orden expresa de David, dada en su lecho de muerte. Aunque desde nuestro punto de vista esto no redunda en alabanza del anciano monarca, no hay razón para no creerlo. Para la mentalidad antigua, la maldición tenía eficacia real; y el delito de sangre, como el que Joab había traído repetidamente sobre David, no era una figura retórica; ambas cosas amenazarían la casa de David hasta que fueran alejadas, y esto trató de hacer David. Pero hay que decir que Salomón obedeció de una manera que sólo puede ser calificada de fulminante. Leemos (I R 2, 46) que «el reino se afirmó en las manos de Salomón». ¡Efectivamente, efectivamente!

b. *Política exterior de Salomón.* Aunque su reinado no fue completamente pacífico, Salomón no emprendió serias operaciones militares que nosotros sepamos. La tarea que tuvo por delante no fue extender más el reino, que había alcanzado sus dimensiones máximas bajo David, sino mantener relaciones amistosas con el exterior y con sus propios vasallos, de manera que Israel pudiera desarrollar en la paz sus potencialidades. Esto intentó hacer por medio de un programa de juiciosas alianzas. Dado que muchas de ellas fueron selladas con el matrimonio, fueron llevadas al harén de Salomón numerosas mujeres nobles extranjeras (I R 11, 1-3). El mismo príncipe heredero era vástago de una de estas uniones (14, 21). La más distinguida de las mujeres de Salomón fue la hija del faraón de Egipto (no se da su nombre, pero sería uno de los últimos de la débil Dinastía XXII), a la que, de acuerdo con su rango, se le dio un trato privilegiado (3, 1; 7, 8). En I R 9, 16 se dice que el faraón tomó y destruyó la ciudad cananea de Guézer y se la entregó en dote a su yerno, con lo que proporcionó a Salomón una modesta adición a su territorio. Pero probablemente bajo este breve apunte hay algo más de lo que aflora a la superficie. Es difícil imaginarse al faraón acometiendo esta larga y costosa campaña para conquistar una ciudad en beneficio del rey de Israel. Tal vez ocurrió que el faraón, a la muerte de David, esperaba restablecer el control egipcio en Palestina y con este objetivo, desencadenó una campaña contra las ciudades filisteas (sobre las que seguía reclamando la soberanía) en el curso de la cual conquistó Guézer (62). Pero luego, al descubrir en el ejército de Salomón una fuerza superior a la suya, juzgó más prudente (o se vio obligado a) hacer concesiones territoriales y asegurar la paz (63). No lo sabemos. Fuera como fuere, el incidente ilustra tanto la relativa importancia de Israel como la baja situación en que había caído Egipto. En los días del imperio, los faraones no dieron sus hijas ni siquiera a los reyes de Mitanni o de Babilonia.

La más importante, con todo, de las alianzas de Salomón fue la hecha con Tiro (5, 1-12), alianza ya iniciada por David y ahora renovada. Tiro, reconstruida por los fenicios de Sidón en el siglo XII, era la capital de un Estado que por este tiempo controlaba todo el litoral sur de Fenicia, desde la bahía de Acre hasta el norte. Bajo Jiram I (ca. 969-936), contemporáneo de Salomón, estaba en pleno auge la expansión marítima de los fenicios hacia el oeste; a fines de siglo existían colonias en Chipre, Sicilia y Cerdeña, donde se explotaban las minas de cobre y probablemente también en España y Africa del norte (64). La alianza resultó mutuamente beneficiosa desde el punto de vista comercial: exportaciones de trigo y aceite

---

(62) Guézer fue destruida a mediados del siglo X y reconstruida por Salomón. Para las excavaciones en este lugar, cf. H. D. Lance, BA, XXX (1967) pp. 34-47; W. G. Dever, *ibid.*, pp. 47-62; también, Dever y otros, *ibid.*, XXXIV (1971), pp. 94-132. También fueron destruidas por este mismo tiempo otras ciudades (Tell Mor, el puerto de Ašdod y tal vez Bet-šemeš), probablemente en el curso de la misma campaña.

(63) Cf. especialmente A. Malamat, JNES, XXII (1963), pp. 10-17; también G. E. Wright, BA, XXIX (1966), pp. 70-86. Sobre Guézer, cf. supra, nota 32.

(64) Cf. especialmente Albright, «The Role of the Canaanites in the History of Civilization» (ed. rev. BANE, pp. 328-362); *idem*, CAH, II:33 (1966), pp. 33-33-34; H. J. Katzenstein, *The History of Tyre*, cap. V; B. Peckham, «Israel and Phoenicia» *(Mag. Dei*, cap. 12).

de oliva de Palestina a Tiro, madera de cedro desde el Líbano para los proyectos de construcción de Salomón. También abrió ante Salomón nuevos caminos comerciales e industriales, como veremos.

c. *La defensa nacional.* Aun sin ser guerrero, Salomón estuvo lejos de carecer de conocimientos militares. Por el contrario, mantuvo la seguridad y disuadió las agresiones con la formación de una institución militar que pocos se hubieran atrevido a desafiar. Las ciudades-clave fueron fortificadas y convertidas en bases militares (I R 9, 15-19). Estas incluían, además de la misma Jerusalén, una cadena de ciudades a todo lo largo del perímetro de la tierra propiamente israelita: Jasor en Galilea, frente a las posesiones arameas; Meguiddó, cerca del paso principal a través de la cadena del Carmelo; Guézer, Bet-jorón y Baalá, guardando los accesos occidentales frente a la llanura (65); y Tamar, en el sur del mar Muerto, frente a Edom (66). Preparado en estos puntos, el ejército de Salomón podía organizarse rápidamente para defenderse ante una invasión, para dominar levantamientos internos o para operaciones contra vasallos rebeldes.

Además, Salomón fortaleció su ejército desarrollando los carros de combate, algo que ni siquiera David había intentado hacer. Israel no había usado nunca antes los carros, en parte porque apenas si tenían empleo en su áspero terreno, y en parte porque su empleo presuponía una aristocracia militar que faltaba en Israel. Pero las ciudades-Estado cananeas, que estaban ya absorbidas en Israel, habían empleado siempre carros. Según parece, Salomón los adoptó de ellos y los explotó con entusiasmo. Se nos cuenta (I R 10, 26; II Cr. 9, 25) que tenía 4.000 pesebres para sus caballos, 1.400 carros y 12.000 hombres para manejarlos. Esta fuerza fue repartida entre las bases militares ya mencionadas (I R 9, 19; 10, 26). Aunque hoy sabemos que el gran complejo de establos descubierto en Meguiddó, y durante mucho tiempo atribuido a Salomón, debe fecharse en el siglo siguiente, están atestiguadas otras amplias construcciones salomónicas, incluyendo fortificaciones y la residencia del gobernador, en Jasor, Guézer y otros lugares (67). Esto, desde luego, significa que

---

(65) Cf. Alt, KS, II, p. 60. Había una Baalá (Baalath) en Dan (Jos 19, 44) y otra en el Négueb (Jos 15, 29) y además Kiryat-yearim se llamaba también Baalá (Jos 15, 9 ss.; II S 6, 2). Las dos primeras son de localización incierta, pero cualquiera de las dos es posible.

(66) Queré y II Cr. 8, 4 leen «Tadmor», e. d. Palmira, centro caravanero en el desierto de Siria al este de Zobá. Sobre las actividades de Salomón en Siria, cf. infra. Con todo, en este contexto «Tamar» es correcto, dado que las ciudades enumeradas forman un perímetro defensivo alrededor del territorio nacional de Israel.

(67) Para los datos sobre Meguiddó, cf. Y. Yadin, BA, XXXIII (1970), pp. 66-96; para Jasor, *ídem*, AOTS, pp. 244-263, donde se da ulterior bibliografía; también BA, XXXII (1969), pp. 50-71. Para Guézer, cf. las obras citadas en la materia nota 62. Con todo, J. B. Pritchard ha puesto en duda que las cons-

Salomón mantuvo en pie un ejército considerable. Es probable que no hiciera en absoluto ningún uso de las fuerzas tribales.

d. *Salomón y el imperio*. Salomón fue, en general, afortunado en el mantenimiento del imperio, aunque no del todo. Su estructura esencial permaneció intacta, pero Salomón la dejó algo más débil de lo que la había encontrado. Primeramente, tuvo disturbios con Edom (I R 11, 14-22, 25). El príncipe edomita Hadad, que había sido el único superviviente de la matanza de Joab, y había encontrado asilo en Egipto, al saber que David y Joab habían muerto, se volvió a su tierra y, según parece, se proclamó rey allí. La narración repentinamente interrumpida y el texto (v. 25) son inciertos. Salvo que Hadad promovió disturbios durante cierto tiempo, no sabemos qué suerte tuvo, o qué medidas adoptó Salomón contra él. Ciertamente, Salomón no perdió nunca el dominio de Edom, ya que de otra manera habrían sido imposibles sus operaciones en Esyón-Guéber, de que hablaremos en su momento, por no decir nada de sus actividades en relación con el comercio caravanero de Arabia (10, 1-10, 15). No obstante, la conclusión es que Hadad continuó siendo una fuente de dificultades, apartando quizá del control israelita alguna de las partes inaccesibles de Edom, al menos temporalmente.

Más serias fueron las dificultades en Siria. Salomón había heredado el control de las tierras arameas desde Transjordania hasta Zobá, junto con lo que parece haber sido una ascendencia, al menos nominal, sobre el reino de Jamat, al norte. Dado que no existía ninguna potencia que le bloquease, es probable que ejerciera un control más o menos efectivo sobre las rutas caravaneras que iban desde el nordesde al Eúfrates. Esto puede ser confirmado por la referencia de II Cr. 8, 4 a su actividad en Tadmor (Palmira) y también por la afirmación de I R 4, 24 de que su gobierno se extendió hasta el Eúfrates, y ninguna de estas aseveraciones debe ser rechazada como total invención. Sea cual fuere su posición, fue seriamente perjudicada cuando Rasón partidario en un tiempo de Hadadézer, tomó Damasco con una banda de hombres y se proclamó a sí mismo rey (I R 11, 23-25). No sabemos qué acciones emprendió Salomón, ni con qué fortuna (68), ni en qué período de su reinado sucedió todo esto. Pero del texto se infiere que Rasón nunca fue sometido. La extensión de las pérdidas de Salomón en Siria es desconocida. Aunque es probable

---

trucciones fueran establos; cf. J. A. Sanders, ed., *Near Eastern Archaeology in the Twentieth Century* (Nueva York, Doubleday, 1970), pp. 267-276; de igual modo, Y. Aharoni, JNES, XXXI (1972), pp. 302-311; BA, XXXV (1972), p. 123. Pero Yadin sigue defendiendo su interpretación original; cf. *Mag. Dei*, cap. 13; también J. S. Holladay, JBL, XCVI (1977), p. 284.

(68)   A no ser que se refiera a esta situación la misteriosa referencia a una campaña contra Jamat de Zobá (II Cr. 8, 3); cf. Aharoni, LOB, p. 275, lee, con los LXX, «Bet Sobá» y sugiere que tal vez Salomón decidió acentuar su posición en Celesiria y en Tadmor como reacción a la pérdida de Damasco.

que tuviera, al menos nominalmente, el control de sus posesiones arameas, excepto Damasco, es seguro que su influencia en Siria quedó debilitada.

Con estas excepciones (de cuya importancia no podemos estar seguros), Salomón mantuvo intacto el imperio.

2. *Actividad comercial de Salomón.* Salomón fue un verdadero genio en lo tocante a la industria y el comercio. Fue capaz de comprender la significación económica de su posición, a horcajadas sobre la mayor ruta norte-sur desde Egipto y Arabia hasta el norte de Siria, y también de explotar las posibilidades inherentes a su alianza con Tiro. Sus empresas comerciales fueron numerosas, y dado que el comercio exterior era en gran parte monopolio real, constituyeron una gran fuente de riqueza para el Estado.

a. *El comercio del mar Rojo (I R 9, 26-28; 10, 11 ss., 22).* Inspirándose en la expansión fenicia hacia el oeste, y con su activa colaboración, Salomón intentó desarrollar parecidas posibilidades por el camino del mar Rojo, en dirección sur. Construyó, ciertamente con ayuda de armadores fenicios, una flota mercante en Esyón-Guéber y tomó la decisión de mandarla, tripulada por marineros fenicios, en viajes comerciales regulares hasta Ofir, que, al parecer, es difícil que equivalga a la Somalia actual (69). Estos viajes duraban un año y, al menos, parte de otros dos, permitiendo probablemente a los barcos tocar todos los puertos a ambos lados del mar Rojo y proporcionaron a Salomón las riquezas y productos exóticos del sur: oro y plata, maderas preciosas, joyas, marfil y, para el divertimiento de su majestad, monos.

b. *Comercio caravanero con Arabia.* Salomón estuvo también interesado en el comercio por tierra con el sur. La visita de la reina de Sabá (I R 10, 1-10, 13), incidente que de ninguna manera debe ser rechazado como legendario, ha de ser entendido a la luz de estas circunstancias. Los sabeos, originariamente nómadas, se habían sedentarizado por este tiempo y habían fundado un reino cuyo centro estaba en lo que hoy es el Yemen oriental (70). Su posición es-

(69) Así Albright, ARI, pp. 133 s. Algunos autores sugieren que Ofir estaba en Arabia, a mitad de camino entre Medina y La Meca, donde existen extensos yacimientos de oro, explotados hasta los tiempos modernos; cf. BA, XXXIX (1976), p. 85. Pero, ¿no habría sido más fácil obtener este oro mediante transporte terrestre, sin necesidad de construir una flota? Cf. Katzenstein, *op. cit.*, p. 109. Un ostracon descubierto en Tell Qasile, cerca de Joppe, menciona «oro de Ofir», pero, por desgracia, su datación es incierta (tal vez mediados del siglo IX); cf. A. Mazar, BA, XXXVI (1973), pp. 42-48.

(70)¹ Acerca de la primera expansión sabea cf. Albright, ARI, pp. 132-135; *ídem,* BASOR, 128 (1952), p. 45; *ídem,* JBL, LXXI (1952), pp. 248 ss.; G. van Beek, Ba, XV (1952), pp. 5 ss. Para el comercio de las especias y el incienso, cf. *idem,* JAOS, 78 (1958), pp. 141-152; también BA, XXIII (1950); pp. 70-95. Para un relato popular de las exploraciones en el sur de Arabia, cf. W. Phillips, *Qataban and Sheba* (Harcourt, Brace and Company, 1955). También J. B. Pritchard y otros, *Solomon and Sheba* (Londres, Phaedon Press, Nueva York; Praeger, 1974).

tratégica en medio de las rutas caravaneras desde Hadramut hacia el norte, hasta Palestina y Mesopotamia, les permitía dominar el comercio de las especias y del incienso, que tanta fama habían dado al suroeste de Arabia. Explotando el desarrollo del transporte camellero, habían iniciado una expansión comercial que en los siglos posteriores les dio la hegemonía del comercio sobre la mayor parte de Arabia. Es posible que aprovechándose de la caída del monopolio egipcio sobre el comercio en Etiopía y Somalia, extendieran también allí sus intereses. La visita de la reina de Sabá es, por tanto, comprensible. Salomón no sólo controlaba el término norte de las rutas comerciales; sus empresas marítimas le habían llevado a una competición directa con el incipiente comercio caravanero, incitando a la reina de los sabeos a actuar en defensa de sus intereses. Por tanto, visitó a Salomón llevando muestras de sus mercancías: oro, joyas y especias. Y puesto que Salomón la recibió regiamente, es probable que obtuviera el convenio que buscaba. En todo caso (I R 10, 15) las tasas e impuestos sobre el comercio de Arabia ingresaron en el tesoro de Salomón (71).

c. *La industria del cobre.* No se nos dice qué clase de productos exportaba Salomón a cambio de las importaciones antes mencionadas. Es indudable que existían numerosos artículos —transportados por mar vía Fenicia y por tierra a lo largo de las rutas caravaneras de Siria— que se prestaban bien para el intercambio. Durante mucho tiempo se ha venido creyendo que Salomón disponía de gran cantidad de cobre con destino a la exportación. Esta creencia pudo venir sugerida por el hecho de que de las naves salomónicas se dice (I R 10, 22) que eran una «flota de *taršiš*», es decir, navíos de alto bordo, similares a los utilizados por los fenicios para el transporte de lingotes de cobre desde sus minas y refinerías de Chipre y Cerdeña (72). Es indudable que Salomón necesitó grandes cantidades de este metal para la fabricación de los utensilios del templo; de ellos se nos dice que fueron fundidos en el valle del Jordán (I R 7, 45 s.). Pero, por el momento, sigue siendo un misterio la fuente de aprovisionamiento de cobre del monarca. La gran instalación descubierta en Esyón-Guéber, y de la que durante mucho tiempo se pensó que

---

(71) Ha sido hallado en Betel un sello de arcilla del sur de Arabia, de hacia el siglo IX, que demuestra la existencia de relaciones comerciales entre ambos países poco después de la muerte de Salomón; cf. G. W. Van Beek y A. Jamme, BASOR, 151 (1958), pp. 9-16. De este sello, sorprendentemente parecido a otro descubierto en el sur de Arabia por T. Bent y publicado en 1900, pero luego desaparecido, algunos han sospechado que «fue colocado» en Betel; cf. Y. Yadin, BASOR, 196 (1969), pp. 37-45. Pero a la luz de las observaciones de Van Beek y Jamme, así como de J. L. Kelso (*ibid.*, 199 [1970], pp. 59-65) tal cosa parece imposible.

(72) Según Albright, *taršiš* significa «fundición», «refinería»; cf. BANE, pp. 346 s. Para otra explicación («mar abierto») cf. C. H. Gordon, JNRS, XXXVII (1978), pp. 51 s.

era una refinería de cobre, parece haber sido fortaleza y almacén (73).
Por otra parte, no parece que las minas de Timná, en la Arabá, que
hemos mencionado en el capítulo anterior, se siguieran laborando
después del siglo XII (74). No tenemos pruebas fehacientes de que
Salomón se dedicara a la explotación y fundición de minas de cobre
en gran escala (aunque futuras excavaciones pueden, por supuesto,
arrojar más luz sobre esta cuestión). Ya se dijo antes que David trajo
consigo, de su campaña de Celesiria, un rico botín de cobre (75) y
es posible que de este modo abriera una fuente más tarde explotada
por su sucesor. Pero es preciso confesar que, por el momento, ignoramos la fuente, o las fuentes, de la riqueza mineral de que, al parecer, dispuso Salomón.

d. *Comercio de carros y caballos.* Tenemos noticia de esta empresa por (I R 10, 28 ss.), que a causa de alteraciones en el texto es
casi ininteligible en la mayoría de las traducciones. Con uno o dos
pequeños cambios podemos leer aproximadamente como sigue: «Y
la importanción de caballos para Salomón venía de Kue (Cilicia);
los mercaderes del rey se los traían de Kue a precio ordinario. Y un carro era traído de Egipto y vendido por seiscientos si-
clos de plata, y un caballo de Cilicia por ciento cincuenta. Y así
eran entregados a través de sus agentes (es decir, de los mercaderes
de Salomón) a todos los reyes de los hititas y de Aram» (76). Salomón se dedicó a esta actividad, sin duda, en el curso del desarrollo
de su propio ejército. Se requería una gran cantidad de carros y
caballos, y puesto que Israel no manufacturaba los unos ni criaba
los otros, tenían que ser importados. Desde el tiempo del imperio
nuevo, Egipto venía fabricando los carros más finos que se conocían, y Cilicia era famosa en los tiempos antiguos como criadero
de los mejores caballos. Por tanto, Salomón envió a sus agentes a
ambos países para suplir sus propias necesidades. Pero entonces,
dándose cuenta de que controlaba todas las rutas comerciales entre
Egipto y Siria, se hizo a sí mismo intermediario en un comercio
lucrativo, en estas condiciones: los caballos de Cilicia y los carros
de Egipto sólo podían ser entregados a través de su agencia. Y dado
que este comercio era un monopolio real, podemos estar seguros
de que proporcionaría a Salomón unos ingresos saneados.

---

(73), Así lo ha reconocido el propio excavador; cf. N. Glueck, BA, XXVIII
(1965), pp. 70-87; BASOR, 179 (1965), pp. 16-18.

(74) Cf. B. Rothenberg, *Timna* (Londres, Thames and Hudson, 1972),
pp. 63, 180.

(75) Cf. supra, nota 44. I Cr. 18, 8 afirma expresamente que los utensilios
del Templo procedían de esta fuente.

(76) Así, más o menos, RSV. Para la discusión, cf. Albright, JBL, LXXI
(1952), p. 249; ARI, pp. pp. 131 s. Cf. también H. Tadmor, «Que y Musri»
(IEJ, 11 [1961], pp. 143-150).

3. *La edad de oro de Israel*. La Biblia describe, con justicia, el reinado de Salomón como de incomparable prosperidad. Israel gozó de una seguridad y una abundancia material tal como nunca antes la había soñado y nunca volvería a conocer después. Y esto, a su vez, permitió un sorprendente florecimiento de las artes pacíficas.

a. *Prosperidad económica de Israel*. Salomón proporcionó una época «boom» al país. El mismo Salomón, enriquecido por las aportaciones de sus monopolios del comercio y de la industria y por las propiedades de la corona, llegó a ser un hombre inmensamente rico. El nivel de vida del país subió también, en conjunto, extraordinariamente. Los proyectos de Salomón, aunque monopolizados por el Estado, debían dar empleo a muchos millares y estimular a otros a la empresa privada, elevando de este modo el poder adquisitivo de toda la nación y provocando una prosperidad general. Que muchos individuos se hicieron ricos, ya en el servicio de Salomón o por medio de sus esfuerzos personales, difícilmente se puede dudar. Crecieron las ciudades (por ejemplo, Jerusalén, que se extendió fuera de sus antiguas murallas) y fueron construidas muchas otras. El mejoramiento de la seguridad pública se ilustra por el hecho de que se abandonó la práctica de almacenar el grano en pozos dentro de las murallas de la ciudad. El uso general del arado de hierro (el monopolio filisteo estaba, desde luego, quebrantado), aumentó la productividad del suelo y permitió mantener una creciente densidad de población. En nuestra personal estimación, es muy posible que la población se hubiese duplicado desde los días de Saúl (77).

b. *Empresas constructoras de Salomón: el Templo*. Salomón empleó sus riquezas en numerosos proyectos de construcción. Ya hemos mencionado la cadena de ciudades en torno al perímetro del núcleo territorial israelita, que fueron fortificadas, provistas de guarniciones y convertidas en bases militares. Aparte ellas, las excavaciones han sacado a la luz una red de fuertes, de mayor o menor tamaño, que protegían las rutas caravaneras por el sur, a través del Négueb, hasta Esyón-Guéber. Aquí se alzó una gran construcción, de la que inicialmente se pensó que era una refinería de cobre. Pero, al parecer, se trata de una fortaleza que defendía el puerto y servía a la vez de almacén de mercancías para las flotas y el comercio caravanero. Pero los proyectos de construcción más notables se centraban en la capital misma, Jerusalén. Además de las instalaciones militares y otras (78),

---

(77) Albright, BP, pp. 59 ss., nota 75; estima la población por lo menos en 750.000, contando solamente a los israelitas nativos.

(78) Incluyendo (I R 9, 15, 24) el misterioso Mil.lo («relleno» o «ensanche»), que tal vez se refiere a las terrazas, rellenadas con piedras, de la pendiente ladera oriental de la ciudad, sobre la que se construyeron algunas casas; cf. Kenyon, *op. cit.*, pp. 49-51. Para otras explicaciones, cf. los comentarios.

estos proyectos incluían un amplio complejo de edificaciones levantadas en Jerusalén, al norte de la antigua muralla de la ciudad jebusea, siendo el Templo la más importante de todas ellas (79).

El Templo fue construido por un arquitecto de Tiro (I R 7, 13 ss.) según un modelo corriente entonces en Palestina y Siria (80). De forma rectangular, orientado hacia el este, con dos columnas delante (v. 21), que llevaban, probablemente, inscripciones dinásticas. El edificio en sí constaba en primer término de un vestíbulo; después la sala principal del santuario el «lugar santo» (*hekal*), gran cámara rectangular iluminada por pequeñas ventanas bajo el tejado; y, finalmente, al fondo, el «santo de los santos» (*debîr*), pequeña cámara sin ventanas donde reposaba el arca. Allí, en su casa terrenal, se consideraba al invisible Yahvéh como entronizado, custodiado por dos gigantescos querubes. El Templo fue comenzado en el año cuarto de Salomón (ca. 959), acabado siete años más tarde (6, 37 ss.) y dedicado con gran solemnidad, bajo la presidencia del mismo Salomón (cap. 8).

El templo encerraba una doble finalidad. Era un santuario dinástico, una capilla real, cuyo sumo sacerdote era elegido por el rey y formaba parte del Gobierno; era también, como lo indica la presencia del arca, proyectado como santuario nacional del pueblo israelita. Su ritual sacrificial debió ser, en todas sus partes esenciales, el que nos ha conservado el código sacerdotal. Dado que su construcción siguió los modelos fenicios, muchos de sus simbolismos habían de reflejar inevitablemente un fondo pagano. Por ejemplo, el mar de bronce (I R 7, 23-26) simboliza probablemente el océano subterráneo de agua dulce, fuente de la vida y de la fertilidad, mientras que el altar de los holocaustos (cf. Ez. 43, 13-17) parece haber evocado originariamente la montaña de los dioses (81). Esto implicaba innegablemente el peligro de que se insinuaran conceptos paganos en la región oficial de Israel. Podemos, sin embargo, dar por seguro que, al menos en los círculos oficiales, estos detalles re-

---

(79) Entre otras obras, cf. Albright, ARI, pp. 139-155; A Parrot, *Le Temple de Jérusalem* (Cahiers d'Archéologie biblique, n. 5, Neuchatel-París) (1954) G. E. Wright, «Solomon's Temple Resurrected» (BA, IV [1941], pp. 17-31); *ídem*, BA, VII (1944), pp. 65-77; BA, XVIII (1955), pp. 41-44; P. L. Garber, BA, XIV (1951), pp. 2-24; también Garber, Albright y Wright, JBL, LXXVII (1958), pp. 123-133.

(80) Durante largo tiempo, el paralelo más cercano fue Tell Tainat, de Siria, construido poco después, pero ahora se han descubierto otros, concretamente uno de Jasor del bronce reciente: cf. Y. Yadin, BA, XXII (1959), pp. 3 s. El más interesante de todos es el templo israelita de Arad, edificado en el siglo X y utilizado sin interrupción hasta el siglo VIII al menos; cf. Y. Aharoni, BA, XXXI (1968), pp. 2-32; *ídem*, «The Israelite Sanctuary ar Arad» (*New Direction in Biblical Archaelogy*, D. N. Freedman y J. C. Greenfield, eds., [Doubleday, 1969], pp. 25-39).

(81) Para ulteriores discusiones cf. Albright, ARI, pp. 144-150.

cibieron una interpretación yahvística y sirvieron como símbolos
del dominio cósmico de Yahvéh. El culto del Templo, a pesar de
todos los elementos recibidos, siguió teniendo un carácter completamente israelita (82). El Templo y sus sacerdotes ejercieron en general
una influencia profundamente conservadora en la vida de Judá,
como veremos.

Próximas al Templo se hallaban las otras construcciones del complejo palacio (I R 7, 1-8). Estas incluían el palacio mismo, que debió
de ser espléndido, dado que se emplearon trece años en su construcción; la «Casa del Bosque del Líbano», así llamada a causa de
las macizas columnas de cedro que la sostenían, y que servía para
armería (I R 10, 16 s.; Is. 22, 8) y para depósito del tesoro (I R 10,
21); una sala de justicia donde eran tratados los negocios del Estado y donde estaba el gran trono de marfil del rey (vv. 18-20); y
un palacio para la hija del faraón, todos adornados con el esplendor correspondiente (83). Evidentemente, un gran avance sobre la
rústica corte de Saúl.

c. *Florecimiento cultural.* La gloria de Salomón no consistió sólo
en logros materiales, sino que se dio también un sorprendente florecimiento cultural. Aunque no tenemos ninguna inscripción contemporánea del siglo X de Israel, a excepción del Calendario de Guézer (84), se empleó ampliamente la escritura. Gran parte de esta escritura no tuvo, desde luego, carácter literario. Todos los antiguos
Estados mantenían plantillas de escribas para despachar la correspondencia diplomática, guardar las noticias oficiales y atender a
la administración ordinaria. Salomón ciertamente tuvo necesidad
de un gran número de ellos, y su producción debió de ser abundante.
Aunque no ha sobrevivido ninguno de los registros oficiales de Salomón, la mayor parte de nuestros conocimientos sobre su reinado
provienen de una recopilación de ellos (I R 11, 41). Pero hubo. también una genuina actividad literaria, tanto en Israel como en otros
lugares, centrada probablemente en el Templo. Israel se hallaba justamente al final de su época heroica, en el punto en que los hombres
sienten impulso natural a registrar los hechos del pasado. Y los
israelitas —seguramente a causa de que su fe estaba enraizada en los

---

(82)   Algunos autores creen que el proceso de paganización de la religión
de Israel fue mucho más profundo; cf. G. C. Mendenhall, *Interpretation*, XXIX
(1975), pp. 155-170. En todo caso, más que de una separación de Yahvéh se trataba de una paganización sutil, interior.

(83)   Sobre estas estructuras, cf. D. Ussihkin, BA, XXXVI (1973), pp.
78-105.

(84)   Para el texto, cf. Pritchar, ANET, p. 320. La más antigua de la notable
serie de ostraca de Arad (más de 200 en total), procede de la última parte del
siglo X, pero se trata de un fragmento que sólo contiene unas pocas letras; cf.
Aharoni, «The Israelite Sanctaury at Arad» (obra citada en nota 80), p. 27. Sobre
la literatura israelita, cf. A. R. Millard, BA, XXXV (1972), pp. 98-111.

sucesos históricos— tuvieron un sentido peculiar de la historia. Comenzaron, por tanto, a producir, y en la más lúcida prosa, una literatura de carácter histórico, no superada en el mundo antiguo. Sobresale en este género la incomparable «Historia de la corte de David» (II S 9-20 y I R 1-2), de la que ya hemos hablado, escrita ciertamente durante el reinado de Salomón. Los relatos heroicos de David, Saúl y Samuel fueron igualmente coleccionados y adquirieron forma literaria. Las tradiciones épicas de los comienzos de Israel —los patriarcas, el éxodo y la conquista— habían recibido ya forma definitiva en la época de los jueces. Fue, sin embargo, aproximadamente en el reinado de Salomón cuando el yahvista (lo llamamos así por no conocer su nombre), seleccionando de entre estas tradiciones y añadiendo otras, formó su gran historia teológica de la conducta de Yahvéh para con su pueblo, sus grandes promesas y su magnífico cumplimiento. Este documento, que constituye la base de la narración del Hexateuco, es una de las obras maestras de la Biblia.

También florecieron la música y la salmodia, especialmente cuando Salomón volcó los recursos del Estado sobre el nuevo Templo, enriqueciendo su culto de varias formas (I R 10, 12). Aunque conocemos muy poco de las técnicas musicales en uso para que podamos hacer afirmaciones claras, la música israelita alcanzó probablemente bajo influencia fenicia, cimas de perfección tales como ninguna en el mundo contemporáneo. Se adaptaron para uso israelita salmos de origen cananeo (los salmos 29, 45, 18, et., son ejemplos de ello), y sin duda fueron compuestos algunos nuevos. No podemos precisar cuántos de los Salmos del Salterio existían ya entonces; pero es seguro que había un cierto número de ellos y eran corrientes otros muchos que después fueron olvidados.

Floreció también la sabiduría. La Biblia describe a Salomón como un hombre extraordinariamente sabio (I R 3, 4-28; 10, 7, 23 ss.), que gozó también de fama universal como compositor de proverbios (4, 29-34). Es difícil valorar esta afirmación dado que no conocemos cuántos de los proverbios atribuidos a Salomón fueron suyos. Pero es razonable suponer que la tradición sapiencial de Israel, de la que el libro de los Proverbios es sólo un producto destilado, comenzó a florecer por este tiempo (85). Aunque el libro de los Proverbios es postexílico, no hay razón para considerar la sabiduría hebrea como un desenvolvimiento postexílico, y menos aún para suponer que representa un préstamo tardío de supuestas fuen-

_____

(85) Se pueden encontrar excelentes tratados para este asunto, y desde varios puntos de vista, en *Wisdom in Israel and in the Ancient Near East*, M. Noth y D. Winton Thomas, eds., (VT, Suppl. vol. III [1955]); cf. también W. Baumgartner, «The Wisdom Literature», OTMS, pp. 210-237; A. Alt «Die Weisheit Salomos» —KS, II, pp. 90-99).

tes edomitas y nortearábigas. En todo el mundo antiguo, particularmente en Egipto, pero también en Canaán (como lo demuestran los proverbios de las Cartas de Amarna, los textos de Ras Šamra y otros lugares, así como también los canaanismos del libro de los Proverbios) había existido una literatura gnómica que se remontaba al segundo milenio. Que parte de los Proverbios (cf. caps. 22 al 24) están basados en las máximas egipcias de Amenemope (que se remontan a finales del segundo milenio), es cosa sabida. Hay poca razón para dudar que la sabiduría estaba ya desarrollada en Israel hacia el siglo diez, probablemente por intermedio cananeo (86), y que fue favorecida en la corte de Salomón.

4. *El peso de la monarquía.* Hemos pintado hasta ahora el reinado de Salomón bajo una luz más bien favorable. Pero hay que añadir algo más. La Biblia nos permite ver otra cara, mucho menos hermosa, del cuadro, que demuestra que la Edad Aurea no fue enteramente de oro. Para unos trajo riqueza, para otros, esclavitud. Su precio, para todos, fue el incremento de los poderes estatales y unas cargas como nunca habían existido antes en Israel.

a. *Problema fiscal de Salomón.* El Estado se enfrentó con un crónico dilema financiero. Con todo el genio de Salomón, los recursos de que disponía eran demasiado menguados para dotar de una base firme a la prosperidad nacional. En una palabra, los gastos superaban a los ingresos. Cuando se piensa en los proyectos de construcción de Salomón, en su ejército, su amplio apoyo al culto, y la pompa borgoñona de su corte privada, esto aparece como inconcuso. Además, la administración del Estado y sus numerosas empresas requerían siempre una gran burocracia, cuyo costo era ciertamente considerable. Salomón parece haber añadido (I R 4, 1-6) otros dos nuevos cargos a su Gobierno, además de los ya existentes: un oficial «sobre los gobernadores» *('al hannissabîm)*, al parecer el jefe de la administración de provincias y distritos, y un primer ministro o visir *('al habbayit)* que era también mayordomo de palacio (cf. II R 15, 5; Is. 22, 21 ss.) (87). Pero los oficiales menores debieron ser numerosos. I R 9 23 menciona 550 únicamente para la supervisión de los trabajos. Los ingresos de Salomón, aun siendo inmensos, resultaban insuficientes. David, a lo que parece, había basado su mucho más modesta casa real sobre sus rentas personales y sobre las tasas de sus súbditos extranjeros, sin que, por lo que podemos conocer, colocase

---

(86)   Todos los hombres sabios, Etan, Jeman, Calcol y Darda (I R 4, 31) tienen nombres cananeos: cf. Albright, ARI, pp. 127 ss.; *ídem,* JBL, LXXI (1952), página 247.

(87)   Se discute la función de este oficial; cf. T. N. D. Mettinger, *Solomonic State Officials,* pp. 87-89; R. J. Williams, VT, Suppl. vol. XXVIII (1975), pp. 236 s; R. de Vaux, *art. cit.* (en nota 50). Tal vez en el siglo X fuera un cargo de escasa importancia, pero parece que en el siglo VIII (I R 18, 18, 37) equivalía al de primer ministro.

ninguna indebida y pesada carga sobre su pueblo. Con Salomón, sin embargo, habían cesado las conquistas; y mientras los gastos crecían, no aumentaban proporcionalmente los ingresos de los tributos. El comercio era enormente provechoso, pero dado que por toda clase de bienes importados debían ser exportados los productos nativos, no era suficientemente provechoso para cubrir las pérdidas y equilibrar las fugas del presupuesto nacional. Salomón se vio, por tanto, obligado a tomar drásticas medidas.

b. *Distritos administrativos de Salomón.* Salomón descargó su pesada mano sobre sus súbditos en forma de tasas. Para hacerlo de un modo más eficaz, reorganizó el país en doce distritos administrativos, cada uno con un gobernador responsable ante la corona (I R 4, 7-19) (88). Y dado que estos distritos apenas coincidían en algunos casos con las antiguas áreas de las tribus, muchas veces fueron ignorados los límites tribales. Además, se incluyó en esta división el territorio en otro tiempo perteneciente a las ciudades-Estado cananeas. El fin de esta medida fue, desde luego, obtener en primer término unos ingresos mayores. Cada distrito estaba obligado a proporcionar provisiones para la corte durante un mes del año (v. 27); a juzgar por los vv. 22 y ss. esto debió suponer un terrible esfuerzo en distritos que apenas promediaban los cien mil habitantes (89). Pero además de la obtención de recursos, Salomón buscó indudablemente debilitar la fidelidad tribal, integrar más completamente la población cananea dentro del Estado y consolidar más firmemente el poder en sus propias manos. Los gobernadores era señalados por Salomón y eran responsables ante un oficial de su Gobierno; dos de ellos eran sus propios yernos.

Es discutido el puesto de Judá en esta organización. Algunos especialistas creen que el texto corrompido del v. 19 menciona un gobernador de Judá (RSV lo lee así). Una sugerencia aún más plausible es que Judá fue igualmente dividido en doce distritos y que la lista que los describe está conservada en Jos. 15, 20-62. Aunque esta lista data probablemente del siglo siguiente (90), el sistema se remonta casi con toda certeza, cuando menos a los días de Salomón (91). De todas formas, fue un paso radical y decisivo, y no

---

(88) Cf. A. Alt, «Israels Gaue unter Salomo» (KS, II, pp. 76-89); W. F. Albright, «The Administrative Divisions of Israel and Judah» (JPOS, V [1925], pp. 17-54); Aharoni, LOB, pp. 273-280; y especialmente G. E. Wright, «The Provinces of Solomon» *(Eretz Israel,* VIII [1967], pp. 58-68), con más bibliografía.

(89) Cf. Albright, BP, p. 56, para los cálculos.

(90) Cf. F. M. Cross y G. E. Wright, JBL, LXXV (1956), pp. 202-226. Cf. también lo que se dice más adelante sobre esta materia.

(91) Cross y Wright *(ibid.)* sostienen que la reorganización había sido realizada ya por David. Ciertamente, el censo de David fue el preludio de medidas fiscales y administrativas —lo que provocó resentimiento. Tal vez había planeado un sistema provincial para todo el país, pero encontró tal resistencia que nunca pudo imponerlo fuera del Israel septentrional.

sólo porque imponía sobre el pueblo una carga sin precedentes, sino porque significaba que el antiguo orden tribal, que cada vez tenía un significado más marchito, había sido, por lo que respecta a su función política, prácticamente abolido. En lugar de doce tribus que contribuyesen con sus mesnadas en caso de peligro, hay ahora doce distritos sometidos a tasa para el mantenimiento de la corte de Salomón.

c. *Otras medidas fiscales y administrativas.* Atrapado entre su crónica dificultad financiera y la necesidad de proporcionar mano de obra a sus numerosos proyectos, Salomón recurrió a la odiada leva. Los esclavos del Estado y los obligados a trabajos forzados para el Estado eran cosa corriente en el mundo antiguo. Cuando David sometió a trabajos forzados a los pueblos conquistados (II S 12, 31), los israelitas lo aceptaron probablemente como la cosa más natural. Salomón continuó esta política y la extendió a la población cananea de Palestina mediante la obligación de aportar levas de esclavos (I R 9, 20-22; cf. 1, 28, 30, 33). Posteriormente, sin embargo, cuando también esta fuente de trabajo resultó insuficiente, Salomón llegó a introducir la leva incluso en Israel; fueron reclutadas cuadrillas de trabajo y obligadas a trabajar, por relevos, en el Líbano, cortando madera para los proyectos constructores de Salomón (I R 5, 13 ss.) (92). Esto constituyó una fuerte sangría de energía humana (93) y una amarga píldora para los israelitas libres. Aunque no existen pruebas de que Salomón redujera a los israelitas a la condición de esclavos del Estado (la Biblia dice explícitamente que no lo hizo, I R 9, 22), la distinción entre esclavitud estricta y obligación de trabajar cuatro meses al año en los proyectos reales (I R 5, 1s s.), con la consiguiente pérdida de ingresos, debió antojársele a algunos israelitas demasiado sutil. ¿No era, en realidad, más amargo que la misma esclavitud? En todo caso, la leva provocó bastante animosidad, como veremos.

Los apuros financieros de Salomón le condujeron a una última medida desesperada, de la que tenemos noticia. Fue la cesión al rey de Tiro de algunas ciudades a lo largo de la frontera cerca de la bahía de Acre (I R 9, 10-14). Aunque se podría suponer (v. 11) que Salomón empleó este medio para indemnizar a Jiram por los materiales de construcción que le había proporcionado, es evidente que no fue así; las ciudades (v. 14) fueron completamente compradas, o anticipadas como garantía de un préstamo en dinero que nunca

---

(92)   No existe ninguna razón para ponerlo en duda, como hace Noth (HI, pp. 209 ss.) La queja de los jefes de Israel contra Salomún era precisamente la *leva.* Nótese cómo lincharon a Adoniram, que era el encargado general de los grupos de trabajo (I R 12, 18; 4, 6; 5, 14).

(93)   Albright (BP, p. 28) estima que 30.000 israelitas son, poco más o menos, el equivalente de 5.000.000 de americanos en 1945.

fue devuelto (94). Sería interesante saber si esta transacción pudo haber sido popular en Israel. En todo caso, cuando un Estado comienza a vender parte de su territorio, es evidente que la situación financiera es realmente desesperada.

d. *La transformación interna de Israel.* Más significativa que ninguna otra medida particular tomada por Salomón fue la gradual pero inexorable transformación interna que había alcanzado a Israel y que por los días de Salomón quedó virtualmente terminada. Poco es lo que quedó de la antigua estructura. La confederación tribal con sus instituciones sagradas y sus jefes carismáticos habían cedido el puesto al Estado dinástico, bajo el cual iban siendo progresivamente organizados todos los aspectos de la vida nacional. En este proceso quedó profundamente afectada la estructura total de la sociedad israelita.

Ya han sido descritos los pasos que condujeron a esta transformación. Puede decirse que la reorganización administrativa del país hecha por Salomón, que significó el fin efectivo de la organización tribal, señaló el punto culminante. Aunque persistían los vínculos de clan, y aunque el orden tribal se mantenía como una tradición sagrada, las tribus en cuanto tales no volvieron a figurar a escala nacional. La independencia tribal había terminado. Los componentes de las tribus, que en otros tiempos no habían conocido ninguna autoridad central ni ninguna obligación política, excepto concurrir con sus tropas en tiempo de peligro (a lo cual se veían obligados, cuando más, sólo mediante sanciones religiosas) estaban ahora organizados en distritos gubernamentales, sujetos a pesadas tasas y a reclutamiento militar, que finalmente, bajo Salomón, se convirtió en reclutamiento para mano de obra. El sistema tribal estaba quebrantado; la base efectiva de obligación social no sería ya la alianza con Yahvéh, sino el Estado. Y esto significaba inevitablemente que la ley de la alianza había perdido mucha de su antigua importancia para los negocios cotidianos.

Más aún, había sido desencajado el armazón de la sociedad tribal. Se había insertado dentro de la sociedad, tradicionalmente agrícola y pastoril de Israel, una tremenda superestructura comercial e industrial. No sería ya más una nación de pequeños agricultores solamente. Los proyectos de Salomón empujaron a cientos de estos campesinos desde los pueblos a las ciudades, desarraigándolos por tanto de los lazos y estructuras tribales. Al crecer las ciudades, al elevar el «boom» económico el nivel de vida de la nación, y al hacerse sentir la influencia extranjera, se desarrolló una cultura urbana desconocida hasta entonces en Israel. Además, la absorción de la

---

(94) Pero cf. F. C. Fensham, VT, Suppl. vol. XVII (1969), pp. 78 s. Este autor opina que la cesión de estas dos ciudades formaba parte del tratado concluido entre ambos monarcas.

población cananea, había introducido dentro de Israel a miles
de hombres de un pueblo de fondo histórico feudal, sin ninguna idea
de la alianza con Yahvéh, y para quienes las distinciones de clase
eran algo normal. Mientras tanto, la aparición de una clase rica
aumentó las distancias entre pobres y ricos. En resumen, se había
debilitado la democracia tribal y se estaba iniciando —si es que sólo
eran inicios— un cisma en la sociedad israelita. Había proletarios,
trabajadores asalariados y esclavos; y había quienes se sentían a sí
mismos aristócratas. En la corte, que en los días de Salomón había
educado ya a una generación completa, nacida para servir a la púrpura, había no pocos que consideraban al pueblo como súbditos
de quienes se podía disponer en cuerpo y alma (I R 12, 1-15).

Ni siquiera la religión se vio exceptuada de esta centralización
de vida bajo la corona. Al traer el arca a Jerusalén, había confiado
David en ligar al Estado con las tradiciones de la liga de la alianza
y dotarle así de una atmósfera teológica. Salomón, al construir el
Templo, había proseguido la misma política; el arca de la alianza
fue colocada en el santuario oficial de la dinastía. Es decir, el punto
focal del antiguo orden fue anexionado por el nuevo y organizado
bajo él. David y Salomón hicieron lo que Saúl omitió hacer: unieron
la comunidad secular y religiosa bajo la corona. Samuel rechazó a
Saúl y rompió con él; pero ahora fue Salomón quien rompió con
Abiatar.

5. *El problema teológico de la monarquía*. El nuevo orden traído
a Israel tenía tantas cosas buenas y tantas malas, desde nuestro moderno punto de vista, que no es posible una simple valoración. No
sorprende, por tanto, que las opiniones de los mismos israelitas no
fueran acordes sobre este asunto. La monarquía era una institución
problemática que algunos consideraban de origen divino y que otros
encontraban intolerable. Al hablar de la noción israelita de realeza
y Estado, debemos estar sobre aviso para no generalizar nunca.

a. *La alianza con David*. A la vista de lo que se ha dicho, es
fácil comprender por qué muchos israelitas odiaban y temían los
cambios que la monarquía había traído y estaban llenos de amargo
resentimiento contra la casa de David. Otros israelitas, desde luego,
sentían de modo muy diferente. Aquellos que habían obtenido ventajas personales con el nuevo orden serían naturalmente sus defensores; y éstos, ciertamente, no eran pocos. Además, los logros de David y Salomón habían sido tan brillantes y habían hecho tanto por
el país que debieron parecer a muchos obra de la divina providencia
y justificación de todo lo que su religión les había enseñado a creer.
Israel estaba, por fin, en completa posesión de la tierra prometida
a sus padres, y había llegado a ser una nación grande y poderosa
(cf. Gn. 12, 1-3; cap. 15). Muchos debieron pensar, como parece

que lo hace el yahvista, que la alianza con Abraham había sido cumplida en David.

David y Salomón estuvieron acertados, en todo caso, al dar a su Gobierno una legitimación teológica que satisfacía a la mayoría de su pueblo. El traslado del arca a Jerusalén y la construcción del Templo sirvieron para ligar los sentimientos nacionales con la nueva capital y para fortalecer la convicción de que la casa de David era legítima sucesora del viejo orden israelita. Antiguos narradores afirmaban el hecho de que David había sido llamado al poder por designación divina (p. e., I S 25, 30; II S 3, 18; 5, 2) lo mismo hacen algunos poemas (p. e. sal 78, 67-72); y aunque Salomón subió al trono de una manera enteramente nueva y no exenta de sospecha, estos narradores estaban del mismo modo dispuestos a poner en claro (II S 9-20; I R 1-2) que Salomón lo había hecho legítimamente.

Pronto se desarrolló el dogma de que Yahvéh había elegido a Sión como el lugar de su eterna morada y que había pactado alianza con David de que su descendencia gobernaría por siempre. Probablemente este dogma estaba bien asentado ya en los reinados de David y Salomón y ayuda a explicar la lealtad de Judá a la casa davídica. El carisma y la designación divina había sido, en teoría, transferidos a perpetuidad de un individuo a una dinastía (95).

La teología de la realeza de David se ve mejor en los salmos reales (96), que aunque no pueden ser fechados con precisión, son en su totalidad pre-exílicos y en su mayor parte relativamente primitivos. Su expresión clásica, sin embargo, se encuentra en el oráculo de Natán (II S 7, 4-17), pieza indudablemente ampliada a partir de un núcleo primitivo (97). Se halla también en el antiguo poema de II S 23, 1-7, atribuido al mismo David (98). La sustancia de esta teología es que la elección de Sión y de la casa de David por parte de Yahvéh es eterna (Sal. 89, 3 ss.); 132, 11-14): aunque los reyes podían ser castigados por sus culpas, la dinastía nunca sería rechazada (II S 7, 14-16; sal. 89, 19-37). El rey gobernaba como «hijo» de Yahvéh (sal. 2, 7; II S 7, 14), su «primogénito» (sal. 89, 27), su «ungido» (sal. 2, 2; 18; 20, 6). Dado que Yahvéh le estableció en Sión, ningún enemigo podía prevalecer contra él (sal. 2, 1-6; 18, 31-45; 21, 7-12; 132, 17 ss.; 144, 10 ss.); por el contrario las naciones

---

(95) Cf. Alt, *Essays* (en nota 1), pp. 256 s.

(96) Los salmos reales comprenden: 2, 18 (II S cap. 22); 20; 21; 45; 72; 89; 101; 110; 132; 144, 1-11.

(97) Cf. especialmente F. M. Cross, *Canaanite Myth and Hebrew Epic*, pp. 241-257.

(98) La tradición no es, en modo alguno, increíble: cf. O. Procksh, «Die lezten Worte Davids» (BWANT, 13 [1913], 11.112-125); A. R. Johnson, *Sacral Kingship in Ancient Israel* (Cardiff, University of Wales Press, 1955), p. 15, que trae más bibliografía; cf. también Albright, ZGC, p. 24; D. N. Freedmun, *Mug. Dei*, pp. 73-77, 96.

extranjeras tendrían que someterse a su gobierno (sal. 2, 7-12; 18, 44 ss.; 72, 8-11). La alianza davídica desarrolló el esquema de la alianza patriarcal, por cuanto se basaba en las promesas incondicionales de Yahvéh para el futuro (99). Quizás se hizo inevitable una cierta tensión con la alianza sinaítica y sus cláusulas, y consiguientemente con el yahvismo clásico.

b. *Rey y culto.* No obstante, esto significa que la institución de la realeza, originariamente extraña a Israel, y aceptada por muchos de mala gana, había alcanzado un puesto en la teología yahvista. La realeza en Israel, como en otras partes, era una institución sagrada (es decir, no profana): estaba dotada de una dimensión cúltica y teológica. Una noción oficial de la realeza era reafirmada regularmente en el culto, en el que, con ocasión de las fiestas —probablemente de una manera más especial en la gran fiesta otoñal del año nuevo—, el rey desempeñaba un papel fundamental. La naturaleza del culto real y la ideología de la realeza en Israel había provocado, sin embargo, inacabables debates. Aquí tenemos que limitarnos a expresar una opinión. Estamos desorientados por el hecho de que la Biblia no nos proporcione información directa sobre este asunto, dejándonos reducidos a las conclusiones que podemos sacar de algunos pasajes aislados, particularmente de los salmos, acerca de cuya interpretación no hay unanimidad.

Algunos especialistas arguyen que, adoptando la institución de la realeza, Israel adoptó también una teoría pagana de la misma y un esquema ritual para expresarla enteramente similar al de todos sus vecinos (100). Según esta interpretación, el rey era considerado como una divinidad o semidivinidad, siendo él quien, con ocasión de la fiesta del año nuevo, representando el papel del moribundo y resurgiente dios de la fertilidad, reactualizaba ritualmente la lucha de la creación y la victoria sobre los poderes del caos, el matrimonio sagrado y la nueva entronización del dios. Se pensaba que de esta manera se realizaba el anual resurgir de la naturaleza y quedaba asegurado para el año siguiente el bienestar del país y la estabilidad

---

(99)   Cf. Mendenhall, *op. cit.* (cap. 4, nota 20, supra). Incluyen las discusiones recientes más importantes: R. de Vaux, «Le roi d'Israel, vasal de Yahveh» *(Bible et Orient* [en nota 50], pp. 287-301); H. J. Kraus, *Worship in Israel* (trad. inglesa, Oxford, Blackwell; Richmond, John Knox Press, 1966), pp. 179-200; R. E. Clements, *Abraham and David* (Londres, SCM Press, 1967); D. R. Hillers, *Covenant, The History of a Biblical Idea* (The Johns Hopkins Press, 1969), Cap. V; M. Weinfeld, «The Covenant of Grant in the Old Testament and in the Ancient Near East» *(* IAOS, 90, [1970], pp. 184-203).

(100)   Para las varias formas de este punto de vista, cf. I. Engnell, *Studies in divine Kingship in the Ancient Near East* (Uppsala, Almqvist y Wikells, 1943); G. Widengren, *Sakrales Königtum im Alten Testament und im Judentum* (Stuttgart, W. Kohlhammer, 1955); S. H. Hooke, ed. *Myth and Ritual* (Londres, Oxford University Press, 1933); *idem, The Labryrinth* (Londres, S. P. C. K., 1935.

del rey en su trono. Esta teoría ha de ser enfáticamente rechazada (101).
No hay ninguna prueba auténtica de la existencia de un esquema ritual tan singular y de tal teoría de la realeza en todo el mundo antiguo, sino muy al contrario (102). Ni es creíble que una estructura
tan esencialmente pagana y tan incompatible con el yahvismo normativo hubiera podido ser aceptada en Israel sin violentas protestas.
En los dichos proféticos, analizados en la medida en que nos es posible, no se halla ni una sola palabra sobre esto. El rey de Israel era
llamado «hijo» de Yahvéh, pero solamente en sentido de adopción
cf. sal. 2, 7); era el vicegerente de Yahvéh, gobernando por elección
divina y con divina permisión, con el deber de promover la justicia
bajo pena de castigo (sal. 72, 1-4; 72, 12-14; 89, 30-32). Estaba
sujeto a las pruebas de los profetas de Yahvéh, y ciertamente las
recibió una y otra vez.

Es, desde luego, probable que algunos rasgos de la ideología israelita de la realeza fueran tomados de fuera. Después de todo, la
monarquía israelita era una innovación, sin precedentes nativos. Un
Estado que absorbió millares de cananeos, que estructuró la mayor
parte de su burocracia según moldes extranjeros, y cuyo santuario
nacional fue construido según un diseño cananeo, también había de
tomar, indudablemente, ciertos aspectos de su culto y de su ideal de
la realeza. Pero cualesquiera que fueran estos aspectos tomados, fueron
armonizados, al menos en los círculos oficiales, con el yahvismo normativo. Algunos especialistas creen que Israel celebraba en el año
nuevo una fiesta de la entronización de Yahvéh, comparable a la de
Babilonia, excepto que la lucha ritualmente reactualizada no era con
los poderes míticos del caos, sino con los enemigos históricos de Israel
y de Yahvéh (103). Aunque esta teoría no es totalmente irracional,
está, no obstante, muy lejos de haber sido demostrada: descansa solamente sobre la interpretación de algunos salmos y otros textos de naturaleza cúltica, todos los cuales pueden entenderse de otro modo (104)

---

(101) Cf. especialmente M. Noht, «Gott, König, Volk im Alten Testament»
(cf. *Gesammelte Studien zum Alten Testament* [Munich, Chr. Kaiser Verlag, 1957],
pp. 188-229), con el que estoy fundamentalmente de acuerdo.

(102) Cf. especialmente H. Frankfort, *Kingship and the Gods* (University of
Chicago Press, 1948); ídem, *The Problem of Similarity in Ancient Near Eastern Religions* (Oxford, Clarendon Press, 1951).

(103) Cf. S. Mowinckel, *Psalmenstudien* II (Oslo, 1922); ídem, *Zum israelitischen Neujahr und zur Deutung der Thonbestetigungspalmen* (Oslo, J. Dybwad, 1952);
ídem, *He That cometh* (trad. inglesa, Abingdon Press, 1956); ídem, *The Psalms in
Israel's Worship* (trad. inglesa, Oxford, Blackwell, 1962), vol. I.

(104) Especialmente los salmos de entronización: 47; 93; 96; 97; 99, etc.
La expresión *Yhwh malak*, que es frecuente en estos salmos y que se emplea para
apoyar la teoría de la entronización anual de Yahvéh, debería traducirse, probablemente, «es Yahvéh quien reina», o algo parecido, en lugar de «Yahvéh se
hace rey»; cf. L. Kohler, VT, III (1953), pp. 188 ss.; D. Michel, VT, VI (1956);
pp. 40-68; Johnson, *op. cit.*, p. y *passim*.

Es más que probable que lo que se reactualizaba en la fiesta del año nuevo no era la entronización de Yahvéh, sino la llegada de Yahvéh a Sión para establecer allí su morada y renovar la promesa hecha a David de la perennidad de su dinastía (105).

En todo caso, la elección de Sión y de David por parte de Yahvéh fue confirmada en el culto; y a partir de él se originaron consecuencias teológicas de profundo significado. Por una parte, se había puesto en marcha el proceso que había de ligar toda la esperanza de Israel a Jerusalén, la Ciudad Santa, y que había de proporcionar una nueva y clásica forma de expresión a la promesa que la fe de Israel llevaba entrañada. Las glorias de David y Salomón, que habían parecido a muchos el cumplimiento de la promesa, se esfumaron pronto. Pero cuando las promesas hechas a David y el ideal de la realeza fueron reafirmados en el culto, a lo largo de años en los que fueron todo menos realidad, se arraigó la esperanza de un ideal davídico que estaba por venir, y bajo cuyo justo y triunfal gobierno serían realizadas las promesas. El culto fue la sementera en donde brotó la expectación de Israel por un mesías. Es incalculable la medida en que esta expectación fue moldeando la fe y la historia de Israel a lo largo de los siglos futuros.

Por otra parte, al integrarse Estado y culto, y al ser dotado el Estado de justificaciones divinas, se derivaron consecuencias que de ningún modo fueron completamente saludables. Fue inevitable la tentación de sacralizar el Estado en nombre de Dios y de suponer que los fines del Estado y los de la religión debían coincidir necesariamente. Para muchas mentes, el culto tenía la función, completamente pagana, de garantizar la seguridad del Estado y de mantener un armonioso equilibrio entre el orden terreno y el divino, que protegería al Estado de calamidades tanto internas como externas. En el festival de otoño, la alianza con David tendía, irremediablemente, a dejar en la penumbra la alianza del Sinaí y sus cláusulas, creando por tanto una tensión entre ambas. En la mentalidad popular las promesas a David y la presencia de Yahvéh en su Templo garantizaban la continuidad del Estado. Sugerir que esto podía fallar, sería considerado casi como acusar a Dios de quebrantar el pacto, como más de un profeta había de saber por propia experiencia.

c. *Tensión con la monarquía.* Para bien o para mal, Israel había cristalizado en monarquía. Aunque algunos, idealizando el orden antiguo, rechazaban el nuevo como una rebelión contra Dios (cf. I S 8-12), no había ninguna posibilidad real de un retorno a las condiciones premonárquicas, y es probable que fueran pocos en Israel

---

(105) Cf. H. J. Kraus, *Die Königsherrschaft Gottes im Alten Testament* (Tubinga, J. C. B. Mohr, 1951); *ídem, Gottesdienst in Israel* (Munich, Chr. Kaiser Verlag, 1954); cf. W. Eichrodt, *Theologie des Alten Testament*, vol. I Stuttgart, Ehrenfried Klotz Verlag, 1957[5]), pp. 71-75.

los que lo pensaban seriamente. Sin embargo, la monarquía no era algo que todos los israelitas estuvieran dispuestos a aceptar como una cosa natural. Aún vivían hombres que podían recordar los tiempos en que no existía tal monarquía y que habían sido testigos de los pasos por los que llegó a constituirse. Seguía siendo, por tanto, una institución problemática, sobre la que las opiniones de Israel estaban divididas. Algunos aceptaron incuestionablemente el Estado davídico como una institución ordenada por Dios y estaban incluso dispuestos a mirar la realeza bajo una luz completamente pagana. Otros, no menos leales a la casa de David, no olvidaron nunca que la monarquía gobernaba con permisión del Dios de la alianza de Israel y que estaba sujeta a la crítica a la luz de una tradición más antigua. Otros, especialmente en el norte, aunque no pensaban en un retorno consistente al orden antiguo, rehusaban aceptar el principio de la sucesión dinástica y rechazaron las pretensiones de la casa de David de reinar a perpetuidad. Muchos de ellos se enfurecieron contra la tiranía de Salomón, a quien consideraban como la encarnación de todo lo que un rey no debería ser (Dt. 17, 14-17; I S 8, 11-18) (106), y lejos de considerar al Estado como una institución divina, lo encontraban intolerable.

La monarquía, por tanto, no se libró nunca de tensión. Ni David ni Salomón, a pesar de su esplendor, habían tenido éxito al tratar de resolver su problema fundamental, consistente, en esencia, en salvar el foso entre la independencia tribal y las exigencias de la autoridad central, entre la tradición antigua y las pretensiones del nuevo orden. Por el contrario, la política opresora de Salomón amplió el foso irremediablemente. Aunque Salomón no tuvo que hacer frente a serios levantamientos, los problemas que preocuparon a David en sus últimos años habían sido reprimidos, no solucionados. Es bien seguro que al final de su reinado (I R 11, 26-40) (107) estuvieron a punto de estallar los disturbios, cuando un tal Jeroboam, que era, al parecer, jefe de la leva para las tribus de José (v. 28) (108), maquinó la rebelión con la anuencia del profeta Ajías. El complot fue aplastado y Jeroboan tuvo que buscar asilo en Egipto. Pero las causas fundamentales del descontento no fueron suprimidas ni, por lo que sabemos, hubo ningún intento de suprimirlas. Ya antes de la muerte de Salomón las tribus del norte se habían alejado enteramente de la casa de David.

---

(106)   Estos pasajes reflejan el resentimiento contra Salomón; cf. G. E. **Wrignt, 1B, II** (1953), p. 441.

(107)   Después de 935, dado que Šošaq (v. 40) llegó al trono egipcio en este año (cf. infra).

(108)   Como Noth (HI, p. 205) señala, la palabra aquí empleada no es la usual para *leva (mas)*, sino *sebel* (¿portear?); pero (cf. Gn. 49, 15), parece que aquí se han mezclado varias formas de trabajo obligatorio; cf. M. Held, JAOS, 88 (1968), pp. 90-96.

Capítulo 6

LOS REINOS INDEPENDIENTES DE ISRAEL Y JUDA

Desde la muerte de Salomón hasta la mitad del siglo VIII

APENAS HABIA muerto Salomón (922) (1), cuando la estructura erigida por David se vino abajo precipitadamente, para ser reemplazada por dos Estados rivales de importancia secundaria. Vivieron lado a lado, a veces en guerra y a veces en amigable alianza, hasta que el Estado del norte fue destruido por los asirios, exactamente doscientos años después (722/21). El período que ahora nos concierne es más bien deprimente, y en múltiples aspectos el menos interesante de la historia de Israel. La edad heroica de los comienzos de la nación había llegado a su término: la época trágica de su lucha a muerte no había empezado aún. Fue, puede decirse, un tiempo que presenta tantos eventos como ningún otro, pero muy pocos relativamente de profundo significado.

Estamos, por lo demás, bastante bien informados, aunque no siempre con todo el detalle que sería de desear. Nuestra fuente más importante es el libro de los Reyes, que forma parte del gran cuerpo histórico que probablemente fue compuesto por primera vez poco antes de la caída de Jerusalén y que, aunque más atento a una evaluación teológica de la monarquía que a los detalles de su historia, tomó el núcleo de su material de los anales oficiales de los dos reinos, o más probablemente, de un digesto de ellos (p. e., I R 14, 19, 29) (2). La narración del cronista, aunque repitiendo en gran parte el ma-

---

(1) Para el período de la monarquía divina seguimos la cronología de W. F. Albright (BASOR, 100 [1945], pp. 16-22). Con todo, en algunos casos las fechas son aproximativas. Las otras cronologías varían una década, o algo más al principio del período, pero pocas veces más de un año o dos para el final: cf. E. R. Thiele, *The Mysterious Numbers of the Hebrew Kings* (University of Chicago Press, 1951); S. Mowinckel, «Die Chronologie der israelitischen und jüdischen Könige» (*Acta Orientalia*, X [1932], pp. 161-277); J. Lewy, *Die Chronologie der Könige der Israel und Juda* (Giessen, A. Töpelmann, 1927); J. Begrich, con el mismo título (Tubinga, J. C. B. Mohr, 1929), etc.

(2) Para la estructura de Reyes y su puesto dentro del cuerpo deuteronómico, cf. especialmente M. Noth, *Ueberlieferungsgeschichtliche Studien* I (Halle, M. Niemeyer, 1943), que sitúa la composición de la obra en el siglo sexto.

terial tomado de los Reyes, conserva alguna información adicional de gran valor (3). Los libros de los primeros profetas, Amós y Oseas, arrojan hacia el final de nuestro período, nueva luz sobre la situación interna de Israel. Por otra parte, además de las fuentes bíblicas tenemos para el primer período muchas inscripciones contemporáneas que atañen a la historia de Israel y aclaran no pocos de sus detalles.

A. LA MONARQUIA DIVIDIDA: LOS PRIMEROS 50 AÑOS (922-876)

1. *El cisma y sus consecuencias.* Como queda dicho en el capítulo anterior, la política opresora de Salomón había alejado por completo el norte de Israel del Gobierno de Jerusalén. Sólo que la dura mano de Salomón había evitado una rebelión grave. No es, por ende, sorprendente que tan pronto como esta mano desapareció, el resentimiento reprimido estallase y desgajase a Israel.

a. *La secesión del norte de Israel (I R* 12, 1-20). Se saca la impresión de que la explosión hubiera podido ser evitada si el hijo de Salomón, Roboam, hubiera tenido sabiduría y tacto. Pero no los tuvo. Por el contrario, su arrogancia y estupidez hicieron inevitable el rompimiento. Aparentemente Roboam había ocupado el trono de Jerusalén y había sido aceptado como rey en Judá sin ningún incidente. Después de todo, Jerusalén era una posesión real, y las pretensiones de la dinastía davídica parecían haber sido tan plenamente aceptadas en Judá que el principio de la sucesión dinástica nunca fue discutido allí. Pero dado que la monarquía era doble, era una unión de Israel y Judá en la persona del rey, le fue necesario a Roboam trasladarse a Siquem para ser proclamado rey de Israel por los representantes de las tribus del norte (4). Y éstos no eran fáciles de tratar. Como precio para aceptarle le pidieron que las cargas pesadas impuestas por Salomón, en especial la *leva*, fueran disminuidas. Si Roboam habiera cedido, es posible que el Estado se hubiera salvado. Pero al parecer ignoraba en absoluto, o despreciaba, los verdaderos sentimientos de sus súbditos. Desdeñando el consejo de sus más sabios oficiales, y actuando según el juicio de jóvenes parecidos a él, naci-

---

(3) Aunque la historia del cronista tiene un valor que debe ser sometido a crítica, no puede ser dejado de lado como si fuera una pura invención. Cf. W. F. Albright, en *Alex. Marx Jubilee Volume* (Jewish Theological Seminary, 1950), pp. 61-82. Cf. también los comentarios de W. Rudolph, *Chronikbücher* (HAT, 1955) y J. M. Myers (3 vols. AB, 1965). Las diferencias existentes entre las Crónicas y Samuel-Reyes (en sus perícopas sinópticas) no siempre deben explicarse como alteraciones tendenciosas; cf. W. E. Lemke, HTR, LVIII (1965), pp. 349-363.

(4) ¿Tuvo Salomón una aclamación parecida? No lo sabemos. Pero es evidente que Roboam no podía confiar en gobernar sin un acuerdo con el pueblo. Sobre este punto, cf. G. Fohrer, «Der Vertrag zwischen König und Volk in Israel» (ZAW, 71 [1959], pp. 1-22). Respecto de la función de la asamblea popular, cf. C. U. Wolf, JNES, VI (1947), pp. 98-108.

dos para la púrpura, rechazó insolentemente las peticiones; entonces los representantes de Israel anunciaron airadamente su ruptura con el Estado. El jefe de la *leva*, a quien Roboam envió probablemente para hacer pasar por el aro a los rebeldes, fue linchado y Roboam mismo tuvo que huir ignominiosamente. Las tribus del norte eligieron entonces a Jeroboam, que mientras tanto había vuelto de Egipto, como rey suyo (v. 20) (5).

El cisma significó tanto un fogonazo de aquella independencia tribal que David y Salomón habían reprimido, pero no suprimido, como, igual que la fracasada rebelión de Šeba (II S 20), el repudio por parte de Israel de su unión con Judá bajo la casa de David. Es evidente que las medidas opresoras de Salomón tuvieron la mayor culpa. Sin embargo, estaba también implicado el deseo de algunos israelitas de reactivar la vieja tradición del liderazgo, como lo indica el papel jugado por algunos profetas. Se recordará que uno de ellos, Ajías, había designado como rey de Israel, en nombre de Yahvéh, a Jeroboam y le había animado, por tanto, a luchar (I R 11, 29-39); y otro profeta, Šemeías, conminó a Roboam, que había reunido las tropas para sofocar la rebelión, a que desistiera, declarando que lo que había sucedido era voluntad divina (6). Estos profetas se apoyaban, ciertamente, como Samuel, en la tradición de la antigua liga y lamentaban las usurpaciones, por parte del Estado, de las prerrogativas tribales, considerando tanto el trato abusivo de Salomón para con sus súbditos como el fomento de los cultos extranjeros (11, 1-8) como graves violaciones del pacto con Yahvéh. Adhiriéndose a la tradición de la jefatura carismática, no reconocieron la pretensión de la dinastía davídica a gobernar para siempre a Israel. Por otra parte, es casi seguro que les disgustaba la anexión al Estado del santuario central de las tribus y la usurpación del control sobre él. Acaso no deje de tener significado el que Ajías fuera de Silo. Estos profetas representaron un deseo nacido en Israel de retirarse del Estado davídico-salomónico a un orden más antiguo, por la revolución si fuera necesario. Es interesante que el encumbramiento de Jeroboam al poder siguiera, al menos en la forma, el esquema de la de Saúl: designación profética seguida de aclamación popular.

b. *El colapso del imperio.* Cualesquiera que fueran las causas, las consecuencias del cisma fueron desastrosas. La mayor parte del impe-

---

(5) Tanto Roboam cono Jeroboam son, posiblemente, nombres de trono; ambos son arcaicos y tienen prácticamente el mismo significado («que el pueblo se dilate/multiplique»): cf. Albright, BP. 30 ss. Sobre los nombres de trono en Israel, cf. A. M. Honeyman, JBL, LXVII (1948), pp. 13-25.

(6) Es difícil ver por qué este incidente deba considerarse como no histórico (p. e. Oesterley y Robinson, *History of Israel* [Oxford, Clarendon Press, 1932], I, p. 274; Kittel, GVI, II, p. 222; Montgomery, *op. cit.*, p. 251). No está en contradicción con I R 14, 30, que no significa, como veremos, que Roboam intentara reconquistar el norte.

rio se perdió de la noche a la mañana. Ni Israel ni Judá, ocupados en problemas internos, tuvieron poder o voluntad para retenerlo y ni siquiera, al parecer, lo intentaron. Se produjo simplemente por abandono. La provincia aramea del noroeste, ya parcialmente perdida por la defección de Damasco, no pudo ser retenida más tiempo. Por el contrario, Damasco consolidó rápidamente su posición y resultó, al cabo de una generación, un serio peligro para el mismo Israel (7). Al suroeste, las ciudades filisteas (a excepción de Gat, que Judá pudo todavía retener) (II Cr. 11, 8), se independizaron. Aunque los filisteos no eran ya peligrosos, las luchas fronterizas con ellos, cerca de Guibetón (I R 15, 27; 16, 15) (8) ocuparon a Israel durante un cierto número de años. Al este la situación era igualmente mala. Ammón, cuya corona había sido asumida por David (II S 12, 30), no prestaba obediencia a Israel y no pudo ser retenido por Judá que ya no tenía acceso directo a él; ciertamente en el siglo IX era un Estado libre y se declaró, sin duda, independiente por este tiempo. Parece que Moab era igualmente libre, dado que la estela moabita testifica su reconquista por Israel bajo Omrí (876-869) (9); pudo incluso haber extendido durante este intervalo sus dominios hacia el norte, a expensas de los clanes israelitas contiguos. La situación de Edom no está clara. Por el sureste es probable que Judá tuviera todavía el acceso al golfo de Aqabá, lo cual, de ser verdad, significaría que aún ejercía cierto control sobre las tierras edomitas contiguas (10). Pero la eficacia y la extensión de este control nos son desconocidos.

Israel y Judá se convirtieron en Estados de segundo orden: Judá con sus antiguos dominios tribales, más las áreas fronterizas de la llanura filistea (Gat), el Néguleb hasta Esyón-Guéber y quizá algunas regiones edomitas; Israel con los viejos dominios tribales mas las antiguas ciudades-Estado cananeas de la llanura costera del norte y Esdrelón y acaso, durante algún tiempo, algunas de las tierras arameas del este del mar de Galilea. El imperio de David y Salomón dejó de existir. Podemos dar por supuesto que las consecuencias económicas fueron graves. Los tributos dejaron de afluir. Perdido el monopolio israelita sobre las rutas comerciales a lo largo de la costa y a

---

(7)   Para la historia de esta nación, cf. M. F. Unger, *Israel and the Arameans of Damascus* (Londres, James Clarke, 1957); tambíen B. Mazar, «The Aramean Empire and Its Relations with Israel» (BA, XXV [1962], pp. 98-120); A. Malamat, POTT, pp. 134-155.

(8)   Probablemente Tell el-Melat, algunas millas al oeste de Guézer. Aparte que hubo dos campañas, separadas por veinticinco años, ignoramos todos los demás detalles.

(9)   Cf. infra pag. 288. Algunos creen que Moab siguió sometido al Estado del norte durante este período (p. e., Noth, HI, p. 226); pero cf. R. E. Murphy, «Israel and Moab in the Ninth Century B. C. (CQB, XV (1953), pp. 409-417; A. H. van Zyl, *The Moabites* (Leiden, E. J. Brill, 1960), pp. 136-139.

(10)   Tal vez la invasión de Šošaq (cf. infra) significó el fin del control de Judá.

través de Transjordania y dificultada, si no algunas veces imposibilitada, la libre travesía del comercio a causa de las luchas interiores, la mayor parte de las empresas lucrativas emprendidas por Salomón sufrieron un colapso. Aunque carecemos de información directa, la economía de Israel debió ser gravemente dañada.

2. *Los Estados rivales: guerras regionales.* Como consecuencia del cisma, durante las dos siguientes generaciones hubo guerras regionales esporádicas, luchas sin término en el curso de las cuales la posición de ambos Estados empeoró aún más.

a. *La primera generación: Roboam de Judá* (922-915), *Jeroboam de Israel* (922-901). Parece que Roboam no hizo ningún esfuerzo para obligar al norte de Israel a integrarse de nuevo en el reino. Posiblemente, consciente de que Judá era más pequeña que Israel y advirtiendo, por fin, la hostilidad enconada que contra él existía en el norte, reconoció que era imposible. La organización militar creada por Salomón no podía, al parecer, ayudarle, podemos suponer debido a que muchos de sus elementos no le eran ya leales y también a que partes apreciables de ella se encontraban estacionadas en las guarniciones del norte, fuera de su control; las tropas disponibles en Judá no eran suficientes. Además, es muy posible que la población de Judá sintiera muy poco entusiasmo por la guerra. El oráculo de Šemeías (I R 12, 21-24) reflejaba sin duda un sentimiento muy generalizado: ¡dejémosle marchar! Jeroboam, mientras tanto, podía contar ya con la ayuda de los miembros de las tribus, deseosos de verse libres de Jerusalén y éstos, más algunos elementos de las tropas de Salomón estacionados dentro de sus fronteras y de los que podía disponer para defensa de su propia causa, le aseguraban una fuerza suficiente para defender su independencia.

No hubo, pues, una guerra a gran escala. Se registraron algunos choques esporádicos a propósito de rectificación de fronteras comunes en la tierra de Benjamín. Aunque las simpatías benjaminitas estaban a no dudarlo, divididas, Benjamín históricamente era una tribu del norte, la residencia de Saúl; era de esperar que se uniera al norte y es muy posible que así lo hiciera (I R 12, 20) (11). Pero esto no podía consentirlo Roboam. Dado que Jerusalén estaba situada casi en el borde la frontera benjaminita, la pérdida de Benjamín habría hecho insostenible la situación de la capital. Roboam, por consiguiente, intentó ocupar el territorio benjaminita (14, 30) y, al parecer, consiguió trasladar la frontera al extremo norte (12). Como

---

(11)   Yo no estoy de acuerdo en que «Judá» haya desplazado a «Benjamín» en este v. (Noth, HI, p. 233), aunque «una tribu» de I R 11, 31-36 es probablemente Benjamín, reflejando el hecho de que Benjamín estaba entonces separado de Israel.

(12)   Se desconoce el lugar exacto. Al parecer Jericó siguió en manos de Israel (I R 16, 34); pero, en el oeste, Ayyalón fue restaurada y fortificada por Judá (II Cr. 11, 10).

resultado, la ciudad capital quedó asegurada y la suerte de Benjamín quedó, después de esto, unida a la de Judá.

b.   *La invasión de Šošaq (I R* 14, 25-28). Si alguna esperanza tuvo
Roboam de reconquistar finalmente a Israel, fue destruida por una
invasión egipcia del país en el año quinto de su reinado (ca. 918). En
los últimos días de Salomón (ca. 935) la débil Dinastía XXI, con la que
Salomón había estado aliado, fue destronada por un noble libio.
llamado Šošaq (Šošenq) que fundó la Dinastía XXII (bubastita) (13).
Šošaq esperaba reafirmar la autoridad egipcia en Asia y por esta
razón buscaba por todos los medios posibles minar la posición de
Israel, que es, indudablemente, el motivo por el que dio asilo a
Jeroboam cuando huía de la ira de Salomón. Roboam, que seguramente conocía las intenciones de Šošaq, se vio obligado a mirar
por la defensa del reino, aunque no es seguro si fue en este tiempo
o más tarde cuando fortificó una serie de puntos-clave que defendían
los accesos a Judá por el oeste y el sur (II Cr. 11, 5-12) (14).

Šošaq atacó con una fuerza terrorífica. La Biblia, que se limita a
decirnos que Roboam pagó un enorme tributo a Šošaq para indu-
cirle a retirarse, da la impresión de que el ataque fue dirigido sólo
contra Jerusalén. Pero la inscripción de Šošaq en Karnak, que da la
lista de más de 150 plazas que él pretende haber conquistado, más
las pruebas arquelógicas, nos permiten ver su verdadero objetivo (15).
Los ejércitos egipcios devastaron Palestina de un término a otro.
Penetraron en Edom a través del Négueb, apoderándose de las
fortificaciones construidas por Salomón en aquella zona (al parecer,
Arad y Esyón-Guéber fueron destruidas por esta época) y penetrando
en territorio edomita (16). Fueron atacadas y en parte destruidas
varias ciudades de la parte montañosa meridional, así como de la
Sefelá de Judá. Luego, aproximándose a Jerusalén por el camino
de Aijalón, Bet-Jorón y Gabaón, los egipcios forzaron su capitulación.
A continuación, presionaron hacia el norte, contra Israel, sembrando
por doquier la destrucción. La punta máxima de su avance los llevó
por el este hasta territorio de Transjordania (Penuel, Mahanaim)

---

(13)   Las fechas para esta dinastía de acuerdo con Albright (BASOR, 130
[1953], pp. 4-11); cf. *ibid.*, 141 (1956), pp. 26 s. Otros autores adelantan en 10
años las fechas de Šošaq y de sus sucesores; así, K. A. Kitchen, *The Third Intermediate Period in Egypt* (Warminster, Aris y Phillips, 1973), p. 467.

(14)   Acerca de esta lista, cf. G. Beyer, «Das Festumssystem Rehabeams»
(ZDPV, 54 [1931], pp. 113-134). Las fortificaciones pudieron también ser construidas después de la invasión de Šošaq, para evitar una repetición: así, por ejemplo, Rudolph, *op. cit.*, p. 229; Kittel, GVI, p. 223.

(15)   La inscripción ha suscitado diversas opiniones entre los especialistas;
cf. especialmente B. Mazar, «The Campaign of Pharaon Shishak to Palestine»
(VT, Suppl. vol. IV [1957], pp. 57-66); también Aharoni, LOB, pp. 283-290;
Kitchen, *op. cit.*, 293-300 y Excurso E.

(16)   Con todo, Kitchen *(op. cit.*, p. 296) duda que Šešoq avanzara hasta
Esyón-Guéber.

y por el norte hasta Esdrelón. En Meguiddó (mencionada en la lista), ha sido encontrado un fragmento de la estela triunfal de Šošaq (17). El golpe alcanzó tanto a Israel como a Judá e indudablemente les obligó a posponer sus rencillas privadas.

Afortunadamente para ambos, Šošaq no fue capaz de proseguir su avance y restablecer el imperio egipcio en Asia. La debilidad interna de Egipto lo impidió. Los ejércitos egipcios abandonaron sus conquistas y se retiraron de Palestina, salvo acaso una cabeza de puente en la frontera sur, alrededor de Guérar. De momento, Roboam, seriamente quebrantado y forzado a vigilar el sur, no estaba en situación de tomar medidas decisivas contra Israel, aun cuando lo hubiera querido. La reunión por la fuerza de los dos Estados se hizo imposible.

c. *Nuevas guerras regionales*. Con todo, las luchas a lo largo de la frontera continuaron durante el corto reinado de Abías, hijo de Roboam (915-913) (18), y de su sucesor Asa (913-873). El cronista (II Cr. 13) nos dice que Abías venció a Jeroboam en la frontera de Efraím y procedió entonces a ocupar Betel y sus cercanías. El incidente es ciertamente histórico (19). Es posible (I R 15, 19) que Abías hubiera hecho un tratado con Damasco y que una demostración hostil por parte de este reino hubiera atraído a las fuerzas de Jeroboam, facilitando así el avance de Abías. Pero la ganancia fue temporal, pues en la siguiente generación Asa se vio muy apurado para defender su capital.

Asa, como Roboam, tuvo que hacer frente a una invasión del sur, esta vez dirigida por Zéraj el «etíope» (II Cr. 14, 8-14). Como hemos dicho, es probable que al retirarse Šošaq de Palestina, dejase guarniciones en torno a Guérar. Es muy posible que Zéraj fuese un jefe de tropas mercenarias allí estacionadas (20). No podemos decir si actuaba bajo las órdenes de Osorkon I (914-874), sucesor de Šošaq, o por propia iniciativa, o quizá en colaboración con Baaša (900-877), que mientras tanto había extendido el poder de Israel y mantenía relaciones amistosas con Damasco (I R 15, 19). En realidad, una vez

---

(17) Al parecer, la destrucción del Meguiddó salomónico (VA-IVB) fue obra de Šošaq; cf. Y. Yadin, BA, XXXIII (1970), pp. 66-96 (cf. p. 95). Probablemente también fue destruida Taanak (que figura asimismo en la lista); cf. P. W. Lapp, BASOR, 173 (1964), pp. 4-44 (cf. p. 8). Por este mismo tiempo fue igualmente destruida Siquem (que no aparece en la lista), tal vez también a manos de Šošaq; cf. G. E. Wright, AOTS, p. 366.

(18) Llamado también «Abiyam», que no es un error, sino un posible hypocorístico arcaico, Abiya-mi («Mi padre es verdad» [¿Yahvéh?]): cf. Albright, *op. cit.*, en nota 3, p. 81, nota 72.

(19) Cf. Rudolph, *op. cit.*, pp. 235-239; Kittel, GVI, II, p. 224.

(20) No obstante lo desmesurado de las cifras (¡un millón de hombres!), el incidente es histórico: cf. Rudolph, *op. cit.*, p. 243; J. M. Myers, *II Chronicles* (AB, 1965) p. 85. Zéraj el «cusita» puede haber sido un aventurero etíopu o árabe (cf. Cusan: Hab. 3, 7) al servicio del faraón.

que desconocemos en qué período del reinado de Asa ocurrió este
incidente, no podemos ni siquiera estar seguros de que Baaša fuera
ya entonces rey, aunque probablemente lo era, dado que Asa, que era
seguramente un niño cuando subió al trono, aparece como hombre ya maduro en este tiempo. En todo caso, Asa encontró al invasor
cerca de la fortaleza fronteriza de Marešá (cf. II Cr. 11, 8), le venció
y le persiguió hasta Guérar, cuyo territorio devastó. Con esto, la
intervención egipcia en los asuntos de Palestina —si esta vez se trató
de intervención egipcia— cesó y, debido a la debilidad crónica de
Egipto, no supuso ninguna amenaza ni para Israel ni para Judá
durante todo este período.

Baašá, mientras tanto, no se avenía a considerar la frontera como
cosa estable. En la última época del reinado de Asa, sus ejércitos
invadieron Benjamín, en dirección sur, conquistando y fortificando
Rama, sólo cinco millas al norte de Jerusalén, poniendo, por tanto,
a la capital en el más grave peligro (I R 15, 16-22) (21). Asa, a la
desesperada, envió regalos a Ben-Hadad I de Damasco, rogándole que
rompiera su tratado con Baaša y viniera en su ayuda. Con su doblez
característica, Ben-Hadad condescendió, enviando un ejército a sa-
quear el norte de Galilea, forzando por tanto a Baaša a retirarse (22).
Probablemente en este mismo tiempo, o poco después, perdió Israel los dominios que todavía conservaba en Transjordania, al
norte del Yarmuk. Entonces Asa hizo apresuradamente una leva
general de trabajo y desmantelando las fortificaciones de Rama
empleó el material para fortificar las defensas de Gueba y
Mispá (23), asegurando así la frontera un poco más lejos, hacia el
norte y poniendo a la capital fuera de peligro. Asa pudo también
volver a ocupar la franja de territorio efraimita que por breve tiempo había conquistado Abías (II Cr. 15, 8; 17, 2).

Dos generaciones de iuchas constantes debieron hacer ver a todos que ningún antagonista podía resultar vencedor. Aunque la
lucha hubiera sido intermitente y probablemente no muy sangrienta, había supuesto, de seguro, una sangría de potencial humano y
económico a ambos Estados. De haber persistido en su conducta sui-

---

(21)   II Cr. 16, 1 lo coloca en el año 36 de Asa; pero I R 16, 8 pone la muerte de Baaša en el año 26 de Asa. La cronología del cronista es defendida por Albright (BASOR, 87 [1942], pp. 27 ss.); otros, con todo, disienten (p. e., Rudoplh,
VT, II [1952[, pp. 367 ss.); B. Mazar, BA, XXV [1962[p. 104).

(22)   Tal vez deban relacionarse con esta campaña las huellas de destrucción
de Jasor (cf. Y. Yadin, AOTS, pp. 254, 260) y Dan (cf. A. Biran, IEJ, 19 [1969],
pp. 121 s.).

(23)   Ahora no parece admisible la sugerencia de leer «Guibea» en lugar
de «Gueba» (cf. Albright, AAASOR, IV [1924], pp. 39, 92); cf. L. A. Sinclair,
AASOR, XXXIV-XXXV (1960), pp. 6-9. Por esta época fue sólidamente fortificada Mispá, de ordinario localizada en Tell en-Nasbeh, en la ruta principal,
a unas siete millas al norte de Jerusalén (pero cf. Sinclair, *ibid.*, y sus referencias);
también Wright, BAR, pp. 151 s.

cida, cabe pensar que ambos hubieran caído víctimas de la agresión de vecinos hostiles. Prevaleciendo por tanto un consejo más sano, comenzaron a disminuir las hostilidades y pronto se extinguieron por completo.

3. *Los Estados rivales: los asuntos internos*. Aunque los dos Estados parecían, en la superficie, semejantes, eran completamente diferentes en aspectos fundamentales. Judá, aunque más pequeño y pobre, tenía una población más homogénea y un relativo aislamiento geográfico; Israel era más grande y rico pero aunque más cercano al centro del sistema tribal, contenía una amplia población cananea y sus accidentes geográficos le hacían más expuesto a influencias externas. Además, el uno tenía y el otro carecía de una estable tradición dinástica. Prevalecían teorías diferentes acerca del Estado (24). Como consecuencia de todo esto, la historia interna de ambos Estados manifestó marcadas diferencias.

a. *Política administrativa de Jeroboam*. Jeroboam se enfrentó con la tarea de crear un Estado donde no había nada. No tenía en los comienzos ni capital, ni maquinaria administrativa, ni organización militar ni, lo que era más importante en el mundo antiguo, culto oficial. Todo tuvo que procurárselo. Que Jeroboam fuera capaz de hacer esto en circunstancias difíciles, demuestra su indudable habilidad.

Jeroboam comenzó por situar su capital en Siquem (I R 12, 15). Las razones fueron probablemente las mismas que tuvo David para elegir Jerusalén. Siquem estaba céntricamente colocada, tenía antiguas asociaciones cúlticas y, puesto que era un enclave cananeo dentro de Manasés, débilmente relacionado con el sistema tribal, su elección suscitaría el mínimo de desconfianza entre las tribus, al mismo tiempo que satisfacía a los elementos no israelitas de la población. Recientes excavaciones en Siquem han revelado probables huellas de las reparaciones hechas por Jeroboam (25). Se nos dice también que Jeroboam edificó Penuel en Transjordania, pero ignoramos por completo si lo hizo como capital alternante, y, si fue así, por qué razón (26). Más tarde, la capital fue trasladada a Tirsá (probablemente Tell el Fâr'ah, a unas siete millas al nordeste de Siquem), donde permaneció hasta el reinado de Omrí. Se desconocen las razones del cambio. Siquem no tenía fácil defensa; Tirsá

---

(24) Cf. especialmente A. Alt, «The Monarchy in the Kingdon of Israel and Judah» (1951; *Essays on Old Testament History and Religion* [trad. inglesa, Oxford, Blackwell, [1966], pp. 239-259). Con todo, esta postura ha sido criticada (p. e. T. C. G. Thornton, JTS, XIV [1963], pp. 1-11; G. Bucellati, *Cities and Nations of Ancient Syria*, Roma, Instituto di Studi del Vicino Oriente, [1967], pp. 200-212), pero, en mi opinión, la tesis de Alt es fundamentalmente correcta.

(25) Cf. Wright, BAR, p. 148.

(26) Tal vez Šošaq atacó Penuel porque Jeroboam había fijado allí su residencia por algún tiempo (cf. Aharoni, LOB, p. 287).

era también una ciudad cananea, débilmente engranada en el sistema tribal (Jos. 12, 24; 17, 14) y pudo ofrecer las mismas ventajas políticas.

No se nos dice nada de la administración de Jeroboam. Se puede suponer que se limitó a copiar la estructura de la administración desarrollada por Salomón en la medida.en que era hacedero. Los ostraka de Samaría indican que existía en la octava centuria un sistema provincial calcado sobre el de Salomón que, probablemente, se prolongó todo el tiempo (27). Si esto es así, significa que fueron impuestos tributos regulares, aunque no tenemos medios para determinar su cuantía. Tampoco sabemos si Jeroboam recurrió al reclutamiento para el servicio militar o no, aunque la demanda de tropas debió de ser pesada y bastante constante. Es sumamente probable (I R 15, 22) que fuera ordenada la leva para edificar las fortificaciones de Siquem, Penuel y Tirsá, así como para otros proyectos del Estado, aunque quizá a escala modesta. Aunque no tenemos noticias de descontento popular con Jeroboam, él no volvió, ni pudo volver a Israel a las simples condiciones premonárquicas. Que esto pudo haber contribuido a que se volvieran contra él los elementos proféticos, puede sospecharse, pero no puede demostrarse.

b. *Política religiosa de Jeroboam.* Pero el hecho más significativo de Jeroboam fue el establecimiento de un culto oficial estatal que rivalizara con el de Jerusalén (I R 12, 26-33). No tenía otro remedio. El problema de legitimidad teológica, que requerían todos los reinos del antiguo mundo, estaba especialmente agudizado en este caso. Muchos israelitas, mirando el Templo de Jerusalén como sucesor del santuario de la liga, sentían la tentación de encaminarse a él. No sólo esto hubiera tendido por sí mismo a debilitar su lealtad a Jeroboam sino que el elemento principal del culto del Templo era la celebración del pacto eterno de Yahvéh ¡con David! Jeroboam no podía permitir que su pueblo participase en un culto que declaraba ilegítimo todo Gobierno que no fuera davídico. Así, tanto para protegerse a sí mismo, como para proveer a su Estado de su atmósfera religiosa propia, levantó dos templos oficiales en las dos fronteras extremas del reino: Betel y Dan (28). Ambos eran de origen antiguo, el primero con asociaciones patriarcales y un clero que pretendía ser del linaje levítico, probablemente aaronítico (cosa que los sacerdotes de Jerusalén negaban, vers. 31) y el segundo con un sacerdocio que se vanagloriaba de descender de Moisés (Ju. 18, 30). De Dan sabemos poco más. Pero Betel persistió como «capilla real y templo dinástico» (Amós 7, 13) todo el tiempo que duró el Estado

---

(27) Sobre los ostraca de Samaria cf. infra.
(28) Al parecer, Dan fue centro administrativo y punto de defensa contra los arameos. Se han descubierto aquí construcciones atribuidas a Jeroboam, incluyendo la fachada sur de una plaza alta; cf. A. Biran, IEJ, 27 (1977), pp. 242-246. Para informes anteriores, consultar las fichas de IEJ a partir de 1966.

del norte. Allí instituyó Jeroboam una fiesta anual en el octavo mes, con el designio de rivalizar con la fiesta del séptimo mes de Jerusalén (I R 8, 2) y sin duda parcialmente moldeada sobre ésta, pero reavivando también, con certeza, las tradiciones y prácticas ya desusadas (y tal vez conservadas entre algunas familias sacerdotales que derivaban su genealogía de Aarón (cf. los becerros de Ex. 32), que ya habían cesado en otras partes (29). Jeroboam, por tanto, puede pasar por un reformador más que por un innovador.

El libro de los Reyes, que refleja la tradición de Jerusalén, presenta el culto de Jeroboam como idolátrico y apóstata. En particular, de los becerros de oro que Jeroboam erigió en Betel y Dan se dice que (I R 12, 28) fueron ídolos. Pero aunque, por supuesto, es probable que la gente inculta los adorase, lo cierto es que nunca fueron designados como imágenes de Yahvéh (los grandes dioses no eran representados zoomórficamente por los antiguos semitas) sino como pedestales sobre los que se pensaba que el invisible Yahvéh estaba, o en pie o entronizado (30). Eran, por tanto, conceptualmente equivalentes de los querubines (esfinges aladas) del Templo de Jerusalén. Pero aunque el símbolo del becerro tuvo indudablemente un amplio y prolongado uso en Israel, fue rechazado por el yahvismo normativo, porque estaba demasiado estrechamente asociado con el culto de la fertilidad para carecer de riesgo. Dado que muchos ciudadanos del norte de Israel eran medio cananeos religiosamente, tal símbolo era peligroso en extremo, abriendo el camino a una confusión entre Yahvéh y Ba'al, y, por la importación de elementos paganos, al culto de este último. El autor del libro de los Reyes fue, sin duda, un tanto injusto; pero el norte de Israel no conservó, ciertamente, la pureza religiosa. Incluso los círculos proféticos del norte encontraron intolerable, desde el principio, la política religiosa de Jeroboam; su antiguo protector, Ajías de Silo, rompió pronto con él y le rechazó, como Samuel había rechazado a Saúl (31).

c. *Cambios dinásticos en Israel* (922-876). Nada es tan característico del Israel del norte como su extrema debilidad interna. Mientras Judá se adhirió a la línea davídica a través de la totalidad de su historia, el trono de Israel cambió de manos por la violencia tres

---

(29) Respecto del culto de Jeroboam, cf. especialmente F. M. Cross, *Canaanite Myth and Hebrew Epic* (Harvard University Press, 1973), pp. 195-215. Pero cf. también la posición, algo diferente, de B. Halpern, JBL, XCV (1976), pp. 31-42; según este autor, los aaronidas sirvieron en Betel, pero Jeroboam los sustituyó por sacerdotes de ascendencia mosaica. Se trata de un problema de difícil solución.

(30) Cf. Albright, FSAC, pp. 298-301, y las referencias que da. Para ilustraciones de este tipo de iconografía (el dios de pie sobre un becerro o un león) cf. Pritchard, ANEP, pp. 163-170, 177-181.

(31) ¿Deseaba Ajías de Silo restaurar el culto de la antifictionía en aquel lugar, o según aquella tradición? ¿O aprobó (así M. Noht, «Jerusalem und die israelitische Tradition (*Oudtestamentische Studiën*, VIII; Leiden E. J. Brill, 1950; pp. 28-47) la separación política, pero no la cúltica, de Jerusalén?

veces en los primeros cincuenta años. Esto se explica por la presencia de una viva tradición carismática, en la cual no se reconocía la sucesión dinástica.

Jeroboam, como hemos dicho, había llegado al poder, como Saúl, por designación profética y consiguiente aclamación popular, posiblemente mediante un pacto. La realeza en Israel era, en teoría, carismática: por designación divina y consentimiento popular. Pero un retorno real a la jefatura carismática era imposible; el nuevo Estado no podía permitirse el lujo de una tal inestabilidad y el ideal carismático entró en colisión con esta realidad. Cuando Jeroboam murió, trató de sucederle su hijo Nadab (901-900) (I R 15, 25-31), pero pronto fue asesinado, cuando estaba en campaña con el ejército, por Baašá, probablemente uno de sus oficiales que, exterminando a toda la casa de Jeroboam, se apoderó del trono. Baašá, como Jeroboam, tenía designación profética (32) y retuvo el poder (I R 16, 1-7) toda su vida (900-877). Pero cuando su hijo Ela (877-876) trató de sucederle, fue a su vez asesinado por uno de sus oficiales, Zimri, que exterminó la casa de Baaša y se hizo rey. Zimri no tenía, al parecer, respaldo profético ni popular. En una semana (vv. 15-23) Omrí, general del ejército, había llegado a Tirsa, con sus fuerzas; Zimri, viendo que todo estaba perdido, se suicidó. El país se vio envuelto entonces en una serie de tumultos entre las partes rivales, de modo que pasaron varios años antes de que Omrí pudiera establecerse en el trono, no sabemos si con designación profética o sin ella.

Esto ilustra el choque entre antigua tradición de la jefatura y el deseo de estabilidad dinástica. La parte desempeñada por los profetas es aleccionadora. Tanto Jeroboam como Baašá habían sido designados por un profeta, pero el destronamiento de sus respectivas casas tenían también respaldo profético (14, 1-16; 15, 29; 16, 1-7, 12). Hasta qué grado estos profetas se sintieron ofendidos por la usurpación real de los asuntos cúlticos y hasta qué grado por otros factores, no lo podemos precisar; pero ellos representaron la tradición antigua a la manera de Samuel. De todos modos, el establecimiento de una dinastía estaba prohibido. Pero entonces la cuestión es cuánto podría aguantar Israel en este caos.

d.   *Los asuntos internos en Judá:* 922-873. Comparativamente, la historia interna de Judá aparece ante el lector más bien tranquila. No hubo cambios dinásticos. Aunque existió una oscilación entre las tendencias sincretistas y conservadoras, dado que ambas se apoyaban en una estable tradición dinástica y cultual y en una población relativamente homogénea, el péndulo de Judá nunca osciló tan lejos del centro que su balanceo alcanzara la violencia que se ha observado en Israel. Hubo, sin duda, una tensión entre la aristocracia de Jerusalén y la masa de la población rural. Aquélla, hecha al lujo

---

(32)   Cf. I R 16, 2, donde se le llama *naguí*, título aplicado a Saúl, cf. *supra*.

de la corte salomónica e incluyendo muchos elementos de tradición no israelita, propendía a perspectivas internacionales, con escasa sensibilidad hacia la naturaleza esencial del yahvismo. Esta segunda, en su mayor parte pequeños granjeros y pastores, cuya vida era extremadamente sencilla, se adhería a tradiciones sociales y religiosas ancestrales. Aunque generalizar es arriesgado, es probable que estas tensiones, cuando las había, se produjeran esencialmente entre estas dos clases, poniéndose los sacerdotes de Jerusalén del lado de los conservadores cuando se trataba de asuntos religiosos.

Durante los reinados de Roboam y Abías prevaleció el partido internacional y tolerante y se continuaron las tendencias paganizantes fomentadas, o toleradas, por Salomón. Roboam, era hijo de Salomón y de Naama, princesa ammonita (I R 14, 21-31) y su esposa favorita, la madre de Abías, fue Maacá, de la casa de Absalón (15, 2) que tenía en parte origen arameo. Los nombres de estas mujeres sugieren un fondo pagano, y de Maacá se dice expresamente que fue adoradora de Ašerá (vv. 12 ss.). Mientras este partido estuvo en el poder, los ritos paganos, incluyendo la prostitución sagrada y la homosexualidad, florecieron libremente.

Todo esto desagradaba ciertamente a los rígidos yahvistas y en el largo reinado de Asa (913-873) se produjo una reacción. Asa, que era hijo o hermano de Abías, subió al trono siendo niño, cuando aquel murió prematuramente (33). Durante su minoría, actuó como regente Maacá que persistió en su anterior conducta. Pero cuando Asa alcanzó la mayoría de edad, se inclinó hacia el partido más conservador, depuso a la reina madre e instituyó una reforma (vv. 11-15) que durante su reinado, y el de su hijo Josafat (873-849) libró a Judá, por lo menos oficialmente, de los cultos paganos (22-43). Con la extinción total de la guerra con Israel, en la última época del reinado de Asa, entró Judá en un período de paz relativa y podemos suponer que también de prosperidad, dado que todavía controlaba la ruta comercial del sur hacia Aqabá.

B. Israel y Juda desde el encumbramiento de omri hasta la purga de jehu (876-842)

1. *La casa de Omrí: recuperación de Israel.* La estabilidad fue llevada a cabo, finalmente, por el vigoroso Omrí, que, como ya hemos dicho, se apoderó del trono. Aunque su reinado fue breve (876-869),

---

(33) En I R 15, 8; II Cr. 14, 1, Asa es hijo de Abías, mientras que en I R 15, 2, 10; II Cr. 15, 16, ambos son hijos de Maacá; II Cr. 13, 2 complica todavía más la cuestión. Dado que Abías reinó menos de tres años, es probable que Asa fuera menor de edad, cuya madre había muerto, de modo que Maacá continuó siendo la reina-madre: cf. Albright, ARI, p. 153; para otras posibilidades, cf. Myers, pp. 79 s.

logró establecer una dinastía que retuvo el poder hasta la tercera
generación e inició una política que devolvió a Israel fuerza y prosperidad.

a. *La situación política a la subida al trono de Omrí.* Se puede
decir que Omrí apareció en escena en el último instante, pues cincuenta años de inestabilidad habían dejado a Israel imposibilitado
para defenderse de sus hostiles vecinos. Especialmente peligroso
entre éstos era el reino arameo de Damasco, que se había apoderado
poco a poco de la anterior posición de Israel como potencia predominante de Palestina y Siria. Su jefe, Ben-Hadad I (ca. 885-870)
había atacado unos cuantos años antes a Baašá, asolando el norte de
Galilea y apoderándose probablemente de la parte de Transjordania
al sur del Yarmuk. Una estela de su sucesor, Ben-Hadad II (ca. 870-
842), hallada cerca de Alepo, nos manifiesta que por el año ca. 850
su zona de influencia (aunque probablemente no su territorio actual)
llegaba al extremo norte de Siria (34). El hecho de que esta estela
esté dedicada a Ba'al Melqart de Tiro sugiere que Ben-Hadad mantenía por entonces tratos con esta ciudad fenicia. Parece que los
arameos se habían aprovechado de la debilidad de Israel durante el
reinado de Baašá, o durante la guerra civil que le siguió para anexionarse ciertas ciudades fronterizas (probablemente al este del
Jordán) y para imponer concesiones comerciales en favor de los
comerciantes arameos en las ciudades israelitas (I R 20, 34) (35).
Omrí heredó un Israel reducido y amenazado.

Por encima de este peligro inmediato comenzaban a aparecer
en el horizonte internacional nubes —aunque al principio no más
grandes que la palma de la mano y alarmando a muy pocos— tales
como Israel nunca había visto a lo largo de su historia. Egipto,
ciertamente, estaba una vez más sumergido en la inutilidad y era
incapaz de intervenir en los asuntos de Palestina durante el período
que ahora estudiamos. Pero muy lejos, en Mesopotamia, estaba
naciendo un nuevo poder imperial: Asiria. Se recordará que Asiria,
que durante el segundo milenio había sido un factor muy importante
de la política mundial, ante la creciente marea aramea fue retro-
cediendo más y más, hasta verse obligada a luchar para defender
su propia existencia. Alcanzó el punto más bajo de su fortuna bajo
Assur-rabi II (1012-972) y sus sucesores, contemporáneos de David

---

(34) En anteriores ediciones hemos atribuido a Ben-Hadad I un largo
reinado (ca. 880-842), siguiendo a Albright; cf. BASOR, 87 (1942), pp. 23-29.
Pero ahora parece que este período debe dividirse entre Ben-Hadad I y Ben-
Hadad II; cf. F. M. Cross, BASOR, 205 (1972), pp. 36-42 (donde se da más
bibliografía sobre la estela).

(35) Si estas concesiones fueron arrancadas al propio Omri (así B. Mazar,
BA, XXV [1962], p. 106) debió suceder antes de que este soberano se asentara
firmemente en el poder. La expresión tiene un carácter formulístico: «padre»
puede significar sencillamente «predecesor».

y Salomón. Pero cuando el Estado davídico se vino abajo, Asiria comenzó a recuperarse bajo Assur-dan II (935-913) y sus sucesores. A la sazón, su jefe era Assur-nasir-pal (884-860), un hombre que hizo del terror un instrumento de Estado y cuya brutalidad fue, quizá, insuperada en la historia asiria. Construyendo sobre las conquistas de sus predecesores, Assur-nasir-pal, devastó el oeste de la alta Mesopotania en la gran curva del Eufrates, poniendo a los Estados arameos, uno tras otro, bajo sus pies. Entonces, durante el breve reinado de Omrí, lanzó sus fuerzas a través del río, alcanzó el oeste y el sur a través de Siria, en dirección al Líbano y «lavó sus armas» en el Mediterráneo, sometiendo a tributo a las ciudades fenicias de Arvad, Biblos, Sidón y Tiro (36). Dado que los asirios se retiraron, esto no significó una conquista permanente. Pero fue un preanuncio de lo peor, que estaba por venir. Uno tras otro, los Estados de Siria y Palestina advirtieron que aquí se encerraba un peligro mortal.

b. *La política exterior de los omridas.* Aunque la Biblia despacha su reinado en cinco o seis versículos (I R 16, 23-28), Omrí fue obviamente un hombre de gran habilidad. Los asirios se referían a Israel como «la casa de Omrí» mucho tiempo después de haber sido desarraigada su dinastía. La política de Omrí para la recuperación de Israel se inspiró en la de David y Salomón; buscó la paz interna, relaciones amistosas con Judá, estrechas vinculaciones con los fenicios y mano fuerte al este del Jordán, principalmente contra los arameos. Esta política fue lanzada por Omrí y llevada adelante por su hijo Ajab (869-850), mediante una serie de iniciativas que, debido a la naturaleza de nuestras fuentes, no pueden ser enumeradas en orden cronológico.

El mismo Omrí selló alianza con Ittoba'al, rey de Tiro, mediante el matrimonio de Ajab con la hija de éste, Jezabel (I R 16, 31) (37). La alianza fue mutuamente ventajosa. Tiro estaba en la cumbre de su expansión colonial (Cartago fue fundada a finales de este siglo); dependiendo parcialmente de las importaciones alimenticias, ofreció a Israel tanto una salida para sus productos agrícolas como numerosas oportunidades comerciales. Tiro, por su parte, deseaba un contrapeso al poder de Damasco, y una reactivación del comercio con Israel, y por medio de Israel con las tierras del sur.

El siguiente paso era la alianza con Judá, que se formalizó en los comienzos, o aun antes, del reinado de Ajab mediante el matrimonio de la hermana (o hija) de Ajab, Atalía, con Yehoram, hijo de

---

(36) Para el texto, cf. Pritchard, ANET, pp. 275 s.
(37) Es casi seguro que esto fue ideado por Omrí. Ittoba'al (Et-baal) gobernó ca. 887-856; cf. Albright, *Mélanges Isidore Lévy (Annuaire de l'Institut de Philologie et d'Historie Orientales et Slaves*, XIII [1953], pp. 1-9).

Josafat, rey de Judá (38). No hay la más ligera razón para creer, como muchos han hecho, que no fuera éste un tratado amistoso entre iguales (39). La alianza fue tanto comercial como militar, pues leemos a continuación un intento de reavivar el comercio marítimo por Esyón:Guéber (22, 2, 8) (40). Aunque el intento fracasó, el hecho de intentarlo indica una esperanza de volver a conectar con las fuentes de riqueza de Salomón.

Finalizada su enemistad interna, Israel y Judá podían demostrar su fortaleza frente a sus vecinos. De todos los Estados de Transjordania, sólo Ammón no fue reconquistado. Como sabemos por la estela de Moab (cf. II R 3, 4) (41), Omrí venció a Moab y le hizo Estado vasallo, restringiendo sus fronteras y colocando israelitas en el territorio al norte del Arnón. Edom, cualquiera que fuera su situación durante este intervalo, fue una vez más provincia de Judá, regida por un gobernador (I R 22, 47). Mientras que por el este controlaba las rutas comerciales hacia el norte de Arabia, Josafat empujaba también sus fronteras por el oeste, en territorio filisteo (II Cr 17, 11; cf. II R 8, 22).

c.   *Hostilidad y alianza con Damasco.* También tuvo éxito Israel respecto de su peligroso rival Ben-Hadad de Damasco, consiguiendo que se trocaran los papeles. Aunque no tenemos noticias de actuaciones de Omrí contra los arameos, el hecho de que se atreviera a emprender la conquista de Moab arguye que fue capaz de mantenerlos alejados de sus fronteras. Ajab, con todo, tuvo que enfrentarse con ellos más de una vez. Aunque la naturaleza de nuestras fuentes no nos permite reconstruir el curso de los acontecimientos con seguridad (42), parece que al final la ventaja estaba de parte de Israel.

---

(38)   II R 8, 18; II Cr. 21, 6 presentan a Atalía como hija de Ajab; II R 8, 26; II Cr. 22, 3 como hija de Omri (RSV lee «nieta»). Puesto que su hijo nació ca. 864 (II R 8, 26), no pudo ser la hija de Ajab y Jezabel, que por este tiempo no llevaban casados más de 10 años. Pudo ser hija de un anterior matrimonio de Ajab o (cf. H. J. Katzenstein, IEJ, 5 [1955], pp. 194-197) una hija de Omri, que se sublevó después de morir el primero.

(39)   La suposición de que Josafat era vasallo (p. e., Oesterley y Robinson, *op. cit.*, I, p. 288; Kittel, GVI, II, p. 240), se basa principalmente en I R cap. 22. **Pero no** es necesario interpretar el incidente en este sentido. ¡Los soberanos no acostumbraban a dar a sus hijas en matrimonio a los vasallos! No se debería pasar a la ligera el testimonio de II Cr. 17, 2, como si fuera una fantasía del cronista.

(40)   Se hace constar que Josafat rehusó la ayuda de Ococías para esto; II Cr. 20, 35-37 asegura lo contrario. ¿Es que falló un primer intento, y entonces rehusó Josafat la sugerencia de Ococías de intentar otro (Kittel, GVI, II, p. 263)?

(41)   Para el texto cf. Pritchard, ANET, pp. 320 ss. Ver también R. E. Murphy, CBQ, XV (1953), pp. 409-417.

(42)   La mayor parte de nuestros conocimientos sobre los Omridas provienen del ciclo de los relatos proféticos contenidos en Reyes. Se ha sostenido con frecuencia (recientemente, C. F. Whitley, VT, II [1952], pp. 137-152), que dado que los nombres de los reyes concretos, cuando se les menciona, puede ser que no sean originales en estos relatos, I R caps. 20; 22, etc., refiere de hecho los acon-

Se saca la impresión (I R 20) de que a comienzos del reinado de Ajab, las fuerzas arameas avanzaron profundamente en Israel, esperando sin duda poder detener su amenazador resurgimiento y que Ajab se vio obligado a dirigirse a Ben-Hadad prácticamente como a un señor. Pero que después de haber repelido a los arameos con una acción intrépida, un segundo combate al este del Jordán terminó con la victoria abrumadora de Israel y la captura del mismo Ben-Hadad. Se dice que Ajab trató a su enemigo con notable clemencia; demandando sólo la inversión de ciertas concesiones previamente impuestas a Israel, hizo un tratado con él y le permitió irse libre, con gran disgusto de algunos profetas, que se preocupaban únicamente de lo que, para ellos, era una violación de las leyes de la guerra santa que había seguido Samuel (I S 15).

De todos modos, Ajab y Ben-Hadad se hicieron aliados y la razón está en la amenaza de Asiria. A Assur-nasir-pal II, cuyas campañas no habían sido olvidadas, le había sucedido Salmanasar III (859-825). En sus primeros años, este rey, marchando en dirección oeste hacia el Eufrates, había franqueado el río y cortando a través de Siria, llegó a las montañas Amanus y al Mediterráneo. Los distintos reyes del oeste, sabiendo bien que ninguno de ellos podía detenerle, formaron apresuradamente una coalición. Los jefes de esta coalición, que reclutaron elementos desde Cilicia hasta Ammón y contaban con el apoyo egipcio (43), fueron Hadadézer (Ben-Hadad II) de Damasco (44), Irhuleni de Jamat y (aunque la Biblia no lo menciona) Ajab de Israel que contribuyó con dos mil carros y diez mil infantes (45). La coalición llegó en el instante crítico. En el 853 Salmanasar cruzó de nuevo el río y avanzó hacia el sur, a través de Siria. Los aliados se encontraron con él en Qarqar, junto al Oriente. Aunque Salmanasar se enorgullece, como convenía a un sirio, de una victoria aplastante, parece que, por el momento, quedó noqueado. Pasaron cinco años antes de que estuviera en disposición de hacer un nuevo intento. La coalición había conseguido, de momento, su finalidad.

2. *La casa de Omrí: situación interna.* La política vigorosa de los omridas había preservado a Israel del desastre y le había hecho una

---

tecimientos de la dinastía de Jehú. No estoy convencido de ello. Toda reconstrucción permanece en el terreno de lo hipotético; la de J. Morgensters ofrece una inteligente descripción: cf. *Amos Studies* I (Hebrew Union College, 1941).

(43) Aunque esta opinión es controvertida, los 1.000 soldados de Musri mencionados en la inscripción de Salmanasar fueron probablemente egipcios; cf. H. Tadmor, «Que and Musri» (IEJ, 11 [1961], pp. 143-150). Resepcto de los miembros de la coalición, cf. también *ídem, Scripta Hierosolymitana,* VIII (1961), pp. 244-246.

(44) Al parecer, Hadadézer (Adad-idri) es el nombre personal del rey, y Ben-Hadad sería el nombre de trono (Albright, BASOR, 87 [1942], p. 28).

(45) Conocemos estos datos únicamente a través de las inscripciones del propio Salmanasar: cf., Pritchard, ANET, pp. s. Para los contactos de Asiria con Israel a partir de este período, cf. W. W. Hallo, BA, XXIII (1960), pp. 34-61.

vez más, una nación de regular potencia. Pero creó una serie de tensiones internas que anulaban los resultados beneficiosos y creaban una situación colmada de peligro.

a. *La situación económico-social.* Todos los documentos sugieren que Israel, bajo los omridas, consiguió una considerable prosperidad material. El mejor testimonio de ello es la misma capital de Samaría. El sitio, una alta colina, ideal para la defensa, había sido elegido por Omrí (R I 16, 24) y era, como Jerusalén, propiedad de la corona. La arqueología ha manifestado que la ciudad comenzada por Omrí y acabada por Ajab, tenía fortificaciones no igualadas en la antigua Palestina por la excelencia de su construcción. El marfil que se halla incrustado en uno de los edificios (los marfiles más antiguos de Samaría provienen de este período), puede aclarar la «casa de marfil» que se dice que Ajab había edificado (I R 22, 39) (46). Los omridas emprendieron construcciones también en otros lugares. Tuvieron una segunda residencia en Yizreel (I R 21) (47) y consolidaron las fortificaciones de algunas ciudades clave, indudablemente para protegerlas contra las nuevas máquinas de asedio que aparecieron por esta época. Sólidos muros con entrantes y salientes reemplazaron a las casamatas salomónicas de Meguiddó y Jasor; se excavaron profundos túneles bajo la roca para llegar hasta los manantiales próximos a las ciudades, con el fin de asegurar el aprovisionamiento de agua en caso de asedio (el famoso túnel de Meguiddó, del que durante mucho tiempo se ha venido creyendo que tenía origen pre-israelita, parece que fue construido bajo los omridas, lo mismo que otro, enorme, recientemente descubierto en Jasor) (48). También se desarrollaron las armas ofensivas, como demuestran tanto el elevado número de carros que Ajab pudo lanzar a la batalla de Qarqar como los famosos establos de Meguiddó, con espacio suficiente para unos 450 caballos. Durante mucho tiempo atribuidos a Salomón, ahora parece que deben fecharse en el siglo X (49).

---

(46) Cf. W. Crowfoot, *et al.*, *Early Ivories from Samaria* (Londres, Palestine Exploration Fund, 1938); *The Buildings at Samaria* (1942);*Objects from Samayaume d'Israel* (Neuchatel-París) (1956). Más resumido, G. E. Wright, BA, XXII (1959), pp. 67-78; P. R. Ac Kroyd, AOTS, pp. 343-354.

(47) A. Alt *(Der Stadtstaat Samaria* [Berlín, Akademie-Verlag 1954] sostiene que estas dos «capitales» reflejan la doble función de los Omridas, como reyes de los elementos israelitas y cananeos de la población, y que existía un movimiento pendular entre el dualismo cúltico: Yahvéh Dios de Israel, Ba'al Melqart dios de Samaría. El razonamiento, aunque expuesto con brillantez, es en buena parte de tipo inferencial: cf. C. E. Wright, JNES, XV (1956), pp. 124 ss.

(48) Sobre Jasor, cf. Y. Yadin, AOTS, pp. 244-263 y la biografía que cita en este lugar; más recientemente, *ídem*, BA, XXXII (1969), pp. 50-71; IEJ, 19 (1969), pp. 1-19. Para los recientes descubrimientos en Meguiddó, cf. Yadin, BA, XXXXIII (1970), pp. 66-96.

(49) Sobre los establos de Meguiddó, cf. supra, nota 67, en capítulo anterior.

Pero a pesar de estas pruebas de riqueza, de ciertas narraciones del libro de los Reyes (que ciertamente refleja las situaciones con exactitud), se saca la impresión de que la suerte de los campesinos había empeorado. No nos es posible precisar hasta qué punto eran onerosos los tributos regulares del Estado. Pero hay señales de una progresiva desintegración de la estructura de la sociedad israelita y de un sistema severo que tendía a poner al pobre a merced del rico. El primero, forzado en tiempos duros a pedir prestado al segundo, con intereses usurios, hipotecando, como prenda, su tierra, si no sus propias personas o las de sus hijos, tenía delante —y puede colegirse que no infrecuentemente— el espectro del despojo o de la esclavitud (II R 4, 1). Podemos sospechar, aunque no probar, que la gran sequía del reinado de Ajab (I R 17, s.) —que es probablemente la que narra Menandro de Efeso (50), coincidiendo con Josefo (Ant. VIII 13, 2)—, causó a muchos pequeños agricultores la pérdida de todo lo que tenían. Aunque no podemos decir cuántos terratenientes agrandaron sus haciendas por una injusticia prepotente, podemos suponer que el caso de Ajab y Nabot (I R 21), aunque quizá no típico, estuvo muy lejos de ser un caso aislado. Las prácticas que Amós conocía un siglo más tarde no pudieron desarrollarse de la noche a la mañana. Israel estaba lleno de gente que, como Jezabel, no tenía noción de la ley de la alianza, o como a Ajab, les interesaba muy poco.

b. *La crisis religiosa: Jezabel.* Mucho más seria, no obstante, fue la crisis provocada por la política religiosa de los omridas. Como ya hemos visto, la alianza con Tiro fue sellada por el matrimonio de Ajab con Jezabel. Adoradora de los dioses tirios Ba'al Melqart y Ašerá, a Jezabel le estaba permitido, naturalmente, lo mismo que a su séquito y a los comerciantes que la habían seguido por intereses comerciales, continuar en tierra de Israel la práctica de su religión nativa. Con esta finalidad fue construido en Samaría un templo a Ba'al Melqart (I R 16, 32) (51). Esto no superaba lo que había hecho Salomón para sus mujeres extranjeras (I R 11, 1-8), y era algo que la mentalidad antigua tendía a aceptar como cosa natural. Es probable que sólo estuvieran en contra las «mentes estrechas». Pero Jezabel, que era mujer de espíritu fuerte, con un celo casi apostólico por sus divinidades, y desdeñaba sin duda el atraso cultural y la

_____

(50) Menandro coloca este suceso en el reinado de Ittoba'al de Tiro y dice que duró todo un año. Los tres años de I R 18, 1 se calculan, probablemente, desde las lluvias tempranas de un año hasta las lluvias de otoño del año siguiente (e. d. un año y parte de otros dos); cf. Noth, p. 241.

(51) El Ba'al de Tiro no era una divinidad local, sino rey del mundo inferior; como se notó antes, su culto se había extendido por los países arameos: cf. Albright, ARI, pp. 156 ss.: 229; BASOR, 87 (1942), pp. 28 ss.; Alt, *op. cit.*, pp. 27 ss. Otros sostienen que el dios de Jezabel era Ba'al-šamen: O. Eissfeldt, ZAW, 57 (1939), pp. 1-31; también Albright, ZGO, pp. 187-202.

austera religión del país adoptado, buscó, al parecer, convertir el culto de Ba'al en religión oficial de la corte.

Pronto amenazó una apostasía en gran escala del yahvismo. En algún sentido, naturalmente, la amenaza no era nueva. Como más de una vez hemos indicado, había existido siempre la tentación de adoptar el culto de los dioses de la fertilidad, junto con el Yahvéh, trayendo al culto de éste prácticas propias de los primeros. Este peligro había aumentado por la absorción en masa, bajo David y Salomón, de cananeos, muchos de los cuales, sin duda, se adhirieron sólo de boca a la fe nacional de Israel. Dado que la mayoría de estos cananeos estaban ahora dentro de las fronteras del Estado del Norte, grandes estratos de la población fueron, en el mejor de los casos, sólo a medias yahvistas. Una política estatal que favoreciera el baalismo hubiera sido recibida sin estridencias, e incluso bien aceptada, por muchos. Posiblemente Ajab permitió esta práctica porque sabía esto y sentía que no podía contar con el yahvismo como base única de su Gobierno. Aunque faltan estadísticas que nos digan la profundidad de penetración del paganismo, se saca la impresión de que la estructura nacional estaba totalmente empozoñada. Aunque Ajab mismo siguió siendo yahvista de nombre, como lo indican los nombres de sus hijos (Ocozías, Yehoram), la corte y la clase gobernante estaban enteramente paganizadas; los profetas de Ba'al y Ašerá gozaban de estatuto oficial (I R 18, 19). En cuanto a la masa de israelitas nativos, podemos suponer que mientras algunos resistían (19, 18) y otros se pasaban abiertamente al paganismo, la mayoría, como acostumbra hacer la mayoría, continuaba «cojeando entre las dos diferentes opiniones» (18, 21).

Los yahvistas leales fueron pronto perseguidos. No es probable que Jezabel, aun desdeñando el yahvismo, pensase al principio en suprimirlo. Pero al encontrar su política resistencia, llegó a exasperarse y recurrió a medidas cada vez más crueles incluyendo la ejecución de todos los que se atrevían a oponerse (18, 4). Los profetas de Yahvéh, que llegaron a ser el blanco de su ira, tuvieron que hacer frente a una emergencia sin precedentes: lo que nunca había sucedido antes en Israel, se vieron sometidos a represalias por hablar la palabra de Yahvéh (52). Esto tuvo serias consecuencias. Algunos profetas, siendo sólo humanos, cedieron a la presión y se contentaron después de decir sólo lo que el rey quería oír (22, 1-28). Otros, como Miqueas ben Yimlá, negándose a transigir y creyendo que Yahvéh había decretado la destrucción de la casa de Omrí, se encontraron distanciados no sólo del Estado, si no también de sus her-

---

(52) Nótese cómo todos los profetas, Samuel, Natán, Ajías de Silo, etc., habían reprendido a sus reyes respectivos sin sufrir el menor castigo o desprecio. El sentimiento de que la persona del profeta era inviolable persistió hasta el fin de la historia de Israel (Jr. 26, 16-19).

manos profetas. Se había iniciado un cisma dentro del orden profético que ya nunca se remediaría.

c. *Elías*. Aunque la mano de hierro de la reina consiguió aplastar la resistencia (18, 4), se estaba incubando en los corazones de muchos israelitas un odio amargo. Destacando sobre todos los enemigos de Jezabel, cristalizando y simbolizando la oposición, estaba el profeta Elías, una figura tan rodeada de misterio y temor que sus hechos se hicieron legendarios en Israel. Aunque no podemos reconstruir los detalles de su carrera, de no ser por lo que se nos narra de Elías y de su sucesor Eliseo, apenas sabríamos nada de los hechos de Ajab y Jezabel.

Elías era un galaadita de cerca del borde desértico (I R 17, 1) que simbolizó la más estricta tradición del yahvismo. Es descrito como una rígida figura solitaria, vestido con el manto de pelo de su austera profesión (II R 1, 8), posiblemente un nazareno en continuo atavío ritual para la guerra, que visitaba los lugares devastados y aparecía como por arte de magia allí donde había que combatir las batallas de Yahvéh: en el monte Carmelo (I R 18) haciendo ver que Ba'al no era dios en modo alguno, y emplazando al pueblo a elegir de nuevo a Yahvéh, pasando a cuchillo a los profetas de Ba'al (53), enfrentándose con Ajab a causa de una viña alevosamente conseguida y maldiciéndole por su crimen contra Nabot (cap. 21). Perseguido por la ira de Jezabel, huyó (cap. 19) al Horeb, la montaña de los orígenes de Israel en el desierto, para ser reconfortado y recibir de nuevo la palabra del pacto de Dios. Y al fin, desapareció en el desierto (II R 2), es más, fue subido al cielo en un carro de fuego. Elías encarnaba una primitiva tradición mosaica todavía viviente en Israel. No sabemos lo que pensaba de la monarquía, o de los cultos oficiales de Jerusalén y Betel. Pero miraba a Ajab y Jezabel como el peor de todos los anatemas. Su Dios era el Dios del Sinaí, que no toleraba rival y exigía venganza de sangre por los crímenes contra la ley de la alianza, como los que Ajab había cometido. Elías, por tanto, declaró la guerra santa contra el Estado pagano y sus paganos dioses. Aunque no era uno de ellos, parece haberse asociado en alguna ocasión con bandas proféticas (II R cap. 2), como había hecho Samuel mucho antes, animándoles sin duda a mantenerse firmes. Siendo el Estado odioso a los ojos de su Dios, tramó planes para derrocarlo (I R 19, 15-17) (54) y lo entregó a otros

(53) Con toda probabilidad el Ba'al del Carmelo estaba identificado con Ba'al Melqart: cf. Albright, ARI, pp. 156 ss., 229, y las referencias de de Vaux, *(Bulletin du Musée de Beyrouth*, 5, pp. 7-20) sobre este asunto. O. Eissfeldt, *op. cit.*. prefiere Ba'al-šamen. Alt («Das Gottesurteil auf dem Karmel» [KS, II, pp. 135-149]) sostiene que el relato refleja la toma de posesión, por el yahvismo, de un santuario local de Ba'al; cf. también K. Galling, *Geschichte und Altes Testament* (Tubinga, J. C. B. Mohr, 1953), pp. 105-125.

(54) Algunos creen que esto ha sido atribuido a Elías posteriormente (p. e., Noth, HI, p. 229). Pero es justamente lo que se esperaría de Elías.

sucesores. Jezabel tenía razón al reconocer a Elías como a su mortal enemigo. Mientras existieran hombres de su especie, no habría reconciliación entre el Estado y un gran número de ciudadanos.

3. *La caída de la casa de Omrí.* El hecho de que la reacción no se produjera hasta después de haber desaparecido Ajab y Elías, no disminuyó en nada su violencia. Al fin, la ira refrenada estalló con una explosión poderosa que barrió la casa de Omrí, faltando muy poco para que destrozara a Israel completamente.

a. *Los sucesores de Ajab: Ocozías* (850-849) *y Yehoram* (849-843/2). Se nos dice que Ajab encontró la muerte luchando contra los arameos (I R 22, 1-40) (55). Podemos suponer que el éxito temporal de Qarqar había hecho pensar a Ajab que la coalición había conseguido sus fines, o que el retraso de Ben-Hadad en cumplir sus promesas (cf. I R 20, 34; 22, 3) le provocó a reanudar las hostilidades. De todos modos, se movió para apoderarse de la ciudad fronteriza de Ramot-galaad, teniendo a su lado en el campo de batalla a Josafat, rey de Judá. En el curso de la batalla perdió la vida. Ajab fue sucedido por dos de sus hijos, ninguno de los cuales se mostró a la altura de las circunstancias. El primero de ellos, Ocozías, después de reinar sólo unos cuantos meses, sufrió una caída de la que no se recobró (II R 1). Su hermano Yehoram, que ocupó su puesto, parece que advirtió el resentimiento de muchos de sus súbditos, porque, al parecer (II R 3, 1-3), trató de suavizar las cosas removiendo algunas de las cosas más abominables del culto pagano. Pero una reforma a fondo era imposible, aunque Yehoram la hubiera deseado, mientras la sombra siniestra de la reina madre se proyectara sobre el país.

Mientras tanto la situación exterior empeoraba. Yehoram tuvo que hacer fente a la rebelión de Meša, rey de Moab, que había sido vasallo de su padre y de su abuelo (II R 3, 4-27). Aunque Yehoram, con la cooperación de Judá, marchó hacia Moab, rodeando la punta sur del mar Muerto y, al parecer, ganó una batalla, no pudo someter a los rebeldes. Posteriormente, como nos dice la estela de Moab, Meša invadió el norte del Arnón, degolló a la población israelita y asentó a los moabitas en aquel lugar (56). También seguía en pie la

_____

(55) No encuentro razón para suponer (como lo hace Whitley, *op. cit.;* cf. Noth, HI, p. 242, y las referencias a esta cuestión), que este relato haya sido desplazado de otro contexto. La noticia del v. 40 no es prueba suficiente de que Ajab muriera en paz. Que Israel y Damasco estuvieran de nuevo en gurra, es bastante probable, y viene apoyado, *e silencio,* por los anales asirios, que no mencionan ya a Israel entre los miembros de la coalición. Para una discusión más completa, cf. Unger, *op. cit.,* pp. 69-74, 154 ss.

(56) Para el texto, cf. Pritchard, ANET, pp. 320 ss. Aunque Meša dice que se rebeló contra el hijo de Omrí, atendido II R 3, 4 ss. y las probabilidades históricas, debe entenderse en el sentido de «nieto», como ocurre con frecuencia en la Biblia. Es probable que la revuelta comenzara con la muerte de Ajab; habiendo fracasado los esfuerzos de Yehoram por reconquistarla, se inició la expansión moabita. Con todo, es posible que algunos de los hechos descritos en la piedra moabita hubieran ocurrido después de la caída de los Omridas, en 842.

guerra con Damasco. Ocho años después de haber muerto Ajab en su inútil empeño de conquistar Ramot-galaad, el ejército israelita seguía empeñado en el mismo sitio. Aunque el modo de expresarse del cap. 9, 14 sugiere que la ciudad había pasado a manos israelitas, no pueden reconstruirse los detalles de esta lucha (57).

También Judá estaba atravesando tiempos difíciles. Josafat, que desapareció de escena un año después de la muerte de Ajab, había sido sucedido por su hijo Yehoram (849-842), cuyo reinado coincidió con el de su omónimo en Israel. Tampoco este Yehoram fue una gran figura militar. Durante su reinado Edom, que había sido una provincia de su padre y, más o menos, un vasallo de Judá desde los tiempos de David, se rebeló y recobró su independencia (II R 8, 20-22). Yehoram no pudo impedirlo, a pesar de sus esfuerzos. Esto significaba la pérdida del puerto de mar y las instalaciones de Esyón-Guéber y posiblemente de las minas de la Arabá, podemos suponer que con serias repercusiones económicas. Al mismo tiempo, Libná, en la frontera filistea, recuperaba igualmente la libertad. Aunque esta pérdida no era en sí misma considerable, permite ver que el dominio de Judá sobre las ciudades fronterizas a lo largo del borde de la llanura costera (cf. II Cr. 11, 8; 17, 11) no estaba muy seguro.

b. *Permanente oposición a la casa de Omrí: Eliseo y los nebî'im.* En Israel, mientras tanto, seguía aumentando la oposición a la casa de Omrí. Su jefe era Eliseo, el sucesor de Elías, que llevó adelante las exigencias de su maestro. Lo mismo que Samuel mucho tiempo antes, Eliseo trabajó en estrecha relación con aquellas instituciones proféticas (benê hannebî'im) que continuaban oponiéndose a la política del Estado. Estos profetas nos permiten discernir la naturaleza de la reacción que se estaba fraguando (58). Encontramos grupos de ellos llevando vida en común (II R 2, 3, 5; 4, 38-44), mantenidos por las ofrendas de los devotos (II R 4, 42), muchas veces con un «maestro» al frente (II R 6, 1-7). Se distinguían por el manto de pelo de su profesión (II R 1, 8; cf. Za. 13, 4) y, según parece, también por un señal distintiva (I R 20, 41). Pronunciaban sus oráculos en grupos (I R 22, 1-28), o individualmente (II R 3, 15), transportados al éxtasis por la música y la danza, y por todo ello esperaban generalmente una retribución (II R 5, 20-27; cf. I S 9, 7 ss.). Su conducta

---

(57) En el relato de II R caps. 6 y 7, que pertenece a este contexto, la guerra fue, durante algún tiempo, calamitosa para Israel. Pero (nótese que no se menciona ningún nombre de rey) este relato *puede* reflejar hechos del reinado de Jehú o de Yehoajaz.

(58) Para orientación sobre las actuales discusiones en torno al primitivo movimiento profético, cf. H. H. Rowley, «The Nature of Old Testament Prophecy in the Light or Recent Study» (*The Servant of the Lord and Other Essays* [ed. revo., Oxford, Blackwell, 1965], pp. 95-134); ya antes, O. Eissfeldt, OTMS, pp. 115-160 (especialmente pp. 119-126). Para el movimiento profético en general, cf. especialmente J. Lindblom, *Prophecy in Ancient Israel* (Oxford, Blackwell, 1962).

llevaba a muchos a tomarlos por locos (II R 9, 11); una y otra vez fueron objeto de escarnio (II R 2, 23-25). Fueron, sin embargo, celosos patriotas, que seguían a los ejércitos de Israel en el campo de batalla (3, 11-19), animando al rey a luchar las batallas de la nación (I R 20, 13 ss.), y deseando que éstas se llevaran a cabo conforme a las normas de la guerra santa (vv. 35-43). El mismo Eliseo era llamado «carro de Israel y sus aurigas» (II R 13, 14), es decir, un hombre que valía por divisiones enteras.

Los profetas tenían ya por este tiempo una historia de unos doscientos años en Israel. Representaban una dimensión extática del yahvismo, sicológicamente afín a manifestaciones similares en casi todas las religiones, incluida la cristiana. En los días de la crisis filistea, observamos bandas de ellos «profetizando» en furioso frenesí, con acompañamiento de música (I S 10, 5-13; 19, 18, 24). Intensamente patriotas, eran los representantes de la tradición carismática de la liga tribal; llenos de la furia divina, habían levantado hombres para sostener la guerra santa contra los filisteos dominadores. Una vez establecida la monarquía, la mayoría de los profetas, patriotas como eran, parecieron aceptarla. Sin embargo, algunos de ellos seguían representando la tradición antigua y se reservaron el derecho de criticar libremente al rey y al Estado a la luz de la alianza y de la ley de Yahvéh. Sólo así se puede comprender, por ejemplo, la repulsa de Natán a David en el asunto de Betsabé (II S 12, 1-15) o el oráculo profético estigmatizando el censo como un pecado contra Yahvéh (II S 24). Podemos observar la tendencia de los profetas a intervenir una y otra vez en la acción política directa (¡y en la tradición de los primeros días!): designando jefes en nombre de Yahvéh y oponiéndose al principio de la sucesión dinástica, señalando otros jefes para derrocar a los anteriores. Aun siendo patriotas, habían considerado siempre las tradiciones y las instituciones del primitivo Israel como normativas, y por eso habían intentado corregir al Estado.

No es sorprendente que las guerras arameas trajeran un resurgir de la actividad profética; Israel estaba de nuevo amenazado por un poder extranjero, y había que combatir la guerra santa. Los profetas promovieron por todos los medios esta guerra, como hemos visto. Pero, al mismo tiempo, se hacía imposible una paz real entre una tradición tan vigorosamente nacionalista, tan fervientemente devota de las antiguas tradiciones del yahvismo, y la casa de Omrí. Todo lo que la política de la casa de Omrí trajo consigo de implicaciones extranjeras, estériles sendas extranjeras, desprecio de la ley de la alianza y adoración de dioses extraños, era diametralmente opuesto a cuanto ellos defendían. Algunos habían cedido a la persecución, pero el resto fomentaba el resentimiento y esperaba el momento de estallar.

c. *Otros factores de oposición.* Los profetas no eran, de ninguna manera, los únicos que odiaban la casa de Omrí. El hecho de que cuando se produjo la revolución estuviera encabezada por un general del ejército (II R 9-10), y respaldada por el ejército, indica la insatisfacción en este ambiente, probablemente a causa de la ineficaz manera con que se había llevado la guerra contra Aram y, por tanto, descontenta por las cualidades de Yehoram como jefe. Sin duda estuvo implicado en esto, como sucede muchas veces en círculos militares, el disgusto hacia lo que era considerado como una molicie del «frente interior» que estaba, a su vez, asociada al predominio del lujo y de las decadentes costumbres extranjeras entre las clases privilegiadas. El descontento del ejército reflejaba probablemente el descontento popular. Cierto que esto no es más que una sospecha; pero si la situación interna social y económica era tal como arriba se ha descrito, apenas puede dudarse que existiera este descontento. El incidente de Nabot pudo convertirse en noticia pública y contribuir a excitar los ánimos. No era, después de todo, ésta la suerte de trato a que los israelitas libres estuvieran antes sometidos. Aunque no tengamos noticia de ningún levantamiento popular, es casi seguro que Jehú y sus soldados actuaron de acuerdo con lo que ellos sabían que era un sentimiento popular.

Otros elementos conservadores estaban también preparados para la rebelión. Se contaba entre éstos los recabitas, un clan kenita al parecer (I Cr. 2, 55), a cuyo jefe Jonadab se le imputa (II R 10, 15-17) una participación física en la revolución que se estaba fraguando. Siglo y medio más tarde (Jr. 35) los recabitas estaban aún comprometidos por voto nazareo a no beber vino, ni poseer viñas, ni siquiera tierras, ni construir casas, sino a vivir en tiendas como lo habían hecho sus antepasados. De este modo aparecían como un grupo que, en principio, no habían consentido nunca en pasar a la vida sedentaria. Adhiriéndose nostálgicamente a las simples y democráticas tradiciones del más lejano pasado, rechazaban totalmente no sólo el nuevo orden de Israel, sino también la vida agraria, con todo lo que ello implicaba de debilidad, vicio y desintegración de estructuras antiguas. Para ellos Jezabel y su corte eran merecedores de una total destrucción sacrificial *(jerem)*, para la que ellos estaban dispuestos a colaborar. Eran extremistas; es posible que los sentimientos de los israelitas conservadores fueran, por lo general, menos tajantes.

d. *Purga sangrienta de Jehú (II R caps. 9 y 10).* La revolución estalló el 842. Aparentemente tuvo la forma de un golpe de Estado efectuado por el general Jehú. En realidad, como su violencia demuestra, fue una explosión de la ira popular represada, y de todo lo que había de conservador en Israel, contra la casa de las omridas y toda su política. Según la narración bíblica, fue Eliseo quien dio comienzo a la contienda. Aprovechando la ausencia de Yehoram, que estaba en Yizreel recuperándose de sus heridas, envió a uno de los «hijos /de los profetas» al cuartel general del ejército en Ramot-galaad con encargo de ungir como rey a Jehú. Cuando los oficiales de Jehú supieron lo que había sucedido, le aclamaron inmediatamente. Se observa una vez más el esquema tradicional de la realeza por designación profética y aclamación popular, aunque en este caso la aclamación fue efectuada, de hecho, sólo por el ejército. Jehú entonces montó en su carro y se dirigió a toda velocidad a Yizreel. Yehoram, acompañado de su pariente Ocozías, que había subido aquel año al trono de Judá, y había participado en la acción de Ramot-galaad (II R 8, 28), salieron a su encuentro. Jehú, sin parlamentar, tendió su arco y mató a Yehoram. Ocozías fue igualmente abatido al huir.

Jehú entonces entró en Yizreel y, habiendo hecho arrojar a Jezabel desde una ventana, emprendió el exterminio no sólo de toda la familia de Ajab, sino también de todos los que de algún modo estuvieron relacionados con su corte. El golpe de Estado se convirtió rápidamente en un baño de sangre. Marchando sobre Samaría, se encontró Jehú con una delegación procedente de la corte de Jerusalén y, con injustificable brutalidad y sin razón aparente, los mató a todos. Finalmente, habiendo llegado a la capital, atrajo a los adoradores de Ba'al dentro de su templo, con pretexto de ofrecer un sacrificio, ordenó a sus soldados caer sobre ellos y los exterminó hasta el último hombre. El templo mismo, con todo su menaje, fue arrasado por completo. Fue una purga de indecible brutalidad, que no admite ninguna excusa desde el punto de vista moral y que tuvo, como veremos, desastrosas consecuencias. Pero el culto de Ba'al Melqart había sido extirpado y Yahvéh continuaría, al menos oficialmente, como Dios de Israel.

4. *Asuntos internos en Judá ca. 873-837.* Los sucesos anteriores tuvieron su paralelo en el reino del sur. Pero, dado que Judá tenía una característica más estable, las tendencias paganizantes penetraron con mucha menor profundidad, de manera que la reacción careció de la violencia que tuvo la sangrienta purga de Jehú.

a. *Reinado de Josafat (873-849).* Ya hemos visto cómo Josafat fue un completo aliado de los omridas en su política de agresión y cómo esta alianza proporcionó a Judá una renovada fuerza y prosperidad. Josafat, lo mismo que su predecesor Asa, es presentado como un yahvista sincero, que intentó suprimir las tendencias paganas dentro de su reino (I R 22, 43). Por esta razón, a pesar de estar estrechamente ligado con Israel, el culto de Ba'al no se abrió paso en Judá mientras vivió Josafat.

Parece que este rey fue justo y capaz. Se nos dice (II Cr. 19, 4-11) que emprendió una reforma judicial poniendo, sobre la antigua y venerable administración ordinaria de la ley por medio de los ancianos de la ciudad, un sistema de jueces señalados por el rey y colocados en ciudades-clave, siendo los jueces, al principio, seleccionados probablemente, de entre los mismos ancianos locales. Al mismo tiempo, estableció en Jerusalén lo que pudiera llamarse tribunal de apelaciones, presidido por el sumo sacerdote para las materias religiosas y por el *nagu,d* de Judá (59) para los asuntos civiles (en Israel ambas cosas se interferían con frecuencia). Dado que la transición de la administración de justicia de los ancianos locales a magistrados, seleccionados primeramente de entre su número y después a jueces señalados por el rey, fue ciertamente completada mucho antes del exilio, no hay razón para dudar de la historicidad de esta medida (60). Su propósito era, evidentemente, normalizar los procedimientos judiciales, desarraigar la injusticia y también proveer —cosa que anteriormente había faltado— de una maquinaria adecuada de apelación en los casos disputados (61). Si, como creen algunos especialistas, la lista de ciudades de Jos. 15, 21-26; 18, 21-28, refleja las condiciones de este período, es posible además que Josafat regularizara también los asuntos fiscales mediante una reorganización de los distritos administrativos en los que probablemente ya estaba dividido el país (62).

   b. *Los sucesores de Josafat: usurpación de Atalía.* A pesar de su lealtad al yahvismo, la alianza de Josafat con Israel produjo amargos frutos. Josafat fue sucedido, como ya hemos dicho, por su hijo Yehoram (849-843), cuya reina consorte, Atalía, era de la casa de Omrí (II R 8, 16-24). Atalía, mujer de voluntad férrea, logró ascendencia sobre su no demasiado capaz esposo e introdujo el culto de Ba'al en Jerusalén. Según el cronista (II Cr. 21, 2-4), Yehoram, al subir al trono, mató a todos sus hermanos, juntamente con sus pardidiarios, probablemente con el fin de eliminar posibles rivales. Aunque no hay la menor prueba de ello, uno se pregunta si este acto

---

   (59) Difícilmente pudo ser un oficial real (RSV, «gobernador»), sino más bien un anciano tribal elegido.
   (60) Cf. especialmente W. F. Albright, «The Judicial Reform of Jehoshaphat *(Alex. Marx Jubilee Volume* [*op. cit.* en la nota 3], pp. 61-82); también Rudolph, *op. cit.,* pp. 256-258.
   (61) Aunque los israelitas siempre tenían recurso al rey, al menos David (II S 15, 1-6) carecía de maquinaria administrativa para ciertos casos. Qué medidas tomaron sus sucesores, si es que tomaron algunas, a este respecto, lo desconocemos.
   (62) Cf. F. M. Cross y G. E. Wright, «The Boundary and Province Lists of the Kingdom of Judah» (JBL, LXXV [1956], pp. 202-226); también Aharoni, LOB, pp. 297-304. El sistema puede tal vez remontarse a los días de David, cf. supra 205 s., 221 s. También se han propuesto argumentos para fechar estas listas en los reinados de Ozías (p. e. Aharoni, VT, IX [1959], pp. 224-246), de Ezequías (cf. Z. Kallai-Kleinmann, VT, VIII [1958], pp. 134-160) y de Josías (A. Alt, «Judas Gaue unter Josia» [KS, II, pp. 276-288]).

no fue inspirado por Atalía (¡era, desde luego, ciertamente capaz de hacerlo!), porque se sentía insegura en su propia posición. Cuando finalmente murió Yehoram (según Cr. II 21, 18-20, de un mal de entrañas), después de un reinado corto e ineficaz, le sucedió (II R 8, 25-29) su hijo Ocozías quien, como se notó arriba, antes del año fue eliminado en la purga de Jehú. Ante este hecho, Atalía se apoderó del trono, con la ayuda de sus seguidores personales, condenando a muerte a todos los descendientes reales que pudieran oponérsele (II R 11, 1-3). Y puesto que era adoradora de Ba'al Melqart, fue reavivado en Jerusalén el culto de este dios, junto con el de Yahvéh.

A continuación, los sucesos de Judá siguieron el esquema de los de Israel, pero de forma más moderada. No es probable que Ba'al de Tiro tuviera nunca muchos seguidores entre la población conservadora de Judá; apenas pasó de ser más que una moda de la corte, desaprobada por muchos en la corte misma. Además, debido quizá en parte a las reformas de Josafat, parece que las tensiones socioeconómicas que se podían observar en Israel no eran entonces tan marcadas en Judá, con el resultado de que no existía una notable inquietud popular. Por lo demás, es casi seguro que la misma Atalía no tuvieran en realidad seguidores. Era una extraña, una mujer que se había apoderado del trono mediante violencia criminal —¡y no era una descendiente de David!— Su Gobierno no tenía el sello de la legitimidad a los ojos del pueblo. Por eso no duró mucho (842-837). Un hijo pequeño de Ocozías, Joás (Yehoas), había sido salvado de Atalía por su tía, la mujer de Yehoyadá, el sumo sacerdote (II Cr. 22, 11) y escondido en el recinto del Templo. Cuando el niño tuvo siete años (II R 11, 4-21), Yehoyadá, que había preparado cuidadosamente los planes con los oficiales de la guardia real, le sacó fuera del Templo y le coronó rey. Atalía, al oír la conmoción, se abalanzó gritando traición, tan sólo para ser llevada aparte y ejecutada sumariamente. Entonces fue demolido el templo de Ba'al y muertos sus sacerdotes. Pero no tenemos noticia de ulteriores derramamientos de sangre y probablemente no los hubo. El pueblo, contento por verse libre de Atalía, recibió con agrado la subida de Joás al trono.

C. Israel y Judá desde la mitad del siglo noveno hasta la mitad del siglo octavo

1. *Medio siglo de debilidad.* Aunque Jehú libró a su país del Ba'al de Tiro, y fue capaz de fundar una dinastía que gobernó aproximadamente un siglo (la más larga que tuvo Israel), su reinado (843/2-815) no fue precisamente venturoso. Por el contrario, inauguró un período de calamitosa debilidad en el que el Estado del norte llegó casi a perder su existencia independiente. Esto se debió tanto a

la confusión interna como a acontecimientos de más allá de las fronteras de Israel sobre los que no tenía control.

a. *Consecuencias de la purga de Jehú.* Aunque la purga fue amargamente provocada, y probablemente salvó a Israel de una completa amalgama con el medio ambiente pagano, dejó a la nación internamente paralizada. La estructura de alianzas sobre la que había descansado la política de los omridas —política que, a pesar de todos sus perniciosos resultados, había devuelto a Israel a una posición de relativa fortaleza— fue destruida de un golpe. Tuvo que ser así, necesariamente. La matanza de Jezabel y de sus partidarios tirios, y la injuria inferida a Ba'al Melqart, pusieron brusco fin a las relaciones con Fenicia, mientras que la alianza con Judá tampoco podía sobrevivir después del asesinato del rey Ococías, y muchos otros de su familia y corte. Con el colapso de estas dos alianzas, perdía Israel por una parte su principal fuente de prosperidad material y por otra su único aliado militar de confianza.

Además de esto, Israel se vio internamente mutilado. El exterminio de toda la corte y, según parece, de la mayoría de la oficialidad (II R 10, 11), había privado a la nación de sus mejores dirigentes. Además, una matanza tan indiscriminada tuvo que provocar forzosamente el rencor suficiente para paralizar el país durante los años futuros; un siglo más tarde (Os. 1, 4) aún permanecía vivo el sentimiento de que Jehú había cometido innecesarios excesos y había atraído sobre sí y sobre su casa el delito de sangre. Tampoco existen pruebas de que Jehú poseyese la habilidad o el golpe de vista necesario para restablecer la salud nacional. Probablemente no dio ningún paso efectivo para corregir los abusos sociales y económicos, ya que éstos siguieron en plena vigencia (¡Amós!). Aunque acabó con el culto de Ba'al Melqart, no fue un yahvista celoso. Las diferentes variedades nativas de paganismo continuaron sin ser molestadas (II R 13, 6) y las prácticas paganas siguieron adaptándose sin obstáculos al culto de Yahvéh, como demasiado claramente lo deja ver una lectura de Oseas.

b. *Resurgimiento de Damasco.* Pronto se vio Jehú incapaz incluso de defender las mismas fronteras de Israel. Desgraciadamente, la debilidad y confusión de Israel coincidieron con una fuerte agresividad por parte de Damasco. Poco antes de la purga de Jehú, Ben-Hadad I, enemigo de Ajab y algún tiempo aliado suyo, había sido asesinado en su palacio por un oficial llamado Jazael, que se apoderó del trono (63). Jazael (ca. 842-806) tuvo que hacer primeramente frente a los asirios. Salmanasar III, que no había aceptado como definitiva

---

(63) Cf. II R 8, 7-15. Un texto de Salmanasar se refiere a Jazael como a «hijo de nadie» (e. d., un hombre del común): cf. Pritchard, ANET, p. 280. Este golpe precedió al de Jehú (cf. II R 8, 28), pero no mucho tiempo; en 845 todavía reinaba Ben-Hadad, como demuestran las inscripciones asirias.

su derrota de Qarqar el 853, salió repetidamente a campaña en los años siguientes contra la coalición siria, encabezada siempre por Damasco y Jamat. La más seria de estas campañas tuvo lugar el 841, poco después de que Jazael hubiera tomado el poder. Los ejércitos asirios avanzaron hacia el sur, derrotaron a las fuerzas arameas y pusieron sitio a Damasco, cuyos jardines y arboledas arrasaron. Después, no pudiendo hacer capitular a Jazael, Salmanasar presionó hacia el sur, hasta Haurán, y por el oeste hasta el mar, a todo lo largo de la costa fenicia, recibiendo durante el camino tributo de Tiro y Sidón, y de Jehú, rey de Israel (64).

Pero los asirios no habían venido aún para quedarse. Al contrario, retirados sus ejércitos, y con la excepción de una incursión mucho menos importante el 837, no volvieron a molestar al oeste durante una generación. En sus últimos años Salmanasar estuvo ocupado en sus campañas en otros lugares, y después con la rebelión de uno de sus hijos, que desgarró el reino durante seis años. Su hijo y sucesor Šamši-adad V (824-812), tuvo primero que restaurar el orden y consolidar después su posición contra sus vecinos de alrededor, particularmente contra el reino de Urartu en las montañas de Armenia, que había llegado a ser un rival peligroso. En los anales de Salmanasar III y Šamši-adad V encontramos, incidentalmente, la primera mención de los medos y persas, pueblos indo-arios que se habían establecido al noroeste del Irán. A la muerte de Šamši-adad actuó como regente durante cuatro años, en la minoría del heredero, Adad-nirari III, la reina Semíramis. Hasta bien entrado el final del siglo nueve, no fue capaz Asiria de amenazar de nuevo a los Estados arameos.

Esto dejó a Jazael las manos libres contra Israel. Jehú no pudo contenerle y pronto había perdido toda Transjordania al sur de la frontera moabita junto al Arnón (II R 10, 32 ss.; cf. Amós 1, 3). A su hijo Yehoajaz (815-802), le fue todavía peor: batido y derrotado, Jazael (65) le permitió tan sólo una guardia personal de diez carros y cincuenta jinetes, con una fuerza de policía de diez mil infantes. (II R 13, 7). ¡Ajab había reunido dos mil carros en Qarqar! Las fuerzas arameas se arrojaron también por la llanura costera sobre

---

(64) Salmanasar habla de ello (Pritchard, ANET, p. 280 ss.) y también lo pinta en el obelisco negro (Pritchard, ANET, lámina 355). A Jehú se le llama «hijo de Omri». P. K. McCarter (BASOR, 216 [1974], pp. 5-7) sugiere que no debería leerse «Jehú», sino más bien «Yehoram» (de la casa de Omri). Pero cf. E. R. Thiele, BASOR, 222 (1976), pp. 19-23 y M. Weippert, VT, XXVIII (1978), pp. 113-118. Dado que Bet-Omri («la Casa de Omri») era, al parecer, el nombre oficial de la capital de Israel, el título no puede significar otras cosa sino «Jehú de Israel» (o «de Samaria»).

(65) Algunos opinan que II R 6, 24 a 7, 20 (donde no se da el nombre del rey israelita), se refiere a la humillación de Yehoajaz: cf. Kittel, GVI, II, pp. 270; cf. nota 54, supra.

Filistea, cercaron y conquistaron a Gat (66) y fueron disuadidos de invadir Judá tan sólo mediante un enorme tributo (II R 12, 17 ss.). Por lo que respecta a Israel, con todo su territorio de Transjordania, de Esdrelón y la orilla del mar —y probablemente también Galilea— bajo control arameo, había sido reducido a un Estado dependiente de Damasco. Parece (Amós 1) que la mayor parte de sus vecinos se aprovecharon de su debilidad para saquearle y expoliarle de todas las formas que pudieron.

c. *Asuntos internos de Judá: Joás* (837-800). Durante este período Judá, aunque había evitado la lucha interna que destrozó a Israel, y estaba menos seriamente afectada por la agresión aramea, atravesó también una época de debilidad. Su rey era Joás (Yehoas (67) que, como se ha notado, había subido al trono siendo niño, a la caída de Atalía. Prácticamente todo lo que se nos dice de su largo reinado (II R 12), aparte el hecho de que pagó tributo a Jazael, es que reparó y purificó el Templo, medida indudablemente necesaria después de las abominaciones de Atalía. Dado que es probable que esta tarea se iniciase poco después de su ascensión al trono, fue emprendida, con seguridad, a instancias del sumo sacerdote Yehoyadá, que probablemente actuó como regente durante la minoría de edad del rey. Aunque el libro de los Reyes presenta a Joás como un rey piadoso, no le tributa excesivos elogios, dejándonos la sospecha de que quedaba mucho por decir. El cronista (II Cr. 24) es más explícito. Declara que la piedad del rey estaba sostenida por la influencia de Yehoyadá y que duró solamente lo que Yehoyadá. Nos dice que después de la muerte de su tutor, Joás, rebelándose contra el excesivo predominio sacerdotal, cayó bajo la influencia de un elemento más tolerante y permitió florecer una vez más el paganismo; cuando el hijo de su tutor se lo recriminó, le condenó a muerte. Aunque los especialistas tienden a ser escépticos sobre este incidente, no existe nada en él que sea intrínsecamente improbable. En todo caso, sea por su laxitud religiosa, por sus fracasos militares, o por otras razones, antes de acabar su reinado, Joás, se había hecho amargamente antipático a algunos de sus súbditos. Finalmente, fue asesinado y le sucedió su hijo Amasías.

2. *Resurgimiento de Israel y Judá en el siglo octavo.* El siglo octavo trajo un dramático cambio de fortuna que elevó a Israel y Judá a alturas de poder y prosperidad desconocidas desde David y Salomón. Esto fue debido en parte al hecho de que ambos Estados estuvieron dotados de gobernantes capaces. Pero la razón principal

---

(66) Gat pertenecía todavía, probablemente, a Judá (cf. II Cr. 11, 8). Es posible que en este caso Jazael actuara como aliado de los filisteos, como dice prácticamente el texto LXXB de II R 13, 22 (cf. Noth, HI, pp. 237 ss.) Pero cf. Montgomery, *op. cit.*, p. 438.

(67) Tanto este rey, como el rey de Israel del mismo nombre (II R 13, 10-25) son llamados alternativamente Joás y Yehoas, que son, por supuesto, variantes del mismo nombre.

subyace en el giro feliz de los acontecimientos mundiales, del que Israel salió beneficiado.

a. *Situación mundial en la primera mitad del siglo octavo.* La supremacía de Damasco se vino abajo bruscamente cuando Adad-narari III (811-784) asumió el poder en Asiria. Reanudando la política de agresión de Salmanasar III, hizo varias campañas contra los Estados arameos, en la última de las cuales (802) fue batido Damasco, quebrantando su poder y su rey Ben-Hadad II, hijo y sucesor de Jazael, sometido a un ruinoso tributo. Es seguro que Israel no se libró, ya que Adad-nirari nos cuenta que también cobró tributos de él, y de Tiro, Sidón, Edom y otros países (68). Pero esto fue más una prueba de sumisión que una conquista permanente; el golpe que hundió a Damasco no cayó con tanta fuerza sobre Israel.

Afortunadamente, Adad-nirari no pudo continuar su carrera de éxitos. Sus últimos años le encuentran ocupado en otros lugares; y sus sucesores —Salmanasar IV (783-774), Assur-dan II (773-756) y Assurnirari V (755-746)— fueron gobernantes ineficaces que, a pesar de repetidas campañas, apenas fueron capaces de mantener sus posesiones al oeste del Eufrates. Asiria se vio debilitada por disensiones internas y amenazada de un modo especial por el poderoso reino de Urartu que, expandiéndose hacia el este y el oeste, había igualado, si no superado, la extensión de la misma Asiria. Extendiendo sus intereses al norte de Siria, Urartu se ganó aliados entre los pequeños Estados allí existentes. Hacia la mitad del siglo, Asiria parecía realmente amenazada de desintegración. En Siria, mientras tanto, Damasco, aunque algo recobrado de su derrota a manos de Asiria, estuvo la mayor parte de este período ocupado en una cruenta —y al parecer desafortunada— rivalidad con Jamat (69), y no podía mantener su dominio sobre Israel.

b. *Resurgimiento: Yehoas de Israel* (802-786); *Amasías de Judá* (800-783). El resurgir de Israel comenzó con Yehoas (Joás), nieto de Jehú, que subió al trono justamente después de la victoria de los

---

(68) Cf. Pritchard, ANET, pp. 281 s. Una estela recientemente publicada (cf. Stephanie Page, *Iraq*, XXX [1968], pp. 139-155; VT, XIX [1969], pp. 483 s.) nos cuenta que Adad-nirari cobró tributo de Joás (Yehoas) de Samaria. Se trata de la primera mención de Samaria (con este nombre, y no el de Bet-Omri) en un texto asirio. A la luz de esta estela, el reinado de Yehoas debió comenzar el año 802, como han señalado algunos especialistas (y no en el 801, como se había venido creyendo hasta ahora); cf. también W. F. Albright, en su Prolegomenon a C. F. Burney, *Notes on the Hebrew Text of the Book of Kings* (reimpr. Nueva York, Ktav Publishing House, 1970), pp. 34-36.

(69) Conocida por la estela contemporánea de Zakir, rey de Jamat; cf. Pritchard, ANET, Suppl., Fasc., pp. 501 ss., donde F. Rosenthal prefiere una fecha de comienzos del siglo octavo (cf. la bibliografía sobre esta materia, esp. Noth, ZDPV, LII [1929], pp. 124-141). Una fecha anterior al 805 (p. e., A. Dupont-Sommer, *Les Araméens* [París, A. Maisonneuve, 1949], pp. 46-48), parece improbable. Para la discusión, cf. Unger, *op. cit.*, pp. 85-89

asirios sobre Damasco. Aunque no se nos dan detalles concretos, se nos dice que recobró todas las ciudades perdidas por su padre (II R 13, 25). Esto significa probablemente que los arameos fueron arrojados del territorio israelita tanto al este como al oeste del Jordán (70). Yehoas redujo también a Judá a una situación desesperada (II R 14, 1-14; II Cr. 25, 5-24). La narración de Reyes no da ninguna motivación para la pugna entre los dos Estados; pero el cronista, cuyo relato se basa seguramente en una tradición digna de fe, nos narra que habiendo proyectado Amasías la reconquista de Edom, reunió mercenarios israelitas para complemento de sus propias fuerzas, pero que después, decidiendo no emplearlas, las despidió y las envió a sus casas. Los enfurecidos mercenarios expresaron entonces su ira saqueando algunas ciudades situadas a lo largo del camino de vuelta a su país. Amasías, que mientras tanto había derrotado definitivamente a los edomitas y tomado su capital (71), no supo lo ocurrido hasta su regreso; entonces declaró inmediatamente la guerra a Yehoas, a pesar de que este último intentó disuadirle. En una batalla decisiva en Bet-Šemeš, Judá fue totalmente derrotado y Amasías hecho prisionero. Yehoas se dirigió entonces a la indefensa Jerusalén, la conquistó, la saqueó, la derribó parte de sus murallas, y se retiró con rehenes. Pudo realmente haber incorporado Judá a su reino, pero, según parece, no quiso tomar esta medida para no agravar la contienda. Amasías fue dejado sobre su trono; con qué cara de vergüenza, lo podemos conjeturar. Al cabo de poco, hubo un complot para quitarle de en medio (II R 14, 17-21); aunque pudo advertirlo y huir a Lakíš, fue allí alcanzado y asesinado, siendo proclamado rey en su lugar su hijo Ozías (Azarías).

c. *Resurgimiento: Jeroboam II* (786-746) *y Ozías* (783-742). El resurgimiento de los Estados hermanos alcanzó su cenit en la generación siguiente, bajo el capaz y longevo Jeroboam II de Israel y su igualmente longevo y capaz, aunque más joven, contemporáneo Ozías de Judá. Jeroboam fue una de las grandes figuras militares de la historia de Israel. Aunque no conocemos ninguna de sus batallas (se alude a dos victorias suyas en la Transjordania, en Amós 6, 13), fue capaz de colocar su frontera norte donde había estado la de Sa-

---

(70) M. Haran argumenta (VT XVII [1967], pp. 266-297), basándose en II R 13, 25, que Joás no pudo reconquistar Transjordania, dado que esta zona fue perdida por Jehú (II R 10, 32 s.), no por Jehoas. Posiblemente tenga razón. Son demasiado escasos los detalles que conocemos de esta guerra para estar seguros. No estoy convencido de que Amós 1, 1-2, 6 deba entenderse en el sentido de que Transjordania no estaba ya bajo control israelita cuando ascendió al trono Jeroboam II.

(71) De ordinario, se identifica la «Sela» («la roca») de II R 14, 7 con Petra. Pero aunque esta identificación cuenta con el apoyo de una vieja tradición (cf. LXX), es discutida por algunos (cf. M. Haran, IEJ, 18 [1968], pp. 207-212 y sus referencias). Nos es desconocido el alcance de las conquistas de Amasías en Edom.

lomón, a las mismas puertas de Jamat (II R 14, 25; cf. I R 8, 65).
Dado que Jamat estaba situada al norte de Celesiria, algo al sur
de Cadés, hay que pensar en una ocupación de territorio, tanto de
Damasco como de Jamat. Aunque II R 14, 28 sugiere que Jeroboam
impuso su autoridad en estos dos Estados —lo que ciertamente no
es improbable— este texto es irremediablemente oscuro y no sabemos con certeza cuál fue la extensión exacta de las conquistas israelitas. Pero se puede presumir una completa derrota de Damasco, y
la anexión al menos de las tierras arameas de la Transjordania, al
norte del Yarmuk. En Transjordania sur, la frontera de Israel estaba
en un punto a lo largo del mar Muerto (mar de la Arabá). Dado
que este punto (llamado «el torrente de la Arabá», en Amós 6, 14)
es incierto, no podemos saber por él si Jeroboam redujo algo el territorio moabita o si en realidad lo conquistó por completo. Si el
torrente de la Arabá es el mismo que el «torrente de los Sauces»
('arabîm) de Is. 15, 7, y si este es, como probablemente parece, el
wadi el-Jesa (Zéred), en la punta sur del mar Muerto (72), se deduce
que la conquista fue completa. De cualquier forma, podemos presumir que moabitas y ammonitas fueron, al menos, arrojados del territorio israelita y firmemente mantenidos en jaque.

Ozías, que llegó al trono de Judá siendo un joven de 16 años
(II R 15, 2) y que probablemente estuvo al principio eclipsado por
su contemporáneo más antiguo (73), emergió pronto como total
participante de este programa de agresión. Adquirió prestigio re-
parando las defensas de Jerusalén, reorganizando y rehaciendo el
ejército y poniendo en práctica nuevas máquinas de asedio (74).
También llevó a cabo operaciones ofensivas (II Cr. 26, 6-8). Al
parecer, impuso su control de Edom y consolidó además su posición
a lo largo de las rutas comerciales mediante operaciones contra las
tribus árabes del noroeste (75). El puerto fortificado de Esyón-
Guéber (Elat) fue reconstruido (II R 14, 22) y reabierto como punto
de tránsito del comercio con el sur; se ha encontrado aquí un sello
que pertenece probablemente al hijo y corregente de Ozías, Yotam
(76). También el Négueb y el desierto del sur estuvieron bajo firme
control de Ozías, como lo muestra el sistema de fuertes construidos

---

(72)   Cf. Aharoni, LOB, p. 313.
(73)   Algunos conjeturan (p. e. Albright, BP, p. 38), que el texto oscuro de
II R 14, 28 alude a una expansión de Israel a expensas de Judá. Pero esto no es
seguro.
(74)   No ingenios balísticos, sino estructuras de madera alzadas sobre las
torres y las almenas para dar mayor protección a los lanceros y arqueros que las
defendían; cf. Y. Yadin, *The Art of Warfare in Biblical Lands* (McGraw-Hill, 1963),
vol. II, p. 326 s.
(75)   LXX es más claro, leyendo *Minaioi* (Me'umim) en vez de «ammonitas»
(difícilmente exacto en este contexto). Cf. Rudolph, *op. cit.*, pp. 282, 285.
(76)   Cf. N. Glueck, BASOR, 79 (1940), pp. 13-15; *ibid.*, 72 (1938), pp. 2-13.

para proteger las rutas caravaneras (77). Hizo avanzar profundamente hacia el interior de la llanura costera las fronteras nacionales, apoderándose de Gat, Yabne y Ašdod y alzando ciudades en el territorio filisteo. Aunque en la última parte de su reinado Ozías se vio atacado por la lepra (II R 15, 5) y forzado a delegar en Yotam el ejercicio público del poder, parece que fue el gobernante de hecho durante toda su vida.

A mediados del siglo octavo, las dimensiones de Judá e Israel estuvieron muy cerca de alcanzar la extensión del imperio salomónico. Dado que parecen haber sido explotadas al máximum todas las ventajas de la favorable situación en que el país se encontraba, se produjo una prosperidad desconocida desde Salomón. En paz mutua los dos Estados, y con todas las grandes rutas comerciales, norte-sur de Transjordania, norte de Arabia, a lo largo de la llanura litoral, hasta el interior del hinterland de los puertos fenicios, pasando una vez más a través de territorio detentado por israelitas, los peajes de las caravanas, junto con el libre intercambio de mercancías volcaron riqueza en ambos países. Aunque nada nos dice la Biblia, es muy probable que se reanudara el comercio —tan lucrativo en el pasado— con los países meridionales a través del mar Rojo. Es casi seguro que Tiro, que aún no había concluido su gran período de expansión comercial, fue de nuevo incluido en el programa, mediante tratados, como en los días de Salomón y los omridas.

Todo esto dio como resultado una prosperidad tal como ningún israelita viviente podía recordar. Los edificios espléndidos y el fino marfil incrustado, de origen fenicio o damasceno, desenterrado en Samaría demuestran que no exagera Amós el lujo de que gozaban las clases altas de Israel (78). Judá era igualmente próspera. La población de ambos países alcanzó probablemente su mayor densidad en el siglo octavo, con muchas ciudades desbordando las murallas. La descripción del libro de las Crónicas (II Cr. 26, 10) sobre los esfuerzos de Ozías por desarrollar los recursos económicos y agrícolas de su país, especialmente en el Négueb, está corroborada por el hecho de que el Négueb fue más densamente poblado en este tiempo que en ningún otro desde que comenzó la historia de Israel (79).

(77) Cf. Y. Aharoni, IEJ, 17 (1967), pp. 1-17; *idem*, LOB, p. 314. Al parecer, durante todo este período la frontera meridional de Judá estuvo situada al sur de Cades-Barnea; cf. Carol Meyers, BA, XXXIX, [1976], pp. 148-151 y sus referencias.

(78) Cf. las referencias supra, en nota 46. La mayoría de los marfiles datan del siglo VIII. El espléndido sello de jaspe de «Semá, siervo de Jeroboam», encontrado en Meguiddó, pertenece también a este período; cf. Wroght, BAR, pp. 160 s. para una descripción del mismo. Con todo, S. Yeivin, JNES, XIX (1960), pp. 205-212, cree que el sello procede del reinado de Joroboam I.

(79) Para las exploraciones en el Négueb, cf. los artículos de N. Glueck en BASOR; más recientemente, 179 (1965), pp. 6-29 (referencias a informes

También la arqueología revela que florecieron notablemente industrias de varias clases (p. e. la del tejido y el tinte en Debir) (80). En pocas palabras, que cuando los reinos de Israel y Judá llegaron a la mitad del siglo octavo de su existencia, se encontraban mejor que nunca habían estado antes. Fue, aparentemente al menos, un tiempo de gran optimismo y de gran confianza en las promesas de Dios para el futuro.

3. *La enfermedad interna de Israel. El período de los profetas clásicos.* La descripción más bien espléndida que se acaba de hacer debe ser contrapesada, con todo, con otra mucho menos hermosa. Esta segunda se obtiene de la lectura del libro de Amós y del libro de Oseas, que dan una visión interior de la sociedad israelita contemporánea y ponen en claro que, por lo menos el Estado del norte, a pesar de las apariencias saludables, se hallaba en un avanzado estado de descomposición social, moral y religiosa. La prosperidad del siglo octavo era, de hecho, la última reanimación de una enfermedad mortal.

a. *Desintegración social en el norte de Israel.* Por desgracia no sabemos casi nada de la administración del Estado de Jeroboam. Los ostraca de Samaría (un grupo de 63 talones de porte que acompañaban a los cargamentos de aceite y vino recibidos en la corte, probablemente como pago de tributos) (81) parecen indicar un sistema administrativo copiado del de Salomón. Sin embargo, no podemos decir qué cargas fiscales o de otras clases imponía el Estado a sus ciudadanos. Es cierto, con todo, que la suerte de los ciudadanos modestos era innecesariamente dura y que el Estado hizo poco o nada por aliviarla. La sociedad israelita, tal como Amós nos permite verla, estuvo marcada por odiosas injusticias y brutal contraste entre extremos de riqueza y de pobreza. El agricultor pequeño, cuyo estado económico era, en el mejor de los casos, limitado, se encontraba a menudo a merced de los prestamistas y en las calamidades graves —una sequía, un fallo de la cosecha, cf. Amós 4, 6-9— expuesto al juicio hipotecario y al embargo, si no al servicio de esclavo. El sistema, que era ya en sí duro, se hizo aún más áspero por el ansia

---

anteriores en p. 6, nota 1). Hay una exposición popular en *ídem, Rivers in the Desert* (2.ª ed., Nueva York, W. W. Norton, 1968), especialmente cap. VI.

(80)   Cf. Albright, AASOR, XXI-XXII (1942); ver el índice.

(81)   Proceden de un área que corresponde a la de los distritos de Salomón y probablemente representan tasas, más que recibos de propiedad de la corona. El hecho de que varios de ellos estén fechados en el año quince (tal vez uno de ellos en el año diecisiete) de un rey cuyo nombre no se da, ha dado pie a que durante mucho tiempo los especialistas los hayan situado en el reinado de Jeroboam. Recientemente, Y. Yadin *(Scripta Hierosolymitana,* VIII [1961], pp. 1-17) ofrece sólidos argumentos en favor de una datación bajo el reinado de Menajem. Esta opinión ha tenido numerosos seguidores. De todas formas, parece que sigue siendo preferible el reinado de Jeroboam; cf. F. M. Cross, *Andrews University Seminary Studies* XIII (1975), pp. 8-10. Y. Aharoni distribuye los astraca entre los reinados de Jeroboam y de su padre Yehoas; cf. LOB, pp. 315-327 (donde se da más bibliografía).

de riqueza que se aprovechaba sin piedad de las fianzas dadas por los pobres para aumentar sus dominios, recurriendo a menudo a prácticas astutas, a la falsificación de pesos y medidas y a varias trampas legales para conseguir sus fines (Amós 2, 6 s.; 5, 11; 8, 4-6) (82). Dado que los jueces eran venales, las prácticas poco honradas se extendieron por todas partes (Amós 5, 10-12) dejando a los pobres sin defensa. Eran robados y desposeídos en número creciente. La verdad es que en este tiempo la estructura social distintiva de Israel había perdido por completo su carácter. Había sido inicialmente una federación tribal formada en pacto con Yahvéh; aunque en sus primeros días había conocido abundantes trasgresiones de la ley y violencias, su estructura social estaba unificada, sin distinciones de clases; en ella la base de toda obligación social era el pacto con Yahvéh y todas las controversios eran juzgadas por la ley del pacto. Ahora todo esto había cambiado. El nacimiento de la monarquía, con la consiguiente organización de la vida bajo la corona, había transferido la base efectiva de la obligación social al Estado, y junto con el aburguesamiento de la actividad comercial había creado una clase privilegiada, había debilitado los lazos de tribu y destruido la solidaridad característica de sociedades tribales. Por otra parte, la absorción de numerosos cananeos, que no estaban integrados en el sistema tribal, y cuyo fondo histórico era feudal, habían proporcionado a Israel una masa de ciudadanos con escasa comprensión de la alianza o de la ley de la alianza. Estas tendencias, nacidas en los días de David y Salomón, continuaron su avance irrefrenable, a despecho de protestas y revoluciones. En el siglo octavo, aunque el yahvismo continuaba siendo la religión nacional, sirviendo de base a la alianza con Yahvéh, la ley de la alianza había llegado a significar muy poco en la práctica. La sociedad de Israel había perdido su estructura ancestral, pero no había hecho la paz con ninguna otra.

b. *Descomposición religiosa en Israel del norte.* Lo que se acaba de decir conduce a sospechar que la desintegración social se dio la mano con la descomposición religiosa. Y así fue. Aunque los grandes santuarios de Israel estaban en plena actividad, repletos de adoradores y pródigamente provistos (Amós 4, 3 s.; 5, 21-24), es evidente que el yahvismo no se mantenía ya en su forma pura. Muchos de los santuarios locales eran sin duda abiertamente paganos; el culto de la fertilidad, con sus ritos envilecedores, era practicado en todas partes (Os. 1-3; 4, 6-14). Es significativo que los ostraca de Samaria consten casi por entero de varios nombres compuestos tanto

---

(82) Parece cierto que subyace una cierta ficción legal bajo el vender «al necesitado por un par de sandalias» (Amós, 2, 6); cf. E. A. Speiser, BASOR, 17 (1940), pp. 15-20.

con Ba'al como con Yahvéh (83). Aunque en algunos de estos casos
Ba'al (Señor) puede haber sido tan sólo una apelación de Yahvéh
(cf. Os. 2, 16), se concluye inevitablemente que muchos israelitas
eran adoradores de Ba'al (en la Judá contemporánea no se consin-
tieron semejantes nombres) (84). Se debe recordar que la purga de
Jehú había sido dirigida contra el Ba'al de Tiro y no desarraigó los
paganismos nativos, ni siquiera se lo propuso seriamente. Aunque no
tenemos medios de precisar hasta qué grado, parece que incluso la
religión oficial del Estado había asimilado ritos de origen pagano
(Amós 2, 6 s.; 5, 26; Os. 8, 5 s.) y, lo que era peor, había atribuido
al culto la función enteramente pagana de apaciguar a la divinidad
con ritos y sacrificios en orden a asegurar la paz del *status quo*.

De un yahvismo tan diluido, apenas podía esperarse que tuviera
un sentido penetrante de la ley de la alianza o de castigos efectivos
por su incumplimiento. Siendo los sacerdotes de los santuarios locales
paganos o semipaganos, ciertamente no lo tenían. Cuanto al clero
del culto estatal, hubo oficiales y grandes hombres de Estado que ni
lo reprocharon ni lo favorecieron (Amós 7, 10-13). Lo más sorprendente es que no parece que le hayan hecho ningún reproche efectivo
los órdenes proféticos, que nunca en el pasado habían vacilado en
resistir al Estado en nombre de Yahvéh. Parece que la mayor parte
de ellos capitularon por completo y abdicaron de su oficio. Lo único
que cabe suponer es que, habiendo resistido a Jezabel hasta la muerte,
y habiendo visto logrados 'sus deseos inmediatos, mediante la purga
de Jehú, se dieran por contentos con facilidad y, ciegos al hecho de
que el paganismo permanecía todavía, y alegrándose del resurgimiento de Israel, hubieran puesto su fervor patriótico al servicio del
Estado y le hubieran dado su bendición en nombre de Yahvéh;
incapaces de criticarlo, sus oráculos nacionales contribuyeron al
contento general. Parece, en efecto, que como grupo se habían hundido
en la corrupción general y se habían convertido en esclavos del momento, profesionales interesados ante todo en sus gratificaciones
(Amós 7, 12; Mi. 3, 5), que eran mirados con amplio desdén.

No obstante, se nota que la situación de Israel, aunque corrompida, era una situación de optimismo. Esto lo provocaba en parte
el orgullo por la fuerza de la nación, por el horizonte internacional
entonces despejado, pero también en parte por la fe en las promesas
de Yahvéh. La verdad es que se había producido una desviación
interior en esta fe de Israel. Los hechos gratuitos de Yahvéh para
con Israel, eran indudablemente recitados con ansiedad en el culto

---

(83)   La proporción es solamente de, más o menos, un 7 a 11 a favor de los
nombres formados con Yahvéh; cf. Albright, ARI, p. 160.

(84)   Esta afirmación sigue siendo cierta también tras el descubrimiento
de los ostraca de Arad (más de 100 del período de la monarquía, aunque casi
todos fragmentarios); cf. Y. Aharoni, BA, XXXI (1968), pp. 2-32 (cf. p. 11).

y su alianza con él periódicamente ratificada; pero parece (Amós 3, 1 s.; 9, 7) que esto era mirado como garantía de la protección de Yahvéh a la nación para todo el tiempo por venir, habiendo sido profundamente olvidada la obligación moral impuesta por el favor de Yahvéh (cf. Amós 2, 9-12) y las estipulaciones de la ley de la alianza. En verdad, parece que una rememoración mal orientada de la alianza patriarcal, que consistía en las incondicionales promesas de Yahvéh para el futuro, había suplantado prácticamente a la alianza sinaítica en la mente popular. La obligación de la alianza era concebida (y en una medida tal que llegó a perder por entero su significado) como un asunto meramente cúltico, cuyas exigencias podían ser cumplidas —y en opinión de Israel estaban cumplidas— mediante un prolijo ritual y un lujoso sostenimiento de los templos nacionales. Cuando al futuro, Israel esperaba la venida del Día de Yahvéh. El origen de este concepto, que es mencionado por primera vez en Amós 5, 18-20, pero que era ya en el siglo octavo una esperanza popular, es oscuro y debatido (85). Es probable que cuando Israel evocaba en el culto los grandes días de la intervención victoriosa de Yahvéh en el pasado —en el éxodo, la conquista y las guerras, santas de los jueces— naciera la expectación de un día por excelencia que estaba por venir, en el que Yahvéh intervendría en favor de Israel y realizaría sus promesas a los patriarcas. Aunque todavía seguían en pie todos los conceptos fundamentales de la fe de Israel —elección, alianza, promesa— estaban intrínsecamente prostituidos. El yahvismo estaba en peligro de convertirse en una religión profana.

c. *La protesta profética: Amós y Oseas.* En esta coyuntura aparecieron en el escenario de la historia de Israel los dos primeros de aquella serie de profetas cuyas palabras nos han sido conservadas por la Biblia: Amós y Oseas. Aunque fueron hombres de cuño completamente distinto, y aunque sus mensajes en algunos aspectos fueron marcadamente diferentes, ambos atacaron los abusos de la época de una manera que se hizo clásica. De la carrera de Amós, que comenzó a hablar alrededor de la mitad del siglo octavo (87), sabemos solamente los siguientes hechos: que procedía de Téqoa, en el borde del desierto de Judá (Amós 1, 1), que no era miembro de los órdenes proféticos, sino un simple pastor, cuya única prueba de autenticidad era un tremendo sentido de haber sido llamado a

---

(85) G. von Rad sostiene una opinión esencialmente correcta cuando sitúa los orígenes del concepto en las tradiciones de la guerra santa; cf. «The Origin of the Concept of the Day of Yahweh (JSS, IV [1959], pp. 97-108); *ídem, Old Testamento Theology,* vol. II (trad. inglesa, Edimburgo y Londres, Oliver and Boyd; Nueva York, Harper and Row, 1965), pp. 119-125. F. M. Cross *(Canaanite Myth and Hebrew Epic,* pp. 105-111) ve en el Día de Yahvéh una combinación de los temas de la victoria de Yahvéh en la guerra santa y de la renovación ritual de la conquista en el culto.

hablar la palabra de Yahvéh (7, 14 s.; 3, 1-8); que su ministerio, en gran parte al menos, discurrió dentro de los términos del Estado del norte, y que habiendo arribado en una ocasión al templo real de Betel, se le prohibió seguir hablando allí (7, 10-17). El mensaje de Amós fue un ataque devastador contra los males sociales de la época, particularmente contra la crueldad y la falta de honradez con que los ricos habían derribado a los pobres (2, 6 s.; 5, 10-12; 8, 4-6), pero también contra la inmoralidad, la búsqueda afanosa de riqueza que había minado el carácter nacional (2, 7 s.; 4, 1-3; 6, 1-6), todo lo cual era considerado por él como pecados que Yahvéh castigaría con toda seguridad. Aunque Amós nunca mencionó la palabra «alianza», es evidente que valoraba el pecado nacional sobre el telón de fondo de la ley de la alianza y que no lo encontraba doblemente odioso a la luz de los favores de Yahvéh a Israel en el éxodo y en la donación de la tierra (cap. 2, 9-12) (86). Atacaba la idea de que la elección de Israel por parte de Yahvéh garantizara su protección (1, 2; 3, 1 s.; 9, 7) o que las obligaciones de la alianza pudieran ser sustituidas por una mera actividad cúltica (5, 21-24), declarando que, en realidad, el culto de Israel se había convertido en un lugar de pecado, en el que Yahvéh no estaba presente (4, 4 s.; 5, 1-6). Amós no alimentaba ninguna esperanza para el reino del norte. O más bien, ofrecía esperanza sólo con la condición de que se practicara la justicia (5, 4; 6, 14 s.) de lo que no veía ninguna traza. Por tanto, declaró que Israel no se salvaría de una ruina total futura (5, 2; 7, 7-9; 9, 1-4, 8 a); el día esperado de Yahvéh sería el día terrible del juicio divino (5, 18-20). Hay que notar que en todo esto, Amós no promovió ninguna revolución contra el Estado, como habían hecho sus predecesores; aunque se le acusó de ello (7, 10-13), su indignada recusación está comprobada por los hechos (vv. 14 y s.). Amós no predicó la revolución porque creía que la curación de Israel estaba más allá de toda posibilidad: Yahvéh, y sólo Yahvéh, ejecutaría la venganza.

Cuanto a Oseas, aunque el núcleo de sus oráculos se refiere al período caótico que va a ser descrito en el capítulo siguiente, su carrera comenzó igualmente (Os. 1, 4) durante el reinado de Jeroboam, sólo algo posterior, pues, o acaso simultánea con la de Amós. Ciudadano del Estado del norte, parece que Oseas llegó a su vocación a través de una trágica experiencia doméstica (1-3). Aunque es

---

(86)   Es posible que la fuente inmediata de las normas de valoración de Amós se encuentre en el «ethos de clan» de su propio trasfondo rural (así H. W. Wolff, *Amos" geistige Heimat*, WMANT, 18 [1964]), pero a condición de que se le entienda sólo como uno de los importantes cauces a través de los que había venido fluyendo el conocimiento de la ley de la alianza. Parece del todo claro que Amós tuvo conocimiento no sólo del material legal, sino también de su fundamento en el Código de la alianza; cf. J. L. Mays, *Amos* (OTL, 1969), pp. 47-49.

imposible tener seguridad (87), parece que su mujer, a la que él amaba mucho, le había traicionado, entregándose a una vida inmoral, si no ya a la prostitución sagrada; aduciendo la caída de su esposa, se vio obligado a divorciarse de ella. Esta experiencia ayudó indudablemente a dar al mensaje de Oseas su forma característica. Describiendo el vínculo de la alianza como un matrimonio, declaró que Yahvéh, como «esposo» de Israel esperaba de ella la fidelidad que un hombre espera de su mujer, pero que Israel, al adorar a otros dioses, había cometido «adulterio» y por tanto tenía que arrostrar el «divorcio», la ruina nacional (2, 2-13). Oseas censuró el culto de Ba'al, el culto paganizado de Yahvéh, y toda la corrosión moral que el culto pagano llevaba consigo (4, 1-14; 6, 8-10; 8, 5 s.), declarando que Israel, habiendo olvidado los actos gratuitos de Yahvéh (11, 1-4; 13, 4-8), no era ya su pueblo (1, 9). Dado que no vio señales de penitencia verdadera (5, 14-6, 6; 7, 14-16) creyó, como Amós, que la nación había violado las cláusulas de la alianza y estaba condenada (7, 13; 9, 11-17). Es cierto que nació en él la esperanza de que así como había perdonado y rehabilitado al parecer a su propia esposa (cap. 3), también Yahvéh, en su infinito amor perdonaría un día a Israel y restablecería el vínculo de la alianza (2, 14-23; 11, 8-11; 14, 1-8). Pero esto se hallaba más allá del inevitable desastre que estaba a punto de abatirse sobre la nación.

d. *El puesto de los profetas en la historia de la religión de Israel.* Dado que el movimiento, del cual Amós y Oseas fueron los primeros representantes, se iba a prolongar cerca de tres siglos, influenciando de un modo profundo el curso entero de la historia de Israel, es necesario, llegados a este punto, decir unas cuantas palabras relativas a su naturaleza. Los profetas clásicos representan en verdad un fenómeno nuevo en Israel. Ellos no fueron, ciertamente, los pioneros espirituales, concretamente los descubridores del monoteísmo ético, que tan repetidamente se ha dicho que fueron. Aunque no puede ser discutida la originalidad de su contribución, no eran, con todo, innovadores, sino reformadores, que se mantuvieron dentro de la corriente principal de la tradición de Israel y adaptaron aquella tradición a una situación nueva.

Es verdad que a los profetas clásicos les repugnaba la venalidad de los profetas profesionales; persuadidos de que sus oráculos optimistas no representaban la palabra de Yahvéh, rompieron ásperamente con los órdenes proféticos, los desautorizaron y los denunciaron (Amós 7, 14; Mi. 3, 5, 11; Jr. 23, 9-32). Eran, por otra parte, en ciertos aspectos esencialmente diferentes de los primeros profetas

---

(87)   No podemos analizar aquí esta debatida cuestión; cf. los comentarios más recientes, entre ellos J. L. Mays, *Hosea* (OTL, 1969), pp. 21-60. Para un análisis más resumido, H. H. Rowley, «The Marriage of Hosea» (1956; reimp. *Men of wod* [Edimburgo y Nueva York, Nelson, 1963], pp. 66-97).

extáticos. Los profetas clásicos, aunque realizando a menudo sus
profecías por medios miméticos, como sus predecesores habían hecho
(p. e. Is. 20; Jr. 27, 28. Ez. 4, 5; cf. I R 22, 1-28), y aunque dados a
profundas experiencias síquicas (Amós, 7, 1-9; Is. 1; Ez. 1, etc.), no
eran, en sentido propio, extáticos, sino que por el contrario, entrega-
ban sus mensajes en forma de pulidos oráculos poéticos, generalmente
de la más alta calidad literaria. Estos oráculos eran pronunciados en
público; transmitidos, naturalmente, tal como se les recordaba, y
recopilados a través de un complejo proceso de transmisión oral y
escrita, dieron origen a los libros proféticos tal como nosotros los
conocemos. Por otra parte, aunque sabemos que ciertos profetas
consiguieron círculos de discípulos (p. e. Is. 8, 16), no profetizaron
en grupos, sino solos. Además, aunque pronunciaron sus mensajes en
los santuarios, y emplearon frecuentemente terminologías cúlticas,
y aunque algunos de ellos pertenecían a las filas clericales, no actuaron
como personal adscrito al culto (88). Eran hombres de todos los
estratos sociales, que habían sentido el impulso de la palabra de Yahvéh
y que a menudo —probablemente siempre— habían llegado a su
vocación a través de alguna experiencia de su llamada. Finalmente,
aunque, como sus predecesores, intervinieron con libertad en la
suerte del Estado y trataron continuamente de influenciar su política,
nunca, por lo que sabemos, se entregaron a una actividad revolu-
cionaria.

Al mismo tiempo, es evidente que los profetas clásicos continuaron
la tradición de sus predecesores. Eran llamados con el mismo título
(nabî), llenaban la misma función de declarar la palabra de Yahvéh
y encerraban sus oráculos en las mismas fórmulas. En realidad, las
semejanzas eran tan grandes que se hacía difícil distinguir un profeta
«verdadero» de los profesionales con un examen externo (Jr. 27,
28; Dt. 18, 20-22). Amós fue, en su tiempo, confundido con uno de
ellos (7, 12). Los profetas clásicos, además, tenían muchos puntos
comunes con sus predecesores: por ejemplo el disgusto por las implicaciones extranjeras, o la idealización de las tradiciones del pasado
y la tendencia a criticar el presente a la luz de esas tradiciones (Amós
2, 9-12; Os. 11, 1; 12, 9 s.; 13, 4 s.; Jr. 2, 2 s.). Lo que es mucho
más importante, los puntos básicos de la crítica profética clásica
—la adoración de los dioses extranjeros y la violación de la ley de
la alianza— eran precisamente los puntos atacados por el profe-
tismo anterior. Baste sólo recordar el reproche de Natán a David o la

---

(88)   Se ha defendido a menudo la opinión de que los profetas hablaban como
funcionarios del culto. Pero aunque no es imposible que algunos de ellos lo fueran
(¿tal vez Nahúm?), no es posible, en mi opinión, entender bajo esta luz a los profetas clásicos considerados en su conjunto. Para la discusión de este problema,
cf. (con bibliografía), H. H. Rowley, *Worship in Ancient Israel* (Londres, SPCK,
1967), cap. 5.

denuncia de Elías a Ajab por el crimen contra Nabot, o la guerra
santa de Elías contra el Ba'al de Tiro, para ver que los profetas
clásicos no fueron los primeros en descubrir que Yahvéh pedía una
conducta recta ni los primeros en insistir que sólo él debe ser adorado.
En ambas cosas eran herederos de una tradición que se remontaba
en el pasado, en una línea ininterrumpida —a través de hombres
como Miqueas ben Yimlá, Elías, Ajías de Silo, Natán y Samuel—
hasta el orden de la alianza del primitivo Israel.

Los profetas clásicos representaban la nueva faceta de un oficio
que había existido en Israel desde el nacimiento de la monarquía o
algo antes. Se trataba de un oficio que mantenía la línea de continuidad con el liderazgo carismático de los jueces y a través del cual
se entendía a Yahvéh como gobernador directo de su pueblo (89).
Era, en el auténtico sentido de la palabra, un oficio político, ya que
los profetas hablaban como mensajeros de la corte celeste de Yahvéh,
como expresos agentes de su imperio en el mundo. Su deber consistía
en recordar a los reyes y a las autoridades estatales que el auténtico
gobernador de Israel es Yahvéh y en criticar y corregir al Estado a
la luz de la expresa voluntad divina. Como ya hemos visto, los profetas mantuvieron continuamente esta actitud crítica. Pero ahora,
a mediados del siglo VIII, cuando a través de su pésima conducta
parecía que todo el pueblo se había rebelado contra Yahvéh, y
cuando incluso las órdenes proféticas parecían haber perdido el
poder o incluso la voluntad de llevar a cabo una crítica eficaz, era
evidente que se necesitaban palabras más despiadadas. Y estalló
entonces la voz de los grandes profetas clásicos. Todo su ataque al
pecado de la sociedad estaba enraizado en el suprapoderoso sentimiento de la absoluta soberanía de Yahvéh sobre Israel y de la obligación incondicional de Israel de obedecer las estipulaciones de su
alianza. Rechazaron la noción de que el Estado de Israel, como pueblo
de Yahvéh, estuviera basado, al modo pagano, en la sangre, la tierra
y el culto, o que la alianza de Yahvéh le hubiera ligado a él para el
futuro de un modo incondicional o que las obligaciones de la alianza
pudieran ser suplidas mediante prácticas religiosas. Muy al contrario,
apoyándose enérgicamente en las tradiciones normativas, descu-
brieron la base de la existencia de Israel en el favor proveniente
de Yahvéh para un pueblo y en el solemne compromiso de este
pueblo de aceptar su supremo dominio, no teniendo nada que ver

---

(89)   Para una mejor comprensión del oficio de profeta tal como se expone
en estas líneas. cf. W. F. Albright, *Samuel and the Beginning of the Prophetic Movement
in Israel* (The Goldenson Lecture for 1961: Hebrew Union College Press); G. E.
Wright, «The Nations in Hebrew Prophecy» *(Encounter*, XXVI [1965], pp. 225-
237; E. F. Campbell, «Sovereing God» *(McCormick Quarterly*, XX (1967), pp. 3-16).
Cf. también el excelente artículo de H. B. Huffmon, «The Origins of Prophecy»
(Mag. Dei, cap. 8); también H. W. Wolff, *Interpretation* XXXII (1978), pp. 17-30.

con ningún otro dios y obedeciendo estrictamente su ley rigurosa,
tanto en los asuntos públicos como en los privados. Todo su mensaje
partía de una profunda comprensión de la alianza de Yahvéh y de
sus exigencias. Pero, una vez que era ya evidente que Israel había
violado de flagrante manera los términos de la alianza —más aún,
que se había rebelado abiertamente contra el Señor de la alianza—
el único mensaje que podía proceder de la corte celeste era un mensaje de juicio: Yahvéh actuaría contra sus súbditos rebeldes como
acusador y como juez. Los llevaría a juicio y ejecutaría la sentencia.
Estaba airado contra su pueblo, daría rienda suelta a las maldiciones
de la alianza y los destruiría. Pero, paradójicamente, cuando los
profetas anunciaron la sentencia divina fue cuando el elemento de
promesa inherente a la fe de Israel,ese elemento al que ellos no podían
someterse ni aceptar en su forma popular, comenzó a rebasar los
límites de la nación existente para tender hacia el futuro y adquirir
nuevas dimensiones.

El siglo octavo en Israel llegó a su punto medio con una nota
de estridente disonancia. El Estado de Israel, externamente fuerte,
próspero y confiado en el futuro, estaba intrínsecamente corrompido
y enfermo, más allá.de toda cura posible. Se abría paso al exterior la
penosa sensación, proclamada por Amós y Oseas, pero compartida con
seguridad por otros, de Israel había concluido, de que la fe de Israel
no podía estar por mucho tiempo en paz con Israel, de que, por lo que
al Estado del norte concernía, Yahvéh se había alejado por completo
de su pueblo. Como veremos, el veranillo de San Martín no tardaría
en pasar; de hecho Israel había comenzado a morir. Hay que agra-
decer, en primer lugar, a los profetas, el que, cuando el Estado del
norte caminaba hacia su tumba, para ser seguido más tarde por su
hermno del sur, la fe de Israel recibiera una nueva infusión de vida.

LA MONARQUIA (Continuación)
CRISIS Y DERRUMBAMIENTO

Capítulo 7

EL PERIODO DE LA CONQUISTA ASIRIA

Desde la mitad del siglo octavo
hasta la muerte de Ezequías

En el tercer cuarto del siglo octavo Israel se vio enfrentado con circunstancias que alteraron decisiva y permanentemente su situación. Hasta aquí hemos trazado la historia de dos naciones independientes. Aunque habían mantenido guerras continuas con sus vecinos, y en ocasiones habían sido subyugadas, nunca habían perdido su autodeterminación política, y su suerte, aunque afectada por el curso de los acontecimientos mundiales, no había dependido nunca del capricho de imperios lejanos, a no ser de una manera indirecta. La verdad es que la historia entera de Israel a lo largo de los 500 años de su existencia como pueblo, se había extendido en un período vacío de grandes potencias. No había existido ningún imperio que fuera capaz de perturbarle profunda y permanentemente. En consecuencia, Israel nunca conoció una emergencia que no pudiera dominar de alguna manera, y así sobrevivir. A partir de la mitad del siglo octavo, ya no se volvería a repetir este caso. Asiria emprendió firmemente el camino hacia el imperio y la nube largo tiempo sombría sobre el horizonte se desató en una tormenta que barrió de delante de sí como hojarasca a los pueblos pequeños. El reino del norte se resquebrajó ante la ráfaga y fue arrasado. Aunque Judá logró sobrevivir durante siglo y medio, prolongando su existencia más que la misma Asiria, no conoció nunca, excepto durante un breve intervalo, la independencia política. Ahora vamos a ocuparnos de la historia de estos años trágicos.

Nuestra principal fuente de información es, una vez más, el libro de los Reyes, junto con datos complementarios suministrados por el libro de las Crónicas. Las memorias de los reyes asirios, que son desacostumbradamente abundantes en este período que ahora estudiamos, aclaran en muchos puntos la narración bíblica y acudiremos a ellas de vez en cuando. Una valiosa luz adicional proviene, desde luego, del libro de Isaías, junto con el de Miqueas y —para los comienzos de este período— el de Oseas.

A. EL AVANCE ASIRIO: CAIDA DE ISRAEL Y SOMETIMIENTO DE JUDA

1. *Comienzos del derrumbamiento de Israel.* Con la muerte de
Jeroboam (746) la historia del reino del norte se convierte en un
relato de duros desastres. Su dolencia interna apareció claramente
al descubierto; Israel se encontró despedazado por la anarquía en
el preciso momento en que estaba llamado a enfrentarse con la
amenaza más grave de toda su historia: el resurgimiento de Asiria.
En menos de 25 años Israel fue borrado del mapa.

a. *El resurgimiento de Asiria: Tiglat-piléser III.* Asiria codiciaba
las tierras allende el Eufrates a causa de su valiosa madera y de sus
recursos minerales y, también, porque eran paso obligado para
Egipto, el sureste de Asia Menor y el comercio del Mediterráneo.
Este es el motivo por el que los ejércitos asirios hicieron durante más
de un siglo campañas periódicas hacia el oeste. Hasta ahora, sin
embargo, el poder asirio había estado fundamentado sobre débiles
bases y seriamente amenazado por rivales, de tal suerte que no le
fue posible llevar a cabo sus conquistas de un modo ordenado, resultando así su historia una sucesión de avances y retrocesos. Uno de
estos últimos permitió a Israel su postrer respiro. Pero el golpe de
gracia estaba encima; Asiria había empezado a conquistar, ocupar y
gobernar.

El inaugurador de este período de la historia asiria, y el verdadero
fundador de su imperio, fue Tiglat-piléser III (745-727), gobernante
excepcionalmente fuerte y hábil. Al subir al trono tuvo que afrontar
la tarea de restablecer el poderío asirio contra los pueblos arameos
(caldeos) de Babilonia en el sur, y contra el reino de Urartu en el
norte, así como llevar a cabo las posibilidades de Asiria por el oeste.
Mediante una serie de pasos, en cuya descripción detallada no nos
podemos detener, fueron conseguidos todos los objetivos. Babilonia
fue pacificada; al final de su reinado (729), después de algunos disturbios allí ocurridos, Tiglat-piléser ocupó personalmente el trono de
Babilonia, gobernando con el nombre de «Pulu». Sardur II, rey de
Urartu, fue afrentosamente derrotado junto con sus aliados, al oeste
del Eufrates, y posteriormente asediado en su propia capital; Urartu,
con su territorio disminuido, dejó de ser un rival peligroso de Asiria.
Ulteriores campañas contra los medos en el norte del Irán llevaron
a los ejércitos asirios hasta la región de los Montes Demavend (Bikni),
al sur del Mar Caspio.

Mucho antes de que estos planes fueran llevados a término,
Tiglat-piléser se ocupó del sometimiento del oeste, efectuando el
743, y en los años siguientes, diversas campañas contra Siria. Al
principio se le enfrentó una coalición a cuya cabeza estaba Azrían

de Yehudí. La similitud de los nombres ha hecho suponer a algunos que no era otro que Azarías (Ozías) de Judá (1). Y, a pesar de que el encuentro tuvo lugar, al parecer, en el norte de Siria, la sugerencia no es del todo descaminada, ya que Ozías, aunque anciano y físicamente incapacitado, era, tras la muerte de Jeroboam, el jefe de uno de los pocos Estados firmes que aún quedaban en el oeste. Comprendiendo la gravedad del peligro, tomó el mando para hacerle frente. Pero debemos añadir que ni la lectura ni las fechas de los textos principales permiten resolver la cuestión y no podemos alcanzar certeza (2). Falló, en todo caso, el intento de detener el avance asirio. En 738, si no ya antes, Tiglat-piléser había sometido a tributo a la mayor parte de los Estados de Siria y norte de Palestina, incluyendo Jamat, Tiro, Biblos, Damasco e Israel.

Las campañas de Tiglat-piléser se diferenciaron de las de sus predecesores en que no eran expediciones militares para obtener tributos, sino conquistas permanentes. Para consolidar sus posesiones, Tiglat-piléser adoptó una política que aunque no totalmente nueva, nunca había sido aplicada hasta entonces con tanta fuerza. No contento con recibir tributo de los príncipes nativos y castigar sus rebeliones con represalias brutales, cuando ocurría una rebelión Tiglat-piléser deportaba, como norma, a los delincuentes e incorporaba sus tierras al imperio como provincias, esperando ahogar de este modo todo sentimiento patriótico capaz de alimentar la resistencia. De esta política, firmemente practicada por Tiglat-piléser y aceptada por todos sus sucesores, tuvo que aprender Israel, a su costa, el significado.

b. *Anarquía política en Israel* (II R 15, 8-28). Ni siquiera una nación fuerte y guiada por los más selectos gobernantes hubiera podido sobrevivir a las dificultades que le estaban reservadas. Y, ciertamente, Israel no era esta nación. Por el contrario, debatiéndose en la agonía de una anarquía desenfrenada, había acabado virtualmente de actuar como nación. Durante los diez años que siguieron a la muerte de Jeroboam, había habido cinco reyes, tres de los cuales habían ocupado el trono violentamente y sin tener ninguno de ellos el menor pretexto de legitimidad. Zacarías, hijo de Jeroboam, fue asesinado después de un reinado de unos seis meses (746-745) por Šal.lum hijo de Yabéš, quien a su vez fue eliminado antes de un mes por Menajem ben Gadí quien, según parece, tuvo el apoyo de la que

(1) Cf. H. Tadmor, «Azriyau of Yaudi» *(Scripta Hierosolymitana*, VIII [1861], pp. 232-271); también E. R. Thiele, *The Mysterious Numbers of the Hebrew Kings* (ed., rev., Wm. B. Eerdmans, 1965), cap. V; Albright, BASOR, 100 (1945), p. 18; M. F. Unger, *Israel and the Arameans of Damascus* (Londres, James Clarke, 1957), pp. 95-98; también las anteriores ediciones de esta Historia.

(2) Cf. N. Na'aman, BASOR, 214 (1974), pp. 25-39. Para el texto que trae la lectura «Azrian de Yeudí», cf. Pritchard, ANET, pp. 282 s.

en otro tiempo fue capital, Tirsá. Qué fue lo que motivó este golpe
—si la ambición personal, miras políticas o rivalidades locales— es
desconocido; pero en todo caso, sumergieron al país en una guerra
civil de indecible atrocidad (v. 16) (3).

Fue Menajem (745-737) quien pagó tributo a Tiglat-piléser
cuando éste avanzó hacia el oeste (4). El tributo, que fue muy duro,
fue allegado por medio de impuestos per capita, recaudados entre
todos los hacendados de Israel. Aunque probablemente Menajem
tuvo poco lugar a opción en el asunto, parece (v. 19) que sometió
voluntariamente la independencia de su país, esperando que la ayuda
de Asiria le afirmaría en su inestable trono. Esto fue ciertamente
ofensivo para los israelitas patriotas, y por tanto, cuando al poco
tiempo Menajem fue sustituido por su hijo Pecajías (737-736), este
fue muy pronto asesinado por uno de sus oficiales, Pecaj ben Remalías,
que ocupó el trono (5). Aparte otros motivos que puedan haber
intervenido, este fue el golpe que cambió la política nacional. Es
posible (cf. Is. 9, 8-12) que Resin, rey de Damasco, y algunos filisteos,
intentando organizar la resistencia contra Asiria y encontrando a
Menajem contrario a la coalición, hubieran atacado a Israel y apoyado quizá a Pecaj como posible colaborador de sus planes (6).
Si acudieron o no los confederados a la ayuda egipcia, como sucedió
posteriormente (II R 17, 4), no lo sabemos, pero es posible (cf. Os.
7, 11; 12, 1). En todo caso, tan pronto como Pecaj subió al trono, se
constituyó en el jefe de la coalición antiasiria. Esto le llevó pronto a
la guerra con Judá, y puso en movimiento la marcha final hacia el
desastre.

c.   *Desintegración interna de Israel.* Aunque la confusión antes
descrita fue algo más que un mero síntoma de derrumbamiento
interno, fue por lo menos, eso. En efecto, Israel estaba in extremis.

---

(3)   El TM sitúa esta atrocidad en Tifsah, que Haran (VT, XVII [1967],
pp. 284-290) cree que debe indentificarse con la Thapsaco del Eúfrates (cf. I R
4, 24). De ser cierta esta opinión, significaría que la acción no fue dirigida contra
los israelitas. Pero resulta difícil explicarse por qué Menajem se vio obligado a
dirigir una campaña hasta lugares tan distantes de la patria. Muchos especialistas
leen «Tappuah», siguiendo a la recensión luciana de los LXX (cf. RSV, NEB).
(4)   Cf. II R 15, 19 s. así como la inscripción de Tiglat-piléser (Pritchard,
ANET, p. 283). La Biblia le llama «Pul», bajo cuyo nombre rigió más tarde Babilonia. Para la fecha del tributo de Menajem cf. L. D. Levine, BASOR, 206 (1972),
pp. 40-42.
(5)   El nombre del rey, y el de su asesino, eran iguales. Se ha insinuado
(A. M. Honeyman, JBL, LXVII [1948], p. 24) que Pecaj usurpó el trono y el
nombre de su predecesor. Isaías (cap. 7, 4 ss., 9; 8, 5) le llama siempre y únicamente «ben Remalías».
(6)   De la misma manera que, más tarde, y por idénticos motivos, Pecaj
y Resín determinaron deponer a Ajab (IS. 7, 5 ss.). Cf. T. B. Y. Scott, IB, V (1956),
pp. 235 s. Is. 9, 8-21 se refiere claramente a este período. Es posible que por esta
época los arameos reconquistaran las fronteras que habían tenido en el siglo IX
en la región septentrional de Galaad; cf. H. Tadmor, IEJ, 12 (1962), pp. 114-122.

La nave del Estado, agrietada por todos sus costados, sin brújula ni timonel competente, y con su tripulación desmoralizada, se estaba hundiendo. Las palabras de Oseas, de quien hemos hablado en el capítulo precedente, revelan la gravedad de la situación. Se puede ver en ellas un cuadro plástico de los complts y maquinaciones que desgarraron, cada una por su parte, el cuerpo político (p. e. Os. 7, 1-7; 8, 4; 10, 3 s.); del furioso ajuste de cuentas de la política nacional cuando de un modo o de otro, una u otra facción asumían el poder (p. e. 5, 13; 7, 11; 12, 1) y también ciertos vislumbres de un completo colapso de la ley y del orden, en el cual ni la vida ni la propiedad estaban seguros (p. e. 4, 1-3; 7, 1). Es evidente que los crímenes sociales que había denunciado Amós habían resquebrajado el edificio social, enfrentando a hermanos contra hermanos, clases contra clases, bandos contra bandos, hasta tal punto que Israel no se pudo mantener más tiempo como nación. La desaparición de la fuerte mano de Jeroboam, y la expansión de la amenaza asiria, no hizo sino poner al descubierto la extensión que ya había alcanzado la desintegración social. Al mismo tiempo, Oseas echaba en cara al paganismo, que había existido y continuaba existiendo, el haber producido so capa de religión, sus frutos más amargos en borracheras crápulas y libertinaje sexual, todo lo cual había corroído el carácter nacional (p. e. Os. 4, 11-14; 17 s.; cf. Is. 28, 1-4). En los escasos residuos de la rigurosa moral del yahvismo no había integridad, ni principios, ni fe común que pudiera proporcionar la base para una acción desinteresada e inspirada por el bien común.

Esta disgregación interna se expresaba a sí misma, y al mismo tiempo se agravaba, con la crisis política. Olvidada la alianza con Yahvéh, su poder cohesivo y sus sanciones, se dio rienda suelta a las envidias, rencores y un desenfrenado egoísmo. Los israelitas se lanzaron unos contra otros como caníbales (cf. Is. 9, 19 s.), demostrando una barbarie que hubiera extremecido incluso a los paganos (II R 15, 14; cf. Am. 1, 13). El Estado, nunca del todo asegurado, perdió completamente el control. Aunque Israel, falto de una tradición dinástica estable, fue siempre propenso a la revolución, conservó no obstante, con fidelidad, al menos en las apariencias, el caudillaje por designación divina y aclamación popular. Pero ahora incluso esto fue arrollado cuando unos tras otros escalaban el trono sin pretexto siquiera de legitimidad, caso que Oseas consideraba como un pecado contra Yahvéh y como señal de su ira contra la monarquía israelita como tal (vg. Os. 8, 4; 10, 3 s.) (7). Sin cohesión interna

---

(7) Es posible (p. e. 9, 15; 13, 10 ss.) que Oseas considerara la realeza como una institución pecaminosa en sí misma. Aunque esto es discutido, se sitúa en la línea de un antiguo sentimiento (p. e. Jc. 8, 22 ss.; 9, 7-15; I S caps. 8 y 12). Cf. T. H. Robinson, *Die Zwölf Kleinen Propheten* (HAT, 1954²), pp. 38 ss., 51, etc.; H. W. Wolff, *Dodeka propheten 1, Hosea* (BKAT, 1961), pp. 216 s., 295 s.

alguna, ni base teológica, el estado se encontró incapaz de una acción inteligente y ordenada; cada relevo en el gobierno llevaba la nave del Estado contra las rocas. No es sorprendente que Oseas —con arrebato tal que rompe la descripción (vg. 9, 11-17; 13, 8-16)— pronunciase la perdición de Israel; Israel estaba ya perdido. La maravilla es que pudiera anticipar para más allá de esta ruina un nuevo e inmerecido acto de la gracia divina que reuniría a Israel de nuevo desde todos los desiertos de la catástrofe (2, 14 s.; 12, 9), curaría su incredulidad y restauraría una vez más el vínculo de la alianza entre el pueblo de Dios (2, 16-23; 14, 1-7). Aquí se hace ya visible el gérmen de la noción de nueva alianza y nuevo éxodo, tan importante en el pensamiento de los profetas posteriores y en el nuevo Testamento.

2. *Ultimos días del reino de Israel* (737-721). Solamente a una inteligencia extraordinaria, que naturalmente nadie podía tener, le hubiera sido posible salvar a Israel en este trance desesperado. Pero sus jefes, en vez de manifestar inteligencia, demostraron una completa inhabilidad para dominar las realidades de la situación. Bajo Pecaj (737-732) (8) Israel dio un mal paso que hizo caer bajo su cabeza la ira de Asiria.

a. *La coalición arameo-israelita y sus resultados.* Pecaj, como se ha dicho, representaba aquel elemento israelita que anhelaba la resistencia contra Asiria; pronto llegó a ser, juntamente con Resín, rey de Damasco, el jefe de la coalición formada con este propósito. Los confederados deseaban, naturalmente, que Judá, regida en este tiempo por Yotam, hijo de Ozías (742-735) (9) se les uniese. Pero Judá, prefiriendo seguir una política independiente, rehusó. Pecaj y Resín, por tanto, no queriendo tener a su retaguardia un poder neutral y potencialmente hostil, tomaban medidas para someterle (II R 15, 37). En este punto, murió Yotam y fue sucedido por su hijo Ajaz, sobre quien descargó la fuerza del golpe. La coalición invadió Judá por el norte (10) y cercaron a Jerusalén (II R 16, 5) con la intención de deponer a Ajaz y colocar en su trono a un arameo,

---

(8)   Los 20 años atribuidos a Pecaj (II R 15, 27) pueden tal vez incluir el período en que pretendió ser rey, pero sin ocupar efectivamente el trono. Es posible que ejerciera de hecho una especie de autoridad semi-autónoma en Galaad (cf. vers. 25), a partir de la muerte de Jeroboam; cf. H. J. Cook, VT, XIV (1964), pp. 121-135; E. R. Thiele, VT, XVI (1966), pp. 83-102. Pero cf. también Albright, BASOR, 100 (1945), pp. 22, nota 26, sobre este punto.

(9)   En los 16 años asignados a Yotam (II R 15, 33), se cuentan, por supuesto, los que estuvo como corregente con su padre, imposibilitado; cf. Albright, *ibid.*, p. 21, nota 23.

(10)   El relato de la derrota de Ajaz de II Cr. 28, 5-8 se apoya, a pesar de sus exageraciones, en una tradición digna de fe; cf. W. Rudolph, *Chronikbücher*, (HAT, 1955), pp. 289 ss.

un cierto Ben Tabel (Is. 7, 6) (11). Mientras tanto, los edomitas, que habían estado sometidos a Judá durante la mayor parte del siglo octavo, reconquistaron su independencia y arrojaron a las tropas de Ajaz de Elat (Esyón-Guéber) destruyendo la ciudad, como demuestra la arqueología. No podemos decir si esta liberación fue conseguida con ayuda aramea como lo afirma II R 16, 6 (TM), o por lo edomitas mismos, como piensan muchos especialistas (cf. RSV), ya que «Aram» y «Edom» son palabras casi iguales en hebreo. En todo caso, parece ser que los edomitas (II Cr. 28, 17) se habían unido a los confederados para atacar a Judá. Por el mismo tiempo, los filisteos, actuando probablemente de concierto, irrumpieron en el Négueb y en la Šefelá conquistando y ocupando algunas ciudades fronterizas (v 17.). Si esta reconstrucción es correcta, Judá fue invadido por tres lados.

Ajaz, viendo su trono en peligro, no vio otro camino que acudir a Tiglat-piléser en demanda de ayuda, ya que estaba incapacitado para defenderse por sí mismo. Podemos comprender algo de la consternación que reinaba en Jerusalén leyendo Is. 7, 1-8, 18, que se refiere a esta crisis. Se nos dice que Isaías se había enfrentado al rey y, previniéndole de las terribles consecuencias del paso que iba a dar, le pidió que no lo diera, sino que confiara en las promesas de Yahvéh a David. Ajaz, sin embargo, incapaz de la fe que el profeta le pedía, rehusó el consejo, envió un enorme presente a Tiglat-piléser e imploró su ayuda (II R 16, 7 s.).

Tiglat-piléser actuó rápidamente. Pero probablemente Isaías tenía razón: no había sido necesario el ruego de Ajaz para empujar al asirio a la acción. Aunque la ilación de los sucesos no es del todo segura, Tiglat-piléser cayó sobre la coalición y la destruyó completamente, como lo indica la Biblia y sus propias inscripiciones (12). Moviéndose primero (734) por las costas a través del territorio israelita, sometió a las ciudades rebeldes de Filistea —especialmente a Gaza, que había sido cabeza de la coalición— y presionando después hasta el Torrente de Egipto (Wadi el Ariš) donde estableció una base, cortó a la coalición, de modo efectivo, toda posible ayuda egipcia (13). Después (probablemente el 733), Tiglat-piléser atacó de

---

(11) Tâb'el (propiamente Bêt Tâb'el) es conocido, por un texto asirio casi contemporáneo, como un país arameo, probablemente al norte de Transjordania; cf. Albright, BASOR, 140 (1945), pp. 34 ss. Ben Tabel pudo ser hijo de Ozías, o Yotam, y de una princesa aramea; cf. Albright, BASOR, 140 (1955), pp. 34 s. B. Mazar (IEJ, 7 [1957], pp. 137-145, 229-238) identifica la casa de Tâl'el (Tôb'el) con la del Tobiah que gobernó Transjordania en la época postexílica.

(12) Yo estimo como probable que la petición de Ajaz precedió a la campaña de 734; cf. Unger, op. cit., pp. 99-101; Aharoni, LOB, pp. 327-333. Para una interpretación ligeramente diferente, cf. Noth, HI, pp. 258-261; también H. Tadmor, BA, XXI (1966), pp. 87-90.

(13) Acerca de esta campaña, cf. A. Alt, «Tiglathpilesers III erster Feldzug nach Palästina» (KS, II, pp. 150-162); en inglés, J. Gray, ET, LXIII (1952), pp. 263-265.

nuevo a Israel, y esta vez con todo su poder. Todas las tierras israelitas de Galilea y Transjordania fueron saqueadas, parte de la población deportada (II R 15, 29) y numerosas ciudades (p. e. Meguiddó, Jasor) destruidas (14). El territorio ocupado fue después dividido en tres provincias: Galaad, Meguiddó (incluyendo Galilea) y Dor (la llanura costera) (15). Tiglat-piléser habría destruido seguramente todo Israel de no haber sido asesinado Pecaj por un cierto Oseas ben Ela (II R 15, 30), quien inmediatamente se sometió y pagó tributo (16). Quedaba sólo Damasco. En 732 (cf. 16, 9) tomó Tiglat-piléser esta ciudad y la saqueó, ejecutando a Resín, deportando a gran parte de la población y organizando su territorio en cuatro provincias asirias.

b. *Caída de Samaría* (II R 17, 1-6). La política de Pecaj había costado cara a Israel. De todo su territorio le había quedado un área apenas equivalente solamente a las antiguas posesiones de las tribus de Efraím y oeste de Manasés a su último rey Oseas (732-724), que gobernó como vasallo asirio. Aun así, no se detuvo la frenética carrera hacia la ruina. Oseas se había sometido a Asiria únicamente para salvar lo que quedaba de su país y planeó, sin duda, la revuelta tan pronto como la consideró segura. Y así, poco después de haber sido sucedido Tiglat-piléser por su hijo Salmanasar V, Oseas, pensando que esa oportunidad había llegado, comenzó a negarle tributo y a inclinarse hacia Egipto.

Esto fue el suicidio de Israel. Egipto estaba, por este tiempo, dividido en unos cuantos Estados rivales sin importancia, y sin posibilidad de ayudar a nadie. El «So, rey de Egipto», a quien acudió Oseas (II R 17, 4) fue, muy probablemente, Tefnajte, de la débil XXIV Dinastía, cuya residencia estaba en Sais, en el Delta occidental (17). Ninguna ayuda eficaz podía esperarse de él y ninguna propor-

---

(14)   Meguiddó fue destruida y vuelta a edificar como capital de provincia. Ha sido descubierto el palacio-fortaleza del gobernador asirio; cf. Wright, BAR, p. 161. Sobre Jasor, destruido y abandonado, cf. Y. Yadin, AOTS, pp. 244-263 (cf. pp. 256 s.) con bibliografía. Se ha encontrado qauí una jarra de vino que tiene las palabras «para Pecaj».

(15)   Acerca de estas provincias, cf. A. Alt, «Das System der assyrischen Provinzen auf dem Bodem des Reiches Israel» (KS, II, pp. 188-205).

(16)   Cf. también la inscripción de Tiglat-piléser, ANET, p. 284.

(17)   Por consiguiente, no se le puede seguir identificando con el «Sib'e, *turtan* (comandante en jefe) de Egipto» mencionado en los anales de Sargón (cf. Pritchard, ANET, p. 285), ya que, como ha demostrado R. Borger (JNES, XIX [1960], pp. 49-53), el nombre debería transcribirse como Re'e. Goedicke (BASOR, 171 [1963], pp. 64-66) ha aducido convincentes argumentos que demuestran que «So» aparece repetidas veces como la versión hebrea de la palabra egipcia «Sais». II R 17, 4 testificaría originariamente que Oseas «despachó a So (es decir, a Sais), al rey de Egipcio»; cf. Albright, *ibid.*, p. 66. Con todo, K. A. Kitchen argumenta que el faraón era Osorkon IV, cf. *The Third Intermediate Period in Egypt* (Warminster, Aris and Phillips, 1973), pp. 372-375.

cionó. Salmanasar atacó el 724. Oseas, que al parecer se presentó ante su señor con la esperanza de conseguir la paz, fue hecho prisionero. A continuación, los asirios ocuparon todo el territorio, excepto la capital, Samaria, que siguió resistiendo más de dos años. Aunque Sargón II, que sucedió en el trono a Salmanasar a la muerte de éste, en los últimos meses del 722, se jacta repetidas veces de haber conquistado Samaria, es más probable el dato bíblico que atribuye la acción al propio Salmanasar (18). Al parecer, la ciudad sucumbió a finales del verano o en el otoño del año 722/721. Muchos de sus habitantes —27.290 según Sargón— fueron deportados a la alta Mesopotamia y a Media, donde acabaron por desaparecer del escenario de la historia (19).

La historia política de Israel había llegado a su fin. Los últimos restos de su territorio fueron organizados como la provincia de Samaria, bajo un gobernador asirio. Dado que Salmanasar murió poco después de la caída de la capital, fue Sargón (721-705) quien fijó la situación. Su ascensión al trono estuvo enturbiada por agitaciones en varias partes del imperio. Sus inscripciones nos relatan que estallaron nuevas rebeliones en Jamat y en la ciudad filistea de Gaza, así como en varias provincias que incluían Damasco y Samaria. Pero Sargón las aplastó rápidamente (año 720), destruyendo Jamat y marchando sobre la frontera sur de Palestina, donde, en Rafia, derrotó a una fuerza egipcia que acudía en socorro de Gaza. Probablemente por estos años llevó a cabo la deportación masiva de Samaria de que se alaba y organizó la provincia como una base permanente. En el transcurso de los años siguientes (II R 17, 24) se estableció allí gente que había sido deportada de Babilonia, Jamat y de otros lugares (20). Estos extranjeros trajeron consigo sus costumbres y religiones propias (vv. 29-31) y, juntamente con otros llevados allí posteriormente, se mezclaron con la población israelita superviviente. Más tarde encontraremos a sus descendientes en los samaritanos.

3. *Judá, satélite de Asiria: Ajaz* (735-715) (21). Gracias a la negativa de Ajaz a unirse a la coalición antiasiria, escapó Judá al desastre que envolvió a Israel. Pero ¡no como nación libre! Al acudir

---

(18) Sobre este punto, y sobre las campañas de Sargón en general, cf. H. Tadmor, JCS, XII (1958), pp. 22-40, 77-100; también W. W. Hallo, BA, XXIII (1960), pp. 51-56. Para las inscripciones de Sargón, cf. Pritchard, ANET, pp. 284 ss.

(19) Para la reciente documentación sobre los deportados del norte de Israel a Mesopotamia, cf. Albright, BASOR, 149 (1958), pp. 33-36.

(20) Para las pruebas arqueológicas de las gentes mesopotámicas asentadas en Siquem y luego de nuevo diseminadas por los asirios ca. 724/3, cf. G. E. Wrigt, *Shechem* (McGraw-Hill, 1965), pp. 162 ss.

(21) Estas fechas son de Albright, (BASOR 100 [1954], p. 22), Thiele *(op. cit.,* pp. 99-135) y otros. Los datos bíblicos sobre este punto son extraordinaria-

a Tiglat-piléser en demanda de ayuda, Ajaz había firmado ya la renuncia a su libertad (II R 16, 7 s.) y convirtió a Judá en Estado vasallo del imperio asirio. Humanamente hablando, es difícil ver, a pesar de las severas críticas de Isaías, cómo Judá podía haber evitado este destino y sobrevivir; había pasado ya la hora de los pequeños Estados independientes de Asia occidental. Pero las consecuencias del paso fueron desastrosas, como Isaías había anunciado que serían.

a. *Judá bajo Ajaz: tendencias sincretistas.* Entre las consecuencias de la política de Ajaz se hallaban —y no en último grado— las relativas al dominio de la religión. Aunque no se nos dice que los reyes asirios obligaran a sus vasallos a adorar a los dioses de Asiria, es indudable que muchos de los gobernantes sometidos entendieron que esta adoración era un componente de la política (22). Esto explica probablemente las innovaciones (II R 16, 10-18) que Ajaz introdujo en el templo de Jerusalén. Se nos dice que se vio obligado a presentarse ante Tiglat-piléser en la nueva capital provincial de Damasco para prestarle obediencia y, según parece, para rendir homenaje a los dioses asirios ante el altar de bronce allí levantado. Se hizo entonces una copia de este altar, que fue erigida en el Templo para uso del rey, colocándola al lado del altar de bronce allí establecido. Dado que el rey no se atrevería a remover el gran altar del Templo, ni tampoco se lo exigirían, continuó en uso ritual como antes (v. 15) (23). El texto oscuro del v. 18 puede asignificar que Ajaz fue también obligado por el rey asirio a cerrar su entrada privada al Templo, reconociendo así simbólicamente que ya no tenía autoridad allí (24). Aunque Ajaz tenía las manos atadas, lo cierto es que tales medidas eran estrictamente consideradas como una humillación y un insulto al dios nacional. ¡Yahvéh no podía disponer libremente de su casa! Esto, sin embargo,

_____

mente confusos. Con todo, dado que la invasión de Senaquerib, que tuvo lugar en el 701, es colocada en el año 14 de Ezequías (II R 18, 13), el reinado de Ezequías debió (a pesar de I R 18, 1 ss., 9 ss.) ca. 715. Respecto de 18, 9 s., cf. la sugerencia de W. R. Brown, publicada por Albright, BASOR, 174 (1964), pp. 66 s.

(22) Respecto de la política asiria en este punto, cf. M. Cogan, *Imperialism and Religione Assyria, Judah and Israel in the Eighth and Seventh Centuries B.C.E.* (Missoula, Mont, Scholars Press, 1974); J. McKay, *Religion in Judah under the Assyrians* (Londres, SCM Press, 1973). Pero aun en el caso de que los asirios no exigieran la veneración de sus dioses, el juramento de fidelidad de los vasallos incluía su sumisión a aquellas divinidades y el reconocimiento de su superioridad. Además, la humillada situación nacional podía muy fácilmente generar un sentimiento de pérdida de confianza en el poder de Yahvéh, que podía muy bien fomentar la proliferación de los cultos paganos, tanto nativos como extranjeros.

(23) Cf. Albright, ARI, pp. 161 ss. Aunque el texto no es absolutamente claro, parece más admisible esta explicación que la de suponer que el nuevo altar fuera destinado al uso general, y que se reservara el antiguo para el rey (así, Montgomery, *op. cit.,* pp. 460 ss).

(24) Así admisiblemente, Noth, HI, p. 266.

no fue el fin. Ajaz, sin fe auténtica ni celo por la religión nacional, como lo demuestran todas las pruebas, no se preocupó de tomar medidas contra el paganismo, por otra parte intacto. Y así florecieron las prácticas paganas nativas, juntamente con toda clase de modas extranjeras, cultos y supersticiones, como nos lo demuestra II R 16, 3 s., y como nos lo indican los pasajes proféticos contemporáneos (vg. Is. 2, 6-8, 20; 8, 19 s.; Mi 5, 12-14).

Ajaz llegó a cargar sobre sí, no sabemos cuándo, el sacrificio de su propio hijo al dios Muluk (Molok) en cumplimiento de un voto o promesa, según la costumbre Siria contemporánea (25). El reinado de Ajaz, fue recordado por las generaciones futuras como una de las peores épocas de apostasía que Judá llegó nunca a conocer.

b. *Condiciones económicas y sociales de Judá*. También en otros aspectos la situación de Judá era todo menos ideal. El país había sido gravemente herido en su economía. Los territorios extranjeros ganados por Ozías, incluyendo Edom y el puerto de Esyón-Guéber, habían sido completamente perdidos en el curso de la guerra arameo-israelita y la mayor parte de ellos no volverían a ser recuperados nunca. Esto envolvía una seria pérdida de ingresos. Al mismo tiempo, el tributo exigido por Asiria era tan ruinoso que Ajaz se vio obligado a vaciar su tesoro y despojar el Templo (II R 16, 8, 17), y sin duda también a oprimir hasta el máximo con tributos a sus súbditos para cumplirlo. Lo peor es que las señales de decadencia social y moral que habían destruido a Israel, habían comenzado a manifestarse también en Judá.

Seguramente no debemos pintar un cuadro demasiado sombrío ya que ni la decadencia religiosa ni el empeoramiento social habían llegado tan lejos en Judá como en Israel. No encontramos una apostasía tan total como la que Oseas nos describe en el norte. Por otra parte, a juzgar por las pruebas arqueológicas, la economía nacional, que había sido bien fundamentada por Ozías, continuaba sana a pesar de las exacciones asirias. Las ciudades judías de finales del siglo octavo tenían una notable homogeneidad de población, con pocas señales de extrema riqueza y pobreza. Parecen haber existido concentraciones de artesanos, con ciudades enteras dedicadas casi exclusivamente a la explotación de una industria particular, tales como las industrias del tejido y teñido de Debir, ya mencionadas; se pueden notar varios indicios de una general prosperidad. La desintegración de las estructuras sociales y la concentración de la riqueza en manos de unos pocos no había llegado en Judá a los extremos que en Israel. La tensión debió darse más, probablemente, entre pequeños

---

(25) Las palabras «hizo pasar a su hijo por el fuego» (II R 16, 3) se refieren al sacrificio humano, no a una especie de ordalía (cf. II R 17, 31; Jr. 7, 31; etc.). Para discusión y referencias, cf. Albright, ARI, pp. 162-164; ZGC, pp. 203-212.

propietarios y granjeros por una parte, y la aristocracia de Jerusalén por otra, que dentro de la estructura de la misma sociedad local (26).

No obstante, a juzgar por lo que Isaías y Miqueas nos dicen, la sociedad de Judá no estaba libre de la enfermedad que había destruido a Israel. La situación debió empeorar seguramente durante la reacción pagana bajo Ajaz. Puesto que el paganismo llevaba consigo, necesariamente, un rompimiento de la alianza de Yahvéh, produjo inevitablemente el abandono de la ley de la alianza y así la sociedad de Israel se vio amenazada desde sus cimientos. La clase rica de Judá no era, evidentemente, mejor que la de sus colegas de Israel. Amós (6, 1) y Miqueas (1, 5) llegaron a declararlas semejantes. Los grandes propietarios desposeían despiadadamente a los pobres, muchas veces por medios injustos (vg. Is. 3, 13-15; 5, 1-7, 8; Mi. 2, 1 s, 9) (27) y, corrompidos los jueces, los pobres carecían de recurso (vg. Is. 1, 21-23; 5, 23; 10, 1-4; Mi 3, 1-4; 3, 9-11). Mientras tanto los ricos vivían en el lujo, sin preocuparse por las estrecheces de sus hermanos menos afortunados (vg. Is. 3, 16-4 1; 5, 11 s., 20-23). Además, de nuevo como en Israel, parece que la religión oficial no opuso una repulsa efectiva. Mantenida por el Estado y dedicada a los intereses del Estado, no estaba en situación de criticar ni la política del Estado ni la conducta de los nobles que le guiaban. Al contrario, sus cultos cuidados y bien dotados, alentaban la idea (Is. 1, 10-17) de que las exigencias de Yahvéh podían ser satisfechas meramente con el ritual y los sacrificios. El sacerdocio, al menos tal como nos lo describe Miqueas, estaba corrompido: los sacerdotes, arribistas, se preocupaban principalmente de su modo de vivir; los profetas estaban dispuestos a pronunciar sus oráculos de acuerdo con la cuantía de la paga (Mi. 3, 5-8, 9-11). Incluso allí había penetrado el libertinaje (Mi. 2, 11; cf. Is. 28, 7 s.). En una palabra, que si los hechos no eran tan malos como lo habían sido en Israel, la diferencia era sólo de grado.

B. LA LUCHA POR LA INDEPENDENCIA: EZEQUIAS (715 - 687/6)

1. *La política de Ezequías y su significación.* Durante el reinado de Ajaz, Judá permaneció sometida a Asiria. Pero, aunque este estado de cosas era tal que no parecía admitir otra posible alternativa,

---

(26) Cf. A. Alt, «Micha 2, 1-5. GES ANADASMOS in Juda» (cf. KS, III, pp. 373-381).

(27) Los pasajes de Isaías y Miqueas aquí citados no se pueden precisar con exactitud, pero todos ellos encuadran mejor antes de la reforma de Ezequías; aproximadamente, pues, en el reinado de Ajab.

apenas si puede dudarse que el pueblo patriota sentiría amargura por ello. El hijo y sucesor de Ajaz, Ezequías, parece haber participado de estos mismos sentimientos, ya que cambió en todos los aspectos la política de su padre; primero cautelosamente y después de un modo abierto, intentó independizarse de Asiria. Aunque el intento se reveló fútil —el destino ya estaba señalado— fue casi inevitable que lo intentara.

a. *Fondo histórico de la política de Ezequías: factores internos.* El simple patriotismo, el natural deseo de independencia de un pueblo orgulloso, jugaron ciertamente un papel importante en la dirección de la política de Ezequías. Esto, sin embargo, no sería suficiente para explicarla. Como ha sucedido siempre en Israel, se mezclaron factores religiosos. La política de Ajaz había llevado a una situación en muchos aspectos intolerable para los yahvistas fervorosos. Es inverosímil que Isaías y Miqueas fueran los únicos descontentos por los abusos sociales que el régimen toleraba, mientras que las tendencias paganizantes, aunque toleradas por muchos, provocaban sin duda una oposición más vigorosa que la que semejantes prácticas habían provocado en Israel del norte. Pero no sólo era Judá característicamente menos hospitalario para las importaciones extranjeras, gracias a su población conservadora y a su firme tradición cúltica; los elementos devotos del yahvismo habían dejado atrás, por este tiempo, incluso la simple tolerancia de las prácticas religiosas populares tal como en épocas anteriores pudieran haber existido. La apostasía abierta al paganismo fue probablemente más excepción que regla en Judá. Por lo que respecta al culto oficial asirio, era una ofensa religiosa y también un recuerdo irritante de la humillación nacional, que únicamente podía agradar a algunos aduladores. Sería realmente extraño que al mismo Ajaz le agradara esto.

Había, en una palabra, un apreciable elemento en Judá inclinado a ideas de reforma. Sus manos estaban indudablemente fortalecidas por la manera cómo los profetas habían anunciado el desastre sobrevenido a Israel, como un juicio de Yahvéh por la apostasía y la ruptura del pacto por parte del pueblo. Y así, cuando los profetas denunciaban pecados semejantes en Judá y le amenazaban con la cólera divina a causa de ellos, debió crecer, con seguridad, el sentimiento de que Judá tenía que reformarse si quería escapar a la suerte de su hermana del norte. Sin embargo, mientras Judá estuviera sometido a Asiria, no era posible ninguna reforma satisfactoria. No podía ser dejado a un lado el culto de los dioses asirios, que había sido la cuña de penetración del paganismo, ya que esto mismo constituía una rebelión. Ni podían suspenderse los tributos asirios, que contribuían a agravar la enfermedad socio-económica del pueblo. El celo reformista se unía, por tanto, con el patriotismo para producir un oleada de descontento.

La verdadera naturaleza de la teología oficial nacional que, como ya hemos indicado, tuvo gran importancia en el dogma del pacto eterno de Yahvéh con David, contribuyó a ello. Se afirmaba regularmente en el culto que Yahvéh había elegido a Sión como el asiento en la tierra de su gobierno y que había prometido a David una dinastía que reinaría eternamente y triunfaría de todos sus enemigos (p. e. sal. 2, 4-11; 72, 8-11; 89, 132, 11-18). Se había previsto, sin duda, la posibilidad de que un rey pecador pudiera atraer el castigo sobre sí y sobre la nación (II S 14-16; 89, 30-37, 38-51), pero de ninguna manera la posibilidad de que la dinastía pudiera llegar a su fin o que fallaran las promesas. Tal teología podía considerar la presente humillación únicamente como un signo de desagrado divino para con el rey actual. Surgió, además, un intenso anhelo, iluminado por la insistente presencia de oráculos mesiánicos en los profetas de este período (v. g. Is. 9, 2-7; 11, 1-9; Mi. 5, 2-6) (28) por la venida de un rey mejor, un davídida ideal que, dotado del carisma divino, estableciera victoriosamente su reinado de justicia y paz y actualizara las promesas dinásticas. A los profetas que profirieron estos oráculos, y a los que creyeron sus palabras, la política de Ajaz sólo les podía parecer una cobarde falta de fe. No serían pocos los que se aferrarían a la primera posibilidad de derribar su política.

b. *Fondo histórico de la política de Ezequías: situación mundial.* Las esperanzas fueron avivadas, sin duda, por los sucesos ocurridos dentro y fuera del imperio asirio. Apenas Saegón II se había asentado en el trono (721), cuando fue sorprendido por una rebelión en Babilonia, dirigida por el príncipe caldeo Marduk-apaliddina, el Merodak-baladán de la Biblia (II R 20, 12; Is. 39, 1), que estaba respaldado por el rey de Elam. Seriamente derrotado por los rebeldes, Sargón perdió el control de Babilonia y no logró recuperarlo hasta unos doce años más tarde. Mientras tanto, otras campañas reclamaban su atención. En Asia Menor, Mita (Midas), rey de los muški de Frigia, resultaba un temible enemigo. Una rebelión incitada por él y en la que participó el Estado vasallo de Karkemiš en Siria (717) llevó a Sargón a destruir este antiguo centro de cultura hitita, a deportar a su población y a emprender posteriormente varias campañas en Asia Menor. También se volvió Sargón contra Urartu, ya debilitado por Tiglat-Piléser III y ahora gravemente amenazado por las incursiones de un pueblo bárbaro indoario, los cimerios, que venían avanzando desde el Cáucaso. Aprovechando la oportunidad, que-

---

(28)   Para la discusión del problema crítico aquí implicado, ver los comentarios. No estoy de acuerdo con la opinión de que pasajes de este tenor deben sar relegados a fechas posteriores. Para el primero de ellos, cf. especialmente A. Alt, «Jesaja 8, 23-9, 6. Befreiungsnacht und Krönungstag» (cf. KS, II, pp. 206-225); sobre Miqueas 2, 2-6, cf. ídem, op. cit., en nota 26.

brantó Sargón completamente el poder de Urartu, haciendo desaparecer de este modo un antiguo rival, y privando, al mismo tiempo, a Asiria del más fuerte dique contra la avalancha bárbara. Posteriores campañas en el noroeste de Irán establecieron la autoridad asiria sobre los príncipes medos allí existentes. Atareado como estaba, Sargón no llevó a cabo, después del 721, ninguna campaña importante contra Palestina, salvo algunas demostraciones de fuerza hasta el Torrente de Egipto (716-715) (29). Esto pudo haber alentado a los vasallos impacientes a imaginar que Sargón era un hombre con el que se podía jugar.

Egipto, mientras tanto, experimentó un cambio que le colocó en una posición de relativo poderío. La autoridad central de Egipto había desaparecido antes de la mitad del siglo octavo. La dinastía XXII, muy debilitada, tuvo por rival durante algunos años a la igualmente impotente Dinastía XXIII (cap. 759-715) (30); hacia 730/25 desaparecieron ambas y entonces, varios rivales sin fuerza —incluyendo a la llamada Dinastía XXIV (ca. 725-710/9)— compitieron por el poder. En esta situación se encontraba, cuando cayó Samaría, sin que la ayuda egipcia resultase de valor. Pero ca. 716/15 (31), Pianki, rey de Etiopía, después de adueñarse del alto Egipto, recorrió todo el país, acabando con la Dinastía XXIII y permitiendo a Bocjoris, último rey de la Dinastía XXIV, gobernar como vasallo suyo (32). Pianki fundó la Dinastía XXV (etiópica), que mantuvo el poder durante los cruciales años siguientes. Lo más tarde el 710/9 había unificado a todo Egipto bajo su control. Ante estas demostraciones del resurgimiento egipcio, los vasallos asirios de Palestina se atrevieron, una vez más, a buscar ayuda en él.

c. *Conatos de rebelión: Ezequías y Sargón.* Apenas la Dinastía XXV había consolidado su poder, cuando Egipto emprendió de nuevo el camino histórico de su política de intervención en Asia. El avance asirio hasta las mismas fronteras de Egipto, constituía una amenaza mortal para él, ya que hacía constantemente posible la invasión. Socavar la autoridad asiria en Palestina constituía, por tanto, una

---

(29) Cf. A. Alt, KS, II, pp. 226-234; H. Tadmor, JCS, XII (1958), pp. 77 s.

(30) La cronología egipcia de este período no es segura. Las fechas del texto siguen a Albright, BASOR, 130 (1953), pp. 8-11; *ibid.*, 141 (1956), pp. 23-36. Otros esquemas cronológicos presentan diferencias de varios años; cf. K. Baer, JNES, XXXII (1973), pp. 4-25; Kitchen, *op. cit.* (en nota 17), pp. 467 s.

(31) Actualmente Albright (BASOR, 141 [1956], p. 25) prefiere esta fecha, aunque generalmente se da la fecha de ca. 720 (o antes) el mismo Albright, la había dado, siguiendo a E. Drioton y J. Vandier, *L'Egipte* [*Les Peuples de l'Orient Méditerranéen*, II, París, Presses Universitaires de France, 1946], pp. 512-521 542 ss.).

(32) Cf. Albright, *ibid.* El Silheni, rey de Egipto, que hizo un presente de caballos, el 716, a Sargón, cuando éste marchaba a lo largo del Río de Egipto, era probablemente Osorkon IV, último rey de la Dinastía XXIII. El «faraón» mencionado por Sargón el 715 era, probablemente, Bocjoris, de la Dinastía XXIV.

primera línea defensiva. Hubo en Palestina quienes, demostrando estar mal informados, pensaron que había sonado la hora de la revuelta. Hacia el 714, se rebeló Ašdod (33). Habiendo rehusado su rey el tributo a Asiria, fue removido y remplazado por su hermano, pero el populacho rebelde le desposeyó inmediatamente y se elegió como rey a un aventurero extranjero. Otras ciudades filisteas se habían sumado a la revuelta, y como nos dice Sargón, Judá, Edom y Moab habían sido invitados a unirse. Es claro, tanto por los textos asirios como por los de la Biblia (Is. cap. 20) que les había sido prometida la ayuda egipcia. En efecto, como nos dice Is. cap. 18, (que casi con seguridad pertenece a este contexto histórico), embajadores del mismo rey de Etiopía acudieron a Ezequías esperando obtener su colaboración (34.)

En Judá, las opiniones estaban divididas: aceptar o no aceptar. Como sabemos por su libro, Isaías se opuso decididamente, aconsejando a su rey dar una respuesta negativa a los mensajeros etíopes e ilustrando simbólicamente (cap. 20) el desatino de confiar en Egipto al andar descalzo y desnudo por Jerusalén. No sabemos con exactitud qué camino siguió Judá. Pero, a lo que parece, fueron atendidas las palabras de Isaías y las de quienes estaban de acuerdo con él. Por lo menos, cuando fue aplastada la revuelta, Judá escapó del desastre, lo que probablemente significa que no entró en ella, o que no se comprometió de una manera irrevocable (35). ¡Fue lo mejor! Sargón, que por este tiempo preparaba la reconquista de Babilonia, estaba en el cenit de su poder. En el 712, su general tomó fiera venganza de los rebeldes, reduciendo a Ašdod y reorganizándola como una provincia asiria (36). La ayuda egipcia falló, y no únicamente en lo material; cuando el jefe rebelde huyó a refugiarse a Egipto, el faraón (37), le entregó vilmente a los asirios. El destino fatal de Judá quedaba, por el momento pospuesto.

---

(33)   Dado que la revuelta, que duró tres años (IS. 20, 3), fue aplastada en el 712 (o el 711; pero cf. H. Tadmor, JCS, XII [1958], pp. 79-84), debió comenzar en el 714/713.

(34)   A pesar de las dificultades inherentes a esta interpretación (acerca de lo cual cf. los comentarios) estoy de acuerdo con los que ven en Is. 14, 28-32 la respuesta del profeta a los mensajeros enviados por Filistea, por este tiempo.

(35)   Tadmor (ibid.) argumenta, sobre la base de un texto sin fecha, que Sargón atacó Azeqá, al mismo tiempo que mantenía bajo su control a Judá; así también H. L. Ginsberg, JAOS, 88 (1968), pd. 47-49, que relaciona IS. 22, 1-14 con este incidente. Pero cf. N. Na'amn, op. cit. (en nota 2).

(36)   De todas formas, en año 701 Ašdod tenía de nuevo un rey nativo. Cf. A. Alt, KS, II, pp. 234-241 sobre esta cuestión. Las excavaciones han revelado una violenta destrucción de esta ciudad, probablemente a cargo de Sargón, el año 712. Se han encontrado en este lugar los fragmentos de una estela victoriosa de este monarca; cf. D. N. Freedman, BA, XXVII (1963), p. 138.

(37)   Probablemente Pianki (según otras cronologías, Sabako). Pero el texto de Sargón pone en claro que se trataba de un rey de la dinastía etíope.

d. *Reforma de Ezequías.* Dado que, como se ha indicado más arriba, la política de Ezequías era tal que en ella convergían en gran escala el nacionalismo y el celo yahvista, no es sorprendente saber (II R 18, 3-6; cf. II Cr. 29-31) que el rey emprendió una amplia reforma cúltica. No podemos precisar con exactitud cuándo dio Ezequías los diversos pasos que de él sabemos. Pero es muy difícil que fueran dados todos a la vez. Puesto que rechazar los dioses asirios equivalía prácticamente a un signo de rebelión, no es fácil que esto fuera realizado mucho antes de la ruptura definitiva (después del 705). Con todo, es casi seguro que algunas medidas de reforma fueran tomadas mucho antes. Lo más probable es que la política de Ezequías fuera llevada al principio con sumo cuidado, con un ojo alerta a la posible reacción asiria, y que después fuera intensificada y ampliada, cuando el movimiento de independencia ganó actualidad.

Sea lo que fuere de sus etapas, la reforma de Ezequías fue llevada muy a fondo, siendo precursora de la que llevaría a cabo Josías casi un siglo más tarde. No contento con dejar a un lado las prácticas extranjeras nuevamente introducidas por Ajaz, Ezequías procedió a remover diversos objetos de culto popularmente asociados desde antiguo con el yahvismo. No fue el menos importante la imagen de bronce de una serpiente (II R 18, 4) que se juzgaba había sido hecha por el mismo Moisés y que había permanecido desde tiempos inmemoriales en el Templo. Probablemente debido a que las prácticas paganizantes prevalecían especialmente en los santuarios locales de Yahvéh, Ezequías se anticipó a Josías en el intento de cerrarlos aunque no tenemos datos para precisar cómo se llevó a cabo de hecho. Y puesto que el pueblo no estaba aún preparado para aceptar estas medidas, se resintió sin duda por ellas y no tuvieron un resultado permanente. Pero esto no es razón para dudar que Ezequías lo intentó; se nos relata —y ello no es increíble— que los asirios se apoyaron más tarde en este hecho (II R 18, 22) para intentar separar al pueblo de Ezequías (38). Que fuera o no reconocido por este tiempo en Jerusalén el antecedente de la ley del Deuteronomio, se debe recordar que las tendencias centralizadas no comenzaron con Josías, sino que se remontan en último término a la tradición del santuario de la liga tribal.

---

(38)   Y, Aharoni (BA, XXXI [1968í, pp. 26 s.) observa que, por este período, el templo de Arad (Estrato VII) no tenía altar para quemar los sacrificios y que, además, dicho templo estuvo cerrado durante el período siguiente (Estrato VI). Atribuye la primera de estas iniciativas (prohibición de sacrificios) a Ezequías y la segunda a Josías. Este autor cree también que el ancho en forma de cuerno, relacionado con la representación esculpida de una serpiente, descubierto en Beer-Seba, fue desmantelado por Ezequías; cf. BA, XXXVII (1974), pp. 2-6. Pero Y. Yadin opina que este último fue el alto destruido por Josías; cf. BASOR 222 (1976), pp. 5-17.

Ezequías no limitó sus esfuerzos a Judá. Lo mismo que después Josías, trató de persuadir al pueblo del extinguido Estado de Israel del norte a que aceptara el programa y se uniera al culto de Yahvéh en Jerusalén (II Cr. 30, 1-2). A pesar de los retoques del material característicos de los libros de las Crónicas (Ezequías se dirige a los israelitas del norte como si fueran los posteriores samaritanos), no hay ninguna razón para poner en duda la historicidad de este incidente (39) La política de Ezequías no tenía como único designio la independencia de Judá sino que envolvía también una reafirmación de los derechos dinásticos y el sueño (cf. Is. 9, 1-7) de la unión entre el Israel del norte y el del sur bajo el trono davídico. Se esperaba que la unificación religiosa y la reavivación de Jerusalén como santuario nacional de todo Israel serviría como preludio de la unificación política y de la independencia. Es probable que la dificultad que experimentaron los asirios para mantener sumisa a la población de Samaría haya brotado de las raíces de este sueño. Se advierten claramente los esfuerzos llevados a cabo por los reyes de Judá por mantenerse unidos con el Israel del norte en el hecho de que una mujer de Manasés, hijo de Ezequías, pertenecía a una familia galilea (II R 21, 19), como lo fue posteriormente una de las mujeres de Josías (23, 36) (40). No obstante, el esfuerzo fracasó. Se nos dice que las insinuaciones de Ezequías, aunque provocaron alguna respuesta en el norte, fueron rechazadas en Efraím, parte sin duda por recelos tribales, pero parte también a causa de que los asirios, que ciertamente observaban todos estos hechos con creciente preocupación, habían reorganizado el santuario de Betel (17, 27 s.), como un contrapeso para contrarrestar esta propaganda. El sueño de un Israel unido tenía que ser, por el momento, descartado.

Aunque carecemos de información directa, la reforma de Ezequías tuvo también, indudablemente, aspectos sociales. Un retorno al yahvismo estricto tenía que llevar consigo, por necesidad, un intento de remover los abusos económicos que existían, y contra los que habían tronado Isaías y Miqueas. Sabemos (Jr. 26, 16-19; cf. Mi. 3, 12) que la predicación de Miqueas, que atacaba en primer lugar precisamente estos abusos, influenció a Ezequías en sus esfuerzos; y el hecho de que el igualmente severo Isaías permaneciera callado respecto de Ezequías, arguye, cuando menos, que este rey no incurrió en la culpa de permitir ultrajantes injusticias. No sabemos qué medidas

_____

(39) Como hacen muchos de los mejores comentadores: recientemente, Rudolph, *op. cit.*, pp. 299-301. Sobre la posibilidad de que la pascua de Ezequías Siguiera el calendario de Israel del norte, cf. H. H. Kraus, «Zur Geschichte des Passah-Massot-Festes im Alten Testament» (Ev'Th, 18 [1958], pp. 47-67); S. Talmon, «Divergencies in Calendar-Reckoning in Ephraim and Judah» (VT, VIII [1958], pp. 48-74).
(40)   Cf. Albright, JBL, LVIII (1939), pp. 184 ss.

pudo haber tomado Ezequías. *Si* son de esta época las primeras piezas
de vasijas marcadas con el sello del rey *(lmlk)* y el nombre de una
ciudad (Hebrón, Zif, Socoh, o *mmšt)* podrían significar una especie
de reforma fiscal o administrativa, quizá un intento por parte del
Estado de contener la deshonestidad en la exacción de impuestos y
en las transacciones comerciales mediante la unificación de pesas y
medidas. Pero se discute vivamente la función como la datación de
estas vasijas (41). Quizá este mismo período vio la introducción de
un sistema gremial, copiados de los modelos fenicios, concebido para
impedir que los artesanos fueran explotados (42), aunque no podríamos decir qué parte tuvo en ello el Estado, si es que tuvo alguna.
En todo caso, no se permitió a la expoliación libre camino; con la
estructura social de Judá aún intacta, pudo mantenerse una relativa
prosperidad general. Es posible que a finales del siglo VIII la población de Jerusalén se hubiera duplicado o incluso triplicado (43).

2. *Ezequías y Senaquerib*. Durante todo el reinado de Sargón,
no se produjo ningún rompimiento abierto con Asiria. Pero cuando
a este rey le sucedió su hijo Senaquerib (704-681), Ezequías, creyendo
que había llegado el momento oportuno, rehusó formalmente el
tributo (II R 18, 7) y dio los pasos necesarios para defender su independencia.

a. *El estallido de la rebelión*. La situación parecía ofrecer esperanzas
de éxito. Sargón había encontrado la muerte en el curso de una de

---

(41) La cuestión depende en gran parte de la fecha de destrucción de
Lakiš III, donde han sido descubiertas algunas de estas vasijas. Si esta destrucción
fue llevada a cabo por Senaquerib el 701, las vasijas fueron utilizadas durante
el siglo VIII. Pero si fue la destrucción de Nabucodonosor, en 598/7, deben rebajarse mucho las fechas. No podemos entrar aquí en el análisis de la cuestión.
Los especialistas israelíes se inclinan por la primera hipótesis; p. e. Y. Yadin,
BASOR, 163 (1961), pp. 6-12; Y. Aharoni, LOB, pp. 340-346; D. Ussishkin,
BASOR, 223 (1976), pp. 1-13; ídem, *Tel Aviv*, 4 (1977), pp. 28-60, etc. Otros,
en cambio, sobre todo norteamericanos, prefieren la segunda: P. W. Lapp, BASOR
158 (1960), pp. 11-22; F. M. Cross, *Eretz Israel*, 9 (1969), pp. 20-27; H. D. Lance,
HTR, LXIV (1971), pp. 313-332; J. S. Holladay, *Mag. Dei*, cap. 14, pp. 266 s.,
etc. Para una síntesis de la cuestión, cf. P. Welten, *Die Königs-Sstempel* (Wiesbaden,
O. Harrassowitz, 1969).

(42) Cf. Albright, BP, 41 ss.; I. Mendelsohn, BASOR, 80 (1940), pp. 17-21.
Estos gremios, sobre los que existe abundante documentación en épocas posteriores,
tenían, ciertamente, un origen antiguo. El hecho de que algunas ciudades, o barrios
de ciudades (cf. Jr. 37, 21) estuvieran dedicadas a una determinada industria o
comercio (p. e. la industria de la lana y el tinte de Debir), demuestra la existencia
de gremios de parecida organización.

(43) Evidentemente, este aumento de la población pudo deberse al aflujo
de refugiados procedentes del norte tras la caída de Samaria (o, en general, a la
inseguridad reinante en las áreas limítrofes). Al parecer, por esta época el muro
de la ciudad llegaba hasta la colina occidental. Para las escavaciones, cf. M. Broshi,
IEJ, 24 (1974), pp. 21-26; N. Avigad, en Y. Yadin, ed., *Jerusalem Revealed* (Jerusalén, Israel Exploration Society, 1975; New Haven, Yale University Press, 1976),
pp. 41-51.

sus grandes batallas, en una batalla que probablemente constituyó un serio revés para Asiria, y había sido enterrado lejos de su propia tierra. Apenas Senaquerib había subido al trono cuando tuvo que hacer frente a rebeliones en ambos extremos de su reino. En Babilonia Marduk-apal-iddina (Merodak-baladán), el príncipe caldeo que había defendido su independencia contra Sargón durante la mayor parte del reinado de este rey, se rebeló de nuevo y, ayudado por los elamitas, se erigió a sí mismo como rey. Pasaron varios meses antes de que Senaquerib pudiera desalojarle, no antes del 702. Simultáneamente estalló la revuelta en el oeste. Esto formaba parte de un plan preconcebido, ya que nosotros sabemos que Merodak-baladán envió mensajeros a Ezequías (II R 20, 12-19; Is. 39) como sin duda haría también con otros reyes, buscando su colaboración (44). Egipto se había comprometido igualmente a enviar refuerzos. Gobernado en este tiempo por el fuerte Šabako (ca. 710/9-696/5) (45), estaba en mejores condiciones que los demás para aportar una ayuda eficaz.

Al extenderse la revolución por toda Palestina y Siria se formó una coalición considerable. Uno de sus jefes era el rey de Tiro, junto con otras ciudades fenicias también implicadas. En Filistea, mientras Ašdod y Gaza permanecían en calma, Ascalón y Eqrón se asociaban estrechamente (46). También Moab, Edom y Ammón pudieron haber estado implicados, aunque no ofrecieron resistencia alguna cuando Senaquerib atacó. El mismo Ezequías, ardiente nacionalista, estuvo sometido a una fuerte presión, tanto por parte de los confederados como de algunos de sus nobles, patriotas. A pesar de las formales amonestaciones de Isaías que estigmatizaba todo este asunto como desatino y rebelión contra Yahvéh, Ezequías se confederó y envió mensajeros a Egipto para negociar un tratado (cf. Is. 30, 1-7; 31, 1-3). De hecho, él llegó a ser uno de los jefes de la rebelión. Como el mismo Senaquerib nos cuenta, Padi, rey de Eqrón, que había permanecido fiel a Asiria, fue entregado por sus súbditos a Ezequías y guardado prisionero en Jerusalén. Si II R 18, 8 pertenece a este contexto, Ezequías usó también la fuerza contra las ciudades recalcitrantes de Filistea, para obligarlas a entrar en sus proyectos (47).

---

(44)   El incidente encuadra perfectamente en este lugar (así, p. e. Noth, HI, p. 267; Oesterley y Robinson, *History of Israel* [Oxford, Clarendon Press, 1932], I, p. 388), aunque sería igualmente admisible colocarlo ca. 713-11; cuando Ašdod estaba en rebelión, y Egipto y otros países solicitaban la participación de Ezequías.

(45)   Siguiendo, nuevamente, la cronología de Albright, BASOR, 130 (1953), pp. 8-11.

(46)   El rey de Eqrón era leal, pero sus súbditos le depusieron. Cr. la inscripción de Senaquerib: Pritchard, ANET, pp. 287 ss.

(47)   Pero el v. puede referirse a un intento anterior por reconquistar el territorio perdido el año 701; así Kittel, GVI, II, p. 391. Cf. L. Ginberg, en *Alex. Marx Jubilee Volume* (Jewish Theological Seminary, 1950), pp. 348 s., para un análisis de esta discusión.

Ezequías, desde luego, estaba seguro de que Senaquerib llegaría a enterarse de todo esto. Por tanto se ocupó, en el poco tiempo que tenía a su disposición, de fortificar sus defensas (II Cr. 32, 3-5) y proveerse de agua, como preparación para un asedio. Entonces fue cuando excavó el famoso túnel de Siloé (II R 20, 20; II Cr. 32, 30), que conducía las aguas de la fuente de Guijón, en la falda de la colina de Jerusalén, a una piscina, dentro de las murallas (48). ¡La suerte estaba echada!

b. *Campaña de Senaquerib el* 701. Después de pacificar, por el momento, a Babilonia, Senaquerib se vio libre, hacia el 701, para atacar. Conocemos lo referente a esta campaña por las noticias de II R 18, 13-16 y por las propias inscripciones de Senaquerib que las confirman, aunque con considerables exageraciones. Moviéndose a lo largo de la costa en dirección sur, Senaquerib comenzó por vencer la resistencia del reino de Tiro, remplazando a su rey, que huyó a Chipre, por un gobernador elegido por él mismo. Las invasiones asirias fueron, incidentalmente, tan desastrosas para Tiro como para Israel; finalizado su apogeo, Tiro fue remplazado en importancia comercial por los griegos y por algunas de sus propias colonias, como Cartago. Con la sumisión de Tiro la revuelta comenzó a declinar. Los reyes próximos y lejanos —los de Biblos, Arvad, Ašdod, Moab, Edom, Ammón— se apresuraron a rendir tributo a Senaquerib.

Sin embargo, los Estados de Ascalón y Eqrón, juntamente con Judá, siguieron resistiendo. Senaquerib marchó contra ellos reduciendo en primer lugar las dependencias de Ascalón, cerca de Joppe, y moviéndose después hacia el sur para combatir a Eqrón, cuyo rey, como se recordará, continuaba prisionero en Jerusalén, por haberse negado a cooperar. Un ejército egipcio que marchaba en socorro de Eqrón fue detenido y destrozado en Eltekeh (cerca de Eqrón). Después Senaquerib se apoderó sin esfuerzo de Eqrón y de otras ciudades filisteas rebeldes, castigando a los culpables con la ejecución o la deportación. Mientras tanto se volvió contra Judá. El mismo nos cuenta que redujo 46 ciudades fortificadas de Judá, y que deportó a su población (49), encerrando a Ezequiel y al resto de sus tropas en

---

(48) Se comenzó a excavar el túnel desde los dos extremos y se esculpió una inscripción en el lugar en que las perforaciones se encontraron. Cf. Wright, BAR, pp. 172-174, donde se da una descripción. Is. 22, 11 sugiere que el estanque se hallaba dentro de los muros de la ciudad. Pero Miss Kenyion, que no ha descubierto ni el menor rastro de muro en esta zona, opina que pudo tratarse de un depósito subterráneo, excavado en la roca, al que se llegaba a través de una especie de pozo en chimenea o una galería; cf. Kathleen M. Kenyon, *Jerusalem* (Londres, Thames and Hundson; Nueva York, McGraw-Hill, 1967), pp. 69-77. Con todo, las recientes excavaciones (cf. nota 43, supra), pueden sugerir que el estanque se hallaba, efectivamente, dentro de los muros.

(49) A. Ungnad, ZAW, 59 (1943), pp. 199-202 eleva la cifra de deportados a 2.150 (frente a los 200.150 que establece Senaquerib).

Jerusalén «como a un pájaro en una jaula». La carnicería debió de
ser terrible (cf. Is. 1, 2-9). Las excavaciones de Lakíš, que fue tomada
al asalto por Senaquerib, revelan, entre otras pruebas de destrucción,
un enorme hoyo en el que fueron arrojados los restos de mil quinientos
cuerpos, cubiertos con huesos de cerdo y otros restos, probablemente
los desperdicios del ejército asirio (50).

La situación de Ezequías era desesperada. Abandonado por
algunas de sus tropas (51), y según parece instado a rendirse nada
menos que por Isaías (Is. 1, 5), envió una embajada a Senaquerib,
mientras éste estaba sitiando Lakíš (II R 18, 14) para pedir condiciones. Estas fueron duras. Fue devuelto el rey de Eqrón y restaurado
en su trono. Porciones del territorio de Judá, de una extensión desconocida (52), fueron repartidas entre Eqrón y los reyes leales de
Ašdod y Gaza. Además, Senaquerib exigió un aumento drástico del
tributo, obligando a Ezequías a expoliar el Templo y el tesoro real para
poder cumplirlo. Todo esto, juntamente con otros presentes, entre
los que se incluían algunas de las hijas de Ezequías como concubinas,
fue llevado posteriormente a Nínive.

c. *Los últimos años de Ezequías.* Los sucesos de después del 701
son inciertos. Pero dado que, como trataremos de mostrar en el
excursus I, la narración de II R 18, 17-19, 37/Is. 36 ss., con dificultad
encaja en el 701, y no debiendo desecharla como legendaria, es
probable que hubiera una ulterior rebelión y una segunda invasión
asiria después de que Tirhakah (II R 19, 9) asumió el poder en Egipto (ca. 690/89). Las circunstancias eran favorables. Después de su
campaña del 701, Senaquerib tuvo que afrontar una continua y
creciente emergencia en Babilonia. Cuando el gobernador allí colocado después de la expulsión de Merodak-baladán, llamado Bel-
ibni, se rebeló a su vez (ca. 700), Senaquerib lo reemplazó por su
propio hijo Assur-nadin-šum. Pero circa 694-3, un nuevo levantamiento, inducido por el rey de Elam, colocó a un nuevo usurpador
(Nergal-ušezib) en el trono; el hijo de Senaquerib fue hecho prisionero y posteriormente asesinado. Aunque este usurpador fue rápidamente suprimido, le sucedió otro inmediatamente (Mušezib-
Marduk). Toda Babilonia estaba en abierta rebeldía. Pero cuando
Senaquerib se dirigió hacia ella para subyugarla (691), le salió al

---

(50)   Da una buena descripción Wright, BAR, pp. 167-171, pero cf. supra,
nota 41, para el problema estratigráfico. Ver también los relieves de Senaquerib,
Pritchard, ANEP, láminas 371-374. Al parecer, por este tiempo también fue destruida Debir.
(51)   Así, Senaquerib. ¿Hace alusión Is. 22, 2 ss. a todo esto?
(52)   La expresión de Senaquerib es ambigua. Algunos (p. e. Alt, KS, II,
pp. 242-249) piensan que fue todo Judá (salvo Jerusalén); otros (p. e. H. L. Ginsberg, *op. cit.* en nota 12, pp. 349-351) piensan que todo Judá comprendiendo al sur
de la línea que parte aproximadamente de Morešet-Gat en dirección este. Pero
puede tratarse igualmente de una franja de la Šefelá (Albright, BP, p. 78).

encuentro una coalición de babilonios, elamitas y otros y sufrió una seria derrota. Esto podía dar a entender que Asiria estaba perdiendo el control. Justamente por este tiempo (690/89), el enérgico joven Yirhakah había llegado al trono de Egipto. Es completamente admisible presumir que las noticias de los reveses asirios, más la promesa de ayuda por parte de Egipto, impulsaran a Ezequías a rebelarse de nuevo. Si hubo o no otros implicados en la revuelta, no lo podemos precisar, por supuesto. Es posible, si II R 18, 8 pertenece a este contexto (53), que Ezequías aprovechase la oportunidad para recobrar el territorio que Senaquerib le había arrebatado.

Senaquerib no pudo hacer nada por el momento. Pero el 689 ya había sido dominada la rebelión en Babilonia, que fue tomada y arrasada, sus habitantes tratados con espantosa ferocidad, sus templos profanados y destruidos y la imagen de Marduk conducida a Asiria. Esto dejó libre a Senaquerib para volverse hacia el oeste, y es probable que ca. 688 lo hiciera. Los sucesos de II R 18, 17-19, 37/Is. 36 ss., encuadran mejor en tal contexto. Aunque no tenemos detalles, parece (II R 18, 17; 19, 8) que Senaquerib apareció de nuevo en la llanura costera y comenzó, como en otro tiempo, por someter la frontera defensiva de Judá (Lakíš, Libná), bloqueando una vez más a Ezequiel en Jerusalén. Mientras tanto Tirhakah (19, 9) marchaba en ayuda de Ezequías. Senaquerib, deseando concluir el asunto de Judá antes de encontrarse con el faraón, y conociendo que no tenía tiempo suficiente para reducir a Jerusalén por el cerco y el asalto, envió a su general en jefe a Ezequías, para intimarle la rendición (54). Pero Ezequías, que sabía perfectamente que la rendición significaba el final de Judá y la deportación de su población (18, 31, ss.) prefirió morir luchando. En esto encontró la aprobación del anciano Isaías que, convencido ahora de que Asiria había sobrepasado la paciencia de Dios, le aseguró que Jerusalén de ninguna manera sería conquistada (II R 19, 29-34; Is. 24-27; 17, 12-14, etc.)

El resultado del encuentro entre Senaquerib y Tirhakah es desconocido. Probablemente fue una victoria asiria, ciertamente, si hay algo de fundamento en la tradición de Herodoto (II, 141) de que los asirios presionaron sobre las fronteras de Egipto. Pero Jerusalén no fue tomada. Se sugieren dos explicaciones: que el ejército asirio fue diezmado por una epidemia (II R 19, 35), y que llegaron noticias que requerían su presencia en su propio territorio (v. 7).

---

(53) Así, Kittel, GVI, II, p. 391. Pero cf. p. 355 y la nota 46 supra.
(54) Determinar el número de veces (una o dos) que Senaquerib exigió a Ezequías la rendición, depende de que II R 18, 17 a 19, 8 (9a), 36 ss., y 19, 9 (9b)-35 sea considerado como una narración paralela, o un relato seguido. La cuestión no tiene gran importancia para el cuadro general.

Estas explicaciones no se excluyen mutuamente y las dos son admisibles. La primera tiene como base la tradición de Herodoto de que el ejército asirio fue invadido por una plaga de ratones (¿ratas?). Quizá se tratase de la peste bubónica. De todas maneras, es necesario admitir una liberación extraordinaria, aunque no sea más que porque fueron conservados los oráculos de Isaías que la predijeron y porque, como consecuencia, la inviolabilidad de Sión llegó a constituirse en dogma nacional.

Pero aunque los asirios se retiraron dejando ilesa a Jerusalén, Judá no se vio libre. Que Senaquerib no volviese para tomar venganza, está suficientemente explicado por el hecho de que Ezequías murió al año siguiente (687/86). Su hijo Manasés renunció a la rebelión e hizo la paz. El valeroso intento por la independencia, que tan caro había costado a Judá, había fracasado.

C.   LOS PROFETAS DE LOS ULTIMOS AÑOS DEL SIGLO OCTAVO EN JUDA

1.   *La emergencia nacional y el mensaje profético.* No podemos poner fin a la historia de Judá de los últimos años del siglo octavo sin hacer una mención al menos de los profetas que ejercieron su ministerio entonces, y que afrontaron incesantemente la emergencia nacional. Si no lo hiciéramos, dejaríamos incompleta la historia, ya que estos profetas fueron ciertamente de más alta importancia histórica que algunos de los reyes de Judá, o de Asiria, ya que de éstos tratamos. Aunque sin duda ninguna hubo otros, nosotros conocemos dos: Isaías y Miqueas. Ambos iniciaron su predicación cuando la sombra de Asiria se cernía sobre el país y cuando el Estado del norte se tambaleaba al borde del sepulcro y ambos vivieron en los trágicos años que siguieron. Isaías a lo largo de todo el período de que hemos tratado en este capítulo.

a.   *La crisis espiritual de Judá.* Para valorar a estos profetas, es necesario comprender la crisis que atravesaba la nación. No fue ésta solamente externa, la amenaza física de la agresión asiria ya descrita, sino la emergencia espiritual que coincidió con ella y la acompañó y que amenazó el carácter y la religión nacional desde sus cimientos. Esta emergencia dimanó en parte de la misma debilidad interna que había destruido a Israel del norte y que actualmente, aunque a escala reducida, afectaba también a Judá. Esto ya lo hemos explicado más arriba. Hemos hablado de las enfermedades socioeconómicas, a las que la religión oficial no opuso una repulsa eficaz y que las exacciones asirias no hicieron sino agravar, y también de las tendencias sincretistas, siempre endémicas, que circularon libremente durante la época relajada que siguió al reconocimiento de los dioses asirios por parte de Ajaz. Aunque probablemente estas tendencias no llegaron a ser lo suficientemente serias en sí mismas como para aniquilar la nación, indican una cierta debilidad en su estructura nacional fundamental y ciertamente no iban a ser una ayuda en su lucha por la existencia. En resumen, con la progresiva desintegración de los antiguos esquemas sociales, la alianza sinaítica con sus austeras obligaciones religiosas, morales y sociales, que habían constituido la base de la sociedad israelita, había sido profundamente olvidada por muchos de los habitantes de Judá, para quienes Yahvéh no era más que el guardián nacional, cuya función consistía en proteger y bendecir a la nación (Is. 1, 10-20) a cambio de meticulosas observancias cúlticas.

Esto, sin embargo, no fue todo. Como ya hemos dicho antes, el Estado de Judá no estaba basado teológicamente en la antigua alianza mosaica sino en el pacto eterno de Yahvéh con David. Esta noción de la alianza (55), más bien un tanto diferente, había remplazado en gran parte en la mente nacional a la alianza primitiva. Se creyó y se afirmó cúlticamente que Yahvéh había elegido a Sión como su morada y que había prometido a David una dinastía eterna; que cada rey, ungido como «hijo» de Yahvéh (sal. 2, 7, etc.), sería defendido contra sus enemigos; que la dinastía alcanzaría, al fin, un poderío mayor que el de David, con todos los reyes de la tierra humillados a sus pies (sal. 2, 10 ss.; 72, 8-11, etc.). En una palabra, la existencia de Judá no descansaba en la respuesta obediente a los actos gratuitos de Yahvéh en el desierto, sino en sus promesas incondicionales a David. Aunque estas dos nociones de alianza no fueran completamente incompatibles, como se ve por el hecho de que se llegara a conseguir un ajuste entre ambas, existía, no obstante, cierta tensión (56). Aunque en la teología oficial se le imponían al rey las obligaciones morales propias del yahvismo (v. g., sal. 72), y debía mantener la justicia bajo pena de un severo castigo, las promesas eran seguras e incondicionales (sal. 89, 3 ss.; 27-37; II S 7, 14-16). El culto oficial estaba al servicio de la teología nacional. Su finalidad era asegurar el bienestar de la nación mediante el sacrificio y las ofrendas y la reafirmación ritual de las promesas. Era inevitable una cierta paganización interna a la vez que era mantenido externamente un yahvismo normativo: el culto del Estado llegó a ser, como en las religiones paganas en general, el soporte espiritual y la defensa del orden existente. Y así se puede comprender que se criticara a un rey individual, pero no se podía criticar,

---

(55) Cf. G. E. Mendenhall, BA, XVII (1954), pp. 26-46, 49-76; reimp. *The Biblical Archaelogist Reader*, 3 (E. F. Campbell y D. N. Freedmann eds., [Nueva York, Doubleday, 1970], pp. 3-53); también D. R. Hillers, *Covenante The History of a Biblica Idea* (Baltimore, The Johns Hopkins Press, 1969).

(56) Cf. mi libro *Covenant and Promise: The Prophetic*; *Understanding of the Future in Pre-exilic Israel* (Filadelfia, Westminster Press, 1976).

fundamentalmente, al Estado, o creer que el Estado pudiera caer. Era inevitable, como lo demuestran Isaías y Miqueas, que se tendiera a reducir las críticas.

Los sucesos de los últimos años del siglo octavo cayeron con toda la fuerza de una avalancha sobre la teología oficial de Judá. Con la existencia misma del Estado y la dinastía en peligro, entraban en crisis los fundamentos mismos de la ideología nacional. ¿Se podía confiar realmente en las promesas hechas a David? Si Asiria podía tratar con desprecio a la nación, si los dioses asirios podían introducirse en la casa de Yahvéh, ¿qué cabía pensar del poder de Yahvéh para cumplir sus promesas? La reacción de Judá fue doble y opuesta: una confianza ciega y fanática y una cobarde infidelidad, ambas igualmente destructoras. Hubo quienes, muy seguros de que Yahvéh cumpliría sus promesas a Judá, sin importar los desatinos que hubiera cometido, condujeron a la nación a una temeraria y casi suicida rebelión, sin calcular los pros y los contras. Y hubo otros que, como Ajaz, por no poder llegar a creer, en absoluto, en la teología nacional (cf. Is. 7, 1-17), no vieron otro camino de salvación para Judá que convertirle en dócil instrumento de Asiria. Es de maravillar que, después de que la sumisión a Asiria había traído únicamente miseria, y después de que la rebelión había resultado completamente inútil, no se siguiese una completa desilusión respecto de la teología y de sus promesas, y con ello el abandono de todo pretexto de yahvismo. Este peligro era grave, como lo demostraron los sucesos del reinado de Manasés, sobre los que más tarde volveremos. Que nada de esto sucediera debe ser atribuido, humanamente hablando, en no pequeña parte a los profetas —especialmente a Isaías— y a los que estaban dispuestos a escuchar sus palabras.

b. *El profeta Isaías: su vida y su mensaje.* A lo largo de toda su historia pocas figuras produjo Israel de tan gran talla como Isaías. Llamado al ministerio profético (Is. 6, 1) el año de la muerte de Ozías (742), descolló durante cincuenta años sobre la escena contemporánea, y aunque quizá entonces lo advirtieran pocos, guió a la nación en sus horas de crisis y tragedia más que ningún otro individuo. A juzgar por la facilidad con que se acercaba al rey, debió ser de familia noble, si es que no era miembro de la corte misma. Sin embargo su destino fue permanecer durante casi toda su vida opuesto a la política de esta corte y rechazarla con los términos más duros.

Isaías, oprimido en su experiencia inaugural (cap. 6) por la terrible santidad de Yahvéh y por la magnitud del pecado nacional, transmitió un mensaje que fue, ante todo, una denuncia totalmente en la línea de Amós. Con airado furor atacó a los nobles poderosos y desaprensivos y a los jueces venales que habían conspirado para despojar a los desamparados de sus derechos (v. g., 1, 21-23; 3, 13-15; 5, 8, 23; 10, 1-4). Las decadentes clases altas, entregadas a la molicie y preocupadas tan sólo por las posesiones materiales y por los placeres (v. g., 3, 14-4, 1; 5, 11 ss., 22), abiertas a las costumbres extranjeras y sus principios morales ni fe en Dios (5, 18-21), aparecían ante él como infinitamente merecedoras de la ira divina. Isaías estuvo convencido desde el principio (6, 9 ss.) de que estaba hablando a un pueblo incapaz de corregirse, y comparando la nación (5, 1-7) a una viña bien cuidada, que debía haber producido hermosos racimos pero que no lo había hecho, declaró que Judá sería abandonado, como se abandona a los cardos y espinas las viñas infructuosas, por su obstinación en no responder a las gracias de Yahvéh con una conducta digna. A causa de sus crímenes contra la justicia, declaró como inaceptable y ofensivo a Yahvéh (1, 10-20) aquel espléndido culto por el que se esperaba satisfacer las exigencias divinas. Como Amós, Isaías esperaba el día de Yahvéh como un día de juicio (2 6-21) y consideraba a los sirios como el instrumento de este juicio (5, 26-29). Veía a la nación internamente desmoronada (3, 1-12), hundida en la ruina (6, 11 ss.), reducida a un pequeño resto (10, 22 ss.), y declaró que aun este pequeño resto se vería sumergido de nuevo en las llamas de la catástrofe (6, 13) (57).

El primer choque de Isaías con la política nacional tuvo lugar durante la crisis de 735-733, cuando la coalición arameo-israelita marchó contra Jerusalén para obtener la cooperación de Judá contra Asiria. Por este tiempo tuvo Isaías un hijo a quien puso el significativo nombre de Šear-yašub («un resto volverá») (58). Sabiendo que Ajaz se proponía acudir a Asiria en busca de ayuda, Isaías, acompañado de su hijo, se enfrentó al rey (7, 1-9) y, asegurándole que los confederados no podrían nunca llevar a cabo su propósito, le conminó a que no diera aquel paso, sino que confiara en las promesas de Yahvéh. Vacilando Ajaz, se presentó Isaías en la corte (7, 10-17) para ofrecer una señal de Yahvéh, en confirmación de sus palabras. Como el rey lo rehusara con piadosa hipocresía, Isaías, encolerizado, dio el famoso signo del Emmanuel: el nacimiento de este niño, probablemente de la dinastía real, significaría que las promesas de Yahvéh a David eran ciertas pero, ya que Ajaz no había creído, sería también señal de la terrible calamidad que su cobardía traería sobre la nación. Rechazando repetidamente la política real y describiendo sus espantosas consecuencias (v. g., 7, 18-25; 8, 5-8a), Isaías requería a todos los que querían escucharle pasar a la oposición (8, 11-15).

---

(57) Para este texto, verdaderamente difícil, cf. Albright, VT, Suppl, vol. IV (1957), pp. 254 ss.; S. Iwry, JBL, LXXVI (1957), pp. 225-232.

(58) El nombre tiene también una connotación esperanzadora («un resto volverá»), que es la desarrollada en el pensamiento de Isaías (cf. Is. 10, 20 ss).. Pero puesto que, al parecer, aquí involucraba una severa advertencia a Ajaz (cf. 10, 22 ss.), la connotación ominosa es probablemente la original. No considero —en contra de la opinión de algunos especialistas—, que los vers. 20-23 sean necesariamente postisaianos.

Un segundo hijo, nacido por este tiempo (8, 1-4), fue llamado Ma-her-šalal-jaš-baz («pronto al saqueo, rápido al botín»), como señal de que la coalición arameo-israelita sería pronto deshecha con tal de que el rey tuviera fe. Pero Ajaz no la tuvo. Por el contrario, envió un tributo a Tiglat-Piléser y renunció a la independencia. Al ser rechazado su consejo, Isaías escribió una memoria para sus discípulos, de la que dijo que sería testigo para el futuro (8, 16-18) y se retiró.

A pesar de todo, Isaías no perdió la esperanza. Su doctrina sobre Dios era demasiado abierta para suponer que el abandono de la nación pudiera frustrar los planes divinos y cancelar sus promesas. A pesar de su convicción de que Ajaz había traicionado su deber, y quizá debido a ello, Isaías conservaba el ideal dinástico tal como había sido perpetuado en el culto (p. e., sal. 72) y él mismo dio expresión clásica a la esperanza de un vástago de la línea davídica que cumpliría este ideal (9, 2-7; 11, 1-9), manifestando los dones carismáticos que se suponía estaban depositados en la dinastía (11, 2), estableciendo aquella justicia que Ajaz tan claramente había descuidado y acabando para siempre con la humillación nacional. Isaías estaba convencido de que Yahvéh dominaba la historia y de que era firme su propósito de establecer su soberano gobierno de paz sobre las naciones (2, 2-4; 11, 6-9) (59). Por tanto, miraba la tragedia presente como una parte de este propósito: un castigo, una purificación mediante lo cual Yahvéh apartaría la escoria del ser nacional para conseguir un pueblo depurado y limpio (1, 24-26, cf. 4, 2-6) (60). El presagio encerrado en el nombre de su hijo Šear-yašub empezó a abrir camino a la esperanza (10, 20 ss.): quizá sólo un resto, pero en todo caso un resto, volverá (es decir, arrepentido). Aunque repetidamente desoído, nunca perdió Isaías la esperanza de que la tragedia purificaría a Judá y produciría un resto justo (37, 30-32).

c *Isaías: su vida y su mensaje (continuación).* Después de ser rechazado en 735-733, Isaías, al parecer, no intentó intervenir en la política nacional durante el reinado de Ajaz. Le volvemos a encontrar cuando Ezequías subió al trono y Judá fue solicitado a unirse a la revuelta contra Asiria dirigida por Ašdod y respaldada por Egip-

---

(59) Nunca se podrá resolver, probablemente, con pruebas objetivas, la cuestión de si Is. 2, 2-4 (= Miq. 4, 1-5) es una expresión de Isaías, de Miqueas o de algún otro profeta desconocido. Por lo demás, yo no veo ninguna razón para no considerar la expresión como perteneciente al cuerpo de esperanzas proféticas del siglo octavo, conservada por discípulos de ambos profetas. Cf. especialmente H. Wildberger, VT, VII (1957), pp. 62-81.

(60) Muchos especialistas niegan a Isaías, en su totalidad o en parte, el cap. 4, 2-6. Pero aunque al parecer el pasaje ha sido considerablemente recargado durante la transmisión, no estoy de acuerdo en que se le asigne una fecha fundamentalmente tardía. Cf. V. Herntrich, *Der Prophet Jesaja Kap.* 1-12 (ATD, 1950), pp. 61-73; J. Lindblom, *Prophecy in Ancient Israel* (Oxford, Blackwell, 1962), pp. 249 ss.

to (714-712). Como ya hemos visto, fueron enviados a Ezequías, para pedir su colaboración, embajadores de la Dinastía XXV (cap. 18 y probablemente también filisteos (14, 28-32). Isaías (¡él, que había sido contrario a la sumisión a Asiria!) se opuso categóricamente al proyecto. Su postura era que Yahvéh había fundado Sión y se bastaba para su defensa (14, 32), y que en su tiempo oportuno daría la señal de la caída de Asiria (18, 3-6): hasta entonces el pueblo debía esperar. Mientras se estaba fraguando la conspiración, Isaías, recorriendo Jerusalén descalzo y cubierto solamente con un saco, como prisionero de guerra (cap. 20), predijo simbólicamente el desastroso resultado de la confianza en Egipto. Probablemente se le hizo caso, porque, si Judá salió ileso cuando la rebelión fue aplastada, es que al parecer no participó en ella.

Pero la victoria de Isaías, si es que fue tal, duró poco. Cuando a la muerte de Sargón (705) estalló la rebelión general, Judá, como hemos visto, estaba completamente implicado en ella y había negociado con Egipto para obtener ayuda. Isaías denunció esto con toda la actitud de que era capaz y predijo para ella solamente el desastre (v. g., 28, 14-22; 30, 1-7; 12-17; 31, 1-3). No sólo sabía que la ayuda egipcia era inútil, sino que consideraba la alianza, sellada en nombre de los dioses egipcios (28, 15), como la prueba de una falta culpable de fe en Yahvéh (p. e., 28, 12, 16 ss.; 30, 15). Pero los jefes de la nación, que eran un hatajo inmoral y ateo (28, 7 ss.; 29, 15), se mofaban de él (28, 9-14) y le ordenaron simplemente que se apartase del camino y dejase de insistir (30, 9-11). Isaías, vencido una vez más, escribió lo que había dicho como testimonio para el futuro (30, 8). Pero él nunca dejó de oponerse. Cuando el 701 la rebelión había llevado a la nación al borde de la ruina, él lo denunció (1, 2-9) y urgió para que se desistiera (v. 5). Cuando todo hubo pasado, la conducta de aquellos que habían escapado con vida, y no precisamente gracias a ellos mismos, fue para Isaías prueba de que la nación era poco menos que incorregible (22, 1-14) (61).

Escuchamos por última vez a Isaías cuando Ezequías se rebeló de nuevo (ca. 688) y Senaquerib volvió a invadir Judá (62). Por este tiempo Isaías había llegado a la convicción de que Asiria, llamada a ser instrumento del castigo de Yahvéh, había agotado la paciencia divina (10, 5-9) con sus impíos excesos y de que Yahvéh estaba a punto de mostrar su dominio por medio del aplastamiento de Asiria en tierra palestina (14, 24-27; 17, 12-14) y del rescate de su pueblo, como lo

---

(61) Aunque esto es discutido, yo soy partidario de relacionar Is. 1, 2-9 y 22, 1-14 con la fecha del 701. Cf. para la discusión los comentarios.
(62) Cf. supra, pp. 356-358 y Excursus I.

había hecho en otro tiempo en Egipto (10, 24-27) (63). Por tanto se
comportó de una manera en apariencia completamente paradójica. El,
que se había opuesto constantemente a la rebelión contra Asiria en
las horas .de apuro de Judá, permaneció ahora casi solo junto a su
rey y le animó a permanecer firme, declarando que los asirios, en su
soberbia, se habían ensalzado a sí mismos y habían blasfemado
contra Yahvéh (37, 21-29) y que nunca tomarían Jerusalén (29,
5-8; 37, 33-35). Ezequías se mantuvo firme, la ciudad no fue conquistada e Isaías quedó reivindicado. Con esto, el anciano profeta
desaparece de la escena. La tradición de que fue martirizado por el
impío Manasés es tardía y carece de fundamento.

d. *El mensaje de Miqueas.* Antes de analizar el significado del
mensaje de Isaías es necesario decir algunas palabras de su contemporáneo Miqueas. Poco sabemos de Miqueas, excepto que era ori-
ginario del pueblo de Morešet-gat en el sudoeste de Judá· (Mi. 1, 1)
y que su ministerio comenzó aproximadamente al mismo tiempo que
el de Isaías y continuó durante el reinado de Ezequías (cf. Jr. 26,
16-19). Los ataques de Miqueas siguieron el esquema profético clásico, combatiendo —quizá debido a sus orígenes humildes— los
abusos económico-sociales,· particularmente la opresión de los campesinos por parte de la nobleza rica de Jerusalén. A Miqueas le parecía que Jerusalén estaba, en algunos aspectos, en tal mal estado
como Samaría, y merecía el mismo juicio (1, 2-9). Veía hombres
voraces despojando al pobre (2, 1 ss., 9), gobernantes corrompidos
que no practicaban la justicia, sino que ellos mismos eran culpables
de la opresión (3, 1-3, 9-11), y un clero que no lo censuraba, porque
sólo se preocupaba de su propio vivir (3, 5, 11). Miqueas denunció
con vehemencia todo esto, y no le dieron precisamente las gracias
por su molestia (2, 6). Vio con asombro que este pueblo, confiado en
las promesas incondicionales de la teología oficial y seguro de que
Yahvéh habitaba en medio de él, no sentía miedo del peligro (3, 11).

La réplica de Miqueas fue un mensaje de castigo inflexible.
Empapado como estaba en las tradiciones del primitivo yahvismo,
consideraba esta injusticia como una ruptura de las estipulaciones
de la alianza, que Yahvéh vengaría con toda seguridad. En un pasaje
clásico (6, 1-8) (64) se imagina a Yahvéh demandando en proceso
contra su pueblo, que había olvidado los actos de benevolencia· que
tuvo en el pasado para con él y que sus exigencias —que son una còn-

---

(63)   Aunque no se ha conservado en su forma métrica original, considero que 10, 24-27 es un pasaje básicamente isaiano; cf. R. B. Y. Scott, IB, V
(1956), p. 245; Lindblom, *op. cit.*, p. 224.
(64)   Yo no veo ninguna razón para asignar a 6, 1-8, una fecha más tardía,
tal como algunos especialistas creen. Para el telón de fondo del mensaje de Miqueas, cf. W. Beyerlin, *Die Kulttraditionen Iraels in der Verkündigung des Prophetes
Micha* (FRLANT, 72, 1959).

ducta justa y misericordiosa y una obediencia humilde— no pueden
ser satisfechas por ninguna actividad cúltica, por muy perfecta que
se la suponga. Miqueas pronunció sobre Judá una condena total.
Yendo más allá que Isaías, llegó a declarar que Jerusalén y el Templo serían abandonados como un montón de ruinas en el bosque
(3, 12). La confianza mantenida por la teología oficial, de que Yahvéh había elegido a Sión como su morada para siempre (sal. 132),
es abiertamente rechazada. Sin embargo aun aquí (probablemente
en el mismo Miqueas, pero ciertamente en aquellos de sus discípulos
que conservaron sus palabras), se mantiene la esperanza inherente
al pacto davídico (5, 2-6 [Hb. 1, 5]) (65), pero con una diferencia:
se espera que Jerusalén caerá, pero que Judá, maravillosamente liberado, será regido por un príncipe davídico procedente de Belén,
que aparecerá en una era de paz. Pudiera parecer que hubo algunos
que se aferraban a las promesas asociadas a la dinastía davídica,
pero rechazaban su identificación con Jerusalén y el Templo.

2. *Los efectos de la predicación profética.* Los efectos de la predicación profética, aunque en su mayor parte intangibles y difíciles
de valorar, fueron profundos. En particular, ofreció una explicación
de la humillación nacional por parte de Asiria que capacitó a la
teología nacional para acoplarse a la crisis; dio impulso a un movimiento de reforma en Judá que produjo abundantes frutos algunas
generaciones más tarde, proporcionó a la esperanza futura de Israel una forma clásica y definitiva que afectó no sólo a la historia
de Israel sino a la del mundo de todos los tiempos futuros.

a. *Los profetas y la teología nacional.* Ya hemos notado cómo la
alianza sinaítica, con sus severas obligaciones y sanciones morales,
había sido oscurecida en el pensamiento popular por la alianza davídica con sus promesas incondicionales. Aunque tampoco esta última carecía de exigencias morales (sal. 72, 1-4, 12-14), no recaía el
peso sobre ellas sino sobre las promesas que, según ellos creían, garantizaban la seguridad nacional, la estabilidad y un futuro glorioso. La crisis asiria rebatió categóricamente esta teología optimista
y planteó la cuestión de si las promesas de Yahvéh, que ni siquiera
pudieron proteger a su nación de la humillación, ni a su propia casa
de la instrusión, tenían algún valor. Sin alguna nueva interpretación
que capacitase a la teología nacional para explicar la calamidad con
términos de sus propias premisas, es muy posible que aquella teología no hubiera sobrevivido. Los profetas —especialmente Isaías—
ofrecieron esta nueva interpretación.

---

(65) Se debe proceder con suma cautela antes de relegar este pasaje a una
fecha tardía, como se hace generalmente. Aunque no se puede demostrar que sea
de Miqueas, encuadra bien en el contexto de otros oráculos semejantes de Isaías,
del siglo octavo, y en la teología del mismo Miqueas. Cf. especialmente el artículo
de A. Alt citado en la nota 26.

Hemos advertido en los mensajes de Isaías y Miqueas una yuxta-
posición, aparentemente inconsistente, de amenaza inflexible e in-
equívoca seguridad. Pero aunque no debe intentarse una armonización artificial, tampoco hay que extirpar la dificultad por cirugía
crítica, porque aquí está, precisamente, la clave del problema. La
predicación de Isaías fue al mismo tiempo una poderosa reafirmación
de la teología davídica y sus promesas, un rechazo de esta teología
como la entendía el pueblo y una infusión dentro de ella de un elemento condicional, sacado de las tradiciones del primitivo yahvismo.
Isaías creyó firmemente en las promesas de Yahvéh a David y toda
su vida animó a la nación a confiar en ellas; únicamente así puede
ser entendido su mensaje (66). El no se opuso a Ajaz en 735-733 simplemente por juzgar que la política del rey era desatinada, sino porque ello indicaba (Is. 7, 9) una falta pecaminosa de fe en la verdadera teología que el rey afirmaba en su culto oficial. Se opuso en 714-712
y en 705-701 a la rebelión que se apoyaba en Egipto no sólo porque
sabía que Egipto era «una caña rota», sino porque no podía consentir una política basada en manejos humanos, sin confianza en Yahvéh (28, 14-22; 29, 15; 30, 1-7; 31, 1-3). Y seguramente se mantuvo
junto a Ezequías, reafirmando las promesas de Yahvéh a Sión, porque, en su hora de desesperación, Ezequías, falto de toda otra ayuda,
había confiado finalmente. El lema de Isaías a lo largo de toda su
vida fue la *confianza* en las promesas (7, 9; 14, 32; 28, 12, 16 ss.):
«En la conversión y en la calma seréis salvados, en la quietud y en
la confianza estará vuestra fuerza» (30, 15). El declaró (7, 17) que
la nación estaba en angustia no porque las promesas hechas a David no fueran verdaderas, sino porque no las habían creído. Porque
no lo habían hecho, Yahvéh mismo estaba luchando contra Jerusalén, como lo había hecho David en otro tiempo (29, 1-4) (67).

Pero Isaías (¡y Miqueas!) rechazaron ciertamente la teología nacional tal como era entendida popularmente. Isaías no conoció, según
el espíritu del primitivo yahvismo, promesas incondicionales. Aunque
mencionó raras veces las tradiciones del Exodo —y no usó nunca la
palabra alianza— (68), su denuncia del pecado nacional estaba

---

(66)   Cf. W. Vischer, *Die Immanuel-Botschaft im Rahmen der Königlichen Zionfes-
tes* (Zollikon-Zürich, Evangelischer Verlag, 1955).

(67)   Leer v. 1: «Ah, Ariel, Ariel, ciudad contra la que acampó David»;
y v. 3: «Yo voy a acampar (combatir) contra ti como David» (con LXX). Notar
también la referencia a la victoria de David (II S 5, 17-25) en Is. 28, 21, ¡único
pasaje en el que Yahvéh lucha *contra* Israel! Cf. R. B. Y. Scotto, IB, V (1956),
pp. 319 ss., 323.

(68)   En realidad, sólo en dos pasajes (10, 24-27 y 4, 2-6), ambos discutidos
(pero cf. notas 60 y 63, supra). Sobre las tradiciones suyacentes en la predicación
de Isaías, cf. H. Wildberger, «Jesajas Verständnis der Geschichte» (VT, Suppl.
vol. IX [1963], pp. 83-117); W. Eichrodt, «Prophet and Covenant: Observations
on the Exegesis of Isaiah» *(Proclamation and Presence*, J. I. Durham and J. R. Porter,
eds., [Londres, SCM Press; Richmond, John Knox Press, 1970], pp. 167-188).

llena del recuerdo de la alianza sinaítica con sus tremendas obligaciones. Puede decirse que las alianzas davídicas y sinaíticas —la primera insistiendo en la presencia de Yahvéh y en las promesas a su pueblo, la segunda en sus pasadas acciones gratuitas y sus exigencias morales— se mantienen en tensión en la teología de Isaías o mejor, que la alianza sinaítica es armonizada con la davídica al acentuar la posibilidad del castigo inherente a la segunda (II S 7, 14; sal. 89, 30-32), que la teología oficial se había imaginado poder evitar por medio de la actividad cúltica. Isaías consideró la humillación de la nación como castigo divino por sus pecados. Sin embargo, precisamente porque era castigo, no implicaba la revocación de las promesas.

Este carácter distintivo, más la idea incomparablemente elevada que Isaías tenía de la majestad de Yahvéh, cuyo trono real (pero no literalmente cuya «morada»), esta en Sión, le capacitó para interpretar el actual desastre y el alcance de los sucesos mundiales en términos de la teología nacional con una intrepidez no igualada hasta entonces. Declaró que la humillación de Judá era obra de Yahvéh, su justo juicio por sus pecados, pero también el castigo purificador (1, 24-26) que haría posible el cumplimiento de sus promesas. Isaías consideró a la poderosa Asiria como el instrumento de Yahvéh, su vara de castigo (5, 26-29; 10, 5-19) que, una vez cumplido su fin, sería cortada por su orgullo impío. Todo esto es parte del plan de Yahvéh (14, 24-27), cuyo propósito es seguir cumpliendo con un Judá purificado las firmes promesas hechas a David (9, 2-7; 11, 1-9). Todos aquellos que escuchaban las palabras de Isaías no podían considerar nunca la humillación de la nación como un fracaso de Yahvéh, sino como la demostración de su soberano y justo poder; ni pudo la tragedia extinguir la esperanza, ya que Isaías había puesto la esperanza precisamente como continuación de un juicio trágico, que era, a su vez, parte del plan de Yahvéh.

b. *Los profetas y el movimiento de reforma.* La predicación de los profetas contribuyó también a animar a Ezequías en sus esfuerzos de reforma. Se nos dice concretamente que las severas palabras de Miqueas perturbaron la conciencia real y le movieron a penitencia (Jr. 26, 16-19; Mi. 3, 9-12) y podemos sospechar que las de Isaías consiguieron el mismo resultado. Es verdad que la remoción de cultos extranjeros fue una faceta del resurgimiento nacionalista y probablemente habría tenido lugar en cualquier caso. Pero los ataques proféticos contra los abusos económico-sociales y los anuncios de castigo dieron, sin duda, a la reforma una urgencia y una dimensión ética que quizá no hubiera tenido de otra forma. Aunque no conocemos la medida de los resultados concretos de la predicación profética, ciertamente dio sus frutos. Los profetas tuvieron sus discípulos (Is. 8, 16) que recordaron y fomentaron sus palabras y mantuvieron vivos sus ideales. Este pueblo piadoso, cuyos nombres y figuras concretas se nos escapan, atesoraba estos oráculos tal como los mismos profetas los habían escrito (Is. 8, 16; 30, 8), recordaba otros y los escribía o transmitía de palabra. De este modo se dio comienzo a este largo proceso de colección y transmisión del que resultaron los libros proféticos tal como nosotros los conocemos. También las palabras de los primeros profetas, Amós y Oseas, aunque dirigidas primeramente a Israel del norte, fueron estimadas y transmitidas en Jerusalén, y aplicadas en Judá (69).

El resultado fue que, aunque la reforma de Ezequías tuvo corta vida, la predicación profética continuó haciendo impacto. La naturaleza condicional de la alianza de Yahvéh, y la grave obligación que imponía a la nación, nunca volvería a ser del todo olvidada. Se originó en Judá el núcleo de un partido reformador que, aunque impotente durante largo tiempo, nunca podría darse por satisfecho mientras el paganismo floreciera en el país y la ley de la alianza fuera violada. Es posible que el núcleo de la ley deuteronómica, que representaba la antigua tradición legal enraizada en la ley consuetudinaria de la liga tribal, fuera llevada desde Israel del norte a Jerusalén y allí guardada por círculos simpatizantes con los ideales proféticos, algún tiempo después del 721. Reeditado en el reinado de Ezequías o de Manasés, constituyó la base de la gran reforma de Josías, de la que hablaremos en el próximo capítulo.

c. *Los profetas y la esperanza nacional.* El hecho de mayor alcance, con todo, fue el modo como los profetas transformaron la esperanza nacional y le dieron su forma clásica y definitiva. La teología oficial, tal como la interpretó Isaías, fue dramáticamente justificada por los hechos. Isaías había anunciado la crisis como castigo divino por los pecados de Judá y a Asiria como el instrumento preparado por Dios para este castigo. Pero, aferrado a las promesas de la alianza davídica, había declarado en el postrer apuro que Jerusalén permanecería en pie y que un resto de la nación sobreviviría. ¡Y así había sido! Esto, indudablemente, dio gran prestigio a Isaías y confirmó la teología nacional y sus promesas en la mente popular. No todo fueron ganancias. La inviolabilidad de Sión llegó a consolidarse como dogma, tal como Jerusalén tuvo que experimentar a su propia costa (p. e. Jr., cap. 26). Aunque se concedía que Judá podía ser castigada por sus pecados, se creía que permanecería por siempre y que las gloriosas promesas de Yahvéh se harían realidad algún día.

Indudablemente Isaías habría repudiado este dogma. Aunque tanto él como Miqueas habían mantenido el ideal dinástico y sus

---

(69) Algunos pasajes de Amós y Oseas sugieren que sus palabras deben aplicarse a Judá: p. e. Amós, 2, 4 ss.; 9, 11 ss.; Os. 1, 7; 4, 15a; 6 11a.

promesas, su predicación habían proyectado la promesa más allá de la nación existente, dado que unían a ella condiciones morales que la actual nación no pudo satisfacer de hecho. No era la suya la esperanza popular expresada a través del culto, para *esta* nación, sin condiciones, tal como es. Por el contrario, condenaron a la nación existente, y como Amós, vieron el día de la intervención de Yahvéh como el día de su juicio. Las promesas davídicas, que ellas mantenían, eran así proyectadas más allá del día de Yahvéh que, como día de castigo, disciplina y purificación, se constituía en el preludio de la promesa. Además, el ideal davídico, tal como ellos lo describen, la verdadera realización del ideal dinástico, sobrepasa de hecho las capacidades de cualquier davídida actual. La esperanza nacional era así mantenida, pero empujada hacia adelante. La promesa no era *exactamente promesa*, pues de hecho era una promesa para un nuevo y obediente Israel, que hasta ahora no había existido.

La esperanza nacional fue de tal suerte transformada y proyectada. más allá de la nación existente que pudo sobrevivir, y sobrevivió de hecho, a la caída de la nación, continuando su existencia incluso después que la teología real que la creó había dejado de tener significado. En la predicación de Isaías se encuentran los comienzos de esta búsqueda inquieta de un resto puro, un nuevo Israel que se levantaría un día de las llamas de la tragedia, al cual serían dadas las promesas, y también del anhelo por El que había de venir, en la cumbre de la historia, para redimir a Israel y establecer el gobierno divino sobre la tierra. Este anhelo, muchas veces frustrado, encontró cumplimiento —así dicen los cristianos— solamente cuando después de muchas y cansadas millas, vino «en la plenitud de los tiempos», uno «de la casa y linaje ·de David», a quien la fe proclama como «el Cristo (Mesías), el Hijo de Dios vivo».

EXCURSO I

El problema de las campañas de Senaquerib en Palestina

La narración de las actividades de Senaquerib contra Ezequías (II R 18, 13-19, 37/Is cap. 36 ss.) (1) presenta un difícil problema. ¿Contiene el recuerdo de una campaña o de dos? Las discusiones en torno a este problema se han prolongado durante más de un siglo, sin que se haya conseguido llegar a un acuerdo. Y es posible que

---

(1) Los versículos hacen siempre referencia al relato del libro segundo de los Reyes.

nunca se consiga —a menos, por supuesto, que se descubran nuevos
datos extrabíblicos, por ejemplo en los anales oficiales de la última
década del reinado de Senaquerib (si es que los hubo). Por consiguiente, las opiniones deben tomarse con la máxima reserva (2).
Aunque en el pasado la mayoría de los autores se inclinaba a favor
de la hipótesis de una sola campaña (3), la posición adoptada en el
texto está basada en el convencimiento de que se satisface mejor a
las pruebas suponiendo que hubo dos (una en el 701 y otra posterior)
(4). Parecen, pues, oportunas, algunas palabras para justificar nuestra
posición.

1. Las dos narraciones bíblicas son idénticas, fuera de pequeñas
diferencias verbales, salvo que II R 18, 14-16 falta en Isaías. Estos
versos nos dicen que Ezequías, saqueada su tierra por los asirios, se
rindió, solicitó términos de capitulación y pagó un fuerte tributo.
Sigue después el relato de la exigencia, por parte de Senaquerib, de
rendición incondicional, rechazada por Ezequías, que estaba animado
por Isaías, y la liberación maravillosa de la ciudad. Es muy posible,
como creen muchos comentadores, que II R 18, 17-19, 37 combine
dos narraciones, separadas (y posiblemente paralelas), la primera de
18, 17 a 19, 8 (9a), 36 ss. (que llamaremos narración A) y la segunda
de 19, 9 (9b) a 35 (narración B). Pero dado que no nos proponemos

---

(2) Para una revisión a fondo de las pruebas y de las varias soluciones propuestas, destacando los puntos débiles de cada una de ellas, cf. la disertación de
L. L. Honor, *Sennacherib's Invasion of Palestine* (1926, reimpr. AMS Press, Inc., 1966).
También ha revisado las pruebas —y ha rehusado extraer conclusiones históricas—
B. S. Childs (*Isaiah and the Assyrian Crisis* (Londres, SCM Press, 1967). Admitimos
que las conclusiones sólo tienen valor de probabilidad. Pero el historiador no
puede darse por satisfecho con no extraer ninguna: está obligado a indicar hacia
qué lado se inclina, en su opinión, la balanza de las probabilidades en el tema
estudiado.

(3) Para una defensa de la tesis de una sola campaña y una bibliografía
exhaustiva hasta el momento en que la obra fue publicada, cf. H. H. Rowley,
«Hezekiah's Reform and Rebellion» (1962, reimpr. *Men of God* [Edimburgo y
Nueva York, Nelson, 1963], pp. 98-132); también G. Fohrer, *Das Buch Jesaja*,
vol. II (*Zürcher Bibelkommentarse* [Zurich, Zwingli Verlag, 1962]), pp. 151-181;
W. Eichrodt, *Der Herr der Geschichte, Jesaja* 13-23, 28-39 (Stuttgart, Calwer Verlag,
1967), pp. 225-260. Cf. también las ponderadas observaciones de B. Obed, IJH,
pp. 446-451.

(4) Esta hipótesis ha contado con el apoyo constante de W. F. Albright:
JR, XXIV (1934), pp. 370 s.; BASOR, 130 (1953), pp. 8-11; BP, pp. 78 s. En
los últimos años ha ido en aumento el número de especialistas que la admiten;
p. e., J. Gray, *I and II Kings* (OTL, 1964), pp. 599-632 (aunque cambió de postura
en la segunda ed. 1970); E. Nicholson, VT, XIII (1963), pp. 380-389; C. van
Leeuwen, «Sanchérib devant Jérusalem» (*Oudtestamentische Studiën*, XIV [1965],
pp. 245-272); R. de Vaux, *Jerusalem and the Prophets* (The Goldenson Lecture for
1965; Hebrew Union College Press), pp. 16 s.; RB, LXXIII (1966), pp. 498-500;
S. H. Horn, «Did Sennacherib Campaign Once or Twice Against Hezekiah?»
(*Andrews University Seminary Studies*, IV, [1966], pp. 1-28).

argüir que estos dos relatos se refieran a dos campañas diferentes (parece tratarse, en realidad, de dos relatos paralelos) este punto no es vital para la cuestión que ahora nos interesa y podemos soslayarlo. Lo que importa es que II R 18, 14-16 (sin réplica en Isaías), y sólo esto, está notablemente confirmado y completado por la narración del propio Senaquerib sobre su campaña del 701 (5). En nuestro texto hemos tenido en cuenta esta narracion. Baste decir aquí que en ella se nos cuenta cómo los asirios, habiendo pactado con Ascalón y Eqrón, y habiendo derrotado a un ejército egipcio en Eltekah (cerca de Eqrón) (6), cayeron sobre Judá y la devastaron, encerrando a Ezequías en Jerusalén y forzando su rendición. Concluye diciendo que parte de Judá fue repartido entre los señores filisteos leales, que Ezequías fue cargado con un tributo anual fuertemente elevado y que el monarca judío envió el tributo a Senaquerib en Nínive. Esta narración es perfectamente paralela a 18, 13-16 de II R; no existe ningún conflicto digno de mención entre ambas narraciones. La fecha es el 701.

¿Qué relación guarda todo esto con la liberación de Jerusalén (no mencionada en las inscripciones asirias)? Conviene subrayar la mención de Tirhakah (Tirhacá) en el cap. 19, 9. Se admite, por supuesto, que Tirhakah no llegó a ser faraón hasta algunos años más tarde (ca. 690/89) (7), pero esto se ha explicado de ordinario como un insignificante anacronismo, que atribuye a Tarhakah, anticipadamente, el cargo que ocuparía algo después. Ahora bien, algunos textos publicados hace algunos años presentan la cuestión bajo un aspecto diferente (8). Estos textos nos dicen, en efecto, que Tirhakah tenía 20 años cuando vino por vez primera de Nubia al bajo Egipto para asociarse al trono con su hermano. Ignoramos, por supuesto,

---

(5)   Cf. Pritchard, ANET, pp. 287 s.

(6)   Se discute la localización exacta de estos lugares. Pero es indudable que Eqrón estaba en el extremo norte de las ciudades filisteas y no lejos de Eltekeh; cf. el texto de Senaquerib y Jos 19, 43 s.

(7)   Consta con certeza la fecha del inicio del reinado de Tirhakah gracias a la llamada «primera estela Serapeum», conocida desde hace más de un siglo. En ella se nos dice que un buey sagrado Apis, que había nacido el año treinta y seis del reinado de Tirhakah, murió en el año veinte de Psamético I, cuando tenía 21 años de edad. Como Psamético comenzó a reinar el año 664, se concluye que el reinado de Tirhakah (como rey o como corregente) se sitúa ca. 690. Se han discutido los argumentos de Macadam (cf. nota 8, *infra*), que supone una corregencia de seis años; cf. K. A. Kitchen, *Ancient Orient and Old Testament* (Inter-Varsity Press, 1966), pp. 82-84; también *op. cit.* (en nota 17, supra), pp. 148-173, 378-391. Pero cf. también las observaciones de Horn, *op. cit.*, pp. 3-11.

(8)   Cf. M. F. Laming Macadam, *The Temples of Kawa* (vol. I, Londres, Oxford University Press, 1949). Incluyen importantes discusiones: J. Leclant y J. Yoyotte, *Bulletin de l'Institut Francais d'Archéologie Orientale*, 51 (1952), pp. 17-27; J. M. A. Janssen, *Biblica*, 34 (1953), pp. 23-43; J. A. Wilson, JNES, XII (1953), pp. 63-65; también Albright, BASOR, 130 (1953), pp. 8-11.

la fecha precisa del nacimiento de Tirhakah, salvo el hecho de que
tuvo que ser antes (o pocos meses después) de la muerte de su padre,
Pianki (fecha, por lo demás, también desconocida). Tampoco sabemos en qué momento del reinado de Šebteko se trasladaron desde
Nubia el joven príncipe y sus hermanos. Pero si situamos los inicios
del reinado de Šebteko, en una fecha entre el 699 y el 695, como hacen
varios especialistas, Tirhakah no pudo estar al frente de un ejército
egipcio en Palestina en el año 701. En aquel momento, Tirhakah
apenas habría acabado de llegar de Nubia y, por lo demás, los dos
hermanos serían muy jóvenes (entre los 14 y los 18 años). Si ade-
lantamos el inicio del reinado de Šebteko al 701 o el 702 (como
quieren otros especialistas) (9), sería, por supuesto, posible una actividad de Tirhakah en Palestina en el 701. Pero esta opinión parte del
supuesto de que el faraón Šebteko hizo venir a su hermano a la corte
apenas se hizo con el trono (y no sabemos si sucedió así). Se tiene
que aceptar además la hipótesis, en realidad poco probable, de aue
se entregara el mando de una fuerza expedicionara en Palestina a un
joven inexperto, que hasta entonces había vivido en su patria Nubia,
y todo ello a los pocos meses (en este supuesto) de su llegada a la
corte. No hay solución definitiva para este problema. Pero, una vez
ponderados todos los factores, parece muy improbable, si no imposible, que el año 701 Tirhakah tuviera el mando de un ejército cuya
misión era detener el avance de Senaquerib.

Si tuviéramos que referir las dos narraciones de II R 18, 17-19 a
19, 37 a los hechos del 701 tal como nosotros los conocemos, sería
preciso admitir o bien que son legendarios y con muy escaso contenido histórico o bien que la mención de Tirhakah es un error.
Elegir la primera alternativa es un modo de proceder que carece de
justificación. Aunque ninguno de los dos relatos responde, bajo
ningún concepto, al género de los anales (mientras que sí lo es, en
cambio, 18, 13-16), sino más bien al de composiciones libres, confeccionadas, sin duda, entre los círculos de discípulos de Isaías, y re-
ponde básicamente al tipo denominado —por razones formales—
«leyendas proféticas», llama la atención el hecho de que en ellos no
hay rasgos fantásticos. Al contrario, ofrecen indicios de una notable
memoria, sobre todo en el caso de la narración A. No sólo recuerda
—de forma correcta— los nombres de los oficiales de Ezequías (el

---

(9)   Las fechas referentes a los primeros gobernantes de la XXV Dinastía
son inseguras y discutidas. Da una buena sinopsis de las diversas opiniones, con
referencias bibliográficas, Horn, *op. cit.*, p. 7. Sitúan el inicio del reinado de Šetbeko
en el año 690 Macadam, Albright, van der Meer, Gardiner y, recientemente,
K. Baer, JNES, XXXII (1973), pp. 4-25. Prefieren el año 701 ó 702 Leclant y
Yoyotte, Drioton y Vandier, y últimamente también Kitchen *(ibid.).*

primer ministro, Elyakim, el secretario real, Šebná) (10), sino que contiene (al igual que la narración B) alusiones a sucesos de los siglos IX y VIII confirmados por las inscripciones asirias (11). Más aún: al dar cuenta del discurso del rabšakeh (copero mayor) —del que nadie supone que fuera una copia tomada por un estenógrafo— el narrador demuestra un conocimiento exacto de las prácticas militares y diplomáticas de Asiria en aquel tiempo. Estos y otros rasgos similares no constituyen, por supuesto, una prueba de que ya por ello sean exactos todos y cada uno de los detalles de la narración. Pero sí hacen difícil creer que todo se reduzca a una invención posterior, a un mero producto de la imaginación. Más bien debieron ser compuestos cuando todavía se conservaba fresco en la memoria nacional el recuerdo de las invasiones asirias (y, a cuanto sabemos, después del reinado de Senaquerib Judá no conoció ya más invasiones de esta procedencia).

Respecto de la narración B, aunque su interés se centra en describir a Ezequías como el prototipo de monarca piadoso, cuya fe obtuvo la adecuada recompensa (con la adición de algún que otro rasgo «legendario»), no contiene nada que debe considerarse fantástico o increíble y nos obligue a considerarla ficticia (12). Evidentemente, la cifra de 185.000 asirios exterminados por el ángel de Dios es tan alta que parece imposible (13). Pero la noticia de que

---

(10) Cf. Is. 22, 15-25. Aquí anuncia el profeta que Šebná —por entonces «mayordomo» o «primer ministro»— sería relevado de su cargo, caería en desgracia y le sustituiría Elyaquim. Entre el período en que se profirió esta sentencia (desgraciadamente ignoramos la fecha) y los acontecimientos de II R 18, 17 a 19, 37 parece que se produjo una remodelación del gabinete, pero Šebná fue simplemente removido, sin por ello perder el favor real ni ser condenado al destierro, como predijo Isaías. (No sabemos si, en una época posterior, cayó o no en desgracia).

(11) Cf. Albright, BASOR, 130 (1953), pp. 8-11; 141 (1956), pp. 25 ss., donde enumera no menos de diez de estas alusiones. Más de un autor cree que esto «demuestra el carácter histórico del relato en su conjunto»; en todo caso, el hecho de que al menos *en estos puntos* el narrador acredite una buena memoria histórica sugiere que no vivió muy lejos de los acontecimientos (o que dispuso de una buena tradición sobre los mismos), lo que acrecienta nuestra creencia de que este relato no debe despacharse, sin más, como carente de fundamento histórico (que es, precisamente, el punto sujeto a discusión).

(12) Childs (*op. cit.*, pp. 94-103) se niega obstinadamente a entrar en el fondo histórico de la cuestión y concluye que la narración es una historización tardía (post-deuteronómica) basada en la tradición de Sión. Senaquerib personalizaría sencillamente los enemigos no identificados de Sal 46; 48, etc. En mi opinión, este punto de vista es poco convincente. Por supuesto, en la narración es evidente la influencia de la tradición de Sión; pero el fracaso de Senaquerib ha podido muy bien ser considerado como un ejemplo de la segura defensa de Sión por Dios, precisamente en razón de la correcta memoria histórica del relato.

(13) Cf. Horn, *op. cit.*, pp. 27 s.; este autor cree que la cifra original correcta es 5.180.

una epidemia paralizó el ejército asirio no tiene en sí nada de improbable y *tal vez* pueda ilustrarse por la tradición de Herodoto (II, 141)
de que el ejército de Senaquerib fue invadido por ratones (¿ratas?)
cerca de la frontera egipcia (14). Además, debe admitirse que aconteció alguna liberación dramática de Jerusalén, dado que únicamente
fue estimada y conservada para explicar el dogma de la estable
inviolabilidad de Sión posteriormente desarrollado, así como el hecho
de que los oráculos de Isaías habían profetizado esta liberación.
Puede asumirse que la narración de los cap. 18, 17 a 19, 37 refleja
hechos históricos.

Si admitimos que estas dos narraciones no carecen de base
histórica, pueden referirse a los acontecimientos del 701, con la
única condición de suponer que la mención de Tirhakah es un error
y de que Senaquerib no fue demasiado sincero con nosotros al afirmar
en sus inscripciones que su campaña fue un éxito mucho más completo
de lo que fue en realidad. No existe, a priori, la menor dificultad en
aceptar esta segunda hipótesis. Los reyes asirios no tenían por costumbre celebrar sus derrotas y se las apañaban bien para describir
sus descalabros como auténticas victorias. Nunca deben leerse sus
autoalabanzas sin ciertas reservas críticas. Si Senaquerib intentó
conquistar Jerusalén y fracasó en su empeño, si su ejército fue diezmado por la peste, o si por cualquier otra circunstancia se vio obligado a retirarse sin alcanzar sus objetivos, es más que probable que
no nos hubiera hablado para nada de estos temas. En la campaña del
701 pudieron ocurrir cosas cuyo recuerdo el monarca asirio no quiso
conservar para la posteridad. Ahora bien, es preciso añadir que si
sólo dispusiéramos de las inscripciones de Senaquerib y de II R 18,
13-16 (las dos narraciones se refieren *ciertamente* a los sucesos del
701), nadie pondría en duda que el resultado final de la campaña se
saldó con el éxito que Senaquerib dice haber obtenido. La mención de
Tirhakah sería un error, lo que entra, sin duda, dentro de lo posible.
La memoria humana es frágil y a todos nos ha jugado alguna vez una
mala pasada. Tal vez se la jugó también al viejo narrador. Pero no
hay que precipitarse a la hora de admitir esta suposición, y menos aún
precipitarse dogmáticamente. Como ya hemos visto, el narrador (A)
demuestra poseer una excelente memoria histórica sobre numerosos

---

(14)   El texto de Herodoto está tan alterado que muchos autores le niegan
toda confianza; p. e., W. Baugmgartner, «Herodots babylonische und assyrische
Nachrichten» (*Zum Alten Testament und seiner Umwelt* [Leiden, E. J. Brill, 1959],
pp. 282-331; cf. pp. 305-309). Ciertamente, de este texto no pueden extraerse
pruebas en ningún sentido. Pero es posible, como opinan algunos autores, que Herodoto incluya aquí una vaga noticia sobre algún desastre del ejército de Senaquerib en el período subsiguiente al reinado de Šabako (el historiador griego sitúa el
incidente en el reinado del sucesor de Šabako, pero de un nombre equivocado).

puntos (nombres, lugares, detalles de las prácticas asirias). ¿No sería posible (y hasta probable) que la tuviera también en este punto? ¿Es admisible que una tradición que recuerda con tanta exactitud hasta los nombres de los oficiales de Ezequías (ciertamente personajes de segunda fila de esta historia) haya olvidado o confundido el nombre del faraón de Egipto, que desempeñó un papel tan relevante en los acontecimientos? (15). Es posible, desde luego, pero no debe darse por demostrado. Desgraciadamente, no pueden aducirse pruebas en ninguno de los dos sentidos. Por un lado, es posible que un narrador que vivió aproximadamente una generación después de los acontecimientos haya puesto anacrónicamente el nombre de Tirhakah, por ser el faraón más conocido de aquel período. Por otro lado, es también igualmente probable que el historiador-compilador deuteronomista que situó la narración en su lugar actual y que vivió a mucha mayor distancia de los hechos, haya confundido, de forma anacrónica, narraciones que se refieren a dos campañas distintas (16). Esta segunda hipótesis parece más verosímil que la primera.

Pero concedamos, por el momento, que el nombre de Tirhakah es un error. Entonces, se abren dos caminos para reconstruir los sucesos y los especialistas (con infinita variedad en los detalles) han seguido ya uno ya otro, ya una combinación de ambos. Se puede suponer que los sucesos de 18, 17-19, 37 se sitúan, según el orden de la Biblia, poco después de la capitulación descrita en 18, 14-16 (17); o los vers. 13-16 pueden ser considerados como un resumen de toda la campaña, dentro de cuyo armazón han de ser ajustados los sucesos de 18, 17-19, 37 (18): o también puede adoptarse un compromiso entre estas dos hipótesis (19). Ambas reconstrucciones son admisibles y no puede demostrarse que una de ellas está equivocada (siempre, repitámoslo, bajo el supuesto de que el nombre de Tirhakah es un error). Pero también debe añadirse que ninguna de las dos es totalmente satisfactoria y que ambas están sujetas a numerosas objeciones positivas.

---

(15) Algo así como si un inglés que vive una generación después de la I Guerra Mundial y que demuestra poseer un excelente conocimiento de la política diplomática y de las tácticas militares germanas así como de los nombres de los ministros del gabinete británico de la época, confundiera al presidente Roosevelt con el presidente Wilson y al general Eisenhower con el general Pershing. Estas analogías no prueban nada, por supuesto; pero son sugerentes.

(16) Cf. Gray, op. cit. (1.ª ed.), pp. 604 ss.

(17) Así, por ejemplo, Kittel, GVI, II, pp. 430-439; más recientemente, Rowley, op. cit.; Eichrodt, op. cit. (ambos en la nota 3).

(18) Así A. Parrot, Nineveh and the Old Testament (trad. inglesa, Londres, SCM Press, 1955), pp. 51-63; Fohrer, op. cit. (en nota 3), pp. 152-157.

(19) Por ejemplo, Oesterley y Robinson, History of Israel (Oxford, Clarendon Press, 1932), pp. 393-399, 409 s. Da una buena síntesis de las reconstrucciones típicas Horn, op. cit.

2. La primera de estas reconstrucciones implica la suposición de que la liberación de Jerusalén tuvo lugar después de haberse rendido Ezequías y haber aceptado las estipulaciones de Senaquerib (es decir, después de los sucesos descritos en 18, 13-16 y en las inscripciones de Senaquerib). Hay que suponer que el monarca asirio, después de penetrar en la llanura filistea, derrotar a los egipcios en Eltekeh y someter a los vasallos rebeldes de la zona, regresó a Judá, la saqueó y puso cerco a Ezequías en Jerusalén. Entonces, Ezequías despachó mensajeros a Senaquerib, que estaba sitiando Lakíš, aceptando la rendición en los términos impuestos por éste y que, como ya hemos visto, aunque eran muy duros, no incluían la entrega de Jerusalén. Hay que suponer, además, que Senaquerib, arrepentido de su suavidad, acaso porque se estaba acercando un nuevo ejército egipcio al mando de Tirhakah (cap. 19, 9) y temía que Ezequías hostigara su retaguardia, despachó mensajeros exigiendo la entrega de Jerusalén al ejército asirio. Se trataba de una cláusula que iba mucho más allá de cuanto Ezequías había aceptado y que significaba de hecho ·l fin del reino de Judá. Ezequías, consternado ante la perfidia del rey de Asiria, prefirió antes la muerte que la rendición. Pero el hecho es que Senaquerib no pudo imponer sus condiciones. Ya fuera porque su ejército fue diezmado por la peste y, en esta situación de inferioridad, no quiso enfrentarse con el ejército egipcio que marchaba a su encuentro, o porque le llegaron noticias que exigían su presencia en la patria, o por ambas cosas a la vez, se vio obligado a retirarse precipitadamente, sin molestar a Jerusalén.

Debe admitirse que esta reconstrucción de los hechos tiene elementos persuasivos y que —si no fuera por la mención de Tirhakah— hace tanta justicia a los datos de que disponemos como pueda hacerlo cualquier otra interpretación. No obstante, se oponen a ella un buen número de objeciones, que, en su conjunto, tienen un peso considerable:

1.º Ezequías capituló porque estaba desamparado. Sus aliados habían sido aplastados, el ejército egipcio había sido derrotado en Eltekeh, y todo el territorio de Judá, con la sola excepción de la capital, había caído en poder de los asirios (cf. Is. 1, 4-9). Era inútil prolongar la resistencia y, por tanto, tomó la decisión de rendirse y entregarse a la merced de Senaquerib («Haré cuanto me digas», II R 18, 14). En tal situación, podría creerse que Senaquerib habría podido dictar cuantas condiciones quisiera —incluida la entrega de la persona del rey— y que Ezequías no habría tenido más opción que aceptarlas. Pero ni el texto bíblico (II R 18, 14-16) ni el propio Senaquerib nos hablan de otra cosa más que de un duro tributo, además de la disminución del territorio de Judá y —a tenor de otra versión de los anales de Senaquerib— la entrega de un copioso material de guerra (carros, escudos, lanzas, arcos y flechas, venablos, etc.) (20). Habría que suponer también, naturalmente, que Ezequías tendría que cumplir estas condiciones sin dilación y que respecto del tributo tendría que pagar en el acto la máxima cantidad que le fuera posible reunir. En esta situación, resulta difícil comprender cómo Ezequías pudo pensar en prolongar su resistencia el año 701 cuando —como se supone en esta hipótesis— a continuación Senaquerib aumentó sus exigencias hasta incluir la entrega de Jerusalén.

2.º Esta reconstrucción supone que la derrota de los egipcios en Eltekeh tuvo lugar antes de la primera capitulación de Ezequías. En realidad cabría admitir que fue precisamente esta derrota la que echó por tierra la confianza que Ezequías había depositado en la ayuda egipcia. Está fuera de toda duda que la derrota egipcia desempeñó un papel de fundamental importancia, porque hizo comprender a Ezequías que tenía que solicitar las condiciones de rendición. Pero a continuación (II R 19-25) —y según esta reconstrucción— se nos describe al rabšakeh o copero mayor de Senaquerib recriminando a Ezequías por prolongar (o reanudar) su resistencia aliado con Egipto. Resulta extraño. Algunos autores suponen que el discurso del rabšakeh, tal como lo reproduce la Biblia, es una especie de informe estenográfico y que no pueden extraerse muchas conclusiones de sus palabras. Pero, dado que los defensores de esta reconstrucción admiten generalmente que, en el momento del discurso, Ezequías todavía confiaba en la ayuda egipcia y que fue esa confianza la que dio pie a su decisión de seguir resistiendo, esta cuestión tiene su importancia. Se afirma a menudo que la fuerza egipcia derrotada en Eltekeh era muy pequeña —tal vez un simple destacamento en misión de descubierta— (21) y que estaba avanzando el grueso del ejército (bajo el mando de Tirhakah). Se trata de una hipótesis poco verosímil, por varios motivos. No hay, en realidad, ninguna razón para creer —salvo que así lo exige esta reconstrucción— que la fuerza de Eltekeh fuera pequeña, poco más que una avanzadilla. De haber sido así, el faraón demostraba poseer unos deplorables conocimientos de estrategia militar, al enfrentarse al ejército asirio con sus tropas divididas. Y si no se trataba de un contingente pequeño, resulta difícil admitir que los egipcios, viendo la poca confianza que podían tener en sus propias fuerzas, pudieran organizar, en el plazo máximo de un mes, un segundo ejército con el que pasar a la ofensiva. Y mucho más improbable aún es que el faraón llevara su ejército hasta el interior del territorio palestino, tras haber sufrido una derrota inicial y en un momento en que sus servicios de información debieron comunicarle que la rebelión en cuyo apoyo venía estaba totalmente

---

(20) Cf. D. D. Luckenbill, *The Annals of Sennacherib* (The University of Chicago Press, 1924), p. 60; Rowley, *op. cit.*, pp. 119 s.

(21) Por ejemplo, Rowley, *op. cit.*, pp. 122 s.

yugulada (al parecer, la primera capitulación de Ezequías significó el fin de la revuelta). Un segundo ejército egipcio de cierta importancia en el año 701 es una hipótesis sumamente improbable.

3.º Debe observarse, además, que las condiciones que, según nuestras fuentes, se le impusieron a Ezequías son, a primera vista, inconciliables entre sí. En II R 18, 12-12 se habla de un pesado tributo, que el rey pagó. Senaquerib dice que impuso un tributo anual, que luego incrementó, y que los enviados de Ezequías se lo llevaban a Nínive (lo cual no excluye, desde luego, la posibilidad y hasta la probabilidad de que recibiera una parte del pago al contado y en el momento mismo de la capitulación). Nos dice también que redujo el territorio de Ezequías —medida que, sin duda, tomó antes de abandonar Palestina. Todo ello implica la intención de dejar a Ezequías en el trono y de permitir la ulterior existencia del reino de Judá. Pero en su discurso (cap. 18, 31 ss.), el rabšakeh exige la rendición de Jerusalén y dice al pueblo (que ya parecía saberlo) que serían deportados pero que la rendición haría su suerte más llevadera. Y esto sólo puede significar que el reino de Judá habría llegado a su fin. (Independientemente del peso que queramos dar al discurso del copero mayor, tal como se nos ha transmitido, esto sería exactamente lo que sucedería, dadas las circunstancias, y a tenor del comportamiento usual de los asirios). ¿Cómo explicarse estas contradicciones? ¿Exigiría Senaquerib un tributo anual aumentado, decidiría después poner fin al reino de Judá y deportar a sus habitantes y luego, cuando Ezequías, con actitud desafiante, rehusó entregar Jerusalén (cuando ya se había rendido) resolvió conformarse con las primeras cláusulas de rendición? La reconstrucción que estamos analizando así lo admite. Según ella, una vez que Ezequías pidió —y aceptó— las condiciones de capitulación, Senaquerib elevó pérfidamente sus exigencias e intentó apoderarse de Jerusalén, pero una desafortunada (para él) combinación de circunstancias le impidió llevar adelante sus propósitos. Entonces, tuvo que conformarse, a la fuerza, con lo que ya había conseguido. No puede demostrarse, por supuesto, que esta reconstrucción de los hechos sea incorrecta. Pero resulta más fácil admitir que las únicas cláusulas impuestas por Senaquerib son las mencionadas por los anales de este monarca y por el cap. 18, 13-16 de II R (las dos únicas fuentes que *ciertamente* se refieren al año 701) y que nunca se exigió la entrega de Jerusalén. La relativa benignidad de Senaquerib respecto de Ezequías se explica fácilmente bajo el supuesto de que, una vez derrotados los egipcios y yugulada la rebelión en otras partes, el monarca asirio se dio por satisfecho con las cláusulas de capitulación impuestas a Ezequías, porque así se evitaba la pérdida de tiempo y de combatientes que le habría exigido el asedio y conquista de Jerusalén (esta misma operación le costó más tarde a Nabucodonosor un año y medio).

4.º Finalmente, el cap. 19, 7, 36 ss. indica (y el relato fue compuesto después de los hechos) que Senaquerib fue asesinado no mucho después de su tentativa de apoderarse de Jerusalén. Pero este asesinato se llevó a cabo 2 años después del 701. Tal vez no deba insistirse demasiado en este argumento. De hecho, para algunos autores esta aparente confusión de acontecimientos, unida a la mención de Tirhakah, es una prueba adicional de que el relato fue compuesto en una fecha mucho más tardía, cuando ya se habían desdibujado los recuerdos y sólo se conservaban las grandes líneas. Tal vez sea así. Pero hay que señalar que también puede extraerse la conclusión opuesta. Si los acontecimientos de 18, 17-19, 37 se desarrollaron justamente cuando Tirhakah era gobernante de Egipto, entonces no hay una confusión notable (tan sólo de seis o siete años, lo que, en la larga perspectiva de la historia, puede considerarse de escasa cuantía), y tendríamos entonces un indicador más de la correcta memoria histórica del narrador (o de la tradición de la que tomó sus datos). Y si no hay confusión de fechas entre el intento de Senaquerib por apoderarse de Jerusalén y su asesinato, entonces la confusión debe estar entre 18, 16 y 18, 17, pasaje en el que el historiador deuteronomista habría juntado las narraciones de dos campañas diferentes. Por todas estas razones —pero sobre todo porque la mención de Tirhakah no debe despacharse como un dato erróneo en el conjunto de las pruebas— resulta difícil considerar que los acontecimientos de 18, 17 a 19, 37 ocurrieron en el 701, a continuación de la capitulación de Ezequías de que se habla en 18, 13-16.

3. La segunda reconstrucción de los acontecimientos antes mencionada argumenta que los hechos narrados en 18, 17-19, 37 deben ser leídos como insertos en el marco de 18, 13-16, no como su continuación. Aunque esta reconstrucción evita algunas de las dificultades con que tropieza la primera, suscita otras, que son incluso más graves. Presupone, en efecto, algo parecido a lo siguiente: mientras Senaquerib estaba sitiando Lakíš (18, 14), Ezequías envió una embajada pidiendo condiciones. Senaquerib, muy ocupado por el momento, envió al rabšakeh para exigir la rendición incondicioal (18, 17-19, 7), que Ezequías rechazó, animado por Isaías. El rabšakeh volvió (19, 8) encontrando a Senaquerib en Libná, pues Lakíš había sido ya conquistada mientras tanto. Por este tiempo, se acercaron los egipcios (el ejército mandado por Tirhakah y el mencionado por Senaquerib son el mismo) y Senaquerib les salió al encuentro y los derrotó en Eltekeh. Mientras tanto, envió un segundo mensaje a Ezequías (19, 9-13) (22) que, por este tiempo (a pesar de la impresión

---

(22) Así algunos autores, por ejemplo, Parrot, *op. cit.* Otros creen que hubo sólo un mensaje, despachado cuando Senaquerib estaba devastando las ciudades exteriores de Judá.

producida por la narración) cedió y pagó el tributo exigido, como nos dicen 18, 14-16 y Senaquerib. Pero poco después, ya fuera porque Senaquerib suavizó un tanto sus condiciones al rendirse Jerusalén sin presentar batalla, o porque una peste diezmó el ejército, por otras razones, los asirios se retiraron sin ocupar la ciudad y sin ulteriores represalias.

Aunque esta reconstrucción tiene el mérito de que no hace necesario suponer que hubo dos ejércitos egipcios marchando sobre Palestina el año 701, o que Ezequías decidiera continuar resistiendo después de haber capitulado, también presenta un cierto número de puntos discutibles.

1.º Al igual que la primera reconstrucción, exige que consideremos la mención del nombre de Tirhakah como un error (suposición contra la que ya hemos expresado nuestras fuertes reservas) e implica la misma aparente confusión o combinación de las fechas de la muerte de Senaquerib (en el año 681) y de los acontecimientos del 701.

2.º Hay que decir, además, que esta reconstrucción no da la debida importancia a la tradición bíblica de la liberación de Jerusaléj. Nos obliga a admitir que la campaña del 701 concluyó con la miserable sumisión de Ezequías y el pago de un tributo y, sin embargo, aquí se originó una (doble) tradición de la liberación milagrosa, que quedó grabada para siempre en la memoria nacional. Esto parece sumamente improbable. Es indudable que la acción de Ezequías salvó a la ciudad del asalto y la destrucción y a su pueblo de la deportación o de un destino peor. Resulta, por tanto, muy difícil admitir que la humillación descrita en 18, 14-16 y confirmada por Senaquerib haya podido ser interpretada en el sentido de una demostración de la capacidad de Yahvéh para defender a Sión de sus enemigos.

3.º El oráculo de Isaías a Ezequías (19, 32-34) promete no sólo que los asirios no conquistarán la ciudad, sino, literalmente, que «no se acercarán a ella» y que se volverán a su casa por otro camino. Pero esto parece estar en contradicción con lo que el mismo Isaías dice justamente antes del 701 (cf. Is. 29, 1-4), donde afirma que Jerusalén sería sitiada. No consta con certeza que el principal ejército asirio llegara hasta Jerusalén el año 701, ni tampoco que tomara la ciudad al asalto. Ahora bien, Senaquerib nos dice que cercó a Jerusalén con terraplenes y que obligó a Ezequías a rendirse. ¿Pudo pronunciar Isaías en el 701 las palabras que refieren II R 19, 32-34? Si las dijo en aquella ocasión, se equivocó: y si se equivocó (es decir, si la ciudad fue asediada y rendida), ¿cómo pudo darse tanta importancia a sus palabras, que aseguraban la inviolabilidad de Jerusalén?

4.º Esta reconstrucción presupone, al menos en alguna de las formas en que es presentada, que mientras existió la esperanza de la ayuda egipcia, Senaquerib impuso a Ezequías cláusulas irrazonables (rendición incondicional y anuncio de deportación) y que después, cuando los egipcios habían sido derrotados y Ezequías estaba falto de ayuda, fue aceptada la rendición en condiciones más benignas. Resulta extraño.

5.º Finalmente, suponer que el ejército de «Tirhakah» y el vencido en Eltekeh eran el mismo envuelve dificultades topográficas, si es que debe concederse algún valor a las palabras de 19, 8 s. Según este pasaje, «Tirhakah» se acercó después de que Senaquerib se había apoderado de Lakíš y marchaba contra Libná. Senaquerib, sin embargo, nos dice que el ejército derrotado en Eltekeh venía en socorro de Eqrón y que el encuentro se produjo antes de que Eqrón, Eltekeh y Timná fueran conquistadas. Dado que Lakíš está considerablemente al sur de los lugares antes mencionados (con Libná a medio camino entre ellos), habría que suponer que Senaquerib se movió al área del sur de Joppe, a través del territorio de Eqrón, dejándole ileso, redujo a Lakíš y se volvió sobre Libná, devastando mientras tanto a Judá *antes de* volver *hacia el norte* para salir al paso de los egipcios en Eltekeh y conquistar Eqrón. No es un cuadro imposible. Pero no tenemos noticias de movimientos de este tipo ni tampoco aparecen en los anales de Senquerib.

4. Como añadidura a lo anterior, y aunque por razones de espacio es imposible ampliar el debate a cuestiones críticas y exegéticas, las afirmaciones de Isaías referentes a la crisis asiria se entienden mejor, o así me lo parece, en el supuesto de que hubo dos invasiones de Senaquerib. Los oráculos a él atribuidos en II R 18, 17-19, 37 (Is. 36 ss.) expresan todos tranquila seguridad de que Jerusalén será salvada y Asiria quebrantada por el poder de Yahvéh. Algunos otros oráculos, incuestionablemente de Isaías (p. e. 14, 14-27; 17, 12-14; 29, 5-8; 31, 4-9) tienen un tono semejante y dejan pocas dudas de que Isaías, al menos durante un cierto período de su vida, expresó realmente tales pensamientos. Sin embargo, sus oráculos conocidos de los años 701 e inmediatamente anteriores (p. e. 28, 14-22; 30, 1-7, 8-17; 31, 1-3) muestran claramente que denunció con firmeza la rebelión y la alianza egipcia en que se apoyaba, como una locura y un pecado, y predijo para ella un inmenso desastre. En el año 701, cuando Senaquerib había devastado todo el territorio y cercado la ciudad (cap. 1, 1-9), aconsejó la rendición, si es que las palabras tienen algún valor («¿Por qué seguir combatiendo (por qué continuar la rebelión?») (ver. 5). El cap. 21, 1-14, escrito probablemente cuando los asirios abandonaron el sitio y se retiraron, sugiere que nada, durante el transcurso de los sucesos, le había obligado a

cambiar de opinión sobre el carácter y la política nacionales. No es fácil admitir que en un mismo año aconsejara la rendición y prometiera la liberación.

Es cierto, por supuesto, que la polaridad del pensamiento isaíano respecto de Asiria no puede explicarse como una evolución de sus puntos de vista en el curso de su vida, ni como un artificio de su posición teológica a causa de diferentes combinaciones de circunstancias (23). Para él, Asiria no fue nunca otra cosa que un simple instrumento en manos de Dios y nunca creyó que sería Asiria quien tendría la última palabra en la historia. Al contrario, una vez cumplida su misión, llegaría a su fin, en castigo por su blasfema arrogancia (por ejemplo cap. 10, 5-19). Por consiguiente, en algún momento de su vida el profeta pudo haber anunciado la destrucción final de Asiria. Pero es sencillamente inconcebible que en el curso de una misma rebelión (la que culminó en el 701) expresara *a la vez* *ambas* convicciones, es decir, que anunciara simultáneamente un desastre para Judá (p. e. cap. 30, 8-17) y la promesa de que Dios la protegería y quebrantaría el poder asirio (p. e. cap. 14, 24-27; 31, 4-9), que anunciara el asedio de Jerusalén (cap. 29, 1-14) y que no fuera asediada (cap. 37, 33-35), que aconsejara a la vez la rendición (cap. 1, 5) y la resistencia. Hubo siempre en el pensamiento de Isaías una polaridad respecto de Asiria y los dos tipos de aseveraciones eran producto legítimo de su teología. Pero es difícil que hiciera dos predicciones tan marcadamente opuestas —e incluso, a primera vista, tan contradictorias— en una misma ocasión. Es preciso suponer dos diversos cúmulos de circunstancias.

Puede argüirse, por supuesto, y así lo hacen los defensores de la primera reconstrucción, que Isaías cambió súbitamente de actitud el año 701. Es cierto que denunció la rebelión, que predijo que acabaría en un desastre y que instó a la rendición. Pero luego, cuando Senaquerib violó insidiosamente las cláusulas bajo las que se había rendido Ezequías y exigió la entrega de Jerusalén, el profeta se convenció de que con aquella alevosía y arrogante orgullo, Asiria había desbordado, la paciencia divina y que Dios intervendría en defensa de la ciudad y la salvaría, de acuerdo con las promesas hechas a David. Más tarde, y una vez retirado el ejército asirio, Isaías descubrió desilusionado (cap. 22, 1-14) que la reciente experiencia no había servido de nada, no había movido al pueblo a penitencia, a gratitud y a confianza en Dios. Es preciso admitir que esta explicación elimina las aparentes contradicciones que se descubren en el mensaje de Isaías referido a los acontecimientos del 701 y que muchos autores aceptan este punto

---

(23) Como observa, muy acertadamente, Childs, *op. cit.*, p. 120. Pero ha sido también, desde siempre, mi opinión, aunque Childs parece atribuirme otra distinta.

de vista. Pero aparte el hecho de que presupone dos cambios de actitud radicales en Isaías en un período de tiempo muy corto, esta explicación da por buena la primera reconstrucción de los acontecimientos antes descrita y acerca de la cual ya hemos expuesto nuestras reservas por otros motivos. Atendido este hecho y atendida la conocida postura de Isaías en el año 701 y los inmediatamente anteriores, es preciso aceptar la posibilidad de que algunos de los oráculos que anunciaban la segura defensa de Sión por parte de Dios y su determinación de destruir a Asiria debieron ser pronunciados durante la segunda invasión asiria, situación a la que se adaptan magníficamente (24).

Repitamos una vez más que nada de cuanto hemos venido diciendo aporta una prueba concluyente. No es posible dar una respuesta definitiva. Pero a la vista de las razones expuestas, habría que considerar la posibilidad de que el libro de los Reyes haya fundido la narración de dos campañas, una en el 701 (II R 18, 13-16) y la otra más tarde (18, 17-19, 37). Esta interpretación, que es la que hemos desarrollado en el texto, sugiere que mientras Senaquerib estaba ocupado en la subyugación de Babilonia, después de su derrota a manos de los babilonios y elamitas, el 691, estalló una nueva rebelión en el oeste, respaldada por Tirhakah, a la cual fue arrastrado Ezequías. Senaquerib marchó posiblemente contra ellos ca. 688 (tras haber derrotado a Babilonia el año anterior) y fue entonces cuando tuvo lugar la maravillosa liberación de Jerusalén. Ezequías se salvó sin duda de ulteriores represalias por su muerte, más o menos un año después (687/6). Es absolutamente cierto que las inscripciones asirias no mencionan tal campaña. Pero debemos decir que apenas si tenemos información de ninguna clase referente a los últimos años del reinado de Senaquerib (después de ca. 689) (25). Aunque una nueva luz puede cambiar el cuadro, y a pesar de que ciertamente debe evitarse todo dogmatismo, la teoría de dos campañas parece hacer mejor las pruebas, al menos por el momento.

---

(24) Algunos oráculos de Isaías, por ejemplo 10, 20 s., 24-27 parecen indicar claramente que los horrores del 701 pertenecen ya al pasado y que miran al futuro, del que esperan un pronto cambio de la situación gracias a la intervención divina. En contra del parecer de muchos, nunca he podido convencerme de que estos oráculos no procedan del mismo Isaías. Fuera como fuere, estos textos muestran que después del 701 el pueblo esperaba ansiosamente una inminente liberación de la tiranía asiria. Una nueva rebelión, en los años finales del reinado de Senaquerib, está muy lejos de constituir una imposibilidad histórica.

(25) La única excepción tal vez la constituya un fragmento de una losa de alabastro, que menciona una campaña contra los árabes. Este dato añadiría alguna mayor probabilidad a la posibilidad de ulteriores actividades militares en el oeste pero nada más.

Capítulo 8

EL REINO DE JUDA

La Ultima Centuria

ENTRE LA muerte de Ezequías y la caída final de Jerusalén bajo los babilonios media exactamente un siglo. 687/587). Raras veces ha experimentado una nación tantos, tan dramáticos y tan repentinos cambios de fortuna en tan corto espacio de tiempo. Durante la primera mitad de este período Judá conoció, como vasallo de Asiria, una rápida sucesión de épocas de independencia y de sometimiento, primero respecto de Egipto, después respecto de Babilonia, para acabar aniquilándose a sí mismo en rebelión inútil contra esta última. Tan rápidamente se sucedieron unas a otras estas fases que un hombre, como Jeremías, pudo presenciarlas todas.

Nuestras principales fuentes bíblicas de esta historia —una vez más el libro de los Reyes (II R 21-25) completado por el libro de las Crónicas (II Cr. 33-36)— son más bien pobres y dejan muchas lagunas. Sin embargo, proporcionan considerable información adicional los libros de los profetas que ejercieron su ministerio por este tiempo, especialmente Jeremías, pero también Ezequiel, Sofonías, Nahúm y Habacuc. Además, fuentes cuneiformes, particularmente la Crónica babilónica que ilumina nítidamente la última parte del período, nos permiten completar el cuadro de una manera que no hubiera sido posible con las solas fuentes bíblicas.

A. EL FINAL DEL DOMINIO ASIRIO: JUDA RECOBRA LA INDEPENDENCIA

1. *Judá hacia la mitad del siglo VII.* Como ya hemos dicho, la lucha de Ezequías por la independencia había fracasado. Es probable que sólo su muerte le salvara de severas represalias por parte de Senaquerib. Su hijo Manasés, que subió al trono siendo un muchacho (II R 21, 1), abandonó la resistencia y se declaró vasallo leal de Asiria.

a. *Cenit de la expansión asiria.* Humanamente hablando, Manasés apenas tenía otra alternativa. En el segundo cuarto del siglo VII el imperio asirio alcanzó sus mayores dimensiones, y haberle resistido hubiera sido inútil y suicida. Senaquerib fue asesinado por algunos de sus hijos (II R 19, 37) (1) y sucedido por Esarhaddón (680-669), un hijo joven, que demostró ser un gobernante excepcionalmente vigoroso. Asegurándose rápidamente en el poder, Esarhaddón intentó en primer lugar estabilizar la situación en Babilonia, y con este fin restauró la ciudad y el templo de Marduk, que su padre había destruido. Esto, junto con varias campañas, que no podemos detallar, le ocuparon los primeros años de su reinado, tras los cuales centró su atención en la conquista de Egipto. Puesto que Egipto había mantenido prácticamente todas las rebeliones que habían perturbado la parte oeste del imperio asirio, esta empresa tenía la intención, sin duda, de atajar el mal en su misma fuente de una vez por todas. Aunque un intento inicial (ca. 674/3) fue rechazado, según parece, en la frontera, Esarhaddón acabó venciendo. El 671 sus tropas derrotaron a Tirhakah y se apoderaron de Memfis, donde prendieron a la familia real junto con los tesoros de la corte egipcia. Los príncipes egipcios tuvieron que pagar tributo y gobernaron sus distritos bajo la supervisión de los asirios.

Esto no significó, desde luego, el fin de la resistencia egipcia. Apenas se había retirado el ejército asirio cuando Tirhakah, que había huido hacia el sur, promovió una rebelión, haciendo necesaria una segunda campaña. Esarhaddón, hombre enfermizo, murió durante la marcha. Pero su hijo y sucesor, Assurbanapal (668-627), apresuró la campaña y aplastó la rebelión (ca. 667). Tirhakah huyó de nuevo hacia el sur, donde al cabo de algunos años (ca. 664) murió. Los príncipes rebeldes fueron llevados a Babilonia y ejecutados, excepto únicamente Necao, un príncipe de Sais, que con su hijo Psammético fue personado y reintegrado a su posición (2). Posteriormente, cuando el sucesor de Tirhakah, Tanutamum continuó promoviendo disturbios, los asirios (663) marcharon hacia el sur a lo largo del Nilo, llegando hasta Tebas, conquistaron esta antigua capital y la destruyeron (cf. Na. 3, 8). El faraón huyó a Nubia y la Dinastía XXV llegó a su fin. Destruido el único poder capaz de mantener la resistencia contra Asiria, no hay por qué admirarse de que Manasés permaneciera fiel.

b. *Reinado de Manasés (687/6-642:) negocios internos.* Por todo lo que por el libro de los Reyes podemos conocer, y por las inscripciones asirias, Manasés continuó siendo vasallo leal de Asiria a todo lo largo de su reinado. Essarhaddón le enumera entre los veintidós reyes obligados a aportar materiales para sus proyectos de construcción, mientras que Assurbanapal le nombra entre un grupo de vasallos que le ayudaron en su campaña contra Egipto (3). Según II Cr. 33,

(1)   Cf. Pritchard, ANET, p. 289, para los textos asirios.
(2)   Pritchard, ANET, pp. 294 ss., para detalles.
(3)   Pritchard, ANET, pp, 291-294.

11-13 fue en una ocasión conducido encadenado ante el rey de Asiria, probablemente por sospecha de deslealtad, pero fue·tratado con benignidad y restaurado en su trono. Aunque ni el libro de los Reyes ni las memorias asirias mencionan este incidente, es completamente razonable suponer que tiene base histórica, posiblemente en conexión con la revuelta de Šamas-šum-ukin (652-648), de la que hablaremos enseguida (4). No podemos precisar si Manasés fue hallado inocente o fue perdonado, como lo había sido el príncipe egipcio Necao. Pero es muy posible que él fuera leal a Asiria porque no le cabía más remedio y que de buena gana hubiera defendido su independencia si le hubiera sido posible.

No obstante, la política de Manasés significó un rompimiento total con la de Ezequías y una vuelta a la de Ajaz. Sus consecuencias, especialmente en lo relativo a materias religiosas, fueron serias (II R 21, 3-7). Como antes su abuelo, también Manasés se vio obligado, al parecer, a rendir culto a los dioses supremos. En el Templo mismo se erigieron altares a las divinidades astrales, probablemente de origen mesopotámico (5). Estas acciones, sin embargo, llegaron más allá de lo meramente formulístico y constituyeron un completo repudio del partido reformista y de todas sus obras. Los suntuarios locales de Yahvéh, que Ezequías había intentado suprimir, fueron restaurados. Se permitió que florecieran los cultos y prácticas paganas, tanto nativas como extranjeras, siendo toleradas incluso en el Templo (v. 7; cf. 23, 4-7; Sof. 1, 1 ss.) las ceremonias de la religión de la fertilidad y el rito de la prostitución sagrada. La adivinación y la magia, que gozaban ordinariamente de gran popularidad en Asiria (6), estuvieron de moda en Jerusalén (II R 21, 6), lo mismo que otras modas extranjeras de diversas clases (Sof. 1, 8). El rito bárbaro del sacrificio humano hizo de nuevo su aparición.

Es, por supuesto, probable, que muchas de estas cosas no representaran un abandono consciente de la religión nacional. La naturaleza del primitivo yahvismo había sido tan profundamente olvidada, y los ritos incompatibles con él tan largo tiempo practicados,

---

(4) Cf. W. Rudolph, *Chronikbücher* (HAT, 1955), pp. 315-317; Kittel, GVI, II, p. 399. Otros autores, en cambio, relacionan el incidente con la gran asamblea celebrada en el 672, convocada para asegurar la sucesión de Assurbanapal al trono y suponen que Manasés tuvo que asistir a la ceremonia para prestar juramento de vasallaje; así, D. J. Wiseman, *Iraq*, XX (1958), p. 4; cf. también R. Frankena, *Oudtestamentische Studiën*, XIV (1965), pp. 150-152.

(5) En ninguna parte se nos dice que estos dioses fueran específicamente asirios, pero es prácticamente seguro que lo eran. Aunque, como ya hemos dicho (cf. p. 330, nota 22 y las obras aquí citadas), no hay pruebas claras de que los asirios obligaran a los reyes vasallos a rendir culto a sus dioses, es muy comprensible que muchos de estos vasallos se vieran compelidos a hacerlo.

(6) Cf. F. M. T. de L. Böhl, «Das Zeitalter der Sargoniden» (*Opera Minora* [Groningen, J. B. Wolters, 1953], pp. 384-422), para obtener una idea del papel desempeñado en la corte asiria por las artes ocultas.

que en muchos espíritus se había oscurecido la distinción esencial
entre Yahvéh y los dioses paganos. Era posible que este pueblo practicara estos ritos, junto con el culto a Yahvéh, sin darse cuenta de
que al obrar así se estaba alejando de la fe nacional. La situación
encerraba un inmenso y, en algunos aspectos, nuevo peligro para la
integridad religiosa de Israel. El yahvismo corría el riesgo de desli-
zarse, inconscientemente, hacia un abierto politeísmo. Dado que
siempre se había pensado en Yahvéh como rodeado de su ejército
celestial, y puesto que los cuerpos celestes habían sido considerados
popularmente como miembros de este ejército, la introducción de
los cultos a las divinidades celestes incitó al pueblo a juzgar a estos
dioses paganos como miembros de la corte de Yahvéh, y a conce-
derles adoración como tales. De no haberse reprimido esto, pronto
se hubiera convertido Yahvéh en el jefe de un panteón, y la fe de Israel se hubiera prostituido por completo. Por añadidura, la decadencia de la religión nacional trajo consigo el desprecio de la ley
de Yahvéh y nuevos incidentes de violencia e injusticia (Sof. 1, 9;
3, 1-7), junto con cierto escepticismo respecto a la capacidad de
Yahvéh para intervenir en los sucesos de la historia (1, 12). La reforma de Ezequías fue completamente cancelada y la voz de los profetas reducida al silencio; aquellos que protestaron —y según parece
hubo quien lo hizo— fueron tratados con dureza (II R 21, 16). El
autor del libro de los Reyes no puede decir ni una sola palabra buena
de Manasés, sino que, por el contrario, le señala como el peor rey
que nunca se sentó en el trono de David, cuyo pecado fue tal que no
pudo ser nunca perdonado (21, 9-15; 24 ss.; cf. Jr. 15, 1-4) (7).

2. *Ultimos días del imperio asirio*. Aunque Asiria había alcanzado
la cumbre de su poder, comenzaba a cernirse sobre ella la sombra de
un inmenso desastre que acabó, en efecto, por cubrirla enteramente.
Su macizo imperio tenía una frágil estructura que debía ser constantemente mantenida por la violencia. Los incesantes esfuerzos por imponer docilidad a los sometidos, todos los cuales, sin excepción, sólo
podían sentir odio hacia ella, estaban comenzando a producir sus
efectos, al mismo tiempo que nuevas potencias comenzaban a aparecer allende sus fronteras, a las que, falta de fuerzas, no pudo hacer
frente. Los hombres que habían crecido en la mitad del siglo VII podrían ver al imperio asirio resquebrajarse y desaparecer de la faz
de la tierra.

a. *Amenazas internas y externas para el imperio de Asiria*. Aunque
Asiria no tenía rival en ningún poder del mundo, tenía bastantes
enemigos, tanto dentro como fuera. En Babilonia, donde Šamaš-

---

(7) II Cr. 33, 15-17 nos habla del arrepentimiento y reformas de Manasés;
cf. también la oración apócrifa de Manasés. Pero por II R cap. 23 se ve claro que
los abusos de que se hizo responsable continuaron hasta que Josías los reprimió.

šum-ukin, hermano mayor de Assurbanapal gobernaba como rey delegado, seguía reinando la inquietud entre los elementos caldeos (arameos) de la población (8) que, como de costumbre, podían contar con la ayuda de Elam en el este. Por el lado opuesto del imperio, Egipto no podía ser controlado de un modo eficaz. Psammético I (664-610), hijo de Necao, hacia quien los asirios habían mostrado benevolencia, aunque nominalmente vasallo, extendió gradualmente su poder hasta que la mayor parte de Egipto estuvo bajo su dominio. Es probable que tan pronto como se sintió lo suficientemente fuerte (ca. 655 o poco después), negara el tributo y se declarase formalmente independiente (9). Así dio comienzo la Dinastía XXVI (saíta). Psammético tenía el apoyo de Gyges de Lidia, otro enemigo de Asiria que anhelaba promover disturbios contra ella por todos los medios a su alcance. Assurbanapal, ocupado en otras partes, no estaba en situación de tomar contramedidas eficaces.

Una amenaza más seria para Asiria provenía de algunos pueblos indo-arios que estaban presionando sobre sus frontera norte. Entre éstos estaban, desde luego, los medos, que se encontraban en el oeste del Irán desde el siglo IX; los reyes asirios habían salido a campaña contra ellos repetidas veces y los habían sometido en parte. Al final del siglo VIII, como ya hemos notado más arriba, oleadas de bárbaros cimerios habían descendido desde más allá del Cáucaso, seguidos por los escitas. Los cimerios habían avanzado arrasando Urartu, durante el reinado de Sargón II, y presionando después sobre el Asia Menor habían destruido el reino de Midas en Frigia. En el siglo VII, otros cimerios y escitas estaban establecidos en el noroeste del Irán. Esarhaddón intentó protegerse de estos pueblos aliándose con los escitas contra los cimerios y los medos. Assurbanapal combatió a los cimerios en Asia Menor, como lo había hecho Gyges de Lidia, que finalmente cayó en una batalla contra ellos. Aunque Assurbanapal salió victorioso en todas sus batallas, y protegió con éxito sus fronteras, un perspicaz observador podía preguntarse qué sucedería cuando se derrumbara el dique.

En 652 Assurbanapal hizo frente a un levantamiento que amenazaba con desgarrar el imperio. En Babilonia estalló una rebelión general, dirigida por su propio hermano Šamaš-šum-ukin y respaldada por la población caldea de la región y también por los elamitas y diversos pueblos de las tierras altas del Irán. En el oeste se extendía

---

(8) La misma población de Asiria era, en buena parte, aramea, y la lengua aramea comenzaba a suplantar a la asiria como lengua de la diplomacia y el comercio; II R 18, 26 nos ofrece pruebas de este proceso ya una generación antes. Cf. R. A. Bowman, «Arameans, Aramaic and the Bible» (JNES, VII [1948], pp. 65-90); también A. Jettery, «Aramaic» (IDB, I, pp. 185-190), con bibliografía.

(9) Cf. F. K. Kienitz, *Die politische Geschichte Ägypten von 7 biz zum 4 Jahrhundert vor der Zeitwende* (Berlín, Akademie-Verlag, 1953), pp. 12-17, para discusión.

el descontento por Palestina y Siria, instigado, casi con certeza, por Psammético (o Psamético), independizado por este tiempo del control asirio. Es muy posible que, como se ha señalado más arriba, Judá fuese uno de los complicados, o estuviera tan cercano a ello como para caer bajo una grave sospecha (II Cr. 33, 11). Por este mismo tiempo, las tribus árabes del desierto de Siria aprovecharon la oportunidad para atacar a los estados vasallos de Asiria: Palestina y Siria por el este y Edom y Moab por el norte, hasta el área de Zobá, sembrando por doquier ruina y destrucción. Fue, en verdad, una emergencia de primera magnitud.

Aunque Assurbanapal dominó la situación, fue sólo después de una lucha encarnizada que sacudió el imperio desde sus cimientos. En el 648, Babilonia fue conquistada, después de dos años de asedio; Šamaš-šum-ukin se suicidió. Posteriormente, Assurbanapal volvió sobre Elam, se apoderó de Susa (ca. 640) y acabó con el Estado elamita. También tomó venganza de las tribus árabes (10) y reafirmó su autoridad en Palestina, instalando en Samaría y en otros lugares del oeste (Esd. 4, 9 ss.) pueblos deportados desde Elam y Babilonia (11). La reconquista de Egipto, sin embargo, quedó por el momento descartada. Es muy posible que Assurbanapal mostrara clemencia hacia Manasés y le permitiera reforzar sus fortificaciones (II Cr. 33, 14) con el fin de ganarse un vasallo cerca de la frontera egipcia que estuviera preparado y fuera capaz de defender el reino contra una posible agresión por este costado (12).

b.   *Colapso de Asiria.* Los últimos años de Assurbanapal son poco conocidos. Según parece, después de someter a todos sus enemigos, encontró tiempo para obras de paz, coleccionando, entre otras cosas, una gran biblioteca donde fueron guardadas copias de mitos y épicas de la antigua Babilonia, incluyendo las narraciones babilónicas de la creación y del diluvio, cuyo descubrimiento, hace justamente un siglo, causó una sensación sin precedentes. Pero cuando murió —el 627, según una estimación reciente (13)— el fin estaba próximo. La estructura gargantuesca de Asiria vacilaba en sus cimientos, se tambaleaba y por fin se vino abajo; en menos de 20 años Asiria dejó de existir.

---

(10)   Cf. Pritchard, ANET, pp. 297-301, para los textos.

(11)   Osnappar es Assurbanapal. También de Esarhaddón se dice que llevó deportados a Samaría (Esd. 4, 2).

(12)   Esta es, probablemente, la mejor explicación de II Cr. 33, 14; cf. Rudolph, *op. cit.,* p. 317.

(13)   Según la inscripción de Nabonides descubierta en Jarrán, que indica que Assurbanapal reinó hasta su año 42; cf. Pritchard, ANET *Sup.* pp. 560-562, para el texto. Respecto de la discusión, cf. especialmente C. J. Gadd, *Anatolian Studies* 8 (1958), pp. 35-92; también R. Borger, *Wiener Zeitschr fit für die Kunde des Morgenlandes,* 55 (1959), pp. 62-76.

El orden exacto de los acontecimientos es inseguro. Al parecer, Assurbanapal asoció al trono, desde 629, a su hijo Sin-šar-iškun. Cuando murió el anciano monarca, cierto general, que deseaba poner en el trono a otro hijo, Assur-etil-ilani provocó una revuelta general que se prolongó durante varios años (¿627-624?) antes de que Sin-šar-iškun pudiera alcanzar el triunfo definitivo (14). Aunque reina una total oscuridad sobre los detalles, puede suponerse que el resultado final de estas turbulencias internas, que conmovieron toda la maciza estructura del imperio, fue una desatrosa debilidad de Asiria. Es posible que en este período se produjera el fracasado asalto a Nínive desencadenado por los medos de que nos habla Herodoto (I, 103), que sólo pudo ser rechazado gracias a la ayuda de los escitas y en el curso del cual perdió la vida el rey medo Fraortes (15). De ser así, es también probable que la irrupción de los escitas sobre el oeste asiático mencionado por Herodoto (I, 103-106) tuviera lugar (si es que ocurrió, dado que el relato puede tener una cierta base histórica) en los años turbulentos posteriores al 625, coincidiendo con el colapso final de Asiria (16). Pero, en el estado actual de nuestros conocimientos, es imposible una mayor precisión. Los medos en todo caso, estuvieron preparados muy pronto, bajo Ciajares, hijo de Fraortes (ca. 625-585), para pasar a la ofensiva contra Asiria. Mientras tanto, los babilonios, capitaneados por el príncipe caldeo Nabopolasar (626-605) —que llegó a ser el fundador del imperio neo-babilónico— lucharon de nuevo por la independencia. En octubre del 626 Nabopolasar derrotó a los asirios de Babilonia y al mes siguiente ocupó el trono (17). A pesar de repetidos esfuerzos, los asirios no le pudieron desalojar.

Al cabo de unos pocos años, Asiria estaba luchando por su propia existencia contra babilonios y medos. En esta hora desesperada, sorprendentemente, encontró un aliado en Egipto. Según parece, Psammético, comprendiendo que Asiria no podría ya ser una ame-

---

(14)   Nuestra reconstrucción sigue la de Albright; cf. BP, p. 108, nota 155. Pero Borger (ibid.) cree que Sin-šar-iškun y Assur-etililani eran la misma persona y que el segundo nombre era el nombre de trono.

(15)   Cf. R. Labat, «Kaštariti, Phraorte et les débuts de l'histoire mede» (Journal Asiatique, 249 [1961], pp. 1-12), quien presenta convincentes argumentos según los cuales Herodoto habría intentado incluir los años del dominio escita a que se refiere dentro del reinado de Ciajares, sucesor de Fraortes, y que este último fue asesinado ca. 625.

(16)   Para el análisis de esta discutida cuestión cf. inter alia, Labat, ibid.; A. Malamat, IEJ, I (1950/1951), pp. 154-159; B. Otzen, Stüdien uber Deuterosacharja (Copenhague, Munksgaard, 1964), pp. 78-95; A. Cazelles, «Sophonie, Jérémie et les Scythes en Palestine», (RB, LXXIV [1967], pp. 24-44); R. P. Vaggione, JBL, XCII (1973), pp. 523-530. Para los escitas en general, sus orígenes, cultura e historia, cf. Tamara Talbot Rice, The Scythians (Londres, Thames and Hudson, Nueva York: Frederick A. Praeger, 1957).

(17)   Así la Crónica babilónica. Cf. las referencias en la nota 37, infra.

naza para él, temiendo que un eje medo-babilónico resultaría más peligroso, deseó mantener como amortiguador a una Asiria debilitada. Probablemente también, vio la ocasión de obtener, a cambio de su ayuda, mano libre en la antigua esfera de influencia egipcia en Palestina y Siria. Las fuerzas egipcias llegaron a Mesopotamia el 616 (18), a tiempo para ayudar a detener a Nabopolasar, que había avanzado curso arriba del Eufrates y había causado a los asirios una seria derrota. Pero los medos comenzaban a tomar ahora parte decisiva. Después de varias maniobras, el 614, Ciajeres tomó por asalto Assur, la antigua capital asiria. Nabopolasar, que entró en escena demasiado tarde para participar, concertó un tratado formal con él. Dos años más tarde (612), los aliados asaltaron la misma Nínive y después de un asedio de tres meses, se apoderaron de ella y la arrasaron por completo; Sin-šar-iškun pereció en la batalla. Los restos del ejército asirio se retiraron, al mando de Assur-ubal.lit hacia el oeste, a Jarán, donde, apoyados por los egipcios, trataron de mantener viva la resistencia. Pero el 610 los babilonios y sus aliados tomaron Jarán, y Assur-ubal.lit, con los restos de su ejército, retrocedió a través del Eufrates, hacia las fuerzas egipcias. Un intento (en el 609) de recobrar Jarán fracasó miserablemente. Asiria desapareció.

3. *El reinado de Josías (640-609)*. Al perder Asiria el dominio de su imperio, Judá se encontró una vez más como país libre, aunque fuera precariamente. Coincidiendo con el logro de su independencia, y en parte como un aspecto de ella, el joven rey Josías acometió la reforma más amplia de su historia.

a. *Judá recobra su independencia*. Manasés continuó siendo, hasta el final de su largo reinado, un vasallo dócil de Nínive, y fue sucedido por su hijo Amón (642-640) (II R 21, 19-26), que según parece continuó su política. Pero este desafortunado monarca fue pronto asesinado por alguno de su familia palaciega, probablemente altos oficiales. Se sospecha que la conspiración fue maquinada por elementos anti-asirios que emplearon estos medios para forzar un cambio en la política nacional (19). Pero parece que hubo quienes juzgaron que el tiempo no era todavía favorable para esto, ya que leemos que el «pueblo de la tierra», según parece una asamblea de terratenientes (20), ejecutó en seguida a los asesinos y colocó en el trono al hijo del rey, Josías, de ocho años de edad.

---

(18)   O tal vez antes; en la Crónica babilónica faltan los datos referentes a los años 622-617.

(19)   Cf. A. Malamat, «The Historical Background of the Assassination of Amon King of Judah» (IEJ, 3 [1953], pp. 26-29) sobre esta materia.

(20)   Para este término, cf. Montgomery, *op. cit.*, p. 423, y las referencias que da, especialmente R. Würthwein, *Der Amm ha'arez im Alten Testament* (BWANT. IV, 17 [1936]).

Bajo Josías la independencia de Judá llegó a ser un hecho. Los pasos por los que se consiguió este fin permanecen algún tanto en el terreno de las conjeturas, estando implicada esta cuestión con la reforma de Josías, sobre la que volveremos más adelante. No sabemos nada de los primeros años de Josías, cuando era niño. Probablemente, los negocios de Estado estuvieron en manos de administradores que observaron una conducta discreta respecto de Asiria. La noticia de II Cr. 34, 3ª puede indicar que tan pronto como llegó al año octavo de su reinado (633/3) tomó la decisión de provocar un cambio en la política nacional, en cuanto pareciera posible. Y al parecer la oportunidad se produjo en el año 12 de su reinado (629/28). Por estas fechas, Assurbanapal era un anciano y había asociado al trono a su hijo Sin-šar-iškun en calidad de corregente; Asiria, corroída por disturbios internos, había perdido el control efectivo del oeste y no estaba ya en situación de poder intervenir. Se puede suponer razonablemente que por este tiempo (cf. II Cr. 34, 3b-7) Josías acometió una amplia reforma y se movilizó para apoderarse de apreciables porciones del territorio de Israel, en el norte. No conocemos el alcance exacto de las anexiones de Josías. Parece claro que comenzó por controlar la provincia de Samaria, ya que introdujo la reforma en esta zona. También consiguió —al menos por algún tiempo— crear un pasillo hasta el mar, como lo indica una fortaleza construida por él en la costa, al sur de Joppe (21). Algunos autores creen que controló también las provincias de Meguiddó (Galilea) y Galaad (22), pero esto no es seguro. El hecho de que más tarde Josías encontrara la muerte combatiendo en Meguiddó indica que consideraba a Galilea como una parte de su legítima zona de influencia y que tenía libertad de movimientos en esta región. Pero ello no demuestra necesariamente que hubiera incorporado de hecho esta zona a su reino (23). No sabemos cómo y cuándo amplió Josías sus dominios.

_____

(21) Para las excavaciones de Yabneh-yam (Mesad Hashavyahu) cf. J. Naveh, IEJ, 12 (1962), pp. 89-113. Un ostracon hebreo (con fragmentos de otros) descubierto en este lugar no deja dudas sobre el dominio de Josías en esta zona; cf. Naveh, IEJ, 10 (1960), pp. 129-139; F. M. Cross, BASOR, 165 (1962), pp. 34-46; S. Talmon, BASOR, 176 (1964), pp. 29-38. Una jarra comercial, estampada con el sello real, encontrada en Guézer, muestra también el control judío sobre esta ciudad; cf. H. D. Lance, BA, XXX (1967), pp. 45 s.

(22) Cf. Noth, pp. 273 s. Pero de la lista de ciudades de Josué no pueden extraerse conclusiones sobre la extensión del «imperio» de Josías, ya que refleja, con toda probabilidad, una situación anterior; cf. supra p. 301 y nota al pie 62. Tampoco, por otra parte, puede concluirse, del hecho de que las jarras comerciales con sello real, sean tan numerosas en Judá, pero no fuera de sus fronteras, que el control de Josías no se extendiera a las zonas del norte; cf. H. D. Lance, HTR, LXIV (1971), especialmente pp. 231 ss.

(23) Tal vez por aquellas fechas Meguiddó fuera una base egipcia; cf. A. Malamat, «Josiah's Bid for Armageddon» (*Journal of Ancient Near Eastern Studies of Columbia University*, 5 [1973], pp. 267-278).

Pero dado que Asiria no podía oponérsele y que probablemente
la mayoría de los israelitas del norte veían con buenos ojos el cambio
de dueño, no es probable que el ejército judío encontrara mucha
resistencia. Es incluso posible que Josías diera este paso siendo aún
vasallo nominal, cuando Asiria carecía de poder para evitarlo y
anhelaba llegar a un acuerdo para retener su lealtad y requerir la
de Egipto, todavía potencia hostil en esta etapa. Sea como fuere, por
el tiempo en que la reforma de Josías alcanzaba su cenit (622),
Asiria estaba *in extremis*, dejando a Judá, de palabra y de hecho,
como país libre.

   b.   *Reforma de Josías: sus aspectos fundamentales.* La reforma de
Josías, la más completa, con mucho, de la historia de Judá, está detalladamente descrita en II R 22, 3-23, 25 y en II Cr. 34, 1-35, 19.
En el pensamiento de los escritores bíblicos esto eclipsó tanto a todos
los demás hechos reales de Josías que prácticamente no nos cuentan
ninguna otra cosa de él. No podemos estar completamente seguros del
orden en que fueron dados los diversos pasos. Según Reyes (22, 3),
la reforma tuvo lugar en el año 18 de Josías (622), cuando, en el curso de unas reparaciones del Templo, fue hallada una copia del «libro de la ley». Llevado a presencia del rey, provocó en él una profunda consternación. Habiendo consultado el oráculo, convocó a los
ancianos del pueblo en el Templo, se lo leyó e hizo con ellos solemne
pacto ante Yahvéh de obedecerle. Se trasluce la impresión de que
esta ley fue base de sus diferentes medidas y que todas fueron eje-
cutadas aquel mismo año (cf. II R 23, 23).

   Esto ya sólo a primera vista es improbable; el hecho cierto de que
el Templo estaba siendo reparado cuando se halló el libro de la ley
indica que la reforma estaba ya en marcha, pues la reparación y
purificación del Templo constituía en sí misma una medida de reforma. El libro de las Crónicas, por otra parte, nos dice que la reforma fue llevada a cabo en varias etapas, y se estaba realizando desde
algunos años antes de que fuera encontrado el libro de la ley. Ciertamente, esquematiza demasiado su material, colocando prácticamente el total de la reforma en el año doce de Josías y dejando muy
poco para el año 18, aparte la celebración de una gran Pascua, lo
cual es asimismo, improbable. Ambas narraciones parecen juntar
medidas tomadas durante un cierto intervalo de tiempo. No obstante aunque es imposible determinarlo con certeza, es muy plausible
suponer (cf. II Cr. 34, 3-8) que la decisión de repudiar el culto oficial asirio fue tomada ya en el año 8 de Josías (633/2), y que en
el año 12 (629/8), coincidiendo con la asociación al trono de Asiria
de Sin-šar-iškun, se inició una purga radical de prácticas idolá-
tricas de toda clase, que extendió también a Israel del norte cuando
Josías se trasladó a aquella región. Después, en el año 18 (622),
habiendo desaparecido el control asirio por completo, el hallazgo

del libro de la ley dio dirección a la reforma y la llevó a conclusión (24).
Por supuesto, no se puede precisar qué medidas fueron tomadas en
el año 12 y cuáles posteriormente; algunas de las atribuidas al año 12
parecen estar inspiradas en el libro de la ley, que todavía no había
sido encontrado. Pero la descripción de las Crónicas de una reforma
en varios estadios es segura. La reforma fue paralela a la independencia y siguió sus mismos pasos.

Los rasgos más señalados de la reforma aparecen claramente.
Hubo, ante todo, una purga a fondo de los cultos y prácticas extranjeras. Siendo la religión asiria, desde luego, anatema para todo el pueblo patriota, fue, sin duda, lo primero que se desechó; las reparaciones del Templo, comenzadas ya antes del 622, representaron, quizá,
la purificación que siguió a la destitución oficial de aquellos cultos.
Lo mismo se hizo respecto de los diversos cultos solares y estelares,
en su mayor parte, sin duda, de origen mesopotámico (II R 23,
4 ss., 11 ss.), algunos introducidos por Manasés (vv. 6, 10), y otros
existentes desde antiguo (vv. 13 ss.); su personal, incluyendo los sacerdotes eunucos y los prostituidos de ambos sexos, fueron condenados
a muerte (25). Además, fue suprimida (v. 24) la práctica de la adivinación y de la magia. Siendo completamente idolátricos, desde el
punto de vista de Jerusalén, los lugares de culto de Israel del norte,
difícilmente pudieron escapar a un reformador tan celoso como Josías. Cuando obtuvo el control sobre el norte, también allí fue llevada la reforma y los santuarios de Samaría, en particular el templo
rival de Betel, fue profanado y destruido y sus sacerdotes condenados
a muerte (vv. 15-20). Según Cr. II 34, 6, que no hay razón para poner
en duda, la reforma se extendió incluso hasta el norte de Galilea. El
culmen de las medidas de Josías, sin embargo, fue llevar a cabo lo
que Ezequías había intentado sin resultado permanente: cerrar los
santuarios de Yahvéh dispersos por todo Israel y centralizar todo el
culto público en Jerusalén (26). Los sacerdotes rurales fueron invitados

---

(24) Aunque algunos autores contemplan con escepticismo el relato de las
Crónicas (p. e., Rudolph, *Chronikbücher* [HAT, 1955], pp. 319-321) su descripción
de una reforma por etapas debe considerarse como la más admisible desde el punto
de vista histórico; p. e., W. A. L. Elmslie, IB, III (1954), pp. 537-539; J. M.
Myers, *II Chronicles* (AB, 1965), pp. 205-208; F. Michaeli, *Les Livres des Chroniques,
d'Ésdras et de Néhémie* (Neuchatel, Delachaux and Niestlé, 1967), pp. 243 s.; A.
Jepsen, «Die Reform des Josia» (*Festschrift Fr. Baumgärtel* [Erlanger Forschungen,
Serie A, vol. 10, 1959], pp. 97-108.

(25) La expresión de II R 23, 5 significa literalmente «hizo cesar»; la ejecución queda implícita (cf. II Cr. 34, 5; II R 23, 20). Los «sacerdotes idólatras»
(*kemarim*) son sacerdotes eunucos; cf. Albright, FSAC, pp. 234 ss.

(26) Probablemente el templo de Arad es un ejemplo de ello. Existió desde
el siglo X, pero al construirse la última ciudadela (VI) el templo fue abandonado y
destruido (en el lugar que antes ocupaba se alzó la muralla de una casamata);
cf. Y. Aharoni, BA, XXXI (1968), pp. 18-27; AOTS, pp. 395--397. Tal vez el
alto de Beer-šeba fue destruido también por este tiempo; cf. Y. Yadin, BASOR,
222 (1976), pp. 5-17.

a venir y ocupar su puesto entre el clero del Templo (II R 23, 8). ¡Nunca había tenido lugar una reforma tan amplia en sus aspiraciones y tan consistente en su ejecución!

c. *Reforma de Josías: sus antecedentes y su significado.* El libro de la ley hallado en el Templo, que tan profundamente influyó en Josías fue, como hoy, por lo general, se reconoce, alguna forma del libro del Deuteronomio (27). Es indudable que Josías tomó, bajo su influencia, muchas de las medidas que se cuentan de él. Esto es del todo cierto cuanto a la centralización del culto en Jerusalén y su intento de integrar al clero rural en el del Templo, ya que estas medidas están específicamente señaladas sólo en el Deuteronomio (p. e., 12, 13 ss.; 17 ss.; 18, 6-8). Por otra parte, la ley del Dt., cap. 13, que con incomparable vehemencia declara a la idolatría el crimen capital, puede explicar la ferocidad con que Josías trató no sólo a los funcionarios de los cultos paganos, sino también a los sacerdotes de Yahvéh de Israel del norte que, desde su punto de vista, eran idólatras.

No obstante, está claro, por todo lo que se ha dicho, que no se puede explicar la reforma con sólo el libro de la ley. Intervinieron otros factores. En primer plano, la reforma fue, con toda seguridad, una faceta del resurgimiento nacional. Se habrá notado que la oscilación entre sincretismo y reforma coincide con los cambios de la política nacional y ciertamente esto no es casualidad. Del mismo modo que Ezequías fue el reverso de Ajaz, lo fue Josías de Manasés. Constituyendo la religión oficial de Asiria el símbolo por antonomasia de la humillación nacional, cualquier movimiento de independencia anhelaría, naturalmente, desembarazarse de ella y, una vez esto conseguido, querría igualmente llegar hasta la eliminación de todas las manifestaciones religiosas consideradas como no israelitas. Además, la anexión, por parte de Josías, de Israel del norte, que dio expresión política al ideal de un Israel libre unido una vez más bajo el cetro de David, tenía necesariamente sus aspectos religiosos. Una afirmación de la teología oficial de Judá debía estar esencialmente acompañada de una acentuada insistencia en la elección de Sión por Yahvéh como el lugar de su gobierno y el único centro religioso nacional legítimo. La unificación política involucraba así, inevitablemente, cierto grado de unificación cúltica y, además, una conducta severa respecto de los santuarios locales, yahvistas o paganos, que pudieran interponerse en su camino. Según esto, la reforma fue un aspecto del nacionalismo y, ciertamente, una más fuerte reafirmación de la política de Ezequías.

---

(27)   Este punto de vista, ya sugerido por algunos Padres de la Iglesia (por ejemp)o, Jerónimo), es el generalmente aceptado en nuestros días. Para una sinopsis de la discusión, con bibliografía, cf. H. H. Rowley, «The Prophet Jeremiah and the Book of Deuteronomy» (1950; reimp. *From Moses to Qumran* [Londres, Lutterworth Press, 1963], pp. 187-208).

Pero sólo el nacionalismo no es suficiente explicación. Había una cierta ansiedad en el ambiente de todo aquel mundo contemporáneo. Las antiguas civilizaciones orientales, que habían seguido su curso durante miles de años, estaban llegando a su fin: los diques estaban resquebrajados y una oscura inundación se precipitaba desde fuera. Como nos lo muestran textos contemporáneos, los hombres estaban obsesionados por un presentimiento de ruina y una inseguridad corrosiva, junto con un anhelo nostálgico por los días mejores del pasado. Así por ejemplo, los faraones de la Dinastía XXVI, intentaron deliberadamente volver a la cultura de las pirámides; Assurbanapal había copiado y coleccionado en su biblioteca los antiguos documentos del pasado, mientras que su hermano Šamaš-šum-ukin llegaba incluso a grabar sus inscripciones oficiales en lengua sumeria, hacía mucho tiempo muerta. Tendencias semejantes se observaban por doquier (28). Fue una época peligrosa, una época en la que el hombre necesitaba la ayuda de sus dioses. Judá no fue una excepción. Codo a codo con la emoción de la recién conseguida independencia, y el optimismo implícito en la teología oficial de la dinastía davídica, aparecía una profunda inquietud, un presentimiento de juicio, junto al sentimiento, inconsciente sin duda para la mayoría, de que la seguridad de la nación estribaba en el retorno a la antigua tradición.

Por otra parte, justamente en este tiempo el movimiento profético entró en un nuevo florecimiento. Con la afirmación de que la nación estaba sometida a juicio y que conocería la ira de Yahvéh si no se arrepentía, los profetas ayudaron a preparar el terreno para la reforma. Conocemos dos profetas que ejercitaron su ministerio por este tiempo: Sofonías y el joven Jeremías (29). Sofonías, que pudo haber pertenecido a la casa real (Sof. 1, 1), llevó adelante la tradición de Isaías en su verdadero sentido (30). Denunció, como una orgullosa rebelión contra Yahvéh, los pecados tanto cúlticos como éticos que la política de Manasés había permitido florecer, provocando la cólera divina (p. e., 1, 4-6, 8 ss., 12; 3, 1-4, 11). Anunciando que el

---

(28) Cf. Albright, ESAC, pp. 314-319 para la discusión y más ejemplos. Nabucodonosor empleó, en la parte última de su reinado, un babilonio arcaico para sus inscripciones; Nabonides, en su celo de anticuario, sobrepasó todo esto como veremos.

(29) Sofonías debió iniciar su ministerio antes de la reforma, ya que varios de los abusos fueron justamente removidos por el movimiento reformista. Cierto número de especialistas afirman que el ministerio de Jeremías comenzó ya en la parte última del reinado de Josías, pero sus argumentos no son convincentes. Para una sinopsis de las discusiones, con bibliografía, cf. H. H. Rowley, «The Early Prophecies of Jeremiah in their Setting» (reimp. en *Men of God* [Londres y Nueva York, Nelson, 1963], pp. 133-168).

(30) P. e., en su concepción del pecado, en su idea del Día de Yahvéh y del resto purificado. Cf. F. Horst, *Die Zwölf Kleinen Propheten*, (HAT, 1954), pp. 188, 198 ss.; K. Elliger, *Das Buch der Zwölf Kleinen Propheten*, II, (ATD), 1966³), pp. 79 ss.

terrible día de Yahvéh era inminente (p. e., 1, 2 ss.; 7, 14-18), declaró que la nación no tenía salvación más que en el arrepentimiento (2, 1-3), por lo cual Yahvéh había ofrecido una última oportunidad (3, 6 ss.). Igual que Isaías, Sofonías creyó que Yahvéh se proponía sacar del juicio un resto castigado y purificado (3, 9-13). Jeremías, que comenzó su ministerio el 627 (Jr. 1, 1), se mantuvo dentro de una ya antigua tradición que se remontaba, a través de Oseas, hasta la misma alianza mosaica. Atacando fogosamente la idolotría de que el país estaba lleno, la declaró un pecado inexcusable contra la gracia de Yahvéh que había traído a Israel de Egipto y le había hecho su pueblo (2, 5-13). Usando la imagen de Oseas, comparó a Judá con una esposa adúltera que sería repudiada con toda seguridad si no se arrepentía (3, 15, 19-25; 4, 1 ss.). Mientras pleitea con Judá, espera también la vuelta de Israel a la familia de Yahvéh (3, 12-14; 31, 2-6, 15-22) (31). Predicando de esta manera aumentó, indudablemente, las simpatías en torno a la dirección política y religiosa de Josías. Aunque es improbable que Jeremías tomase parte activa en su ejecución, es casi seguro que favoreció, en principio, sus aspiraciones; no hubiera admirado a Josías como le admiró (22, 15 ss.) si hubiera pensado como errónea la principal actividad del rey.

Dentro de este fermento de resurgente nacionalismo, y también de ansiedad, la ley deuteronómica cayó como el tronar de la conciencia. Aunque reeditada indudablemente en la generación anterior a la reforma, no se trataba de una nueva ley, y menos aún de un «piadoso engaño», como a veces ha sido llamada, sino más bien de una colección homilética de leyes antiguas que se derivaban, en último término, de la tradición legal del primitivo Israel. Conservada y transmitida, según parece, en Israel del norte, había sido llevada, sin duda, a Jerusalén después de la caída de Samaría y allí, en alguna fecha entre Ezequías y Josías, formulada de nuevo e incluida en el programa de reforma (32). Sus leyes, por tanto, no podían ser, en su mayor parte, tan enteramente nuevas. Pero el cuadro de la primitiva alianza mosaica y sus exigencias, oscurecidas durante siglos en la mente popular por otra noción de alianza, la davídica, era verdaderamente nueva.

---

(31) Excepto algunos vers., como 2, 16; 3, 16-18, el núcleo de los capítulos 2 y 3 contiene la predicación de Jeremías antes (y durante) la reforma; también pertenece a esta serie 31, 2-6 y 15-22.

(32) Acerca del origen del Deuteronomio ver especialmente G. von Rad, Deuteronomiumstudien (FRLANT, 1948[2]); G. F. Wright, IB, II, (1953), pp. 311-329; A. Alt, «Die Heimat des Deuteronomiums» (KS, II, pp. 250-275); recien- un excelente resumen de la discusión en E. W. Nicholson, *Deuteronomy and Tradition* (Oxford, Blackwell, 1967).

El Deuteronomio, cargado enteramente de la nostalgia por los días antiguos, característica de aquel tiempo, declaraba con desesperada urgencia que la vida verdadera de la nación dependía del retorno a la alianza en que había sido basada originariamente la existencia nacional. Su descubrimiento era nada menos que un redescubrimiento de la tradición mosaica. Se puede advertir la consternación que provocó por la conducta de Josías (II R 22, 11), que rasgó con espanto sus vestiduras. Pudo haber parecido al piadoso y joven rey que, si esta era verdaderamente la ley de Yahvéh, la nación estaba viviendo en un paraíso de necios al suponer que Yahvéh estaba irrevocablemente obligado a su defensa a causa de sus promesas a David. La reforma llevó al pueblo de una teología oficial de la alianza davídica a una noción más antigua de la alianza, y conminó a la nación y al pueblo la obediencia a sus estipulaciones. Se ha de notar, sin embargo (II R 23, 3) que la alianza fue hecha «en presencia de Yahvéh» (es decir, Yahvéh fue testigo más que parte de ella), representando el rey un papel semejante al de Moisés en el Deuteronomio (y Josué en Jos. 24). Mediante esta alianza solemne, que comprometía al rey y al pueblo, se reconocía de hecho a la ley deuteronómica como ley básica de Estado: su espíritu debía reflejarse en todas las disposiciones estatales.

d.   *Ultimos años de Josías: repercusiones de la reforma.* No conocemos prácticamente nada del reinado de Josías entre la ejecución de la reforma y su muerte. Habiendo cesado la última pretensión de soberanía asiria, no había por el momento nadie que discutiera la independencia de Josías o su control sobre cuantos territorios le había sido posible anexionar. Aunque no podemos precisar con exactitud la extensión de sus dominios, es probable que se apoderara de todo el territorio que pudo en el norte de Israel. Controló en primer lugar la provincia de Samaria y —aunque este dato no es seguro— pudo también dominar algunas regiones de Galilea (respecto de los territorios de Transjordania carecemos de datos); estableció también un pasillo hasta la costa mediterránea, como ya hemos visto. Aunque carecemos de información sobre otras acciones de su reinado, parece evidente que debió acometer la reorganización del ejército, dada la nueva situación de independencia del país y de la gran ampliación de las fronteras (33). También debió hacerse necesaria la reorganización de la maquinaria administrativa (34). Podemos estar seguros

---

(33)   La mención de Kittim en los ostracas del estrato VI de Arad, donde figuran unos pocos nombres (al parecer) griegos, indica que había griegos o chipriotas a sueldo de Josías; cf. Y. Aharoni, BA, XXXI (1968), pp. 9-18; AOTS, pp. 397-400. Se ha descubierto también cerámica griega del siglo VII en dos fortalezas judías: Tel el-Milh, al sur de Arad, y Mesad Hashavyahu (Yabneh-yam) en la costa.

(34)   Las jarras comerciales con el sello real («del rey», seguido de un nombre) y representando un disco solar alado sugiere que la reforma de Josías se ex-

de que la exclusión de prácticas paganas fue un bien moral y espiritual para el país y que, dado que se le conminó al Estado el cumplimiento de la ley de la alianza (y puesto que Josías fue personalmente un hombre íntegro (Jr. 22, 15 ss.), la moralidad y las costumbres públicas alcanzaron un alto nivel, al menos socialmente.

No obstante, se discute hasta qué punto la reforma tuvo éxito completo. Por una parte, aseguró firmemente, en el ánimo de muchos, a Jerusalén como único santuario legítimo, como se demuestra por el hecho de que, aun después de su destrucción, hombres (¡del norte de Israel!) continuaran peregrinando allí (Jr. 41, 5). Por otra parte, la centralización fue combatida encarnizadamente por otros, como era de esperar. Los sacerdotes de los santuarios yahvistas abolidos no estaban naturalmente dispuestos a abandonar sus antiguas prerrogativas e integrarse dócilmente en el sacerdocio de Jerusalén y muchos de ellos rehusaron hacerlo (II R 23, 9). Tampoco el clero de Jerusalén deseaba recibirlos, a no ser en un rango inferior. Su posición siguió siendo ambigua durante mucho tiempo, hasta que (cf. Ez. 44, 9-14), la situación *de facto* pasó a ser también *de jure* y se constituyó una clase inferior de clero. La reforma estableció de este modo un monopolio sacerdotal en Jerusalén, que difícilmente pudo ser del todo saludable, ya que los monopolios espirituales raramente lo son. Por otra parte, la abolición de santuarios locales, y la inherente reducción de ocasiones cúlticas en las que el pueblo pudiera participar, daría inevitablemente como resultado cierta secularización de la vida en regiones alejadas, una separación de la vida cúltica y la moral, nunca hasta entonces conocida. A buen seguro, el vacío así creado tendería a llenarse, en el correr del tiempo, con algo, bueno o malo.

Más grave fue el hecho de que la reforma tendió a conformarse con medidas externas que no afectaban profundamente a la vida espiritual de la nación y engendraban un falso sentido de paz, carente de hondura. Jeremías se lamentó de que no hubiera producido otra cosa que un incremento de la actividad cúltica, sin una conversión real a las sendas antiguas (6, 16-2) (35), y que los pecados de la sociedad continuaban sin ser censurados por parte del clero (5, 20-31). Le parecía que la nación, tan orgullosa por la posesión de la ley de Yahvéh que no quería oír ya su palabra profética (8, 8 ss.) (36), se estaba sumergiendo en la ruina como un caballo que se lanza fogosamente a la batalla (vv. 4-7). La promulgación oficial de una ley

---

tendió también al ámbito administrativo. Para las fechas de estos sellos, cf. supra, p. 339 y nota 41 al pie, con las obras allí citadas.

(35)   La opinión, muchas veces expresada, de que Jeremías guardó silencio durante algunos años después de la reforma me parece más que discutible; cf. mis observaciones en *Jeremiah* (AB, 1965), pp. XCII-XCVI.

(36)   Cf. W. Rudolph, *Jeremia* (HAT, 1947), pp. 52 ss.

escrita señaló, de hecho, el primer paso de este proceso de progresivo ensalzamiento que llegó a hacer de la ley, en la época postexílica, el principal elemento de la organización religiosa, y al mismo tiempo el primer paso también en un proceso concomitante, en virtud del cual el movimiento profético llegó, por fin, a su término, al hacer sus palabras cada vez menos necesarias. La verdadera ley de reforma, que dio una nota de responsabilidad moral y religiosa a la teología nacional, consolidó este falso sentido de seguridad contra el que Jeremías luchó en vano. Dado que la ley exigía la reforma como precio de la seguridad nacional, el sentir popular suponía que, realizada esta reforma, quedaban satisfechas las exigencias de Yahvéh (Jr. 6, 13 ss.; 8, 10 ss.). La alianza mosaica, supuestamente cumplidas sus exigencias, venía a ser la criada de la alianza davídica, que garantizaba la permanencia del Templo, de la dinastía y del Estado. La teología de la ley se había convertido, en realidad, en una caricatura de sí misma: protección automática a cambio del cumplimiento externo. Con ello se planteaba un serio problema teológico que la tragedia haría, muy pronto, más agudo.

B. EL IMPERIO NEOBABILONIO Y LOS ULTIMOS DIAS DE JUDA

1. *Desde la muerte de Josías hasta la primera deportación* (609-597). Aunque los últimos años de Josías presenciaron la destrucción final de Asiria, este suceso venturoso no proporcionó paz a Judá y a los demás pueblos de Palestina y Siria. Cierto que Nahúm se congratulaba por la caída del tirano, pero ya otras potencias rivales se estaban reuniendo como buitres para dividirse la presa. Venciera quien venciera, era seguro que Judá perdería, ya que la hora del pequeño Estado independiente del oeste de Asia había pasado hacía tiempo. Y perdió, primero su independencia, después su existencia. La narración de estos trágicos años ha sido brillantemente iluminada por textos recientemente publicados (37) y nosotros nos detendremos en ellos con alguna extensión.

---

(37) Cf. D. J. Wiseman, *Chronicles of Chaldean Kings* (625-556 a. C.) *in the British Museum* (Londres, The British Museum, 1956),que ofrece, una porción todavía hasta ahora no publicada, de estas crónicas, además de la reimpresión de una porción publicada por C. J. Gadd en 1923. Ha aparecido en cierto número de artículos que relacionan estos textos con la historia de Judá, todos ellos fundamentales para poder seguir la discusión; cf. especialmente, W. F. Albright, BASOR, 143 (1956), pp. 28-33; E. R. Thiele, *ibid.*, Pp. 22-27; D. N. Freedman, BA, XIX, (1956), pp. 50-60; H. Tadmor, JNES, XV (1956), pp. 226-230; J. P. Hyatt, JBL, LXXV (1956), pp. 277-284; A. Malamat, IEJ, 6 (1956), pp. 246-256; *idem*, IEJ, 18 (1968), pp. 137-156; *idem*, VT Suppl., vol. XXVIII (1975), pp. 123-145; E. Vogt, VT, Suppl. vol. IV (1956), pp.

a.   *Muerte de Josías y fin de la independencia.* Ya hemos descrito cómo medos y babilonios habían aniquilado a Asiria, conquistando y destruyendo Nínive en el 612 y arrojando de Jarán en el 610 al Gobierno asirio allí refugiado. Dado que los medos se contentaron por el momento con consolidar sus posesiones del este y norte de las montañas, el control de la parte del oeste del hundido imperio asirio se repartía entre los babilonios y los egipcios; estos últimos se habían aliado con Asiria pretendiendo, entre otras cosas, libertad de acción en Palestina y Siria. Entre ambas potencias fue llevado Judá al desastre.

La desgracia comenzó (II R 23, 29 ss.; II Cr. 35, 20-24) en el 609 (38). Este año Necao II (610-594), que había sucedido a su padre Psammético, marchó con un gran ejército hacia Karkemiš del Eufrates para ayudar a Assur-ubal-lit en un último esfuerzo por recuperar Jarán del poder de los babilonios. Josías intentó detenerle cerca de Meguiddó, probablemente en el punto en que la ruta costera cruza la línea montañosa del Carmelo. No sabemos si Josías era un aliado formal de los babilonios, como en otra ocasión lo había sido Ezequías, o si actuó independientemente. Pero él, desde luego, no deseaba una victoria egipcio-asiria, cuyo resultado habría colocado a Judá a merced de las ambiciones egipcias. Fue, de todas maneras, una acción suicida. Josías murió en la batalla (39) y su cadáver fue llevado en su carro a Jerusalén en medio de gran lamentación. Fue proclamado rey en su lugar su hijo Yehoajaz (40).

Necao, mientras tanto, se dirigió al Eufrates para tomar parte en el asalto a Jarán. Este falló miserablemente, aunque no sabemos si la acción de Josías retrasó al faraón lo suficiente para afectar al resultado. Dado que los babilonios habían confirmado su poder en Mesopotamia, Necao se esforzó por consolidar su posición al oeste del río. Una de sus medidas fue llamar a Yehoajaz, que había reinado durante tres meses, a sus cuarteles generales de Riblá, en la Siria central, desposeerle y deportarle a Egipto (II R 23, 31-35;

---

(38)   No el 608, como algunos han defendido: p. e., M. B. Rowton, JNES (1951), pp. 128-130; Kienitz, *op. cit.*, pp. 21 ss. Las memorias nos hablan de un movimiento masivo egipcio el 609, pero de ninguno el 608; 608/7 los babilonios estaban ocupados en otras partes. Cf. Albright, BASOR, 143 (1956), pp. 29, 21; Tadmor, JNES, XV (1956), p. 228, etc.

(39)   Cf. II Cr. 35, 20-24. Dado que Reyes no menciona ninguna batalla, algunos han pensado (p. e., Noth, HI, p. 278) que ésta no tuvo lugar, sino que Josías fue hecho prisionero y ejecutado. Pero el relato del cronista tiene el sello de la autenticidad; cf. B. Couroyer, RB, LV (1948), pp. 388-396); Rudolph, *Chronikbücher* (HAT, 1955), pp. 331-333. Meguiddó II fue destuido por esta época (cf. Wright, BAR, p. 177); este autor sugiere que se libró una batalla.

(40)   A juzgar por II R 23, 31, Joacaz era un hijo más joven. Si fue así, fue puesto sin duda en el trono, prefiriéndole a Yehoyaquim, porque se esperaba de él que proseguiría la línea política de Josías. Pero (cf. 22, 1), ¿nació entonces Yehoyaquim cuando su padre tenía tan sólo 14 años de edad?

cf. Jr. 22, 10-12). Elyaquim hermano de Yehoajaz, fue colocado en el trono como vasallo egipcio, cambiándosele el nombre en Yehoyaquim (41); el país quedó sometido a un fuerte tributo, que era obtenido mediante un impuesto sobre todos los ciudadanos libres. La independencia de Judá, que había durado apenas veinte años, había concluido.

b. *Judá bajo la dominación egipcia* (609-605). Aunque Necao no había podido salvar a Asiria, la campaña de 609 había puesto, como hemos dicho, a Palestina y Siria bajo su control. Durante algunos años pudo mantener sus posesiones. En el 608/7 y 607/6 los babilonios, capitaneados por Nabopolasar y su hijo Nabucodonosor, salieron a campaña hacia las montañas de Armenia, probablemente para asegurar su flanco derecho contra el ejército egipcio situado al oeste del Eufrates. Durante estos años, las hostilidades se redujeron, por ambas partes, a incursiones violentas a través del río, intentando los babilonios una cabeza de puente al norte de Karkemiš, desde la cual atacar a las fuerzas egipcias acuarteladas en esta ciudad, y tratando los egipcios de impedirlo (42). En esto las glorias estuvieron repartidas; no se produjo ningún golpe decisivo.

Mientras tanto Yehoyaquim seguía siendo vasallo del faraón. La situación interna de Judá tenía muy poco de buena. Es probable, aunque no seguro, que el territorio de Judá fuera reducido una vez más a sus dimensiones de antes de Josías. Aunque tampoco esta vez tenemos prueba directa de ello, apenas si se puede dudar que las exigencias egipcias pesaron fuertemente en la economía del (probablemente) reducido país. Yehoyaquim, además, no era digno sucesor de su padre, sino un pequeño tirano inepto para gobernar. Su irresponsable desprecio hacia sus súbditos se refleja con claridad en la primera acción de su reinado, cuando, según parece, no satisfecho con el palacio de su padre, malgastó los fondos construyendo otro nuevo y más hermoso y, lo que es peor, empleando el trabajo forzado para conseguirlo (Jr. 22, 13-19) (43). Esto provocó la mayor imprecación de Jeremías, cuyo desprecio por Yehoyaquim se había desatado.

Bajo Yehoyaquim decayó la reforma. Careciendo el rey de profundidad religiosa, sintió poca ilusión por ella, mientras que la oposición popular nunca desapareció del todo. Además, habiendo ocurrido la trágica muerte de Josías y la inherente humillación nacional a

---

(41)   Acerca de los nombres de trono en Judá, cf. A. M. Honeyman, JBL, LXVII (1948), pp. 13-25.

(42)   Para los detalles, cf. especialmente Albright, BASOR, 143 (1956), pp. 29 ss.

(43)   Algunos creen que el palacio descubierto en Ramat Rahel, al sur de Jerusalén, fue construido por Yehoyaquim; cf. Y. Aharoni, AOTS, pp. 178-183.

seguido de la reforma, debieron pensar muchos que existía una contradicción en la teología deuteronómica, ya que la obediencia a las exigencias del Deuteronomio no había evitado el desastre como prometía; Parece que años más tarde hubo quienes consideraron la reforma como un error e incluso atribuyeron a ella la calamidad nacional (Jr. 44, 17 ss.). En todo caso, las prácticas paganas revivieron (7, 16-18; 11, 9-13, etc.; cf. Ez. 8), y se deterioró la moral pública (Jr. 5, 26-29; 7, 1-15). Aunque hubo algunos, incluso entre los altos cargos, como los nobles que apoyaron a Jeremías (26; 36), que deploraban esta tendencia, poco se pudo hacer a este respecto. Los profetas que la rechazaron fueron hostigados y perseguidos y, en algunos casos, muertos (26, 20-23). Se tiene la impresión de que la teología oficial, con sus promesas inmutables, había triunfado en su forma más tergiversada y que el pueblo estaba escudado en la confianza de que el Templo, la ciudad y la nación estaban eternamente asegurados por el pacto de Yahvéh con David, ya que así se lo aseguraban profetas y sacerdotes (5, 12; 7, 4; 14, 13; etc.).

    c.   *Avance babilonio: la primera deportación de Judá.* En el 605 un cambio repentino en el delicado equilibrio del poder mundial colocó a Judá ante un nuevo peligro. Este año, Nabucodonosor cayó sobre los ejércitos egipcios en Karkemiš, infligiéndoles una derrota total (cf. Jr. 46, 2 ss.); persiguiéndoles hacia el sur, les asestó un nuevo golpe, aún más demoledor, en las cercanías de Jamat (44). El camino del sur hacia Siria y Palestina quedaba abierto. En agosto del 605, sin embargo, el avance babilonio fue frenado por las noticias de la muerte de Nabopolasar, que obligaron a Nabucodonosor a regresar a la corte para tomar posesión del trono. Esto tuvo lugar en setiembre del mismo año, aunque el primer año oficial de su reinado comenzó con el siguiente año nuevo (abril, 604) (45). Pero pronto se reanudó el avance babilonio. Aunque pudo haber encontrado más obstinadas resistencias de las que los textos sugieren, el final del 604 nos presenta al ejército babilonio en la llanura filistea, donde tomó y destruyó Ascalón (cf. Jr. 47, 5-7), deportando a los elementos directores de su población a Babilonia (46). Es probable que una carta aramea descubierta en Egipto contenga la inútil llamada de socorro

---

    (44)   Cf. las referencias en nota 37, para los detalles.

    (45)   Esto explica, probablemente, la discrepencia cronológica de un año entre Reyes y Jeremías (cf. II R 24, 12; 25, 8 y Jr. 52, 28 ss.). Cf. los artículos de Albright y Freedman, citados en la nota 39 supra. Al parecer, Reyes calcula a partir del 605, año en que Nabuconodosor tomó de hecho el poder; Jeremías, a partir de sus primer año oficial.

    (46)   Príncipes de Ascalón, marineros, artesanos, etc., son enumerados entre los cautivos, unos diez años más tarde; cf. E. F. Weidner, *Mélanges syriens offerts à M. René Dussaud*, vol. II (París, Paul Geuthner, 1939), pp. 923-925.

    (47)   Cf. A. Dupont-Sommer (*Semitica*, I [1948], pp. 43-68), H. L. Ginsberg (BASOR, 111 [1948], pp. 24-27) y yo mismo (BA, XII [1949], pp. 46-52); también

de su rey al faraón (47). Judá quedó consternada ante este giro de los sucesos, como lo indican las expresiones proféticas contemporáneas y el gran ayuno de diciembre del 604 en Jerusalén (Jr. 36, 9). Posiblemente cuando el ejército babilonio recorría Filistea, y con seguridad al año siguiente (603), Yehoyaquim traspasó su alianza a Nabucodonosor y se hizo vasallo suyo (II R 24, 1). No se sabe si Nabucodonosor invadió o no a Judá por entonces; es posible que bastara una demostración de fuerza. Los destinos de Judá habían completado el círculo: una vez más estaba sometida a un imperio mesopotámico.

Yehoyaquim, con todo, no era vasallo de buen grado. La esperanza de Judá parecía estar, una vez más, en Egipto, como lo había estado en los días de las invasiones asirias, y esta esperanza no parecía totalmente vana. A últimos del 601 Nabucodonosor marchó contra Egipto y chocó con Necao cerca de la frontera, en una batalla encarnizada en la que ambas partes sufrieron graves pérdidas. Pero, dado que Nabucodonosor se volvió a su tierra, y empleó el año siguiente en reorganizar su ejército, es seguro que no fue una victoria babilónica. Envalentonado con esto, Yehoyaquim se rebeló (II R 24, 1). Fue un error fatal. Aunque Nabucodonosor no salió a campaña en el 600/599, y en el 599/98 estuvo ocupado en otras partes, no tenía intención de permitir que Judá se le escapara de las manos. En espera del tiempo en que pudiera llevar a cabo una acción definitiva, envió contra él contigentes babilonios disponibles en la región, junto con bandas de guerrileros arameos, moabitas y ammonitas (II R 24; 2; Jr. 35, 11), para devastar al país y mantenerlo en jaque. En diciembre de 598 partió el ejército babilonio. Pero en este mes murió Yehoyaquim (48); es muy probable que siendo el responsable del apuro de la nación y *persona no grata* a los babilonios, fuera asesinado (cf. Jr. 22, 18 ss.; 36, 30), con la esperanza de obtener con ello un trato más suave. Fue colocado en el trono (II R 24, 8) su hijo Joaquín, de 18 años de edad. Al cabo de tres meses, la ciudad se rindió (el 16 de marzo del 597). La ayuda egipcia, si se esperaba alguna (v. 7), no llegó. El rey, la reina madre, los altos oficiales y los ciudadanos principales, junto con un enorme botín, fueron llevados a Babilonia (vv. 10-17). Mattanías (Sedecías), tío del rey, fue colocado como gobernante en su lugar.

J. A. Fitzmeyer, *Biblica*, 46 (1965), pp. 41-55, donde se da nueva Bibliografía. Pero algunas dudan que la carta proceda de Ascalón; cf. E. Vogt, *op. cit.*, pp. 85-89; también A. Malamat, IEJ, 18 (1968), pp. 142 s., que la relaciona con los sucesos del 601. Cf. también W. H. Shea, BASOR, 223 (1976), pp. 61-64.

(48) Cf. Freedman, *op. cit.*, pp. 54 ss. y nota 22; Hyatt, *op. cit.*, pp. 278 ss. acerca de este punto. Esto se ve claro comparando II R 24, 6, 8, 10 ss. con la Crónica babilónica.

2. *Fin del reino de Judá*. Cabía esperar que las experiencias de
598/97 dejarían a Judá, al menos por el momento, castigado y dócil.
Pero ¡nada de esto! El reinado de Sedecías (597-587) no fue otra
cosa que agitación continua y sedición hasta que la nación, propensa
al parecer a destruirse a sí misma, logró finalmente derribar el tejado sobre su cabeza. En el espacio de diez cortos años llegaría el
fin para siempre.

a. *Judá después del 597: los disturbios del 594*. La locura de Yehoyaquim había costado caro a Judá. Algunas de sus ciudades principales tales como Lakíš y Debir, fueron tomadas al asalto y seriamente
dañadas (49). Su territorio fue probablemente reducido al serle quitado el control del Négueb (50), su economía paralizada y su población drásticamente disminuida (51). Aunque el número de los entonces deportados no era grande en sí (52), lo era en proporción a la
población total y representaba, además, lo selecto de los dirigentes
del país. Los nobles dejados al servicio de Sedecías eran hombres
de corta visión y chauvinistas, completamente ciegos ante la realidad
de la situación.

Tampoco Sedecías era el hombre apropiado para guiar los destinos de su país en hora tan grave. Aunque parece haber sido bien
intencionado (cf. Jr. 37, 17-21; 38, 7-28), era un hombre débil, incapaz de mantenerse firme ante sus nobles (38, 5) y temeroso de la
opinión popular (v. 19). Además su posición era ambigua, ya que su
sobrino Joaquín seguía siendo considerado por muchos de sus súbditos, y según parece por los babilonios, como el rey legítimo. Textos descubiertos en Babilonia dicen que Joaquín era un pensionado
de la corte de Nabucodonosor y le llaman el «rey de Judá» (53).
Los judíos de Babilonia fechaban los años a partir del «exilio del rey

(49) Cf. Wright, BAR, pp. 178 s. Sobre Debir, cf. Albright, AASOR, XXI-
XXII (1943), pp. 66-68. Por lo que se refiere a Lakíš, difieren las opiniones; para
la discusión cf. *supra*, p. 389, nota 41 y las obras aquí recensionadas.
(50) Es decir, el «Négueb de Simeón»; cf. H. L. Ginsberg, *Alex. Marx Jubilee
Volume* (Jewish Theological Seminary, 1950), pp. 363 ss. y las notas de Albright,
referidas en la nota 47a, para las pruebas. Alt (PJB, 31 [1925], p. 108) y Noth
(HI, p. 283) piensan que la frontera sur de Judá caía al norte de Hebrón; pero es
probable (Debir fue devastada el 588/7) que la parte de montículos del sur de
Judá perteneciera todavía a esta nación.
(51) Albright (BP, pp. 47, 59 ss.) estima que la población de Judá había descendido de unos 250.000 en el siglo octavo a caso la mitad de esta cifra entre
591 y 587.
(52) II R 24, 14, 16 da 10.000 y 8.000 respectivamente, que es, probablemente, un cálculo bastante aproximado. Las cifras exactas de Jr. 52, 28 (3.023)
sólo cuentan, posiblemente, los adultos. Para una ulterior explicación, cf. A. Malamat, IEJ, 18 (1968), p. 154.
(53) Cf. Weidmer, *op. cit.*,; Pritchard, ANET, p. 308; también Albright,
«King Joiachin in Exile» (BA, V [1942], pp. 49-55).

Joaquín» (Ez. 1, 2, etc.) (54). Muchos de Judá sentían del mismo modo y suspiraban por su pronto retorno (Jr. 27 ss.). La ambigüedad de la situación de Sedecías socavó indudablemente toda la autoridad que pudiera haber tenido. Al mismo tiempo hubo, probablemente, entre los nobles de Sedecías que se habían aprovechado de la deportación de sus predecesores, quienes se consideraban a sí mismos como el verdadero resto de Judá al que en justicia pertenecía el país (cf. Ez. 11, 14 ss.; 33, 24). Éstos, según parece, comenzaron a depositar en Sedecías las esperanzas dinásticas (cf. Jr. 23, 5 ss.) (55). Mientras estas encontradas ideas circulaban, ya fuera a favor de Joaquín o de Sedecías, un continuo fermento de agitación era inevitable.

La chispa fue provocada por una rebelión que estalló en Babilonia en el 595/4, implicando posiblemente elementos del ejército y en la que parecen haber estado complicados algunos de los judíos deportados, inflamados por sus profetas con promesas de pronta liberación e incitados a actos subversivos (Jr. 29; cf. vv. 7-9). Aunque no podemos saber la extensión que la inquietud alcanzó entre los judíos, algunos de sus profetas fueron ejecutados por Nabucodonosor (vv. 21-23) a causa sin duda de sus afirmaciones sediciosas. Esta rebelión, aunque sofocada con rapidez, levantó las esperanzas en Palestina. En el transcurso del año (594/3) se reunieron en Jerusalén, para discutir planes de rebelión (56) embajadores de Edom, Moab, Ammón, Tiro y Sidón (27, 3). Hubo también profetas que incitaron al pueblo, declarando que Yahvéh había roto el yugo del rey de Babilonia y que al cabo de dos años (28, 2 ss.) Joaquín y los demás exilados regresarían en triunfo a Jerusalén. Jeremías (27 ss.) denunció vigorosamente tales anuncios como embustes dichos en nombre de Yahvéh, y escribió además una carta a los exiliados (cap. 29) pidiéndoles que olvidasen sus locos sueños y que se establecieran para una larga permanencia. La conspiración quedó de hecho en nada, sea porque los egipcios no quisieron respaldarla, sea porque prevaleció un consejo más prudente o porque los conspiradores no llegaron a ponerse de acuerdo entre ellos mismos. Sedecías envió embajadores a

---

(54)   Si las impresiones de sellos descubiertas en Palestina, que llevan las palabras «Elyakim, siervo de Joaquín», se refieren al joven rey deportado, indicarían que se le seguía considerando propietario de la corona; así Albright, JBL, LI (1932), pp. 77-106; H. G. May, AJSL, LVI (1939), pp. 146-148, etc. Pero otros autores opinan que se trata de sellos privados y de una época anterior; p. e., A. Malamat, VT, Suppl. vol. XXVIII (1975), p. 138, nota 34; N. Avigad, *Mag. Dei*, pp. 294-300; D. Ussihkin, BASOR, 223 (1976), p. 11.

(58)   Jeremías 23, 5 ss. hace, al parecer, juego de palabras con el nombre de Sedecías y declara, en efecto, que él no es la «rama» de David. No es fácil que hubiera lanzado semejante afirmación, si la idea contraria no se hubiera abierto paso. Cf. W. Rudolph, *Jeremia* (HAT,1947), pp. 125-127.

(56)   La fecha es el año cuarto de Sedecías (Jr. 28, 1 b); el cap. 27, 1 está equivocado (Los LXX lo omiten), mientras que 28, es una armonización de las dos fechas (correctamente leído por los LXX).

Babilonia (Jr. 29, 3) —quizá fue él personalmente (Jr. 51, 59)— para hacer la paz con Nabucodonosor y asegurarle su lealtad.

b. *Rebelión final: destrucción de Jerusalén.* Con todo, el paso fatal estaba sólo temporalmente aplazado. En el espacio de cinco años (por el 589), un fiero patriotismo, mantenido por una confianza temeraria y completamente indisciplinada, había llevado a Judá a una abierta e irrevocable rebelión. No conocemos los pasos que condujeron a Judá a esta determinación. Hubo ciertamente una inteligencia con Egipto, cuyos faraones, Psamético II (594-589) y su hijo Jofrá (Apries, 594-584), habían emprendido una política de intervención en Asia. Por otra parte, no parecía que la revuelta se hubiera extendido mucho por Palestina y Siria. Por lo que conocemos, sólo Tiro, a la que Nabucodonosor puso sitio después de la caída de Jerusalén, y Ammón parecen haberse comprometido (57); otros Estados fueron, al parecer, indiferentes y aun hostiles a la idea, llegando do Edom a ponerse de parte de los babilonios (cf. Abd. 10-14; Lam. 4, 21 ss.; Sal. 137, 7). El mismo Sedecías, a juzgar por sus repetidas consultas a Jeremías (Jr. 21, 1-7; 37, 3-10, 17; 38, 14-23), estaba lejos de sentirse seguro en su espíritu, pero era incapaz de oponerse al entusiasmo de sus nobles.

La reacción babilonia fue rápida. Lo más tarde en enero del 588 (II R 25, 1; Jr. 52, 4) llegó su ejército y, bloqueando a Jerusalén (cf. Jr. 21, 3-7), comenzó a reducir los puntos fuertes alejados, tomándolos uno por uno hasta que, finalmente, al acabar el año, solamente quedaban Lakís y Azeqá (Jr. 34, 6 ss.). La caída de Azeqá puede ser aclarada por una de las cartas de Lakís, en la que un oficial encargado de un puesto de vigilancia escribe al jefe de la guarnición de Lakís que ya no pueden verse las señales de hogueras de Azeqá (58). La moral de Judá se hundió y muchos de sus dirigentes juzgaron que su caso no tenía esperanza (59). Probablemente en el verano del 588 noticias de que un ejército egipcio venía avanzando obligó a los babilonios a levantar temporalmente el sitio de Jerusalén (Jr. 37, 5). Quizá los egipcios acudían como respuesta a una llamada directa de Sedecías, reflejada posiblemente en otra de las cartas de Lakís (III), que nos dice que el jefe del ejército de Judá fue por este tiempo a Egipto. Una ola de alivio inundó a Jerusalén, sien-

---

(57)   La implicación de Ammón podría basarse en Ez. 21, 18-32 y Jr. 40, 13 a 41, 15 (cf. infra). Cf.. Ginsberg, *op. cit.*, pp. 365-367.

(58)   Carta IV de Lakís. Las cartas de Lakís comprenden un grupo de 21 ostraca descubiertas en 1935 y 1938; las más de ellas datan del 589/8 (una está fechada con toda exactitud, en el «año noveno» [de Sedecías]). Cf. Wright, BAR, pp. 181 s. para la descripción. Para la traducción y ulterior bibliografía, cf. Albright, en Pritchard, ANET, pp. 321 s.

(59)   En la carta VI de Lakís se oye la queja de que algunos nobles «debilitan las manos» del pueblo, que era justamente la acusación que se la hacía a Jeremías (Jr. 38, 41).

do Jeremías el único que continuó predicando lo peor (Jr. 37, 6-10; 34, 21 ss.). Y aunque sus palabras, indudablemente, resultaban importunas, él tenía razón. El ejército egipcio fue rápidamente rechazado y se reanudó el asedio.

A pesar de que Jerusalén resistió con heroica obstinación hasta el siguiente verano, su suerte estaba echada. Sedecías deseaba rendirse (Jr. 38, 14-23) pero temía hacerlo. En julio del 587 (II R 25, 2 ss.; Jr. 52, 5 ss.) (60), justamente cuando las provisiones de la ciudad estaban exhaustas, los babilonios abrieron brecha en los muros y entraron. Sedecías, con algunos de sus soldados, huyó por la noche hacia el Jordán (II R 25 ss.; Jr. 52, 7 ss.), esperando, sin duda, ponerse a salvo temporalmente en Ammón, pero fue alcanzado cerca de Jericó y llevado ante Nabucodonosor, en sus cuarteles generales de Riblá en Siria central. No hubo piedad para él. Después de presenciar la ejecución de sus hijos, fue cegado y conducido en cadenas a Babilonia, donde murió (II R 25, 6 ss.; Jr. 52, 9-11). Un mes más tarde (II R 25, 8-12; Jr. 52, 12-16), Nebuzaraddán, jefe de la guardia de Nabucodonosor, llegó a Jerusalén y, cumpliendo órdenes, incendió la ciudad y arrasó sus muros. Algunos de sus oficiales, eclesiásticos, militares y civiles y los ciudadanos principales, fueron llevados ante Nabucodonosor a Riblá y ejecutados (II R 25, 18-21; Jr. 52, 24-27), mientras que un grupo más numeroso de población fue deportado a Babilonia (61). El Estado de Judá había desaparecido para siempre.

c. *Epílogo: Godolías.* Queda todavía, sin embargo, una breve posdata a la narración (Jr. 40-44; cf. II R 25, 22-26). Después de la destrucción de Jerusalén, los babilonios organizaron a Judá según el sistema de provincias del imperio. El país había sido completamente devastado. Sus ciudades destruidas, su economía arruinada, sus dirigentes muertos o deportados; la población constaba principalmente de campesinos pobres, considerados como incapaces de organizar revueltas (II R 25, 12; Jr. 52, 16). Como gobernador, los babilonios, colocaron a Godolías, hombre de familia noble, cuyo padre Ajicam había salvado en una ocasión la vida a Jeremías (Jr. 26, 24) y cuyo abuelo Šafán fue probablemente secretario de Estado de Josías (II R 22, 3) y un primer promotor de la gran reforma. Como indica un sello encontrado en Lakíš, que lleva su nombre, Godolías había sido primer ministro («sobre la casa») en el gobierno

---

(60) Algunos autores creen que la ciudad no cayó hasta julio del 586; así, recientemente, A. Malamat, IEJ, 18 (1968), pp. 137-156; K. S. Freedy y D. B. Redford, JAOS, 90 (1970), pp. 462-485. Pero parece preferible la fecha del 587; cf. E. Kutsch, *Biblica*, 55 (1974), pp. 520-545.

(61) Es probable que el número exacto de 832 personas (Jr. 52, 29) cuente tan sólo a los varones adultos, y acaso únicamente al pueblo de la población urbana de Jerusalén.

de Sedecías (62). Acaso debido a que Jerusalén era inhabitable, estableció el centro de su gobierno en Mispá (probablemente en tell Nasbeh).

Pero este experimento fracasó pronto. Aunque Godolías intentó conciliar al pueblo (Jr. 40, 7-12) y trabajó por devolver al país algo parecido a la normalidad (v. 10) los obstinados le consideraban como un colaboracionista. No sabemos cuánto duró el período de su gobierno, ya que ni Jr. 41, 1 ni II R 25, 25 dicen el año en que acabó. Una deducción probable es que duró dos o tres meses, aunque pudieron ser uno o dos años, y acaso más. En todo caso, un tal Ismael, miembro de la casa real, que estaba respaldado por el rey de Ammón, en cuyo territorio Ismael se había refugiado y desde donde continuaba la resistencia, tramó un complot para matarle. Aunque prevenido por sus amigos, Godolías era, al parecer, demasiado magnánimo para creerlo. Como pago a su confianza, fue asesinado a traición por Ismael y sus compañeros, junto con una pequeña guarnición babilonia y un cierto número de inocentes que se hallaban presentes; a pesar de la enérgica persecución de los hombres de Godolías, Ismael consiguió escapar a Ammón. Los amigos de Godolías, aunque inocentes, temieron, como es natural, la venganza de Nabucodonosor y, contra los encarecidos ruegos de Jeremías, resolvieron huir a Egipto, lo que hicieron, llevándose consigo al profeta. Una tercera deportación en el 582, mencionada en Jr. 52, 30, puede representar una tardía (?) represalia por estos desórdenes. La provincia de Judá fue probablemente anulada, y, por lo menos, la mayor parte de su territorio fue incorporado a la vecina provincia de Samaría. Pero no tenemos información sobre los detalles.

C. PROFETAS DE LOS ULTIMOS DIAS DE JUDA

1. *Tragedia histórica y desarrollo teológico.* En el capítulo siguiente volveremos a considerar la naturaleza de la crisis, tanto física como espiritual, en que la caída de Jerusalén sumergió al último resto de la nación israelita, y cómo logró superarla. Se ha de notar aquí, sin embargo, que la supervivencia fue posible, en no pequeña parte, debido a que los profetas, al dirigirse a la nación en las horas de más amarga agonía, se habían enfrentado ya, en previsión de la tragedia, con los problemas teológicos en ella implicados y les habían dado solución a la luz de la fe ancestral de Israel. Ninguna historia de las últimas horas de Judá puede considerarse completa sin alguna mención de la obra de estos profetas y de su significado.

---

(62) Las excavaciones han ilustrado vívidamente el alcance de la devastación en la ladera oriental de la ciudad; cf. Kathleen M. Kenyon, *Jerusalem* (Londres, Thames and Hudson; Nueva York, McGraw-Hill, 1967), pp. 78-104, 107 s.

a. *La teología nacional en la crisis.* Todo el que haya comprendido la naturaleza de la teología nacional de Judá, tal como era entendida popularmente, podrá ver que no estaba en absoluto preparada para hacer frente a la emergencia que se venía encima. Esta teología, como ya hemos descrito antes, estaba centrada en la afirmación de la colección de Sión por parte de Yahvéh como su morada, y en sus inmutables promesas a la dinastía davídica de un gobierno eterno y de victoria sobre sus enemigos. Hemos visto cómo todo ello entró en crisis a causa de las invasiones asirias y cómo lo había reinterpretado Isaías y lo había hecho capaz de sobrevivir, inyectando en todo ello un sentido profundamente moral y haciendo hincapié en la posibilidad de castigo divino que aquí se encerraba. Isaías, sin embargo, no renunció a esta teología, sino que más bien la reafirmó en un horizonte más profundo. Pero la seguridad que dio a Ezequías de que Jerusalén no sería conquistada, y que los hechos confirmaron de tan dramática manera, más el colapso de Asia que sobrevino posteriormente y pareció confirmar sus palabras, coadyuvaron a implantar en la mente popular, como dogma incuestionable, la inviolabilidad del Templo, de la ciudad y de la nación. Aunque la reforma de Josías había llevado a la nación, por encima de este dogma, a una teología más antigua, esto, como hemos visto, no duró mucho tiempo y fue ampliamente borrado por la desilusión de la trágica muerte de Josías y por los sucesos desafortunados que siguieron. En la hora más oscura y desesperada, la nación se aferró a las promesas eternas hechas a David, sintiéndose seguro en el Templo donde estaba el trono de Yahvéh (Jr. 7, 4; 14, 21) y en el culto a través del cual se aplacaba su cólera y se ganaba su favor (6, 14; 8, 11; 14, 7-9, 19-22). Animada por el optimismo teológico, marchaba la nación hacia el desastre, confiando en que el Dios que había quebrantado a Senaquerib frustraría también a Nabucodonosor (5, 12; 14, 13). Es muy probable que los más encarnizados opositores de Jeremías (26, 7-11) fueran discípulos de Isaías, de mentes estrechas y muy por debajo de la talla de su maestro.

El desastre del 597 reavivó los problemas planteados por las invasiones asirias, pero con mayor intensidad. ¡Nunca hasta entonces había conocido Israel tal humillación! ¡El legítimo descendiente de David removido ignominiosamente de su trono y llevado cautivo a una tierra lejana! Se puede suponer que la imposibilidad de aceptar este hecho a la luz de las promesas dinásticas encendió las vanas esperanzas de una pronta restauración de Joaquín (27 ss.), indujo al traspaso de las esperanzas a Sedecías (23, 5 ss.) —que era, después de todo, un descendiente davídico— y condujo finalmente a la nación a una rebelión temeraria y suicida. Los sucesos del 597 parecen haber sido considerados como la gran purificación disciplinar anunciada por Isaías, tras de la cual se cumplirían las promesas. La idea

de que la nación podría caer no fue tomada en consideración; hasta
el fin, esperaron los hombres la intervención de Yahvéh como en los
días de Ezequías (21, 2). Cuando el fin llegó, la teología oficial fue
incapaz de explicarlo.

b. *El problema de la soberanía y justicia divinas*. Aunque la crisis
teológica de Judá se agudizó solamente cuando llegó el final, los problemas habían comenzado a dejarse sentir ya desde antes. Los sucesos de los últimos años de Judá contradecían de hecho, uno por uno,
las afirmaciones de la teología oficial y se hizo inevitable que se pusiera en duda el poder de Yahvéh para controlar los sucesos y su fidelidad a las promesas. No podemos nosotros, desde luego, docu-
mentar este problema como quisiéramos. Pero en los bordes del cuadro, tal como existió, observamos reflejos de un pueblo que, sin duda
a causa de su falta de confianza en el poder omnipotente de Yahvéh
juzgaba prudente aplacar a otros dioses (Jr. 7, 17-19; cf. 44, 15-18;
Ez. cap. 8), mientras que en otros lugares (Ez. 18, 2, 25; Jr. 31, 29)
percibimos el susurro de que Yahvéh no era justo. Los sucesos trágicos requerían una explicación a la luz del poder soberano de Yahvéh y de su justicia, que la religión oficial no podía proporcionar.
    No es casualidad, por tanto, que la literatura de este período
muestre una intensa preocupación por este problema, en Jeremías
y en Ezequiel desde luego, pero también en otros lugares. Es el tema
principal de Habacuc que, probablemente, predicó en el reinado de
Yehoyaquim, en los días de la invasión babilónica. Siguiendo la tradición de Isaías, Habacuc consideró a los babilonios como los ins-
trumentos del castigo de Yahvéh (1, 2-11) que habiendo llevado a
cabo su misión, deberían ser juzgados a su vez (vv. 12-17). Confiando en que Yahvéh, que reinaba en Sión, era el único Dios (2, 18-20),
justo y poderoso para librar a su pueblo (1, 12 ss.), Habacuc esperaba confiadamente (2, 4) su poderosa intervención (cap. 3) y el
juicio sobre Babilonia (2, 6-17). En esta perspectiva se podría citar
también el cuerpo histórico deuteronómico (Dt.-Reyes) que probablemente fue compuesto por primera vez hacia esta época (63). El
autor de esta obra llegó, pasando por encima de la teología oficial,
a la de la alianza del Sinaí, tal como está expresada en el Dt. y mon-
tando las tradiciones históricas de su pueblo sobre el armazón de
su tesis fundamental, pretendió demostrar que esta teología había
sido confirmada por los hechos y que no sólo el futuro de la nación,
sino que toda vicisitud de su historia, dependían directamente de su
lealtad o deslealtad a las estipulaciones de la alianza de Yahvéh.

---

(63) Cf. el trato fundamental de M. Noth, *Ueberlieferungsgeschichtliche
Studien* I (Halle, M. Niemeyer, 1943). Con todo, yo me adhiero a la opinión de
los que colocan la composición original de la obra entre 622 y 587, con una posterior reedición en el exilio.

2. *Los profetas y la supervivencia de la fe de Israel.* Como ya hemos dicho, la fe de Israel sobrevivió a la tragedia debido en buena parte a que los problemas teológicos que se planteaban habían sido resueltos de antemano por algunos de sus profetas. Aunque fueron varios los que contribuyeron a esta solución, nadie lo hizo tan profundamente como Jeremías y Ezequiel.

a. *El profeta del juicio de Yahvéh: Jeremías.* Ninguna figura tan valerosa o tan trágica como el profeta Jeremías ha pisado nunca el escenario de la historia de Israel. El fue la voz auténtica del yahvismo mosaico hablando, como hizo, intempestivamente, a la agonizante nación. Su destino, durante gran parte de su vida, fue anunciar, y volver a anunciar, que Judá sería destruido y que esta destrucción sería un justo juicio de Yahvéh sobre ella a causa de sus pecados.

Gracias a la riqueza de material biográfico de su libro, conocemos mejor el curso de la vida de Jeremías que la de ningún otro profeta (64). Nacido en el pueblo de Anatot, justamente al norte de Jerusalén, era aún un joven cuando comenzó su carrera, cinco años antes de que fuera hallado en el Templo el libro de la ley (1, 1 ss., 6) (65). Era de estirpe sacerdotal, entroncado posiblemente con el clero del santuario del arca de Silo (66), lo cual podría explicar el profundo sentimiento de Jeremías por el pasado de Israel y por la naturaleza de la primitiva alianza. Ya hemos visto cómo tanto Jeremías como Sofonías, atacando el paganismo que Manasés había promovido, ayudaron a preparar el clima para una reforma más completa. Aunque no es probable que Jeremías participase activamente en la reforma misma, él debió haber dado, de seguro, su beneplácito a la extirpación de prácticas paganas y a su intento de reavivar la teología de la alianza mosaica. Profesó gran admiración a Josías (22, 15 ss.) y, cuando el rey emprendió su programa de unificación, esperó el día en que un Israel restaurado se uniera a Judá en la alabanza de Yahvéh, en Sión (3, 12-14; 31, 2-6; 15, 22). Pero, como también hemos visto, pronto le invadió la desconfianza. Pudo contemplar un culto activo, pero no una vuelta a los antiguos caminos (6, 12-21);

---

(64) Para los detalles, ver, además de los comentarios, los siguientes estudios: J. Skinner, *Prophecy and Religion* (Cambridge University Press, 1922); G. A. Smith, *Jeremiah* (Londres, Hodder and Stoughton; Nueva York, Harper and Brothers, 4.ª ed., 1929); A. C. Welch, *Jeremiah: His Time and His Work* (Londres, Oxford University Press, 1928); también, J. Bright, *Jeremiah* (AB, 1965); W. L. Holladay, *Jeremiah: Spokesman out of Time* (Filadelfia, United Chruch Press, 1974).

(65) Yo no encuentro que los motivos que algunos aducen para negar esto sean convincentes. Ver la anterior nota 29.

(66) Esto no es cierto, pero es verosímil. La casa paterna de Abiatar estaba en Anatot (I R 2, 26 ss.), y él era de la casa de Elí (I S 14, 3; z2, 20). No es probable que Anatot tuviera varias familias sacerdotales, no emparentadas entre sí. El recuerdo de Silo es poderoso en Jeremías (Jr. 7, 12, 14; 26, 6).

conocimiento de la ley de Yahvéh, pero desgana para escuchar la palabra de Yahvéh (8, 8 ss.); y un clero que aseguraba la paz a un pueblo cuyos crímenes contra las cláusulas de la alianza eran notorios (6, 13-15; 8, 10-12; 7, 5-11). Se dio cuenta de que las exigencias de la alianza se habían diluido en las exterioridades del culto (7, 21-23) y de que la reforma había sido una cosa superficial que no había obtenido el arrepentimiento (4, 3 ss.; 8, 4-7).

Jeremías, que estuvo desde muy pronto tan obsesionado por el presentimiento de la destrucción que al fin llegó a ser casi su único estribillo, quedó por completo desilusionado bajo Joaquín. Cuando este rey dejó que se hundiera la reforma, Jeremías comenzó a pronunciar la oración fúnebre de la nación, declarando que, por haberse rebelado contra su Rey divino (11, 9-17), conocería los castigos que la alianza de Yahvéh reserva para aquellos que quebrantan sus estipulaciones. Afirmó que la humillación del 609 no era una negación de la teología deuteronómica, sino precisamente un claro cumplimiento de ella, algo que la nación había atraído sobre sí misma por su olvido de Yahvéh (2, 16). Pero advirtió que este castigo era sólo provisional, ya que Yahvéh estaba para enviar «desde el norte» el instrumento de su justicia: los babilonios (p. e., 4, 5-8, 11-17; 5, 15-17; 6, 22-26), que caerían sobre la nación impenitente y la destruirían sin dejar rastro (p. e., 23-26; 8, 13-17) (67).

Anclado de esta manera en la teología de la alianza mosaica, Jeremías rechazó por completo la confianza nacional en las promesas davídicas. El no negó, por supuesto, que estas promesas tuvieran validez teórica (23, 5 ss.), ni rechazó la institución de la monarquía en cuanto tal. Pero estaba convencido de que, puesto que la nación actual no había cumplido sus obligaciones, ni ella, ni sus reyes conocerían ninguna de las promesas (21, 12-23, 30), ¡lo que Yahvéh le promete es la ruina total! Señaló como engaño y mentira la confianza popular en la elección eterna de Sión por parte de Yahvéh, declarando que Yahvéh abandonaría su casa y la entregaría a la destrucción, como había hecho con el santuario del arca de Silo (7, 1-15; 26, 1-6).

La persecución que tales palabras le valieron a Jeremías, y la agonía que le costó proferirlas, constituyen uno de los capítulos más conmovedores de la historia de la religión. Jeremías fue odiado, escarnecido, condenado al ostracismo (p. e., 15, 10 ss., 17; 18, 18; 20, 10), hostigado sin cesar y más de una vez casi matado (p. e., 11, 18-12, 6; 26; 36). Condenando de aquel modo al Estado y al Templo

---

(67)   No podemos precisar cuántos de estos oráculos fueron pronunciados con la mirada puesta ya en los babilonios. Tal vez al principio Jeremías no tenía en la mente un enemigo específico (¿o acaso los escitas? [cf. supra, 377]); pero es indudable que consideró la actividad de los babilonios como la realización del juicio de Dios.

era reo, según la teología oficial, de traición y de blasfemia: él acusaba a Yahvéh de falta de fidelidad a su alianza con David (cf. 26, 7-11). El ánimo de Jeremías casi se quebró bajo este peso. Cedió a accesos de airada recriminación, de depresión y aun de suicida desesperación (p. e., 15, 15-18; 18, 19-23; 20, 7-12, 14-18). Odió su ministerio y anheló liberarse de él (p. e., 9, 2-6; 17, 14-18), pero el impulso de la palabra de Yahvéh le impedía callarse (20, 9); siempre encontró fuerza para seguir (15, 19-21), pronunciando el juicio de Yahvéh. Sin embargo, cuando llegó este juicio, casi se le rompía el corazón (p. e., 4, 19-21; 8, 18-9, 1; 10, 19 ss.).

Después del 597, cuando parecía que el juicio había sido consumado y se habían perdido las locas esperanzas de una pronta restauración, Jeremías continuó su monótono anuncio de destrucción. No viendo ningún signo de que, con la tragedia, hubiera sido aprendida la lección, o se hubiera producido algún arrepentimiento, declaró que el pueblo —¡qué paralelo del tema de Isaías 1, 24-26!— era metal rechazado que no se podía refinar (Jr. 6, 27-30). En realidad, le parecía (cap. 24) que el mejor fruto de la nación y su esperanza habían sido arrancados, dejando únicamente restos despreciables. Sin embargo, cuando (594) se reavivó la esperanza de que Joaquín volvería pronto, Jeremías lo denunció, y poniéndose un yugo de bueyes sobre el cuello (cap. 27 ss.), declaró que Dios mismo había puesto el yugo de Babilonia sobre las naciones y que éstas deberían aceptarlo o desaparecer.

Cuando estalló la rebelión final, Jeremías predijo con firmeza lo peor, anunciando que no habría ninguna intervención milagrosa, sino que el mismo Yahvéh estaba luchando contra su pueblo (21, 1-7). Cuando, con el avance egipcio, se reanimaron las esperanzas (37, 3-10), él las combatió sin piedad. Incluso llegó a invitar al pueblo a desertar (21, 8-10), lo que muchos hicieron (38, 19; 39, 9). A causa de esto fue arrojado en una cisterna, donde estuvo a punto de morir (cap. 38). Finalmente los babilonios le perdonaron y, pensando que había estado de su parte (39, 11-14), le permitieron elegir entre irse a Babilonia o quedarse allí. Prefirió quedarse (40, 1-6) Pero después del asesinato de Godolías, los judíos que huyeron a Egipto le llevaron consigo, contra su voluntad; y allí murió. Las últimas palabras salidas de sus labios (cap. 44) fueron todavía de juicio sobre el pecado de su pueblo. La esperanza, para Jeremías —y él no careció de ella, como veremos—, quedaba más allá del reino de Judá, que había sido destruido por Yahvéh a causa de su violación de la alianza.

b. *El mensaje del juicio: Ezequiel.* A la voz de Jeremías se añadió, en la lejana Babilonia, la de su contemporáneo, más joven, Eze-

quiel (68), que anunció también la destrucción de Judá como un
justo castigo de Yahvéh. Conocemos muy poco de la vida de Ezequiel. Era un sacerdote (1, 3), casi seguramente de aquel clero del
Templo que había sido llevado a Babilonia en la deportación del
597. Es muy probable que de joven hubiera oído la atronadora predicación de Jeremías en las calles de Jerusalén y que hubiera sido
conmovido por ella (69). Llamado al ministerio profético en el año
593 (1, 2) por medio de una extraña y casi terrorífica visión de la
gloria de Yahvéh (cap. 1), continuó predicando entre los exiliados
al menos durante veinte años (29, 17; 40, 1), hasta unos quince años
después de la caída final de Jerusalén. Antes de este suceso, él no
tenía más que una palabra: castigo cruel y sin piedad (2, 9 ss.).

No se encuentra en todo el prestigioso cuerpo profético ninguna
figura tan singular como la de Ezequías. Fue la suya una personalidad
dura y no demasiado atractiva, plagada de contradicciones. Una
conducta áspera encubre una emoción apasionada, y puede sospecharse, profundamente reprimida. Su enseñanza tiene a veces la se-
quedad de una torá sacerdotal y, otras, una elocuencia elevada,
bien que indisciplinada. Aunque su rígido autocontrol le impidió,
según parece, explosiones como las de Jeremías, el castigo que él se
sentía impelido a nunciar le provocó graves tensiones internas y,
a veces, incapacidad física (24, 27; 33, 22). En momentos extáticos
o cuasi-extáticos comunicaba su mensaje mediante actos simbólicos
que debieron parecer, incluso a sus contemporáneos, decididamente
extravagantes. Dibujando un diagrama de Jerusalén en un ladrillo de
arcilla, comió alimentos racionados y puso mímicamente sitio a la
ciudad (4, 1-11). Rasurándose cabello y barba, quemó una parte
del pelo en el fuego, golpeó con una espada y esparció la tercera
parte al viento, poniendo en la orla de su vestido unos pocos pelos
(5, 1-4), simbolizando el destino de su pueblo. En cierta ocasión
(12, 3-7), haciendo un agujero en la pared de su casa, salió por él de
noche, llevando sus enseres a la espalda, representando así la marcha
de uno que parte para el exilio. Cuando, poco antes de la caída de
Jerusalén, le fue arrebatada por la muerte su esposa, él reprimió

---

(68)   No podemos entrar aquí en el análisis del libro de Ezequiel; cf. H. H.
Rowley, «The Book of Ezekiel in Modern Study» (1953; reimp. *Men of God* [en
nota 29, supra], pp. 169-210), para una orientación sobre las discusiones: es el
mejor resumen y sus conclusiones parecen las más sensatas. El libro contiene las
palabras de Ezequiel tal como fueron transmitidas (y ampliadas) por sus discípulos; entre los comentarios más recientes, cf. M. Zimmerli, *Ezechiel* (2 vols., BKAT,
1969); W. Eichrodt, *Ezekiel* (trad. inglesa, OTL, 1970). A la luz de las aportaciones
de estas dos obras, no veo razón para poner en tela de juicio el trasfondo exílico
de la totalidad del ministerio de Ezequías.

(69)   Para las relaciones existentes entre ambos, cf. J. W. Miller, *Das Verhält-
nis Jeremias und Hesekiels sprachilch unt theologisch untersucht* (Assen, van Gorcum y
Co., 1953).

toda señal de duelo, indicando la llegada de un desastre demasiado profundo para ser llorado (24, 15-24). Ezequiel apenas si fue lo que se dice un hombre normal (70). Sin embargo, se mantuvo como un centinela sobre su pueblo (3, 17-21), anunciando el justo juicio de Yahvéh con la voz auténtica de la fe normativa de Israel.

La doctrina de Ezequiel sobre el juicio, aunque diferente en la expresión, era fundamentalmente la misma que en Jeremías. Censurando severamente la persistente idolatría de su pueblo (cap. 8), sus rebeliones y obstinada obecación, declaró que todas estas cosas habían atraído la cólera divina. Al contrario de Jeremías (Jr. 2, 2 s.) y Oseas (Os. 2, 15, etc.), que habían idealizado los días de la marcha por el desierto como el tiempo en que Israel había sido leal y puro, Ezequiel declaró que su pueblo había estado corrompido desde sus comienzos (Ez. 20, 18, 31; 23). Aprovechando las posibilidades de la comparación de Oseas de la mujer adúltera, caracterizó a Jerusalén (cap. 16) como una descendencia bastarda de pecado, cuya maldad había superado incluso la de Samaría y Sodoma; aunque estuvieran entre ellos los hombres más justos que cabe imaginar —Noé, Daniel y Job— la justicia de éstos no bastaría para contrarrestar sus culpas y salvarlos (14, 12-20). Del mismo modo que Jeremías, Ezequiel consideró a la nación como escoria apta para ser arrojada enteramente al horno de la cólera de Yahvéh (22, 17-22). Aunque no quería admitirlo (9, 8; 11, 13), reconoció que aun este último resto de Israel había de ser destruido.

Ezequiel, por tanto, rechazó la esperanza nacional con tanta energía como lo había hecho Jeremías. Conociendo que pesaba sobre la ciudad el decreto de destrucción de Yahvéh (9-11), comparó a los profetas que pronunciaban oráculos de esperanza a locos que intentan salvar un muro desmoronado encalándolo (13, 1-16). Veremos cómo Ezequiel no hizo desaparecer la esperanza depositada en las promesas de David, pero la desarraigó del estado actual y la proyectó hacia el futuro. Con lenguaje poderoso describe una visión en la que vio la real presencia de Yahvéh, o lo que fuera, elevándose por encima de su trono, salir del Templo, aletear sobre él, y marchar (9, 3; 10, 15-19; 11, 22 s.). Yahvéh había cancelado su elección de Sión y no permanecería por más tiempo en su casa. Ezequiel interpretó absolutamente el desastre nacional como un justo castigo de Yahvéh por el pecado de la nación: no era tan sólo un hecho de Yahvéh sino, positivamente, su propia vinculación como Dios soberano (14, 21-33, etc.).

---

(70) Los intentos de un examen psicoanalítico de Ezequiel, a esta enorme distancia, son fútiles. Cf. C. G. Howie, *The Date and Composition of Ezekiel,* (JBL, *Monograph Series,* IV [1950]),cap. IV, acerca de este punto. Para una juiciosa discusión de la personalidad de Ezequiel, cf. Kittel, GVI, III, pp. 144-180.

c.   *Los profetas y el Israel del futuro*. Aunque escuchados por pocos durante su vida, estos profetas hicieron quizá más que ningún otro por salvar a Israel de la extinción. Mediante la despiadada demolición de una falsa esperanza, mediante el anuncio de la catástrofe como castigo soberano y justo de Yahvéh, dieron de antemano una explicación a la tragedia en términos de fe y evitaron con ello la destrucción de esta fe. Aunque así hundieron a muchos, privándoles de sus amarras religiosas, y sumergieron a otros en una fría desesperación, los israelitas sinceros fueron llevados al examen de sus propios corazones y a la penitencia. Y más aún, el mensaje profético, aunque dirigido a la nación, había sido también un requerimiento, a cuantos quisieron escuchar, a fiar más en la palabra de Yahvéh que en la política y las instituciones nacionales. Esto facilitó, por tanto, la formación de una nueva comunidad, basada en la decisión individual, que podría sobrevivir al hundimiento de la antigua. Cierto que hablar de Jeremías y Ezequiel como descubridores del individualismo, como hacen con frecuencia algunos manuales, es erróneo. A pesar de toda su fuerte naturaleza corporativa, la fe de Israel nunca había ignorado los derechos y responsabilidades del individuo bajo la ley de la alianza de Yahvéh. Ni tampoco Jeremías o Ezequiel proclamaron una religión individual frente a una corporativa, ya que ambos intentaron precisamente la formación de una nueva *comunidad*. Sin embargo, la antigua comunidad cúltico-nacional, a la que automáticamente pertenecían todos los ciudadanos, había terminado; debía ser remplazada por una nueva comunidad, basada en la decisión individual, si es que Israel debía sobrevivir como pueblo. Esta comunidad fue preparada por la predicación profética.

La religión de Jeremías fue intensamente individual debido en buena parte a que el culto nacional era para él una abominación en la que no podía tomar parte. El hecho de que no sólo lo censurase sino que declarase que sus ritos sacrificiales habían sido desde siempre periféricos a las exigencias de Yahvéh (6, 16-21; 7, 21-23), junto con su incesante insistencia en la necesidad de pureza interna (4, 3, s., 14, etc.), sirvieron, de seguro, para preparar el día en que la religión podría seguir existiendo sin culto externo de ninguna clase cosa imposible para la mentalidad antigua. También Ezequiel, mediante su famosa individualización del problema de la divina justicia (Ez. cap. 18), que había sido pensado como algo mecánico que, por eso, desembocaba fácilmente en el absurdo, ayudó a los hombres a liberarse de la cadena de la culpa corporativa (v. 19) y del sentimiento fatalista (3, 10; 37. 11) de que estaban condenados para siempre por los pecados del pasado; cada generación, cada individuo, tiene su justa suerte ante el tribunal de la justicia de Dios. Ambos profetas alentaron así a cada judío en particular, perdido y desesperado, a ser leales a la llamada de Yahvéh, que era siempre, también en esto, soberano Señor; y ambos les aseguraron que Yahvéh les saldría al encuentro, sin templo y sin culto, en el país de su cautividad, si ellos le buscaban con todo su corazón (Jr. 29, 11; 14; Ez. 11, 16; cf. Dt. 4, 27-31). Los hombres que recibieron estas palabras, nunca carecerían de esperanza.

Además, Jeremías y Ezequiel, los demoledores de la falsa esperanza, ofrecieron, por su parte, una esperanza positiva, ya que los dos consideraron el exilio como un período de transición (Jr. 29, 11-14; Ez. 11, 16-21), más allá del cual estaba el futuro de Dios. Tan inesperada es la esperanza de Jeremías que alguien ha dudado que tuviera alguna. ¡Pero la tuvo! Incluso cuando Jerusalén estaba sucumbiendo, él afirmó esta creencia en el futuro de su pueblo —¡y en la propia tierra de Palestina!— comprando bienes inmuebles (Jr. 32, 6-15), declarando que «de nuevo serán comprados en estas tierras casas, campos y viñedos». En realidad, esto no fue tanto una esperanza como un claro triunfo de la fe en las intenciones de Yahvéh, sobre la propia desesperanza de Jeremías (32, 16-17 a, 24 s.). No estuvo ello basado en ninguna clase de esperanza de resurgimiento de la nación, ni en ningún esfuerzo humano, sino en un nuevo acto redentor (Jr. 31, 31-34): Yahvéh llamaría de nuevo a su pueblo, como lo había hecho en otro tiempo en Egipto, y olvidando sus pecados, haría con ellos una nueva alianza, escribiendo su ley en sus corazones. La tremenda distancia entre las exigencias de la alianza de Yahvéh, según las cuales sería la nación juzgada, y sus seguras promesas, que la fe no podía abandonar, fue salvada desde el lado de la gracia divina. La verdadera teología del Exodo, que había condenado a la nación, llegó a ser el fundamento de su esperanza.

Después del 587, también Ezequiel dirigió a sus compañeros de exilio palabras de confortamiento y esperanza. Habló de un nuevo éxodo liberador, de una nueva disciplina del desierto en la que Yahvéh purificaría a su pueblo antes de conducirlo a su tierra (Ez. 20, 33-38). Aunque él contemplaba la restauración de un Israel unido bajo el gobierno davídico (34, 23 s.; 37, 15-28), esperó que Yahvéh, que es personalmente el buen pastor de su rebaño (cap. 34), cumpliría esto: Yahvéh inspiraría su espíritu sobre los huesos de la nación muerta, haciendo que se levantara de nuevo una multitud sumamente grande» (37, 1-14) y, dando a su pueblo un corazón nuevo y un espíritu nuevo, para servirle (v. 14; cf. 11, 19; 36, 25-27; etc.) le volvería a conducir a su tierra, establecería con él su alianza eterna de paz (34, 25; 37, 26-28) y colocaría su santuario para siempre en medio de él (71). La vieja esperanza nacional perma-

---

(71) Ver también Ez., cap 40 al 48. No hay razón para negar que el material de estos capítulos no sea de Ezequiel. Respecto del Templo aquí descrito y el de Salomón, cf. inter alia Howie, op. cit., pp. 43-46; idem, BASOR, 117 (1950), pp. 13-

necía, de este modo, pero proyectada hacia el futuro, adjudicada a una nación nueva y transformada, cuya creación dependía completamente de un nuevo acto divino salvador. Estas fueron las esperanzas en torno a las cuales pudo agruparse el núcleo de una nueva comunidad de Israel, reconfortada, para esperar, en medio de la oscuridad, en el futuro de Dios.

19; W. Zimmerli, «Ezechieltempel und Salomostadt», *Hebräische Wortforschung* (*Festschrift W. Baumgartner*, Leiden, E. J. Brill, 1967), pp. 398-414. Para el Templo en la mentalidad de Ezequiel, cf. W. Eichrodt, «Der neue Tempel in der Heilshoffnung Hesekiels», *Das ferne und nahe Wort* (Festschrift L. Rost; BZAW, 105, 1967), pp. 37-48.

Quinta Parte

TRAGEDIA Y TIEMPO POSTERIOR
Período exílico y postexílico

Capítulo 9

EXILIO Y RESTAURACION

LA DESTRUCCION de Jerusalén y el subsiguiente exilio marcó
la gran vertiente de la historia de Israel. De un golpe había terminado
su existencia nacional y, con ella, todas las instituciones en que su
vida corporativa se había expresado y que ya nunca más volverían a
ser reelaboradas exactamente de la misma forma. Destruido el Estado
y forzosamente suspendido el culto estatal, la antigua comunidad
cúltico-nacional se resquebrajó, e Israel quedó por el momento reducido a una aglomeración de individuos desarraigados y vencidos, sin
ninguna señal externa de pueblo. Lo extraordinario es que no pere-
ciera también su historia. Pues, no obstante, Israel sobrevivió al
desastre y, formando una nueva comunidad por encima del hundimiento de la antigua, reanudó su vida como pueblo. Su fe, discipli-
nada y fortalecida, sobrevivió igualmente y encontró, poco a poco, la
dirección que habría de seguir a lo largo de los siglos venideros.
En el exilio y en la época subsiguiente nació el Judaísmo.

Escribir la historia de Israel en este período es extremadamente
difícil. Nuestras fuentes bíblicas son, en el mejor de los casos, inade-
cuadas. Del exilio mismo la Biblia no nos cuenta prácticamente
nada, excepto lo que se puede deducir indirectamente de los escritos
proféticos, y de algunos otros, de aquel tiempo. Para el período
postexílico, hasta finales del siglo quinto, nuestra única fuente de
información histórica es la parte final de la obra del cronista que se
encuentra en Esdras-Nehemías, complementada por el libro apócrifo
de Esdras I proporcionado por el texto de los LXX del relato del
cronista sobre Esdras. Pero el texto de estos libros presenta dislocaciones extremas; estamos frente a problemas insolubles de primera
magnitud, junto con numerosas lagunas que deben ser rellenadas en
lo posible con información buscada en otros libros bíblicos postexílicos
y en fuentes extrabíblicas. Y después de hacer todo esto, quedan todavía lagunas desalentadoras y problemas desconcertantes.

A. EL PERIODO DEL EXILIO (587-539)

1. *La penosa situación judía después de 587.* La calamidad del 587 no debe ser minimizada en ninguna narración (1). Aunque la idea popular de una deportación total que dejó al país vacío y desierto es errónea y ha de ser descartada, la catástrofe fue, no obstante, espantosa y tal que señaló la quiebra de la vida judía en Palestina (2).

a. *La quiebra de la vida en Judá.* El ejército de Nabucodonosor convirtió a Judá en un matadero. Como elocuentemente evidencian las pruebas arqueológicas, todas, o casi todas, las ciudades fuertes de la Sefelá y de las colinas centrales del país (es decir, propiamente Judá), fueron arrasadas, para no ser reconstruidas, en la mayoría de los casos, hasta muchos años después (cf. Lam. 2, 2-5) (3). Solamente en el Négueb, según parece separado de Judá en el 597, y en la frontera septentrional, que era, probablemente, una parte de la provincia babilónica de Samaría, escaparon las ciudades a la destrucción. La población del país fue diezmada. Aparte los deportados a Babilonia, debieron morir muchos millares en las batallas o de inanición y enfermedad (cf. Lam. 2, 11, s., 19-21; 4, 9 s.), algunos —y seguramente más de los que conocemos (II R 25, 18-27)— fueron ejecutados, mientras que otros (cf. Jr. cap. 42 s.) huyeron para salvar sus vidas. Además, los babilonios no remplazaron a los judíos deportados con elementos llevados allí de otros lugares, como habían hecho los asirios en Samaría. La población de Judá, que sobrepasaba probablemente los 250.000 en el siglo octavo y que posiblemente llegaría, aun después de la deportación del 597, a la mitad de esta cifra, apenas pasaría de 20.000, aun incluyendo a los primeros exiliados que volvieron del destierro (4) y debió estar, además, sin duda, muy diseminada en los años intermedios. Ya hemos dicho que, después del asesinato de Godolías, Judá perdió, al parecer, su identidad, siendo asignado el territorio norte de Bet-sur a la provincia de Samaría (5), mientras que la región de las colinas en el sur (la futura

---

(1) Como lo hizo C. C. Torrey, en una serie de escritos a lo largo de medio siglo; recientemente, *The Chronicler's History of Israel* (Yale University Press, 1954).

(2) Para todo este capítulo, cf. E. Janssen, *Juda in der Exilzeit* (FRLANT, 69 [1956]); P. R. Ackroyd, *Exile and Restoration* (OTL, 1968).

(3) Tell Beit Mirsim (¿Debir?), Lakíš y Bet-Šemeš se encuentran entre las ciudades excavadas de las que consta que fueron destruidas. Jerusalén quedó, por supuesto, totalmente destruida; cf. Kathleen M. Kenyon, *Jerusalem* (Londres, Thames and Hundson; Nueva York, McGrae-Hill, 1967), pp. 78-104, 107 s.

(4) Cf. Albright, BP, pp. 49, 59 ss., 62 ss., para las pruebas.

(5) Cf. A. Alt, «Die Rolle Samarias bei der Entstehung des Judentums» (reimpr. KS, II, pp. 316-337), esp. pp. 327-329. Un punto de vista distinto en M. Smith, *Palestinian Parties and Politics that Shaped the Old Testament* (Nueva York, Columbia University Press, 1971), pp. 192-201; también G. Widengren, IHJ, pp. 509-511.

Idumea) fue gradualmente ocupada por los edomitas (Esd. 4, 50), que habían sido arrojados de su territorio por la presión árabe (6).

No conocemos prácticamente nada de lo que sucedió en Judá durante los cincuenta años siguientes. Podemos sospechar que cuando la situación se tranquilizó, volvieron de nuevo los fugitivos (cf. Jr. 40, 11-12), se unieron a la población que quedaba en el país y se incorporaron a aquella existencia. Pero su situación era miserable y precaria (Lam. 5, 1-18). Por lo que respecta al Templo, aunque reducido a escombros, persistió como lugar santo al que continuaron acudiendo los peregrinos —incluso desde Israel del norte (Jr. 41, 5)— para ofrecer sacrificios entre las ruinas ennegrecidas. Probablemente se mantuvo allí, aunque de un modo esporádico, alguna especie de culto a lo largo del período exílico; pero aunque había en Judá, sin duda, un pueblo piadoso que, como sus hermanos lejanos, lloraban sobre Sión y anhelaban su restauración (7), estaban faltos de dirección y sin poder hacer otra cosa que soñar. Cuando el impulso restaurador se produjo, no provino de ellos. Es probable, en realidad, que la lealtad religiosa de muchos de este pueblo empobrecido estuviera sumamente minada y que su yahvismo fuera de una estructura no muy pura. Al menos así lo vieron los profetas contemporáneos (p. e. Ez. 33, 24-29; Is. 47, 3-13; 65, 1-5 s.) (8).

Es verdad que la catástrofe del 587 había dejado incólume el territorio perteneciente en otro tiempo al Estado del norte y que la población israelita continuó manteniéndose igual que antes en Samaría, Galilea y Transjordania. Sin embargo, aunque eran israelitas del norte que habían permanecido, en parte como resultado de la reforma de Josías, adictos al culto de Jerusalén (Jr. 41, 5), la mayor parte de ellos practicaba un yahvismo de estructura fuertemente sincretista. La religión en el norte del Israel se había contaminado con elementos paganos ya antes del 721, como nos lo permite ver Oseas, y había sido posteriormente desleída en mezclas importadas por elementos extranjeros establecidos allí por los reyes asirios (II R 17, 29-34). Los esfuerzos efímeros de Josías no habían logrado un cambio fundamental. Por lo demás, habiendo estado este pueblo durante siglo y medio, a excepción del breve período de Josías, bajo gobierno extranjero, el fuego del celo nacionalista, aunque no extinguido entre ellos, estaba seguramente amortiguado. Aunque los israelitas eran

---

(6)   Cf. Albright, BASOR, 82 (1441), pp. 11-15, para las pruebas. La ocupación edomita del sur de Judá comenzó durante el exilio y estaba ya completada a finales del siglo sexto.

(7)   Algunas composiciones, como sal. 74; Is. 63, 7 a 64, 12; Lamentaciones, parecen pertenecer a este contexto. Había tiempos determinados para ayunos y lamentaciones (Za. 7, 3 ss.).

(8)   Is. caps. 56 al 66 data en su mayor parte, como veremos, de los años justamente después del destierro, pero las condiciones descritas apenas eran nuevas entonces.

aún mayoría numérica en Palestina, el futuro Israel difícilmente
podía estar entre ellos. El verdadero centro de gravedad de Israel
se había alejado temporalmente de su hogar patrio.

b. *Los exiliados en Babilonia.* Los judíos que vivían en Babilonia
representaban la crema de los dirigentes políticos, eclesiásticos e in-
telectuales de su país, pues por esta razón fueron seleccionados para
la deportación. Su número, seguramente, no fue grande. En Jr. 52,
28-30 se dan los totales exactos de las tres deportaciones (de 597,
587 y 582), y la suma global es solamente de 4.600. Es una cifra razonable. Aunque probablemente se cuentan sólo los varones adultos,
la suma total no podía ser más de tres o cuatro veces superior (9).
Pero eran estos exiliados, aunque pocos en número, los que modela-
rían el futuro Israel, dando a su fe una nueva dirección y proporcionando el impulso para la definitiva restauración de la comunidad
judía en Palestina.

Aunque no deberíamos disminuir las opresiones y humillaciones
que estos exiliados soportaron, su suerte no parece haber sido extremadamente severa. Llevados al sur de Mesopotamia, no lejos de la
misma Babilonia, no fueron, a lo que parece, dispersados entre la
población local, sino asentados en establecimientos propios (cf. Ez.
3, 15; Esd. 2, 59; 8, 17), en una especie de internamiento (10). No
eran, desde luego, libres, pero tampoco eran prisioneros. Se les permitía construir casas, dedicarse a la agricultura (Jr. 29, 5 ss.) y, según
parece, ganarse la vida del modo que pudieran. Les estaba permitido
reunirse y continuar alguna especie de vida en comunidad (cf. Ez.
8, 1; 14, 1; 33, 30 ss.). Como arriba hemos notado, su rey Joaquín,
que había sido deportado con el primer grupo en el 597, fue tratado
como un pensionado de la corte de Babilonia y considerado incluso
como rey de Judá.

De la suerte posterior de los exiliados no sabemos casi nada. Ya
hemos indicado que algunos de ellos estuvieron implicados en las
revueltas de 595 ó 594, por lo cual algunos de sus dirigentes sufrieron represalias (Jr. cap. 29). En una fecha posterior (después de 592),
Joaquín fue arrojado en cadenas, probablemente por complicidad,
o sospecha de complicidad, en alguna acción sediciosa (II R 25,
27-30), y en ellas permaneció durante el resto del reinado de Nabucodonosor. Pero no sabemos si esto estuvo en conexión con los sucesos del 587 o no, ni si estuvo envuelta en ello alguna parte apre-

_____

(9) Cf. Janssen, *op. cit.*, pp. 25-39; Ackroyd, *op. cit.*, pp. 20-23 para la discusión y ulterior bibliografía. II R 24, 14, 16 da 10.000 (u 8.000) para sólo la primera deportación, lo que significa un cálculo bastante aproximado del total,
contando las mujeres y los niños. Cf. también K. Galling, *Studien zur Geschichte
Israels im persischen Zeitalter* (Tubinga, J. C. B. Mohr, 1964), pp. 51 s., que opina
que la suma total de todos los deportados no debió ser superior a 20.000.

(10) No fue, pues, una deportación al modo asirio; cf. Alt *op. cit.*, p. 326,
que acentúa su carácter provisional.

ciable de la comunidad judía. De todos modos, no hay pruebas de que los exiliados sufriesen una opresión desacostumbrada sobre la inherente a su estado. Por el contrario, la vida en Babilonia debió haber abierto para muchos oportunidades que nunca hubieran tenido en Palestina. Con el transcurso del tiempo muchos judíos, como veremos, se dedicaron al comercio, y algunos se hicieron ricos.

c. *Judíos en Egipto y en otros lugares*. Aparte estos judíos, llevados por la fuerza a Babilonia, otros —y ciertamente no pocos— abandonaron voluntariamente el suelo patrio para buscar seguridad en otras partes. Un número considerable se encaminó a Egipto. Tenemos noticias de una partida que huyó allá después del asesinato de Godolías, llevándose a Jeremías consigo (Jr. caps. 42 ss.), y probablemente no fue el primer caso. Es verosímil, en efecto, que muchos judíos hubieran encontrado refugio en Egipto, o que se hubieran establecido allí como mercenarios o de otra manera, durante los calamitosos últimos días de Judá; podemos suponer que cuando la nación sucumbió, creció la marea de refugiados. Los compañeros de Jeremías se establecieron en Tafnes (Dafne) (Jr. 43, 7), justamente en la frontera, mientras que otros grupos se encontraban en diversas ciudades del bajo Egipto (Jr. 44, 1). Probablemente sus descendientes permanecieron allí todo el período persa (cf. Is. 19, 18 ss.), para unirse más tarde con aquella ola de inmigrantes que hizo de Egipto en los días de los Tolomeos un centro mundial de judíos. Pero de su suerte en este intermedio no sabemos nada.

Especial interés tiene la colonia militar judía que existió durante el siglo quinto en Elefantina, en la primera catarata del Nilo. Puesto que por sus mismos testimonios sabemos que estaba allí cuando los persas conquistaron Egipto el 525 (11), debió haber sido establecida por uno de los faraones de la Dinastía XXVI, probablemente por Apries (589-570) (12). Ignoramos por completo si esta gente llegó a Egipto antes o después del 587 (13). El hecho de que se llamen a sí mismos «judíos» prueba que su origen no era samaritano. La naturaleza de su culto sincretista, del que hablaremos más adelante, hace probable la teoría de que procedían de los alrededores de Betel que, después de ser desarraigada por Josías, revivió y floreció en la segunda mitad del siglo sexto (14).

---

(11) Cf. Pritchard, ANET, p. 492, para los textos más importantes. ¿Se refiere Is. 49, 12 («Sinim») a Syene-Aswân? (cf. Ez. 29, 10; 30, 6). Y si es así, ¿estaban ya allí los judíos en ca. 540?

(12) Cf. Albright, ARI, p. 168, y el escrito de W. Struve allí citado, que yo nunca he visto. E. G. Kraeling (BA, XV (1952), p. 65, prefiere el reinado de Amasis (570-526).

(13) Es posible que contingentes judíos ayudaran a Psammético II en su campaña de Nubia (ca. 594-589); cf. M. Greenberg, JBL, LXXVI (1957), páginas 304-309.

(14) Cf. Albright, ARI, pp. 168-174. A. Vicent anticipó un punto de vista parecido.

Aunque no conocemos detalles, podemos presumir que los judíos buscaron refugio también en otras regiones, además de Egipto. Hemos dicho que muchos de ellos huyeron, ante los babilonios, a Moab, Edom y Ammón (Jr. 40, 11). Aunque algunos de ellos retornaron una vez pasada la tormenta, podemos estar seguros de que muchos no lo hicieron. Es probable que las regiones israelitas de Samaría, Galilea y Transjordania recibieran también una afluencia de fugitivos. Carecemos de información para añadir algo más (15). Aunque no existía aún una diáspora judía sobre toda la tierra, se había iniciado una tendencia que nunca desaparecería por completo. Israel había comenzado a dispersarse entre las naciones (cf. Dt. 28, 64). Nunca volvería a estar identificado con ninguna entidad política o área geográfica. Cualquiera que fuera la suerte que el futuro le tuviese reservada, nunca podría darse un retorno completo a las estructuras del pasado.

2. *El exilio y la fe de Israel* (16). Cuando se considera la magnitud de la calamidad que soportó, causa asombro que Israel no fuera absorbido por el torbellino de la historia del mismo modo que otras pequeñas naciones del oeste de Asia, y no perdiera para siempre su identidad como pueblo. Y si hemos de preguntarnos por qué no sucedió así, la respuesta está seguramente en su fe, la fe que dio comienzo a su existencia resultó suficiente también para esto. Sin embargo esta respuesta no se debe dar alegremente, ya que el exilio probó la fe de Israel hasta el extremo. Todo lo logrado no fue algo que sucedió automáticamente, sino sólo a base de un profundo examen de conciencia y después de un profundo reajuste.

a. *Naturaleza de la dificultad.* Con la caída de Jerusalén la dificultad teológica descrita en el capítulo anterior alcanzó proporciones de crisis. El dogma sobre el que se fundamentaba el Estado y el culto había recibido un golpe mortal. Como hemos dicho en repetidas ocasiones, este dogma consistía en la seguridad de la elección eterna de Sión, por parte de Yahvéh, como su asiento terreno, y sus promesas incondicionales a David de una dinastía que no tendría fin. Al amparo de este dogma, la nación descansaba segura y, rechazando las amonestaciones proféticas en contrario, como una herejía inconcebible, esperaban confiados la poderosa intervención de Yahvéh y un futuro que traería al descendiente ideal de la casa de David —quizá el próximo— bajo el cual el gobierno justo y benéfico de Yahvéh sería triunfalmente establecido y todas las promesas dinásticas serían actualizadas. Este era el destino de la historia nacional hacia el que los hombres podían mirar con confianza, sin necesidad de

---

(15)   Sobre las posibles colonias judías en Arabia en el período exílico, cf. *infra*, p. 421.
(16)   Sobre esta cuestión, cf. D. N. Freedman, «Son of Man, Can These Bones Live?» (*Interpretation*, XXIX [1975], pp. 171-186).

tener que tender la mirada más allá. Los arietes de Nabucodonosor abatieron desde luego esta teología de modo totalmente irreparable. Era una teología falsa, y los profetas que la proclamaron habían muerto (Lam. 2, 14). Nunca más podría ser mantenida en su precisa estructura antigua.

Con esto —¡no lo minimicemos!— quedaba sometido a juicio incluso el rango del Dios de Israel. La fe de Israel había sido, en todos sus períodos, siempre de carácter monoteísta. Aunque sin una formulación abstracta del monoteísmo, ella, desde sus comienzos, había dado lugar a un solo Dios, y había declarado que los dioses paganos eran nonadas, «no dioses». Pero cuando el Estado y la teología nacional sucumbieron bajo los asaltos de un poder pagano... ¿qué pasaba entonces? ¿Eran, después de todo, nonadas los dioses de Babilonia? ¿No eran realmente verdaderos dioses poderosos? Así debieron razonar muchos judíos entre sí. Por eso, la tentación de abandonar por completo la fe ancestral se agudizó hasta el extremo (cf. Jr. 44, 15-19; Ez. 20, 32). Mientras tanto, otros, paralizados por el desastre, pero sintiendo que era, de algún modo, obra de Yahvéh, ponían en tela de juicio, con hondos gemidos, la justicia divina (Ez. 18, 2, 25; Lam. 5, 7) (17). Aun lo más selecto del pueblo, aquellos que habían recibido la palabra profética, se hundieron en la desesperación, temerosos de que hubiera sido cometido el pecado mortal y de que Yahvéh, en su ira, hubiera desheredado a Israel y hubiera cancelado su destino como pueblo suyo (p. e., Is. 63, 19; Ez. 33, 10; 37, 11). A través del llanto suplicaban misericordia, pero no acertaban a ver ningún fin a sus sufrimientos (p. e., sal. 74, 9 ss.; Lam. 2, 9).

Existía el riesgo de una pérdida total de la fe. Esto se agravó cuando los judíos, arrancados de su suelo patrio, trabaron un primer contacto, la mayoría de ellos por primera vez, con los grandes centros de cultura del mundo. Jerusalén, que en sus mentes aldeanas era el único centro del universo de Yahvéh, debía parecerles, por comparación, realmente pobre y atrasada. Rodeados de una riqueza y un poder insólitos, con los magníficos templos de los dioses paganos a la vista, debió ocurrírseles a muchos de ellos la idea de si Yahvéh, Dios protector de un pequeño Estado que parecía incapaz de defender, era realmente, después de todo, el supremo y único Dios. La gravedad de la tentación de apostasía es atestiguada por las grandes polémicas de Is. caps. 40 al 48, que de otra forma no hubieran sido necesarias. La fe de Israel tenía sometida a prueba su propia existencia. Obvia-

---

(17) El libro de Job es el clásico enfrentamiento con este problema. Aunque de fecha incierta, es posible que su composición corresponda a este período; cf. los comentarios para esta discusión. M. H. Pope (*Job* [AB, 3.ª ed., 1973]), pp. XXXII-XL) y W. F. Albright (cf. YGC, p. 224) sitúan el diálogo poético en el siglo VII (o comienzos del VI). Para la dificultad de referir Job a una situación histórica específica, cf. J. J. M. Roberts, ZAW, 89 (1977), pp. 107-114.

mente, no podía continuar como culto nacional, adhiriéndose a un *status quo ante* como si nada hubiera sucedido. Tenía que aclarar su posición frente a las grandes naciones y sus dioses, frente a la tragegedia nacional y su significado, o perecer.

b. *Tenacidad de la fe de Israel.* Aunque la prueba fue dura, la fe de Israel la afrontó con éxito, mostrando una tenacidad y vitalidad asombrosas. Ya antes de que el problema se presentase, le habían dado de antemano los verdaderos profetas que estuvieron presentes en la catástrofe, especialmente Jeremías y Ezequiel, una solución fundamentalmente apropiada para ofrecer una explicación teológica del desastre nacional y para mantener viva alguna chispa de esperanza para el futuro. Lo hemos indicado ya en el capítulo precedente. Por el hecho de haberla anunciado incesantemente como justo castigo de Dios por el pecado de la nación, dieron estos profetas una explicación coherente de la tragedia, que permitió considerarla no como la contradicción, sino como la reivindicación de la fe histórica de Israel. Por otra parte, aunque su afirmación demolió la falsa esperanza, proveyó a los hombres de una esperanza nueva, a la que poder adherirse, del triunfo final de los proyectos redentores de Yahvéh. El exilio podía ser considerado como un castigo merecido y como una purificación que preparaba a Israel para un futuro nuevo. Con estas palabras, y con la seguridad dada al pueblo de que Yahvéh no estaba lejos de ellos ni siquiera en el país de su destierro, prepararon los profetas el camino para la formación de una nueva comunidad.

Y, en efecto, comenzó a aparecer una nueva comunidad, aunque los detalles son casi por entero oscuros. No existió ya más una comunidad cúltico-nacional, sino una comunidad caracterizada por su adhesión a la tradición y a la ley. Se comprende la elevada importancia de la ley entre los exiliados puesto que ahora, habiendo perecido el Estado y el culto, apenas había otra cosa que los distinguiera como judíos. Además, dado que los profetas habían explicado la calamidad como un castigo por el quebrantamiento de la ley de la alianza, apenas hace falta decir que los hombres sinceros dedicaron una atención más fervorosa a este concepto imperativo de su religión. El sábado y la circuncisión en especial, aunque instituciones antiguas, comenzaron a cobrar importancia inigualada hasta entonces. La estricta observancia del primero se fue imponiendo poco a poco como la señal de un judío fiel. En varios pasajes, de fechas exílicas o inmediatamente posteriores, aparece el sábado como la prueba crucial de obediencia a la alianza (p. e., Jr. 17, 19-27; Is. 56, 1-8; 58, 13 ss.), «señal» perpetua, instituida en la creación (Gn. 2, 2 ss.), de que Israel es Israel (Ex. 31, 12-17; Ez. 20, 12). La circuncisión, que había sido practicada por los antiguos vecinos de Israel (excepto los filisteos), pero no, al parecer, por los babilonios, vino a ser también un signo de la alianza (Gn. 17, 11) y el distintivo de un judío (18). Es muy comprensible, también, que en los judíos, que vivían en un país «impuro», y no en último lugar entre los discípulos de Ezequiel, se descubra una gran preocupación por el problema de la pureza ritual (p. e., Ez. 4, 12-15; 22, 26; cap. 44 ss.) (19). Estas, cosas nos pueden parecer a nosotros periféricas, pero para los judíos exiliados fueron los medios de confesar su fe, habiendo desaparecido los símbolos visibles de esta fe.

Durante el exilio, aunque no podemos decir con precisión cómo o dónde, fueron celosamente preservados los recuerdos y tradiciones del pasado que, poniendo a la vista una recopilación de los favores pasados de Yahvéh hacia su pueblo, y sosteniendo al mismo tiempo una ardiente esperanza para el futuro, *fueron la vida de* la comunidad. El cuerpo histórico deuteronómico (Josué a II R), compuesto probablemente poco antes de la caída de la nación, fue reeditado, ampliado (cf. II R 25, 27-30) y adaptado a la situación de los exiliados (20). También los anuncios de los profetas, confirmados ahora por los acontecimientos, fueron conservados, oralmente y por escrito, y en muchos casos provistos de «notas al pie», a modo de explicaciones o ampliaciones, de fecha posterior (21). Aunque ignoramos por completo los detalles, se llevó adelante el proceso de colección que dio como resultado los libros proféticos tal como nosotros los conocemos. Las leyes cúlticas que forman el núcleo del llamado código sacerdotal, y que reflejan las prácticas del templo de Jerusalén, fueron también coleccionadas y codificadas en una estructura definitiva hacia esta época, un paso necesario ahora que el culto, con sus prácticas controladas por costumbres y precedentes, había desaparecido. Fue compuesta también la narración sacerdotal del Pentateuco (P), probablemente durante el siglo sexto, y quizá en el exilio. Se nos da en ella una historia teológica del mundo, comenzando por la creación y culminando en los mandamientos dados en el Sinaí,

---

(18) Tal vez Ackroyd (*op. cit.*, p. 35 y s.) esté en lo cierto cuando advierte contra una excesiva insistencia en este punto. Pero es un hecho que la circuncisión y el sábado no recibieron acentos excesivos en los escritos preexílicos, mientras que durante y después del exilio asumieron una importancia más central.

(19) También este aspecto es nuevo; cf. el código de Santidad (Lev. cap. 17 a 26) que fue escrito probablemente hacia el fin del estado judío (con material mucho más antiguo). Es fácilmente comprensible que estos puntos fueran de crucial importancia en la situación del exilio, sobre todo entre los círculos sacerdotales.

(20) Cf. *supra*, 398. No sabemos si la edición exílica se llevó a cabo en Babilonia o en Palestina. La gran riqueza de material de las fuentes (historias, memorias, etc.) tienden a indicar que el original fue compuesto en Jerusalén, antes del 587; no es muy verosímil que sobrevivieran recuerdos de esta índole.

(21) Nótese, por ejemplo, la manera cómo es empleado en Is. 13, 1 a 14, 23 un material más antiguo dentro de un oráculo de condenación contra Babilonia; o cómo en Jr. cap. 30 ss., se ha ampliado su material jeremiano en un estilo deuteroisaiano. Pero esta característica, que puede notarse en la mayor parte de los libros proféticos preexílicos, no debe ser exagerada.

que son presentados como un modelo eternamente válido, no sólo
para el pasado sino también para todo el tiempo futuro. De este
modo, la comunidad, así adherida a su pasado, se preparaba a sí
misma para el futuro.

c. *La esperanza de la restauración.* El futuro que los exiliados esperaban era el de una eventual restauración en la patria. Esta esperanza
no murió nunca. Aunque indudablemente algunos se resignaron
pronto a la vida de Babilonia, el núcleo sólido de la comunidad
exílica rehusó aceptar la situación como definitiva. Esto sucedió, en
parte, sin duda, debido a que los exiliados sintieron que su estado
era provisional, un internamiento más que un verdadero asentamiento. Fue también debido a que sus profetas, a pesar de todas sus
amenazas contra la nación, habían continuado, no obstante, asegu-
rándoles que el propósito de Yahvéh era la restauración definitiva
de su pueblo, y precisamente en la tierra prometida (p. e. Ez. cap. 37).
Por tanto sólo ellos podían considerar el exilio como un intermedio.
Es verdad que después de los disturbios de 595/4, arriba mencionados,
no tenemos noticia de ninguna otra sedición abierta por parte de los
exiliados, a no ser que la prisión de Joaquín fuera ocasionada por una
de ellas. Pero esto no significó resignación. Por el contrario, este
pueblo se sintió como residente en tierra extranjera. Estaba lleno de
un odio amargo contra los que le habían llevado a ella, y un anhelo
nostálgico por la lejana Sión (p. e. sal. 137). Esperó ardientemente
el juicio de Yahvéh sobre la orgullosa Babilonia y su consiguiente
liberación (p. e. Is. 13, 1-14, 23). Las ruinas de la Ciudad Santa
afligían sus corazones; confesando sus pecados (I R 8, 46-53), suplicaban restauración (Is. 63, 7-64, 12) y la intervención de Yahvéh
como en los días del éxodo.

No podemos decir en que términos precisos concebía el exiliado
normal la restauración. La mayoría no deseaba, probablemente, más
que el restablecimiento de la nación según la antigua estructura.
La teología davídica estaba lejos de morir (cf. Ez. 34, 23 s.; 37,
24-28); y al ser liberado Joaquín de la cárcel por el hijo de Nabucodonosor (II R 25, 27-30) pudieron revivir las esperanzas de que
sería repuesto en su trono. Pero, si así lo pensaron, nada de ello
sucedió. Otros, mientras tanto, como lo da a entender la *civitas Dei* de
Ezequiel, caps. 40 al 48, estaban forjando grandiosos planes de
reconstrucción nacional, no según el diseño del desaparecido estado
davídico, sino siguiendo una adaptación ideal de la antigua estructura
de la liga tribal (22). Estos soñaban con una teocracia presidida
por un sacerdote sadoquita, en la que al príncipe secular (cap. 45 y s.)

---

(22)   Cf. M. Noth, *Die Gesetze im Pentetauch*, pp. 55-57 (cf. *Gesammelte Studien
zum Alten Testament* [Munich, Chr. Kaiser Verlag, 1957], pp. 90-93). Yo diría
que lo básico de Ez. es caps. 40 al 48, con ampliaciones; cf. los comentarios de
Zimmerli y Eichrodt citados *supra* p. 402, nota 68).

se le asignaba un papel enteramente subordinado, sobre todo como mantenedor del culto. Todo lo ritualmente impuro y extranjero había de ser excluido con rigor (44-4-31). Su centro sería el Templo restaurado, al cual volvería la presencia de Yahvéh, para entronizarse por siempre (43, 1-7). Era un programa utópico (nótese la artificial distribución de las tribus, al oeste de Palestina solamente (47, 13-48, 29), que respondía poco a la realidad. Esto no obstante, modeló poderosamente el futuro. Hacia esta nueva Jerusalén, que sólo existía en la fe, se volvieron los ojos de muchos judíos exiliados.

3. *Los últimos días del imperio babilónico.* Indudablemente, las esperanzas revivieron con la extrema inestabilidad del imperio. babilónico. En realidad, fue un imperio de vida corta. Había sido creado por Nabucodonosor y su padre, y la muerte de Nabucodonosor, veinticinco años después de la caída de Jerusalén, señaló el principio del fin.

a. *Los últimos años de Nabucodonosor* (v 562). Nabucodonosor fue capaz, por sí mismo, de mantener intacto el imperio y aun de extenderlo. Su rival externo más peligroso fue Ciajares, rey de Media, que, como se recordará, había sido aliado de Babilonia en la destrucción de Asiria. Mientras los babilonios estaban ocupados en anexionarse los territosios en otro tiempo asirios de Mesopotamia, Siria y Palestina, Ciajares construyó un Estado compacto, cuya capital era Ecbátana. Después de someter algunos pueblos indo-arios del Irán, se lanzó hacia el oeste, a través de Armenia, hasta el este de Asia menor, donde chocó con Alyattes, rey de Lidia. En el 585 Nabucodonosor, deseando mantener en equilibrio la balanza del poder intervino para fijar la frontera medo-lidia en el río Halys. Mientras tanto, mantuvo sus propias fronteras e incluso, un poco más tarde, extendió sus conquistas hasta Cilicia (23).

Después de destruir Jerusalén, Nabucodonosor hizo campañas por el oeste, donde seguía reinando la inquietud, instigada sin duda por Apries (Jofra), faraón de Egipto (589-570). Se conocen pocos detalles. En el 585 fue sitiada Tiro. Pero aunque Ezequiel cantó la destrucción de la ciudad (Ez. caps. 26 al 28), y Nabucodonosor la bloqueó durante trece años, Tiro, segura en sus islas fortificadas, le hizo frente (Ez. 29, 17-20); y aunque obligada a reconocer la soberanía de Babilonia, permaneció como Estado semi-independiente (24). En el 582 (Jr. 52, 30), el ejército babilonio estaba de nuevo en Judá y tuvo lugar una tercera deportación de judíos. Josefo (Ant. X,

(23)   Cilicia era todavía independiente en el 585, pero fue tomada por Nabucodonosor probablemente antes del 570. Cf. Albright, BASOR, 120 (1950), pp. 22-25; D. J. Wiseman, *Chronicles of Chaldean Kings* (625-556 B. C. (*in the British Museum* (Londres, The Bristish Museum, 1956), pp. 39 ss.

(24)   Cf. H. J. Katzenstein, *The History of Tyre* (Jerusalén, The Schoken Institute for Jewish Research, 1973), pp. 322-334.

IX, 7) coloca en este año una campaña por Clesiria, Moab y Ammón y esta puede ser la campaña del Líbano mencionada en una inscripción sin fecha de Nabucodonosor (25). Pero no es seguro.

Aunque tanto Jeremías (43, 8-13; 46, 13-26) como Ezequiel (caps. 29 al 32) esperaban que Nabucodonosor emprendería la invasión de Egipto, él demoró por el momento el amago del golpe, considerándolo acaso demasiado arriesgado. Pero tenía la idea en la cabeza. En el 570, habiendo sufrido Apries una derrota a manos de los griegos de Cirene, tuvo que hacer frente a una rebelión de su ejército, capitaneada por un tal Amasis. En el curso de la subsiguiente batalla, Apries perdió la vida y Amasis se proclamó rey. En el 568, Nabucodnosor, aprovechándose de la confusión, invadió Egipto. Dado que la inscripción que nos lo narra es sólo un fragmento, no conocemos los detalles (26). La inscripción de Nabucodonosor era, según parece, no la conquista, sino una expedición de castigo para prevenir a Egipto de ulteriores intromisiones en Asia. Si fue así, tuvo éxito; en los años siguientes Egipto y Babilonia mantuvieron relaciones amistosas durante todo el tiempo que esta última perduró.

b. *Los sucesores de Nabucodonosor.* Con la muerte de Nabucodonosor, el poder de Babilonia declinó rápidamente. Faltaba la estabilidad interna. En el espacio de siete años el poder cambió de manos tres veces. A Amel-marduk, hijo de Nabucodonosor (562-560) (27), el Evil-merodak que libertó de la prisión a Joaquín (II R 25, 27-30), le sucedió, a los dos años, con toda probabilidad mediante la violencia, su cuñado Nergal-šar-usur (Neriglissar), probablemente el Nergal-šaréser que aparece como oficial babilonio en Jr. 39, 3, 13. Aunque Neriglissar (560-556) era bastante enérgico —en 557/6 salió a campaña hasta el oeste de Cilicia (Pirindu) para vengar un ataque contra el protectorado babilonio en la región oriental de este país (Hume) (28)— murió al cabo de cuatro años, dejando un hijo menor de edad, Labaši-Marduk, en el trono. Este último fue rápidamente desplazado por Nabu-na'id (Nabonides), descendiente de una familia noble de estirpe aramea de Jarán, que se apoderó del trono.

---

(25) Pritchard, ANET, p. 307. Dado que Josefo asegura que en esta campaña Nabucodonosor invadió Egipto, mató al faraón y llevó a los judíos de allí a Babilonia (equivocándose en todo), caben vacilaciones acerca de la veracidad de su relato.

(26) Pritchard, ANET, p. 308. Cf. F. K. Kienitz, *Die politische Geschichte Agyptens von 7. bis zum 4. Jahrhundert vor der Zeitwende* (Berlín, Akademie-Verlag, 1953), pp. 29-31.

(27) Para la cronología de este período, y de los siguientes, cf. R. A. Parker y W. H. Dubberstein, *Babylonian Chromology*, 625 *B. C. - A. D.* 75 (Brown University Press, 1956).

(28) Cf. Wiseman, *op. cit.*, pp. 37-42, 75-77; también Albright, BASOR, 143 (1956), pp. 32 ss.

Nabonides (556-539) tuvo, según parece, el apoyo de los elementos disidentes de Babilonia, quizá principalmente el de aquellos que se resentían del enorme poder, tanto económico como espiritual, de los sacerdotes de Marduk. Pero su reinado creó grandes disensiones en Babilonia (29). Devoto del dios lunar Sin, como lo había sido su madre, favoreció el culto de su dios, reconstruyendo su templo de Jarán (destruido el año 610). Al parecer, pretendió elevar a Sin a la categoría de divinidad suprema del panteón babilónico. Excavó emplazamientos de templos en Babilonia, para descubrir los nombres y las fechas de sus constructores, hizo que sus sabios descifraran inscripciones antiguas y revivió numerosos ritos, hacía tiempo olvidados. Sus innovaciones le ganaron la hostilidad de muchos, particularmente de los sacerdotes de Marduk, que le consideraban como un impío. Después de sus primeras campañas en Cilicia (30) y en Siria, probablemente para reprimir revueltas, trasladó su residencia al oasis de Teima, en el desierto de Arabia, al sudeste de Edom. Allí permaneció durante unos diez años, dejando los negocios de Babilonia en manos de su hijo Bel-šar-usur (Baltasar). Dado que el rey no asistió personalmente al festival del Año Nuevo —cumbre del culto anual babilónico—, fueron muchos los ciudadanos que consideraron la ausencia como un auténtico sacrilegio. Hoy sabemos que la causa inmediata de la partida de Nabonides fue la rebelión de una parte de los ciudadanos de Babilonia y de algunas otras ciudades, provocada por las medidas religiosas del monarca (31). Pero Nabonides distaba mucho de ser un refugiado. De hecho, aprovechó la oportunidad para extender el control de Babilonia sobre una cadena de oasis a lo largo de la ruta caravanera meridional, hasta la misma Medina (Yatrib), estableciendo colonias militares en estos oasis. Es perfectamente posible que hubiera soldados judíos entre las tropas de Nabonides y que los asentamientos judíos en Arabia, bien conocidos en los primeros siglos cristianos y en los días de Mahoma, se remonten a esta época (32). Aunque Nabonides regresó a Babilonia aclamado —según el propio Nabonides— por el pueblo, parece que sus medidas religiosas siguieron provocando disensiones. Babilonia estaba dividida interiormente desde tiempo atrás y mal preparada para hacer frente a una emergencia nacional.

---

(29) Para los textos relacionados con Nabonides, cf. Pritchard, ANET, pp. 305 ss., 309-315; ANE Suppl., pp. 560-563.

(30) Pritchard, ANET, p. 305; Albright, BASOR, 120 (1950), pp. 22-25.

(31) Cf. Pritchard, ANE Suppl., pp. 562 s. y la bibliografía que cita, especialmente C. J. Gadd, *Anatolian Studies* 8 (1958), pp. 35-92. Para la situación política de este período y del siguiente, cf. K. Galling, «Politische Wandlungen in der Zeit zwischen Nabonid und Darius» (*op. cit.* (en nota 9) pp. 1-60).

(32) Cf. R. de Vaux, *Bible et Orient* (París, Les Editions du Cerf, 1967), pp. 277-285; H. W. F. Saggs, AOTS, pp. 46 s.; también las obras citadas en la nota anterior.

c. *La carrera triunfal de Ciro*. Coincidiendo con esta coyuntura
apareció una nueva amenaza externa, con la que la débil Babilonia
comenzaba a no poder rivalizar. Como ya hemos dicho, el enemigo
más peligroso de Babilonia durante todo este período había sido el
Estado medo, cuyo rey era ahora Astiages (585-550), hijo de Ciajares.
Dado que los medos eran una amenaza abierta para su territorio,
podemos imaginar que Nabonides se alegró cuando estalló una revuelta
en aquel imperio. El jefe de esta revuelta era Ciro el persa, rey vasallo
de Anšan, en el sur de Irán, perteneciente a una dinastía (los aque-
ménidas) emparentada con los reyes medos. Con el deseo de debilitar
a los medos, formó con Amasis, faraón de Egipto (570-526), y Creso,
Hacia el 550, Ciro había conquistado Ecbátana, destronado a Astiages
y anexionado el vasto imperio medo. Apenas concluido esto, emprendió
una serie de brillantes campañas que sembraron el terror por todas
partes. Nabonides, temiendo ahora a Ciro más que les había temido
a los medos, formó con Amasis, faraón de Egipto (570-526), y Creso,
rey de Lidia (ca. 560-546), una alianza defensiva contra él. Pero
todo fue inútil. En el 547/6 Ciro marchó contra Lidia. Según parece,
atravesó rápidamente la alta Mesopotamia, apartando esta región,
y probablemente el norte de Siria y Cilicia, del control babilonio (33).
Después, cruzando el Halys en el rigor del invierno, atacó por sorpresa a Sardes, capital de Lidia, la conquistó e incorporó Lidia a su
imperio. Con la mayor parte de Asia menor, hasta el mar Egeo,
bajo el control de Ciro, la alianza defensiva con Egipto se desplomó
y Babilonia se encontró sola.

Babilonia tuvo aún unos años de respiro. Las actividades de
Ciro en los próximos primeros años, no son muy claras. Pero parece
que los empleó en ensanchar sus dominios hasta el este (34), atravesando en sus campañas Hircania y Partia, hasta el interior de lo
que hoy día es Afganistán, y llegando, a través de las estepas más allá
del Oxus, hasta el Yaxartes. Con unos pocos golpes rápidos había
creado un gigantesco imperio, mucho más extenso que ningún otro
hasta entonces conocido. Mientras tanto, debía ser evidente para
todos, incluso para los mismos babilonios, que Babilonia estaba perdida. Ciro podría tomarla en cualquier momento, el único interrogante
era el cuándo. Como veremos, este momento no se hizo esperar
mucho tiempo.

4. *En vísperas de la liberación: reinterpretación profética de la fe de
Israel*. Estos sucesos despertaron, indudablemente, una vivísima
excitación en los corazones judíos y removió latentes esperanzas de
liberación. Sin embargo, por este mismo tiempo se dio una reinter-

---

(33)   Pritchard, ANET, p. 306; cf. Wiseman, *op. cit.*, p. 42.
(34)   Cf. A. T. Olmstead, *History of the Persian Empire* (University of Chicago Press, 1948), pp. 45-49; R. Ghirshman, *Iran* (Penguien Books, Inc., 1954),
página 131.

pretación más profunda de la fe de Israel, que se estaba haciendo urgentemente necesaria. Los acontecimientos mundiales se desarrollaban a una escala más amplia que nunca; el tiempo de las pequeñas naciones —y de los pequeños dioses— había pasado. Muchos de los judíos fueron llevados a preguntarse inconscientemente qué papel podría desempeñar Yahvéh, dios patrono de un pueblo desarraigado, en esta colisión de imperios. ¿Poseía realmente el control de los sucesos, guiándolos a un término triunfal, como se pretendía? ¿Podía ser explicada la historia pasada de Israel y los sufrimientos presentes a la luz de este proyecto soberano? ¿Tenía él realmente poder para vindicar a su pueblo? Aunque estas preguntas no estaban planteadas en términos filosóficos, se hallaban implícitas en la situación y no podían ser ignoradas. Así, cuando los horizontes se ampliaron, la fe exigió una formulación nueva más audaz, más universal, si quería mantenerse a la altura adecuada.

Providencialmente, justo antes de que estallase la tormenta en Babilonia, se había levantado entre los exiliados la voz de otro gran profeta, el más grande de todos bajo muchos aspectos. Puesto que su nombre es desconocido, y dado que sus profetas se encuentran en los últimos capítulos del libro de Isaías, se le llama convencionalmente Deuteroisaías (35). El fue quien dio la necesaria adaptación a la fe de Israel.

a. *Yahvéh, el único Dios, Soberano Señor de la historia.* El mensaje del Deuteroisaías fue, en su sentido más inmediato, mensaje de consuelo para su pueblo abatido. El había oído (40, 1-11) heraldos celestiales que anunciaban la decisión de Yahvéh de aceptar la penitencia de Israel, y que Yahvéh reuniría pronto a su rebaño, con poder e infinita ternura, para conducirlo a su tierra. En toda la profecía domina el pensamiento de que Dios viene a redimir a su pueblo. Pero aunque directamente provocada por la carrera meteórica de Ciro y el inminente colapso de Babilonia, esta esperanza se fundamentaba no en un cambio feliz de acontecimientos, sino en la concepción que el profeta tenía del Dios de Israel. El fue, realmente, quien dio al monoteísmo siempre implícito en la fe de Israel, su expresión más clara y consistente. El presentó a Yahvéh como un Dios de incomparable poder: creador de todas las cosas sin ayuda de intermediario, Señor de los ejércitos celestes y de las fuerzas de la naturaleza, ningún poder terreno podía competir con él, y ninguna especie

(35) Pueden ser considerados con toda seguridad como pertenecientes a este profeta Is. caps. 40 al 55, que datan de inmediatamente antes y durante la caída de Babilonia (539). Aunque también es posible que sean suyas algunas partes de los caps. 56 al 66, estos capítulos, tal como hoy están, son, en su mayor parte, posteriores a la vuelta, y los estudiaremos más adelante. Los capítulos 34 y 35 pertenecen también al Deuteroisaías o a un discípulo inmediato: para ampliar en discusión, cf. los comentarios de J. L. McKenzie, *Second Isaiah* (AB, 1968); C. Westermann, *Isaiah* 40-66 (trad. inglesa, OTU, 1969).

de imagen podía representarle (40, 12-26). Satirizó con salvaje ironía a los dioses paganos (44, 12-20), llamándoles trozos de madera y metal (40, 19 ss.; 46, 5-7), que no podían intervenir en la historia porque no *eran* nada (41, 21-24). Yahvéh es el primero y el último, el único Dios al lado del cual no existen otros (44, 6; 45, 18, 22; 46, 9).

Proclamando una teología así, pudo el profeta asegurar a su pueblo que Yahvéh poseía el control absoluto de la historia. Con poderoso dramatismo imagina las sesiones celestiales ante las que son emplazados los dioses de las naciones para que se presenten a dar alguna prueba de intervención en la historia, demostrando así una capacidad para guiar los acontecimientos que pudiera fundamentar sus pretensiones a ser dioses (41, 1-4; 43, 9). Pero no lo pueden hacer, sino que se quedan temblando delante de Ciro, cuyo advenimiento no pudieron predecir ni prevenir (41, 21-24, 28 ss.). Su total inutilidad manifiesta que no son, en modo alguno, dioses. Yahvéh, por el contrario, es el creador del universo, escenario de la historia, y soberano Señor de todo lo que en él sucede (45, 11-13, 18; 48, 12-16). Tuvo un proyecto desde antiguo y llamó a Abraham y a Jacob para servirle (41, 8-10; 51, 1-3); de este propósito, que prueba que él es Dios, es testigo su pueblo (43, 8-13; 44, 6-8). Como otros profetas, el Deuteroisaías interpretó el exilio como un justo castigo de Yahvéh por el pecado de Israel (42, 24 ss.; 48, 17-19); pero ello no implicaba el abandono de su propósito (lo cual sería una inconcebible deshonra de su nombre), ya que su intención era salvar a Israel después de haberle purificado (48, 9-11). El Deuteroisaías fue lo suficientemente audaz para proclamar a Ciro como el instrumento inconsciente del propósito de Yahvéh, a quien Yahvéh había llamado y a quien emplearía para el restablecimiento de Sión (44, 24-45, 7; 41, 25 ss.; 46, 8-11). El profeta daba así una explicación a las vicisitudes de la historia del mundo interpretando toda la marcha del imperio desde los postulados de la fe histórica de Israel: todo ocurría según el propósito y por medio del poder de Yahvéh, que era el único Dios. El instó a Israel a confiar en este Dios todopoderoso y salvador (40, 27-31; 51, 1-6).

    b.   *El futuro de Yahvéh: triunfo universal de su gobierno.* Aunque el Deuteroisaías esperaba que Ciro llevaría a cabo la restauración de los judíos, elevó esta esperanza muy por encima de la idea popular de un simple retorno físico a Palestina y un resurgimiento del Estado davídico. Más bien, él esperaba nada menos que una repetición de de los sucesos del éxodo, la reconstitución de Israel y el establecimiento del gobierno real de Yahvéh en el mundo. Una y otra vez declaró que una «cosa nueva» estaba para venir (42, 9; 43, 19; 48, 6-8) que Yahvéh estaba impaciente por sacar a la luz (42, 14 ss.). Este acontecimiento decisivo es descrito repetidas veces como un camino real a través del desierto con agua fluyente y abundante (40, 3-5; 41, 18 ss.; 42, 16; 49, 9-11; 55, 12 ss.; cap. 35). Las imágenes están tomadas de la tradición del éxodo. Lo mismo que otros profetas que le precedieron (p. e. Os. 2, 14-20; Is. 10, 24-27; Jr. 31, 2-6; Ez. 20, 33-38), el Deuteroisaías interpretó las aflicciones de su pueblo como una rememoración de la esclavitud· egipcia y de la marcha por el desierto. Describió por tanto la liberación que estaba para venir como un nuevo éxodo (43, 16-21; 48, 20 ss.; 52, 11 ss.), a manera de una renovación en escala más vasta de los sucesos constitutivos de la historia de Israel. Llegó a considerarlo, realmente, como la culminación de la ·actividad creadora y redentora de Yahvéh que enlazaba no ya con el éxodo, sino con la misma creación (51, 9-11). Lo que se esperaba no era, evidentemente, una mera rehabilitación del orden antiguo, sino el decisivo punto cardinal de la historia tras del cual estaba el triunfo final del gobierno de Yahvéh.

Se dio gran importancia, por tanto, al restablecimiento por parte de Yahvéh de la alianza con Israel y las promesas consiguientes. El profeta no sugirió, desde luego, que Israel fuera digno de esto. Más bien, del mismo modo que Yahvéh en otro tiempo había sacado de Egipto un pueblo indigno, así ahora llamaría de su nueva esclavitud a un pueblo ciego, sordo y sobre toda medida contumaz (42, 18-21; 48, 1-11) y le concedería su alianza eterna de paz (54, 9 ss.). El Deuteroisaías no llamó a esto, como había hecho Jeremías, una nueva alianza, ya que insistió en que la unión entre Israel y Yahvéh nunca había sido rota (50, 1); el exilio no había sido un «divorcio», sino solamente un desvío momentáneo, del que Yahvéh en su eterna misericordia haría retornar a su pueblo errante (54, 1-10), dándole las promesas abrahámicas de una descendencia increíblemente numerosa (49, 20 ss.; 54, 1-3). El elemento de promesa inherente a la fe de Israel recibía así una clara confirmación. Pero no se. trataría de una mera repetición de las antiguas esperanzas populares ligadas a la disnatía y al Estado. Aunque la «cosa nueva» estaba a punto de alcanzarse, y de cumplirse los anhelos referentes a la dinastía davídica (55, 3-5), el rey davídico desempeñaba un papel insignificante, o nulo. Al igual que en la primitiva teología de Israel, Yahvéh es el rey; su agente terreno es el pagano Ciro, que es sólo instrumento inconsciente. Yahvéh guiaría personalmente su rebaño a través del desierto hasta Sión (40, 1-11), para establecer allí su gobierno real (51, 17-52 12) sobre un nuevo y «carismático» Israel, que ha recibido su espíritu y que le reconoce con orgullo (44, 1-5).

Aún más, el profeta declaró que el gobierno de Yahvéh había de ser universal, extendiéndose no sólo sobre los judíos, sino también sobre los gentiles. Es verdad que con su fuerte sentido de la elección de Israel, no pudo dudar, y no dudó, del lugar peculiar y preeminente de Israel en la economía divina. Pero él tendía la vista hacia el tiempo en que todas las naciones reconocerían a Yahvéh como Dios (49, 6).

Esperaba que las naciones viesen en el presente cambio de la historia una muestra patente del poder de Yahvéh, y que después, levantándose entre las ruinas de su fe pagana, comprobarían la falsedad de la idolatría y se volverían al único Dios que puede salvar (45, 14-25). El profeta esperó que insluso Ciro reconocería la mano de Yahvéh en su triunfo y que le confesaría como el verdadero Dios (45, 1-7). Con el Deuteroisaías, la exigencia universal implícita en el monoteísmo, insinuada mucho antes por las predicaciones proféticas (Gn. 12, 1-3; 18, 18; Am. 9, 7) y vislumbrada con mayor claridad en la historia deuteronómica (I R 8, 41-43), se hizo explícita: Yahvéh quiere reinar sobre toda la tierra, y los extranjeros son invitados a aceptar este gobierno. Dentro del gran torrente de la fe de Israel desembocó una corriente clara y fresca; aunque no puede decirse que se mezclara en amplia medida, nunca sería ya excluida. Habría siempre, como veremos, israelitas que dieran a los gentiles obedientes la bienvenida a la congregación de la fe y se negarían a interpretar su religión en términos mezquinos y exclusivamente nacionalistas. La fe de Israel, su idea de Dios y el concepto de su propio destino histórico, habían recibido las dimensiones universales que le correspondían.

c. *Misión y destino de Israel: el siervo de Yahvéh.* Lo más profundo, sin embargo, queda aún por decir. Si el Deuteroisaías dio a la nota de promesa inherente a la fe de Israel una perspectiva universal, también le dio la nota de obligatoriedad. Declaró que Israel, en su existencia, había sido propiamente un testimorio del propósito de Yahvéh en la historia y también, de este modo, de que Yahvéh era el único Dios verdadero (43, 8-13). Su papel no era, por tanto, pasivo, sino que entrañaba inmensa responsabilidad. No solamente no debía adorar a ningún otro Dios fuera de Yahvéh, y debía ser fiel en cumplir la ley de la alianza, sino que tenía también un destino y una obligación positiva en el programa divino. Si Yahvéh es el gran actor de los acontecimientos, y si Ciro es su agente político, el verdadero instrumento de su propósito es su siervo Israel. En la figura del siervo de Yahvéh, el profeta dio al destino y al presente sufrimiento de Israel su más profunda interpretación.

Ningún concepto hay en todo el Antiguo Testamento más extraño, más inabarcable y más patéticamente profundo que éste. Su interpretación ha provocado numerosos desacuerdos. Aquí no nos es posible una adecuada discusión (36). El siervo de Yahvéh aparece

---

(36) Solamente la enumeración de la bibliografía exigiría muchas páginas. Ver las obras ya clásicas de C. R. North, *The Suffering Servant in Deutero Isaiah* (Oxford, Clarendon Press, 1956²), donde prácticamente se examina todo cuanto se ha dicho sobre este asunto. Véase también la breve pero excelente discusión de H. H. Rowley, *The Servant of the Lord and Other Essays* (ed. rev., Oxford, Blac Kwell, 1965), pp. 1-60.

repetidamente a lo largo de la profecía y está siempre identificado con Israel, fuera de los llamados «poemas del siervo» (37), en los cuales resulta difícil la identificación. En estos poemas vemos al siervo (42, 1-9) como un elegido de Yahvéh, dotado de su espíritu, cuya misión es, trabajando dulcemente pero sin desmayo, atraer a las naciones a la ley de Yahvéh. El instrumento del propósito de Yahvéh (49, 1-6), aunque al presente fracasado y desalentado, tiene todavía el destino de llevar a Israel a su Dios y de ser una luz en las tinieblas para las naciones. Obediente a su destino, confía ser justificado (50, 4-9) a pesar del tormento y de la persecución. Al siervo se le ha prometido la victoria. Sus sufrimientos, soportados inocentemente y sin queja, poseen una cualidad vicaria (52, 13-53, 12) (38), y puesto que él entrega su vida como sacrificio propiciatorio para muchos, obtiene una numerosa descendencia y ve que por medio de sus trabajos triunfa el propósito divino.

Los orígenes de este profundo concepto fueron, desde luego, complejos y son más fáciles de conjeturar que de demostrar. Sin duda tuvo una buena parte la idea primitiva de eliminación del pecado de un grupo cargándolo sobre algún animal o persona que después era llevada al desierto o sacrificada. Quizás, también, la antigua noción de sociedad como una personalidad corporativa evocó el pensamiento de que, así como el pecado de un individuo traía la maldición sobre todo el grupo (p. e. Jos. cap. 7), del mismo modo se podía esperar que la justicia de un individuo justificase al grupo. Podemos estar seguros de que se hicieron largas reflexiones sobre los sufrimientos de los profetas y otros, aceptados inocentemente en servicio de Dios, así como sobre el sufrimiento nacional, que era demasiado profundo para ser explicado como un simple castigo por el pecado. Además de esto, pudieron haber intervenido conceptos tomados del medio ambiente: por ejemplo, el mito de la muerte y resurrección del dios, o el papel de los reyes orientales como representantes cúlticos de su pueblo, que en determinadas ocasiones asumían ritualmente los pecados del pueblo. Nos movemos en el campo de las conjeturas. Pero sean los que fueren los orígenes del concepto, ya sea que naciera de la propia inspiración del profeta o se encontrara en parte en el medio ambiente, la verdad es que brotó

---

(37) Estos poemas (42, 1-4 [5-9]; 49, 1-6 [7]; 50, 4-9 [10 ss.]; 52, 13 a 53, 12), fueron aislados por primera vez por B. Duhm, *Das Buch Jesaja* (HKAT, 1922). Se discuten sus límites y su relación con el resto de las profecías. Por razones que no pueden ser discutidas aquí, nosotros consideramos estos poemas como partes integrantes de todo el conjunto profético. Otros pasajes (p. e., 61, 1-3) pueden ser también, verosímilmente, retratos del siervo.

(38) Aunque existe consenso prácticamente unánime sobre este punto, ha sido vigorosamente controvertido por H. M. Orlinsky, *The So-Called «Servant of the Lord» and «Suffering Servant» in Second Isaiah* (VT Supp. vo. XIV [1967], pp. 1-133).

de sus labios como algo completamente sin paralelo en el mundo antiguo.

Es muy probable que haya siempre discusiones acerca del alcance total de la intención del profeta cuando nos pinta la figura del siervo. Pero es claro que él la propuso como un requerimiento a Israel. Fuera de los poemas del siervo, el siervo es siempre Israel, e incluso hay un lugar en estos poemas (49, 3) (donde la palabra «Israel» no ha de ser borrada sólo porque así convenía a una teoría), en que la identificación es explícita. Desde luego, el siervo no es una descripción del Israel contemporáneo, o de una parte concreta de él. Por otra parte, aunque descrito siempre como un individuo, el siervo no puede ser identificado con ninguna persona histórica de los días del profeta ni de los anteriores (39). El siervo es más bien una figura que fluctúa entre individuo y grupo, ideal futuro y llamamiento presente. Una descripción del Israel llamado de Dios y también un requerimiento a todos los israelitas humildes a escuchar esta llamada y obedecerla (50, 10). Es el modelo del siervo ideal de Yahvéh —una figura cuyos rasgos son sacerdotales y reales, pero especialmente proféticos— por medio del cual Yahvéh llevará a cabo su propósito de redención de Israel y del mundo. Cuando los israelitas, lo mismo jefes que pueblo, sigan voluntariamente al siervo de Yahvéh, soportando sus padecimientos sin queja y haciéndose a sí mismos víctimas sacrificiales al servicio del propósito divino, entonces tendrá cumplimiento el triunfo prometido.

Y así sucedió que este gran profeta, que adaptó la fe de Israel a los amplios horizontes de la historia mundial, dio también la explicación más profunda de sus padecimientos. Sus palabras impidieron que los hombres se dejasen arrastrar a la desesperación por causa de sus sufrimientos, ya que él afirmó que los sufrimientos aceptados por obediencia a la vocación divina eran precisamente la senda de la esperanza. El Deuteroisaías no empleó, quizá, requerimientos misioneros en sentido moderno, ni sus palabras empujaron de hecho a Israel a un sólido esfuerzo misionero. Pero representaron siempre una oposición a todas las estrechas interpretaciones nacionalistas de la religión y, en el transcurso del tiempo, atraerían muchos prosélitos a Israel. Por otra parte, aunque Israel, en cuanto pueblo, no vio en el siervo el esquema de la redención divina, este esquema informó, no obstante, como veremos, de una manera poderosa el ideal postexílico del hombre piadoso, que debía ser manso y humilde. Y esto ayudó a Israel a sobrevivir —el cristianismo diría que hasta la «plenitud de los tiempos», cuando el esquema del siervo de Dios encontraría pleno cumplimiento en Aquel que fue crucificado y resucitó.

---

(39)   Se ha sugerido, entre otros, Jeremías, Joaquín, Zorobabel, Ciro, Moisés, el mismo Deuteroisaías. Véase las obras en la nota 36, para los detalles.

B.   Restauracion de la comunidad judia en Palestina

1. *Los comienzos de la nueva era.* Cuando el Deuteroisaías hablaba, la esperanza parecía estar ya en camino de cumplirse. Babilonia cayó pronto ante Ciro, y pocos meses después, la restauración de la comunidad judía era, al menos en potencia, un hecho. Una nueva era gloriosa y un luminoso futuro de esperanza parecía alborear para Israel.

a. *La caída de Babilonia.* La caída de Babilonia se produjo rápidamente y con asombrosa facilidad. Se diría, realmente, que el Deuteroisaías no corrió una aventura al predecirla, ya que debía ser evidente para todos que Babilonia carecía de fuerza. Ya había perdido la alta Mesopotamia, al igual que la provincia de Elam (Gutium), cuyo gobernador, el general babilonio Gobrias (Gubaru) se había pasado a Ciro y había comenzado a llevar a cabo correrías preliminares contra su patria. Dentro de Babilonia había pruebas de pánico (Is. 41, 1-7; 46, 1 ss.) y de extremo descontento. Nabonides había perdido, a causa de sus innovaciones religiosas, la confianza de su pueblo que, en buena parte, estaba ansioso de deshacerse de él. Sus esfuerzos por darle cumplida satisfacción restituyendo la festividad del año nuevo llegaron demasiado tarde (40).

El desastre se venía encima. Los ejércitos persas se habían concentrado en la frontera y, con la llegada del verano, comenzó el ataque. La situación era desesperada. Deseando concentrar, según parece, todas sus fuerzas, tanto militares como espirituales, para la defensa de Babilonia, Nabonides llevó los dioses de las ciudades circunvecinas a la capital, decisión que contribuyó a desmoralizar a los ciudadanos, cuyos dioses se habían alejado. El encuentro decisivo tuvo lugar en Opis, junto al Tigris y fue una aplastante derrota para Babilonia. La resistencia cesó. En octubre del 539 Gobrias tomó Babilonia sin lucha. Nabonides, que había huido, fue hecho prisionero poco después. Unas semanas más tarde, el mismo Ciro entraba triunfalmente en Babilonia. Según su propia inscripción, fue recibido como un libertador por los babilonios, a quienes demostró la más alta consideración. Se podría descartar esto como propaganda si no fuera por el hecho de que tanto la Crónica de Nabonides como la llamada «narración en verso de Nabonides» nos cuentan, en gran parte, esta misma historia (41). Los babilonios estaban más que deseosos de un cambio y por otra parte la tolerancia era una

---

(40)   La Crónica de Nabonides (Pritchard, ANET, p. 306; cf. ANE Suppl., pp. 562 s.) sugiere que ocurrió en la primavera del 539. Pero dado que el texto está aquí muy dañado, se discute el año del regreso de Nabonides; cf. Galling, *op. cit.*, pp. 11-17.

(41)   Cf. Pritchard, ANET, pp. 306, 314-316, para los textos más importantes.

característica de Ciro. Ni Babilonia ni ninguna de las ciudades circunvecinas fueron destruidas. Se ordenó a los soldados persas que respetaran los sentimientos religiosos de la población y que se guardasén de aterrorizarlos. Las condiciones opresivas fueron mejoradas. Los dioses traídos por Nabonides a la capital fueron devueltos a sus santuarios y las innovaciones reprobables del rey fueron abolidas. Continuó el culto a Marduk, en el que participó públicamente el mismo Ciro, quien tomando la mano del dios, proclamó que gobernaba por designación divina como rey legítimo de Babilonia. Ciro instaló allí a su hijo Cambises, como su representante personal.

Las victorias de Ciro pusieron todo el imperio babilónico bajo su control. No se sabe si Palestina y el sur de Siria fueron conquistadas antes o después de la caída de Babilonia y cómo se llevó esto a cabo (42). Pero hacia el 538 todo el oeste de Asia, hasta la frontera egipcia, le pertenecía.

b. *Política de Ciro: el edicto de restauración.* En el primer año de su reinado en Babilonia (538), dio Ciro un decreto ordenando la restauración de la comunidad y del culto judío en Palestina. La Biblia ofrece dos relatos de este hecho: en Esd 1, 2-4 y 6, 3-5. Este último es parte de una colección de documentos aramaicos (Esd. 4, 8 a 6, 18) conservados probablemente en el Templo e incorporados por el cronista a su obra, y de cuya autenticidad no puede dudarse (43). Tiene la forma de un *dikroma* (Esd. 6, 2), es decir, un memorándum de una decisión oral del rey registrada en los archivos reales. Estipula que el Templo sea reconstruido y los gastos sean subvencionados por el tesoro real; pone algunas especificaciones generales para la construcción (bastantes, naturalmente, ya que el Estado corría con los gastos) y ordena que los vasos tomados por Nabucodonosor sean devueltos a su debido lugar.

La otra relación (Esd. 1, 2-4) está en hebreo y en la lengua del cronista; su autenticidad es muy impugnada aun por muchos de los que aceptan la versión aramea (44). Sin embargo, no contiene ninguna improbabilidad intrínseca que pueda arrojar dudas sobre su histori-

---

(42) El Cilindro de Ciro menciona, entre los que le han llevado tributo a Babilonia, algunos reyes del oeste. Pero Ciro pudo haber ocupado estas regiones con anterioridad. Betel fue destruida aproximadamente hacia este tiempo y si no corrió a cargo de Nabonides, el 553, en el curso de su campaña en Siria, fue a cargo de Ciro, posiblemente; cf. Albright, ARI, pp. 166 s.

(43) Esto ha sido discutido, sobre todo por por C. C. Torrey. Ver las obras mencionadas en la nota 1; también R. H. Pfeiffer, *Introduction to the Old Testament* (Harper y Brothers, 1941), pp. 823 ss. Pero cf. la eficaz defensa de E. Meyer, *op. cit.* (ver la nota 10), pp. 8-71; también H. H. Schaeder, *Esra der Schreiber* (Tubinga, J. C. B. Mohr, 1930); R. de Vaux, «Les décrets de Cyrus et de Darius sur la reconstruction du temple» RB, XLVI (1937), pp. 29-57; W. F. Albright, *Alex. Marx Jubilee Volume* (Jewish Theological Seminary, 1950), pp. 61-82.

(44) P. e., Meyer, *op. cit.*, p. 9; Schaeder, *op. cit.*, pp. 28 ss.; de Vaux, *op. cit.*, p. 57.

cidad esencial. Tiene la forma de una proclamación real tal como se anunciaba a los súbditos, por medio de pregoneros (45). Establece que Ciro no sólo ordenó la reconstrucción del Templo, sino que permitió a los judíos que quisieran hacerlo el retorno a su patria: los judíos que se quedasen en Babilonia eran invitados a colaborar a la empresa con contribuciones. El cronista relata también la devolución de los vasos sagrados tomados por Nabucodonosor (Esd. 1, 7-11) y nos cuenta que el proyecto fue encomendado a Šešbassar, «príncipe de Judá», es decir, miembro de la casa real. Con toda probabilidad, Šešbassar es el mismo Šenassar que leemos en Cr. I 3, 18 como hijo de Joaquín, siendo ambos nombres corrupciones de otro nombre babilónico, algo así como Sinabusur (46).

Puede parecer sorprendente que un conquistador de la talla de Ciro se interesara personalmente por asuntos de un pueblo de tan poca importancia política como el judío. Pero nosotros sabemos que este decreto era solamente una muestra más de su sorprendentemente moderada política general, que fue seguida por la mayoría de sus sucesores (47). Ciro fue uno de los gobernantes más auténticamente preclaros de los tiempos antiguos. En vez de aplastar el sentimiento nacional por medio de la brutalidad o la deportación, como habían hecho los asirios, su aspiración estaba en permitir, en cuanto fuera posible, que los pueblos sometidos gozaran de autonomía cultual dentro de la estructura del imperio. Aunque él y sus sucesores mantuvieron un firme control mediante una compleja burocracia —la mayor parte de cuyos altos empleados eran persas o medos—, mediante su ejército y mediante una eficaz sistema de comunicaciones, su gobierno no fue duro. Más bien, prefirieron respetar las costumbres de sus súbditos, proteger y alentar sus cultos establecidos y, donde pudieron, confiar la responsabilidad a príncipes nativos. La conducta suave de Ciro con Babilonia siguió precisamente este esquema.

Al permitir a los judíos volver a Palestina, al ayudar a restablecer allí su culto ancestral y al confiar el proyecto a un miembro de la casa real, actuaba Ciro estrictamente de acuerdo con su política.

---

(45) Cf. especialmente E. J. Bickermann, «The Edict of Cyrus in Ezra 1» (JBL, LXV [1946], pp. 244-275. Algunos autores (p. e., R. de Vaux, RB, LXVII [1960], p. 623 y sus referencias) dudan que fueran necesario un decreto de repatriación, entre otras razones porque siendo Palestina una parte del imperio, no se requería permiso especial para trasladarse allí. Tal vez no hiciera falta para viajeros ordinarios; pero acaso sí para un asentamiento de población (cf. Esd. 7, 13) —aunque es preciso confesar que el primer retorno debió ser numéricamente muy pequeño.

(46) Esta es la suposición más verosímil; cf. p. e., Albright, JBL, XL (1921), pp. 108-110; también BP, p. 49 y nota 119; BASOR, 82 (1941), pp. 16 ss. El nombre aparece como «Sanabassar» en I Esdras y en Josefo.

(47) Para dar más ejemplos de esta política, cf. Noth, HI, pp. 303-305; Cazelles, VT, IV (1954), pp. 123-125.

Desde luego, no sabemos por qué el caso de los judíos llamó su atención tan rápidamente. Es probable que algunos judíos influyentes obtuvieran audiencia en la corte (48). Dado que Palestina estaba cerca de la frontera egipcia, sería de gran provecho que el rey tuviera allí un núcleo de súbditos leales, y esto pudo haber influido en su decisión. Sin embargo, aunque él obró al dictado de su propio interés, y aunque ciertamente no reconoció a Yahvéh, contra lo que el Deuteroisaías había esperado (a), los judíos tenían motivos para estar agradecidos.

c. *El primer retorno.* Como ya hemos dicho, el proyecto de restauración fue encomendado a Šešbassar, príncipe de Judá. Probablemente emprendió la marcha hacia Jerusalén tan pronto como fue posible, acompañado por aquellos judíos (Esd. 1, 5) que habían sido enardecidos por sus guías espirituales en el deseo de tener una parte en la nueva era. No podemos decir el número de estos acompañantes. La lista de Esd. cap. 2, que reaparece en Ne. cap. 7, es de tiempo posterior, como veremos. Pero no es probable que tuviese lugar, por este tiempo, un retorno de gran número de exiliados. Después de todo, Palestina era una tierra lejana que sólo los más ancianos podían recordar, y el camino estaba lleno de dificultades y peligros; el futuro de la empresa era, en el mejor de los casos, incierto. Además, muchos judíos estaban para estas fechas bien situados en Babilonia. Esto es del todo seguro en el siguiente siglo, en que nombres judíos aparecen con frecuencia en los documentos de negocios de Nipur (437 y posteriormente) (49) es probable que estos casos se dieran ya antes, como los textos de Elefantina (495 y posteriormente) demuestran que ocurrió en Egipto. Muchos de estos judíos, que habían logrado situarse bien, deseaban ayudar a la empresa financieramente (Esd. 1, 4, 6), pero sin participar personalmente en ella. Como dice Josefo (Ant. XI, I, 3) «no querían dejar sus posesiones». Es probable que sólo unos pocos, de espíritu más ardiente y entregado, desearan acompañar a Šešbassar.

No sabemos casi nada de la suerte de este grupo inicial. El cronista, al parecer no bien informado (a), da la sensación de mezclar el cometido de Šešbassar y el de su sobrino y sucesor Zorobabel. De Šešbassar no nos dice nada más. La situación política de la nueva empresa es igualmente incierta. La fuente aramaica (Esd. 5, 14) nos cuenta que Ciro nombró a Šešbassar «gobernador». Pero el

---

(48) Josefo (Ant. XI, I, 1 ss.) querría hacernos creer que Ciro fue movido por la lectura de las profecías de Isaías (Deuteroisaías) referentes a él, lo que es sumamente improbable.

(49) Cf. M. D. Coogan, «Life in the Diaspora» (BA, XXXVII [1974], pp. 6-12); también M. W. Stolper, BASOR, 222 (1976), pp. 25-28 (con bibliografía).

(a) y (a)   Ver nota (a) del traductor, p. 16.

título *(pejah)* es más bien impreciso (50) y no se ve con claridad la posición oficial de Šešbassar: si gobernador de Judá, como provincia reconstituida y separada, o gobernador delegado para el distrito de Judá bajo el gobernador de Samaría, o simplemente un comisionado real con el encargo de un proyecto específico (51). Pero puesto que Zorobabel, sucesor de Šešbassar, es llamado «gobernador de Judá» por su contemporáneo Ageo (Ag. 1, 1, 14, etc.) (52), y puesto que parece que en efecto tuvo prerrogativas políticas, es probable que a Šešbassar se le hubiera dado el control al menos semi-independiente de los negocios de Judá. Pero no tenemos certeza de ello. En todo caso, la situación política de la nueva comunidad permaneció ambigua durante algunos años.

Parece, de acuerdo con lo que se podía esperar, que Šešbassar emprendió inmediatamente los trabajos del Templo, comenzando en seguida a echar los cimientos. Es verdad que el cronista se lo atribute a Zorobabel (Esd. 3, 6-11; cf. Za. 4, 9), pero la fuente aramaica concede expresamente este honor a Šešbassar. Parece que el cronista ha involucrado el trabajo de los dos hombres. Dado que nosotros no conocemos con exactitud cuándo llegó Zorobabel, es posible que sus trabajos se sobrepusieron de modo que fuera posible atribuir la colocación de los fundamentos a los dos. Pero es igualmente posible que, aunque Šešbassar comenzara la obra, hubiera avanzado tan poco que cuando más tarde fue reanudada, pudiera ser atribuida en su totalidad a su sucesor. En todo caso, hubo algún comienzo.

Aunque el cronista no lo menciona en conexión con Šešbassar, es casi seguro que se reanudó en seguida alguna especie de culto regular. Y es probable también, como hemos notado más arriba, que hubiera habido algún culto de este estilo todo el tiempo que el Templo estuvo en ruinas (cf. Jr. 41, 5). Pero esto había sido, sin duda, esporádico y, en opinión de los recién llegados, irregular. Por tanto, había que empezar de nuevo. Es posible que Esd. 3, 1-6 se refiera a esto haciendo una vez más que la figura de Zorobabel encubra la de Šešbassar (53). De cualquier modo, era de esperar que se diera en seguida este paso y podemos suponer que así fue. La reanudación del culto señaló el verdadero comienzo de la restauración. Fue un comienzo pobre, pero, con todo, fue un comienzo. Los judíos fieles

---

(50)   Cf. Alt, KS, II, pp. 333 ss.

(51)   Así, p. e., Alt, *ibid.;* K. Galling, JBL, LXX (1951), pp. 157 ss.; W. Rudolph, *Esra und Nehemia* (HAT, 1949), p. 62.

(52)   Cf. también «gobernador de los judíos» en Esd. 6, 7, que, aunque es posiblemente una glosa, puede ser glosa correcta. No hay razón para dudar del título de Zorobabel en Ageo (como p. e., Rudolph, *op. cit.*, pp. 63 ss.).

(53)   Así, p. e., Bowman, IB, III (1954), pp. 558 ss.; Rudolph, *op. cit.*, p. 29. Pero no se excluye que el cronista haya, simplemente, ignorado a Šeš-bassar más que haberle confundido con Zorobabel, y que este incidente se refiera a la organización del culto bajo este último.

podían consolarse. La historia de Israel no había acabado, sino que continuaba.

2. *Primeros años de la comunidad restaurada.* Por más que el primer paso pudiera haber sido alentador, los siguientes años de la empresa de la restauración experimentaron amargas desilusiones, no produciendo apenas otra cosa que frustración y desaliento. Incumplidas incluso las más modestas esperanzas ¡cuánta distancia quedaba entre la realidad y las ardientes promesas del Deuteroisaías! Como los años desalentadores se seguían uno tras otro, la moral de la comunidad decayó peligrosamente.

a. *Situación mundial:* 538-522. La escena política no ofrecía ciertamente ninguna señal de aquel gran momento decisivo, de aquel triunfo repentino y universal del gobierno de Yahvéh prometido por el profeta. No había reunificación de judíos en Sión, ni vuelta de Ciro y de las naciones a la adoración de Yahvéh. Por el contrario, el poder persa creció hasta alcanzar temibles dimensiones y debió parecer invencible.

Con todo el oeste asiático bajo su control, no existía ninguna potencia mundial que pudiera medir sus fuerzas con las de Ciro. Mientras él vivió, ningún disturbio empañó la paz del imperio que había creado. Cuando, al final, Ciro perdió la vida en el curso de una campaña contra los pueblos nómadas de allende el río Yaxartes, le sucedió su hijo mayor Cambises (530-522), que había sido durante algunos años delegado suyo en Babilonia. Eliminando a su hermano Bardiya, a quien consideraba como una amenaza para su posición, Cambises se afirmó en el trono. La gran empresa de Cambises fue la anexión de Egipto al imperio. Esto sucedió en el 525. El faraón Amasis buscó inútilmente la salvación en la alianza con el tirano de Samos y en el empleo abundante de mercenarios griegos, pero se vio perdido cuando el comandante de los mercenarios se pasó a los persas, descubriendo el plan egipcio de defensa. Mientras tanto murió Amasis. Su hijo Psammético III no pudo detener a los invasores. Pronto fue ocupado todo Egipto y organizado como una satrapía del imperio persa. Aunque las empresas ulteriores de Cambises (en Etiopía, en el oasis de Ammón) fueron desafortunadas, y aunque una campaña proyectada contra Cartago resultó imposible, logró también la sumisión de los griegos de Libná, Cirene y Barca.

La conducta observada por Cambises en Egipto ha sido objeto de grandes discuciones. Historiadores antiguos, seguidos por algunos modernos, le acusan de sacrilegio y de inexcusable desprecio por los sentimientos religiosos de sus súbditos. Pero esto, probablemente, debe ser descartado (54). Aunque es probable que Cambises fuera epilético y acaso no del todo normal, y aunque un texto de Ele-

---

(54) Cf. Olmstead, *op. cit.,* pp. 89-92, para la discusión de las pruebas; más recientemente, K. M. T. Atkinson, JAOS, 76 (1956), pp. 167-177.

fantina de un siglo más tarde dice que destruyó los templos egipcios (55), no es verosímil que abandonase tan radicalmente la política
de su padre en materia religiosa. En todo caso, los judíos egipcios
no. tenían motivos de queja contra él, ya que perdonó su templo de
Elefantina. Cuanto a los judíos de Palestina, no sabemos en absoluto
de qué modo intervino en sus asuntos (56). No obstante, la conquista
de Egipto, que había sido el soporte histórico de Judá en todas sus
luchas por la independencia, debió causar una cierta depresión y un
sentimiento de postergación. Si Judá era una pequeña provincia,
o subprovincia, del imperio gigantesco que abarcaba prácticamente
el mundo entero según los conocimientos del hombre paleotestamentario, ¿dónde estaba la «cosa nueva» de Yahvéh, la derrota de las
naciones y el gobierno triunfal que se suponía estaba ya a la mano?

b. *La comunidad judía: años de opresión y fracasos.* Aunque conocemos pocos detalles de estos primeros años, es evidente que la situación fue muy desalentadora. Fue en verdad un «tiempo de cosas
pequeñas» (cf. Za. 4, 10). Ya hemos dicho que la respuesta de los
judíos residentes en Babilonia al edicto de Ciro no había sido, de
ninguna manera, unánime. La comunidad fue al principio muy
pequeña. Aunque en los años siguientes otros grupos de exiliados
siguieron al grupo inicial, hacia el 522 la población total de Judá,
incluyendo a los ya residentes allí, apenas rebasaría los 20.000 (57).
La misma Jerusalén, todavía escasamente poblada setenta y cinco
años más tarde (Me. 7, 4), permanecía en gran parte en ruinas.
Aunque la tierra a disposición de los judíos era escasa (unas veinticinco millas de norte a sur), apenas estaba habitada.

Los recién llegados tuvieron que enfrentarse con años de opresión,
privación e inseguridad, tarea siempre llena de azarosas dificultades
en sí misma. Fueron perseguidos por una serie de estaciones pobres
y faltas parciales de cosecha (Ag. 1, 9-11; 2, 15-17), que dejó a muchos
de ellos desamparados, sin alimentos ni vestidos adecuados (1, 6).
Sus vecinos, especialmente la aristocracia de Samaría, que había
considerado a Judá como parte de su territorio, habían sentido que
se pusiera un límite a sus prerrogativas y eran abiertamente hostiles.
No se puede precisar cuándo ni cómo se hizo patente por primera vez

---

(55) Pritchard, ANET, p. 492 para el texto.
(56) Josefo (Ant. XI, II, 1 ss.) coloca el incidente de Esdras 4, 7-23 bajo
Cambises. Pero esto no es posible, ya que I Esd. 2, 16-30 confunde este incidente
con la reedificación del Templo, del que nosotros sabemos que fue completada
bajo Darío I, cuyo predecesor fue Cambises.
(57) Este cálculo es de Albright, cf. BP, pp. 62 ss., para los argumentos.
Otros especialistas, p. e., K. Galling, «The Gola List According to Ezra 2 // Nehemiah 7» (JBL, LXX [1951], pp. 149-158) relaciona esta lista con Zorobabel. Pero
es preferible una fecha de la segunda mitad del siglo quinto. La población total
de entonces era inferior a 50.000. Pero aunque en ca. 520 fuera superior a esta cifra,
es posible que fuera menos de la mitad de la población de Judá antes del 587.

esta hostilidad, pero es probable que existiera desde el principio (58).
No es verosímil que los judíos residentes en el país dieran siempre la
bienvenida con entusiasmo a la afluencia de emigrantes. Ellos habían
considerado (Ez. 33, 24), y probablemente seguían considerando, la
tierra como suya y no es fácil que se sintieran muy animados a dar
lugar a los recién venidos y acceder a sus reclamaciones sobre las
posesiones ancestrales. El hecho de que los exiliados se considerasen
a sí mismos como el verdadero Israel y procuraran mantenerse alejados de los samaritanos como de sus hermanos menos ortodoxos,
como si fueran hombres impuros (cf. Ag. 2, 10-14), aumentó seguramente la tensión. Cuando el rencor estalló en violencias, la seguridad
pública estuvo en peligro (Za. 8, 10).

No es, por tanto, nada sorprendente que la obra del Templo
se detuviese apenas comenzada. El pueblo, preocupado con la lucha
por la existencia, no tenía recursos ni energías para continuar el
proyecto. La ayuda prometida por la corte persa no se concretó
nunca, probablemente, en medidas efectivas. La verdad es que, no
sabemos si por la interferencia de las autoridades de Samaría o por la
inercia burocrática, parece que fue suspendida por completo. Algunos
años más tarde no existía en la corte ninguna copia del edicto de
Ciro (Esd. 5, 1-6, 5). Muchos judíos, desalentados con la pobreza del
edificio que estaban construyendo (Ag. 2, 3; Esd. 3, 12 ss.) y sintiendo
que levantar un templo adecuado rebasaba sus posibilidades, estaban
dispuestos a abandonar la empresa.

Mientras tanto Šešbassar desapareció de la escena. Probablemente murió, ya que tenía unos sesenta años de edad por este tiempo (59). Le sucedió como gobernador su sobrino Zorobabel, hijo de
Šealtiel (60), hijo mayor de Joaquín, que según parece había llegado
mientras tanto a la cabeza de un grupo de exiliados. La dirección de
los asuntos espirituales fue tomada por el sumo sacerdote Josué ben
Yehosadaq (Ag. 1, 1; Esd. 3, 2; etc.), un hombre de ascendencia
sadoquita nacido en el exilio (I Cr. 6, 15), que había vuelto, según

---

(58)   Dado que el cronista confunde los sucesos, es difícil situar cronológicamente el incidente de Esd. 4, 1-5. *Pudo* haber ocurrido en el reinado de Darío I.
Pero las tensiones —que eran políticas, económicas y sociales— difícilmente pudieron comenzar entonces. Cf. Bowman, IB, III (1954), p. 595.

(59)   Si era el hijo cuarto de Joaquín (I Cr. 3, 17 ss.; cf. nota 46 supra),
había nacido en el 592, como lo demuestran los textos cuneiformes (cf. cap. 8,
nota 53), probablemente algunos años antes. Pero no es razón para suponer esto
que volvió a Babilonia (Rudolph, *op. cit.*, p. 62) y menos aún para asegurar que
fue inteligemente descargado de su autoridad (Galling, JBL, LXX [1951], páginas 157 ss.).

(60)   Así, persistentemente, en Esdras-Nehemías y en Ageo. I Cr. 3, 19 le
hace hijo de Pedaías, hermano menor de Šealtiel. ¿Era acaso hijo, realmente, de
Pedaías, y de la viuda de Šealtiel, mediante un matrimonio de levirato? Así, W.
Rudolph, *Chronikbücher* (HAT, 1955), p. 29. Zorobabel debió nacer ca. 570. Su
nombre, como el de Šeš-bassar, es babilónico: «descendiente de Babilonia».

parece, por este mismo tiempo. La reconstrucción de la tarea de Zorobabel es difícil porque el cronista ha confundido la obra de Zorobabel con la de su tío y porque nos es desconocida la fecha de su llegada. Aunque ciertamente él estaba ya presente (cf. Ag. 1, 1, etc.) en el año segundo de Darío I (520), difícilmente pudo relacionarse su nombramiento con este rey (61). No sólo es improbable que Darío tuviese tiempo, en los turbulentos años iniciales de su reinado, para preocuparse de los asuntos judíos, sino que, a juzgar por Esd. 5, 1-6, 5, vemos que ni él ni sus oficiales sabían nada acerca de la comisión de Zorobabel, o de la política anterior de Persia en Judá. Todo lo que podemos decir es que Zorobabel llegó entre el 538 y el 522, muy probablemente al principio de este período, durante el reinado de Ciro, como lo supone el cronista (62). No se excluye tampoco que llegase cuando la colocación de los cimientos del Templo, emprendida por Šešbassar, estaba aún en marcha, y que fuera capaz de llevar'a su término esta fase de la obra, deteniéndose solamente ante las interferencias de los nobles de Samaría (Esd. 3, 1-4, 5). Al menos, de Ag. 1, 3-11; 2, 15-17, se desprenden que la vuelta más numerosa de exiliados, dirigida probablemente por Zorobabel, tuvo lugar algunos años antes del 520. En todo caso, diez y ocho años después de comenzadas las obras del Templo, no se había pasado de los cimientos; en realidad se habían paralizado por completo. La comunidad era demasiado pobre y estaba demasiado consada y desanimada para seguir adelante.

c. *Las dificultades espirituales de la comunidad.* Que la moral de la comunidad había decaído peligrosamente se transparenta con claridad en Ageo, Zacarías e Isaías 56-66 (63). Existía en realidad el peligro de que, excepto en el nombre, la restauración fracasase en todo lo demás. Se habían concebido esperanzas demasiado elevadas. El esplendente cuadro del «nuevo éxodo» triunfal y del establecimiento del gobierno universal de Yahvéh en Sión no guardaba ningún parecido con la

---

(61) Como algunos han defendido: p. e., K. Galling, «Die Exilswende in der Sicht des Propheten Sacharja» (VT, II [1952], pp. 18-36); Olmstead, *op. cit.*, p. 136; D. Winton Thomas, IB, VI (1956), p. 1.039. Es verdad que I Esdras atribuye a Darío el nombramiento de Zorobabel (caps. 3 ss.; 5, 1-6). Pero I Esdras no es siempre coherente; 5, 65-73, al igual que Esd. 4, 1-5, le presenta en el reinado de Ciro.

(62) Así Rudolph, *Esra und Nehemia* (en nota 51), pp. 63 s. Ya antes, Galling (JBL, LXX [1951], pp. 157 s.) se había inclinado a favor de una fecha bajo Cambises; así también Alt, KS, II, p. 335. Cf. Ackroyd, *op. cit.* (en nota 2), pp. 142-148 para la discusión y para ulterior bibliografía.

(63) El llamado «Tritoisaías». La mejor datación para el núcleo de su material es en las décadas inmediatamente siguientes al 538, con algunas pocas secciones mucho más tardías, ca. el 515. Cf. J. Muilenburg, IB, V (1956), p. 414 y *passim;* Westermann, *op. cit.* (en nota 35), pp. 295 s.; Ackroyd, *op. cit.*, 228-230. Yo creo que los caps. contienen palabras del Deuteroisaías pronunciadas después de la vuelta, complementadas con otras de sus discípulos. El gran profeta habría hecho, a buen seguro, el viaje de retorno ¡aunque fuera de rodillas!

realidad. A buen seguro, el Deuteroisaías y sus discípulos continuaron su predicación, prometiendo una gran afluencia del pueblo de Yahvéh, lo mismo judíos que gentiles, a una Sión restaurada y transformada (Is. 56, 1-8; cap. 60), proclamando las buenas nuevas de redención (cap. 61), incitando a los hombres a un trabajo ininterrumpido y a súplicas en favor de Sión (cap. 62) y anunciando que una nueva creación de Dios estaba a punto de aparecer (65, 17-25). Pero la mayoría, ciertamente, no sentía así. La mayor parte del pueblo deseaba saber por qué se había diferido la esperanza. Los piadosos suplicaban la intervención de Dios (Za. 1, 12; sal. 44, 85), mientras que otros comenzaban a dudar de la eficacia del poder de Yahvéh (Is. 59, 1, 9-11; 66, 5). De hecho la nueva comunidad no era, en modo alguno, el Israel reavivado y purificado del ideal profético. Había tensiones económicas, posible secuela de la inevitable lucha por el suelo de una repatriación tan masiva, agravada acaso cuando las malas estaciones llevaron a la bancarrota a los menos afortunados. Algunos supieron cómo convertir en ganancia propia el infortunio ajeno, al tiempo que cubrían su dureza de corazón tras la fachada de piedad (Is. 58, 1-12; 59, 1-8). La prevalencia de prácticas religiosas sincretistas demuestra que muchos en Judá eran todo menos yahvistas adictos (57, 3-10; 65, 1-7, 11; 66, 3 ss., 7). La comunidad, además, estaba dividida, según parece en dos fracciones irreconciliables: aquellos —en su mayor parte vueltos del exilio— que estaban movidos por los altos ideales proféticos y la devoción a la fe y tradiciones de sus padres y aquellos —probablemente la masa de la población nativa— que habían asimilado tanto el medio ambiente pagano, que su religión no era ya el yahvismo en su forma pura (64). Cuando la esperanza cedió al desaliento, debió crecer sin duda el sincretismo. Entre los jefes espirituales se abrió paso el sentimiento de que se hacía necesaria una división dentro de la comunidad (Is. 65, 8-16; 66, 15-17). No es sorprendente que en este ambiente el ideal profético de la misión del siervo de Yahvéh tuviera menos peso. Aunque hubo profetas que clamaron por la admisión en la comunidad de los extranjeros que desearan aceptar las exigencias de la ley (Is. 56, 1-8) y que veían en el futuro el tiempo en que muchos de ellos serían recibidos (Is. 66, 18-21; Za. 2, 11; 8, 22 ss.), se corría el peligro inmediato de que la comunidad, a través de la asimilación de prácticas extranjeras, perdiera su propia integridad. Otros líderes, en consecuencia, considerando el contacto con la población indígena como contaminación, urgieron que se suprimiera por completo (Ag. 2, 10-14).

(64)   Pero cf. el análisis, singularmente penetrante, de esta tensión en P. D. Hanson, *The Dawn of Apocalyptic* (Filadelfia, Fortress Press, 1975), caps. II y III. Si Hanson tiene razón (y muy bien pudiera tenerla) la tensión se producía esencialmente entre el grupo profético que se atenía a la tración del Deuteroisaías y el grupo sacerdotal sadoquita, que pretendió —y consiguió— el control del culto en el Templo restaurado.

A la vista de todo esto, la interrupción de las obras del Templo no era una cosa trivial. La comunidad necesitaba desesperadamente un punto focal alrededor del cual centrar su fe. Los profetas pudieron hablar de un Dios demasiado grande para ser contenido en un templo, y cuyas exigencias eran justicia y humildad más que formas externas (Is. 57, 15 ss.; 58, 1-12; 66, 1 ss.). Pero la comunidad no podía permanecer indiferente a las formas externas, concretamente al Templo, si había de continuar como comunidad. En realidad de verdad, no habría para ella una «nueva edad», ni siquiera un futuro, hasta que no estuviera preparada para emprender en el presente una acción tangible y más bien terrena, en una palabra, la construcción del Templo. Sin embargo, las perspectivas para esta empresa no eran buenas. Entre la pobreza, el desaliento y el letargo, quedaba poco coraje para el esfuerzo. La mayor parte de la población parecía sentir que los tiempos no eran propicios para emprender algo (Ag. 1, 2).

3. *La terminación del Templo.* Los dirigentes judíos tenían, sin embargo, entera conciencia de la importancia de acabar el Templo, y no descansaron hasta que no fue una realidad. Diez y ocho años después de la primera expedición de Babilonia, su fe y su energía, ayudada por un cambio en los sucesos del mundo, consiguió animar al pueblo a reanudar el trabajo. Unos cuatro años más tarde el Templo estaba terminado. Sin embargo, paradójicamente, el logro de este éxito fue obtenido mediante una amarga desilusión.

a. *Advenimiento de Darío I y trastornos concomitantes.* A partir del 522, el imperio persa fue sacudido por una serie de trastornos que amenazaron despedazarle. Este año, marchando Cambises a través de Palestina de regreso de Egipto, le llegaron nuevas de que un tal Gaunata había usurpado el trono y había sido aceptado como rey en la mayoría de las provincias orientales del imperio. Este Gaunata se proclamó a sí mismo como Bardiya, el hermano de Cambises a quien éste, en previsión, había hecho asesinar algunos años antes (65). Además de esto, Cambises se suicidó en circunstancias que permanecen oscuras. Un oficial de su séquito, Darío, hijo del sátrapa Hystaspes, y miembro de la familia real por línea colateral, reclamó inmediatamente el trono. Aceptado por el ejército, marchó en dirección este, hacia Media, hizo prisionero a Gaunata y le ejecutó.

Pero la victoria de Darío, lejos de consolidarle en su posición, provocó una verdadera orgía de revueltas por todo el imperio. Aunque Darío en su gran inscripción trilingüe de la roca de Bejistún pretende minimizar la importancia de la oposición, es claro que la inquietud agitaba al imperio de un extremo al otro. Estallaron rebeliones en Media, Elam y Parsa, en Armenia y en toda la extensión

---

(65)   El pretendiente es llamado de diversas maneras: Gaunata, pseudo-Bardiya, pseudo-Smerdis, etc. Olmstead *(op. cit.,* pp. 107-116) ha defendido que se trataba realmente de Bardiya, y que Cambyses no le había asesinado.

de Irán, hasta la más remota frontera oriental, mientras que en occidente el reflujo alcanzaba a Egipto y el Asia menor. En Babilonia un tal Nidintubel, que pretendía ser —y acaso lo fuera—, hijo de Nabonides, se erigió a sí mismo rey, con el nombre de Nabucodonosor III y logró mantenersc durante algunos meses antes de que Darío le hiciera prisionero y le ejecutase. El año siguiente vio otra rebelión en Babilonia, cuyo jefe se llamaba también Nabucodonosor y pretendía, igualmente, ser hijo de Nabonides. También este mantuvo la revuelta durante algunos meses, antes de ser capturado y empalado por los persas, juntamente con sus principales colaboradores (66). A lo largo de estos dos primeros años de su reinado, Darío tuvo que luchar sin descanso en un frente y otro hasta lograr la victoria completa. Es probable que su posición no estuviera del todo asegurada hasta finales del 520.

Mientras tanto, debió creerse que el imperio persa estaba literalmente rompiéndose en pedazos. Al extenderse por todas partes el sentimiento nacionalista, se creó una tensa excitación de la que no se vio libre, de ningún modo, la pequeña comunidad de Judá. Las esperanzas dormidas despertaron. Quizá había llegado, al fin, la hora esperada, la hora de la conversión de las naciones y del establecimiento del gobierno triunfal de Yahvéh.

b. *Reavivación de la esperanza mesiánica: Ageo y Zacarías.* Algunos profetas, convencidos de que la hora estaba ya inminente, se apoyaron en estas esperanzas para estimular al pueblo a reanudar los trabajos del Templo. Estos fueron Ageo, cuyos oráculos escritos están fechados entre agosto y diciembre del 520, y Zacarías, que comenzó a hablar en otoño de este mismo año, por lo tanto antes de que Darío hubiese conseguido dominar a sus enemigos, y mientras el futuro del imperio persa permanecía dudoso. Aunque no es necesario suponer que les moviera a hablar alguna de estas rebeliones en concreto (67), es

_____

(66) La cronología exacta de estas rebeliones de Babilonia y sus relaciones con los Oráculos de Ageo y Zacarías (cf. infr.) son oscuras y disputadas. Cf. A. T. Olmstead, AJSL, LV (1938), pp. 392-416, que sitúa el fin de la primera en diciembre del 520, y el de la segunda en noviembre de 519. Olmstead, más tarse, ha mudado de opinión (*op. cit.* [cf. nota 34], pp. 110-116, 135-140), trasladando las fechas a diciembre del 522 y noviembre del 521, respectivamente. Otras discusiones se incluyen: G. G. Cameron, AJSL, LVIII (1941), pp. 316-319; L. Waterman, JNES, XIII (1954), pp. 73-78; P. R. Ackroyd, JNES, XVII (1958), pp. 13-27.

(67) Para el problema cronológico, ver las obras citadas en la nota precedente. Según el primitivo punto de vista de Olmstead, por esta fechas estaba en su apogeo la rebelión de Nabucodonosor III; según otras opiniones (p. e., Meyer, *op. cit.*, pp. 82-85; Waterman, *ibid.*), la de Nabucodonosor IV. Waterman, siguiendo a Thiele, cree que la Biblia cuenta como año primero de Darío el año de su accesión al trono, lo que equivale a decir que el «año segundo» (Ag. 1, 1 etc.) es realmente el primer año de reinado (521/20). Ha podido darse, pues, un sincronismo entre las profecías de Ageo y la revuelta de Nabucodonosor (agosto-finales de noviembre del 521; cf. Parker-Dubberstein, *loc. cit.*). Pero es imposible llegar a la certeza total.

evidente que consideraron los trastornos actuales como un preludio de la intervención decisiva de Yahvéh. Remontándose a la teología oficial del Judá pre-exílico y a las promesas hechas a David, afirmaron su inminente cumplimiento. La excitación engendrada por sus palabras empujó a la comunidad a reanudar, en serio, la construcción del Templo (Esd. 5, 1.; 6, 14).

Ageo, en particular, censuró aquella laxitud e indiferencia que permitió al pueblo instalarse en sus propias casas, dejando mientras tanto que la casa de Yahvéh siguiera en ruinas, Interpretó los duros tiempos que la comunidad había experimentado como un castigo divino por esta indiferencia (Ag. 1, 1-11; 2, 15-19). Convencido de que Yahvéh no habitaría jamás en medio de un pueblo que no quería construirle una morada adecuada, consideró como condición necesaria de la intervención de Yahvéh la terminación del Templo. Rígidamente separatista, Ageo urgió que se cortaran todos los contactos con las religiones sincretistas del país, que declaró tan contaminantes como el tocamiento de un cadáver (2, 10-14). Sintiendo el desánimo del pueblo a causa de la enorme pobreza de la estructura que estaban levantando, les alentó con la promesa de que muy pronto Yahvéh haría estremecerse a las naciones, llenaría el Templo con sus tesoros y le haría más espléndido que el de Salomón (2, 1-9). Incluso (2, 20-23) se dirigió a Zorobabel en términos mesiánicos, presentándole como el elegido rey davídico que había de gobernar cuando el poder imperial cayese derribado por tierra, lo que sucedería en breve.

Zacarías, que pronunció la mayoría de sus profecías después de que las victorias de Darío habían puesto en claro que las esperanzas no tendrían tan fácil realización, animó también a su pueblo en sus esfuerzos (68). Su mensaje está estructurado en buena parte en forma de visiones ocultas, recurso que puede ser considerado como precursor de los apocalipsis, tan populares en la última época. Zacarías, como Ageo, vio en los trastornos contemporáneos señales de la inminente intervención de Yahvéh. Intimó a los judíos que aún vivían en Babilonia, a escapar, antes de que estallase la cólera, hacia Sión, donde Yahvéh establecería muy en breve su gobierno triunfal (Za. 2, 6-13). Incluso cuando se hizo evidente que Darío era dueño de la situación, él continuó asegurando a su pueblo que el cambio sólo había sido aplazado, pero que llegaría pronto: Yahvéh, celoso por Jerusalén, la había elegido de nuevo como sede suya y volvería dentro de muy poco triunfalmente a su casa (1, 7-17; 8, 1 ss.; cf. Ez. 43, 1-7). Y puesto que el Templo había de ser la sede del gobierno real de Yahvéh, la terminación del mismo tenía, para Zacarías, una gran urgencia.

---

(68) Las profecías de Zacarías se encuentran en Za. caps. 1 al 8, el resto del libro es una colección separada. La última fecha data (Za. 7, 1) de noviembre del 518.

Por tanto incitó al pueblo a la tarea (1, 16; 6, 15), declarando que Zorobabel, que había comenzado la obra, la llevaría a su fin mediante el espíritu de Dios (4, 6b-10a). Prometió que Jerusalén sería entonces una gran ciudad que desbordaría sus murallas (Za. 1, 17, 2, 1-5), cuando el pueblo de Dios —y también los gentiles (2, 11; 8, 22 ss.)— confluyeran allí desde todos los puntos de la tierra (8, 1-8). En esta nueva Jerusalén, Josué, el sumo sacerdote, y Zorobabel, el príncipe davídico, serían como dos canales de la gracia divina (4, 1-6a, 10b-14). También Zacarías saludó a Zorobabel en términos mesiánicos. Declaró que el «retoño», el esperado descendiente del linaje de David (cf. Jr. 23, 5 ss.); estaba para aparecer (Za. 3, 8) y tomar posesión de su trono, y que este no sería otro que Zorobabel (6, 9-15) (69).

Es evidente que Ageo y Zacarías afirmaban el cumplimiento de las esperanzas inherentes a la teología oficial del Estado pre-exílico basadas en la elección, por parte de Yahvéh, de Sión y de la dinastía davídica. Ellos consideraron la pequeña comunidad como el verdadero resto de Israel (Ag. 1, 12, 14; Za. 8, 6, 12) anunciado por Isaías, y a Zorobabel como el ansiado descendiente de David que reinaría sobre él. Eran las suyas palabras audaces, inflamatorias y altamente peligrosas. Pero sirvieron para su propósito inmediato. Las obras del Templo adelantaron rápidamente.

c.   *Realización y desilusión.* No tenemos medios de saber en qué grado, si lo fue en alguno, influyeron estas palabras en Zorobabel. No existe ninguna prueba cierta de que cometiese algún acto de rebeldía. Pero los anuncios formaron un círculo sedicioso y Zorobabel apenas podría controlarlo. Se puede suponer fácilmente lo que pensarían las autoridades persas cuando todo esto llegase a sus oídos. Y, según parece, hubo quienes tuvieron afán por ver qué pasaba allí. Estos, como podemos imaginar, fueron los nobles de Samaría, que habían sido duramente rechazados por Zorobabel (Esd. 4, 1-5) cuando se ofrecieron, sinceramente o con ocultas intenciones, para ayudar a la construcción del Templo. En todo caso, como nos narra la fuente aramaica (Esd. 5, 1-6, 12), algún rumor llegó hasta Tattenay, sátrapa de Abar-nahara (la satrapía transeufratina que comprendía toda Palestina y Siria), que prestó atención a lo que estaba sucediendo. Al parecer, no encontró nada alarmante. Aunque preguntó con qué autoridad se estaba construyendo el Templo, y escribió a la corte persa para informarse de la veracidad de la respuesta, no exigió nunca que parasen las obras mientras tanto (5, 5). En cuanto a Darío, o no había tenido noticias de la excitación mesiánica en Judá, o no la había comprendido, ya que confirmó el decreto de Ciro,

---

(69)   Estos vv. se refieren a Zorobabel, cuyo nombre debió figurar, originalmente, en el texto; cf. recientemente D. Winton Thomas, IB, VI (1956), páginas 1.079-1.081; F. Horst, *Die zwölf Kleinen Propheten* (HAT, 1954), pp. 236-239. Pero cf. W. Eichrodt, ThZ, 13 (1957), pp. 509-522.

hallado en los archivos de Ecbátana. A Tattenay se le ordenó que proveyera las subvenciones en lo tocante a gastos de construcción y mantenimiento del culto y que no pusiera impedimento alguno. Es, pues, evidente que no tuvo lugar ninguna rebelión, ya que de otra manera hubiera sido paralizada toda la empresa (70).

Las obras siguieron adelante hasta marzo del 515, fecha en que el edificio fue terminado y dedicado con gran alegría (Esd. 6, 13-18). El nuevo Templo difícilmente podía ser el santuario nacional del pueblo israelita en el sentido que lo había sido el de Salomón. No sólo Israel no era ya una nación, y carecía por tanto de instituciones nacionales; es que, habiendo sido construido el Templo bajo patronazgo de la corona persa, incluía en su culto sacrificios y súplicas por el rey (Esd. 6, 10). Además, como sucedió en el período de la monarquía dividida, hubo en Samaría y en otras partes, muchos, de origen israelita, que no le prestaron obediencia. Sin embargo, el edificio proporcionó a la fe un punto de reunión e identificación al «resto de Israel» con la comunidad del Templo de Jerusalén. La prueba de la restauración había sido superada; había pasado su primera crisis y perduraría.

No hace falta decir, sin embargo, que las esperanzas proclamadas por Ageo y Zacarías no se realizaron materialmente (a). El trono de David no fue restablecido y el día de la promesa no alboreaba. La suerte de Zorobabel permanece en el misterio. Es muy posible que los persas tuvieran, al fin, noticias de la excitación judía y le removiesen. Pero no lo sabemos. No existe la menor prueba de que fuera ejecutado (71). Sin embargo, dado que no conocemos nada más de él, y puesto que no le sucedió ninguno de su familia, es probable que los persas privaran a la casa de David de sus prerrogativas políticas. Judá parece haber continuado a manera de una comunidad teocrática bajo la autoridad del sumo sacerdote Josué y sus sucesores, hasta el tiempo de Nehemías (Ne. 12, 26). Es muy probable que fuera administrada como una subdivisión de la provincia de Samaría, tal como lo había sido originariamente (72), y posiblemente por medio de burócratas locales desconocidos para nosotros (cf. Ne. 5,

---

(70) Algunos han deducido de Za. 2, 1-5 y Esd. 5, 3, 9 (donde la palabra *'uššarnâ* ha sido traducida por «muralla» en KJV, ASV), que Zorobabel estaba entonces fortificando la ciudad. Pero, aun siendo así, no es necesario que Za. 2, 1-5 signifique solamente un proyecto en este sentido, y además la palabra *'uššarnâ* («estructura» en RVS), indica probablemente «materiales de construcción», «vigas», o algo parecido; cf. C. C. Torrey, JNES, XIII (1954), pp. 149-153; Bowman, IB, III (1954), p. 608; más recientemente, C. G. Tland, JNES, XVII (1958), pp. 269-275.

(a) Ver nota (a) del traductor, p. 16.

(71) Así, p. e., Olmstead, *op. cit.* (cf. la nota 33), p. 142.

(72) Pero cf. *supra*, nota 5 de la página 410.

14 ss.). No podemos dudar de que la comunidad judía, cuyas esperanzas habían surgido solamente para ser deshechas, sintió de un
modo agudo el desaliento. Sería difícil, si no imposible, volver a
mantener de nuevo, en la forma antigua, las esperanzas ligadas a la
dinastía davídica.

Capítulo 10

LA COMUNIDAD JUDIA EN EL SIGLO QUINTO

Las reformas de Nehemías y Esdras

D E LA SUERTE de la comunidad judía durante los setenta años siguientes a la terminación del Templo conocemos realmente demasiado poco. Excepto lo referente a los incidentes, cronológicamente desplazados, de Esd. 4, 6-23, el cronista no nos dice nada más. Fuera de esto, sólo conocemos lo que se puede deducir de las memorias de Nehemías, ligeramnte posteriores y de los libros proféticos de los contemporáneos como Abdías (probablemente a principios del siglo quinto (1), y Malaquías (ca. 450), complementados por los datos de la historia general y de la arqueología. Es evidente, sin embargo, que aunque la terminación del Templo había asegurado la supervivencia de la comunidad, su porvenir distaba mucho de ser seguro. Después del colapso de las esperanzas puestas en Zorobabel, estaba bien claro —o debía estarlo— que nunca habría restablecimiento de la nación judía según la antigua estructura, ni siquiera en una forma modificada. El futuro de la comunidad debía situarse en otra dirección. Pero no estaba claro qué dirección sería ésta, y no se aclaró hasta que, algunas generaciones más tarde, la comunidad fue reconstituida bajo la dirección de Nehemías y Esdras. En el ínterim, lo más que se puede decir de ella es, que *existió*.

A. DESDE LA TERMINACION DEL TEMPLO HASTA MEDIADOS DEL SIGLO QUINTO

1. *El imperio persa hasta ca.* 450. La historia política de los judíos a lo largo de este período es inseparable de la del imperio persa, dentro de cuyos límites vivían prácticamente todos ellos y que, en

---

(1) Aunque hay poco acuerdo acerca de este punto (cf. los comentarios), la fecha indicada parece preferible. El libro, con todo, contiene material más antiguo. Cf. recientemente, J. A. Thompson, IB, VI (1956), pp. 858 ss. (que coloca a Abdías ca. 450); Albright, BP, p. 111, nota 182 (que sugiere volver al siglo sexto o quinto).

el siglo sexto, al acabar sus luchas, alcanzaba su mayor extensión física. Dado que la historia de Persia no forma parte de nuestro estudio, un breve esbozo será suficiente para proporcionar una perspectiva general (2).

a. *Darío I Histaspes* (522-486). Ya hemos descrito cómo Darío dominó las revueltas que le salieron al paso a su advenimiento, aun cuando los profetas hebreos habían anticipado la caída del imperio (a). Darío dio pruebas de ser, en todos los aspectos, un gobernante capaz y un digno sucesor del gran Ciro. En audaces campañas condujo sus ejércitos por el este hasta el Indo, por el oeste, a lo largo de la costa africana, hasta Bengazi y por el norte, a través del Bósforo, contra los escitas del sur de Rusia. Antes de finalizar el siglo sexto, su imperio se extendía desde el valle del Indo hasta el mar Egeo, desde el Yaxartes hasta Libia y, en Europa, incluía Tracia y una franja de los Balcanes a lo largo del Mar Negro, al norte del Danubio. Darío, además, dio a estos vastos dominios su organización definitiva, dividiéndolos en veinte satrapías, cada una con un sátrapa, perteneciente, en general, a la nobleza persa o meda, como funcionario de la corona. El sátrapa, aunque gobernador cuasi-autónomo, ante quien respondían los gobernadores locales, era estrechamente vigilado por jefes militares directamente responsables ante el rey, mediante una complicada burocracia, y un sistema de inspectores ambulantes que informaban también al rey. Era un sistema que pretendía equilibrar la autoridad central con un cierto grado de autonomía local y que persistió tanto cuanto duró el imperio.

Los logros de Darío fueron numerosos y brillantes: sus construcciones en Persépolis y otros lugares, el canal que trazó para unir el Nilo y el Mar Rojo, la red de carreteras que facilitaban la comunicación de un extremo a otro del imperio, sus amplias reformas legales, el desarrollo de un sistema fijo de monedas (la acuñación de moneda se inició en Lidia en el siglo séptimo), que promovió en gran medida la Banca, el comercio y la industria, y muchas cosas más. Baste decir que, bajo Darío, alcanzó Persia su cenit. Solamente en una empresa, la más ambiciosa de todas las suyas, puede decirse que fracasó Darío. En su intento de conquistar Grecia, proyecto para el que se había venido preparando durante algunos años. Después de un primer intento, en el que una tormenta destruyó la flota persa frente al monte Athos, en el 490 las tropas persas desembarcaron en la isla de Euboea. Pero la estúpida dureza con que trataron a la ciudad de

---

(2) Para los detalles, cf. A. T. Olmstead, *History of the Persian Empire* (University of Chicago Press, 1948); R. Ghirsman, *Iran* (Penguin Books, Inc., 1954); también H. Bengtson, *Griechische Geschichte* (Munich, C. H. Beck'sche Verlagsbuchhandlung, 1950).

(a) Ver nota (a) del traductor, pág. 16.

Eritrea sublevó a los griegos contra ellos. Cuando pasaron al continente fueron detenidos en Maratón por Milcíades y sus atenienses, que les causaron una severa derrota. Darío, obligado a renunciar al proyecto, no pudo ya reanudarlo en toda su vida.

b. *Sucesores de Darío.* A Darío le sucedió su hijo Jerjes (486-465), hombre de mucha menos habilidad. Jerjes tuvo que ocuparse en primer lugar de una revuelta que había estallado en Egipto antes de la muerte de su padre, y, después (482), de otra en Babilonia. Babilonia fue tratada con dureza, demolidas sus murallas, arrasado el tamplo de Esagila y fundida la estatua de Marduk. Y, con todo, Jerjes no dudó en presentarse como legítimo rey de Babilonia, tal como lo habían hecho sus predecesores; pero trató a Babilonia como terreno conquistado. Superadas estas perturbaciones, Jerjes volvió a la invasión de Grecia. Construyendo un puente sobre el Helesponto (480), se movió con un inmenso ejército a través de Macedonia, deshizo al heroico puñado de espartanos en las Termópilas, conquistó Atenas y prendió fuego a la Acrópolis. Pero entonces sobrevino el desastre de Salamina, en el que fue destruida la tercera parte de la flota persa. En consecuencia, Jerjes se retiró a Asia, dejando en Grecia, al mando de un ejército, al general Mardonio. Pero al año siguiente (479), este fue destrozado en Platea, mientras que el resto de la flota persa era destruido cerca de Samos. Ulteriores reveses, que culminaron en la derrota decisiva a orillas del Eurymedón (466), arrojaron a Jerjes de Europa y a su flota de las aguas del Egeo.

Jerjes fue finalmente asesinado y le sucedió un hijo joven, Artajerjes I Longimano, que subió al trono desplazando al verdadero heredero. El reinado de Artajerjes (465/4-424) no comenzó con buenos auspicios. Ya acosado por los ataques de los griegos a Chipre, hacia el 460 tuvo además que hacer frente a una rebelión en Egipto dirigida por Inaros, dinasta libio, que contaba con el apoyo de Atenas. Pronto el bajo Egipto se vio libre de tropas persas, excepto Memfis que fue asediada. Aunque el ejército persa, al mando de Megabyzus, sátrapa de Abar-nahara, reconquistó Egipto ca. 456, la resistencia continuó hasta el 454, en que Inaros fue hecho prisionero. Posteriormente se rebeló el mismo Megabyzus porque Inaros fue ejecutado, no respetándose la palabra que él le había dado (449/8); pero se llegó a un arreglo y Megabyzus fue confirmado en su cargo. Dificultades internas, agravadas por ulteriores victorias griegas, llevaron al fin a Artajerjes a convenir la paz de Callias (449). A las ciudades griegas del Asia Menor, aliadas con Atenas, se les concedió la libertad y Atenas abandonaba todo intento de liberar a otras; las tropas regulares persas no debían pasar del este del Halys y la flota persa no podía penetrar en el mar Egeo. Se saca la impresión de que Persia había sido humillada. Aunque su fin estaba lejano, comenzaban a aparecer los primeros síntomas de debilidad en la sólida estructura del imperio.

2. *Suerte de los judíos ca.* 515-450. Aunque apenas sabemos nada de la suerte de los judíos durante este período, es evidente que el futuro de la comunidad de Judá seguía siendo incierto y desalentador. Al no plasmarse en realidad el resurgimiento del Estado davídico, es probable que los judíos del imperio, muchos de los cuales se encontraban a gusto en su actual situación, perdieran interés por todo lo concerniente al experimento de la restauración. Aunque el aflujo de población a Judá continuaba, no se dio ciertamente aquella avalancha general de judíos hacia su país que habían imaginado el Deuteroisaías, Zacarías y otros.

a. *Las comunidades judías en el imperio persa durante el siglo quinto.* Aunque sabemos muy poco de los judíos, es seguro que por este tiempo estaban bien acomodados en diversas partes del imperio. Y puesto que Babilonia siguió siendo el centro de la vida judía durante los siglos siguientes, podemos suponer que la comunidad era allí floreciente. En realidad, como más arriba hemos indicado, algunos de los judíos babilonios llegaron a gran prosperidad, mientras que otros, como Nehemías, alcanzaron una alta posición en la corte persa. Hay también algunas pruebas de una comunidad judía en la lejana Sardes (Sefarad), en Asia Menor, como lo demuestra una inscripción en lidio y arameo de ca. 455, además de una alusión en Abdías (v. 20) (3). Ciertamente se encuentran también durante este período judíos en el bajo Egipto (cf. Is. 16-25), donde habían huido algunos grupos de ellos después de la caída de Jerusalén, aunque no conocemos nada de su suerte.

Por otra parte, se conoce bien la historia de una colonia judía de Elefantina en la primera catarata del Nilo, mencionada en el capítulo anterior, a lo largo de todo el siglo quinto, gracias a la abundancia de textos arameos allí encontrados. Algunos de estos textos son conocidos desde principios de siglo, mientras que otros sólo recientemente han llegado a Estados Unidos y Europa (4). No nos podemos detener en los negocios legales y económicos de esta colonia, pero tendremos que extendernos algo más en su suerte política en el próximo capítulo. Basta decir que fue una firme y floreciente comunidad, que había echado raíces sociales y económicas en su nueva tierra.

---

(3)   Cf. C. C. Torrey, AJSL, XXXIV (1917/18), pp. 185-198; también Thompson, *op. cit.*, p. 867; Albright, BP, p. 50 y nota 124.

(4)   Para los descubrimientos originales, cf. A. Cowley, *Aramaic Papyri of the Fifth Century B. B.* (Oxford, Clarendon Press, 1923); cf. Pritchard, ANET, pp. 491 ss., para selecciones. Para el grupo publicado en América, cf. E. G. Kraeling, *The Brooklyn Museum Aramaic Papyri* (Yale University Press, 1953); *ídem*, BA, XV (1952), pp. 50-67, para un relato popular. El otro grupo ha sido publicado por G. R. Driver, *Aramaic Documents of the Fifth Century B. C.* Oxford, Clarendon Press, 1954; resumido y revisado, 1957).

Su religión, sin embargo, era altamente sincretista (5). En total contradicción con la ley deuteronómica, estos judíos tenían un templo dedicado a Yahvéh, con un altar sobre el que le eran ofrecidas ofrendas y sacrificios (6). Pero también rendían culto a otras divinidades: Ešem-betel, Jerem-betel, 'Anat-betel ('Anat-yahu). Estos dioses representan probablemente hipostaciones de aspectos de Yahvéh («Nombre de la Casa de Dios», «Santidad de la Casa de Dios», «Señal» (?) de la Casa de Dios»), a las que se había otorgado condición de divinidad (7). De aquí puede inferirse que los judíos de Elefantina, aunque no abiertamente politeísticas, habían combinado un yahvismo altamente heterodoxo con aspectos tomados de los cultos sincretistas de origen arameo. Aunque se llamaban a sí mismos judíos y tenían conciencia de su parentesco, como veremos, con sus hermanos de Palestina, en modo alguno permanecieron dentro de la gran corriente de la historia y fe de Israel. Afincados donde estaban, no sintieron en realidad la urgencia de la vuelta a Judá para constituir allí una parte de la comunidad.

b. *La comunidad en Judá: sus vicisitudes externas.* Los judíos, sin embargo, no habían abandonado la empresa de la restauración. Por el contrario, grupos de ellos continuaron regresando a su país (cf. Esd. 4, 12), con el resultado de que la población de Judá llegó a duplicarse hacia la mitad del siglo quinto. La lista de Esd. cap. 2/Ne. cap. 7, que probablemente es una lista de censo revisada aproximadamente en los días de Nehemías y que enumera tanto a los exiliados vueltos y a sus descendientes cómo a los judíos ya establecidos en la provincia, calcula la población total por esta época en no menos de 50.000 (8). Probablemente una buena parte de ellos habían llegado después de la reconstrucción del Templo. Esta lista, y la de Ne. cap. 3, demuestra que por entonces ya estaban habitadas numerosas ciudades de Judá, incluyendo algunas (p. e., Téqoa, Bet-sur, Keilah) prácticamente despobladas hasta entonces. Afiliados a la comunidad de Jerusalén se encuentran también en Jericó, en el territorio efraimita alrededor de Betel (7, 32) y, más lejos, en la llanura costera, en las cercanías de Lydda (v. 37). Pero el país no estaba todavía densamente poblado; la misma Jerusalén tenía muy pocos habitantes (v. 4).

---

(5) Cf. A. Vincent, *La religion des Judéo-Araméens d'Elephantine* París, P. Geuthener, 1937); también Albright, ARI, pp. 168-174, y referencias a este asunto; cf. *ídem*, BASOR, 90 (1943), p. 40.

(6) Así, por lo menos, desde finales del siglo quinto, y probablemente desde principios. M. Black, con todo (JSS, I [1956], p. 56), arguye que el sacrificio de *animales* era una innovación que irritaba a los egipcios y que tuvo que cesar.

(7) Cf. Albright, FSAC, pp. 373 ss.

(8) Cf. Albright, BP, pp. 92 ss. y nota 180; pero cf. K. Galling, JBL, LXX (1951), pp. 149-158 para una interpretación diferente de esta lista.

La situación de la comunidad durante estos años fue muy insegura. Probablemente después de Zorobabel los gobernadores de Judá no eran nativos, siendo administrado el distrito, según parece, desde Samaría (9), estando los asuntos locales bajo la supervisión de sumos sacerdotes: Josué, después Yoyaquim, después Elyašib (Ne. 12, 10, 26). Debieron ser constantes los roces con los oficiales provinciales que no sólo impusieron exacciones gravosas sino que permitieron a sus agentes portarse con despótica insolencia (Ne. 5, 4, 14 ss.). Llevando a mal toda tentativa de Judá que pudiera menospreciar sus prerrogativas, no perdieron oportunidad de enfrentar a los judíos con el Gobierno de Persia. Se nos dice (Esd. 4, 6) que al principio del reinado de Jerjes —posiblemente en el 486/5, cuando el rey se estaba ocupando de la revuelta de Egipto— acusaron a los judíos de sedición. No sabemos nada ni de los fundamentos de los cargos ni de sus consecuencias. Pero podemos presumir que durante estos años los judíos, sin protección militar ni medios de defensa, debieron estar sometidos a frecuentes incursiones, represalias e intimidaciones que les hicieron sentir agudamente su posición indefensa.

Esta inseguridad estaba agravada por la tirantez de las relaciones no sólo con la oficialidad de Samaría, sino también con otros vecinos. En particular hubo enemistad con los edomitas que, arrojados de su tierra por la presión árabe, habían ocupado, como se ha dicho, la mayor parte del sur de Palestina hasta un punto al norte de Hebrón. Hacia el siglo quinto, las tribus árabes habían caído completamente sobre Edom (cf. Ml. 1, 2-5), ocupando Esyón-Guéber y comenzando a mezclarse con los edomitas del sur de Palestina. Edom permaneció durante el período persa sin población fija (10). A los judíos ciertamente no les agradaban los edomitas, cuyo pérfido pasado no podían olvidar y cuya presencia en el suelo ancestral de Judá llevaban a mal (Abd. 1-14). Sus profetas esperaban el día de Yahvéh (Abd. 15-21), en el que Israel recobraría su tierra, y sus enemigos, particularmente Edom, serían destruidos. Edomitas y árabes respondieron, sin duda, en la misma moneda, con tanta aversión y hostilidad como pudieron.

---

(9) Cf. A. Alt, «Die Rolle Samarias bei der Entstehung des Judentums», (KS II, pp. 316-337). Pero otros autores lo niegan; cf. M. Smith, *Palestinian Parties and Politics that Shaped the Old Testament* (Nueva York, Columbia University Press, 1971) pp. 192-201; G. Widengren, IJH, cap. IX, pp. 509-511. También P. D. Hanson argumenta que los davídidas continuaron actuando como gobernadores de Judá durante gran parte de este período (*The Dawn of Apocalyptic* (Filadelfia, Fortress Press, 1975), pp. 348-354). Aunque sigo aceptando como probables, en sus puntos básicos, las opiniones de Alt, debemos admitir que tal vez no estemos en lo cierto.

(10) Cf. N. Glueck, AASOR, XV (1953), pp. 138-140; *idem, The Other Side of the Jordan* (American Schools of Oriental Research, 1940); también J. Starcky, «The Nabateans» (BA, XVIII [1955], pp. 84-106); W. F. Albright, BASOR, 82 (1941), pp. 11-15.

Faltando una protección adecuada, los judíos encontraron su posición intolerable. Esta fue la razón por la que en el reinado de Artajerjes I (Esd. 4, 7-23) tomaron el asunto por su propia cuenta y comenzaron a reconstruir las fortificaciones de Jerusalén. No podemos decir exactamente cuándo tuvo lugar esto, salvo que fue antes del 445 (cf. Esd. 4, 23; Ne. 1, 3). Se siente la tentación de relacionar este incidente con la rebelión de Megabyzus (449/8), que pudo haber despertado las esperanzas de independencia, o al menos que parecía hacer factible el plan. Pero los nobles de Samaría, con justicia o sin ella, presentaron otra vez sus acusaciones de sedición y obtuvieron del rey la orden de parar las obras, orden que ellos ejecutaron con la fuerza de las armas. Su intención era mantener a Judá indefensa a perpetuidad.

c. *La comunidad judía: su situación espiritual.* La terminación del Templo había provisto a los judíos de un lugar de reunión y les había dado el carácter de una comunidad cúltica. Aunque existía laxitud religiosa, no hay pruebas de que floreciese ningún otro culto en Judá. Podemos suponer que el ritual del Templo pre-exílico fue reanudado, omitiendo o reinterpretando algunas características reales, y que los asuntos internos de la comunidad fueron administrados de acuerdo con la ley, tal como había sido transmitida por la tradición. Los dirigentes judíos consideraban orgullosamente a la comunidad, y a ella sola, como el verdadero «resto» de Israel.

No obstante, hay pruebas abundantes de que la moral de la comunidad no era buena. El desaliento había llevado a la desilusión y ésta, a su vez, a una laxitud religiosa y moral; las palabras de Malaquías y las memorias de Nehemías, ligeramente posteriores, lo muestran con claridad. Los sacerdotes, aburridos de sus deberes, no veían nada malo en ofrecer a Yahvéh animales enfermos o lisiados (Ml. 1, 6-14), y su parcialidad en interpretar la ley había degradado su oficio a los ojos del pueblo (Ml. 2, 1-9). Se descuidaba el sábado y se permitían los negocios en él (Ne. 13, 15-22). El incumplimiento de los diezmos (Ml. 3, 7-10) obligó a los levitas a abandonar sus deberes para poder vivir (Ne. 13, 10 ss.). Además, había echado raíces el sentimiento de que no había ninguna ventaja en ser fiel a la ley (Ml. 2, 17; 3, 13-15). Estas actitudes produjeron, naturalmente, un amplio derrumbamiento de la moralidad pública y privada, e incluso el peligro de que la comunidad se desintegrara internamente. El divorcio prevaleció hasta hacerse un escándalo público (Ml. 2, 13-16). No molestados por ningún principio, los hombres engañaban a sus empleados en lo tocante a los jornales y se aprovechaban de sus hermanos más débiles (Ml. 3, 5). Al pobre que hipotecaba sus campos en tiempos de escasez, o para poder pagar los tributos, se le embargaban los bienes y, juntamente con sus hijos, era reducido a esclavitud (Ne. 5, 1-5). Lo que era más grave a largo plazo, las líneas que separaban a los judíos de su medio ambiente pagano, comenzaban a resquebrajarse. Los matrimonios mixtos con paganos fueron, según parece, cosa normal (Ml. 2, 11 ss.) y, cuando los descendientes de estas uniones aumentaron en número, llegaron a constituir una seria amenaza para la integridad de la comunidad (Ne. 13, 22-27).

El peligro, en resumen, eran tan real que si la comunidad no podía liberarse de él enteramente, recobrar la moral y encontrar su dirección, pronto o tarde perdería su carácter distintivo, si es que no se desintegraba por completo. Se hacían necesarias medidas drásticas, ya que la comunidad no podía continuar en la situación ambigua presente, ni podía recrear el orden del pasado. Había que buscar nuevos caminos si Israel quería sobrevivir como una entidad creadora.

B. REORGANIZACION DE LA COMUNIDAD JUDIA BAJO NEHEMIAS Y ESDRAS

1. *Nehemías y su obra*. El tercer cuarto del siglo quinto vio una completa reorganización de la comunidad judía, que aclaró su situación y la salvó de la desintegración colocándola en el camino que había de recorrer durante el resto del período bíblico y, con algunas modificaciones, hasta nuestros días. Esto se llevó a cabo en gran parte por el trabajo de dos hombres: Nehemías y Esdras. Aunque la esfera de sus esfuerzos se superpone, el primero dio a la comunidad su estatuto político y su reforma administrativa, mientras que el segundo reorganizó y reformó su vida espiritual.

a. *Afinidades de las vidas de Esdras y Nehemías*. Pocos problemas presenta la historia de Israel tan intrincados y difíciles de resolver con seguridad como éste. Sería desacertado interrumpir aquí nuestra narración para discutir ampliamente los problemas implicados; remitimos al lector interesado al Excurso II. Baste aquí con advertir que el problema es de los más complejos y que cualquier intento de reconstrucción debe quedar, de algún modo, en tentativa.

El problema gira en torno a la fecha de llegada de Esdras a Jerusalén. Las fechas de la actividad de Nehemías son seguras, estando confirmadas, además, independientemente por las pruebas de los textos de Elefantina. Se extendió (Ne. 2, 1) desde el año veinte de Artajerjes I (445) hasta (Ne. 13, 6) algo después del año treinta y dos (433). Por lo que respecta a la vida de Esdras, no existe esta certeza. Los especialistas se dividen ampliamente en tres campos: los que aceptan la opinión, apoyada, al parecer, en los libros canónicos de Esdras y Nehemías, de que Esdras llegó (Esd. 7, 7) en el año séptimo de Artajerjes I (458), es decir, unos trece años antes que Nehe mías, y completó su obra (Ne. caps. 8 al 10) poco después de la llegada de este último (algunos piensan que incluso antes); los que consideran el «año séptimo» como el año séptimo de Artajerjes II (398), y colocan la llegada de Esdras mucho después de haber desaparecido de escena Nehemías; y los que, creyendo que el «año séptimo» es un error de escriba en lugar de algún otro año (muy probablemente por «treinta y siete») del reinado de Artajerjes I, colocan la llegada de Esdras después de la de Nehemías (ca. 428), pero antes de que hubiera terminado la actividad de éste.

Aunque ninguna de estas interpretaciones puede pretender resolver todos los problemas, la última, por razones expuestas más adelante, en el Excurso II, parece la más satisfactoria. Es la que se admite en las secciones que siguen. Aunque puede parecer que contradice al sentido obvio de la narración bíblica, que coloca primero a Esdras, una comparación de Esdras-Nehemías con la versión griega de I Esdras (y con Josefo, que la sigue), sugiere que la obra del cronista ha sufrido serias dislocaciones, con toda probabilidad después de haber salido de sus manos. El orden de los sucesos en nuestra Biblia es probablemente el resultado de esta dislocación secundaria. En todo caso, confiamos en que la reconstrucción ofrecida a continuación esté conforme con los datos bíblicos al mismo tiempo que presenta un cuadro coherente de los sucesos.

b. *La misión de Nehemías.* La reconstitución de la comunidad judía fue terminada en la segunda mitad del reinado de Artajerjes I Longímano (465-424). Coincidió de esta manera, en términos generales, con la edad de oro de Atenas, cuando en las calles de esta ciudad se paseaban hombres como Pericles, Sócrates, Sófocles, Esquilo, Fidias y otros muchos. Las derrotas a manos de los griegos, más los disturbios en Egipto y Siria que señalaron los primeros años de su reinado, impusieron a Artajerjes la tarea de restablecer su posición. Tuvo éxito en la empresa. Con los griegos eligió el camino de la diplomacia, y por supuesto, el del soborno, facilitado además por la incapacidad crónica de los griegos para actuar conjuntamente por mucho tiempo. Pronto comenzó a recuperar sus pérdidas en Asia Menor y después, cuando estalló la desastrosa guerra del Peloponeso (431), él y su sucesor tuvieron la agradable tarea de sentarse y observar cómo los griegos se destruían entre sí. Al final de la guerra la posición persa era más segura que nunca (404).

Por lo que respecta a Abar-nahara (Palestina y Siria), al rey le interesaba, después de los trastornos de Egipto y la rebelión de Megabyzus, ocuparse de la estabilidad de esta provincia, y esto por su intrínseca importancia y porque estaba colocada en medio de las líneas de comunicación con Egipto, donde la intranquilidad era crónica; las bases de aprovisionamiento a lo largo de la ruta militar del sur a través de Palestina se verían en peligro si la intranquilidad se extendía a este país. Y podemos imaginar que los judíos, cansados del despótico trato a que los sometían los oficiales de Samaría, más amargo a causa de su propio desvalimiento y de la incapacidad del rey para comprender su situación (Esd. 4, 7-23), no eran por el momento muy afectos a Persia. Era el deseo del rey estabilizar los asuntos de Palestina, lo cual hizo que se interesara personalmente por las cuestiones judías, una vez que éstas llamaron su atención (11).

Provisionalmente, había en la corte de Artajerjes un judío llamado Nehemías, que habiendo llegado a los altos puestos, tenía acceso, como copero del rey, hasta su persona. Aunque casi ciertamente era un eunuco, como lo exigía, normalmente, su posición (12), Nehemías poseía energía y capacidad y, bien que un tanto predispuesto a las querellas, estaba entregado a la causa de su pueblo. En diciembre del 445 (Ne. 1, 1-3), una delegación de Jerusalén, encabezada por su propio hermano Jananí, le informó de las deplorables condiciones en que estaban y, sin duda, de la desesperanza de obtener remedio por los conductos oficiales. Nehemías, profundamente dolorido, resolvió acercarse al rey y pedirle permiso para ir a Jerusalén con autoridad para reconstruir sus fortificaciones. Era una cosa difícil de conseguir (Ne. 1, 11), ya que involucraba el requisito de que fuese anulado un decreto anterior del rey (Esd. 4, 17-22). Pero cuando cuatro meses más tarde (Ne. 2, 1-8), Nehemías encontró su ocasión, la petición tuvo éxito. Fue expedido un rescripto autorizando la construcción de las murallas de la ciudad y decretando que los materiales necesarios fueron suministrados por los bosques reales. Más aún, entonces, o posteriormente, Nehemías fue nombrado gobernador de Judá (Ne. 5, 14; 10, 1), que quedó constituida en provincia separada, independiente de Samaría (13).

La Biblia da la impresión de que Nehemías se puso en camino inmediatamente, acompañado por una escolta militar (Ne. 2, 9). Josefo (Ant. XI, V, 7), que sigue el texto de los LXX, cuya primera parte está contenida en I Esdras, coloca su llegada solamente en el 440. Aunque es imposible lograr certeza, esto puede ser exacto (14). Si Nehemías fue primero a Babilonia y reunió a los judíos que habían de acompañarle (como Josefo indica) y después, habiendo presentado sus credenciales al sátrapa de Abar-nahara, atendió a procurarse

---

(11)   Cf. H. H. Rowley, «Nehemiah's Mission and Its Background» (1955; reimpr. en' Men of God [Londres y Nueva York, Nelson, 1963], pp. 211-245).

(12)   Pero cf. U. Kellermann, Nehemia: Quellen, Überlieferung und Geschichte (BZAW, 102 [1967], pp. 154-159, que lo pone en duda y arguye que Nehemías era descendiente de la casa de David por línea colateral.

(13)   Así Alt, op. cit. Pero este punto de vista es discutido, cf. supra nota 9.

(14)   Así Albright, BP, p. 91 y nota 185. Para el texto de I (III) Esdras, cf. S. Mowinckel, Studien zu dem Buche Ezra-Nehemia, vol. I (Oslo, Universitetsforlaget, 1964), pp. 7-28.

materiales de construcción antes de dirigirse a Jerusalén (como posiblemente hizo, dado que el trabajo se comenzó muy poco después de su llegada), la fecha no es irracional. En todo caso, lo más tarde hacia el 440 estaba en Jerusalén y había tomado allí la dirección de los asuntos.

c. *Reconstrucción de las murallas de Jerusalén.* El problema más urgente que el nuevo gobernador tenía a su llegada era dar seguridad física a la comunidad. Por tanto, emprendió en seguida la reconstrucción de las murallas de la ciudad, actuando con rapidez y audacia para que sus planes no fueran desbaratados antes de empezar. Tres días después de su llegada hizo una inspección nocturna secreta a las murallas, para aquilatar la extensión de la obra con que tenía que enfrentarse; sólo entonces notificó sus planes a los dirigentes judíos (Ne. 2, 11-18). Después, tan pronto como se pudo reunir un grupo de trabajo, comenzó la obra (15). La mano de obra fue reclutada, seguramente, por una leva de todo Judá (Ne. cap. 3), y las murallas fueron divididas en secciones, con un grupo particular como responsable de cada sección. Las obras progresaron rápidamente; a los cincuenta y dos días (Ne. 6, 15) ya estaba levantada una especie de muralla. Es, desde luego, increíble que pudiera ser terminada tan rápidamente, y por obreros en su mayoría inexpertos, una muralla propiamente dicha. Es casi seguro que Josefo (Ant. XI, V, 8) esté en lo cierto al afirmar que la obra total —reforzamiento, almenas, puertas y revestimientos— exigió dos años y cuatro meses (hasta diciembre del 437 según sus fechas) (16).

Todo esto fue llevado a cabo con increíble dificultad. Es un tributo a la energía y valor de Nehemías, y a la determinación de la masa del pueblo (Ne. 4, 6), el que se pudiera completar. Aunque Nehemías tenía la total autorización del rey, encontró poderosos enemigos a quienes desagradaba su presencia y que no desperdiciaron ocasión para poner obstáculos a la empresa. El principal de ellos fue Sanbal.lat que, como sabemos por los papiros de Elefantina (cf. Ne. 4, 1 ss.), era gobernador de la rpovincia de Samaría. A pesar de su nombre babilónico (Sinubal.lit), Sanbal.lat era yahvista, como lo indican los nombres de sus hijos Delaías y Šelemías (17); su familia emparentó posteriormente, por medio del matrimonio, con el sumo sacerdote de Jerusalén (13, 28). Con él estaba Tobías, go-

---

(15) Ne 6, 15 coloca el comienzo cincuenta y dos días antes de la luna de Elul, e. d. en Ab (Agosto) del 439, de acuerdo con las fechas de Josefo. Cf. Albright *ibid.*

(16) Se han descubierto restos de la muralla de Nehemías en la parte oriental de la ciudad. No sigue la línea de la muralla preexílica, sino que corre por la cima de la colina; cf. Kathleen M. Kenyon, *Jerusalem* (Londres, Thames and Hudson; Nueva York, McGraw-Hill, 1967), pp. 107-111.

(17) Mencionado en los textos de Elefantina; cf. Pritchard, ANET, p. 492.

bernador de la provincia de Ammón en la Transjordania (18). Tobías era también yahvista, como su mismo nombre, y el de su hijo
Yehojanán (6, 18) lo indican, y tenía amistades en Jerusalén; su familia era aún importante en el siglo segundo (19). Sanbal.lat, que
consideraba a Judá como legalmente perteneciente a su territorio,
sintió sin duda que le fuera quitado el control de ella. El y Tobías,
que se consideraban israelitas y eran aceptados como tales entre las
familias principales de Jerusalén, se sintieron irritados por el hecho
de que los judíos más ortodoxos, como Nehemías, encontraran su
religión (seguramente algo sincretista) inaceptable y no los tuvieran
por mejores que a los paganos. A estos dos estaba asociado (2, 19,
6, 1, 6) un tal Gešem (Gašmu) «el árabe», que es conocido en las
inscripciones como un poderoso jefe de Quedar (Dedán), en el noroeste de Arabia. Bajo el control nominal de los persas, su poder se
extendía, a través del Sinaí, hasta la frontera egipcia, incluyendo
Edom, el Négueb y el sur de Judá (20). ¡Nehemías tenía enemigos
por todas partes!

Estos emplearon un arsenal completo de ardides para frustar los
planes de Nehemías. Al principio probaron la burla con la esperanza
de socavar la moral (Ne. 2, 19 ss.; 4, 1-3). Al no hacer esto efecto,
incitaron —a buen seguro de modo no oficial y pretendiendo ignorar por completo el asunto— a bandas árabes, ammonitas y filisteas (4, 7-12) (21) a que hiciesen incursiones en Judá. Jerusalén fue
hostigada y las ciudades circunvecinas atemorizadas; según Josefo
(Ant. XV, V, 8) no pocos judíos perdieron la vida. Nehemías respondió (4, 13-23) dividiendo a sus gentes en dos grupos, uno de los
cuales permanecía sobre las armas mientras el otro trabajaba. Reunió también (v. 22) a los judíos de las regiones cercanas dentro de
Jerusalén, para protegerlos y para robustecer las defensas de la ciudad. Viendo que no conseguían nada en ninguna parte, los enemigos
de Nehemías intentaron entonces (6, 1-4) hacerle salir de la ciudad,
aparentemente para una entrevista, pero en realidad con la intención
de asesinarle. Nehemías no era tan tonto. Ellos entonces le amena-

---

(18)   Nehemías (Ne. 2, 10, 19, etc.) le llama despectivamente «el ammonita», y «el siervo». Con todo, este último era su título oficial (siervo del rey).

(19)   Sobre Tobías, cf. C. C. McCown, BA, XX (1957), pp. 63-76; B. Mazar,
IEJ, 7 (1957), pp. 137-145, 229-238; también, R. A. Bowman, IB, III (1954),
pp. 676 ss., para más abundante literatura.

(20)   Cf. W. F. Albright, «Dedan» (Geschichte und Altes Testament, G. Ebeling
ed. [Tubinga, J. C. B. Mohr, 1953], pp. 1-12); I. Rabinowitz, JNES, XV (1956),
pp. 1-9. Gešem pudo tener su residencia en Lakíš; cf. Wright, BAR, pp. 206 s. Da
un excelente resumen de las pruebas W. J. Dumbrell, «The Tell el-Maskhuta
Bowls and the 'Kingdon' of Qedar in the Persian Period» (BASOR, 203 [1971],
pp. 33-44).

(21)   Los «ašdoditas» de Ne 4, 7 son los habitantes de la provincia de Ašdod
(es decir, Filistea); cf. A. Alt, «Judas Nachbarn zur Zeit Nehemias» (KS, II,
pp. 338 45).

zaron con acusarle de sedición ante los persas (vv. 5-9), también en lo cual les hizo frente y siguió adelante su obra. Pero, desgraciadamente, no todos los enemigos de Nehemías estaban fuera de los muros; dentro había una cuinta columna. Estando emparentados Tobías y su hijo con las familias principales de Jerusalén (vv. 17-19), tenían amigos que los mantenían al corriente de todo lo que hacía Nehemías y, a su vez, enviaban cartas a éste intentando debilitar su moral. Como último recurso (vv. 10-14), fue sobornado un profeta para atemorizar a Nehemías con la noticia de un complot contra su vida, con la esperanza de que se refugiara en sagrado en el Templo y se desacreditase de este modo a sí mismo ante el pueblo. Pero Nehemías, despreciando su seguridad personal, evitó esta confusión.

Nehemías demostró ser moralmente superior a sus enemigos. Su valor y riqueza de recursos superó todos los obstáculos, incluso el desaliento de sus seguidores (Ne. 4, 10), y pudo concluir la obra. Entonces, viendo que la ciudad tenía aún pocos habitantes, y conociendo que las murallas no podrían ser defendidas si no se disponía de hombres, preparó, por suertes, un contingente de pueblo para ser trasladado dentro (7, 4; 11, 11 s.); cierto número, con todo, se habían ofrecido voluntarios. Las murallas fueron más tarde dedicadas en solemne ceremonia (12, 27-42) (22). Se había ganado la primera batalla y la seguridad externa quedaba asegurada.

d. *Administración de Nehemías: su primer período.* Poco es lo que conocemos de la administración de la provincia bajo Nehemías. Era una provincia pequeña, que contaba escasamente con 50.000 habitantes, concentrados a lo largo de la línea montañosa desde el norte de Bet-sur hasta los alrededores de Betel (23). Nehemías la encontró ya dividida en distritos con fines administrativos y es probable que mantuviera este sistema, ya que lo empleó como base de su leva para construir las murallas (Ne. cap. 3) (24). A causa de los fuertes impuestos y de las estaciones pobres (5, 1-5, 15), la provincia sufría duras estrecheces económicas. Los avaros aprovechaban la oportunidad para apoderarse de los pobres y disponer de ellos, a causa de sus deudas. Nehemías, encolerizado por estos abusos, actuó con su decisión característica (vv. 6-13). Llamando ante sí a los trans-

---

(22) Esto ocurrió algunos años más tarde, si la mención de Esdras (Ne. 12, 36) es original; pero puede ser que no lo sea. Cf. Excurso II.

(23) Es posible que fueran añadidas a la provincia de Nehemías (Albright, BP, p. 53), algunas ciudades de la llanura costera —Lydda, Hadid y Ono (Esd. 2, 33 / Ne. 7, 37)—. Alt (KS, II, p. 343, nota 4) piensa que se trataba de una zona neutral entre los territorios de Ašdod y Samaría (cf. Ne. 6, 2).

(24) Cf. Aharoni, LOB, pp. 362-365. Dado que la palabra empleada para «distrito» (*pelek*) es acádica, es posible que el sistema proceda de la época neobabilónica; cf. Noth, HI, p. 324.

gresores, hizo una enardecida apelación a sus conciencias y a su condición de judíos y exigió después su promesa de abandonar la usura y restituir. Para mayor firmeza, les tomó juramento solemne ante Yahvéh y ante la asamblea del pueblo. El mismo Nehemías dio ejemplo renunciando a las retribuciones ordinarias de gobernador, no adquiriendo ninguna propiedad y tomando únicamente los tributos necesarios para mantener su posición (vv. 14-19).

Atendidas todas estas pruebas, Nehemías fue un gobernador justo y capaz. Su lealtad al rey estaba fuera de duda. Si, como Sanbal.lat acusaba (Ne. 6, 6 ss.), había alguien en Jerusalén que estaba predicando la rebelión, podemos asegurar que Nehemías dio poco crédito a tal rumor. Sin embargo la firmeza —realmente intransigencia— de sus convicciones, sus brusquedades, su falta de tacto y su temperamneto violento, le acarrearon, sin duda, enemigos, a pesar de sus virtudes. Judío crecido en el exilio en la estricta tradición, se enfrentó particularmente con aquellos, muchos de ellos de familias principales, que eran negligentes en sus prácticas religiosas y que, en muchos casos, estaban emparentados con los pueblos vecinos. Algunos de éstos se habían declarado ya enemigos de él, como hemos visto. Dado que es completamente imposible fechar con precisión los incidentes narrados en Ne. cap. 13, no podemos decir con exactitud cuándo comenzó Nehemías a tomar medidas positivas. Pero ciertamente estaba al tanto de la situación y pronto debió advertir que se hacía necesaria una reforma religiosa de tal magnitud que un seglar como él no podía llevar a cabo, atendido, sobre todo, que la laxitud religiosa alcanzaba hasta la misma familia del sumo sacerdote.

e. *Segundo período de Nehemías: sus medidas de reforma.* Nehemías permaneció en su cargo durante doce años (hasta el 443: Ne. 5, 14), después de lo cual regresó a la corte persa (Ne. 13, 6). Probablemente, habiendo ya acabado su primer permiso de ausencia (cf. 2, 6), no pudo obtener una prórroga ulterior. Pero muy pronto persuadió al rey para que le designase de nuevo, ya que al poco tiempo (probablemente no más de un año o dos desde su partida), le encontramos de nuevo en Jerusalén. Cabe preguntarse, aunque esto no sea más que una plausible teoría, si acaso no consultaría durante su ausencia con los principales judíos de Babilonia y trazaría planes en la corte persa para poner en orden los asuntos religiosos de Judá.

Cuando Nehemías volvió, se encontró con una situación peor que mala. El partido más tolerante había hecho progresos en su ausencia. En particular, Elyašib —que apenas puede ser otro que el mismo sumo sacerdote (3, 1; 13, 28)— había llegado incluso a instalar a Tobías, el enemigo de Nehemías, en una habitación del Templo, propiamente reservada para el uso cúltico. Al saber esto, Nehemías encolerizado, mandó arrojar a la calle los enseres de Tobías y purificar la habitación de su impureza para restituirla a su función propia (13, 4-9). Por este tiempo, si es que no había comenzado a hacerlo antes, Nehemías tomó vigorosas medidas contra la laxitud religiosa predominante. Viendo que los levitas, a los que no se pagaba su parte, habían abandonado el Templo para trabajar (13, 10-14), se preocupó de que fueran recogidos los diezmos y nombró tesoreros honrados para administrarlos. También se preocupó (v. 31) de que fuera asegurado el suministro de leña para el altar. Para impedir que se siguiera celebrando en sábado los negocios, como hasta entonces, ordenó que durante ese día se cerraran todas las puertas de la ciudad; y como los mercaderes comenzaron entonces a establecer sus mercados fuera de las murallas, los amenazó con arrestarlos y arrojarlos (vv. 15-22). Al descubrir niños de matrimonios mixtos que ni siquiera hablaban hebreo, montó en una ardiente cólera y habiendo maldecido, acometido y arrancado los cabellos de los transgresores que tuvo a mano, los hizo jurar a todos que no volverían a emparentar con extranjeros en el futuro (vv. 23-27). Cuando se encontró con que un nieto del sumo sacerdote Elyašib se había casado nada menos que con la hija de Sanbal.lat (vv. 28 ss.), le expulsó del país.

Quizá mientras se tomaban estas medidas llegó Esdras a Jerusalén. Aunque los esfuerzos de Nehemías no eran sistemáticos, sino más bien adoptados *ad hoc* para hacer frente a las situaciones según iban surgiendo, demostraban que Nehemías era un defensor de la más estricta pureza religiosa. Había estado, por tanto, enteramente en la misma línea que Esdras había venido a trazar, si es que no fue él mismo quien intervino para que viniera. Como veremos, apoyó la reforma de Esdras y la confirmó con su firma oficial (8, 9; 10, 1). No sabemos cuánto duró su misión después de esto, pero es probable que acabara al cabo de unos pocos años, quizá por el mismo tiempo en que murió su protector Artajerjes I (424). De todas formas, hacia el 411 había ocupado su puesto un persa llamado Bagoas (25), como veremos.

2. *Esdras «el escriba»*. Nehemías había salvado a la comunidad en su sentido físico, dotándole de una posición política reconocida, de seguridad y de administración honrada. Pero, a pesar de sus esfuerzos, no había reformado las raíces de su vida interna. Y esto era, por desgracia, necesario, si es que la comunidad quería encontrar alguna vez su camino; sin ello es bien seguro que las medidas tomadas por Nehemías habrían tenido un significado puramente temporal. Providencialmente, la reforma necesaria vino al final de la misión de Nehemías (ca. 428 según la reconstrucción aquí adoptada), con la aparición en escena de Esdras «el escriba».

---

(25)   O un judío con nombre persa; cf. *infra*, p. 478.

a. *Naturaleza de la misión de Esdras.* La tarea encomendada a Esdras, de la que estamos informados por el documento arameo (Esd. 7, 12-26), cuya autenticidad no puede ponerse en duda, era completamente distinta de la de Nehemías. Concernía solamente a materias religiosas. Esdras vino provisto de una copia de la ley, junto con un rescripto del rey garantizándole amplios poderes para hacerla cumplir. Concretamente (vv. 25 ss.), estaba facultado para enseñar la ley a los judíos que vivían en la satrapía de Abar-nahara y para establecer un sistema administrativo con el fin de observar si era obedecido. La autoridad de Esdras era, de este modo, al mismo tiempo más amplia y más concreta que la de Nehemías. No era un gobernador civil, sino un hombre a quien se le había confiado la misión específica de regularizar las prácticas religiosas de los judíos; le concernían los asuntos seculares sólo en la medida en que la ley sagrada se rozaba con la secular (¡lo cual en la práctica era inevitable!). Por otra parte, su autoridad no estaba restringida a Judá, sino que se extendía a todos los judíos que vivían en Abar-nahara (de hecho la mayor parte en Palestina). Esto no significa que Esdras pudiera obligar a obedecer su ley a todo el pueblo de descendencia israelita. Obligar de este modo habría sido completamente contrario a la práctica persa. Más bien significa que todos los que pretendían fidelidad a la comunidad del culto de Jerusalén (es decir, todos los que se llamaban judíos) tendrían que ordenar sus asuntos personales en conformidad con la ley traída por Esdras. Esto estaba refrendado por el decreto real: para un judío, desobedecer esta ley era desobedecer también «la ley del rey» (v. 26). Además de esto, se le había concedido a Esdras el derecho a recibir contribuciones de los judíos babilonios para el mantenimiento del culto del Templo (vv. 15-19), y de participar hasta un límite establecido de los tesoros reales y provinciales para sus ulteriores necesidades (vv. 20-22). Al mismo tiempo, el personal encargado del culto fue eximido por completo de tributos (v. 24).

La condición jurídica de Esdras está expresada en el título de «escriba de la ley del Dios de los cielos» (Esd. 7, 12), lo cual no significa que él fuera doctor de la ley en el sentido posterior, aunque la tradición, con bastante acierto, le ha considerado como tal (cf. v. 6), sino que era el título oficial de Esdras como comisionado del Gobierno. Era el «secretario real para la ley del Dios de los cielos» (es decir, el Dios de Israel) o, como diríamos modernamente, «ministro de Estado para los asuntos judíos», con autoridad específica en la satrapía de Abar-nahara (26). No sabemos cómo llegó Esdras a recibir esta comisión. Era un sacerdote (v. 12), y ciertamente encarnaba la

---

(26)   Cf. especialmente H. H. Schaeder, *Esra der Schreiber* (Tubinga, J. C. B. Mohr, 1930), pp. 39-59.

posición de los judíos babilonios, que se sentían desazonados por
las noticias de la laxitud en Judá y anhelaban que aquel asunto fuera
corregido. El hecho de que se pudiera conseguir tal rescripto indica
la influencia judía en la corte, y es difícil creer que Nehemías fuera
el único judío encumbrado a una alta posición (cf. Ne. 11, 24).
En realidad, el mismo Nehemías pudo haber sido el instrumento
principal para este paso, durante su visita del 433. En todo caso, el
rescripto, como su estilo indica, fue redactado por judíos; el rey se
limitó a aprobarlo y sellarlo (27). Al hacerlo, Artajerjes no hacía
más que proseguir y ampliar la política de sus predecesores. Los persas toleraban ampliamente los cultos nativos, como ya hemos visto,
exigiendo tan sólo, para evitar rivalidades internas e impedir que la
religión se convirtiera en pretexto para rebeliones, que estos estuvieran regulados bajo una autoridad responsable. Esto es lo que se
hizo ahora con Judá, donde, a causa de su estratégica situación,
era más de desear una tranquilidad interna.

Esdras llegó a Jerusalén probablemente en o hacia el 428. Según sus memorias personales (Esd. 7, 29-8, 36) (28), no vino solo
sino que, de acuerdo con el permiso que le había sido dado (cf. 7, 13),
iba al frente de una considerable compañía, reunida con este fin en
Babilonia. Aunque el camino era peligroso. Esdras no quiso pedir
escolta militar para que no pareciera que le faltaba confianza en
Dios. La caravana partió en abril, después de ayunar y orar; cuatro
meses más tarde llegó felizmente a Jerusalén (cf. 7, 8 ss.; 8, 31).

b. *Comienzo de la reforma de Esdras.* Dado que es posible que la
narración del cronista no siga un orden cronológico (cf. Excurso II),
no podemos precisar con exactitud cuándo dio Esdras los primeros
pasos que se narran de él. Pero supuesto que su comisión era instruir al pueblo en la ley y regular sus asuntos religiosos según ella
(Esd. 7, 25 ss.), es de esperar que presentaría la ley en público tan
pronto como lo fue posible. Probablemente lo hizo así. Si, como parece, la narración de Ne. cap. 8 sigue cronológicamente al relato de la
llegada de Esdras, esto se llevó a efecto dos meses más tarde, con ocasión de la fiesta de las tiendas. Desde una plataforma de madera levantada con este fin, en una de las plazas públicas, Esdras leyó la
ley desde la mañana hasta la noche. Para asegurarse de que el pueblo
la entendía (vv. 7 ss.), él y sus acompañantes dieron una versión
aramea del texto hebreo, sección por sección, añadiendo probablemente algunas aclaraciones (29). De tal manera se conmovió el pueblo,

---

(27)   Cf. E. Meyer, *Die Entstehung des Judentums* (Halle, M. Niemeyer, 1896),
p. 65; Schaeder, *op. cit.,* p. 55.

(28)   Cf. Excurso II, p. 466.

(29)   Cf. W. Rudolph, *Esraund Nehemia* (HAT, 1949), pp. 146-149; R. A.
Bowman, IB, III (1954), pp. 736 ss.; Schaeder, *op. cit.,* pp. 52 ss. Pero cf. G. von
Rad, *Deuteronomiumstudien* (FRLANT, 1948).

que cayó abatido y llorando. Sólo con dificultad pudo Esdras contenerlos, recordando la alegría del día. Al día siguiente, después de una instrucción privada a los principales del pueblo sobre las exigencias de la ley, fue celebrada la fiesta de las tiendas, con posteriores lecturas de la ley en cada uno de los días.

Pero a pesar del entusiasmo inicial, la obra reformadora de Esdras no se iba a realizar tan fácilmente. Seguían existiendo los abusos que tanto habían disgustado a Nehemías, particularmente los matrimonios mixtos, siendo muchos los ciudadanos principales —lo mismo clérigos que laicos, e incluso miembros de la familia del sumo sacerdote (Esd. 10, 18; Ne. 13, 28)— (30), que estaban profundamente implicados. Algo más de dos meses más tarde, en diciembre (cf. Esd. 10, 9; Ne. 8, 2), Esdras se vio obligado a tomar una decisión drástica (Esd. caps. 9 y 10). No es probable que hubiera ignorado todo este tiempo la situación. En realidad, lo probable es que la conociera ya antes de su llegada, al menos de un modo general, y ciertamente la conoció después. Posiblemente confió en que las medidas adoptadas por Nehemías, algunas de las cuales habían sido decretadas quizá durante este intervalo, mas la lectura de la ley, bastarían. También es posible que no tengamos noticia de medidas preliminares tomadas por él mismo. Aun así, penosamente irritado como estaba, Esdras eligió el camino de la persuasión moral. Con grandes muestras de emoción lloró y confesó el pecado de la congregación ante Yahvéh hasta que el pueblo mismo, conmovido en su conciencia, reconocidas sus transgresiones contra la ley (Esd. 10, 1-5), sugirió voluntariamente un pacto para divorciarse de sus mujeres extranjeras y juró ayudar a Esdras en toda iniciativa que él sugiriese.

Después, mientras Esdras continuaba sus ayunos y oraciones, los principales y ancianos ordenaron a todo el pueblo presentarse en Jerusalén en el espacio de tres días, bajo pena de ostracismo y confiscación de bienes (Esd. 10, 6-8). Esdras poseía este poder (7, 25 ss.); pero sólo lo empleó a través de los jefes del pueblo, a los que ahora se atrajo por completo. Esto produjo sus efectos. Se reunió una gran multitud y, a pesar de un fuerte aguacero, permaneció dócilmente al descubierto para recibir la represión de Esdras. Con muy poca oposición, estuvieron de acuerdo en cumplir lo que Esdras había dispuesto, pidiendo solamente un cierto plazo, ya que la inclemencia del tiempo, más la magnitud de la tarea de investigar los casos, impedía comenzar el asunto de inmediato (Esd. 10, 9-15). La investigación de los casos, llevada a cabo por una comisión designada por Esdras, comenzó casi en seguida; tres meses más tarde (¿marzo 427?) había

---

(30)   No se sabe con certeza quién era entonces el sumo sacerdote, pues es probable que Elyašib hubiera muerto, acaso ya antes del retorno de Nehemías (cf. Ne. 13, 4-9). Quizás lo era su hijo Yoyadá (Ne. 12, 10, 22; 13, 28), o quizás incluso su nieto Yeojanán. Este último, que ocupó el cargo después del 410, era por este tiempo un hombre maduro (Esd. 10, 6).

terminado su trabajo (vv. 16 ss.). Todos los matrimonios mixtos fueron disueltos (v. 44).

c. *Culminación de la reforma de Esdras: reconstitución de la comunidad sobre la base de la Ley.* De acuerdo con la reconstrucción aquí adoptada (cf. Excurso II), el cenit de la actividad de Esdras se produjo sólo unas semanas más tarde (cf. Ne. 9, 1), con los sucesos narrados en Neh. caps. 9 y 10. Concluido el asunto de los matrimonios mixtos, el pueblo se congregó para la solemne confesión del pecado, después de lo cual se comprometieron por pacto a vivir según la Ley (9, 38; 10, 29). Concretamente, se obligaron (10, 30-39) a no casarse más con extranjeros, a abstenerse de trabajar en sábado, y cada siete años, dejar en barbecho la tierra y no exigir las deudas. También se comprometieron a un impuesto anual para el mantenimiento del santuario y a cuidar de que fueran presentados con regularidad, según las exigencias de la Ley, la leña para el altar, los primeros frutos y los diezmos.

Dado que las cosas aquí acordadas son las mismas que persiguió Nehemías (cf. Ne. cap. 13), y puesto que Nehemías (10, 1) es colocado en cabeza de la lista de los que rubricaron, han pensado muchos que Ne. cap. 10, a pesar de la impresión transmitida por el cronista, describe de hecho más la culminación de los esfuerzos de Nehemías que los de Esdras (31). Esto no es, desde luego, imposible. Es, sin embargo, igualmente razonable suponer que aquí precisamente converge la obra de los dos hombres, y cada uno respalda al otro. Los abusos que Nehemías había estado atacando eran precisamente los que Esdras había deseado corregir. Si la reconstrucción aquí adoptada es correcta (es decir, que la llegada de Esdras aconteció en el segundo período de Nehemías como gobernador), es ocioso preguntar si las reformas de Nehemías precedieron a las de Esdras o viceversa, ya que en buena parte corrieron paralelas y culminaron en el mismo punto. El pacto descrito en Nehemías, cap. 10, representa el punto final de los esfuerzos de ambos hombres. En el cap. 13 tenemos la sucinta narración del propio Nehemías acerca de la corrección en algunos abusos, para lo cual asume completa autoridad. En los capítulos 9 y 10 (y Esd. caps. 9 y 10), el cronista cuenta cómo fueron corregidos estos mismos abusos; aunque concede a Nehemías una parte modesta en ello (Ne. 10, 1), dando la autoridad principal a su héroe Esdras. En realidad, ambos desempeñaron papeles necesarios, pues aunque Nehemías había tomado vigorosas medidas contra la laxitud religiosa, necesitaba la autoridad de la Ley de Esdras, respaldada

_____

(31) Así, p. e., Bowman, *op. cit.*, p. 757; Rudolph, *op. cit.*, pp. 167, 173. Rudolph, cuya reconstrucción tiene muchos puntos similares a la adoptada aquí, piensa que el cronista intentó ocultar el hecho de que los esfuerzos de Esdras terminaron en un fracaso. No acabo de ver las razones que hagan creer que Esdras fracasó.

como estaba por un decreto real, para hacer que sus medidas tuvieran un efecto permanente. Pero, puesto que él fue quien tomó
estas medidas y, además, asumió la dirección para llevar al pueblo
al pacto de observar la Ley (Ne. 10, 1), pudo —no siendo hombre
excesivamente modesto, como lo demuestran sus memorias— proclamar la reforma como propia. Esdras, por otra parte, aun pose-
yendo toda la autoridad del Gobierno para imponer la Ley, necesitaba el respaldo del gobernador civil si su reforma había de ser, en
realidad, exigida de una manera efectiva. Pero, dado que la Ley
que Esdras había traído proporcionaba la base para la reforma
y puesto que fue su autoridad moral la que creó la buena voluntad
popular para aceptarla, el cronista no se equivoca al darle a él la
mayor parte. El hecho de que Nehemías no diga nada de la parte
correspondiente a Esdras, y el cronista casi nada de la de Nehemías,
puede ser explicado por la aceptable suposición de que los dos hombres, ambos personalidades decididas, debieron tenerse muy poca
simpatía (32). Además, Nehemías no intenta en sus memorias más
que hacer una apología personal, mientras que los intereses predominantemente eclesiásticos del cronista le llevaron, sin duda, a considerar el papel del gobernador civil como secundario.

d. *Importancia de la obra de Esdras.* La reforma de Esdras parece
haber estado ya completada al año de su llegada a Jerusalén. Después
de esto no volvemos a tener noticias de él. Es muy posible que estuviera ya en avanzada edad y muriera no mucho después de terminar
su misión. Josefo (Ant. XI, 5) así lo afirma, añadiendo que fue
sepultado en Jerusalén. Pero existe también la tradición de que murió
en Babilonia; su supuesto sepulcro, en 'Uzair, al sur de Iraq, sigue
siendo aun hoy día un lugar sagrado. Nosotros nada sabemos. Esdras
fue, en todo caso, una figura de relevante importancia. Aunque
las exageraciones de la leyenda, que hacen de él nada menos que
un segundo Moisés (33), son fantásticas, no son, sin embargo, del
todo injustificadas. Si Moisés fue el fundador de Israel, Esdras fue
el que reconstituyó a Israel y dio a su fe una estructura bajo la que
pudiera sobrevivir a lo largo de los siglos.

La tarea de Esdras fue reorganizar la comunidad judía en torno a la Ley. Ya se ha indicado la imperiosa necesidad de esta reorganización. Aunque la reconstrucción del Templo había dado a los
judíos un lugar de reunión después del intermedio del exilio, y un estatuto de comunidad cúltica, las viejas instituciones nacionales no

---

(32)   Así, Albright, *Alex. Marx Jubilee Volume* (Jewish Thelogical Seminary,
1950), p. 73.

(33)   En II (IV) Esdras (cf. cap. 14), Esdras vuelve a crear, bajo divina
inspiración, toda la Escritura, de la que se supone que ha sido destruida. Cf. Sanh,
21 b: «Esdras habría merecido recibir la torá para Israel, si Moisés no le hubiera
precedido».

podían revivir, como el caso de Zorobabel había demostrado con toda claridad. Israel ya no era nación y había pocas esperanzas inmediatas de que volviese a serlo. Menos aún podía, a pesar de la tenacidad de las tradiciones de las filiaciones tribales, hacer retroceder el reloj de la historia para restructurarse como una liga de clanes. De no haber encontrado nuevas formas externas, Israel no hubiera sobrevivido mucho tiempo, sino que hubiera estallado en un inútil nacionalismo, para el cual, con todo, carecía de voluntad, o se hubiera desintegrado en el mundo pagano, como estuvo a punto de hacerlo, y como de hecho lo hizo la comunidad de Elefantina. Ya hemos visto cuán delicada era la situación, tanto interna como externa. Fue Esdras quien, dentro de la estructura de estabilidad política proporcionada por Nehemías, aportó la reorganización necesaria, basada en la Ley.

Qué Ley trajo Esdras en una pregunta que no tiene contestación. No hay razón para suponer que fuera una Ley completamente nueva, desconocida del pueblo. Supuesto que los judíos de Babilonia la habían aceptado ya como Ley de Moisés, pudo ser conocida, al menos en gran parte, por los judíos de Palestina, desde antiguo. Alguien ha supuesto que fue el código sacerdotal, que conservaba las tradiciones oficiales del Templo pre-exílico tal como habían sido transmitidas, coleccionadas y fijadas, probablemente en el exilio. Otros piensan que fue el Pentateuco completo, cuyos elementos, todos, habían existido desde mucho tiempo antes, y que había sido compilado según las grandes líneas esenciales de su formal actual casi de cierto antes de la época de Esdras, aunque aún no existía ninguna recensión tipo. Otros, en fin, creen que fue una colección de leyes, que incluía quizá varias prescripciones cúlticas y sobre otras materias, más tarde incluidas en la narración sacerdotal, y cuyos límites exactos no pueden ser determinados con precisión (34). No nos es posible, desde luego, decir qué leyes concretamente leyó Esdras en alta voz. Pero lo más probable es que poseyera el Pentateuco completo y que fuera él quien lo impuso a la comunidad, como regla normativa de fe y costumbres (35). La Torá tuvo ciertamente este estatuto muy poco después de la época de Esdras y es admisible suponer que fuera ésta la Ley que él trajo.

La Ley, en todo caso, fue aceptada por el pueblo en un pacto solemne ante Yahvéh, y así se llevó a cabo la constitución de la co-

---

(34) Para los distintos puntos de vista y ulteriores referencias, ver, p. ep., Bowman, *op. cit.*, pp. 733 ss.; Noth, HI, pp. 333-335; H. H. Rowley, BJRL, 38 (1955), pp. 193-198.

(35) Propuesto por J. Wellhausen, *Geschichte Israels* I (Berlín, G. Reimer, 1878), p. 421, es aceptado aun hoy día por varios especialistas; p. e. Schaeder, *op. cit.*, pp. 63 ss.; Albright, BP, p. 54; H. Cazelles, «La mission d'Esdras» (VT, IV [1954], pp. 113-140); cf. p. 131, etc. Para una interpretación diferente de la obra de Esdras, cf. K. Koch, JSS, XIX (1974), pp. 173-197.

munidad. Dado que todo ello fue impuesto también con la sanción del Gobierno persa, los judíos adquirieron un estatuto legal que aun careciendo de identidad nacional, les permitió existir como una entidad definida. Súbditos del imperio persa en lo político, constituyeron una comunidad reconocida y autorizada para regular sus asuntos internos de acuerdo con la Ley de su Dios. Se había realizado la transición de Israel de nación a comunidad de la ley. Como tal existiría desde entonces, y esto pudo hacerlo también sin ser un Estado, cuando se extendió por todo el mundo. La señal distintiva del judío no sería una nacionalidad política, ni primordialmente un fondo étnico, ni siquiera una participación regular en el culto del Templo (imposible para los judíos de la diáspora), sino una adhesión a la Ley de Moisés. La gran vertiente de la historia de Israel había sido cruzada y su futuro quedaba asegurado para siempre.

EXCURSO II

Fecha de la misión de Esdras en Jerusalén*

El problema más complicado de la historia judía durante el período persa es el relacionado con la sucesión cronológica de las misiones de Esdras y Nehemías. Se está muy lejos de haber llegado a un acuerdo en la solución. Aunque no se puede exponer aquí una discusión completa del problema, se hace necesaria una justificación de la posición adoptada en el texto.

El problema se centra en la fecha de llegada de Esdras a Jerusalén. La fecha de la actividad de Nehemías parece bastante segura. Los textos de Elefantina demuestran que los hijos del principal enemigo de Nehemías, Sanbal.lat, desarrollaron su actividad en la última década del siglo quinto, siendo entonces Sanbal.lat, según parece, avanzado en años. Los textos manifiestan también que, por este tiempo, era sumo sacerdote Yehojanán, nieto de Elyašib, contemporáneo de Nehemías (cf. Ne. 3, 1; 12, 22) (1). El Artajerjes patrocinador de Nehemías sólo pudo ser, por tanto Artajerjes I (465-424). La actividad de Nehemías tuvo lugar (2, 1; 13, 6) entre el año veinte (445) y algún tiempo después del año treinta y dos (433) de este rey. Queda excluida la datación en el reinado de Artajerjes II (404-358) (2).

---

* Cf. La NOTA ADICIONAL, al final del Excurso.

(1) Para los textos importantes, cf. Pritchard, ANET, p. 492. El «Jonatán» de Ne 12, es probablemente un error por «Yeojanán», aunque algunos (p. e. F. Ahleman, ZAW, 59 [1942/3], p. 98) lo discuten.

(2) Sabemos que hubo un Sanbal.lat II (y probablemente también un Sanbal.lat III) gobernadores de Samaria en el siglo IV; cf. F. M. Cross, «Papyri of the Fourth Century B. C. from Dâliyeh» (New Directions in Biblical Archaelogy,

Pero ¿precedió Esdras a Nehemías o le siguió? ¿Estuvieron los dos al mismo tiempo en Jerusalén? Las respuestas a estas preguntas pueden agruparse, con infinita variedad en los detalles, en tres categorías generales. Unos, aceptando la fecha de Esd. 7, 7 como el séptimo año de Artajerjes I (458), colocan la llegada de Esdras unos trece años antes que la de Nehemías (3). Otros interpretándola como el séptimo año de Artajerjes II (398), ponen a Esdras en escena mucho después de terminada la obra de Nehemías (4). Otros, en fin, viendo en el «séptimo año» de Esd. 7, 7 un error en lugar de «el año treinta y siete», o algo parecido, colocan la llegada de Esdras después de la de Nehemías, pero antes de que hubiese terminado el último período de la misión de Nehemías (5). Cada una de estas posiciones tiene sus ventajas. Dado que ninguna de ellas puede pretender la solución de todos los problemas, debe evitarse todo dogmatismo. No obstante, un examen de la documentación me ha llevado a la conclusión (¡que no es la que tuve al principio!) de que la última de estas soluciones es la que menos objeciones presenta y la que, por tanto, debe ser preferida.

1. *Teoría de la llegada de Esdras antes que Nehemías, en el 458.* Es la teoría tradicional. Puede fundamentarse en los libros canónicos de Esdras y Nehemías y ofrece un cuadro admisible que, en apariencia, parece no envolver dificultades insuperables. Yo mismo he estado inclinado a aceptarla.

a. *Ventajas de esta teoría.* La narración, tal como la Biblia la presenta, produce ciertamente la impresión de que Esdras llegó el primero. El comienzo de su misión (Esd. caps. 7 al 10), fijado en el año séptimo de Artajerjes (Esd. 7, 7 ss.), es descrito antes de que Ne-

---

D. N. Freedman y J. C. Greenfield, eds. [Doubleday, 1969], pp. 41-62); también HTR, LIX (1969) pp. 201-211; BA, XXVI (1963), pp. 110-121. Pero a la vista de la documentación, tanto bíblica como extrabíblica, es difícil —si no imposible— relacionar a Nehemías con un Sanbal.lat, salvo el I.

(3) No pretendemos ofrecer la documentación total; cf. el artículo de Rowley mencionado en la nota 4, para la bibliografía. Ofrece una clara defensa de este punto de vista J. S. Wright, *The Date of Ezra's Coming to Jerusalem* (Londres, Tyndale Press, 2.ª ed., 1958); más recientemente, J. Morgenstern, JSS, VII (1962), pp. 1-11 (quien construye a partir de la dudosa teoría de que Jerusalén fue saqueada en año 485); U. Kellermann, ZAW, 80 (1968), pp. 55-87 (que data la venida de Esdras en el ca. 448).

(4) Cf. H. H. Rowley, «The Chronological Order of Ezra and Nehemiah» (*The Servant of the Lord and Other Essays* [ed. revis., Oxford, Blackwell, 1965], pp. 135-168), con una bibliografía exhaustiva hasta la fecha de la publicación; más recientemente, S. Mowinckel, *Studien zu dem Buch Ezra-Nehemia*, vol. III (Oslo, Universitetsforlaget, 1965), pp. 99-112; J. A. Emerton, «Did Ezra Go to Jerusalem in 428 B. C.» (JTS, XVII [1966], pp. 1-19); N. H. Snaith, VT Suppl. vol. XIV (1967), pp., 244-262.

(5) Recientemente, Albright, BP, pp. 53 ss. y nota 133; Noth, HI, pp. 315-335; W. Rudolph, *Esra und Nehemia* (HAT, 1949), pp. XXVI f.; V. Pavlovsky, «Die Chronologie der Tätigkeit Esdras» (*Biblica*, 38 [1957], pp. 275-305, 428-456).

hemías sea presentado en escena en el año veinte de Artajerjes (Ne.
1, 1; 2, 1). Indudablemente, nos sentimos inclinados a creer que
Esdras precedió a Nehemías trece años. Esto no es en sí mismo del
todo inadmisible, ni se puede refutar de buenas a primeras, ya que
muchos de los pasajes aducidos como refutación son, a lo sumo, no
concluyentes. Por ejemplo, la mención de un «muro» en Esd. 9, 9
no prueba necesariamente que la obra de Nehemías haya sido ejecutada antes de la llegada de Esdras; la palabra, que no es la normal
para designar una ciudad amurallada *puede* ser entendida en sentido
figurado. Ni es conclutente el hecho de que Nehemías encontrara
sólo un poco de pueblo en Jerusalén (Ne. 7, 4), mientras que a Esdras le esperaba allí una gran multitud, para probar que la repo-
blación de la ciudad por Nehemías (Ne. 11, 1 ss.) había sido ya llevada a cabo antes de la llegada de Esdras. Ciertamente son posibles
otras explicaciones. Tampoco prueba Esd. 10, 6 que Yehojanán,
nieto de Elyašib, contemporáneo de Nehemías, fuese sumo sacerdote en los días de Esdras. Yehojanán no es llamado aquí «sumo sacerdote» y siendo este nombre muy común *pudo* ser —aunque no parece
probable— el de un tío del mismo nombre (6). Ni prueba la priori-
dad de Nehemías el hecho de que éste nombrara cuatro tesoreros del
Templo (Ne. 13, 13), mientras que Esdras encontró a estos hombres
en su oficio, a su llegada (Esd. 8, 33). No es necesario suponer que
Nehemías instituyera un nuevo oficio, sino que pudo simplemente
poner hombres honrados en un oficio ya existente. Y otros pasajes
aducidos deben ser tenidos de igual modo, por inconcluyentes (7).

b.   *Objecciones a esta teoría.* No obstante, hay objeciones a esta teoría que parecen casi insuperables. Aunque no se puede afirmar que
la marcha sin protección de Esdras (Esd. 8, 22) *pudo* haber tenido
lugar en el 458, los turbulentos primeros años de Artajerjes I no
proporcionan una base muy verosímil para ello (8). Lo que es más
grave, es difícil creer que Esdras, comisionado para enseñar e imponer la Ley, y lleno además de celo, no hubiera leído esta Ley
al pueblo hasta más de trece años después de su llegada (Ne. 8,
1-8). Algunos de los que colocan la partida de Esdras en el 458
sienten esta dificultad y, separando las vidas de Esdras y Nehemías,
colocan la lectura de la Ley en el año de la llegada de Esdras (9).
Más grave todavía, una teoría que coloca las reformas de Esdras
(Esd. caps. 9 y 10) antes de Nehemías, implica la conclusión de

(6)   O acaso en los días del escritor, el cuarto era conocido como «el de Yojanán», y así, lo identificó con él; así E. Meyer, *Die Entstehung der Judentums* (Halle,
M. Niemeyer, 1896), p. 91; también Ahlemann, *op. cit.*, pp. 97 ss.

(7)   ¡Lo mismo hay que decir de la mayoría de los pasajes aducidos en favor
de la dirección contraria! Cf. Rowley, *op. cit.*, para la discusión.

(8)   Cf. especialmente, Pavlovsky, *op. cit.*, pp. 283-289.

(9)   P. e., Kittel, GVI, III, pp. 584-599; H. H. Schaeder, *Esra der Schreiber*
(Tubinga, J. C. B. Mohr, 1930), pp. 12-14.

que Esdras, de un modo o de otro, fracasó. Se debe suponer que
sus reformas, fueron tan ineficaces que Nehemías tuvo que repetirlas (Ne. cap. 3); o que levantó tal oposición que tuvo que desistir
hasta que llegó Nehemías para salvarle; o que, habiéndose excedido
en su autoridad (como se dice en el lenguaje de Esd. 4, 7-23), cayó en
desgracia y fue castigado por los persas, de todo lo cual no existe la
menor prueba (10). Que Esdras fuera un fracasado es, para mí, increíble. No sólo la Biblia no le describe así, sino que todo el Judaísmo
posterior fue informado por su obra. ¿Habría sido esto posible, y habría hecho de él la tradición nada menos que un segundo Moisés, de
haber sido un fracasado? Sin embargo, tuvo que serlo si sus reformas precedieron a las de Nehemías.

Además, varios indicios, aunque ninguno decisivo en sí, encuadran mejor en la suposición de que Nehemías llegó antes que Esdras. Se refiera o no Esd. 9, 9 a la muralla de Nehemías, éste encontró
ciertamente a la ciudad en completa ruina (Ne. 7, 4), mientras que
cuando llegó Esdras parece estar habitada y relativamente segura. Aún
más, Nehemías corrigió inmediatamente los abusos económicos (5,
1-13), de los que no hay mención alguna en la narración de Esdras.
¿No le habrían afectado al piadoso Esdras aquellos mismos abusos que
afectaron a Nehemías de haberlos encontrado cuando llegó (como debió encontrarlos, si es que precedió a Nehemías)? Además: las reformas
de Nehemías (cap. 13), aunque no tan moderadas como las de Esdras,
fueron medidas *ad hoc*. Nehemías ni apeló a ninguna Ley como la
leída por Esdras (Ne. cap. 8), ni respondió el quebrantamiento de una
promesa que debía haber sido cumplida. De hecho, nunca se dice
de él que apelara específicamente a ningún código legal; se le describe
como un hombre que actúa impulsado por las necesidades del momento. Si el pacto de Ne. cap. 10 (que constituye la conclusión de la
historia del cronista acerca de Esdras), había sido ya hecho, no hay
ninguna indicación de él. En todo caso, ¿podrían haber triunfado sus
medidas aisladas allí donde la reforma masiva de Esdras habría, en
este supuesto, fracasado? Y, en fin, aunque la narración bíblica
coloca primero a Esdras, hay ciertos pasajes que insinúan que fue
justamente al revés. Por ejemplo, Ne. 12, 26 enumera los jefes de la
comunidad judía entre la construcción del Templo y los días del
escritor, y éstos son: Josué, Joaquín (padre de Elyašib, contemporáneo
de Nehemías), Nehemías y Esdras, por este orden. Nehemías 12, 47,
además, pasa de Zorobabel a Nehemías, sin colocar a Esdras en
medio. Por estas razones, además de los argumentos cronológicos

---

(10) K. A. Kitchen (Supplement to the *Theological Students' Fellowship Bulletin* [Summer, 1964], pp. VI s.) argumenta que Esdras llegó el año 458, hizo
algunas reformas y volvió a ocupar su puesto en Babilonia (o Susa), para regresar
después con Nehemías, leer (reafirmar) la ley y sellar el pacto. No puede decirse
que esto sea imposible, pero en la Biblia no existe ningún indicio de que Esdras
viajara dos veces a Jerusalén.

que se aducirán más abajo, parece mejor colocar la llegada de Esdras
después de concluido el trabajo, al menos fundamental, de Nehemías.

2. *La historia del cronista, las memorias de Nehemías y la datación
del cronista.* Los libros I y II de las Crónicas y Esdras y Nehemías
forman una sola obra histórica cuyo autor, a falta de nombre, es conocido como el cronista. La composición de esta obra nos concierne
solamente en lo que toca al problema en discusión (11). La conclusión
a que hemos llegado más arriba ¿nos obligará a considerar al cronista como un historiador carente por completo de seriedad que, por
ignorancia deliberadamente, desfiguró lastimosamente los hechos?
La posición aquí tomada es que no fue así.

a. *Las memorias de Nehemías y su relación con la historia del cronista.* Es interesante observar que el libro apócrifo de Esdras I (III)
que se conserva en el texto de los LXX (12), aunque hace algunas
adiciones y cambia el orden de Esdras cap. 1 al 6, repite sustancialmente la narración que encontramos en nuestras Biblias al final del
libro de Esdras (b); después, pasando por alto la historia de Nehemías
(Ne. caps. 1 al 7), continúa inmediatamente con Ne. 7, 73; 8, 1-12
(la lectura de la Ley por Esdras), en cuyo punto se interrumpe. Dado
que en Ne. 8, 9 se lee simplemente «el gobernador», no hace ninguna mención, en absoluto, de Nehemías. Josefo, que sigue el texto
alejandrino, narra la historia (Ant. XI, V, 4-6) del mismo modo y
en el mismo orden, pasando directamente desde Esd. cap. 10 a Ne.
cap. 8; solamente cuando la historia de Esdras ha sido completada
hasta el punto en que acaba Esdras (incluyendo una narración de la
muerte de Esdras), es introducido Nehemías. Esto nos lleva a preguntar si la obra del cronista incluía originariamente para nada las memorias de Nehemías, o si éstas no habrán sido incluidas en ella después de terminada (13).

Las memorias de Nehemías nos proporcionan una narración
relatada en primera persona e indudablemente fueron compuestas
por el mismo Nehemías. Comprende la totalidad de Ne. 1, 1 a 7, 4
(incluyendo la lista del cap. 3), a lo cual se ha añadido la lista del
cap. 7, 6-73a (Esd. cap. 2), sirviendo de enlace el v. 5. Después de
la interrupción de los caps. 8 al 10, se reanuda en el cap. 11, 1 ss.
(que resume el cap. 7, 4) (14), continúa en el cap. 12, 27-43 (donde

(b)   Ver nota (b) del traductor, p. 16.
(11)   Ver especialmente: W. Rudolph, *Esra und Nehemia* (HAT, 1949);
idem, Chronikbücher (HAT, 1955); también M. Noht, *Ueberlieferungsgeschichtliche
Studien I* (Halle, M. Niemeyer, 1943), pp. 110-180.
(12)   Cf. Mowinckel, *op. cit.*, vol. I (1964), pp. 7-28.
(13)   Cf. Mowinckel, *ibid.*, pp. 29-61, que indica, y a mi modo de ver de
forma convincente, que esto fue lo que ocurrió; también K.-F. Pohlmann, *Studien
zum dritten Esra* (FRLANT, 104 [1970]).
(14)   Nótese cómo Josefo (Ant. XI, V. 8) resume en su sola frase Ne. 174,
y cap. 11, 1 ss.

ha sido algo ampliada en la transmisión) (15) y concluye en el cap. 13. Es seguro que este documento circuló originariamente como independiente. No ofrece ninguna prueba demostrable de retoques del cronista, siendo, en mi opinión, perfectamente explicables los toques editoriales que pueden advertirse, por el proceso de ampliación que experimentó la obra de Nehemías mediante la adición de listas, etc., y de inserción, finalmente, en la obra del cronista. La obra del cronista, en su forma original, no incluyó probablemente nada de estas memorias. Cuando más tarde fueron añadidas, fueron colocadas al final de todo, en el texto seguido por Josefo. En el arquetipo de los TM, o porque Nehemías es mencionado en Ne. 8, 9 y 10, 1, ó al menos porque el editor creyó que estaba presente cuando tuvieron lugar los sucesos del cap. 8 al 10, era necesario insertar, antes del cap. 8, la narración de su llegada y la reconstrucción de las murallas (que siguió inmediatamente). De este modo, Ne. cap. 8 quedaba separado de Esd. caps. 9 y 10 (lo que no sucedió en Esd. I), mientras que el comienzo de las memorias de Nehemías (caps. 1 al 7) quedaba separado de su conclusión (Ne. 11, 1 ss.; 12, 27-43; cap. 13). Pero si se leen separadamente las memorias de Nehemías, no ofrecen ninguna mención en absoluto de Esdras (salvo 12, 36, que puede ser una adición). Ellas no nos dicen, por tanto, si Nehemías llegó antes o después que Esdras.

b. *El relato del cronista sobre Esdras: su extensión y orden cronológico.* Si lo arriba expuesto es exacto, la obra original del cronista incluía el libro de Esdras, más Ne. 7, 73-8, 12 (como en I Esd.). Pero dado que el resto de Ne. cap. 8 y caps. 9 y 10 continúan la narración del cronista, y son completamente del mismo estilo, podemos suponer que su trabajo se extendió más y que su conclusión ha sido relegada a I Esdras. Es difícil precisar dónde termina la obra del cronista en el libro canónico de Nehemías. No sabemos con entera seguridad si todas las listas de los caps. 11, 3 a 12, 26 pertenecen a este trabajo, o si alguien las incluyó en el libro por otros caminos. A mí me parece probable que el final de la historia del cronista se ha de buscar en 12, 44 ss., que pueden ser considerados como el resumen y conclusión del relato de 10, 28-39 (16). Algo que realmente importa notar es que el cronista apenas menciona a Nehemías. Su nombre se encuentra en Ne. 8, 9 (que algunos juzgan como una glosa; I Esd. lo omite); en 10, 1 (pero algunos juzgan que 10, 1-27 es una inserción dentro de la obra del cronista) (17); en 12, 26 (donde algunos borran el nom-

---

(15) Rudolph encuentra el material de Nehemías *(Esra und Nehemia.* p. 198), en los vv. 27a*, 20*, 31 ss., 37-40, 43* (* indica parte de un v.); Saeder, *op. cit.* p. 7, similarmente.

(16) «Aquel día» del v. 44 apenas puede referirse al día en que las murallas fueron dedicadas (cap. 12, 27-43), sino, más probablemente, el día de la alianza del cap. 10. Los vv. 46 ss. pueden ser una adición; cf. Rudolph, *op. cit.,* p. 201.

(17) Cf. Rudolph, *op. cit.,* pp. 173 ss. A. Jepsen, ZAW, 66 (1954), pp. 87-106, elimina el nombre de Nehemías.

bre) y en 12, 47 (probablemente no parte de la obra del cronista).
Se podría fácilmente argumentar a base de esto que la narración
original del cronista no menciona en absoluto a Nehemías. Aunque
me parece inseguro, la historia del cronista, leída sola, no nos ofrece
un orden cronológico de la llegada de Esdras y Nehemías mejor que
el de las memorias de Nehemías.

Aunque no nos concierne aducir las posibles razones para ello,
parece que la narración que de él hace el cronista de la misión de Esdras (Esd. caps. 7 al 10; Ne. caps. 8 al 10), no está en orden cronológico perfecto. Hay poderosas razones para creer que Ne. cap. 8
precedió, en el tiempo, a Esd. caps. 9 y 10 y que el correcto orden
cronológico sería: Esd. caps. 7 y 8; Ne. cap. 8; Esd. caps. 9 y 10; Ne.
caps. 9 y 10 (18). Esdras fue comisionado (Esd. 7, 25 ss.) para regular los asuntos judíos de acuerdo con la Ley y para instruir al pueblo en ella. Era de esperar que él, lleno de celo como estaba (cf. Esd.
7, 10), lo pondría en práctica cuanto antes. Sin embargo, según el
orden actual de la narración, llegó en el mes quinto del «séptimo
año» (Esd. 7, 7 ss.), no hizo nada hasta el mes noveno (Esd. 10, 9), y
entonces actuó únicamente porque el asunto de los matrimonios mixtos había llamado su atención. Sólo mucho más tarde (según la presente organización del libro trece años después; siguiendo tan sólo las
fechas del cronista no antes del mes séptimo del año siguiente [Ne.
8, 2]), leyó toda la Ley. Esto parece improbable. Además, la docilidad del pueblo cuando fue enfrentado con sus matrimonios mixtos
(Esd. 10, 1-4) y su prontitud para conformarse con la Ley (v. 3), sugieren que ya había tenido lugar la lectura pública, mientras que
la indicación de que se hizo un pacto nos lleva a Ne. cap. 10 cf. v.
30) (19).

Pero si (recordando que Ne. caps. 1-7, no es parte de la historia
del cronista), Ne. cap. 8 es colocado cronológicamente antes que Esd.
caps. 9-10, todo queda en orden. Esdras llegó el mes quinto y leyó
públicamente la ley en el mes séptimo (Ne. 8, 2), durante la fiesta
de las tiendas. Después (Esd. caps. 9 y 10) se tomaron medidas respecto de los matrimonios mixtos. Esto comenzó en el mes noveno
(10, 9) y concluyó a los tres meses (10, 16 ss.), a principios del año
siguiente. Finalmente (Ne. 9, 1), el día veinticuatro (probablemente
del primer mes) tuvo lugar la confesión del pecado y el pacto solemne descrito en Ne. caps. 9 y 10. La reforma de Esdras quedó completada, de esta manera, al año de su llegada a Jerusalén. Aun conce-

---

(18)   Un buen número de especialistas adoptan esta postura o algo parecido:
p. e. Torrey, *op. cit.*, pp. XXVIII; Rudolph, *op. cit.*, pp. XXIV, 143 ss., etc.;
Bowman, *op. cit.*, pp. 560 ss. 644, 732, tec.
(19)   De igual modo, la transición de una alegría festiva (Ne. cap. 8) a una
humilde confesión (Ne. cap. 9), es excesivamente abrupta; cf. Rudolph, *op. cit.*,
pp. 153 ss.; Bowman, *op. cit.*, p. 743.

diendo que los sucesos pueden interpretarse de otra manera, esta exposición se recomienda por sí sola.

c. *La datación del cronista.* Que el cronista no se equivocó en el orden de Esdras y Nehemías puede probarse, además, por el hecho de que parece haber realizado su trabajo muy poco antes o después del 400 aC, es decir, mientras era aún vivo el recuerdo de ambos hombres. Desde luego, se ha preferido con frecuencia una datación posterior (hasta en el 250 y aun después). Pero esto parece basarse en la suposición de que el texto arameo de Esdras (Esd. 4, 8-6, 18; 7, 12-26) es tardío, o en la suposición de que las listas de la dinastía davídica de I Cr. 3, 10-24 (y la de los sumos sacerdotes de Ne. 12, 10 ss., 22) llevan hasta la época de Alejandro Magno; o en la creencia de que la confusión de la narración del cronista sólo es explicable suponiendo que vivió en una fecha posterior, cuando el orden de aquellos sucesos había sido ya olvidado. Pero ninguno de estos argumentos es concluyente.

El texto arameo de Esdras parece, a la luz de los textos de Elefantina, que encuadra más bien en la segunda mitad del período persa; no hay indicios de palabras griegas (20). Por lo que respecta a las listas, es peligroso argumentar por ellas la datación del cronista, ya que muy bien pueden ser adiciones posteriores. Aun así, no nos pueden llevar más allá de los años incluidos en el siglo quinto. La lista de la descendencia davídica (I Cr. 3, 10-24), una vez que el texto ha sido puesto en orden (21), nos lleva solamente a la séptima generación después de Joaquín, que había nacido en el 616 (II R 24, 8) y deportado en el 597, y cuyos cinco primeros hijos habían nacido antes del 592, como lo indica la documentación cuneiforme (22). Si concedemos una media, verdaderamente amplia, de veintisiete años y medio para cada generación (23), o la también realmente amplia de veinticinco años, con cierto margen, por el hecho de que la sucesión no siempre pasó por el primogénito, el nacimiento de la última generación caería entre ca. 430/25 ó 420/15. El cronista no conoce una sucesión davídica posterior (24). Lo mismo se puede decir de las listas de sumos sacerdotes (Ne. 12, 10 ss.). Elyašib estuvo en actividad (3, 1; 13, 4-9) a lo largo del primer período de Nehemías

---

(20) Cf. W. F. Albright, «The Date and Personality of the Chronicler» (JBL, XL (1921), pp. 104-124); *idem, Alex Marx Jubilee Volume* (Jewish Theological Seminary, 1950), pp. 61-74; F. Rosenthal, *Die aramaistiche Forschung* (Leiden, E. J. Brill, 1939), especialmente pp. 63-71. Cf. H. H. Rowley, *The Aramaic of the Old Testament* (Londres, Oxford University Press, 1929), para una discusión completa y conclusiones mesuradas.

(21) Cf. Rudolph, *Chronikbücher* (ver nota 11), pp. 28-31.

(22) Cf. Pritchard, ANET, p. 308, para el texto.

(23) Cf. Albright, BP, p. 95, nota 198.

(24) Si es cierto que el Jananí de la carta de Elefantina del 407 (cf. Pritchard, NAET, p. 492) es el Jananí del v. 24, el sincronismo queda asegurado. Pero no es seguro.

como gobernador (es decir, ca. 445-433). Su nieto Yehojanán, como
nos dicen las cartas de Elefantina, fue sumo sacerdote en la última
década del siglo; Yaddúa, hijo de Yehojanán, era ciertamente mayor
de edad hacia el 400, y debió de tomar el oficio por entonces, o poco
después.

Las secciones narrativas de la obra del cronista desconocen
igualmente personas o sucesos posteriores a Nehemías y Esdras. Si
la narración aparece confusa debido a que el cronista manipuló deliberadamente la historia para conseguir sus fines, es ciertamente preferible una fecha posterior para su actividad, ya que mientras el recuerdo
de los sucesos se mantuviera vivo no cabía esperar que dejara de
descubrirse tamaña falsificación. Si se supone que la confusión es
debida a ignorancia del cronista, o de sus fuentes, se requiere también
una fecha posterior, cuando ya el recuerdo de los sucesos se había
perdido. Sin embargo, si el cronista trabajó un siglo o dos más tarde
del ca. 400, es realmente extraño que ninguna de las narraciones o
de las genealogías nos lleven más allá de este punto. Una datación
para el cronista posiblemente en las décadas finales del siglo quinto,
y ciertamente no mucho después del 400, viene exigida por sí misma (25). El desorden de los actuales libros de Esdras y Nehemías
está totalmente ocasionado por adiciones secundarias de las memorias
de Nehemías, y de otros materiales, en la obra del cronista.

No sabemos quién fue el cronista. Su estilo y el de las memorias
de Esdras (la narración en primera persona comienza en Esd. 7,
27), son estrechamente afines, si no idénticos, aunque algunos especialistas lo encuentran exagerado (26). Esto no exige que consideremos las memorias de Esdras como una creación libre del cronista (27),
ni que supongamos que fueran compuestas por círculos de discípulos
del cronista (28). Aunque es quizá aventurado insistir en ello, no es del
todo imposible que el cronista fuese el mismo Esdras, como lo sostiene
la tradición judía (29). Por otra parte, puede haber sido un discípulo
íntimo de Esdras, que teniendo a la vista extractos de las memorias
de Esdras —o habiéndolas conocido en su forma oral— las reprodujo
según las propias palabras de Esdras, con ampliaciones verbales.

---

(25) Numerosos especialistas prefieren una fecha ± 400; cf. los artículos
de Albright en la nota 20; *idem*, JBL, LXI (1942), p. 125; Rudolph, *Esra und
Nehemia*, pp. XXIV s.; J. M. Myers, *Ezra-Nehemiah* (AB, 1965), pp. lxviii-lxx.
(26) Cf. Rudolph, *ibid.*, pp. 163-165; Mowinckel, *op. cit.*, vol. III, pp. 11-17.
(27) Así, particularmente, C. C. Torrey: p. e. *Ezra Studies* (University of
Chicago Press, 1910); recientemente, *op. cit.*, (ver nota 2); también R. H. Pfeiffer,
Introducction to the Old Testament (Harper y Brothers, 1941), pp. 824-829.
(28) Así, A. S. Kapelrud, *The Question of Authorship in the Ezra Narrative*
(Oslo, J. Dybwad, 1944). Debe procederse con mucha cautela a la hora de establecer varios «círculos» con estilos característicos en una población de unos 50.000
habitantes.
(29) Así Albright, *opera cit.*, en nota 20; Myers, *op. cit.*, lxviii.

Quienquiera que fuese, no hay ninguna razón convincente para colomucho después de la generación del mismo Esdras.

3. *Teoría de la llegada de Esdras en el año séptimo de Artajerjes II* (398). Volvemos de nuevo a la fecha de la llegada de Esdras. Ya hemos visto las objeciones para colocarla en el año séptimo de Artajerjes I (458) y hemos observado que tanto la obra original del cronista como las memorias de Nehemías son negativas cuanto a la cuestión de quién llegó primero. ¿Se resolvería el problema colocando la llegada de Esdras en el año séptimo de Artajerjes II, después de haber terminado la actividad de Nehemías?

a. *Ventajas de esta teoría.* Esta teoría no carece de puntos a su favor. En particular, concede a la obra de Esdras la categoría de elemento final y decisivo que la tradición posterior le ha asignado y que, en efecto, parece haber tenido. Colocar a Esdras en tiempo de Artajerjes II no es irrazonable en sí mismo (la Biblia, ciertamente, no dice qué Artajerjes fue) y sólo exige suponer que el presente orden de la narración es el resultado de trastornos secundarios, como se notó arriba, y que los pasajes que hacen contemporáneos a Esdras y Nehemías son secundarios. Estos, como ya hemos dicho, son pocos e incidentales a la narración; en realidad se limitan a la mención de Nehemías en Ne 8, 9 (Esdras I lo omite), y la mención de Esdras en Ne 12, 36 (que puede ser una adición). Nehemías 12, 26 no hace *necesariamente* contemporáneos a los dos, aun cuando ambos nombres sean originarios. Pues si Ne cap. 10 es relacionado con la reforma de Nehemías mejor que con la de Esdras (o Ne 10, 1-27 es considerado como una interpolación), la mención del primero en el v. 1 no puede servir para relacionarle con la obra del segundo. Si este realmente pequeño argumento es considerado en este sentido, todas las afirmaciones explícitas de que fueron contemporáneos desaparecen.

b. *Objeciones a esta teoría.* No obstante, colocar la misión de Esdras en fecha tan tardía como es el 398 provoca serias dificultades. Como sabemos por el llamado «papiro pascual» de Elefantina, fechado en el año quinto de Darío II (419) (30), los asuntos cúlticos judíos de Egipto eran regulados entonces, por mandato del rey, por el sátrapa Arsames, mediante su agente para los asuntos judíos, llamado Jananías. Si este Jananías (o Jananí) es el hermano de Nehemías (Ne. 7, 2) (31), el conducto de esta regulación iba vía Jerusalén. El texto en cuestión dispone que la Pascua (panes ácimos) sea observada según las normas que nosotros conocemos por pasajes tales como Ex. 12, 24-20; Lv. 23, 5 ss.; Nm. 28, 16 ss. De este modo, el gobernador persa regulaba, por conductos oficiales, las prácticas religiosas judías hacia el 419, de acuerdo con la ley del Pentateuco. Pero Esdras

(30)   Cf. Pritchard, ANET, p. 491, para el texto.
(31)   Ver especialmente C. G. Tuland, JBL, LXXXVII (1958), pp. 157-161.

fue enviado a Jerusalén precisamente para esta regulación de las prácticas religiosas (Esd. 7, 12-26) y, *según parece, fue el primer enviado.* ¿Es posible que las prácticas judías fueran reguladas en un lejano rincón de Egipto —y quizás vía Jerusalén— antes de que esto sucediera en la misma Jerusalén? Sin embargo, si Esdras sólo llegó en el 398, este era el caso. Y si, por el contrario, los asuntos religiosos habían sido *oficialmente regulados* con anterioridad a Esdras, es decir, por Nehemías (de lo que no tenemos pruebas), ¿cuál era la misión de Esdras? (32).

Otras consideraciones hacen difícil una fecha tan tardía para la llegada de Esdras. Cuando el escándalo de los matrimonios mixtos, se dice que Esdras se retiró a la cámara de Yehojanán ben Elyašib (Esd. 10, 6). Se podía suponer que ambos estaban en buenas relaciones. Aunque puede ser que este Yehojanán no sea el sumo sacerdote de 407 (Ne. 12, 22, ss.), probablemente lo es. Los defensores de esta teoría lo suponen así, por lo general. Ahora bien Josefo (Ant. XI, VII, 1) nos dice que Yehojanán asesinó a su propio hermano durante un oficio en el Templo, acción vergonzosa que ocasionó severas represalias del gobernador persa. Si Esdras llegó en el 398 es casi seguro que conoció aquel incidente. ¿Hubiera estado el austero reformador en tan buenas relaciones con un asesino que había deshonrado el oficio sagrado? Pues si Esdras estuvo enemistado con Yehojanán, la narración no da ningún indicio de ello (33).

Un ulterior argumento se deriva de la presencia del davídida Jattuš entre los que retornaron con Esdras (Esd. 8, 2). Puesto que es enumerado (v. 1) entre los «jefes de casas paternas», es probable que por este tiempo fuera un hombre de edad madura, en la plenitud de su vida. Este Jattuš difícilmente es el Jattuš ben Jašabnías que se encuentra entre los constructores de Nehemías (Ne. 3, 10), sino casi de cierto el Jattuš que aparece en I Cr. 3, 22, como descendiente, en

---

(32)   Es cierto que el «papiro pascual» tiene aquí el texto dañado y que es perfectamente posible otra interpretación; cf. Emerton, JTS, XVII (1966), pp. 7-11 y sus referencias. Pero la dada en el texto me parece la más probable. Para los recientes estudios sobre éste y otros papiros, cf. B. Porten, BA, XLII (1979), pp. 74-104.

(33)   Es posible, por supuesto, que Yehojanán actuara en legítima defensa, de modo que Esdras pudo considerar su acción perfectamente excusable; cf. Emerton, *ibid.*, pp. 11 s. Pero Josefo encuentra aquel hecho claramente escandaloso y cabe sospechar que éste fue también el juicio de Esdras. Por otro lado, Cross (JBL, XCIV [1975], pp. 4-18) argumenta que Josefo ha confundido las generaciones y que el Bagoas de que nos habla no fue gobernador de Judá a fines del siglo V, sino el infame general de Artajerjes III y que Yehojanán no fue tampoco el abuelo de Elyašib, sino un sumo sacerdote del mismo nombre, pero de fecha posterior. Si esta suposición es correcta (y es posible que lo sea), el incidente no tuvo nada que ver con la vida de Esdras.

quinta generación, de Joaquín (34). Como ya hemos dicho, los primeros hijos de Joaquín nacieron antes del 592. Calculando las generaciones tal como se hizo más arriba, Jattuš debió nacer entre el 490 y el 480 (es decir, ca. 485) (35). Si fue así, andaba por los veinte años en el 458 —demasiado joven para ser jefe de una casa. Y tendría sus ochenta años en el 398 —increíble, dado el rigor del camino. Pero estaría en los ciencuenta en el 428. Si el Šemaías ben Šecanías que era uno de los constructores de Nehemías (Ne. 3, 29), es el Šemaías ben Šecanías de I Cr. 3, 22, que es nombrado (según el texto reconstruido) como hermano de Jattuš, tenemos una confirmación. Šemaías contaría unos cuarenta años en el 445, lo cual encuadra perfectamente, y Jattuš sería unos pocos años más joven. Además, *si* el Anani de I Cr. 3, 24 es el Anani de la carta de Elefantina del 407, un cálculo retrospectivo parecido al anterior colocaría el nacimiento de Jattuš entre el 490 y el 480. Datar, por tanto, la llegada de Esdras en el 398 parece muy tardío.

4. *Teoría de la llegada de Esdras ca.* 428. Aunque no hay lugar a dogmatismos, parece que las pruebas encajan mejor en la suposición de que Esdras llegó más tarde que Nehemías, pero antes de que éste hubiera desaparecido de escena. Si tenemos presente que la obra del cronista no incluyó originariamente las memorias de Nehemías, implica la suposición de que el «año séptimo» (Esd. 7, 7 ss.) es un error, por algún otro número, el más aceptable el «treinta y siete». No son agradables las «evasiones»; pero la corrección no es improbable, ya que sólo es preciso suponer que tres palabras seguidas, con *šin* inicial, han motivado la eliminación, por haplografía, de una palabra (36). La hipótesis, en mi opinión, tiene en cuenta las objeciones que se suscitan si se coloca la llegada de Esdras ya sea en el 458 o en el 398, y permite un cuadro inteligible del curso de los acontecimientos. Esto es lo que hemos tratado de desarrollar en el texto.

Aunque los pasajes que así lo afirman expresamente son pocos, la tradición de que Esdras y Nehemías fueron contemporáneos no debería ser abandonada a la ligera. El hecho de que el cronista apenas mencione a Nehemías, mientras que las memorias de Nehemías no mencionan probablemente nunca a Esdras, se explica con facilidad. Los

---

(34)   El texto de los vv. 21 ss. está corrompido, como la mayoría de los especialistas reconocen. El v. 21 se refiere a una generación; el v. 22 debería leerse: «Y los hijos de Šecanías, Šemaías y Jattuš y...» (nótese el total «seis»).

(35)   Cf. Albright, BP, p. 64, nota 133.

(36)   En mi opinión, las objeciones de Emerton (JTS, XVII [1966], pp. 18 s.) no son convincentes, en especial si las palabras «en el año séptimo del rey» del vers. 8 se consideran una glosa basada en el vers. anterior. Pero existe la otra alternativa de que en el *Prólogo* del cronista la cifra se escribiera con signos numéricos (cf. Rudolph, *Esra und Nehemia* [en la nota 5], p. 71) y que se haya perdido un dígito. Ya en tiempos preexílicos se usaban en Israel los numerales hieráticos; cf. Aharoni, LOB, pp. 315-317.

intereses del cronista eran, ante todo, eclesiásticos, y Nehemías era ajeno a ellos, mientras que las memorias de Nehemías eran una apología personal, que se refería exclusivamente a lo que él había hecho. Es probable, además, puesto que tanto Esdras como Nehemías poseían una acentuada personalidad, que se produjeran entre ellos choques violentos. Si se objeta que la autoridad de Esdras era tal que no la podía haber ejercido mientras estuviera Nehemías en su cargo, se puede replicar que la objeción vale también para la fecha del 398/7, ya que es seguro que entonces había un gobernador, muy probablemente el persa Bagoas que, como muestran los textos de Elefantina, era gobernador en la última década del siglo quinto. Se puede pensar que la autoridad de Esdras chocaría igualmente con la suya. La verdad parece ser, como se indicó en el texto, que la autoridad de Esdras no chocaba, *en teoría*, con la del gobernador civil, aunque de hecho debieron ocurrir bastantes fricciones. Se puede añadir, por lo que valga, que aunque I Esdras (9, 49) omite el nombre de Nehemías en relación con la lectura de la Ley (Ne. 8, 9), ambos textos suponen que había un gobernador presente en esta ocasión. A no ser que se prefiera borrar por completo la referencia al gobernador, lo cual me parece innecesario, hay que decir que el papel atribuido a este gobernador *pudo* haber sido representado por el judío Nehemías, pero no por Bagoas, o algún otro oficial persa (37).

Nosotros mantenemos, pues, la teoría de que Nehemías fue gobernador desde el 445 hasta el 433, año en que (Ne. 13, 6) retornó a la corte persa, por un lapso de tiempo no especificado. Ca. 428 llegó Esdras y es casi seguro que por este tiempo Nehemías estaba de vuelta en Jerusalén, luchando, como probablemente lo había hecho ya antes, con los apóstatas y reincidentes. La obra de Esdras fue llevada a cabo, de esta manera, durante el segundo período del cargo de Nehemías. Esta teoría, que es la seguida en el texto, nos permite resolver el eterno problema de las relaciones de las reformas de Esdras con las de Nehemías de una manera que, según creo, es admisible y conforme a la documentación. Las reformas de los dos hombres, corrieron, en parte, paralelas y convergieron en el mismo punto. Nehemías narra su propia vertiente y reclama los honores; el cronista, como era de esperar, tributa el honor a Esdras.

---

(37) No debe insistirse, por supuesto, mucho en este argumento, porque Bagoas pudo muy bien ser un judío con nombre persa. Pero Josefo (Ant. XI, 7, 1) indica claramente que era un persa, aunque también es posible que el historiador judío se esté refiriendo a un Bagoas posterior; cf. *supra*, nota 33.

NOTA ADICIONAL

Me permito recomendar insistentemente a los lectores de este Excurso una particular atención al penetrante artículo de F. M. Cross, «A Reconstruction of the Judean Restoration» (JBL, XCIV [1975], pp. 4-18); también *Interpretation*, XXIX (1975), pp. 187-203. En estos análisis, Cross llega a conclusiones totalmente opuestas a las que hemos mantenido en estas páginas. Si Cross está en lo cierto, desaparece una de las mayores objeciones para situar a Esdras antes de Nehemías. Cross estudia la genealogía de los sumos sacerdotes de los siglos VI y V recensionada en Ne 10, 10 s., 22. La línea sería la siguiente: Josué (sumo sacerdote cuando se reconstruyó el Templo, en 520-515), luego Yoyaquim, luego Elyašib, luego Yoyadá, luego Yojanán (de quien se sabe que fue sumo sacerdote después del 410) y, finalmente, Yaddúa. Dando a las generaciones (desde el nacimiento del padre al nacimiento del hijo) una duración media de 25 años, Cross concluye que la lista contiene muy pocas generaciones para cubrir todo el período. Deduce por consiguiente, que se han eliminado de la lista, por haplografía, dos nombres Esto pudo ocurrir fácilmente si se practicaba la paponimia (el nieto lleva el mismo nombre que su abuelo). La lista completa sería: Josué —Yoyaquim - Elyašib I - Yojanán I - Elyaššib II - Yoyadá - Yojanán II - Yaddúa. Esdras pudo, por tanto, ser contemporáneo de Yojanán I (Esdras 10; 6) y ambos pudieron ser anteriores a Nehemías, que vivió en la época de Elyašib II.

Los argumentos de Cross son persuasivos y debo declarar que en un primer momento los estimé convincentes. Pero quedaban en pie algunas cuestiones, en parte paralelas a las expuestas por C. Widengren (IJH, pp. 503-509). Por un lado, la solución de Cross se fundamenta esencialmente en hipótesis. Aunque sabemos que la paponimia gozó de amplia difusión entre las familias nobles durante el período persa, no sabemos si también fue practicada por la familia de los sumos sacerdotes del siglo V (aunque sí pudo serlo en una época posterior). Tampoco existen pruebas, ni de crítica textual ni de ningún otro tipo, a favor de la desaparición por haplografía de dos nombres en las genealogías, y menos aún que estos nombres fueran los de Elyašib (I) y Yojanán (I). Además, y al igual que Widengren, me siento perplejo ante el hecho de que Cross considere a Elyašib (I) como hermano de Yoyaquim, siendo así que Ne 12, 10 s. dice claramente que fue su hijo. Si le consideramos como hijo, es preciso añadir una nueva generación a las enumeradas por Cross; y entonces ya serían demasiadas. Ahora bien, si como supone acertadamente Cross, Josué tenía unos 50 años cuando fue reconstruido el Templo, debió nacer hacia el 570. Por tanto, si tomamos como base de partida esta fecha del 570, y estimamos las generaciones como lo hace Cross, y si aceptamos además la lista de las generaciones tal como este autor las reconstruye (pero considerando al mismo tiempo a Elyašib I hijo de Yoyaquim, tal como la Biblia dice), llegamos a ca. 420 como fecha de nacimiento de Yojanán II. Pero sabemos que Yojanán fue sumo sacerdote hacia el 410, lo que nos obligaría a admitir que ocupó este cargo siendo un niño de apenas 10 años de edad. (Y Yaddúa, que accedió al cargo ca. 400, o incluso antes, apenas habría nacido por estas fechas). Por otra parte, no estoy convencido de que la lista, tal como aparece en Ne 12, 10 s., presente problemas insuperables en su estado actual. Si situamos el nacimiento de Josué ca. 570 (dando a las generaciones la misma duración que en líneas anteriores) y seguimos los nombres tal como aparecen en el citado texto de Nehemías, Yojanán habría nacido ca. 470 y pudo acceder al sumo sacerdocio ca. 410, a los 60 años de edad, lo que parece perfectamente posible. Añádase, además, que el tiempo asignado a cada generación es sólo una estimación *grosso modo* y que, por tanto, Yojanán pudo acceder al cargo algunos años antes.

Hay que señalar, además, que aunque la reconstrucción de Cross nos *permitiría* situar a Esdras antes que a Nehemías, no nos obliga a ello, porque el Yojanán contemporáneo de Esdras pudo muy bien ser Yojanán II. Insistiendo en este punto, si bien la hipótesis de Cross elimina uno de los mayores obstáculos para colocar antes la actividad de Esdras, conservan toda su fuerza, en mi opinión, las restantes objeciones mencionadas en el Excurso, sobre todo en lo referente a la dificultad de comprender las reformas masivas de Esdras sin una previa actividad reformadora de Nehemías.

Todas estas razones me han movido —tras considerables vacilaciones— a mantener el Excurso sustancialmente inmodificado. Creo que la posición adoptada en él es fiel a la documentación y proporciona una comprensión más satisfactoria que otras teorías sobre la actividad de Esdras y Nehemías. Pero es preciso insistir una vez más en que estas páginas no resuelven definitivamente el problema —un problema que, por otra parte, quizá nunca llegue a resolverse.

Sexta Parte

EL PERIODO DE FORMACION DEL JUDAISMO

Capítulo II

FIN DEL PERIODO PALEOTESTAMENTARIO
Desde la Reforma de Esdras hasta el estallido
de la Revolución macabea

Los siglos que abarca este capítulo nos llevan al final del período paleotestamentario. Durante su transcurso dio su fruto la obra de Esdras y Nehemías, ya que el Judaísmo fue adquiriendo, poco a poco, la forma que le caracterizaría desde entonces para siempre. Pero intentar una historia de los judíos durante este período es realmente una tarea infructuosa. Puede parecer sorprendente, pero no hay, desde los tiempos de Moisés, ningún período de la historia de Israel más pobremente documentado que éste. A finales del siglo quinto cesan por completo los libros históricos de la Biblia; y se puede decir que las fuentes históricas judías no se reanudan hasta el siglo segundo (175 y después), en el que tenemos obras como I y II Macabeos. Aunque nuestros conocimientos sobre la historia general del Oriente antiguo son muy completos, no conocemos casi nada acerca de los judíos durante la mayor parte de este tiempo (particularmente durante el siglo cuarto). Es verdad que se produjo durante este período una abundante literatura que incluye las últimas obras del Antiguo Testamento y las primeras de los escritos judíos no canónicos (d). Pero aunque estas obras ofrecen una buena descripción del desenvolvimiento religioso, proporcionan, desgraciadamente, muy poca información histórica directa. Nuestra narración, por tanto, puede —y forzosamente debe— ser expuesta con desconcertante brevedad.

A. Los judíos durante los siglos cuarto y tercero

1. *Ultimo siglo de dominio persa.* Aunque el cronista registra (Ne. 12, 10-11, 21) los nombres de los sumos sacerdotes hasta aproximadamente el final del siglo quinto, y también los de los descendientes de David hasta más o menos ese mismo tiempo (I Cr. 3, 17-24), su narración termina con Esdras (es decir, ca. 427). Si bien los textos

---

(d) Ver nota (d) del traductor, pág. 16.

de Elefantina arrojan un poco luz sobre el último cuarto del siglo quinto, al llegar al siglo cuarto hallamos un período de casi total oscuridad que ahora nos toca describir.

a. *Finales del siglo quinto.* Poco después de completadas las reformas de Esdras y Nehemías murió Artajerjes I (424). Le sucedió después de ser asesinado el heredero legítimo, Jerjes II, su hijo Darío II Notos (423-404), los detalles de cuyo reinado no nos conciernen. Baste decir que presenció la interrupción de la guerra del Peloponeso (la paz de Nicias 421-414), su reanudación y, finalmente, su término con la capitulación de Atenas en el 404. Persia pudo, por medio de la diplomacia y del soborno, y gracias a la corrupción griega, convertir todo esto en victoria propia y restablecer su dominio sobre Asia menor más firmemente que nunca.

- Los asuntos de Judá en este intervalo permanecen en la oscuridad. El segundo período de Nehemías como gobernador acabó probablemente no muchos años después del 428/7. Acaso pudo sucederle, por breve tiempo, su hermano Jananías, que en una ocasión (Ne. 7, 2) había actuado como delegado suyo. Esto es probable *si* el Jananías mencionado en el «papiro pascual» de Elefantina de 419 era hermano de Nehemías y (como es muy posible) encargado de los asuntos judíos de Jerusalén (1). Pero no tenemos certeza total. En todo caso, los textos de Elefantina nos dicen que después del 410 fue gobernador de Judá Bagoas (Bagohi) (persa, o judío con nombre persa) y sumo sacerdote Yehojanán, nieto de Elyašib, el contemporáneo de Nehemías. Este Yehojanán, si ha de creerse a Josefo (Ant. XI, VII, 1), se enemista con toda la comunidad por haber asesinado dentro del mismo Templo a su hermano Josué, que estaba conspirando para obtener su cargo. Es indudable que esta acción hizo que se le perdiera todo el respeto (2) y —según Josefo— movió a Bagoas a imponer severos castigos a los judíos durante cierto número de años. Probablemente Yehojanán cedió el puesto, muy poco después de esto, a su hijo Yalddúa, último sumo sacerdote registrado por el cronista.

En contraste con la oscuridad de los asuntos en Judá, la suerte de la colonia judía en el alto Egipto durante este cuarto de siglo está brillantemente iluminada por los textos de Elefantina (3). Ya hemos hablado más arriba de estos judíos y de su culto sincretista. En el 419 era entregado a Yedonías, sacerdote de la comunidad de Elefantina, por medio del sátrapa Arsames y de Jananías (muy posiblemente el hermano de Nehemías, encargado de los negocios en Jerusalén),

---

(1) Cf., C. G. Tulanol, JBL, LXXXVII (1958), pp. 157-158; Pritchard, ANET, pp. 491 ss., para el texto.

(2) No obstante, Cross (cf. *supra*, nota 33 del cap. X) arguye que Josefo ha confundido algunas generaciones y que el incidente aconteció dos generaciones más tarde, hacia finales del período persa.

(3) Para referencias, ver cap. 10, nota 4, *supra*.

un decreto real (el llamado «papiro pascual»), ordenando que la fiesta de los ácimos fuese observada de acuerdo con la Ley judía. Esto demuestra que Darío II continuaba y extendía la política de su padre e intentaba regular las prácticas de todos aquellos de la parte occidental del imperio que se proclamaban judíos (como lo hacían los de la colonia de Elefantina) de acuerdo con la Ley promulgada por Esdras (cf. Esd. 7, 25 ss.).

Por estos mismos textos sabemos que en el 410, durante la ausencia de Arsames de la región, estalló un tumulto en Elefantina, dirigido por los sacerdotes de Khnum, con la connivencia del jefe militar persa, en el transcurso del cual fue destruido el templo judío. Los egipcios estaban sin duda predispuestos contra los judíos debido a su posición privilegiada y a la práctica del sacrificio de animales, que era algo ofensivo a los ojos de los egipcios. Aunque el tumulto fue acallado y castigados los responsables, los judíos eran estorbados en su intento de reconstruir el templo. Cuentan ellos cómo escribieron en seguida a Yehojanán, el sumo sacerdote, pidiéndole que emplease sus buenos oficios en favor suyo, pero quejándose de que aún no se hubiese dignado contestar. ¡Después de todo, en opinión del clero de Jerusalén, la primea cuestión era que nunca debía haber existido el templo en Egipto! Tres años ms tarde (407), los judios de Elefantina escribieron a Bagoas, gobernador de Judá, y a Delaías y Šelemías, hijo de Sanbal.lat, gobernador de Samaría, pidiendo su intervención. Bagoas y Delaías respondieron favorablemente, diciéndoles que autorizarían su petición al sátrapa Arsames sobre este asunto —lo cual, al parecer, hicieron (4). Es interesante que en su petición —según parece siguiendo las sugerencias del memorándum de autorización— prometían no ofrecer más sacrificios de animales, sino sólo ofrendas de incienso, de alimentos y de bebidas, con la esperanza sin duda de que la ofensa a los judíos de Jerusalén, a los egipcios y también a las autoridades persas (que tampoco practicaban los sacrificios de animales), pudiera de este modo ser minimizada. Textos publicados hace algunos años muestran que la súplica fue bien despachada; el templo fue reconstruido y siguió existiendo al menos hasta el 402 (5). El incidente manifiesta cuán estrechamente sentían los judíos, a pesar de su heterodoxia, su fraternidad con Palestina, y también cuán importante era a sus ojos Jerusalén, con su nuevo estatuto oficial y espiritual. Pero dado que la súplica fue dirigida tanto a Jerusalén como a Samaría, indica también que la separación entre

---

(4) Por lo menos, nosotros tenemos, su petición (Cowley, n.º 33), Pritchard ANET, p. 492; aunque no está formulada la dirección, se dirigía probablemente a Arsames.

(5) Cf. E. G. Kraeling, *The Brooklyn Museum Aramaic Papyri* (Yale University Pres, 1953), p. 63 (pap. n.º 12); también, *idem*, BA, XV (1952), pp. 66 ss.

judíos y samaritanos, aunque antigua de hecho y ahora ya irreversible, tenía, con todo, poca importancia para los judíos que vivían fuera.

b. *Los últimos reyes persas.* Bajo Artajerjes II Mnemón (404-358), que sucedió a Darío II, el imperio encontró una atmósfera tan pesada que parecía estar en peligro de completa desintegración. Muy poco después de su subida al trono, Egipto, siempre inquieto, se rebeló, se declaró independiente (401) y se mantuvo así unos sesenta años (6). Antes de que el rey pudiera tomar alguna medida, tuvo que hacer frente a una rebelión dirigida por su hermano Ciro (el joven). Faltó muy poco para que este príncipe, que había sido sátrapa del Asia menor, consiguiera asesinar a Artajerjes el mismo día de su coronación. Perdonado, volvió al Asia menor y, habiendo reunido un ejército que incluía 13.000 griegos mercenarios, marchó hacia el oeste, contra Babilonia (401); allí, en Cunaxa, fue derrotado y muerto. La retirada de invierno hacia el mar Negro de los 10.000 griegos supervivientes ha sido inmortalizada por Jenofonte en su *Anábasis.* Artajerjes tuvo que ocupase entonces de restaurar su posición en Asia menor y contra los griegos. Lo llevó a cabo con éxito, empleando el oro persa para enfrentar a griegos contra griegos hasta que, exhaustos todos los helenos, pudo imponer condiciones a los mismos griegos de Europa, en repetidas ocasiones (p. e. la «Paz del rey» del 386).

Pero justamente cuando parecía que Artajerjes iba a conseguir diplomáticamente lo que Darío I y Jerjes no habían logrado por la fuerza de las armas, la parte occidental del imperio fue sacudida por la «revuelta de los sátrapas». Los sátrapas del oeste, muchos de los cuales eran prácticamente reyes hereditarios, bajo mero control nominal de la corona, se sintieron alentados a declarar su independencia tanto a causa del descontento popular por los fuertes tributos como por el ejemplo de Egipto, que el rey no había podido reconquistar. En breve tiempo, casi todo el imperio al oeste del Eufrates se había rebelado. Los rebeldes formaron una coalición y acuñaron su propia moneda. Pero cuando (ca. 360) las fuerzas rebeldes penetraron en Mesopotamia y el faraón Tajos marchaba en su ayuda sobre Siria, Persia se salvó por un motín en Egipto que obligó a Tajos a abandonar a sus aliados y desistir. La revuelta entonces se deshizo tan rápidamente como había cuajado; uno a uno se fueron entregando los rebeldes, algunos para ser perdonados, otros para ser ejecutados. Artajerjes II murió dejando intacto el imperio, excepto por lo que respecta a Egipto, todavía independiente, pero con evidente debilidad interna.

---

(6)   Bajo las Dinastías denominadas XXVIII, XXIX y XXX. Antes se pensaba que la liberación de Egipto coincidió con la muerte de Darío II, pero ahora sabemos que la colonia de Elefantina rendía obediencia a Artajerjes II al menos hasta el año 402. Cf. Kraeling, BA, XV (1952), pp. 62 ss.; S. H. Horn y L. H. Wood, JNES, XIII (1954), pp. 1-20.

Bajo Artajerjes III Ojus (358-338), pareció que Persia recobraba momentáneamente su poderío. Hombre vigoroso pero refinadamente cruel, Artajerjes III subió al trono sobre los cadáveres de todos sus hermanos y hermanas a quienes asesinó como posibles rivales. Después, habiendo dominado en todas partes las revueltas con mano de hierro, se dedicó a la reconquista de Egipto. En el transcurso de un intento inicial, que fracasó, incendió la ciudad de Sidón con miles de sus habitantes. Hacia el 343 había alcanzado su objetivo y la independencia de Egipto tocó a su fin. Con todo, aunque el imperio parecía más fuerte que nunca, estaba de hecho en sus últimos momentos. Artajerjes III fue envenenado y sucedido (338-336) por su hijo Arses que fue, a su vez, envenenado y asesinados todos sus hijos. El hecho de que el próximo rey, Darío III Codomano (336-331), fuese nieto de un hermano de Artajerjes II muestra con toda claridad cómo la casa aqueménida se había agotado prácticamente a causa de sus sangrientas intrigas. Este Darío tuvo que afrontar el gran momento. Durante el gobierno de Artajerjes III en Persia, Filipo II de Macedonia (359-336) había ido consolidando gradualmente su poder sobre los exhaustos estados griegos. Si los persas no se preocupaban de esto, había griegos que sí lo hacían, como lo demuestran las Filípicas de Demóstenes. En el 358, año en que Artajerjes fue envenenado, la victoria de Filipo en Queronea puso a todos los helenos bajo su dominio. En el 336, cuando subió al trono Darío III, Filipo II, que había sido asesinado, era sucedido por su hijo Alejandro. Aunque nadie pudo advertirlo en Persia, la sentencia estaba ya pronunciada.

c. *Los judíos en el último período persa.* Tal era, pues, la situación del mundo durante los dos primeros tercios del siglo cuarto. Pero ¿qué es lo que conocemos de este período acerca de los judíos? Casi nada. En efecto, apenas si se puede señalar con el dedo un hecho particular del que se afirme con seguridad que sucedió. Carecemos por completo de información acerca de los judíos de Babilonia, de las otras partes del imperio persa y del bajo Egipto. Por lo que respecta a la colonia de Elefantina, sus textos desaparecen a comienzos del siglo cuarto y nada sabemos acerca de su suerte posterior. Probablemente, cayeron víctimas del renaciente nacionalismo egipcio, a causa de su prolongada lealtad a Persia (7). Aquellos de sus miembros que sobrevivieron, fueron probablemente diseminados y se perdieron enteramente para el Judaísmo.

Respecto a la comunidad de Judá, apenas si podemos decir más que estaba *allí*. Ni siquiera conocemos los nombres de sus sumos

---

(7) Los últimos textos de Elefantina que conocemos datan del 399. Al parecer, pues, la colonia no sufrió daños por parte de Amyrteo (que murió el 399), sino que fue Neferites I, fundador de la Dinastía XXIX, quien provocó su fin; cf. Kraeling, BA, XV (1952), p. 64.

sacerdotes o de sus gobernadores civiles (8). En Palestina, fuera del Judá estricto, el pueblo de ascendencia israelita continuaba manteniéndose como antes, siendo en su mayor parte yahvista, al menos de nombre. Algunos, especialmente en Galilea y Transjordania, sin duda como resultado indirecto de las reformas de Esdras, llegaron a considerarse como pertenecientes a la comunidad judía. Al menos esto fue verdad en el siglo II (cf. I Mac. cap. 5), y probablemente el caso venía de mucho antes.

Por otra parte, las relaciones entre judíos y samaritanos iban de mal en peor. No podemos decir exactamente cuándo se consumó la separación entre ambos; es probable que ocurriera tan gradualmente que no se puede establecer una fecha fija para ello. Es probablemente acertado considerar la fijación de las escrituras samaritanas (el Pentateuco), en su escritura arcaizante, hecho acaecido al parecer muy hacia finales del siglo II a. C., como el último paso del proceso, porque a partir de entonces los samaritanos aparecieron como secta religiosa distinta y completamente separada de los judíos (9). La brecha era ya irreparable. Pero este punto final había sido precedido y preparado por una larga cadena de mutuos antagonismos y de fricciones, que arrancaban de siglos atrás, de la época de Zorobabel, e hicieron la ruptura inevitable. Más concretamente, la separación política de Judá y Samaria bajo Nehemías, seguida de la obra de Esdras, marcó un paso decisivo hacia la separación religiosa. Como siempre a lo largo de la historia de Israel (así, ya en tiempos de Jeroboam I, y así también ahora), la separación política marchaba codo a codo con la separación cúltica. Aunque los samaritanos aceptaban el Pentateuco como ley de Moisés, los judíos imbuidos del espíritu de Nehemías los consideraban extranjeros y enemigos (y de hecho lo fueron con frecuencia) y no veían con buenos ojos su ingreso en la comunidad del Templo. Por otro lado, los samaritanos, orgullosos israelitas del norte, difícilmente podían aceptar la noción, expresada en su forma clásica por el cronista, de que el verdadero Israel era el resto restaurado de Judá, ni podían admitir

---

(8)   Algunos individuos cuyos nombres aparecen en las impresiones de sellos de los siglos IV y III pudieron ser gobernadores (cf. *infra*). Pero aunque así fuera, no podemos establecer su secuencia cronológica ni fijar fechas para ninguno de ellos. Josefo (Ant. XI, 7 ss.) afirma que Yadduá, hijo de Yojanán (Ne 12, 11, 12), estaba todavía en el cargo cuando llegó Alejandro (332). Es posible. Pero es difícil que fuera el Yadduá hijo de Yojanán, mencionado antes (tal como Josefo da a entender). Probablemente se trataba del abuelo de este Yadduá. Josefo ha confundido varias generaciones.

(9)   Cf. especialmente J. D. Purvis, *The Samaritan Pentateuch and the Origin of the Samaritan Sect* (Harvard University Press, 1968); también R. J. Coggins, *Samaritans and Jews* (Oxford, Blackwell, 1975). Para la historia y las creencias de los samaritanos, en general, cf. J. A. Montgomery, *The Samaritans* (1907, reimpr. Ktav Publishing House, Inc., 1968); también J. Macdonandl, *The Theology of the Samaritans*, Londres, SCM Press; Filadelfia, Westminster Press, 1964).

que el único lugar donde su Dios podía ser legítimamente venerado estuviera en Jerusalén, es decir, al otro lado de las fronteras provinciales. Más pronto o más tarde, esta situación tenía que desembocar, inevitablemente, en la separación cúltica. Y así ocurrió.

Al parecer, ya en el período persa tardío, los samaritanos dieron los primeros pasos para construir su propio templo en el monte Garizim. Así lo dice Josefo (Ant. XI, 7 s.), quien afirma que la iniciativa fue tomada por Sanbal.lat, tras haber sido expulsado de Jerusalén su yerno (cf. Ne. 13, 28). Pero Josefo complica el problema, porque sitúa el incidente bajo Alejandro Magno, es decir, aproximadamente un siglo después de Nehemías —y de Sanbal.lat.· Hoy sabemos, sin embargo, que hubo un Sanbal.lat II, gobernador de Samaria, a comienzos del siglo IV y parece razonable suponer que hubo también un Sanbal.lat III con el mismo cargo durante el reinado de Darío III, ya que la paponimia (costumbre de poner a los nietos los nombres de los abuelos) estaba de moda entre las familias nobles de aquella época. Josefo ha podido equivocarse en varias generaciones, al confundir, al parecer, dos individuos del mismo nombre. Es probable que el permiso para construir el templo fuera por Darío III (o su predecesor) y que las obras estuvieran ya en marcha a la llegada de Alejandro. Probablemente Alejandro confirmó el permiso y los trabajos prosiguieron hasta su culminación. Poco después, como veremos, cuando Samaria fue destruida a causa de una rebelión y ocupada por los griegos, los samaritanos desplazados de sus asentamientos reconstruyeron la ciudad de Siquem, que había permanecido durante largo tiempo en ruinas, y la convirtieron en su centro religioso y cúltico (10). Aunque en el futuro los samaritanos seguirían existiendo como secta religiosa, la ruptura entre ellos y los judíos había alcanzado ya el punto de no retorno.

Ya hemos dicho que apenas sabemos nada de los asuntos internos de Judá durante este período. Al parecer, gozaron de un estatuto de commonwealth semiautonómico, que les permitía tener moneda propia e imponer tributos internos. En el siglo IV aparecen monedas a imitación del dracma ático (la fabricación ática de monedas se había difundido por la parte occidental del imperio persa), que llevan la inscripción *Yehud* (Judá) (11). Existen también impre-

---

(10)   Para las pruebas en favor de esta reconstrucción, cf. G. E. Wright, *Shechem* (McGraw-Hill, 1965), pp. 175-181; *idem*, HTR, LV (1962), pp. 357-366; F. M. Cross, «Papyri of the Fourth Century B. C. from Dâliyeh» (*New Directions in Biblical Archaelogy*, D. N. Freedman y J. C. Greenfield, eds. [Doubleday, 1969], pp. 41-62); *idem*, HTR, LIX (1966), pp. 201-211; BA, XXVI (1963), pp. 110-121. Cf. también la nota 21, *infra*. Para una sinopsis de las discusiones anteriores, cf. H. H. Rowley, «Sanballat and the Samaritan Temple» (1955; reimp. *Men of God* [Londres y Nueva York, Nelson, 1963], pp. 246-276).

(11)   Para estas monedas, cf. B. Kanael, BA, XXVI (1963), pp. 38-62 (especialmente pp. 40-42); también Cross, *New Directions* (cf. nota 10), pp. 48-52).

siones de sellos grabados en vasijas sin asas (o en las paredes de las vasijas), con las palabras *Yehud* o *Yerushalem*, utilizadas probablemente para la recaudación de tributos en especie. En algunos de estos sellos figura el nombre de una persona que, en algunos pocos casos, parece designar al «gobernador». Pero no sabemos si este nombre responde al de un funcionario civil de la corona o a un miembro del clero. Dado que uno o dos de estos nombres fueron habituales entre las familias sacerdotales del período postexílico, parece probable que se tratara del tesorero del Templo, si no del mismo sumo sacerdote (12). De ser así, tendríamos una especie de anticipación de la situación posterior, cuando la autoridad civil y la religiosa se hallaban en una misma persona: el sumo sacerdote. Pero aparte este puñado de indicios, no sabemos nada más. Aunque es posible que hubiera durante este período disturbios en los que Judá se vio envuelto, no podemos decir nada definitivo acerca de ellos (13). Los judíos parecen haberse contentado, en su mayor parte, con sus propios negocios, dejando pasar sobre sus cabezas la marcha de la historia.

No es que Judá quedase aislado del mundo circundante. Una de las cosas que Nehemías había temido (Ne. 12, 23 ss.) sucedió: el hebreo fue sustituido, poco a poco, por el arameo como lengua ordinaria de conversación. Probablemente era inevitable. Dado que el arameo era la lengua no sólo de los vecinos inmediatos de los judíos, sino también la *lengua franca* y el lenguaje oficial del imperio persa (14), era casi necesario que los judíos aprendieran a hablarlo, primero como idioma secundario, pero al final con preferencia al suyo propio. Pero es preciso insistir en que no se trató de un cambio súbito, sino de un proceso gradual, que no había llegado a completarse cuando los tiempos bíblicos alcanzaron su final. No solamente el hebreo siguió siendo el lenguaje del discurso y de la composición religiosos, sino que se mantuvo como lengua viva y hablada, al menos en Judá, en los primeros siglos cristianos. Así lo testifican claramente los rollos de Qumran y de otros manuscritos descubiertos

---

(12)   La bibliografía sobre estos sellos es muy amplia y está bastante esparcida entre diversas publicaciones. Cf. Y. Aharoni, AOTS, pp. 173-176; LOB, p. 360, con referencias bibliográficas.

(13)   Autores antiguos (Eusebio, Josefo citando a Hecateo de Abdera) mencionan una deportación de judíos a Hircania bajo Artajerjes III. Pero no sabemos nada más sobre esta cuestión. Cf., con todo, D. Barag, BASOR, 183 (1966), pp. 6-12, que establece una relación entre la destrucción de algunas ciudades palestinas en el siglo IV y la rebelión de Sidón mencionada en el texto.

(14)   Cf. R. A. Bowman, «Arameans, Aramaic and the Bible» (JNES, VII [1948], pp. 65-90); F. Rosenthal, *Die aramäistiche Forschung* (Leiden, E. J. Brill, 1939), especialmente pp. 24-71; A. Jettery, «Aramaic» (IDB, I, pp. 185-190).

(Bar Cojba escribió cartas en hebreo en 132-135 d. C.) (15). Pero la adopción del arameo siguió su curso hasta el siglo IV, como lo indican las monedas, las impresiones de sellos y otros descubrimientos. La escritura hebrea de los tiempos pre-exílicos fue remplazada por la forma de caracteres «cuadrados» que nos son familiares, tomados del arameo (16). El impacto de la cultura griega (que no comenzó con Alejandro, como algunos han supuesto), se dejó sentir también (17). Los contactos con los países egeos, que estuvieron interrumpidos en contadas ocasiones a lo largo de la historia de Israel, fueron frecuentes en el siglo séptimo y se multiplicaron en los siglos quinto y cuarto, durante los cuales Grecia y Persia mantuvieron relaciones constantes, hostiles o amistosas. El Asia occidental estaba inundada de griegos, mercenarios, aventureros, sabios y comerciantes. En Judá, la acuñación siguió el modelo ático, se dijo arriba, y los artefactos y la vajilla griega invadieron Judá a través de los puntos fenicios y se se extendieron más lejos, a lo largo de las rutas comerciales, hasta Arabia (18). Esto llevaba consigo un contacto inevitable, aunque indirecto, con la mentalidad griega que, si no alteró fundamentalmente la fe de Israel, la afectó profundamente, como veremos. De todos modos, aunque la suerte de los judíos de este último período persa está envuelta en oscuridad, fue una oscuridad en la que siguieron sucediendo cosas importantes.

2. *Comienzos del período helénico.* Como ya hemos dicho, la subida al trono de Darío III (336) coincidió con la de Alejandro de Macedonia. Aunque ni un solo persa lo pudo soñar, apenas pasados cinco

---

(15) Previenen contra la idea de que el hebreo era una lengua muerta en la era cristiana J. Barr, *Comparative Philology and the Text of the Old Testament* (Oxford, Clarendon Press, 1968), pp. 38-43; C. S. Mann, en J. Munck, *The Acts of the Apostles* (AB, 1967), pp. 313-317; J. M. Grintz, JBL, LXXIX (1960), pp. 32-47, etc. En aquella época estaban ampliamente difundidos el hebreo, el arameo y el griego. Da una excelente síntesis de los documentos y pruebas y una equilibrada evaluación J. A. Fitzmyer, «The Languages of Palestine in the First Century A. D.» (CBQ, XXXII [1970], pp. 501-531).

(16) Tampoco aquí se trató de un cambio rápido, ya que el paleo-hebreo se siguió utilizando, al menos dentro de ciertos límites, en la era cristiana; cf. R. S. Hanson, BASOR, 175 (1964), pp. 26-42; también J. Naveh, BASOR, 203 (1971), pp. 27-32. Para la evolución de los escritos judíos, en general, cf. F. M. Cross, BANE, pp. 133-202.

(17) Cf. Albright, FSAC, pp. 334-339; también M. Smith, *Palestinian Parties and Politics that Shaped the Old Testament* (Nueva York, Columbia University Press, 1971), cap. III. Hubo asentamientos judíos en Egipto ya en el siglo VII; los faraones de la Dinastía XXVI, al igual que los babilonios, recurrieron muy a menudo a mercenarios griegos. Para las pruebas de la presencia de mercenarios y comerciantes griegos o chipriotas en Palestina en el siglo VII, cf. *supra*, nota 33 del cap. 8).

(18) Da un resumen de las pruebas D. Auscher, «Les relations entre la Grèce et la Palestine avant la conquête d'Alexandre» (VT, XVII (1967), pp. 8-30).

años desaparecería el imperio. Y entonces dio comienzo aquella rápida helenización del Oriente, tan portentosa para todos los pueblos y en no menor grado para los judíos.

a. *Alejandro Magno* (336-323). No nos toca a nosotros repetir al detalle la muchas veces narrada y ya familiar historia de las conquistas de Alejandro (19). Puesto durante su niñez bajo la tutela del gran Aristóteles, tuvo Alejandro un amor sincero por todas las cosas griegas. Movido en parte por el ideal panhelenista, y en parte por motivos mucho más mundanos, promovió pronto una cruzada para liberar a los griegos de Asia del yugo persa (¡cosa que algunos estaban muy lejos de desear!). Cruzando el Helesponto en 334, derrotó en Gránico a las fuerzas persas locales, que no tomaron muy en serio su expedición. Pronto fue suya toda el Asia menor. Al año siguiente (333) entró en colisión en Issos, cerca del golfo de Alejandreta, con el principal ejército persa, que era una masa lenta y desordenada, a la que las falanges desbarataron y dispersaron en confuso desorden. El mismo Darío huyó, abandonando el campo; su mujer y su familia, sus bagajes y botín cayeron en manos de Alejandro que ahora había ampliado sus aspiraciones hasta concluir la conquista del imperio persa. Por eso, comenzó por asegurar su flanco antes de presionar más hacia el este. Y, en consecuencia, avanzó por el sur a lo largo de la costa mediterránea. Todas las ciudades fenicias capitularon, excepto Tiro, que fue reducida después de siete meses de asedio. Alejandro entonces siguió presionando hacia el sur, a través de Palestina, y después de una demora de dos meses ante Gaza, entró en Egipto sin resistencia (332). Los egipcios, completamente hartos del dominio persa, le recibieron como a un libertador y le proclamaron faraón legítimo.

En el curso de estos sucesos cayó bajo el control de Alejandro el hinterland de Palestina, incluyendo Judá y Samaría. No sabemos exactamente cuándo ocurrió esto. El relato de Josefo (Ant. XI, VIII) está demasiado plagado de detalles legendarios para inspirar confianza y la Biblia no hace ninguna mención, excepto una o dos posibles alusiones, y éstas no muy seguras (20). Es probable que los

---

(19)   Para éste y los siguientes períodos, ver, por ejemplo, F. M. Abel, *Historie de la Palestine depuis la conquête d'Alexandre jusqu'à l'invasión arabe*, vol. I (París, J. Gabalda et Cie., 1952); H. Bengston, *Griechische Geschichte* (Munich, C. H. Beck'sche Verlagbuchhandlung, 1950).

(20)   Algunos especialistas ven en estos sucesos el telón de fondo de algunos pasajes de Za, caps. 9 al 14 (especialmente 9, 1-8). Cf. los comentarios. Otros, en cambio, relacionan Za 9, 1 ss. con los acontecimientos del siglo VIII; p. e. A. Malamat, IEJ, 1 (1950/51), pp. 149-154. Pero, para la dificultad (si no ya la imposibilidad) de relacionar este material con acontecimientos históricos concretos, cf. P. D. Hanson, *The Dawn of Apocalyptic* (Filadelfia, Fortress Press, 1975), cap. IV (especialmente p. 319).

judíos, viendo poca diferencia entre el nuevo amo y el antiguo, le recibieran pacíficamente. Al parecer, Samaria siguió su ejemplo. Pero más tarde, y por causas que desconocemos, estalló una revuelta, en el curso de la cual murió en la hoguera Andrómaco, prefecto de Alejandro en Siria. El conquistador se tomó una terrible venganza: Samaria fue destruida y, poco después, se asentó en su territorio una colonia mecedonia. Algunos de los ciudadanos principales de Samaria que, al parecer, habían huido antes de la llegada de las tropas de Alejandro, fueron hechos prisioneros en una cueva, en wadi Daliyeh, y asesinados. Como ya hemos dicho, es probable que a consecuencia de estos acontecimientos los samaritanos arrojados de sus tierras reconstruyeran Siquem y transfirieran a este lugar su centro cúltico (21).

No nos podemos detener en las ulteriores campañas de Alejandro. En el 331 marchó hacia el este cruzando Mesopotamia. Darío hizo un esfuerzo final, apoyado en las montañas del Irán, en Gaugamela, cerca de Arbela, sólo para ver destrozado y dispersado su ejército; después de lo cual Alejandro entró triunfante en Babilonia, más tarde en Susa y finalmente en Persépolis. Darío fue apresado, cuando huía, por uno de sus sátrapas y asesinado. Habiendo finalizado la resistencia efectiva, Alejandro marchó hacia la parte oriental más alejada del imperio, donde (327/6) hizo campañas allende el Indo y, según la leyenda, lloró porque no había más mundos para conquistar (en realidad sus soldados se negaron a seguirle más adelante). Alejandro tenía apenas 33 años (323) cuando enfermó y murió en Babilonia. Pero su breve carrera señaló una renovación en la vida del antiguo Oriente, y el comienzo de una nueva era en su historia.

b. *Los judíos bajo los Tolomeos.* Tan pronto como murió Alejandro se desmoronó su imperio y sus generales comenzaron a luchar entre sí pugnando cada cual por obtener tanta ventaja como le fuera posible. De estos generales solamente dos nos interesan: Tolomeo (Lagos) y Seleuco (I). El primero se hizo con el control de Egipto y colocó su capital en la nueva ciudad de Alejandría, que muy pronto llegó a ser una de las más grandes ciudades del mundo. El segundo, después de apoderarse (hacia 312/11) de Babilonia, extendió sus dominios hacia el oeste en Siria y hacia el este a través de Irán; sus capitales eran Seleucia en el Tigris y Antioquía en Siria, llegando a ser también

(21) Cf. las obras de Wright y de Cross citadas en la anterior nota 10; también P. W. y Nancy Lapp, *Discoveries in the Wâdi ed-Dâliyeh* AASOR, XLI (1974); para las narraciones populares, cf. P. W. Lapp, BARev. IV (1978), pp. 16-24; F. M. Cross, *ibid.*, pp. 25-27. En la cueva se han descubierto los esqueletos de doscientas personas, hombres, mujeres y niños. Los papiros hallados en el lugar indican que se trataba de las familias samaritanas dirigentes.

esta última una gran metrópoli. Ambos rivales codiciaban Palestina y Fenicia. Pero Tolomeo, después de varias maniobras cuyos detalles no nos interesan, se hizo con ella; cuando la situación política se estabilizó, después de la batalla de Issos (301), esta área quedó firmemente asegurada en sus manos.

Después de esto Palestina fue gobernada por los Tolomeos durante casi exactamente un siglo. Pero, por desgracia, tampoco conocemos nada de la suerte de los judíos durante este intervalo. Es probable que los Tolomeos hicieran tan pocos cambios como les fue posible en el sistema administrativo heredado de los persas. Esto sugieren, al menos, los papiros de Zeno (papiros descubiertos en el Fayum y que representan la correspondencia de un tal Zeno, agente del Ministro de Finanzas de Tolomeo II Filadelfos [285-246]. Estos papiros incluyen dos cartas de Tobías Ammón, un descendiente del enemigo de Nehemías, lo cual demuestra que los Tobías continuaban ocupando la posición que habían tenido bajo los reyes persas: eran gobernadores de la Transjordania, encargados de mantener el orden y, sin duda, de enviar los tributos. Podemos suponer que también los judíos gozaron del estatuto que habían tenido bajo los persas. Esto es, de todas formas, lo que testifican las monedas y vasijas grabadas, más arriba descritas (22). El sumo sacerdote, que según parece tenía responsabilidad personal en la recaudación del tributo a la corona, era a la vez cabeza espiritual de la comunidad y, cada vez más, príncipe secular. Las memorias del siglo siguiente documentan con claridad el desarrollo de una aristocracia sacerdotal. No sabemos a qué tributos estuvieron sometidos los judíos. Pero mientras los pagaron y mantuvieron el orden, los Tolomeos, al parecer, no intervinieron en absoluto en los asuntos internos de Judá. Y, por lo que sabemos, los judíos fueron súbditos sumisos y gozaron de relativa paz.

Mientras tanto, la población judía de Egipto aumentó rápidamente. Los judíos, desde luego, habían estado establecidos en Egipto desde siglos, pero su número fue ahora incrementado por una nueva corriente inmigratoria. La carta de Aristeas (cf. vv. 4, 12) afirma, muy probablemente con exactitud, que Tolomeo I había traído a muchos de estos judíos como prisioneros de una de sus campañas en Palestina (probablemente en el 312) (23). Otros llegaron, sin duda,

_____

(22)   Continuaron apareciendo, en este período, monedas con la inscripción *Yehud*. En una de ellas figura el nombre de una persona a la que se llama «el gobernador»; cf. A. Kindler, IEJ, 24 (1974), pp. 73-76.

(23)   El pseudo-Aristeas data, probablemente, del segundo tercio del siglo segundo, pero emplea material más antiguo: cf. E. Bickermann, ZNW, 29 (1930), pp. 280-298. Aunque da unas cifras exageradas (100.000), la situación tenía, probablemente, una base histórica: M. Hadas, *Aristeas to philocrates* (Harper y Brothers, 1951), pp. 98 ss.

como mercenarios o inmigrantes voluntarios en busca de oportunidades. La población judía de Egipto en este tiempo es desconocida, pero ciertamente fue numerosa (se dice que había un millón en el siglo primero aC.). Alejandría se convirtió en un centro del mundo judío, mientras que los papiros de Zeno, junto con otros papiros y ostraca pertenecientes a este período, atestiguan la presencia del judío en todo Egipto (24). Por este tiempo los judíos de fuera de las fronteras de Palestina superaban en número a los que vivían dentro de ellas. Los judíos de Egipto adoptaron pronto el griego como su lengua nativa, aunque el hebreo seguía siendo entendido, al menos por algunos de ellos, hasta finales del siglo segundo, como lo indica el papiro de Naš (que contiene el decálogo y el šema en hebreo). Debido a que la masa de estos judíos, además de sus prosélitos, no tenían acceso a sus escrituras, se comenzó en el siglo tercero una traducción al griego, primero de la torá, y después de los restantes libros. Esta traducción, llevada a cabo a lo largo de un cierto número de años, es conocida como los LXX (25). Que las escrituras existieran en griego era un avence de tremenda significación, tanto porque abría nuevos canales de comunicación entre judíos y gentiles, como porque preparaba el camino a un fuerte impacto del pensamiento griego sobre la mentalidad judía. Y, más tarde, desde luego, facilitó la expansión del cristianismo.

c. *Conquista de Palestina por los Seléucidas.* Aunque los reyes Seléucidas nunca se habían conformado con lo que ellos consideraban como un «latrocinio» de Palestina y Fenicia por parte de los Tolomeos, nunca habían tenido posibilidad de tomar medidas eficaces sobre este asunto. Todos los intentos que hicieron fracasaron. En efecto, a mediados del siglo tercero el imperio seléucida, se había ido restringiendo paulatinamente, hasta quedar reducido su control tan sólo al área que se extiende entre los montes Taurus y Media, debido a las rebeliones de las provincias del este, seguidas de la pérdida de Asia Menor. Todo esto cambió, sin embargo, cuando Antíoco III (el Grande) (223-187) subió al trono. Este vigoroso gobernante reafirmó el poder seléucida desde el Asia Menor hasta las fronteras indias, mediante una serie de campañas triunfales. También intentó zanjar definitivamente las dificultades con Egipto, gobernado entonces por Tolomeo IV Filopátor (221-203), y estaba a punto de lograrlo cuando fue desastrosamente derrotado (217) en Rafia, junto a la

---

(24) Para toda esta materia, cf. V. A. Tcherikover y A. Fuks, *Corpus Papyrorum Judaicarum*, vol. I (Harvard University Press, 1957), esp. pp. 1-47.

(25) Para el problema de si existió un proto-LXX o solamente un cierto número de traducciones independientes y rivalizantes entre sí, cf. F. M. Cross, *The Ancient Library of Qumran* (ed. rev. Doubleday, 1961), cap. IV. Para las pruebas extraídas de Qumran y de los Setenta, cf. P. W. Skehan, BA, XXVIII (1965), pp. 87-100.

frontera sur de Palestina. Pero la lucha fue reanudada más tarde, cuando Tolomeo V Epífanes (203-181), todavía un muchacho, ocupó el trono de Egipto; después de varias vicisitudes quedó decidida la suerte al destrozar (198) Antíoco al ejército egipcio en Panium (Bâniyâs), cerca de las fuentes del Jordán, arrojándole de Asia. En consecuencia, el imperio seléucida se anexionó Palestina.

Los judíos, según Josefo (Ant. XII, III, 3 ss.), de cuya narración no hay razón para dudar (26), recibieron el cambio con alegría, tomando las armas contra la guarnición tolomea de Jerusalén y recibiendo a Antíoco con los brazos abiertos. Sin duda estaban ansiosos por ver acabada una guerra en la que, como Josefo nos permite entrever, habían sufrido considerablemente; sin duda también, esperaban, como sucede a todos los pueblos sometidos, que cualquier cambio sería para mejor. Antíoco, a su vez, demostró gran consideración hacia los judíos. Ordenó que los judíos fugitivos volvieran a sus casas y que fueran liberados los que habían sido tomados como cautivos. Para que la ciudad pudiera recobrarse económicamente decretó una exención de impuestos durante tres años, más una reducción general de los impuestos en un tercio. Además, se les concedió a los judíos la mayoría de los privilegios de que habían gozado bajo los persas, y probablemente también bajo los Tolomeos; se les garantizó el derecho a vivir, sin ser molestados, de acuerdo con su Ley; se prometió una suma fija como ayuda estatal para el mantenimiento del culto; todo el personal del culto estaba exento de impuestos. La exención de impuestos se extendía, además, al consejo de ancianos (gerusia) y a los escribas, mientras que la leña para el altar, suministrada anteriormente por la comunidad (Ne. 10, 34; 13, 31) fue declarada libre de impuestos. Finalmente, las reparaciones necesarias del Templo (que, al parecer, había sido dañado), habían de realizarse con subvención del Estado (27). Fue un comienzo de buen augurio y tal que muy bien pudo mover a los judíos a congratularse por el cambio.

d. *La expansión y el impacto del helenismo.* Pero de mucho mayor alcance que cualquier otro suceso político, grande o pequeño, aunque indisolublemente relacionado con los acontecimientos políticos, como veremos, fue el impacto de la cultura helénica sobre todos los pueblos del oeste asiático, impacto del que de ningún modo se vieron libres los judíos. Aunque este proceso estuvo en marcha a todo lo largo del período persa, las conquistas de Alejandro, que borraron

---

(26)   En defensa de su autenticidad general, cf. E. Meyer, *Ursprung und Anfänge des Christentums*, II (Stuttgart y Berlín, J. G. Cotta'sche Buchhandlung, 1921), pp. 125-128; A. Alt, ZAW, 57 (1939), pp. 283-285; también Noth, HI, p. 348.

(27)   Muy posiblemente las reparaciones hechas por el sumo sacerdote Simón (probablemente Simón II), mencionado en Eclo, 50, 1-3.

todas las fronteras políticas y culturales, le lanzaron a una verti-
ginosa expansión (28).

El anhelo de Alejandro había sido conseguir la unión del este y
el oeste bajo la égida de la cultura griega. Con este fin, admitió a
los iranios y a los demás orientales a una estrecha sociedad con él,
concertó matrimonios masivos entre sus tropas y la población nativa, e inauguró la política de establecer a sus veteranos y a otros
griegos en colonias sobre todo su inmenso dominio. Y aunque la
unidad política que él había creado no cuajó, todos los Estados que
le sucedieron fueron gobernados por hombres que, en mayor o menor
grado, compartían este mismo ideal cultural. Las colonias se extendieron por doquier y cada una de ellas era una isla de helenismo y
foco de una ulterior expansión. La superpoblada Hélade vertió su
excedente hacia el este en una virtual emigración masiva. Se encontraban por todas partes aventureros, comerciantes y sabios griegos
y anatolios helenizados.

El griego se convirtió rápidamente en la *lingua franca* del mundo
cvilizado. Capitales como Antioquía y Alejandría eran ciudades
griegas, llegando a ser Alejandría, de hecho, el centro cultural del
mundo helénico. En el siglo tercero florecieron poderosas inteligen-
cias, como Zenón, Epicuro, Eratóstenes, Arquímedes, la mayor parte
de los cuales trabajaron en o visitaron Alejandría. Los orientales
no helenos, incorporándose a aquel espíritu, produjeron obras científicas, filosóficas e históricas a la manera griega.

Que los judíos de la diáspora absorbieran la nueva cultura —y
lenguaje— era inevitable. Ni siquiera los judíos de Palestina se vieron inmunes. Las colonias griegas, fundadas desde las conquistas de
Alejandro, salpicaban el país; de ellas son ejemplos Sebaste (Samaría),
Filadelfia ('Ammân), Tolemaida (Acre), Filoteria (al sur del Mar de
Galilea), Escitópolis (Bet-šan). Todas eran focos de helenismo. Las
ciudades fenicias eran también centros de esta diseminación. Un ejemplo aclarador es la colonia sidonia de Marisa (Mareša) en la sefe-
láh judía. Esta colonia, fundada a mediados del siglo tercero, hablaba
griego ya en el siglo segundo, como la indican las inscripciones en
las tumbas y en otros lugares (29). Y dado que los judíos no podían
evitar el contacto con sus vecinos helenizados, y menos aún con sus
propios hermanos del extranjero, se hizo inevitable la absorción de
la cultura griega. El siglo tercero presenta claras muestras de la influencia del pensamiento griego en la mentalidad hebrea. Por ejemplo, se distingue un matiz estoico en la doctrina de Antígono (¡nótese
el nombre griego!) de Soj, que floreció en la última parte de este
siglo y que, como Ben Sira (ca. 180), pertenecía al grupo proto-sadu-

---

(28)   Para toda esta materia, cf. Albright, FSAC, pp. 334-357.
(29)   Cf. Albright, FSAC, pp. 338 ss.

ceo que hizo frente a la entonces nueva doctrina (a) de una vida futura, insistiendo en que cada uno debe cumplir su deber y servir a
Dios sin pensar en la recompensa (30). Tal influencia, hay que re-
conocerlo, apenas pudo ser directa. Simplemente, el pensamiento
griego estaba en el aire y se hacía inevitable su impacto en la mente
de los pensadores judíos cuando éstos abordaban los nuevos problemas
que su época había provocado. Con sólo respirar, en el período
helénico, se absorbía la cultura griega. Aunque los judíos piadosos
no desembocaron, por esto, en ningún compromiso con sus principios
religiosos, hubo otros judíos que quedaron tan completamente des-
moralizados que, en muchos casos, llegaron de hecho a ser tan en-
tusiastas de la cultura griega que juzgaron sus leyes y costumbres
nativas como un estorbo. Comenzó a originarse dentro de la comunidad un cisma inconciliable. A esto se añadía una combinación de
circunstancias que conspiraron para colocar a los judíos, al finalizar
el período paleotestamentario, en la situación crítica más peligrosa de
su historia desde la catástrofe del 587.

B.   LOS JUDIOS BAJO LOS SELEUCIDAS: CRISIS Y REBELION
RELIGIOSA

1. *Las persecuciones de Antíoco Epífanes* (31). La crisis a que hemos
aludido fue precipitada por la política de un rey seléucida, Antíoco IV
Epífanes (175-163), que fue movido a ello por la continua crisis en
que el mismo Estado seléucida se encontraba, y de la que no se podía liberar.

a. *Los reyes seléucidas y su política.* Apenas Antíoco III había
elevado el poder seléucida a su mayor altura cuando, sobreestimándo-
se a sí mismo, se atrevió a medir sus fuerzas con Roma. Justamente
entonces acababa Roma de aplastar para siempre a Cartago en Zama
(202), y el general cartaginés Aníbal había huido a la corte seléucida,
esperando continuar desde allí la lucha lo mejor que pudiera. En
parte estimulado por Aníbal, en parte impulsado por sus propias
ambiciones (se consideraba a sí mismo como el árbitro de los asuntos griegos tanto en Asia como en Europa), Antíoco avanzó dentro
de Grecia. Roma entonces declaró la guerra (192), arrojó por comple-

---

(a) Ver nota (a) del traductor, pág. 16.
(30) Cf. Pirke Aboth, a, 3. Esta obra data del siglo tercero A. C., pero conserva una tradición verdaderamente digna de fe; cf. Albright, FSAC, pp. 350-352,
sobre este asunto.
(31) Para esta y las secciones siguientes, cf. E. Bickermann, *Der Gott der
Makkabäer* (Berlín, Schocken Verlag, 1937); idem, *From Ezra to the Last of the Maccabees* (Nueva York, Schocken Books, edición de bolsillo, 1962), II parte. Con un
diferente punto de vista, V. Tcherikover, *Hellenistic Civilization and the Jews* (trad.
inglesa, The Jewish Publication Society of America, 1959).

to a Antíoco de Europa, le persiguió por el interior de Asia y (190) en Magnesia, entre Sardis y Esmirna (cf. Dn. 11, 18) le causó una aplastante derrota. Antíoco se vio obligado a suscribir la humillante paz de Apamea, cuyas cláusulas le exigían restituir toda el Asia Menor excepto Cilicia, renunciar a sus elefantes de guerra y a su flota, entregar a Aníbal y otros refugiados a los romanos, junto con otros veinte rehenes, incluyendo a su propio hijo (que más tarde reinaría como Antíoco IV), y pagar una enorme indemnización. Aunque Aníbal huyó para salvar su vida, las otras condiciones fueron cumplidas al pie de la letra. Antíoco III no sobrevivió mucho tiempo a este desastre. En el 187 fue asesinado mientras robaba un templo de Elam para obtener dinero con que pagar a los romanos (cf. Dn. 11, 19).

Con esto, el imperio seléucida comenzó su largo declive. Amenazado continuamente por Roma y apremiado siempre con dureza para entregar el dinero, comenzó a imponer a sus súbditos —muchas veces por propia voluntad—, cargas cada vez más pesadas. Antíoco III fue sucedido por Seleuco IV (187-175). Aunque Seleuco confirmó, según parece los privilegios concedidos por su padre a los judíos (II Mac. 3, 3), también se nos dice (II Mac. 3, 4-40) que intentó, por medio de su ministro Heliodoro, y en connivencia con algunos judíos que estaban enemistados con el sumo sacerdote Onías III, obtener la posesión de los fondos privados depositados en el Templo. Aunque el relato de este incidente está lleno de detalles legendarios, no hay razón para dudar de que existe una base real (cf. Dn. 11, 20) (32). Onías se vio obligado, en fuerza de algunas calumnias, a dirigirse a la corte para exponer su caso. Se había establecido una pauta ominosa, que contenía insinuaciones de lo peor que estaba por venir.

Seleuco IV fue asesinado y le sucedió su hermano Antíoco IV Epífanes (175-163), en cuyo reinado los asuntos abocaron a un punto decisivo. Antíoco había sido uno de los rehenes que su padre entregó a Roma después de la paz de Apamea, y estaba de vuelta hacia su tierra cuando le alcanzaron las nuevas de la muerte de su hermano. Al subir al trono adoptó una política que pronto llevó a los judíos a una abierta rebelión. Esta política estaba dictada, como se ha indicado, por la precaria situación en que se hallaba el reino. Internamente inestable, sin unidad real en su población heterogénea, se veía amenazado por todas partes. Sus provincias del este se encontraban cada vez más hostigadas por los partos, mientras que en el sur tenía que hacer frente a un Egipto hostil, cuyo rey, Tolomeo VI Filométor (181-146), estaba dispuesto a reclamar de nuevo Palestina y Fenicia. Mucho más seria, con todo, era la omnipresente amenaza de

---

(32)   Cf. Abel, *op. cit.*, pp. 105-108; Tcherikover, *op. cit.*, pp. 381-390.

Roma, que mostraba un creciente y activo interés por los países del este del Mediterráneo y estaba pronta a intervenir en sus asuntos con mano fuerte. Antíoco IV, que tenía, por experiencia personal, un saludable respeto hacia Roma, sintió una desesperada necesidad de unificar a su pueblo para la defensa del reino, mientras que sus apuros financieros hacían que codiciase todas las fuentes de ingresos que pudiera encontrar. Al igual que sus predecesores, puso los ojos sobre las riquezas de los templos que caían dentro de sus dominios, algunos de los cuales sabemos que expolió en el transcurso de su reinado (33). Difícilmente podía escapar a su atención el Templo de Jerusalén. Además, con la esperanza de fomentar la unidad cultural de su pueblo, mantuvo celosamente todo lo helénico. Esto llevaba consigo la adoración de Zeus y de los demás dioses griegos (generalmente identificados con divinidades nativas), y también de él mismo como una manifestación visible de Zeus (su imagen aparece en las monedas a semejanza de Zeus, y el nombre de Epífanes significa «manifestación de Dios»). Es seguro que Antíoco no tuvo intención de suprimir ninguna de las religiones indígenas de su reino, ni fue el primer gobernante helénico que reclamó prerrogativas divinas (Alejandro y algunos seléucidas anteriores lo habían hecho) (34). Pero su política, exigida con todo rigor, era tal que provocó fuerte oposición entre los judíos fieles a la religión de sus padres.

b. *Tensiones internas en Judá: interferencias de Antíoco.* Es preciso reconocer que los judíos no estaban totalmente exentos de culpa en lo que sucedía. Existían serias tensiones, como se ha dicho, respecto de la aceptación de la cultura griega, y el grado en que podía ser adoptada y seguir siendo judío. Además, Jerusalén hervía en rivalidades personales, que alcanzaban hasta el cargo del sumo sacerdote, y que llenaron una página triste de la historia judía. Todos los partidos pretendían obtener el favor de la corte y Antíoco, naturalmente, escuchaba al que prometía mayor condescendencia con sus deseos, y mayor suma de dinero. Y esto le llevó a intervenir en los asuntos religiosos judíos de una manera tal como ningún rey lo había hecho hasta entonces.

El legítimo sumo sacerdote cuando Antíoco subió al trono era Onías III, hombre del partido más conservador, que había estado en Antioquía intentando ser oído por Seleuco IV, en interés de la paz, en el preciso momento en que este era asesinado (II Mac. 4, 1-6). Durante su ausencia, su hermano Josué (que transformó su nombre por el griego Jasón), ofreció al nuevo rey una gran suma de di-

---

(33)   Un templo de «Diana» en Hierápolis (así Granus Licinianus), y otro de «Artemis» en Elam (así Polibio); cf. Noth, HI, p. 362.
(34)   Para esta cuestión, cf. L. Cerfaux y J. Tondrian, *Le culte des souverains dans la civilisation gréco-romaine* (Tournai, Desclée and Cie, 1957).

nero a cambio del cargo de sumo sacerdote, añadiendo al soborno la promesa de completa cooperación con la política real (II Mac. 4, 7-9). Antíoco, complacido por haber hallado alguien que cumpliera sus deseos, al mismo tiempo que pagaba por el favor, se lo concedió; a partir de entonces se posesionó Jasón del cargo y emprendió una activa política de helenización (I Mac. 1, 13-15; II Mac. 4, 10-15). Se estableció un gimnasio en Jerusalén y fueron alistados en él los jóvenes; fueron favorecidos todos los deportes griegos, así como las modas griegas de vestir. Los sacerdotes jóvenes abandonaban sus deberes para competir en los deportes. Avergonzados de su circunscisión, ya que los deportes eran practicados en completa desnudez (cf. Jub. 3, 31), muchos judíos acudieron a la cirugía para disimularla. Los judíos conservadores, profundamente afectados, consideraban todo esto como una abierta apostasía. Y no estaban equivocados. El gimnasio no era solamente un club deportivo ni sus adversarios objetaron sólo lo que ellos consideraban una conducta inmodesta o indecente. Era la esencia misma de la religión judía la que estaba en crisis. El gimnasio parece haber sido en realidad una corporación aparte de judíos helenizados, con derechos legales y cívicos definidos, establecida dentro de la ciudad de Jerusalén (35). Dado que los deportes griegos eran inseparables del culto de Hércules (II Mac. 4, 18-20), o de Hermes, o de la casa real, la inscripción en el gimnasio llevaba consigo inevitablemente algún grado de reconocimiento de los dioses que eran sus protectores. La presencia de tal institución en Jerusalén significaba que el decreto de Antíoco garantizando a los judíos el derecho a vivir únicamente de acuerdo con sus propias leyes había sido abrogado, y con connivencia judía.

Pero no acabó aquí todo. Jasón disfrutó de su mal obtenido cargo sólo durante tres años, al cabo de los cuales le superó en la puja un tal Menelao, siendo desposeído y obligado a huir a Transjordania (II Mac. 4, 23-26). No se sabe con certeza quién fue este Menelao; es problemático incluso que fuera de linaje sacerdotal (36). Pero su nombre indica que pertenecía también al partido helenizante. Menelao demostró pronto que tenía menos escrúpulos todavía que su predecesor, cuando incapaz de conseguir la suma que había prometido al rey, comenzó a robar los vasos del Templo y a enviárselos

---

(35) Cf. Bickermann, *Der Gott der Makkabäer* (en nota 31), pp. 59-65. A los miembros del gimnasio se les llamaba «antioquenos» (II Mc. 4, 9), Esto no significa, probablemente, que los judíos de Jerusalén fueran registrados como «ciudadanos de Antioquía» (así RSV), sino que el gimnasio estaba organizado bajo el nombre de su real protector. Pero cf. Tcherikover, *op. cit.*, pp. 161 ss., 404-409, quien cree que por esta época Jerusalén se había convertido en una *polis*.

(36) Según II Mac 3, 4; 4, 23 era hermano de un cierto Simón, adversario de Onías III, de quien se dice que era benjaminita. Pero MSS de la Vetus Latina dicen que Simón era de Bilgá, que era familia sacerdotal (Ne 12, 5, 18). Casi con seguridad, esta última suposición es la correcta; cf. Tcherikover, *ibid.*, pp. 403 s.

(II Mac. 4, 27-32). Se nos dice que cuando Onías III, el legítimo sacerdote, que aún estaba en Antioquía, se atrevió a protestar, Menelao preparó su asesinato (II Mac. 4, 33-38).

Por lo que respecta a Antíoco, demostró cuán poco se cuidaba de los derechos y sensibilidad religiosa de los judíos cuando, en 169, a su vuelta de la invasión victoriosa de Egipto, expolió el Templo, en connivencia con Menelao, apoderándose de los utensilios y vasos sagrados y arrancando incluso las láminas de oro de su fachada (I Mac. 1, 17-24; II Mac. 5, 15-21) (37). Aunque Antíoco no necesitaba excusa para ello, salvo su crónica escasez de fondos, los judíos le proporcionaron una. Según II Mac. 5, 5-10, que probablemente se refiere a esto, había llegado a Palestina el rumor de que Antíoco había perdido la vida en Egipto (38). Con este motivo, Jasón marchó sobre Jerusalén con mil hombres, tomó la ciudad, y obligó a Menelao a refugiarse en la ciudadela. Aunque la mayor parte del pueblo consideraba probablemente a Jasón como preferible, al menos, respecto del renegado Menelao, pronto se enajenó la voluntad universal, a causa de una matanza absurda, y fue arrojado una vez más de la ciudad. Se dice de él que se convirtió en un fugitivo, huyendo de un lugar a otro y viniendo a morir en Esparta. Antíoco interpretó todo esto, muy naturalmente, como una rebelión contra su gobierno y, mientras restablecía a su incondicional Menelao en el cargo, estimó como justa represalia el botín del Templo. Pero, fueran las que fuesen sus razones, los judíos fieles llegaron a la conslusión de que Antíoco era un enemigo de su religión y que no se detendría en nada.

c. *Posteriores medidas de Antíoco: la proscripción del Judaísmo.* La ruptura final se produjo pronto. En el 168 Antíoco invadió de nuevo Egipto, obteniendo un fácil triunfo y penetrando en la antigua capital, Memfis. Pero entonces, cuando marchaba sobre Alejandría, recibió un ultimátum del senado romano, transmitido por el legado Popilio Lenas, ordenándole perentoriamente abandonar Egipto (cf. Dn. 11, 29 ss.). Antíoco, conociendo bien lo que Roma era capaz, no se atrevió a desobedecer. Pero nos podemos imaginar lo que tuvo que sufrir bajo la humillación y que no se retiraría hacia Asia de muy buen humor. Aunque, según parece, no pasó esta vez por Jerusalén, no es fácil que su humor fuera aquietado por las noticias que pronto le llegaron de allí. Parece que, después de su anterior estancia en Jerusalén, había colocado Antíoco en la ciudad un co-

---

(37)   II Mac. coloca esto después de la segunda campaña de Antíoco en Egipto; I Mac. 1, 20 lo coloca en el 169.

(38)   Seguimos a los que relacionan el incidente con la campaña del 169; p. e. Abel, *op. cit.*, pp. 118-120. Pero es imposible tener seguridad; otros lo colocan en el 168: p. e., Bickermann, *op. cit.*, pp. 68-71; R. H. Pfeiffer, *History of New Testament Times* (Harper y Brothers, 1949), p. 12.

misario real (como había hecho en Samaría), para ayudar al sumo sacerdote a proseguir su política de helenización (II Mac. 5, 22 ss.). Probablemente esta política encontró tal oposición que no se pudo mantener el orden con las tropas ordinarias. Por consiguiente, a principios del 167 Antíoco envió allá a Apolonio, jefe de los mercenarios misios, con una gran fuerza (I Mac. 1, 29, 35; II Mac. 5, 23-26). Apolonio trató a Jerusalén como a ciudad enemiga. Acercándose con el pretexto de intenciones pacíficas, lanzó a sus soldados contra el desprevenido pueblo, degolló a muchos de ellos y tomó a otros como esclavos; la ciudad fue saqueada y parcialmente destruida y sus murallas derribadas. Entonces se levantó, quizá en el emplazamiento del antiguo palacio davídico, al sur del Templo, quizá en la colina opuesta, en el oeste, una ciudadela llamada el Acra. Fue instalada allí y allí permaneció durante unos veinticinco años —odioso símbolo de la dominación extranjera— una guarnición seléucida.

El Acra no era sólo una ciudadela con una guarnición militar, sino algo más reprobable. Era una colonia de paganos helenizantes (I Mac. 3, 45; 14, 36) y de judíos renegados (I Mac. 6, 21-24; 11, 21), una *polis* griega dotada de constitución propia, rodeada de muros, dentro de la ahora indefensa ciudad de Jerusalén (39). La misma Jerusalén era probablemente considerada como territorio de esta *polis*. Esto significaba que el Templo dejaba de ser propiedad del pueblo judío como tal, para convertirse en el santuario de la *polis*, lo cual, a su vez, quería decir que —puesto que el apóstata Menelao y sus encumbrados colegas estaban implicados— quedaban derribadas todas las barreras para una total helenización de la religión judía. La meta de estos sacerdotes renegados era, según parece, reorganizar el Judaísmo como un culto siro-helénico en el que Yahvéh sería adorado identificado con Zeus, y en el que habría sitio para el culto real, en el que el rey era Zeus Epífanes.

El gesto de horror con que los judíos fieles contemplaron este proceso puede deducirse claramente de los libros de los Macabeos y de Daniel. Probablemente, fue su resistencia lo que incitó a Antíoco a su desesperada medida final. Viendo, por fin, que la intransigencia judía estaba basada en la religión, promulgó un edicto anulando las concesiones hechas por su padre y prohibiendo la práctica del Judaísmo en todas sus manifestaciones (I Mac. 1, 41-64; II Mac. 6, 1-11). Fueron suspendidos los sacrificios regulares, junto con la observancia del sábado y las fiestas tradicionales. Se ordenó destruir las copias de la Ley y quedó prohibida la circuncisión de los niños. La desobediencia a cualquiera de estas cosas era castigada con la muerte. Fueron erigidos altares paganos por todo el país y se ofrecieron sobre

---

(39)   Cf. especialmente Bikermann, *op. cit.*, pp. 66-80.

ellos animales impuros; los judíos fueron obligados a comer carne de cerdo bajo pena de muerte (cf. II Mac. 6, 18-31). Se urgió a la población pagana de Palestina a cooperar para forzar a los judíos a participar en los ritos idolátricos. Como coronamiento de todo, en diciembre del 167 (40), fue introducido dentro del Templo el culto a Zeus Olímpico (II Mac. 6, 2). Se colocó un altar de Zeus (probablemente también una imagen) (41), y se ofreció sobre él carne de cerdo. Esta es la «abominación de la desolación» de que habla Daniel (42). Los judíos se vieron obligados a participar en la fiesta de Dionisos (Baco) y en el sacrificio mensual en honor del nacimiento del rey (II Mac. 6, 3-7).

2. *Estallido de la rebelión macabea*. Si Antíoco pensó que estas medidas obligarían a los judíos a rendirse, se equivocó, ya que sólo sirvieron para robustecer la resistencia. Y para esta resistencia Antíoco no tuvo otra respuesta que la represión brutal. Pronto todo Judá estaba en rebelión armada.

a. *Persecución y creciente resistencia*. Antíoco no fue nunca capaz, probablemente, de comprender por qué sus acciones habían provocado tan irreconciliable hostilidad entre los judíos. Después de todo, lo que les había exigido no era, según la mentalidad pagana, antigua, algo desacostumbrado o reprobable. El no había exigido la supresión del culto a Yahvéh y su sustitución por el culto de otro dios, sino solamente identificar al Dios de los judíos con el «Dios de los Cielos», con el supremo dios del panteón griego y hacer de la religión judía un vehículo de la política nacional. La mayor parte de sus súbditos habían accedido a ello sin objeción alguna, y se veía que los jefes liberales judíos deseaban hacer lo mismo. El templo samaritano fue dedicado, de parecida manera, a Zeus Xenius (II Mac. 6, 2). Si los samaritanos objetaron algo, nosotros no lo sabemos; en realidad, Josefo (Ant. XII, V, 5) dice que ellos mismos pidieron el cambio. Antíoco pudo muy bien preguntarse por qué lo judíos piadosos eran tan obstinados. Posiblemente no acertó a comprender el monoteísmo de Israel, su tradición anicónica, o la seriedad con que los

---

(40)   O el 168. Todas las fechas del período seléucida están sometidas a un año de inseguridad, debido a la incertidumbre del «año seléucida» a partir del cual se calculan las fechas (312/11). Las fechas aquí dadas son preferidas por Abel y otros; cf. también RSV de I Mac.

(41)   Se discute si era tanto imagen como altar, o solamente esto último. Es admisible que fuera una imagen. Ni el culto a Zeus ni el real eran anicónicos; un sacerdote apóstata como Menelao no hubiera reparado gran cosa en esto.

(42)   Daniel 9, 27; 11, 31; 12, 11; también I Mac. 1, 54. «Abominación de la desolación» *(šiqqus šomem*, etc.) es un juego de palabras sobre *ba'al haaššamayim* (Ba'al [Señor] de los cielos), título del antiguo dios semita de la tormenta, Hadad, con el que se había identificado Zeus Olímpico. Cf. p. e., J. A. Montgomery, *Daniel* (ICC, 1927), p. 388.

judíos piadosos tomaban las exigencias de su Ley, todo lo cual hacía que el nuevo culto les pareciera carente de valor y abominable idolatría, a la que había que resistir a toda costa.

La reacción judía no fue, desde luego, uniforme. Los judíos helenizados recibieron bien el edicto real y lo cumplieron de buena voluntad, mientras que otros, de grado o por miedo, les siguieron, abandonando la religión de sus padres (I Mac. 1, 43, 52). No pocos, sin embargo, rehusaron obedecer y se obstinaron en su resistencia pasiva, prefiriendo morir a violar el menor detalle de su Ley. Antíoco les replicó con una cruel persecución. Mujeres que habían circuncidado a sus hijos fueron condenadas a muerte, junto con sus familias (I Mac. 1 60 ss.; II Mac. 6, 10). Grupos que intentaron guardar el sábado en secreto fueron muertos por los soldados, cuando se negaron a acceder a las exigencias del rey como a defenderse en este día santo (I Mac. 2, 29-38; II Mac. 6, 11). Muchos fueron condenados a muerte por no querer tocar alimentos impuros (I Mac. 1, 62 ss.), con crueles torturas, según las leyendas que surgieron en torno a ellos (II Mac. 6, 18 a 7, 42; IV Mac.) (c). El alma de la resistencia a la política real estaba constituida por un grupo conocido como los *jasidim* (los piadosos, los fieles), de los que descienden probablemente los fariseos y los esenios. No sabemos cuántos judíos murieron en la persecución, pero es probable que no fueran pocos. Fue una persecución terrible, de la que no se podía esperar que el sentimiento humano la aceptara pasivamente. Era inevitable que los judíos se sintieran impelidos a empuñar las armas.

b. *El libro de Daniel.* El último de los libros del Antiguo Testamento es el libro de Daniel, enderezado a esta situación de tremenda crisis. Daniel pertenece a una clase de literatura conocida como apocalíptica, de la que hablaremos más tarde. Es el único libro del Antiguo Testamento que encuadra dentro de este género literario, aunque también se observan algunos rasgos parecidos en escritos anteriores. No nos podemos detener aquí en los problemas relativos a su composición. Aunque gran parte de su material puede ser un *corpus* bastante más antiguo que el período que ahora nos ocupa (43), se está comúnmente de acuerdo en que el libro, en su forma actual, fue compuesto durante las persecuciones de Antíoco, no mucho después de la profanación del Templo, probablemente ca. 166-165. Su autor fue, casi con seguridad, uno de los *jasidim* de los que ya hemos hablado. Sintiéndose empujado a resistir a la política del rey por todos los medios a su alcance, trabajó para animar a sus hermanos judíos

---

(c) Ver la nota (c) del traductor, p. 16.

(43) Esta es la opinión de acaso la mayoría de los especialistas. Otros, con todo, sostienen que el libro entero es obra de un autor de este período: cf. los comentarios.

a hacer lo mismo, manteniéndose firmes en su Ley y en su condición judía, con la seguridad de que Dios intervendría para salvarlos.

Los relatos del intachable Daniel sirven como ejemplos de lealtad a la ley y de la fidelidad de Dios para con los que confían en él. Ningún judío tenía la menor dificultad en sobreentender a Antíoco en la figura de Nabucodonosor. ¿No deberían ellos rehusar la carne de cerdo y todos los alimentos impuros, lo mismo (Dn. cap. 1) que los agraciados jóvenes que tuvieron el valor de no mancharse con los alimentos del rey? Lo mismo que Daniel (cap. 6) prefirió ser arrojado a la cueva de los leones antes que adorar al rey, ¿no deberían también ellos confiar en que Dios les libraría y adorarle sólo a El? Las valerosas palabras de los tres jóvenes (cap. 3), que prefirieron el horno ardiente antes que adorar la estatua del rey, hablaban directamente a los judíos, obligados a adorar a Zeus o perecer, y deberían tener para ellos una actualidad que nosotros difícilmente podemos imaginar: «¡Oh Nabucodonosor!, nosotros no tenemos por qué responderte en esta materia. Si ha de ser así, nuestro Dios, a quien servimos, puede librarnos del horno de fuego abrasador y de tus manos, oh rey, nos librará. Pero si no, has de saber, oh rey, que no servimos a tus dioses ni adoramos la imagen de oro que tú has erigido» (cap. 3, 16-18). La historia del orgulloso Nabucodonosor (cap. 4), comiendo paja como un buey, la historia de Baltasar (cap. 5), que vio la escritura del castigo divino en la pared, recordaban a los judíos que el poder de Dios era más grande que los impíos poderes de la tierra. El vidente hizo desfilar la procesión completa de las potencias del mundo avanzado hacia su cenit bajo la forma de una extraña imagen con cabeza de oro, pecho de plata, vientre de bronce, piernas de hierro y pies de hierro mezclado con barro (cap. 2), a la que el reino de Dios, como piedra no arrojada por mano de hombre desde la vertiente de la montaña, derribaba en el suelo.

El vidente deseaba asegurar a su pueblo que todo estaba en las manos de Dios, dispuesto y asegurado de antemano, y que todas las luchas presentes no indicaban sino que el triunfo del propósito divino estaba para llegar. Estaba convencido de que con Antíoco se cumplía el plazo señalado al poder impío del mundo. En el cap. 7, cuatro bestias terribles tipifican los poderes que a lo largo de los siglos habían sojuzgado la tierra. El último y más terrible de todos ellos tenía diez cuernos (los reyes seléucidas), entre los que brotó un notable cuerno pequeño, de orgullo blasfemo (Antíoco). En el cap. 8, un carnero de dos cuernos (medo-persa) es muerto por un macho cabrío que tenía un cuerno enorme (Alejandro); después, este cuerno es roto y nacen otros cuatro (los Estados sucesores del imperio de Alejandro), de uno de los cuales salió un cuerno pequeño, que se creyó más grande que Dios (Antíoco). Apenas si puede dudarse de que se refiere a Antíoco, debido a sus blasfemias contra el Altísimo, sus persecuciones contra los santos, sus saqueos del Templo, la suspensión de los sacrificios y la abolición de la ley (7, 21, 25; 8, 9-13; 9, 27). En el cap. 11 hay una velada descripción de la historia de los Tolomeos y los Seléucidas que culmina con la profanación del Templo por Antíoco (vv. 31-39). El vidente considera todo esto como parte del plan divino que está llegando a su fin. Antíoco había sido tolerado por breve tiempo (7, 25; 11, 36; 12, 11), pero su ruina era segura e inmediata (8, 23-25; 11, 40-45); los «setenta años» del exilio (Jr. 25, 12; 29, 10), reinterpretados ahora como setenta semanas de años (490 años), están casi para cumplirse (Dn. 9, 24-27), y el tiempo de la intervención de Dios está cerca. En una visión (7, 9-14), el vidente describe al «Anciano de días» sentado en su trono; a una orden suya, la bestia es muerta y el reino eterno es entregado a «uno como hijo de hombre». Este «hijo de hombre», concebido más tarde (en I Henoc y en el Nuevo Testamento) como un libertador celestial pre-existente, representa aquí (7, 22, 27) a los leales y vindicados «santos del Altísimo». Con esta aseveración de la intervención de Dios, el vidente animó a su pueblo a permanecer firme. El no dudaba que algunos pagarían su lealtad con la vida. Pero éstos, y los que los amaban, se podían conformar con la seguridad de que Dios les alzaría a una vida eterna (12, 1-4). Realmente, apenas puede ponerse en duda que la reflexión sobre las gestas heroicas de los mártires contribuyó, en gran medida, a establecer firmemente en el pensamiento judío la creencia en una vida más allá de la muerte.

c. *Judas Macabeo: la purificación del Templo.* Cuando todavía se estaba escribiendo el libro de Daniel, los judíos, acosados hasta el límite, se estaban levantando en armas contra sus verdugos. Que fueran capaces de llevarlo a cabo con éxito se debía por igual a su propio valor desesperado y a la calidad de sus jefes, y al hecho de que Antíoco estaba inmensamente atareado con problemas en otras partes para disponer de tropas suficientes con que lograr la pacificación de Judá. La rebelión estalló no mucho después de que Antíoco hubiera promulgado su infame decreto (I Mac. 2, 1-28), en el pueblo de Modín, situado al pie de las colinas al este de Lydda. Vivía allí un hombre de linaje sacerdotal llamado Matatías (44), que tenía una vigorosa progenie de cinco hijos: Juan, Simón, Judas, Eleazar y Jonatán. Cuando el oficial del rey llegó a Modín para urgir el decreto real, pidió a Matatías que se pusiera al frente para ofrecer el sacrificio al dios pagano. Matatías rehusó decididamente. Pero cuando otro judío se ofreció a cumplirlo, Matatías le mató junto al altar,

---

(44) Josefo (Ant. XII, VI, 1) nos cuenta que su bisabuelo era Asamonaios (Hašmón). Sus descendientes, los reyes de la independencia de Judá, fueron, en todo caso, conocidos como Hasmoneos. Matatías pertenecía al linaje sacerdotal de Yoyarib (I Mac. 2, 1; cf. Ne. 12, 6, 19).

juntamente con el oficial del rey. Después, pidiendo a todos los que
fuesen celosos por la Ley y la alianza que le siguieran, huyó con sus
hijos a los montes. Allí se le unieron otros judíos que huían de la persecución, incluyendo un número de jasidim (I Mac. 2, 42 ss.), los
cuales, aunque ponían su confianza no en el esfuerzo humano sino
en Dios (Dn. 11, 34), sintieron que había sonado la hora de luchar.
Matatías y su banda se lanzaron a una guerra de guerrillas contra
los seléucidas y contra los judíos que se habían puesto a su lado o habían cedido (I Mac. 2, 44-48), acosándolos y matándolos, destruyendo los altares paganos y obligando a cincuncidar a todos los niños
que encontraban. Aunque altamente celosos de la Ley, su actitud
era muy práctica. Viendo que serían con toda seguridad aniquilados
si rehusaban combatir en sábado, resolvieron, por lo que respecta a
la propia defensa, suspender la Ley del sábado «mientras esto durase» (I Mac. 2, 29-41).

Matatías, hombre anciano, murió (I Mac. 2, 69 ss.) al cabo de
algunos meses (166). La dirección pasó entonces (I Mac. 3, 1) a su
tercer hijo Judas, llamado «Macabeo» (es decir, «martillo»). Hombre
de valor osado y completamente capaz, Judas cambió la resistencia
judía en una lucha a gran escala por la independencia, con tanto
éxito que toda la revuelta es conocida generalmente por su nombre
como la «guerra macabea». Antíoco, que según parece esperaba que
las tropas estacionadas en Palestina fueran capaces de dominar el
levantamiento, perdió muy pronto las ilusiones. Primero marchó
contra Judá, desde Samaría, un tal Apolonio —quizá el mismo Apolonio que había presidido un año o dos antes el saqueo de Jerusalén—,
pero sólo para que Judas le saliese al encuentro, le derrotase y le
diese muerte (I Mac. 3, 10-12). Después, un segundo ejército, apos-
tado en el paso de Bet-jorón bajo el mando del general Serón, fue
derrotado y arrojado precipitadamente a la llanura (vv. 13-26).
Estas victorias confirmaron, indudablemente, a los judíos en su voluntad de resistir y atrajeron a cientos de ellos bajo las banderas de
Judas.

Afortunadamente para los judíos, Antíoco estaba por entonces
(165) empeñado en una campaña contra los partos y no podía enviar
su principal ejército a Palestina (I Mac. 3, 27-37). Pero ordenó a su
legado Lisias que tomara las medidas necesarias. Lisias, por tanto,
envió una fuerza considerable (vv. 38-41) bajo el mando de los
generales Tolomeo, Nicanor y Gorgias, que establecieron su campamento base en Emaús, en los accesos occidentales hacia las montañas. Pero Judas, aunque desmesuradamente inferior en número, tomó la iniciativa, atacando al campo enemigo cuando parte de
sus fuerzas estaban ausentes buscándole, y consiguió una victoria
aplastante (I Mac. 3, 42-4, 25). Al año siguiente (164) se acercó el
mismo Lisias, con una fuerza aún mayor (I Mac. 4, 26-34), dando

un rodeo por Idumea con el fin de atacar a Judas por el sur. Pero Judas le salió al paso en Bet-sur, justamente en la frontera, y le infligió una derrota aplastante.

Dado que los sirios no tenían posibilidad inmediata de tomar ulteriores medidas contra él, Judas tuvo, por el momento, libertad de acción. Marchó, por tanto, triunfalmente sobre Jerusalén, arrinconó a la guarnición seléucida en la ciudadela, y procedió a la purificación del Templo profanado (I Mac. 4, 36-59). Fue arrojado todo el instrumental del culto a Zeus Olímpico. El altar profanado fue demolido y sus piedras guardadas en un lugar aparte «hasta que venga un profeta y diga lo que se ha de hacer con ellas» (v. 46); fue erigido, en su lugar, un altar nuevo. Los sacerdotes que habían permanecido fieles fueron instalados en sus oficios y se consiguió un nuevo surtido de vasos sagrados. En diciembre del 164 (45), tres años a contar desde el mes de su profanación, fue nuevamente dedicado el Templo, con grandes fiestas y alegría. Los judíos han celebrado desde entonces la fiesta de la *Janukká* (dedicación) en memoria de este grato acontecimiento. Judas procedió entonces a fortificar y guarnecer Jerusalén, así como la ciudad fronteriza de Bet-sur en el sur (I Mac. 4, 60 ss.).

El final del período paleotestamentario tuvo, de esta suerte, en la lucha de los judíos por su independencia religiosa, un punto de arranque feliz. Aunque se trató de una larga lucha, sembrada de numerosas contrariedades y desalientos, y también de momentos de gloria, al fin proporcionó a los judíos su libertad religiosa e incluso su autonomía política. Pero puesto que no tenemos intención de seguir más lejos, pondremos aquí punto final a nuestra narración (46).

---

(45)   O 165. Como hemos dicho antes (ver nota 40), existe la incertidumbre de un año para todas las fechas de la era seléucida.

(46)   Quienes deseen seguir el hilo de la historia hasta el Nuevo Testamento, tienen a su disposición manuales muy útiles, por ejemplo: B. Reicke, *The New Testament Era* (trad. inglesa, Londres, A. and C. Black, 1969); W. Foerster, *From the Exile to Christ* (trad. inglesa, Edimburgo y Londres, Oliver and Boyd; Filadelfia, Fortress Press, 1964); W. S. McCullough, *The History and Literature of the Palestinian Jews from Cyrus to Herod,* 550 *B. C. to* 4 *B. C.* (University of Toronto Press, 1976); D. E. Gowan, *Bridge Between The Testaments: A Reappraisal of Judaism from the Exile to the Birth of Christianity* (Pittsburg, Pickwick Press, 1976). Es también recomendable la obra clásica de E. Schürer, *The History of the Jewish People in the Age of Jesus Christ* (175 *B. C. - A. D.* 135), trad. inglesa revisada y editada por G. Vermes y F. Millar (Edimburgo, T y T. Clark, vol. I 1973; vol. II, 1979; vol. III en preparación).

Capítulo 12

EL JUDAISMO EN LAS POSTRIMERIAS DEL PERIODO PALEOTESTAMENTARIO

QUE LA COMUNIDAD judía encontrara su dirección permanente a través del sendero que desembocó en aquella reforma religiosa conocida como Judaísmo se debió principalmente al trabajo de Esdras. A través de la oscuridad de los siglos IV y III, siguió desarrollándose según las líneas trazadas hasta que, por el tiempo de la revuelta macabea, el Judaísmo, aunque todavía en proceso de evolución, había tomado en lo esencial la forma que le caracterizaría en los siglos venideros. Aunque no es nuestro propósito seguir más adelante la historia de los judíos, no podemos terminar sin trazar un esbozo, aunque sumario por necesidad, de los avances religiosos del período de que nos hemos estado ocupando (1).

A. NATURALEZA Y DESARROLLO DEL PRIMITIVO JUDAISMO

1. *La comunidad judía después del exilio: resumen.* Para apreciar con exactitud el desenvolvimiento religioso en el período postexílico es necesario tener presente la naturaleza de la comunidad restaurada, los problemas con que se enfrentó, y la solución que a estos problemas dio la obra de Nehemías y Esdras. Un breve resumen de las cosas ya dichas o insinuadas podría, por tanto, resultar útil en este punto (2).

a. *El problema de la comunidad restaurada.* La restauración de la comunidad judía después del exilio no significó, obviamente, un resurgimiento de la nación israelita pre-exílica, con sus instituciones nacionales y su culto. Aquel orden había sido destruido y no podía ser re-creado. La comunidad de la restauración, por tanto, se enfrentó con el problema, mucho más grave que el de una mera supervi-

---

(1) Para un estudio más completo, véanse las obras clásicas: p. e. G. F. Moore, *Judaism* (3 vols., Harvard University Press, 1927-1930); M. J. Lagrange, *Le Judaïsme avant Jésus-Christ* (París, Gabalda et Cie, 1931); Bonsirven J., *Le Judaïsme palestinien* (1935; ed. abreviada, París, Beauchesne, 1950); W. Bousset, *Die Religion des Judentums*, (H. Gressmenn), Tubinga, J. C. B. Mohr, (1926); E. Meyer. *Ursprung und Anfänge des Christentums*, vol. II (Stuttgart y Berlín, F. G. Gotta'sche Buchhandlung, 1921); también E. E. Urbach, *The Sages, Their Concepts and Beliefs* (trad. inglesa, Jerusalén, Magnes Press, 1975).

(2) Para toda esta sección, cf. M. Noth, *Die Gesetze im Pentateuch* (1940; cf. *Gesammelte Studien zum Alten Testament* [Munich, Kaiser Verlag, 1957], pp. 9-141).

vencia física, de encontrar alguna forma externa con la cual subsistir, una definición de sí misma que pudiera salvaguardar su identidad como pueblo. Nunca hasta entonces había surgido tal problema, porque «Israel» había significado siempre una unidad étnico-nacional-cultual bien definida. En sus orígenes había sido una federación sagrada de clanes, con sus peculiares instituciones, culto, tradiciones y creencias; todos los que eran miembros de aquella alianza, todos los que participaban en su culto y prestaban obediencia a su ley sagrada, eran israelitas. Posteriormente, Israel había llegado a ser una nación, más adelante dos naciones, cada una con su culto nacional y sus instituciones; ser israelita era ser ciudadano de una u otra de estas dos naciones. Cuando la caída del Estado del norte dejó a la mayoría de los israelitas sin identidad nacional (aunque dentro todavía de un área geográfica definida), la tradición nacional —y el nombre— se continuó en Judá, cuyo culto fue al fin centralizado exclusivamente en Jerusalén, mediante las reformas del siglo VII. Así, Israel había permanecido hasta el fin como una identidad definida, con fronteras geográficas e instituciones nacionales: «Israel» era la comunidad visible de los ciudadanos que fueron fieles al Dios nacional, participaron en su culto y esperaron en sus promesas.

La caída de Jerusalén, que acabó con la nación y sus instituciones, significó el fin de todo esto. Aunque el culto a Yahvéh se conservaba en varios lugares de Palestina, ya no era una nación la que se reunía en torno a él, y miles de israelitas no pudieron tomar parte en él, debido a la distancia. Israel, que no equivalía ya a una designación geográfica o nacional, carecía de una identidad precisa. Los judíos deportados no tenían, en realidad, nada que los distinguiera como israelitas, salvo sus peculiares costumbres, nada que los uniera, fuera de sus antiguas tradiciones, sus memorias, y las esperanzas de que algún día retornarían a su tierra y volverían a vivir como pueblo. Esta esperanza, a decir verdad, fue satisfecha con la restauración, pero también fue frustrada. Aquellos que regresaron a Palestina se consideraban a sí mismos como resto purificado de Israel, a quien Yahvéh había redimido de la esclavitud y hecho heredero para el cumplimiento de sus promesas. Pero ese futuro prometido, aunque esperado de un momento a otro, no vino; ni el pasado pudo ser resucitado. La comunidad restaurada no pudo revivir las antiguas instituciones nacionales, ni vivir en la antigua esperanza nacional; esta esperanza, centrada en Zorobabel, produjo una cruel decepción. Menos aún pudo la comunidad, por más que se aferrara a la ficción de la estructura y del pasado tribal, resucitar las todavía más antiguas instituciones de la liga sagrada. Aunque varias de las instituciones de la liga se habían perpetuado —no sin adaptación— hasta la caída del Estado, había pasado ya mucho tiempo desde que aquel orden perdió su existencia efectiva. El reloj de la historia no volvería atrás.

Ciertamente, con la reedificación del Templo, Israel —o más bien la comunidad judía que se consideraba a sí misma como el verdadero resto de Israel— llegó a ser de nuevo una comunidad cultual. Esto fue su salvación, como hemos visto. Un verdadero israelita podía ser identificado ahora como miembro de esa comunidad. Pero esto solo no proporcionaba una base adecuada para la perenne supervivencia de Israel. Si la comunidad se hubiera reunido tan sólo para reavivar las tradiciones cultuales heredadas de la religión del antiguo Estado, muchas de las cuales habían perdido, o alterado por la fuerza, su base teológica, el resultado hubiera sido, a la larga, en el mejor de los casos, una fosilización y en el peor la introducción de motivos paganos. Además, los judíos que vivían lejos de Jerusalén no podían participar activamente en su culto; si la participación en el culto hubiera sido el único distintivo de un judío, éstos, tarde o temprano, quedarían fuera o bien —como en el caso de Egipto— hubieran instituido cultos locales de dudosa procedencia. En cualquier caso, se habrían perdido para Israel. Estando sus antiguas formas más allá de toda re-actualización, frustradas sus esperanzas y en quiebra la moral, Israel tenía que encontrar un elemento en su herencia en torno al cual agruparse, si quería sobrevivir. Este elemento lo encontró en su ley.

b. *La reorganización de la comunidad en torno a la ley.* La religión del período postexílico está caracterizada por un tremendo empeño en la custodia de la ley. Este es, en verdad, su distintivo peculiar y el que, más que ningún otro, le distingue de Israel pre-exílico. Esto no significa que se tratara de una religión nueva, ni de la importación de algún nuevo elemento extraño en la fe de Israel. Fue, más bien, el resultado de la enérgica acentuación, unilateral quizá, pero inevitable, de un distintivo que fue, en todo tiempo, de importancia capital. Desde los días de la liga tribal, la vida corporativa de Israel se había regulado por la ley de la alianza, la obediencia a la cual se consideraba obligatoria. La monarquía no cambió esto, porque la Ley israelita no fue nunca, propiamente, Ley del Estado, sino Ley sagrada, teóricamente superior al Estado. El mismo Josías, al introducir la ley deuteronómica como constitución nacional, no la promulgó como Ley del Estado, sino que encomendó al Estado la guarda de la ley del pacto. Más aún, los profetas habían denunciado al Estado precisamente porque vieron en el comportamiento inmoral y en el paganismo que el Estado alentaba o toleraba, una infracción de las estipulaciones de la alianza.

El exilio, muy naturalmente, trajo un profundísimo interés por este rasgo de la religión. Puesto que los profetas habían interpretado la catástrofe como un castigo por el pecado contra la Ley de Yahvéh, apenas puede sorprender que los judíos piadosos experimentaran la impresión de que el futuro de Israel dependía de un cumplimiento más riguroso de los preceptos de la ley. Además, habiendo desaparecido la nación y el culto, casi no les quedaba otra cosa que los distinguiera como judíos. Indudablemente esto explica la creciente importancia del sábado, la circuncisión y la pureza ritual que se observan en el exilio e inmediatamente después. Ciertamente, todos los guías de Israel, desde Ezequiel, pasando por los profetas de la restauración, hasta Nehemías, muestran gran celo por el sábado, los diezmos, el Templo y su culto, la pureza ceremonial y cosas semejantes. Estas cosas no eran, para ellos, trivialidades externas, sino notas distintivas del Israel purificado por el que se afanaban.

Sin embargo, la masa común de la comunidad de la restauración, incluido el clero, no se distinguía por un gran celo por la regularidad cultual y las ceremonias. Por el contrario, a juzgar por lo que los reproches de sus profetas (p. e. Malaquías) indican, la mayoría era laxa en extremo en estas materias, y continuaron siéndolo aun después de haber asegurado Nehemías a la comunidad una situación política estable. El nuevo Israel necesitaba desesperadamente algo que le unificara y le diera una identidad distintiva; y esto es lo que proporcionó Esdras mediante el libro de la Ley que trajo de Babilonia y que impuso, en solemne pacto, a la comunidad, con autorización de la corte persa. Aquello marcó un rumbo decisivo. Se estructuró una nueva y bien definida comunidad, compuesta por aquellos a quienes se confió la Ley tal como Esdras la había promulgado. Esto significaba, a su vez, una definición fundamentalmente nueva del término «Israel». Israel ya no sería más una entidad nacional, ni quedaría indentificado con los descendientes de las tribus israelitas, o con los habitantes del antiguo territorio nacional, ni siquiera una comunidad de los que en otro tiempo confesaron a Yahvéh como Dios y le rindieron adoración. De ahora en adelante, Israel sería considerado (como en la teología del cronista), como el resto de Judá reunido en torno a la ley. Sería miembro de Israel (esto es, judío) todo el que tomase sobre sí la carga de la ley.

Pero esta re-definición de Israel produjo inevitablemente el surgir de una religión en la que el centro era la ley. Esto no significó, permítasenos repetirlo, la ruptura con la antigua fe de Israel, cuyos rasgos fundamentales continuaron en vigor, sino una reagrupación radical de esa fe en torno a la ley. La Ley no se limitaba ya a regular los asuntos de una comunidad constituida. Había creado la comunidad. La Ley tomó una importancia cada vez mayor, como principio organizador de la comunidad y línea de demarcación. La primitiva definición de acción sobre la base de la alianza se convirtió en base de acción, llegando a ser prácticamente sinónimo del pacto y núcleo y sustancia de la religión. El culto era regulado y mantenido por la Ley; ser moral y piadoso era guardar la Ley; los fundamentos de la futura esperanza descansaban en la obediencia a la Ley. Lo que confería al Judaísmo su carácter distintivo era esta persistente acentuación de la Ley.

c. *Los primeros pasos del Judaísmo: las fuentes.* El proceso arriba indicado, dirigido por el trabajo de Esdras, avanzó a través de los siglos IV y III hasta que, a comienzos del II, el Judaísmo, aunque aún fluido, asumía su estructura esencial. Sin embargo, es difícil trazar el camino de este proceso. Puesto que nuestras fuentes para gran parte de este período, son escasas, y pocas pueden ser fechadas con precisión, no puede seguirse un orden cronológico exacto, si es que hubo alguno. Ciertamente, cualquiera que coteje la comunidad judía del siglo V con la que aparece a través de la literatura del período de los macabeos, notará que había tenido lugar una cierta solidificación de creencias; se había producido el fenómeno conocido como Judaísmo. Con la ayuda de las fuentes a nuestra disposición y con cautelosas interpolaciones, nos vamos a aventurar en la reconstrucción de sus líneas generales.

Tenemos a nuestra disposición las últimas secciones del Antiguo Testamento y las primeras de los escritos judíos no canónicos (d). Ya han sido mencionadas las fuentes del período de la restauración. Estas incluyen: Is. caps. 56 a 66; Ag.; Za. caps. 1 al 8; Mal. y Abd. (probablemente a fines del siglo VI o comienzos del V). A éstas puede añadirse la obra del cronista (ca. 400). El libro de Joel y el libro de Jonás (de fecha incierta, pero posiblemente en torno al siglo IV). Tenemos además las secciones últimas del libro de Isaías (especialmente el llamado «apocalipsis», cap. 24 a 27, que, aunque sin fecha exacta, puede pertenecer muy bien a los comienzos del período persa (3); Za. caps. 9 al 14, colección tardía pero que contiene material bastante antiguo (4); Eclesiastés (siglo III) (5) y el libro de Ester (6), así como también los últimos salmos y literatura sapiencial (Proverbios) y finalmente, por supuesto, el libro de Daniel (ca. 166/5).

Cuanto a los escritos judíos no canónicos, los más antiguos aparecen ya antes de que estallase la rebelión de los macabeos y proliferaron abundantemente durante la primera fase de aquella

---

(d)   Ver nota (d) del traductor, p. 16.

(3)   Cf. J. Lindblom *(Die Jesaja-Apokalypse [Lunds Universitets Arsskrift],* N. F. Avd. 1, 34; 3, 1938), que coloca Is. caps. 24 al 27 en el reinado de Jerjes. Pero es imposible la certeza.

(4)   Cf. *supra,* cap. 11, nota 20 y las obras aquí mencionadas; también P. Lamarche, *Zacharie IX-XIV* (París, J. Cabalda et Cie, 1961); B. Otzen, *Studien über Deuterosacharja* (Copenhague, Munksgaard, 1964).

(5)   Fechado normalmente en el siglo III; pero cf. Albright, YGC, pp. 224-228, que prefiere situarlos en el siglo V.

(6)   Muchos autores sitúan Ester en el período macabeo. Es posible que la narración haya tenido sus orígenes en la primera diáspora, en el período persa tardío y fuera conocida en Judá sólo en el siglo II; para la discusión, cf. los comentarios.

lucha (7). Si bien algunos de ellos, sin fecha cierta, pueden ser aducidos como prueba sólo con precaución, queda un respetable cuerpo de
material que proporciona luz sobre las creencias del período. Entre
los primeros escritos no canónicos (d), hay algunas obras, como Tobías,
que pueden provenir del siglo IV (los fragmentos encontrados en
Qumrán están en buen «arameo imperial»), pero usaron fuentes
aún más antiguas (la Sabiduría de Ajicar); el Eclesiástico (la Sabiduría
de Ben Sira), que, como su prólogo indica, fue escrito ca. 180; y tal
vez Judit que, aunque frecuentemente colocado a mediados del
siglo II, algunos juzgan que es del siglo IV (8). Además, aunque esto es
discutido, el libro de los Jubileos proviene probablemente del final
del período pre-macabaico (ca. 175), (9) igual que los primeros elementos de los Testamentos de los doce Patriarcas (10) y de I de
Henoc (11). La epístola de Jeremías (incluida en el libro de Baruc),
puede asimismo proceder de principios del siglo II, mientras que algunas de las adiciones al libro de Daniel en la versión griega (la oración de
Azarías) parecen encajar mejor en la etapa macabea (ca. 170) (12).
Finalmente, el I Mac, aunque con toda probabilidad escrito al final
del s. segundo, es (como, en menor grado el II Mac), una excelente

---

(7)   Para una orientación respecto de estos escritos, cf. las Introducciones
ya clásicas de O. Eissfeld y A. Weiser; también L. Rost, *Judaism outside the Hebrew
Canon: An Introduction to the Documents* (tr. inglesa, Nashville, Abingdon Press,
1976).
(d)   Ver nota (a) del traductor, p. 16.
(8)   Como Alt (KS, II, p. 359) hace notar, el fondo de esta historia puede
pertenecer al último período persa. J. M. Grintz (*Sefer Yehudith* [Jerusalén, Bialik
Inst., 1957]) —que no he tenido a la mano— ha datado el libro ca. 360. Cf. también A. M. Dubarle, VT, VIII (1958), pp. 344-373; *idem*, RB, LXVI (1959),
pp. 514-549.
(9)   Cf. especialmente L. Finkelstein, HTR, XXXVI (1943), pp. 19-25;
idem, The Pharisees (The Jewish Publication Society, 1940), vol. I, pp. 116-268;
Albright, FSAC, p. 20. Cf. P. Wernberg-Moller, *The Manual of Discipline*, (Leiden,
E. J. Brill, 1957)., p. 18, nota 2, para más frecuencias.
(10)   Cf. especialmente E. J. Bickerman, «The Data of the Testament of the
Twelve Patriarchs» (JBL, LXIX [1950], pp. 245-260); Albright, *ibídem*. Dado
que se han hallado en Qumrán algunas secciones de los Jubileos, I Hen., T. Leví,
y T. Neftalí, es posible que esta literatura naciera en círculos proto-esenios. Pero
atendido que también es perfectamente posible que las ediciones recibidas de I Hen.
y Test. de los Patr. vengan de manos judeo-cristianas, las citas de estas obras como
pruebas para nuestro período, deben hacerse con extrema reserva. Cf. F. M. Cross,
The Ancient Library of Qumrán (Londres, Gerald Duckworth y Co., Ltd., 1958),
pp. 146-153.
(11)   R. H. Charles (*The Apocrypha and Pseudepigrapha of the Old Testament*
[Oxford, Clarendon Press, 1913] vol. II, pp. 163 ss., 170 ss.) considera la sección
de cap. 6 al 36 del llamdo Libro de Noé, y posiblemente también el Apocalipsis
de las Semanas (caps. 93 1-10; 91, 12-17) como pre-macabeos, y el Sueño de las
Visiones (caps. 83 al 90), como del primer tiempo macabeo. Pero ver la nota
precedente.
(12)   Cf. Bennet, en Charles, *op. cit.*, I, p. 629; E. Goodspeed, *The Apocrypha*
(University of Chicago Press, 1938), p. 355.

fuente para la historia y las creencias de los judíos en los comienzos de la lucha por la independencia. Tomados en conjunto, estos escritos nos dan una clara idea del Judaísmo tal como era al final del período paleotestamentario.

2. *La religión de la Ley.* Nunca se exagera la importancia de la ley en el Judaísmo. Era el factor central e integrante a cuyo alrededor estaban agrupados todos los restantes elementos de la religión. Al cobrar tan gran importancia, algunas antiguas instituciones fueron reinterpretadas, otras desaparecieron por completo, y aparecieron instituciones nuevas.

a. *Ampliación del canon de la Escritura.* Es de enorme importancia el hecho de que la comunidad judía estuviera constituida sobre la base de la Ley escrita. A decir verdad, la Ley, en forma escrita, no era ninguna novedad en Israel, ni era la primera vez que un código legal ocupaba una posición oficialmente normativa. Bajo Josías, el Deuteronomio había tenido puesto en el reino de Judá. Empero, la reforma de Esdras, aun siguiendo el modelo de la de Josías, se diferenciaba de ella en un aspecto importante: la Ley de Esdras no era impuesta a una comunidad nacional bien definida, sino que era practicada como elemento constitutivo que definía una nueva comunidad. Puesto que toda la vida de la comunidad estaba fundada sobre la Ley y regulada por ella, la Ley había adquirido una posición singular y suprema.

Aunque no podemos precisar con certeza qué Ley enseñó Esdras al pueblo, es muy posible, como hemos dicho más arriba, que Esdras poseyera, e introdujera, en la comunidad judía, el Pentateuco completo, cuyos elementos principales existían ya desde mucho tiempo antes. En todo caso, poco tiempo después de Esdras se conocía en Jerusalén el Pentateuco completo. El Pentateuco, considerado como un todo, gozaba de una estima superior a la de cualquiera de sus partes componentes, siendo al principio consideradas sus partes, tanto legales como narrativas, como la ley (tora) por excelencia y concediéndosele un valor prácticamente canónico. No sabemos con precisión cómo o cuándo sucedió esto. Es probable que no se llevara a efecto mediante un acto oficial, sino que el Pentateuco y la Ley estuvieran identificados en la mente de la comunidad y aceptados como la autoridad final (13). Ciertamente esto se llevó a cabo en

---

(13) Posiblemente a través de aquellos sucesores de Esdras que corresponden a lo que la tradición judía (p. e., P. Aboth I, 1 ss.) conoce como «Gran Sinagoga» —esto es, aquellos doctores de la ley que se supone actuaron entre el tiempo de Esdras y Simón el Justo (siglo tercero), y a las que se atribuye, entre otras cosas, haber coleccionado el canon. Aunque es difícil valorar esta tradición, tiene, sin duda, un cierto fondo histórico. Cf. Moore, *op. cit.*, vol. I, pp. 29-36; Finkelstein, *op. cit.*, vol. II, pp. 576-580 para la discusión y las referencias. También, recientemente, H. Mantel, «The Nature of the Great Sinagogue» (HTR, LX [1967], pp. 69-91).

el período persa, y antes de que el cisma samaritano se hubiera consumado, ya que los samaritanos aceptaban el Pentateuco como canónico, pero negaban esta condición a los restantes libros del antiguo Testamento.

La canonización efectiva del resto del antiguo Testamento siguió a la del Pentateuco. Los libros históricos Josué-Reyes (los «profetas anteriores» de los judíos), que junto con el Deuteronomio, habían formado un cuerpo que describía e interpretaba la historia de Israel desde Moisés hasta la caída de Jerusalén, deben haber entrado tempranamente en el círculo de la Sagrada Escritura, sin duda cuando surgió el Deuteronomio que fue separado y colocado al lado del Pentateuco. A estos añadieron, formando la segunda gran sección de las escrituras judías (=los profetas) los libros proféticos. Las sentencias de los profetas anteriores al exilio habían sido consideradas por largo tiempo como dotadas de especial autoridad (p. e. Ez. 38, 17; Za. 1, 2-6; 7, 12); cuando sus palabras, y las de los profetas posteriores, fueron reunidas en los libros proféticos tal como nosotros los conocemos, también a ellos se les concedió estatuto canónico. Es probable que este proceso estuviera ya terminado hacia el final del período persa, ya que son pocas las sentencias proféticas, incluso de los profetas anteriores, de después de este período. Ciertamente el canon profético estaba ya fijado antes del siglo II, lo cual explica por qué Daniel no fue colocado, en la Biblia hebrea, entre los profetas, sino entre los escritos (14).

También los otros libros que ahora están en el antiguo Testamento (excepto Daniel y posiblemente Ester), existían ya antes del siglo segundo. Los salmos habían sido reunidos hacía largo tiempo, probablemente antes de que hubiera finalizado el período persa (no hay salmos macabaicos en el salterio), lo mismo que el libro de los Proverbios, aunque los límites de la tercera sección del canon judío eran todavía fluctuantes (15), y aunque —como demostraría una comparación de la Biblia hebrea con los LXX— ninguno tenía forma en el canon existente como tal, es claro que hacia las postrimerías del período paleotestamentario, había surgido ya un cuerpo de sagradas Escrituras bien definido (16). Aunque todos estos escritos fueron tenidos en altísima estima, el Pentateuco, como libro de la

---

(14)   La referencia a los «doce profetas» (e. d. los profetas menores) en Eclo. 49, 10 demuestra que también los últimos libros proféticos gozaban ya de estatuto oficial, hacia el 180.

(15)   Nótese que el nieto de Ben Sira (Eclo., prólogo), aunque habla repetidas veces de «la ley y los profetas», se refiere de una manera vaga a los restantes libros, como «los otros que les siguen», «los otros libros de nuestros padres», «el resto de los libros».

(16)   Nótese que todos los libros del antiguo Testamento, salvo Ester, están atestiguados en Qumrán, y todos (¿excepto Daniel?) en un avanzado «libro manual» que denota una larga práctica en la copia de la escritura.

Ley, continuó ocupando un puesto preeminente de inigualada autoridad.

La canonización de la Ley dio al Judaísmo una norma mucho más absoluta y tangible que cualquiera otra conocida en el antiguo Israel. Dado que los mandamientos de Dios fueron puestos en la Ley de una vez para siempre, con una validez eterna, por esta Ley había que deducir su voluntad para cada situación; se oscurecieron o desaparecieron los otros medios para lograrlo. Esto explica, sin duda, por qué fue cesando, poco a poco, la profecía, pues de hecho la ley había usurpado esta función, haciéndola innecesaria. Por más que los profetas eran venerados desde antiguo, y sus palabras gozaban de autoridad, la Ley no dejaba ya en aquel tiempo margen para una libre manifestación profética de la voluntad divina. La profecía todavía existente tomaría la forma de seudoepígrafes (e. d. profecías publicadas bajo nombres de personajes del lejano pasado). Aunque los judíos pudieron esperar un tiempo en el que los profetas volverían a aparecer (I Mac. 4, 46; 14, 41), tenían plena conciencia de que la época de la profecía había terminado (9, 27). Para conocer la voluntad divina había que consultar el libro de la Ley (3, 48).

b. *Templo, culto y Ley.* La exaltación de la Ley no significó ninguna pérdida de interés por el culto, sino que más bien dio como resultado una mayor diligencia en su cumplimiento; después de todo, la Ley lo exigía. Sin embargo, la situación provocó ciertos ajustes y cambios con un énfasis inevitable. El Templo ya no era el santuario dinástico de la casa de David en el que el rey, por medio de los sacerdotes designados, proveía a los sacrificios y los restantes ritos cultuales de acuerdo con las costumbres y tradiciones. En ningún caso era para nada un culto del Estado, si exceptuamos el hecho de que gozaba de algunos privilegios de la corte persa y tenía obligación de rogar por el bienestar del rey (Esd. 6, 10). Ni era tampoco el santuario de Israel a la manera antigua, salvo quizás en ficción. Más bien pertenecía a la comunidad judía restaurada, siendo responsable de su culto aquella comunidad, tomada en conjunto. Probablemente fue continuada la tradición cultual del Templo preexílico, con las adaptaciones y alteraciones que la nueva situación hacía necesarias. Especial importancia tenía el Día anual de la Expiación, que caía (Lv. 23, 27-32) cinco días antes de la fiesta de las tiendas y que llegó a ser el verdadero comienzo del año cultual. Su ritual (Lv. cap. 16), que desarrolló varios ritos antiguos, dio expresión a aquel agudo sentido del peso del pecado que sintieron los judíos después del destierro de una manera quizás imposible para el antiguo Israel. La gran prueba del exilio, y la situación que entonces soportó Israel, conservada como un constante recuerdo de la enormidad de la transgresión de los preceptos divinos, junto con el elevado interés por la Ley, acentuó el temor de quebrantarla, originando una necesidad de expiación continua profundamente sentida.

Presidía el culto el gran sacerdote, que era la cabeza espiritual de la comunidad, y con el tiempo también su príncipe secular. El oficio de sumo sacerdote era hereditario de la casa de Sadoq, la línea sacerdotal del templo preexílico, que se proclamaba directamente descendiente de Aarón, a través de Eleazar y Pinejás (I Cr. 6, 1-15). Había otros sacerdotes que se proclamaban también descendientes de Aarón, aunque las genealogías, en bastantes ocasiones, tenían mucho de ficción. Ser descendiente de Aarón era muy importante, porque así lo pedía la ley. Aun en el siglo quinto, los sacerdotes que no podían demostrar su ascendencia (y después del ·desorden del exilio muchos no podían), corrían el riesgo de ser excluidos de su oficio (Esd. 2, 61-63/ Ne. 7, 63-65), y en los siglos siguientes se oye hablar del dogma del sacerdocio aaronita establecido por el pacto eterno de Dios (Eclo. 45, 6, 24; cf. Mac. 2, 54) (17). Junto a los sacerdotes estaba el clero menor, que pretendía descender, todo él, de Leví, aunque es seguro que las ascendencias estaban muy mezcladas (18). No hay duda de que algunos de ellos eran descendientes de los sacerdotes de los santuarios proscritos por Josías (II R 23, 8 ss.) los cuales, aunque en teoría igualados al clero del Templo (Dt. 18, 6-8), habían sido forzados, por fin, a aceptar una condición subordinada como ministros del Templo (cf. Ez. 44, 9-16). Entre el clero menor había también cantores, porteros (I Cr. caps. 25 y ss.) y «donados» (Esd. 8, 20; Ne. 3, 31; etc.): en conjunto un clero considerablemente numeroso. Cualesquiera que fuesen sus orígenes, todos eran reconocidos como levitas. El culto y el clero se sostenían con los diezmos y los dones, más un tributo anual para el Templo (cf. Ne. 10, 32-39), complementado, al menos periódicamente, mediante subvenciones del Estado. Aunque estas cosas habían sido notablemente descuidadas antes de la llegada de Nehemías, podemos suponer que sus esfuerzos y los de Esdras bastaron para regular estas materias de tal manera que de allí en adelante quedase asegurado un adecuado sustento, de acuerdo con la Ley.

Como hemos dicho, el culto se tomaba con extrema seriedad. Nunca se ponderará bastante la devoción con que los judíos piadosos lo miraban, o su interés por que fuera celebrado en conformidad con la Ley (p. e. Tob. 1, 3-8; Eclo. 7, 29-31; 1-11). Su obstinada resistencia cuando Antíoco lo profanó lo pone en claro. Con todo, el culto no era la fuerza motriz del Judaísmo. Estaba apoyado en las estipulaciones de la Ley y se regía por ella, más bien que —como en

---

(17) Cf. Mal. 2, 4 ss., 8; Jub., cap. 32; Test. Leví 5, 2; cap. 8; etc., para un interés parecido por los eternos prerrogativas de Leví.

(18) Como se ha notado más arriba (cap. 4, p. 177), «levita» fue originariamente designación de clase y de clan. Con el correr de los siglos, muchos que habían ejercido funciones sacerdotales fueron considerados como levitas por esta razón.

los tiempos pasados— por las tradiciones y costumbres; el culto, pues, ocupaba una posición subordinada a la Ley. La Ley no describía, como antes, la práctica existente, sino que prescribía esa práctica. Aunque el culto era celebrado con alegría, no era tanto una expresión espontánea de la vida nacional como un cumplimiento de los mandatos de la Ley. Es más, a medida que la Ley ganaba importancia, el sacerdote, aunque respetado a causa de su oficio, perdió algo de su posición preeminente. La antigua función de dar la torá (es decir, de enseñar sobre la base de la Ley de la alianza), cedió el puesto a la función, ahora más importante, de enseñar la Ley misma (19). Pero dado que cualquier perito en la Ley podía desempeñar esta función, no hubo monopolio sacerdotal. El sacerdote, se convirtió cada vez más en un funcionario. sacerdotal; aunque su importancia seguía siendo grande, fue superada por la del doctor de la Ley.

c. *Sinagoga, escriba y maestro de la sabiduría*. Si la exaltación de la ley limitó ciertas funciones e instituciones antiguas, también encumbró otras y creó funciones e instituciones nuevas. Una de éstas fue la sinagoga, medio de culto público que marchó paralelo al Templo y al culto y estaba destinado a sobrevivirlos. Aunque la sinagoga se encuentra claramente testificada sólo al final de nuestro período (20), sus orígenes son ciertamente más antiguos, pero son muy oscuros y no se les puede describir. Con todo, el hecho mismo de que a miles de judíos les estuviese impedido el acceso al Templo, por razón de la distancia, y la simultánea prohibición de establecer cultos locales, hizo inevitable el desarrollo de esta institución. Ya en los tiempos preexílicos se habían reunido algunos grupos para escuchar la instrucción de los levitas, en tanto que los profetas habían atraído círculos de discípulos. Parece que los judíos en el exilio se reunían donde podían para orar y escuchar a sus maestros y profetas (Ez. 8, 1; 14, 1; 33, 30 ss.). Podemos suponer que estas asambleas continuaron, ya que es inconcebible que los judíos de la diáspora pudieran permanecer sin alguna forma de culto público (21). También en Palestina había adeptos de la comunidad judía demasiado alejados de Jerusalén para poder participar de una manera regular en su culto, y que se hallaron en la misma necesidad. Podemos suponer que a medida que la Ley iba ganando situación canónica, comenzaron a darse asambleas locales para escuchar su interpretación. Fueron apareciendo

---

(19)   Cf. Noth, *op. cit.*, pp. 117-119. Nehemías, 8, 5-8 es un paso en esta dirección.

(20)   Cf. H. H. Rowley, *Worship in Ancient Israel* (Londres, SPCK, 1967), cap. 7, para la discusión y las referencias. Existían sinagogas en Egipto en la última parte del siglo III. Las pruebas directas sobre sinagogas en Palestina son mucho más tardías. La de Bet Ha-Midraš está atestiguada por primera vez ca. 180 (Ecl. 51, 23).

(21)   Cf. Rowley, *op. cit.*, pp. 224-227, con bibliografía de otros autores que comparten este mismo punto de vista.

poco a poco sinagogas organizadas, con culto regular cada sábado, cuyo centro era le lectura y explicación de la Ley. En los últimos siglos precristianos las había en todas las poblaciones.

Al mismo ritmo que la Ley cobraba importancia, crecía la importancia de su recta interpretación y aplicación. En primer lugar, no existía ninguna recensión tipo del Pentateuco, resultando que no siempre era posible estar seguro de lo que la Ley decía (22). Además, la Ley no siempre concordaba con la Ley, ni era siempre clara su aplicación a los casos particulares. Todo esto requería el desarrollo de unos principios hermenéuticos en orden a una ulterior definición e interpretación de la Ley, de tal manera que pudiera aplicarse a toda la vida actual. Para llenar esta necesidad nació la clase de los escribas, que se dedicaron al estudio de la Ley y a transmitir sus enseñanzas a sus discípulos. El origen de esta clase es oscuro (23), pero podemos suponer que se desarrolló *pari passu* con la canonización de la escritura. Hacia el final de nuestro período existen claros testimonios sobre los escribas: Ben Sira era un escriba, con escuela de discípulos (Eclo. 38, 24-34; 51, 23). Aunque la masiva ley oral de los fariseos apareció más tarde, había comenzado ya el proceso de hacer un «seto» alrededor de la Ley (P. Abot, 1, 1), para que no fuese quebrantada por inadvertencia. Se explicaba la escritura a la luz de la escritura (p. e. Jub. 4, 30; 33, 15 ss.), y sus mandatos eran detalladamente definidos (p. e. la definición de la Ley del sábado 50, 6-13) y aplicados a situaciones peculiares (p. e. la suspensión de la Ley del sábado en caso de propia defensa en I Mac. 2, 29-41). Junto al celo por la Ley, existía un gran interés practicista por la conducta de buena vida, magníficamente ilustrada en la literatura sapiencial. Por supuesto, debemos renunciar a la idea de que la sabiduría fue un desarrollo posterior al exilio, o de que hubo un tiempo del período postexílico en el que la vida de Israel estaba dominada por una clase de maestros de la sabiduría. La tradición sapiencial es antiquísima en Israel, remontándose por lo menos hasta el siglo X (24). Sin embargo, después del exilio gozó de una elevada popularidad y, durante el período del Judaísmo naciente, produjo un considerable cuerpo de literatura que explica la naturaleza de la vida piadosa. La Biblia ofrece el libro de los Proverbios (compilado

---

(22) Los descubrimientos de Qumran han permitido ver con absoluta claridad que las recensiones divergentes del texto hebreo del Antiguo Testamento se prolongaron hasta los inicios de la era cristiana; cf. Cross, *op. cit.* (en nota 10), cap. IV.

(23) Indudablemente se sitúa en la realidad histórica que corresponde a la tradición judía de la «Gran Sinagoga», entre Esdras y el siglo tercero.

(24) Cf. *supra*, p. 314. Nótese también que Jeremías (18, 18) enumera a los hombres sabios, junto con los profetas y los sacerdotes, entre los jefes espirituales del pueblo.

en este período, aunque gran parte de su material es más antiguo (25), el inquisitivo y cortésmente escéptico Eclesiastés y también muchos de los salmos posteriores (p. e. sal. 1; 49; 112; 119; etc.). Existen además algunos libros, como Tobías, Eclesiástico (la sabiduría de Ben Sira) y, más allá del fin de nuestro período la sabiduría de Salomón.

Esta tradición sapiencial era internacional como lo había sido siempre. El libro de Tobías es una excelente muestra, que edifica sobre la leyenda de Ajicar, colección de la sabiduría aramea que quizá se remonta al siglo VI (era conocida en Elefantina en el siglo V), con unos antecendentes aún más antiguos en la literatura gnómica. No puede, pues, sorprender, en vista de su origen cosmopolita, que gran parte de la sabiduría judía parezca casi profana, ofreciendo sagaces consejos para conquistar el éxito y la felicidad, sin ninguna aparente motivación religiosa. Pero esto es ilusorio. Porque es claro que los maestros judíos de tal modo adaptaron la tradición de la sabiduría que la convirtieron en un medio de descripción de la vida piadosa *bajo la ley*. Para ellos la suma sabiduría consistía en temer a Dios y guardar su Ley; en realidad, la sabiduría fue, últimamente, un sinónimo de la Ley. Esta identificación, que es explícita en el rescripto dado a Esdras (Esd. 7, 25), se expresa tan frecuente y persistentemente que sería fastidioso aducir las pruebas. Se la encuentra en los salmos (p. e. sal. 1; 37, 30 ss.; 111, 10; 112, 1; 119, 97-104; y *passim*), en los proverbios (p. e. Prov. 1, 7; 30, 2 ss.; etc.), y en otras partes de la Biblia (p. e. Job. 28, 28; Eccles. 12, 13 ss.) e igualmente en Ben Sira (p. e. Eclo. 1, 14, 18, 20, 26 y *passim)* y en otros escritos judíos. En realidad, el escriba y el maestro de la sabiduría eran probablemente miembros de la misma clase; Ben Sira ciertamente las dos cosas (Eclo. 38, 24, 33 ss.; 39, 1-11) (26). El escriba sabio seguía una honrosa profesión de la cual podía sentirse orgulloso (Eclo. 38, 24-34). El privilegio y la virtud más elevadas eran estudiar la ley, meditarla y aplicarla a la vida (cf. sal. 1; 19, 7-14; 119).

.d. *Piedad, justicia y Ley.* Para el judío, la suma de toda justicia consistía en guardar la Ley. Esto no significa que la religión fuera un mero legalismo, pues se observa por doquier una profunda piedad

---

(25) Da una excelente síntesis de la sabiduría en el antiguo Oriente y en Israel, así como del puesto ocupado por los Proverbios en el movimiento de la sabiduría, R. B. Y. Scott, *Proverbs-Eclesiastes* (AB, 1965), pp. XV-LIII, 3-30 (con bibliografía). Incluyen las recientes discusiones: R. N. Whybray, *Wisdom in Proverbs* (Londres, SCM Press, 1965); G. von Rad, *Wisdom in Israel* (trad. inglesa, Londres, SCM Press; Nashville, Abingdon Press, 1972); W. McKane, *Proverbs* (OTL, 1970).

(26) Ben Sira se llama a sí mismo escriba (Eclo. 38, 24; 51, 23), y sin embargo, lo que nos da es un vasto cuerpo de sabiduría. Nadie ha identificado sabiduría y ley tan persistentemente como él (p. e. Eclo. 6, 37; 15, 1; 10, 20; 21, 11; 39, 1-11).

devocional, un hondo sentimiento ético y una conmovedora confianza y admiración de Dios. Debemos recordar que la Ley dio expresión al ideal que Israel tenía de sí mismo como el pueblo santo de Dios; para realizar tal ideal, para cumplir su vocación, debe guardar la Ley con todo detalle. No puede negarse que una tal acentuación de los detalles entrañaba el peligro de que se perdieran las perspectivas y se estimara por igual lo trivial y lo importante, que la religión llegara a ser una mera conformidad con unas reglas, y el desarrollo religioso una fastidiosa casuística. El Judaísmo, por supuesto, no escapó del todo a este peligro. Pero ciertamente la conformidad mecánica nunca fue el objetivo de los maestros de la Ley. Al insistir sobre una obediencia detallada, no pretendieron dar igual valor a las minucias y a las «materias más graves», sino más bien insistir en que toda ofensa contra la Ley, aunque fuese pequeña, era seria (cf. IV Mac. 5, 19-21). En todas las cosas —morales, de negocios y aun incluso en los modos—, hay que recordar a Dios y su pacto (Eclo. 41, 17-23)— es decir, la Ley.

La Ley era profundamente ética, encerrando y preservando aquella nota que fue central en la fe de Israel desde sus comienzos. Podríamos citar infinitos textos para probarlo. Los maestros judíos exaltaban continuamente la conducta justa (p. e. sal. 34, 11-16; 37; 28; Prov. 16, 11; 20, 10; Tob. 4, 14), el respeto a los padres (p. e. Tob. 4, 3; Ecles. 3, 1-6), la sobriedad, la castidad y la moderación (p. e. Tob. 4, 12, 14 ss.; Ecle. 31, 25-31), la misericordia y la limosna (p. e. Prov. 19, 17; 22, 22; Tob. 4, 10 ss., 16; 12, 8-10). Eclo. 4, 1-10; 29, 8 ss.). Excitaban a los hombres a amar a Dios y al prójimo y a perdonar a aquellos que les habían ofendido (T. Gad., cap. 6; T. Nenj. 3, 3 ss.); «lo que tú aborrezcas, no se lo hagas a otro» (Tob. 4, 15). Lejos de incitar al extrinsecismo religioso, declararon los sacrificios de los malvados como abominación para Dios (sal. 50, 7-23; Prov. 15, 8; 21, 3, 27; Eclo. 7, 8 ss.; 24, 18-26), afirmando que Dios pedía, ante todo, espíritu penitente y obediencia (sal. 40, 6-9; 51, 16 ss.; etc.). Debería añadirse que los judíos piadosos no consideraban como una carga la guarda de la Ley. Por el contrario, se siente un gran gozo en su cumplimiento y un gran amor hacia ella (p. e. sal. 1, 2; 19, 7-14; 119, 14-16, 47 ss., y *passim*; Eclo. 1, 11 ss.). Es luz y guía para la vida (sal. 119, 105; etc.); quien toma su yugo encuentra protección, descanso y alegría (Eclo. 6, 23-31). En efecto, el judío se sentía inmensamente orgulloso de la Ley, como distintivo de su identidad (p. e. sal. 147, 19 ss.). Tal orgullo, aunque no siempre agradable, provocaba una gran lealtad, en cuya virtud los judíos piadosos estaban dispuestos a morir antes que a traicionar; este orgullo les dio valor para permanecer firmes bajo la persecución de Antíoco.

Nadie que contemple la piedad devocional del primitivo Judaísmo puede imaginar que la religión de la Ley fuera, en el mejor de los casos, una cosa externa. Los salmos posteriores, por ejemplo (sal. 19, 7-14; 51; 106) están llenos de humildes confesiones de pecado, anhelantes de compasión y perdón de Dios y de un deseo de limpieza de corazón ante su vista, al mismo tiempo que (p. e. sal. 25; 37; 40; 123; 124) repiten las expresiones de paciencia en las tribulaciones, confianza inquebrantable en la liberación de Dios y gratitud por sus bondades. Otra literatura de este período revela los mismos rasgos: sentimiento de la carga del pecado (p. e. Esd. 9, 6-15; Ne. 9, 6, 37, Tob. 3, 1-6), deseo de ser liberados de él (p. e. Eclo. 22, 27 a 23, 6), piedad personal y confianza en la eficacia de la oración (Tob. 8; Eclo. 38, 9-15; oración de Azarías), junto con la alabanza de Dios por las obras de la creación y la providencia (Eclo. 39, 12-35). Es característico de la piedad exílica el ideal de mansedumbre y humildad; hombre piadoso es aquel que acepta sumisa y confiadamente la prueba que Dios le impone. Quizás el concepto de siervo doliente contribuyó mucho a la formación de este ideal (27), que está muy acentuado en los salmos posteriores, donde el adorador es piadoso «pobre», «necesitado», «humilde», «manso» (sal. 9, 18; 10, 17; 25, 9; 34, 2, 6; 37, 11; 40, 17; 69, 32 ss.; etc.) y también en la literatura no canónica de este período (p. e. Eclo. 1, 22-30; 2, 1-11; 3, 17-20) (d). Con todo, la piedad judía no consistía en último término en actitudes interiores, en obras de caridad o en el diligente cumplimiento del deber religioso, sino en la guarda de la Ley; la piedad, las buenas obras y el deber religioso se apoyaban en la Ley. La esencia de la religión consistía en amar la Ley y obedecerla (p. e. sal. 1; 19, 7-14; 110; Eclo. 2, 16; 39, 1-11); la persona que obraba así podría llamarse «religiosa» (28).

e.   *La absolutización de la Ley.* Tal como hemos intentado aclarar, la exaltación de la Ley no significaba una ruptura con la antigua religión de Israel, sino una reagrupación de esa religión en torno a una de sus facetas principales. Al recibir esta faceta un acento más marcado, se derivó una pérdida de interés sobre los otros elementos y un cierto cambio en la estructura del conjunto. En particular, se nota una tendencia a sacar la Ley del contexto de la forma de alianza en que orginariamente se encontraba, y a verla como algo eternamente existente e inmutable. Esto significó un cierto debilita-

---

(27)   Cf. Albright, FSAC, pp. 332 ss. El ideal de humildad no es peculiar de Israel, ni tiene un origen reciente. Pero su impacto en Israel parece ser posexílico.

(d)   Ver nota (d) del traductor, p. 16.

(28)   P. e. Judit (11, 17) es «religiosa» y manifiestamente, porque guardaba las fiestas y ayunos, los sábados y las reglas sobre los alimentos, tal como la ley lo pedía.

miento del vivo sentimiento de la historia tan característico del antiguo Israel (29).

En la literatura posterior se nota una marcada atenuación de la noción de alianza y una tendencia a separarla de la conexión específica con los hechos del éxodo y del Sinaí. Ya en el estrato sacerdotal del Pentateuco el término «alianza» no está referido al hecho constitutivo de la historia de Israel, sobre cuya base fue dada la Ley, sino que se usa para indicar las varias relaciones de Dios con los hombres, y en realidad se convierte prácticamente en un sinónimo de algunas de sus eternas e inmutables promesas. Así se nos habla de los pactos eternos con Noé (Gn. 9, 1-17), con Abraham (Gn. cap. 17), y con Pinejás (Nm. 25, 11-13). En la relación sacerdotal de los acontecimientos del Sinaí, el acento no está de ningún modo en la alianza, sino en la entrega de la Ley (30). De la misma manera, la literatura posterior conoce pactos o alianzas con Leví (Mal. 2, 4 ss., 8), con Aarón (Eclo. 45, 6 ss.) con Pinejás (I Mac. 2, 54) y, por supuesto, con Abraham y Noé (Eclo. 44, 17-21). Es evidente una atenuación del concepto de alianza.

Aunque se creía que la Ley había sido dada por Moisés, era considerada como algo absoluto y eternamente existente. Se pueden ver indicios de ello en la literatura bíblica posterior (p. e. sal. 119, 89, 160) y en Ben Sira (Eclo. 16, 26 a 17, 24), pero el clímax se encuentra a buen seguro en los Jubileos, donde las instituciones mandadas por la Ley son retrotraídas a los primeros tiempos. Así el sábado era celebrado por los ángeles, y la elección de Israel fue anunciada en la creación (Jub. 2, 15-33); la Ley levítica de la purificación funcionó en el caso de Eva (3, 20-31), la fiesta de las semanas fue celebrada por Noé (6, 17 ss.) y la de las tiendas por Abraham (16, 20-31) que enseñó a Isaac el ritual sacrificial (21, 1-20) y así sucesivamente. De este modo, la Ley aparece como una cosa eterna, de absoluta autoridad, que existe antes del Sinaí y de Israel. Toda ella está escrita en las tablillas celestiales (3, 10; 4, 5; 5, 13, etc.).

Como ya hemos dicho, todo esto indica un desligamiento de la religión respecto del contexto de la historia. Por supuesto, no es que Israel olvidara los acontecimientos históricos que lo habían llamado a la existencia. Por el contrario, los recordó y los reafirmó ritualmente, como lo hace hasta el día de hoy. Pero la Ley, separada de su contexto original y convertida en suprahistórica y absolutamente

(29) Cf. Noth, *op. cit.* (en nota 2), pp. 85-107; también G. E. Mendenhall IDB, I, pp. 721 s.

(30) En P. el acento se pone en la alianza abrahamítica; los sucesos del Sinaí son una renovación y extensión de ella; cf. especialmente W. Eichrodt, *Theologie des Alten Testaments,* vol. I (Stuttgart, Ehrenfried Klotz Verlag, 1957), pp. 23-25.

válida, no fue tanto la definición de la obligación de la comunidad sobre la base de la alianza histórica, cuanto la base, ella misma, de la obligación y la definición de su contenido. La Ley pasó a ocupar, prácticamente, el lugar del pacto histórico como base de la fe, o más bien, vino a ser casi un sinónimo de la fe misma (p. e. II Cr. 6, 11; Eclo. 27, 7; I Mac. 2, 27, 50). Quebrantar la Ley era quebrantar la alianza (p. e. I Mac. 1, 14 ss.; Jub. 15, 26); guardar la alianza era guardar la Ley. Incluso se encuentran pasajes donde la Ley es anterior a la alianza (p. e. Eclo. 44, 19-21 donde a Abraham se le dan la alianza y las promesas porque había guardado la Ley y era fiel; cf. I Mac. 2, 51-60). Aquí la Ley había cesado de ser la definición de la respuesta debida a los actos graciosos de Dios y se había convertido en el medio por el que los hombres podían alcanzar el favor divino y hacerse dignos de las promesas.

De ahí se derivó una profunda seriedad moral y un hondo sentido de la responsabilidad individual, que queda ampliamente ilustrado por el heroísmo con que los judíos leales se mantuvieron firmes ante Antíoco. Cada judío sentía la obligación de guardar la alianza mediante su personal lealtad a la Ley. Pero también se derivó una fuerte acentuación de la obligación del hombre, con una inevitable debilitación de la gracia divina. Aunque esta gracia divina nunca fue olvidada, y se apeló constantemente a su misericordia, en la práctica la religión era una cuestión de cumplimiento de los requisitos de la Ley. Esto significaba que el Judaísmo estaba peculiarmente propenso al peligro de legalismo, es decir, de convertirse en una religión en la que la situación del hombre ante Dios estuviera del todo determinada por sus obras. Aunque no es probable que ningún judío sensato blasonara de haber guardado la Ley a la perfección (cf. Eclo. 8, 5), se creía que la justificación por medio de la Ley era una meta por la que había que esforzarse y era accesible. Es más, se pensaba que Dios recompensaría con sus favores a aquellos que fueran fieles en esta materia, idea que estaba llamada a provocar cuestiones, como veremos. También surgió la creencia de que las buenas obras aumentaban el crédito ante Dios y constituían un tesoro de méritos. Aunque pueden verse alusiones a esto en la literatura bíblica posterior (p. e. Ne. 13, 14, 22, 31), son especialmente frecuentes en los escritos no canónicos (p. e. Tob. 4, 9; Eclo. 3, 3 ss., 14; 29, 11-13; T. Leví 13, 5 ss.). No es de nuestra incumbencia discutir si esto indica una estima excesivamente optimista de la capacidad del hombre o un deficiente conocimiento de la naturaleza del pecado y de los mandamientos de la Ley. Ciertamente indica una tendencia al extrinsecismo de la justicia, que el Judaísmo nunca reprimió con eficacia, pese a la espiritualidad de sus más grandes maestros. Fue precisamente en este punto donde Pablo, llegado el momento, rompió más radicalmente con la fe de sus padres.

B.   Aspectos de la teologia del primitivo judaismo

1.   *La comunidad judía y el mundo.* La situación en la que los judíos
se encontraban produjo inevitablemente unos problemas que nunca
hasta entonces se habían dejado sentir tan agudamente. No fue el
menor el referente a las relaciones de la comunidad con el mundo
pagano. Por una parte, el Judaísmo tendía a aislarse del mundo y
replegarse sobre sí mismo, mostrando algunas veces una actitud
cerrada y hasta intolerante. Por otra parte, se observan muestras
de un vivo interés por la salvación de las naciones, algo aproximado
a un verdadero espíritu misionero, tal como se busca en vano en el
Israel pre-exílico, donde tales nociones estaban, en el mejor de los
casos, latentes. Entre ambas tendencias se produjo una tensión que
nunca se resolvió de un modo satisfactorio.

a.   *Fuentes de tensión.* La raíz de esta tensión estaba en la estructura
de la fe de Israel, y no era, en esencia, nueva. De hecho brota de la
creencia monoteísta y de la noción de elección. Israel se consideró
siempre como un pueblo peculiar, escogido por Yahvéh. Al mismo
tiempo había concedido a su Dios —aunque esto fue elaborado poco
sistemáticamente— un dominio supranacional, universal de hecho.
Es más, había creído que el propósito divino consistía, en último
término, en el establecimiento triunfal de su poder en la tierra. El
hecho de que se creyera que este triunfo llevaba consigo el sometimiento de las demás naciones (p. e. sal. 2, 101; 72, 8-19) significaba
que se había planteado la cuestión de las relaciones de Israel con el
mundo en la divina economía, si es que en realidad no lo hacía ya
inevitable, la misma fe monoteísta. Con todo, aunque la idea de que
la llamada de Israel afectaba a todos los pueblos es muy antigua
(Gn. 12, 1-3; etc.), y aunque algunos pensaban que Yahvéh guiaba
los asuntos de las demás naciones, además de los de Israel (p. e.
Amós 9. 7), y había incluso quienes buscaban la conversión de los
extranjeros a su culto (I R 8, 41-43) (31), en la época preexílica el
problema no había cobrado mucha importancia. Israel era una
nación con un culto nacional, aunque los extranjeros residentes
podían incorporarse, y de hecho se incorporaban, no existía un
impulso activo a ganar conversos.

Como ya hemos dicho, el exilio forzó una reinterpretación de
la fe de Israel y una aclaración de su situación ante las naciones del
mundo y sus dioses. Hemos descrito cómo el Deuteroisaías saludó
el inminente triunfo del poder divino, invitó a las naciones a aceptarlo y amonestó a Israel a que fuese testigo ante el mundo de que

---

(31)   Estos versos pueden pertenecer a la edición exílica de la obra deuteronómica, aunque esto no es del todo seguro. Cf. también Is. 2, 2-4; Mi. 4, 1-4, que
no debe ser considerado, en mi opinión, como postexílico.

Yahvéh era Dios. Aunque él no imaginó, de ninguna manera, que Israel pudiera perder el derecho a su posición de elegido, su mensaje proporcionó un puesto a los gentiles entre el pueblo de Yahvéh y tuvo un carácter decididamente misionero. Y aunque este ideal estuvo muy lejos de ser universalmente aceptado, no murió sino que fue perpetuado por los discípulos del gran profeta, como veremos. Con todo, la restauración había causado demasiadas desilusiones y agrias discusiones para admitir mucha amplitud de criterios. La comunidad tenía que luchar por su identidad como «Israel» contra el pueblo de Samaría y otros residentes en el país, cuya pureza religiosa era más que dudosa. Un mar de pueblos paganos o semipaganos les rodeaba por todas partes. Había que trazar rigurosamente los límites si se quería que la pequeña comunidad no se disolviera en su medio ambiente, perdiendo sus características como estaba ya perdiendo su propia lengua. Este peligro es el que llevó a Nehemías y Esdras a sus vigorosas medidas separatistas, como hemos visto.

Aparentemente, la reorganización que Esdras dio a la comunidad ponía un sello de exclusivismo y lanzaba al Judaísmo a un irrevocable repliegue sobre sí mismo. Así era y no era. Si bien sirvió para definir la situación de Israel frente al mundo con más fuerza que nunca, también le hizo más fluido. El nuevo Israel era a la vez más limitado y más amplio que el antiguo; más limitado porque no podía proclamarse miembro de él cualquier descendiente del antiguo Israel, sino sólo aquellos que prestasen obediencia a la Ley tal como había sido promulgada por Esdras; más amplio, ya que —la Ley no lo impedía, sino que más bien alentaba a ello— nada se oponía, en principio, a que los no-israelitas, deseosos de aceptar la carga de la Ley, fuesen admitidos en la comunidad. Seguía existiendo, pues, la tensión entre el universalismo y el particularismo, marchando paralelos al anhelo fervoroso por la conversión de los gentiles y el deseo de no tener ninguna clase de contacto con ello. Nunca desaparecería esta tensión, aunque la última actitud, comprensiblemente, tendía a disminuir.

b. *Tendencias particularistas: el ideal del pueblo santo*. La misma naturaleza de la comunidad judía hizo inevitable un separatismo estricto. El hecho de estar fundada en la Ley y entregada al ideal de mostrarse como el verdadero Israel, mediante su adhesión a la Ley, impuso límites a la tolerancia. Aquel ideal nunca podría ser realizado si los judíos comenzaban a mezclarse con los extranjeros o se mostraban demasiado tolerantes en su asimilación con ellos. El problema con que se enfrentaba la comunidad no era el tener que encontrar una estrategia que le permitiera cumplir las implicaciones universales de su fe, sino el tener una posición clara ante el mundo para proteger su identidad. Porque, si había judíos rigurosos en su actitud hacia los extranjeros, los había también que eran amplios, pero de una manera equivocada. Muchos de ellos sucumbieron gradualmente ante el atractivo de la cultura griega y perdieron por entero sus amarras religiosas. De hecho, toda la historia de la comunidad, que culminó en la crisis macabea, mostró claramente que debía estar separada: o ser judía o consentir en la desaparición del Judaísmo como entidad peculiar. No es sorprendente, en vista de lo que habían sufrido, que hubiera judíos que odiasen a los gentiles y les considerasen como enemigos de Dios y de la religión.

La nota de separatismo es dominante en la literatura del Judaísmo. Se creía que los judíos debían apartarse lo más posible del contacto con los gentiles y bajo ningún concepto asemejarse a ellos (p. e. Ep. Jr. v. 5); sobre todo, no se debían casar los hijos o las hijas con uno de ellos (Tob. 4, 12 ss.), porque hacer tal cosa era como una fornicación (Jub. 30, 7-10). Había, comprensiblemente, un fuerte sentimiento de que los judíos tendrían que unirse, en su calidad de judíos, si esperaban vencer a sus enemigos (cf. Ester). Tan grande como su aversión hacia los extranjeros era el desprecio que los judíos sentían por sus compañeros israelitas que se habían alejado de la Ley. Estos eran «malvados», «impíos», «mofadores», con los que no deberían tenerse relaciones (p. e. sal. 1). Ellos son los «sin Ley», que habían llegado a un compromiso con las maneras de los gentiles (p. e. I Mac. 1, 11). Los judíos piadosos los miraban con ardiente indignación mezclada de pena (p. e. sal. 119, 53, 113, 136, 158) y los juzgaban como hombres malditos (p. e. Eclo. 41, 8-10); algunos llegaban a declarar que debería negárseles la caridad (Tob. 4, 17). Pero su más profundo desprecio lo reservaban los judíos hacia los samaritanos. Ben Sira (Eclo. 50, 25 ss.) es quizá la expresión típica de lo que llegó a ser el sentimiento de los judíos hacia ellos, al colocarlos despectivamente en un nivel inferior al de los edomitas y filisteos, como un pueblo especialmente aborrecido por Dios.

En oposición a este terminante apartamiento respecto de los extranjeros, se nota en la comunidad judía un enorme orgullo de sí misma. Los judíos eran profundamente conscientes de su posición peculiar y se gloriaban de ella. Ellos pensaban, sin duda, como el cronista, cuyos relatos ignoran por completo la historia del norte de Israel, que el ideal teocrático de la heredad de Israel se había realizado en ellos. Estaban orgullosos de la posesión de la Ley (p. e. sal. 147, 19 ss.; Tob. 4, 19), orgullosos de su posición privilegiada como pueblo de Dios (p. e. Eclo. 17, 17) y de hablar la lengua usada por Dios en la creación (Jub. 12, 25 ss.), cuya ciudad santa era el centro de la tierra (Jub. 8, 19; I Hen. cap. 26). No sería honrado dejar de reconocer que este orgullo, por desagradable que pueda parecer, provocó un interés por el ideal de pueblo santo y por la convicción de que Israel nunca podría ser lo que estaba llamado a ser si se mezclaba con las naciones (p. e. Jub. 22, 16; cf. Arist. 128 ss.). Dígase lo que se quiera, era una especie de orgullo que engendraba responsabilidad;

servía para mantener viva la fe de Israel, como no se hubiera podido mantener con un espíritu más tolerante. Con todo, también ayudaba a producir un clima sentimental que apenas si tenía interés por la salvación de los paganos y pecadores. La actitud prevalente parece haber sido que éstos deberían ser dejados a su bien merecida suerte —actitud censurada, pero probablemente con poco éxito, por el libro de Jonás.

c. *La salvación de las naciones: tendencias universalistas en el Judaísmo.* Lo que acabamos de decir es, con todo, solamente la mitad de la verdad. Nunca se perdió del todo el sentido de la misión de Israel en el mundo. Especialmente después de la exposición de las implicaciones de la fe monoteísta, llevada a cabo por el Deuteroisaías, no se podía suprimir, y nunca fue suprimido, el problema del puesto de las naciones en la divina economía. El Deuteroisaías tuvo sus seguidores. Los profetas del período de la restauración, aun estando preocupados por la pureza religiosa de la comunidad, esperaban el tiempo en que los extranjeros se reunirían en Sión (p. e. Is. 56, 1-8; 66, 18-21; Za. 2, 11; 8, 22 ss.; Mal. 1, 11) (32). Es más, la Ley, lejos de poner obstáculos en este camino, se preocupaba por la recepción de prosélitos y les concedía igualdad de trato (Lv. 24, 22; cf. Ez. 47, 22). Por esta razón, ni siquiera el clima de separación que prevaleció después de la reforma de Esdras bastó para apagar el interés por la mies de las naciones. Se expresa repetidamente en la literatura de este período la creencia de que las naciones del mundo —o al menos sus supervivientes— volverían finalmente al Dios de Israel, mientras que en el culto del segundo santuario se proclamaba el dominio universal de Yahvéh y se afirmaba su triunfo sobre todas las gentes (p. e. sal. 9, 7 ss.; 47; 93; 96 a 99) (33). No faltaron quienes sintieron una obligación activa por ganar a los gentiles para la fe y se irritaban ante la estrechez de sus hermanos y la falta de seriedad con que tomaban su misión en el mundo. El autor del libro de Jonás era uno de ellos, y había otros espíritus no menos exaltados (p. e. Is. 19, 16-25; sal. 87). Hubo también judíos, conscientes de sus pecados y de la necesidad de perdón, que deseaban enseñar a los pecadores y hacerles volver al servicio de Dios (sal. 51, 13).

---

(32) Para la interpretación de Mal. 1, 11, cf. los comentarios; que sea o no una inserción (así p. e. F. Horst, *Die Twölf Keinen Propheten* [HAT, 1954] p. 267; K. Elliger, *Das Buch der Zwölf Kleinen Propheten* [ATD, 1956] pp. 198 ss.), carece aquí de importancia; es una voz del Judaísmo postexílico. Lo mismo puede decirse de Is. 66, 18-21 (cf. Muilenburg, IB, V [1956], pp. 768-772).

(33) No considero que los llamados salmos de entronización sean postexílicos (así H. J. Kraus, *Die Königsherrschaft Gottes im Alten Testament* [Tubinga, J. C. B. Mohr, 1951]). Pero ciertamente fueron utilizados en el culto de este tiempo y expresaban la fe judía. (Al parecer, posteriormente Kraus ha modificado un tanto su punto de vista; cf. *Psalmen* [BAKT, 2 vols., 1961] (ad loc.).

Este espíritu persistía incluso cuando el Judaísmo se replegaba progresivamente sobre sí mismo, bajo el impacto de la cultura pagana. Se seguía manteniendo la creencia de que las naciones retornarían algún día al culto de Dios (p. e. Tob. 13, 11; 14, 6 ss.; I Hen. 10, 21 ss.); Dios visitaría con su amorosa misericordia (T. Leví 4, 4) y salvaría a los gentiles justos juntamente con Israel (T. Neftalí 8, 3). Había quienes sentían la obligación de testimoniar su fe entre las naciones (p. e. Tob. 13, 3 ss.) y que comprendían que una conducta indecorosa deshonraba a Dios ante sus ojos (p. e. T. Neftalí, 8, 6). También había quienes, aun estando orgullosos de su Judaísmo, no atribuían a su raza ninguna intrínseca superioridad (p. e. Eclo. 10, 19-23), llegando a ver en los buenos gentiles cualidades que los podían hacer superiores a los judíos (T. Benjamín, 10, 10). Y aunque el Judaísmo nunca llegó a ser una religión misionera con un programa activo para ganar prosélitos, había judíos que se alegraban de que estos prosélitos fueran recibidos (cf. Judit. 14, 10). Lo cual queda atestiguado por el hecho de que *existían* estos prosélitos, y antes de los tiempos del nuevo Testamento se les podía encontrar por todas partes.

2. *Reflexiones teológicas en el primitivo Judaísmo.* En la literatura del primitivo Judaísmo se encuentra una tendencia hacia la reflexión teológica y un cierto grado de sofisticación del pensamiento, desconocido en el primitivo Israel. Aunque esta tendencia es más acentuada en la época posterior, se la observa también en el período que ahora estudiamos. La situación de la comunidad judía, por no hablar de la experiencia de muchos individuos, suscitaba problemas que los hombres reflexivos no podían eludir en modo alguno. Además, la expansión del helenismo había esparcido un fermento de nuevas ideas y nuevas rutas al pensamiento, que ineludiblemente marcaron su huella en la mentalidad judía. Los judíos se veían en la precisión de explorar áreas hasta entonces no investigadas. Al hacerlo así, echando mano frecuentemente, para sus intentos, de conceptos de origen griego o iranio —o, en el caso de grupos con propensiones escatológicas, de conceptos que se derivaban, en último término, de la literatura fenicia o aramea— ciertas creencias antes desconocidas obtuvieron vigencia en la teología judía (34).

a. *El gobierno y providencia divinas.* En el Judaísmo el monoteísmo triunfó en toda línea. Las polémicas proféticas contra los ídolos dieron sus frutos y la Ley puso su sello definitivo. Cualesquiera que hayan sido sus deficiencias, la religión de la Ley era vigorosamente monoteísta; no hizo concesión de ninguna clase a la idolatría y miraba a los dioses paganos con mofa (p. e. sal. 135, 12-21; Ep. Jr; Jub. 21, 3-5). A juzgar por la literatura del período del segundo Templo,

_____

(34) Para estas diversas corrientes de influencia, ver especialmente Albright, FSAC, pp. 334-380.

la idolatría cesó pronto de ser un problema dentro de la comunidad judía. Aunque se reprende a los judíos de toda clase de pecados, morales y sociales, y aunque se denuncia repetidamente la laxitud en guardar la Ley, están completamente ausentes las acusaciones de idolatría (35). No se permiten los cultos paganos en la restauración de Judá; los israelitas que participan en ellos no son reconocidos como judíos. Los judíos podrían dedicarse a la astrología o creer en la magia, pero adorar a los ídolos ¡nunca!

A decir verdad, en los tiempos en que la idolatría fue de nuevo problema, bajo la persecución de los Seléucidas, se puede decir que la batalla había sido ya ganada internamente. Aunque los judíos podían apostatar individualmente, el Judaísmo en cuanto tal no podía contemporizar con los ídolos, como lo había hecho la religión oficial, en el antiguo Israel, llegada la ocasión; la obstinación con que se resistió a Antíoco lo demuestra. El monoteísmo judío era intransigente. Incluso cuando se introducían las tendencias dualistas, éstas no pudieron mantenerse establemente, porque en el Judaísmo había lugar solamente para un poder supremo, que estaba sobre todas las cosas.

El Judaísmo afirmaba constantemente que todas las cosas se dejan ver bajo el gobierno y providencia de Dios, que es todopoderoso y justo, y cuyos caminos son inescrutables (p. e. Eclo. 18, 1-14; 39, 12-21; 43, 1-33). El lo gobierna todo de acuerdo con su Ley, que es eternamente válida, inmutable y segura (p. e. Jub. *passim);* según esta Ley recompensa a cada uno según sus méritos (p. e. Eclo. 35, 12-20; 39, 22-27). Todos los acontecimientos acaecen dentro de su presciencia (p. e. Eclo. 42, 18-21) y son guiados hacia su consumación en conformidad con sus eternos designios. El Judaísmo, en verdad, lograba combinar una noción muy estricta de predestinación con la convicción de que cada individuo es, al mismo tiempo, enteramente responsable de sus decisiones (p. e. Eclo. 15, 11-20).

La especulación respecto a los divinos misterios adquiere un notable desarrollo especialmente hacia el final de nuestro período. Aunque los judíos de mentalidad renovada declaraban que los caminos de Dios eran inescrutables (p. e. Ecles. 3, 11; 5, 2; 8, 16 ss.; Eclo. 3, 21-24), había otros círculos, de fuerte tendencia escatológica (recuérdese particularmente el libro de los Jubileos y las secciones más antiguas de I Hen.) que estaban sumamente interesados por ellas. Así el libro de los Jubileos amaña la historia conforme a los esquemas ordenados según los sábados de los años, en tanto que el

---

(35)   Estas acusaciones aparecen por última vez en Is. caps. 56 a 66, que nosotros datamos en las décadas posteriores al 538. Tampoco se encuentran acusaciones de esta índole en los profetas posteriores (p. e. Malaquías). La idolatría es mencionada en Za. 13, 2 de una manera totalmente incidental; cf. Horst, *op. cit.*, p. 257; Elliger, *op. cit.*, p. 172.

Apocalipsis de las Semanas (I Hen. 93, 1-14; 91, 12-17) divide en
diez semanas toda la marcha de los acontecimientos, desde la creación
hasta el juicio (nótese también los períodos del mundo en el libro de
Daniel). Los Jubileos y el I de Hen. nos cuentan cómo fueron revelados
a Henoc los secretos celestiales. Las elaboradas descripciones (I Hen.
caps. 12 al 36) de los viajes de Henoc hasta los confines de la tierra,
el šeol y el paraíso, en el transcurso de los cuales aprendió los misterios
cósmicos, se apoyan fuertemente sobre conceptos originariamente
nativos de la mitología de los pueblos vecinos a Israel. Con todo,
tales especulaciones, aunque fantásticas, ` evidencian un espíritu
profundamente inquisitivo, profundamente preocupado por los
problemas que, en última instancia, se relacionan con la divina
providencia.

b. *Ángeles e intermediarios*. La progresiva exaltación de Dios
trajo consigo un cierto número de interesantes consecuencias teológicas. El judío no se acercaba a Dios, bajo ningún concepto, con
familiaridad. Se había producido una reacción contra la manera de
hablar sobre Dios con términos antropomórficos, una fuerte acentuación del papel de los ángeles e intermediarios, a medida que Dios
era colocado por encima de todo contacto personal con los asuntos
humanos, y también una creciente resistencia a pronunciar el nombre
divino. No se sabe con certeza cuándo dejó de pronunciarse el nombre
de Yahvéh, pero parece que hacia el siglo III hubo una prevención
general contra esta pronunciación. Para remplazarla se acudió a un
número tan grande de sustitutos que la sola enumeración resultaría
fastidiosa. A la divinidad se la llamaba tanto Dios como Señor; o
Dios del Cielo, o Rey del Cielo (p. e. Tob. 10, 11; 13, 7), o simplemente Cielo (p. e. I Mac. 3, 18 ss.; 4, 40); Señor de los espíritus
(I Hen. 60, 6, etc.), Principio de los Días (I Hen. 60, 2; cf. Dn. 7,
9, 13), la Gran Gloria (I Hen. 14, 20), etc., etc. Con todo, el nombre
más popular parece haber sido el de Dios Altísimo (36). También
se desarrolló la tendencia a sustituir algún aspecto o cualidad de la
divinidad por su nombre: p. e. la Divina Sabiduría, la Divina Presencia, la Divina Palabra.

Esta última tendencia desembocó, a veces, en la personificación
—y ocasionalmente en la virtual hipostación— de aquella cualidad.
En nuestro período se personifica, con frecuencia, a la Sabiduría,
especialmente en los Proverbios y Ben Sira. Aunque no pasa de ser,
con frecuencia, un artificio poético, hay otros lugares donde es tomado
muy literalmente (p. e. de un modo especial en Prov. caps. 8 y 9)
cf. caps. 8, 22-31; Eclo. 1, 1-10; 24, 1-34, también, en un período

_____

(36)   Aparece veinticinco veces en los Jubileos, trece en Daniel, cuarenta y
ocho en Ben Sira, y con mucha frecuencia en otros lugares; cf. Charles, *op. cit.*, II,
página 67.

ligeramente posterior, la Sabiduría de Salomón 7, 25-27; 9-12; I Hen. 42, 1 ss.; etc.). La personificación de la sabiduría no tiene esencialmente nada helénico, sino que se deriva, en último término, del paganismo cananeo-arameo y está testificada en los proverbios de Ajicar (hacia el siglo VI). El texto de Prov. caps. 8 y 9 debe remontarse hasta un original cananeo de hacia el siglo VII, con raíces en una enseñanza cananea aún más antigua; la personificación de la sabiduría ha remplazado a lo que originariamente fue una diosa de la sabiduría (37). Esto no ofendió a los judíos ortodoxos, ya que ellos interpretaron el concepto de una manera totalmente simbólica y en modo alguno consideraban la sabiduría como una divinidad subordinada. En efecto, en algunos pasajes (p. e. Eclo. 24 y Pro. *passim*) la sabiduría es claramente un sinónimo de la Ley eterna. Pero, con todo, existía aquí un peligro. Cuando un poco más tarde comenzó a hablarse de la sabiduría como de una emanación de la divinidad (p. e. Sab. de Sal. 7, 25-27), colocada por encima y contra la materia, pudieron advertirse los comienzos de un gnosticismo judío. Se podría añadir que en el concepto paralelo de la divina Palabra (también de origen antiquísimo semita, no helénico), que juega un papel menos importante en el pensamiento judío, pero que está atestiguada algo después de nuestro período (Sab. de Sal. 18, 15 ss.), se halla el telón de fondo del Logos cristiano.

A medida que Dios era elevado por encima de todo contacto directo con sus creaturas, se asignaba un papel más importante a sus agentes angélicos. Se desarrolló una minuciosa angelología. Por supuesto siempre se había pensado a Yahvéh rodeado de sus servidores celestiales; pero el Judaísmo desarrolló esta faceta como nunca hasta entonces. Los ángeles aparecen como personas específicas, con sus nombres. Aparecen repetidamente (Tob. 3, 17; 5, 4; Dn. 8, 16; 10, 13; I Hen. 9, 1; etc.) cuatro arcángeles (Miguel, Gabriel, Rafael y Uriel). Parece que más tarde (pero cf. ya Tob. 12, 15), su número era siete; I Hen. cap. 20 enumera siete, cada uno con una función definida, y los llama «los ángeles que hacen guardia» (cf. Dn. 4, 13, 17, 23, pero en los Jub., I Hen. etc., los «guardianes» son ángeles caídos). Aunque la idea de siete ángeles principales es probablemente de origen iranio, atendido que los nombres de los cuatro primeros son de tipo conocido en la nomenclatura del siglo X y aun antes, es posible que las personalidades de estos ángeles deriven de antiguas creencias populares, cuya historia no podemos trazar (38). Debajo de

---

(37) Cf. Albright, FSAC, pp. 367-372; H. Ringgren, *Word and Wisdon* (Lund, Hakan Ohlssons Boktryckeri, 1947). Para un estudio profundo sobre ciertos mitos cananeos, cf. la sólida obra de G. del Olmo Lete, *Mitos y leyendas de Canaán según la tradición de Ugarit* (Madrid, Ediciones Cristianas, 1981 [vol. I; vol. II en preparación]).

(38) Cf. W. F. Albright, VT, Suppl. vol. IV (1957), pp. 257 s.; FSAC, pp. 362 s.

los arcángeles había una jerarquía completa de ángeles —«un millar de millares y diez mil veces mil» (p. e. I Hen. 60, 1)— a través de los cuales (cf. Jub. *passim*) lleva Dios a cabo sus relaciones con los hombres. Aunque esta angelología evolucionada no representaba una desviación de la fe de Israel, sino más bien un desarrollo exagerado de uno de sus elementos primitivos, ciertamente entrañaba el peligro, como siempre en tales creencias, de que en la religión popular se introdujeran intermediarios entre Dios y el hombre.

c. *El problema del mal y la justicia divina: Satán y los demonios.* El problema del mal y su relación con la justicia divina fue —muy comprensiblemente— particularmente agudo desde el exilio en adelante. La humillación nacional y los sufrimientos individuales de muchos israelitas requerían una explicación. En el primitivo Israel se creía que el mal era un castigo por el pecado, y a esta luz explicaban los profetas la caída de la nación, como hemos visto. El Deuteroisaías fue más lejos, evidentemente, y aconsejó a Israel aceptar sus sufrimientos como parte del plan redentor de Yahvéh. Con todo, podemos suponer que esta explicación era demasiado rarificada para convencer a las masas, aunque quedó establecido el ideal de una piedad humilde y sumisa, como notamos arriba. Israel, en general, aceptó la ecuación ortodoxa en su forma más estricta: el pecado conduce a un castigo físico, la rectitud hacia un bienestar material, en esta vida. Pero esta pura ortodoxia, aunque tenía su verdad, no bastaba para resolver la situación, como se pone bien claro en la más profunda discusión del problema que el mundo antiguo nos ha dado, en el libro de Job. También los hombres humildes lo conocían, y se lamentaban (Ml. 2, 17; 8, 3, 14).

Con todo, el Judaísmo, en general, estaba dispuesto a conformarse con la explicación ortodoxa. Desde el cronista (ca. 400), con su sentido de una relación causal estricta entre pecado y castigo, hasta el final de nuestro período, se proclama una y otra vez la seguridad —a menudo en labios de una amarga experiencia— de que, no obstante todo, Dios recompensará al bueno con cosas buenas y castigará al malo. Sin embargo, algunos tenían conciencia del problema y lo debatieron hasta los límites mismos de la solución ortodoxa, si no más allá (sal. 49, 73). Otros vieron en sus sufrimientos una enseñanza o una prueba y se los agradecían a Dios (sal. 119, 65-72; Prov. 3, 11 ss.; Judit 8, 24-27). Por supuesto, los judíos sabían que el justo sufre con frecuencia. Si lo hubieran olvidado, Antíoco se lo habría recordado. Los hechos de experiencia ponían a constante prueba la teodicea ortodoxa. El Cojélet (Eclesiastés), llegó hasta poner en tela de juicio su total validez (Ecles. 2, 15 ss.; 8, 14 ss.; 9, 2-6) (39). Por supuesto, no era el caso común. Pero aunque un

---

(39) Probablemente ya no se puede seguir manteniendo la tesis de una influencia griega sobre el pensamiento del Cojélet; cf. Albright, YGC, pp. 227 s.

Ben Sira (Eclo. 3, 21-24) podía aconsejar a sus discípulos no torturar sus mentes con las cosas que escapaban a su alcance, el problema no podía ser eludido.

A medida que los judíos se enfrascaban en este problema, comenzó a acentuarse el papel de Satán y sus esbirros. Tradicionalmente, Israel había atribuido, sin reflexión, la buena y la mala fortuna —y algunas veces las acciones humanas consideradas pecaminosas— (p. e. I S 18, 10 ss.; II S cap. 24) a la mano de Dios. Pero en el período postexílico creció la tendencia a atribuir el mal a Satán. La figura de Satán desarrollaba la antigua noción del demandante angélico o acusador, cuya función consistía, podría decirse, en actuar como «fiscal» en la corte celestial (cf. I R 22, 19-23); las primeras veces que aparece (Job caps. 1 y 2; Za. cap. 3), Satán no es un nombre propio, sino «el satán» (adversario). Más tarde, Satán aparece como un ser angélico que induce a los hombres al mal (I Cr. 21, 1 y cf. II S 24, 1), y todavía después como el príncipe de los invisibles poderes opuestos a Dios (así en Jub. pero especialmente en los Test. de los Patr.), llamado ya Satán, ya Mastema, o Beliar (Belial).

Aliadas con Satán estaban las huestes de los ángeles caídos (llamados «guardianes» en Jub., I Hen. y Test. Patr.), algunos de los cuales habían llegado a convertirse en la creencia popular en personalidades concretas, con sus nombres propios (p. e. Asmodeo en Tob. 3, 8, 17), o los enumerados en I Hen. cap. 6, con su jefe Semyaza. La función de estos ángeles caídos era tentar a los hombres e inducirles al pecado, y oponerse a los designios de Dios (cf. Jub. *passim*). En los Testamentos de los doce Patriarcas aparecían tendencias dualistas bien definidas. Se enfrentaba a Dios con Beliar, a la luz con las tinieblas, al espíritu del error con el espíritu de la verdad, al espíritu del odio con el espíritu del amor (p. e. Test. Leví, cap. 19; Test. Jud. cap. 20; Test. Gad. cap. 4). Dos caminos se presentan al hombre: andar por el sendero recto, bajo el gobierno de Dios, o andar por el sendero perverso, bajo el gobierno de Beliar (p. e. Test. de Aser, cap. 1). Esta tendencia dualista pudo derivarse indirectamente de la influencia irania, pero no es seguro. Los maestros más ortodoxos no la recibieron, al parecer, de buen grado, con el resultado de que fue disminuyendo su importancia en el Judaísmo posterior. Pero gozó de gran popularidad en los círculos de las sectas, como lo demuestran los textos de Qumrán, y ejerció su influencia en el cristianismo (especialmente en la literatura joanea y en las cartas paulinas tardías).

d. *La justicia divina: juicio y sentencia después de la muerte.* El primitivo Judaísmo ofrece claras muestras de una naciente creencia en la resurrección de los muertos, cosa de la que no existen testimonios

Pero pudo haber una influencia indirecta a través del espíritu del tiempo, que era inquisitivo y cuestionador. Para las pruebas de la influencia fenicia en el Cojélet, cf. M. Dahood, *Biblica*, 47 (1966), pp. 264-282 y una serie de artículos anteriores (recensionados *ibid.*, nota 2).

en la literatura israelita preexílica. Esta creencia era, sin duda, necesaria, si se quería armonizar la justicia divina con los brutales hechos de la experiencia. Los hombres reflexivos, incapaces de eludir la constatación de que, fuera la que fuere la enseñanza ortodoxa, el mal queda frecuentemente sin castigo y la justicia sin recompensa en esta vida, se veían cada vez más empujados a buscar una solución al problema más allá de la tumba. La noción de recompensas y castigos más allá de la muerte puede derivar, en parte, de la religión irania, donde estas creencias eran corrientes. Pero la influencia de las antiguas creencias populares relacionadas con el culto de los muertos era probablemente mas grande de lo que hasta ahora se había supuesto (40). El primitivo Israel conoció, indudablemente, una serie de creencias prácticas referentes a la veneración de los espíritus de los muertos, la adivinación y cosas parecidas. Y aunque esto fue drásticamente suprimido por la reacción profética, debido a que involucraban elementos incompatibles con el yahvismo normativo, es casi seguro que persistieron soterradas, para reaparecer más tarde, bajo una forma diferente y una exposición racional completamente diversa, proporcionando así un terreno abonado donde pudiera crecer la creencia popular en la vida futura. De cualquier modo, la idea de la resurrección comienza a aparecer esporádicamente, y como ensayo, en la literatura bíblica posterior, y hacia el siglo segundo era una creencia bien asentada (41).

Con todo, las alusiones a esta creencia en el antiguo Testamento son pocas y en su mayoría ambiguas. Algunas se encuentran en algunos salmos (sal. 49, 14 ss.; 73, 23-25; etc.). Aunque está lejos de ser cierto, y las opiniones están divididas, no debería negarse precipitadamente una interpretación de este tenor en vista de lo que se ha dicho más arriba (42). Y aunque también puede discutirse, es probable que la resurrección de los muertos buenos (Is. 26, 19) se enseñe en el «Apocalipsis de Isaías» (43). Solamente en el libro de Daniel (12, 1 ss.) hay pruebas de las creencias de que buenos y malos serán resucitados a una vida perdurable y a una ignominia eterna, respectivamente; y aun aquí la resurrección es selectiva, no universal. Hacia el final del siglo segundo se hallan escritores que no conocieron una tal creencia, o la negaron explícitamente. Entre éstos está el escéptico

---

(40)   Cf. W. F. Albright, «The high Place in Ancient Palestine» (VT, suppl. vol. IV [1967], pp. 242-258).

(41)   Para la discusión de las pruebas bíblicas, con bibliografía, ver H. H. Rowley, *The Faith of Israel* (Londres, S. C. M. Press, Ltd., 1956), cap. VI; también R. Martin-Achard, *De la mort à la résurrection d'après l'Ancien Testament* (París y Neuchatel, Delachaux y Niestlé, 1956).

(42)   Cf., sobre esta cuestión, M. Dahood, *Psalms III* (AB, 1970), pp. XLI-XLII. También se ha aducido Job, 19, 25-27. Pero aunque se siente que el autor está dando una respuesta de mayor profundidad que la que se podía dar desde la corriente ortodoxa, el texto es demasiado oscuro para justificar conclusiones.

(43)   P. e., Rowley, *op. cit.*, pp. 166 ss., y referencias aquí.

Cojélet (Ecles. 2, 15 ss.; 3, 19-22; 9, 2-6) y el ortodoxo Antígono de Sojo (según P. Aboth. 1, 3), y también Ben Sira (Eclo. 10, 11; 14, 11-19; 38, 16-23), quien, además, declara que la inmortalidad de un hombre está en sus hijos (Eclo. 30, 4-6) (a).

De este modo aparece claro que todavía hacia el final del Antiguo Testamento no era de ningún modo unánime la creencia en la vida futura. Los conservadores proto-saduceos, como Antígono y Ben Sira, se opusieron a ella (a), sin duda porque hallaron que era una innovación sin precedentes en la tradición, en tanto que otros, en este aspecto antecesores de los fariseos posteriores, se inclinaban a a abrazarla, porque solamente así podía armonizarse la justicia de Dios, sobre la que no admitían discusión, con los hechos de la experiencia. Es indudable que las persecuciones de Antíoco inclinaron el peso de la balanza. Como los hombres buenos eran brutalmente asesinados, o perdían la vida luchando por la fe, la creencia de que Dios vindicaría su justicia más allá de la tumba se convirtió en una absoluta necesidad para la mayoría de los creyentes. En el siglo segundo, y después, como veremos en I Hen. en los Testamentos de los doce Patriarcas y otros escritos, prevaleció la creencia en una resurrección general y un juicio final. Era una doctrina nueva, pero era la que se necesitaba para completar la estructura de la fe de Israel si se quería que esta fe siguiese siendo admisible. Aunque los saduceos nunca estuvieron de acuerdo con ella (cf. Mc. 12, 18-27; Hch. 23, 6-10), se convirtió en una creencia aceptada entre los judíos y triunfalmente reafirmada en el evangelio cristiano.

3. *La esperanza futura del primitivo Judaísmo.* Otra de las características del naciente Judaísmo, además de su exagerada acentuación de la Ley, fue su intensa preocupación por la inminente consumación del divino propósito. Aunque esto, por supuesto, prolongaba la característica de promesa inherente a la fe de Israel desde sus comienzos, también, aquí como en otras partes, se observan notables avances. La esperanza nacional del Israel preexílico, rebasando sus antiguos moldes y apuntando hacia el futuro, desembocó a la larga en una escatología completamente formada, aunque no del todo acabada. En este proceso se reinterpretaron las antiguas formas y se emplearon otras nuevas.

a. *El exilio y la reinterpretación de la esperanza de Israel.* Describir la esperanza del Israel preexílico como una escatología, o no, es cuestión de terminología (44). Pero la fe de Israel había tenido siempre una orientación escatológica en cuanto que tendía la mirada hacia el triunfo del proyecto y de la providencia de Yahvéh. No obstante, en

---

(a) y (a) Ver la nota (a) del traductor, p. 16.

(44) Mowinckel, por ejemplo, rehúsa hacerlo; cf. *He That Cometh* (Oxford, Blackwell; Nashville, Abingdon Press, 1956), pp. 125-133. Pero su definición me parece demasiado restringida para ser utilizable; cf. J. Lindblom, *Prophecy in Ancient Israel* (Oxford, Blackwell, 1962), pp. 360 y ss.

el Israel preexílico la esperanza estaba ligada a ·la nación existente y se la veía como la continuación y consumación de la historia nacional. Se creía que Yahvéh restablecería a Israel, le daría la victoria sobre sus enemigos y una felicidad sin término bajo su benéfico gobierno. En estas esperanzas populares, ligadas al día de Yahvéh y a la teología oficial del Estado davídico tenía sus raíces la noción de Mesías. Aunque los profetas, al condenar a la nación por sus pecados y hacer depender su posible bienestar de la obediencia, llevaron esta esperanza más allá del orden existente y del juicio que estaba para venir, la esperanza popular persistió tanto cuanto duró la nación.

El exilio puso fin a todo esto. Ya no era posible esperar por más tiempo que la nación continuara su existencia, que se produjera el advenimiento de un davídico ideal —quizá el siguiente— que restaurara su suerte. El colapso de la nación borró radicalmente las esperanzas del culto nacional y de la teología dinástica. Pero puesto que la esperanza de Israel no había tenido su origen en la monarquía, tampoco desapareció con ella. Los profetas del exilio la alimentaron apuntando hacia una nueva y definitiva intervención, un nuevo éxodo, a través del cual Yahvéh redimiría a su pueblo de la esclavitud y volvería a establecer bajo su protección. Aunque no faltan en ellos ecos de la antigua esperanza dinástica (p. e. Ez. 34, 23 ss.; 37, 24-28), con todo, estos ecos no son nucleares; a decir verdad, faltan casi por completo en el Deuteroisaías. Los judíos exiliados esperaban el gran día del derrumbamiento de Babilonia y la liberación de Israel (p. e., Is. 13, 1 a 14, 23; 34; 35; 63; 64). Así el Día de Yahvéh, en otro tiempo día de la venganza de la nación, convertido por los profetas en día del juicio de la nación, cobró nueva importancia como día en el que Yahvéh juzgaría, en el contexto de la historia, el poder tiránico y devolvería a su pueblo su tierra.

Pero la restauración que dio cumplimiento a esta esperanza, produjo también una frustración. Como se anotó antes, no respondía ni remotamente a las brillantes promesas de los profetas (a). A pesar del retorno a Palestina y la reedificación del Templo, el cumplimiento de la esperanza pertenecía, obviamente, al futuro. No podía expresarse esta esperanza en una reavivación de la antigua teología dinástica, como lo mostró con cruel claridad el caso de Zorobabel. La esperanza no podía volver a sus antiguas formas, ni contentarse con el presente, o con algún acontecimiento que pudiera tener lugar fuera del presente. Tenía que encontrar nuevas formas, o ser abandonada por completo. Pero aunque algunos pudieron estar dispuestos a admitir la teocracia postexílica como una realización suficiente del proyecto divino en la historia, y preocuparse muy poco por el futuro (45),

_____

(a)   Ver nota (a) del traductor, p. 16.
(45)   Algunos creen que el cronista estaba inclinado en esta dirección; cf. W. Rudolph, VT, IV (1954), pp. 408 s. Aunque hay, desde luego, un elemento de

el Judaísmo, en cuanto un todo, no podía tomar este rumbo, que habría significado el abandono de un rasgo fundamental en la fe ancestral de Israel, privándole de todo sentido histórico y corrompiendo, por ende, su carácter esencial. Aunque la absolutización de la ley prestó al Judaísmo una cierta cualidad estática, nunca fue llevado hasta el extremo. El Judaísmo conservaba su esperanza futura y, al mismo tiempo, la intensificaba, no esperando ya un desenvolvimiento fuera de la situación presente, sino más. bien un cambio radical y la inserción en el presente de un futuro nuevo y diferente.

b. *Desarrollo de la escatología hacia el final del período paleotestamentario.* Muchas de las formas en que antes se había expresado la esperanza juegan un papel muy reducido en el período postexílico. Apenas se menciona al Mesías (rey davídico) en el Antiguo Testamento, después de Ageo y Zacarías. Por supuesto, siendo la escatología judía fuertemente nacionalista, volvió con toda naturalidad al ideal de David. Así, por ejemplo, Abdías (vv. 15-21) preveía para el día de Yahvéh una restauración que tendría aproximadamente los mismos límites que el imperio de David; incluso el cronista, aunque es muy poco escatológico, deseaba una rehabilitación de las instituciones cúltico-nacionales «según el mandato de David» (Esd. 3, 10; Ne. 12, 45; etc.). Pero, a excepción de pasajes como Za. 9, 9 ss.; 12 1 a 13, 6, no hay relación específica entre la esperanza y una figura regia, o de la casa de David (46). Esto no significa que se hubiera dejado de lado la esperanza de un Mesías. En los Testamentos de los doce Patriarcas se espera un rey de Judá, aunque es superado en dignidad por el sumo sacerdote de Leví (47). Asimismo, la secta de Qumrán esperaba un Mesías de Aarón y un Mesías de «Israel», con una posición preeminente del primero. Y, por supuesto, continuaba siendo fuerte, en los tiempos neotestamentarios, la esperanza de un Mesías político. Pero el Mesías no juega un papel central, ni siquiera esencial en la escatología judía. Incluso allí donde están específicamente presentes las esperanzas mesiánicas, no se refieren al orden existente, como en el antiguo Israel, sino a una figura que Dios levantaría para establecer un orden nuevo. En realidad, en la literatura apocalíptica, la figura del Mesías tendía a confundirse con la de un libertador celestial que vendría en los últimos tiempos.

---

verdad en ello, no debe ser exagerado; cf. W. F. Stinespring, JBL, LXXX (1961), pp. 209-219.

(46)   Y posiblemente hay también material preexílico en Za. 9, 9 ss. (cf. Horst, *op. cit.*, pp. 213, 247 ss.), aunque el contexto en que ha sido transmitido es posexílico.

(47)   P. e., Test. Simeón, cap. 7 y *passim*. Es discutible que se pueda hablar, o no, de un «Mesías» de Leví en sentido técnico; cf. E. Bickermann, JBL, LXIX (1950), pp. 250-253. El líder levítico es el cumo sacerdote ungido, que está al lado y precediendo al rey ungido.

Del mismo modo, juegan un papel exiguo otros antiguos esquemas. Probablemente la mayoría de los judíos creían que la comunidad de la Ley *era* el resto purificado de Israel, a quien se había dado la nueva alianza prometida: los judíos fieles constituían la comunidad en cuyo centro estaba la Ley (sal. 37, 31; 40, 8; cf. Jr. 31, 31-34). Ciertamente, algunos no podían darse por satisfechos con esto, por ejemplo la secta de Qumrán, que se tenía a sí misma por el pueblo de la nueva Alianza, y los cristianos, que afirman que la nueva Alianza ha sido dada por Jesucristo. Pero, aunque los judíos miraban por encima de la presente mala época hacia un fúturo de obediencia más perfecta a la ley (p. e., Jub. 23, 23-31), la esperanza de una nueva Alianza tenía, en general, poca cabida en su pensamiento. Acerca del siervo de Yahvéh oímos menos todavía. De hecho, en la literatura de este período apenas si existe algún vestigio de un redentor humilde y manso, sea el que fuere (48). Aunque Israel había comprendido perfectamente que debía mostrarse como siervo de Dios aun en sus sufrimientos, y aunque hizo de la humildad y la sumisión el ideal de su piedad, no parece haber visto jamás en el siervo de Yahvéh el esquema de una futura redención (49).

A lo largo de todo el período postexílico el esquema dominante es el del día de Yahvéh, del que hemos hablado antes. Es imposible una descripción sistemática de este evento, que es capital en toda la literatura profética posterior, porque no se presenta bajo una forma única. Algunas veces se le concibe como incluyendo una restauración nacional (libro de Abdías), otras como el juicio purificador de Dios sobre su propio pueblo (p. e., Mal. caps. 3 y 4), a veces como un rejuvenecimiento de la creación a continuación del juicio (p. e., Is. caps. 65 ss.), o como un desbordamiento de dones carismáticos, junto con portentos asombrosos (p. e., Joel, 2, 28-32). Una posición prominente ocupa la descripción del conflicto escatológico entre Dios y sus enemigos, que se encuentra en varios pasajes (p. e., Ez. capítulos 38 y 39; Joel cap. 3; Za. cap. 14). Común a todos estos pasajes es la noción de una embestida final de las naciones contra Jerusalén, en la que interviene Dios con cataclismos y maravillas, derrotando al enemigo con tremenda carnicería y estableciendo a su pueblo para siempre en paz. El llamado «apocalipsis de Isaías» (caps. 24 al 27),

----

(48)   Se pueden entrever rasgos del Mesías y del Siervo doliente en Za. 9, 9 ss. (cf. Elliger, *op. cit.*, p. 150; pero cf. la nota 47 supra). Zacarías 12, 10 es demasiado oscuro para justificar conclusiones. C. C. Torrey (JBL, LXVI [1947], pp. 253-278) ha visto aquí, y en otros lugares, la influencia de Is. cap. 53 y alude a la idea de un Mesías de Efraím, que debería sufrir; pero esto es más que discutible.

(49)   Hay pocas pruebas de que los judíos esperaran un redentor doliente; cf. H. H. Rowley, «The Suffering Servant ant the Davidic Messiah» (*Oudtestamentische Studiën*, VIII [1950], pp. 100-136; reimpreso en *The Servant of the Lord* [Londres, Lutterworth Press, 1952], pp. 61-88. La comunidad de Qumrán no es una excepción.

es similar. Aquí el día de Yahvéh sobreviene con todo el poder destructor de un nuevo diluvio (24, 18), destruyendo a los malvados; habiendo sido aherrojados los enemigos de Yahvéh, celestiales y terrenos (24, 21 ss.), sobreviene su exaltación y la fiesta de su coronación (24, 23; 25, 6-8); la muerte es abolida, los muertos justos resucitan (26, 19) y el enemigo, el monstruo Leviatán (27, 1), es aniquilado.

Así vemos que el esperado «esjaton», aunque todavía considerado dentro de la historia, ya no es concebido como una continuación, ni siquiera como una mejora radical del orden existente, como se pensaba en el antiguo Israel, sino más bien como una intervención divina catastrófica que daría comienzo a un orden nuevo y diferente. Aunque se consideraba este nuevo orden como un retorno a todas las glorias del pasado, reales e imaginarias, no era, sin embargo, una mera recreación del pasado, sino más bien una edad nueva, que aparecería después del juicio, como la consumación del proyecto de Dios en la historia. Los judíos esperaban este gran clímax, y no sólo los judíos de tendencias escatológicas, sino los judíos en general. Incluso una persona tan sensata como Ben Sira pedía a Dios, con elocuencia, que apresurase el día del triunfo de Israel, en que Sión sería glorificada, se cumplirían todas las profecías y todas las naciones reconocerían a Dios como Dios (Eccl. 36, 1-17).

c. *La aparición de la apocalíptica.* Cuando el período del Antiguo Testamento estaba llegando a su fin, la escatología judía comenzó a expresarse a sí misma bajo una forma nueva, conocida como apocalipsis, y con ella entró en una nueva fase. La apocalíptica gozó de una enorme popularidad, al menos en ciertos círculos, entre el siglo segundo aC. y el primer siglo cristiano. Aunque la Biblia contiene sólo dos ejemplos de literatura apocalíptica, el libro de Daniel en el Antiguo Testamento y el «Apocalipsis» de San Juan en el Nuevo, se produjo una gran cantidad de escritos semejantes, que no fueron admitidos en el canon. Aunque la mayoría de estas obras aparecieron después del período que nos ocupa, es preciso decir algunas palabras sobre ellos, si nuestra descripción de la escatología del primitivo Judaísmo quiere ser completa (50).

Apocalipsis quiere decir «revelación». Se propone revelar en lenguaje esotérico los secretos y exponer el programa de los últimos acontecimientos, que se creía estaban para llegar de un momento a otro. Es imposible una descripción sistemática de lo apocalíptico,

---

(50)   Para más completa discusión, ver las referencias de la nota 1; también P. Volz, *Die Eschatologie der Jüdischen Gemeinde im neutestamentlichen Zeitalter* (Tubinga, J. C. B. Mohr, 2.ª ed. 1934); H. H. Rowley, *The Relevance of Apocalyptic* (Londres, Lutterworth Press, 1944); Mowinckel, *op. cit.*, pp. 261-450; D. S. Riissell, *The Method and Message of Jewish Apocalyptic* (OTL, 1964); P. D. Hanson, *The Dawn of Apocalyptic* (Filadelfia, Fortress Press, 1975); *idem*, IDB Suppl., pp. 28-34.

porque era todo menos sistemático, como, para desaliento propio,
sabe el que ha leído los seudoepígrafes. Los autores de tales escritos
estaban convencidos de que aquella edad tocaba a su fin, y que los
acontecimientos de su tiempo daban señales de que la lucha cósmica
entre Dios y el mal, de la cual la historia terrena era un reflejo, estaba
llegando a su punto culminante. Intentaban describir el desenlace
inminente, el Juicio final, la vindicación de los elegidos y su felicidad
en la nueva era a punto de aparecer. La apocalíptica se caracteriza
por el recurso a la seudonimia. Puesto que la era de la profecía había
terminado, los apocaliptas se veían obligados, por ser sus trabajos
de naturaleza profetizante, a poner sus palabras en boca de los profetas y hombres ilustres muertos hacía tiempo. Eran aficionados a describir extrañas visiones, en las que las naciones y los individuos históricos aparecen bajo forma de bestias misteriosas. Manipulando los
números intentaban calcular el tiempo exacto del fin, que sería pronto. Reinterpretaban las palabras de los profetas anteriores para demostrar cómo se estaban cumpliendo, o como estaban a punto de
cumplirse (51). Se observa en ellos una marcada tendencia dualista. La lucha de la historia es considerada como el reflejo de la lucha
cósmica entre Dios y Satán, entre la luz y las tinieblas. El mundo, des-
carriado por los ángeles caídos y manchado por el pecado, está sometido a juicio; es un mundo malo, un mundo en rebelión contra
Dios, un mundo secular, un mundo casi demoníaco. Con todo, no
se dudaba de que Dios lo mantenía a raya y vendría pronto, como
juez del mundo, destinando a Satán y a sus ángeles, y a aquellos
que les habían seguido, al castigo eterno, y salvando a los suyos. La
escatología aparece así en una nueva dimensión. Lo que se espera
no es ya un cambio de rumbo en la historia, por dramático que se le
suponga, sino un nuevo mundo (edad), más allá de la historia.

Los antecedentes de la apocalíptica son variados y complejos.
Su raíz principal, teológicamente hablando, residía en la futura esperanza de Israel, concretamente en el concepto del día de Yahvéh,
tal como se había desarrollado en los discursos proféticos de finales
del período del Antiguo Testamento. Pero dado que en las profecías
del Antiguo Testamento faltan los rasgos distintivos de la apocalíptica que acabamos de notar, es evidente que tuvo lugar un considerable préstamo, venido de fuera. Piénsese, en particular, en la
tendencia al dualismo, en la noción de juicio final y en el fin del
mundo por el fuego, en la división de la historia en períodos del

---

(51) Los ejemplos se podrían multiplicar: p. e. en Dn. 9, 24-27, los setenta
años de exilio de Jr. 29, 10, etc., se convierten en setenta semanas de años; en la
ep. de Jr., v. 3, los setenta años se comvierten en setenta generaciones. La avidez
con que los judíos reaplicaban las profecías está espléndidamente ilustrada, un
poco más tarde, en el comentario de Habacuc y en otras obras semejantes de
Qumrán.

mundo, así como también en numerosos rasgos individuales de las descripciones de los secretos cósmicos, como los que encontramos, por ejemplo, en I Henoc. Es indudable que algunos de estos elementos (p. e., las tendencias dualistas), representan conceptos iranios que fueron asimilados por la religión popular judía y posteriormente se desarrollaron en ella. Otros se apoyan en motivos de la antigua mitología, una vez más absorbidos y adaptados por la religión popular, y hay otros, en fin, cuyo origen es incierto (52). Podemos suponer que a medida que la esperanza era repetidamente frustrada, a medida que una amarga experiencia hacía creer que el mundo presente era irremediablemente malo, la confianza, en una salvación divina, que de ninguna manera podía ser abandonada, iba siendo progresivamente proyectada más allá de la época presente y más allá de la historia. Y al echar mano de nuevas formas para dar expresión a esta esperanza, nació la apocalíptica.

En esta literatura encontramos por vez primera la figura del «hijo del hombre». En Dn. 7, 9-14 se nos dice que «uno semejante a un hijo de hombre» recibió del Anciano de Días el reino eterno. Muchos eruditos entienden aquí por «hijo de hombre» una figura corporativa que representaba a «los santos del Altísimo» (como las cuatro bestias representaban los poderes del mal de esta tierra), pero otros creen que se refiere a un redentor individual. Más tarde, en las secciones últimas de I Henoc (caps. 37 a 71), el hijo del hombre aparece claramente como un libertador celestial preexistente (53). Por más que es discutida la identificación específica del hijo de hombre con el mesías davídico, cuando menos su función era interpretada mesiánicamente, ya que es llamado el «ungido» (48, 9 ss.), y descrito como gobernando sobre todo el reino de los santos (p. e., caps. 51; 69, 26-29). Los orígenes de este redentor cósmico, aunque comúnmente considerados como iranios, pueden muy bien remontarse hasta figuras antiquísimas del mito oriental cuando éstas se fundieron, en el pensamiento popular, con el concepto de mesías davídico (54). Es bien conocida la importancia del hijo del hombre en la mentalidad del Nuevo Testamento, y nosotros creemos que también en la del mismo Señor.

---

(52) Cf. Albright, FSAC, pp. 361-363. Para el modo cómo los antiguos motivos mitológicos seguían perviviendo —aunque de forma atenuada— en la ideología de la realeza, hasta desembocar en la apocalíptica, cf. F. M. Cross, «The Divine Warrior» (*Biblical Motifs*, A. Altmann ed. [Harvard University Press, 1966], pp. 11-30 (cf. pp. 14, 18, etc.). Para una sólida argumentación en contra de las influencias iranias, cf. P. D. Hanson, *op. cit.* (en nota 50).

(53) Recientemente, por ejemplo, R. A. Bowman, IB, VI (1956), pp. 460 ss.

(54) Cf. especialmente Albright, FSAC, pp. 378-380 para esta cuestión. Aunque puede haber en el fondo rasgos míticos, no es probable que se deban a préstamos recientes; cf. Cross, *ibid.*

La apocalíptica manifiesta espléndidamente la habilidad de Israel para copiar y adaptar y aun para hacer propio lo copiado. Representaba una legítima, aunque extraña expresión de su fe en Dios, soberano Señor de la historia. No puede negarse que desembocó en una especulación extravagante e inútil, y que dio origen a toda suerte de vanas e imposibles esperanzas. Pero sostenía la esperanza cuando todo parecía perdido en el escenario actual, afirmando que Dios gobierna, y gobernará en el día del juicio al final de la historia. No es nada sorprendente que la apocalíptica goce de renovada popularidad en todos los períodos de crisis, y no en último término en la era atómica. Los judíos esperaban la consumación, sostenidos por su escatología. Y, mientras tanto, guardaban la ley, que era el medio de que Dios se servía para gobernarlos, entonces y ahora. Solamente obedeciendo a la Ley podían mostrarse a sí mismos como el pueblo de Dios y estar seguros de su favor, en esta época y en las épocas por venir.

HACIA LA PLENITUD DE LOS TIEMPOS

HEMOS TRAZADO la historia de Israel desde las migraciones de sus antepasados a comienzos del segundo milenio aC. hasta el final del período paleotestamentario. Hemos visto cómo se desenvolvió su religión, efectuando repetidas adaptaciones y afirmándose al propio tiempo en su estructura esencial, desde la fe de la antigua liga tribal, a través de la época del Estado nacional, hasta convertirse después del exilio en la forma de religión conocida como Judaísmo. Ha sido un largo camino, y no podemos seguir más adelante. Con todo, el hecho mismo de que nuestra historia, aunque llevada hasta el fin del Antiguo Testamento, haya sido interrumpida allí donde lógicamente no está el término, provoca una pregunta que el reflexivo lector se habrá hecho por anticipado, y que nos exige unas pocas palabras más como conclusión. Es a la vez una cuestión práctica y de fundamental importancia teológica. ¿Cuál es el destino de la historia de Israel? ¿Hacia dónde apunta? ¿Dónde termina?

1. *El término de la historia de Israel: problema histórico y teológico.* La pregunta se relaciona, de una manera inmediata, con el problema práctico del lugar exacto en que concluye la historia de Israel. No hay una respuesta unánime para esta pregunta. Cualquier punto que se elija debe de ser necesariamente algo arbitrario, ya que la historia de Israel, protagonizada por el pueblo judío, no ha finalizado de hecho, sino que continúa hasta el presente. Sin embargo, el final del período del Antiguo Testamento suministra —así lo creemos— un término tan justificado como ningún otro. A decir verdad, el estallido de la revuelta macabea no es, evidentemente, el fin, sino el comienzo de una nueva fase de la historia, que es llevada, a su vez, hacia otra fase, y ésta hacia otra algo diferente. Delante de nosotros queda el esfuerzo, logrado, de la lucha por la independencia bajo Judas Macabeo y sus hermanos Jonatán y Simón; el gobierno de los reyes-sacerdotes hasmoneos (Juan Hircano —135 a 104— y sus sucesores); la conquista de Palestina por los romanos (63 aC.) y los años de gobierno romano; y finalmente, las revueltas de dC. 66-70 y 132-135. Ya que estas últimas significan el fin efectivo de la vida de la comunidad judía en Palestina, podría parecer que ellas proporcionan la conclusión lógica de la historia de Israel. Y varios histo-

riadores lo han visto así (1). Sin embargo hay poderosos inconve-
nientes para llegar tan lejos, no siendo el menor la urgencia de espacio. Esta continuación obligaría a discutir no sólo los documentos
de Qumrán y todo lo relacionado con las sectas judías (lo cual, por
otra parte, cree el autor que sobrepasa su competencia real), sino
también el curso de la vida de Nuestro Señor y la historia de los orígenes del cristianismo. Pues omitir este último punto (ciertamente
más significativo que los nombres de los procuradores romanos)
sería históricamente —y, desde un punto de vista cristiano, también
teológicamente— inadmisible. Mejor es terminar un poco antes
que omitir lo que de ninguna manera puede ser omitido. Es más, la
última revuelta judía, aunque significó un magnífico esfuerzo, no
fue, al menos hablando desde un punto de vista religioso, el término
de un proceso que arranca de mediados del período tanaítico.

Ha parecido, pues, prudente terminar nuestra historia allí donde
termina el Antiguo Testamento. Por aquel tiempo había concluido
ya la larga transición que venía desde el exilio y, a fortiori desde
Nehemías y Esdras, y había aparecido el Judaísmo, aunque no completamente estructurado y todavía fluido. Se puede decir que en
este punto había terminado la historia de Israel *como Israel*, para continuar como historia del Judaísmo. A decir verdad, aparte el Judaísmo, Israel no tuvo ya una real importancia histórica. Ciertamente
continuó existiendo un resto de la comunidad cúltica del norte de
Israel (los samaritanos) como una entidad definida —y aún continúa— pero solamente como un fósil curioso, de mínima importancia histórica. Ya que el destino de la historia de Israel fue el Judaísmo, con su resurgimiento queda justificada nuestra idea de que
hemos ejecutado nuestra tarea. Lo que reste puede adjudicarse a la
historia del pueblo judío o, desde otro punto de vista, a la historia de
los tiempos del Nuevo Testamento. Con todo, no debe olvidarse que
en el Judaísmo se continúa la historia de Israel hasta el día de hoy,
y continuará, estamos seguros, mientras dure el mundo y haya en él
hombres que reconozcan la llamada del Dios de Israel.

Pero la cuestión arriba planteada era entendida también como
cuestión teológica. ¿Cuál es, pues, el destino *teológico* de esta historia? ¿Cuál es el término de esta larga peregrinación de la fe? ¿Dónde
encontrará su consumación este profundo sentido del pueblo elegido,
esta esperanza viviente en las promesas de Dios? O ¿no existe ya consumación y la esperanza es desengaño? Estas preguntas no pueden
ser respondidas por el historiador mediante el análisis de los hechos,
sino por cada hombre en conformidad con la fe que habita en él.
Y con todo, son las preguntas más importantes. Es más, son suscita-

---

(1)   Por ejemplo, en inglés: Noth; HI, Oesterley y Robinson, *History of Israel* (Oxford, Clarendon Press, vol. II, 1932); P. Heinisch, *History of the Old Testament* (traducción de la Liturgia Press, 1952).

das por el mismo Antiguo Testamento, dado el hecho de que su historia termina «in medias res», sin conclusión, en una postura de ansiosa espera. El Antiguo Testamento nos informa acerca de la historia de Israel. Nos permite ver la naturaleza de su fe y la manera cómo se desarrolló su contenido intrínseco y sus instituciones externas bajo la forja de la historia. También nos permite ver cómo respondía Israel a las exigencias de su fe, a veces con leal obediencia, a veces con crasa incomprensión y desobediencia, pero, en todo tiempo, obedeciendo o desobedeciendo, sin cesar nunca de proclamar su condición de pueblo de aquella fe. El Antiguo Testamento nos presenta también esta historia —porque así lo creía el mismo Israel— como la realización del proyecto divino, declarando que Dios había elegido a Israel de entre todas las familias de las naciones para ser su pueblo peculiar, para servirle y obedecerle, y para recibir sus promesas. El Antiguo Testamento declara, además, que la promesa tiende hacia su cumplimiento, hacia el triunfo final del gobierno de Dios sobre el mundo. Es decir, que el Antiguo Testamento presenta la historia de Israel como una historia de redención y de promesa, una «historia de salvación» una «Heilsgeschichte». Con todo, también, y al mismo tiempo, nos presenta una historia de rebelión, fracaso, frustración y el más amargo desengaño, en la que la esperanza a menudo se resquebraja, es siempre diferida y, en el mejor de los casos, sólo parcialmente realizada. Es, en resumen, una *Heilsgeschichte* que en ningún momento llega hasta la salvación *(Heil)* en las páginas del Antiguo Testamento; es una *Heilsgeschichte* que no es todavía *Heilsgeschichte:* una historia sin término teológico.

Ciertamente, ninguna de las formas en que Israel puso su esperanza de una felicidad futura encontró en los tiempos del Antiguo Testamento algo que se pareciera, siquiera remotamente, a un cumplimiento. Ningún príncipe de la casa de David llegó a restaurar la prosperidad de la nación. No se dio ninguna afluencia de pueblos que reconociera los actos poderosos de Yahvéh y se sometiera a su gobierno triunfal. No tuvo lugar ninguna intervención escatológica con portentos y maravillas que trajera el nacimiento de la edad nueva. Y con todo, a pesar de las numerosas frustraciones, no se perdía, sino que se intensificaba la esperanza. Cuando la historia del Antiguo Testamento llega a su fin, contemplamos a Israel adhiriéndose a su ley, bajo el yugo de la persecución, dirigiendo su vista hacia el futuro de Dios, convencido de que el tiempo estaba ya a las puertas. Pero, de nuevo ¡no! Aunque la guerra macabea fue más victoriosa de lo que cabía esperar, no desembocó en *esjaton*, sino solamente en un Estado hasmoneo, lo cual, lejos de ser el cumplimiento de la promesa, era una situación que desagradaba a muchos de los mejores judíos y repugnaba positivamente a otros. Además, no duró. Al poco tiempo aparecieron las legiones romanas y finalizó la independencia judía. Y la historia continuaba y avanzaba, pero no hacia el ansiado *telos*.

2. *¿Adónde va Israel? Sectas y partidos en el Judaísmo.* Actuando como catalizador la guerra macabea, el Judaísmo comenzó a cristalizar en el siglo segundo y a tomar la forma que tendría en los tiempos del Nuevo Testamento. Con todo, la situación era tal que suscitaba con renovada intensidad la pregunta de lo que debería ser el futuro del Judaísmo. Aunque esta pregunta apenas si se planteaba y debatía de una manera abstracta, constituía, sin embargo, una realidad palpitante, acerca de la cual había poco acuerdo. El Judaísmo no consentiría en convertirse en un culto helenista más, esto era claro. Los judíos seguirían siendo un pueblo separado, viviendo bajo su ley y con la confianza de que Dios los vengaría. Pero había divergencia de opiniones acerca de cómo sucedería esto y qué sendero debería tomar el Judaísmo mientras tanto. Un síntoma de estas divergencias lo constituyen las sectas y partidos que se fundaron durante las últimas centurias precristianas.

Estaban, por supuesto, los saduceos. Estos tomaban su fuerza principal de la aristocracia sacerdotal y de la nobleza secular asociada a ellos, aquella misma clase que en los días de los Seléucidas había estado bastante contagiada de helenismo. En cierto sentido podían proclamarse conservadores, puesto que sólo concedían autoridad a la torá, negándosela por completo al cuerpo de Ley oral desarrollado por los escribas. Rechazaban también nociones tan novedosas como la creencia en la resurrección, la recompensa y el castigo después de la muerte, la demonología y angelología, y, en general, toda especulación apocalíptica. Es probable que su principal interés radicara en que se continuara el culto del Templo y en el que la Ley, especialmente en sus facetas rituales y sacrificiales, fuera cumplida, bajo la supervisión del sacerdocio constituido. Fuera la que fuese su opinión sobre el proyecto último de Dios para Israel, su objetivo actual era procurar que aquel *status quo* se mantuviera. Siendo hombres prácticos en los asuntos del mundo, estaban dispuestos a hacer considerables concesiones para conseguirlo, prontos a cooperar con los gobernadores seculares, ya fueran los reyes-sacerdotes hasmoneos, de amplísima mentalidad (que pertenecían a su misma clase), ya los procuradores romanos, temiendo ante todo cualquier disturbio que pudiera romper el equilibrio, y por eso encontraron peligroso a Jesús. Para ellos, en efecto, el futuro del Judaísmo consistía en continuar como una comunidad de culto hierático, bajo la Ley del Pentateuco.

Sus oponentes más notables fueron los fariseos (2). Estos continuaban la tradición de los *jasidim* de los tiempos macabeos, aquel grupo

---

(2) Cf. especialmente L. Einkelstien, *The Pharisees*, (The Jewis Pubishing Society, 2 vols., 1940); también las obras enumeradas en el cap. 12, nota 1.

cuyo celo por la Ley no había permitido compromiso alguno con el helenismo. Aunque de ninguna manera eran nacionalistas militantes, la persecución de los Seléucidas llevó a los *jasidim* a tomar parte en la lucha por la libertad religiosa; pero cuando ésta pasó a ser también una lucha por la independencia política, empezaron a perder interés. Los fariseos, que nacieron como partido en el transcurso del siglo segundo, eran, como los *jasidim*, puntillosos en su observancia de la ley. Sus relaciones con los mundanos reyes hasmoneos, cuyos programas políticos apenas podían aprobar, fueron casi siempre tensas. No perteneciendo a un cículo aristocrático o sacerdotal, su seriedad moral les ganó una enorme estima entre el pueblo. Ellos fueron, verdaderamente los líderes espirituales del Judaísmo y los que le dieron su tonalidad. Aunque religiosamente más estrictos que los saduceos, en algún sentido eran menos conservadores. No sólo aceptaban otras partes de la Escritura como autoridad, además de la torá, sino que consideraban la Ley oral, desarrollada para interpretar la escritura, como completamente obligatoria. Por su medio se transmitió y propagó la Ley oral hasta ser finalmente codificada en la Mišna (ca. a c. 200) y completada después en el Talmud. Los fariseos aceptaban de muy buen grado la resurrección y otras doctrinas nuevas de este estilo. Creían que el futuro del Judaísmo consistía en ser el pueblo santo de Dios a través de la observancia de la Ley, escrita y oral, hasta en sus mínimos detalles. Sólo entonces podían los judíos esperar el cumplimiento de las promesas, que tendría lugar en el tiempo que Dios se reservaba. Aunque llevaban a mal la dominación romana, eran, en general, poco partidarios de actividades revolucionarias, tales como se derivaban de la desenfrenada fantasía de los apocaliptas.

Había, por supuesto, quienes creían que el futuro del Judaísmo seguía las líneas de un agresivo nacionalismo. Hombres de esta opinión habían constituido la médula de la revuelta macabea, y quienes la habían llevado más allá de una mera lucha por la libertad religiosa, convirtiéndola en una guerra a escala de independencia nacional. El establecimiento y engrandecimiento del Estado hasmoneo bajo Juan Hircano y sus sucesores dio satisfacción, sin duda, a sus ambiciones y originó una nacionalismo militante que estaba, por el momento, apaciguado. Pero al producirse la ocupación romana, que era irritante y humillante para los judíos patriotas, los chispazos se convirtieron en llamas, una vez más. En los tiempos del Nuevo Testamento había nacido el partido de los zelotas, hombres fanáticamente valerosos y temerarios, dispuestos a luchar por la independencia en las situaciones más desventajosas, confiando en que Dios vendría en su ayuda (3). Hombres como estos precipitaron las

---

(3)   Acarca de los zelotas como continuadores del espíritu macabaico, cf. W. R. Farmer, *Maccabees, Zealots and Josephus* (Columbia University Press, 1956).

revueltas de dC. 66-70 y 132-135, que provocaron el fin de la commonwealth judía. Probablemente los zelotas diferían poco de los fariseos en su actitud hacia la Ley; pero no se sentían inclinados a considerar el futuro de su nación como un mero cumplimiento de la Ley, y una espera.

Finalmente, hubo algunas sectas, como los esenios, que vivían en tensión escatológica esperando la inminente consumación. La secta de Qumrán, de la que proceden los pergaminos del mar Muerto, era casi con toda seguridad esencia. No tenemos aquí espacio para entrar en la discusión de este asunto (4). Al igual que los fariseos. los esenios continuaban probablemente la tradición de los *jasidim*, Sin embargo su oposición hacia los reyes-sacerdotes hasmoneos era irreconciliable. Parece que su fuerza principal la constituían los miembros del sacerdocio sadoquita y que contaban entre sus adeptos con elementos de tendencias apocalípticas, que consideraban el sacerdocio hasmoneo como ilegítimo y apóstata. En algún tiempo, probablemente hacia el último tercio del siglo II, se apartaron, frente a la oposición, de Jerusalén y de la participación en el culto del Templo, y se refugiaron en el desierto de Judá, donde llevaron una existencia cuasimonástica, preparándose para el final inminente. Fue, al parecer, entre los esenios, donde fue continuada la tradición judía apocalíptica y donde se produjo mucha de su literatura. Se consideraban a sí mismos como el pueblo de la nueva Alianza; tenían su propia interpretación de la Ley, su peculiar calendario religioso, y se comprometían a una estricta disciplina, que era exigida con rigor. Esperaban el fin inminente del drama de la historia, el estallido de la batalla final entre la luz y las tinieblas, entre Dios y el mal, que incluiría también una guerra santa en la tierra, en la que ellos esperaban tomar parte. Convencidos de que todas las profecías habían empezado a cumplirse, hicieron varios comentarios sobre libros de la Biblia para mostrar que era así. La importancia de las creen-

---

(4)   La literatura sobre el tema es abumadora por su extensión; cf. C. Burchard, *Bibliographie zu den Handschriften vom Toten Meer* (vol. I, 1957; vol. II 1965 [BZAW, 76, 89]) para una enumeración hasta la fecha de publicación. Es especialmente útil J. A. Fitzmyer, *The Dead Sea Scrolls: Major Publications and Tools for Study* (Missoula, Mont., Scholars Press, 1975). Para la arqueología de Qumran, cf. R. de Vaux, *Archaelogy and the Dead Sea Scrolls* (trad. inglesa, Londres, Oxford University Press, 1973). Tal vez la mejor síntesis para un lector no especializado sea la de F. M. Cross, *The Ancient Library of Qumran* (ed. rev. Doubleday, 1961). Para una resumida historia de los esenios, cf. J. Murphy-O'Connor, «The Essenes in Palestine» (BA, XL [1977], pp. 100-124). Entre los manuales, destaca, G. Vermes, *The Dead Sea Scrolls: Qumran Prespective* (Londres, Collins, 1977). Una exposición general del problema en A. G. Lamadrid, *Los descubrimientos de Qumrán* (Madrid, 1956).

cias esenias para entender el fondo del pensamiento del Nuevo Testamento requiere, por sí solo, un estudio especial (5).

No debe imaginarse, por supuesto, que el Judaísmo estuviera en proceso de división entre varios grupos, que recíprocamente se excluyeran, de apocalicistas, nacionalistas y legalistas. Se trataba de divisiones dentro del armazón de una fe por todos sostenida, y las líneas de diferenciación no eran siempre tajantes ni profundas. Excepto los negligentes y los apóstatas, todos los judíos rendían obediencia a la Ley; y, con la excepción de los saduceos más tolerantes, todos tenían esperanzas escatológicas y aspiraciones nacionalistas. Las diferencias estribaban en la interpretación de la Ley, en el grado de importancia dado a la escatología y en la manera cómo se creía que se llevaría a cabo la futura esperanza de la nación. Los esenios, por ejemplo, aunque entendían la Ley de modo diferente, eran tan estrictos en su observancia como los fariseos; y estaban tan dispuestos como los zelotas a luchar por el Dios de Israel cuando sonara la hora, como, según parece, lo hicieron en dC. 66-70. Y, aunque los fariseos, por lo general, eran cautos cuanto a fantasías apocalípticas, y frenesí mesiánico, aguardaban también la restauración nacional; algunos de entre ellos estaban dispuestos a luchar por ella, como por ejemplo el gran Akiba cuando (en 132-135) saludó a Bar-Kojba como a Mesías. Con todo, las divisiones mencionadas, aunque no deben ser exageradas, puesto que todas ellas coexistían dentro de la estructura de una comunidad religiosa bien definida, son un indicio de que los judíos no estaban acordes respecto a lo que Israel debía ser, y al curso que debía tomar su futuro.

3. *El destino de la historia de Israel: la respuesta del Judaísmo y la afirmación cristiana.* ¿Hacia dónde apunta, pues, la historia de Israel? Habiéndose visto que todas las respuestas restantes eran insostenibles, el Judaísmo dio, al fin, la única respuesta posible. Respecto a la respuesta de los saduceos, no era, en realidad, una respuesta; porque no encauzaba al Judaísmo hacia ningún futuro. Era un esfuerzo para preservar el *status quo;* los saduceos cesaron de existir y su respuesta cesó de tener importancia cuando cesó el *status quo.* Tampoco el nacionalismo militante proporcionó la respuesta. Por el contrario, acarreó la destrucción nacional y fue aplastado por la fuerza, para existir solamente como un sueño. Tampoco el apocalipticismo abrió senda hacia el futuro. La esperanza apocalíptica no se realizó, sencillamente; una trama tan extraña no sería nunca representada en

---

(5) Cf. *inter alia*, Cross, *op. cit.*, cap. V; K. Stendahl, ec., *The Scrolls and the New Testament* (Nueva York, Harper and Brothers, 1957; Londres, SCM Press, 1958); M. Black, *The Scrolls and Christian Origins* (Londres y Nueva York, Nelson, 1961); *idem*, ed., *The Scrolls and Christianity* (Londres, SPCK, 1969).

la historia del mundo. El Judaísmo no encontró su futuro como comunidad escatológica. El camino era, entonces, el único que quedaba abierto; era señalado por los fariseos el sendero que condujo al Judaísmo normativo, a la Mišna y al Talmud. La historia de Israel se continuaría en la historia del pueblo judío, un pueblo a quien el Dios de Israel exigía vivir bajo su Ley hasta la postrera generación de la raza humana. Para el judío, por tanto, la teología del Antiguo Testamento encuentra su plenitud en el Talmud. La esperanza del Antiguo Testamento es para él una cosa aún no realizada, indefinidamente diferida, ansiosamente esperada por algunos, abandonada por otros (porque los judíos tienen probablemente, igual que los cristianos, mentalidad desacorde en lo que concierne a la escatología), secularizada o atenuada por los demás. De este modo, la respuesta judía a la pregunta: ¿hacia dónde apunta la historia de Israel? es una respuesta legítima, y, desde el punto de vista histórico, correcta, porque la historia de Israel se continúa, efectivamente, en el Judaísmo.

. Pero hay otra respuesta, la que los cristianos dan y deben dar. Es también históricamente legítima, porque de hecho el cristianismo nació del seno del Judaísmo. Esa respuesta es que el destino de la historia y de la teología del Antiguo Testamento es Cristo y su Evangelio. Declara que Cristo es la esperada y decisiva irrupción del poder redentor de Dios en la historia de la Humanidad y el eje cardinal de todos los tiempos y que en él se ha dado a la vez la justicia que cumple la Ley y el cumplimiento absoluto de la esperanza de Israel en todas sus variadas formas. Afirma, en resumen, que Jesucristo es el término teológico de la historia de Israel. Así tenemos dos respuestas opuestas a la pregunta: ¿hacia dónde apunta la historia de Israel? En esa pregunta es donde fundamentalmente se dividen el cristiano y su amigo judío. Roguemos para que lo hagan con amor y afecto mutuo, como corresponde a herederos de la misma herencia de una fe que adora al mismo Dios, que es Padre de todos nosotros. Estas dos son las respuestas. Se podría decir, en verdad, que la esperanza de Israel es una desilusión, una ficción del pensamiento anhelante del hombre que no conduce a ninguna parte. Algunos hombres lo han dicho así. Pero la historia no permite, en realidad, una tercera respuesta: la historia de Israel lleva en línea recta hacia el Talmud o hacia el Evangelio. De hecho, no existe otra dirección.

Y así, la historia del Antiguo Testamento nos coloca, en último término, ante una pregunta decisiva. Esa pregunta es: «¿Quién decís vosotros que soy Yo?» Es una pregunta a la que solamente se puede responder con una afirmación de fe. Pero todos los que leen la historia de Israel están enfrentados con ella, bien sea que la conozcan o no, y dan una respuesta —aunque sólo sea rehusando darla— en uno de estos dos sentidos. Por supuesto, el cristiano debe replicar:

«Tú eres el Cristo (Mesías), el hijo de Dios vivo». Después de haberlo
dicho —si sabe lo que ha dicho— la historia del Antiguo Testamento
toma para él un nuevo significado, como parte del drama redentor
que se continúa, hasta su consumación en Cristo. En Cristo, y por
Cristo, ve el cristiano su historia, que es la «historia de la salvación»
(Heilsgeschichte), pero ciertamente una historia de desilusión y fracaso, convertida finalmente, y realmente, en *Heilsgeschichte*.

Cuadros Cronológicos

Años	EGIPTO	PALESTINA	MESOPOTAMIA
7000 / 6000		Jericó (Neolítico anterior a la cerámica) Otras culturas urbanas neolíticas en Palestina, Siria, etc.	Jarmo (Neolítico anterior a la cerámica) Otros asentamientos neolíticos
5000	Fayum	Jericó (Neolítico de la cerámica)	
4500	Badariano		Hassuna
4000	Amratiano	Culturas Calcolíticas	Halaf
3500	Guerzano	Ghassuliana	Obeid
		Edad del Bronce Antig. O Edad Proto-urbana — BA I	Warka
3000	Imperio Antiguo, siglos 29-23	Edad del Bronce Antiguo — BA II	Jemdet Nasr — O Protoliterario Antiguo — Protoliterario Reciente
2500	III-IV Dinastías, siglos 26-25 Época de las Pirámides	BA III — BA IV (III B) — Bronce Antiguo	Período dinástico antiguo ca. 2850-2360 (Ciudades-Estado sumerias) Imperio de Aca ca. 2360-2180
	I Período intermedio, siglos 22-21	Intermedio-Bronce medio (Incursiones de los semi-nómadas)	Invasión de los gutios
2000	Imperio Medio, siglos 21-18	Bronce medio I	Ur III: ca. 2060-1950

I   Antes de 2000 A. C.

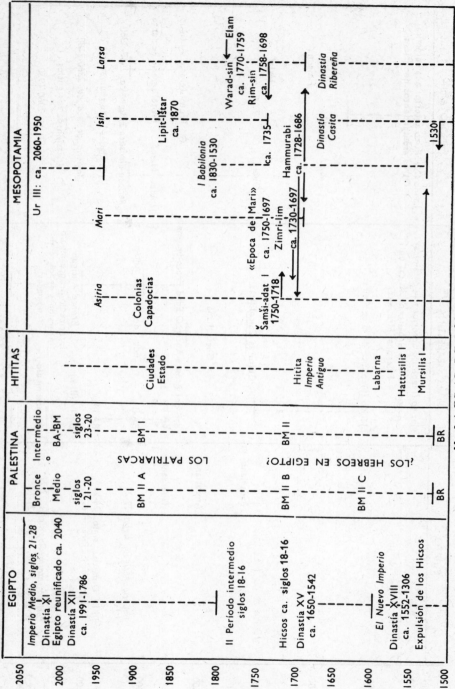

II LA EDAD DE LOS PATRIARCAS

	EGIPTO	PALESTINA	HITITAS	MITANNI	ASIRIA
1600	*Imperio Nuevo* Dinastía XVIII ca. 1552-1306 Amosis ca. 1552-1527 Expulsión de los hicsos Amenofis I ca 1527-1507	**Bronce reciente**	*Imperio Antiguo*		
1550					
1500	Tutmosis I ca. 1507-1494 Tutmosis II ca. 1494-1490 Tutmosis III ca. 1490-1436	Los hebreos en Egipto	Mursilis I		
1450	Amenofis II ca. 1438-1412			Šuttarna Saussatar	
1400	Tutmosis IV ca. 1412-1403 Amenofis III ca. 1403-1364	Periodo de Amarna	*Imperio hitita* Šuppiluliuma ca.1375-1335	Artatama Šuttarna *Tušratta*	
1350	Amenofis IV (Ejnaton) ca 1364-1347 Horemheb ca 1333-1306	Los hebreos en Egipto			Assur-ubal-lit I ca. **1356-1321**
1300	Dinastía XIX ca. 1306-1200 Setis I ca. 1305-1290 Ramsés II ca 1290-1224	Exodo ca ¿1280?	Muwattalis ca.1306-1282 Hattusilis III ca.1275-1250		Adad-nirari I ca. 1297-1266
1250		Conquista ca 1250-1200			Salmanasar I ca. 1265-1235
1200	Marniptah ca. 1224-1211 (decadencia y anarquía)		Fin del Imperio hitita		Tukulti-ninurta I ca. 1234-1197

III EDAD DEL BRONCE RECIENTE

IV   Ca.   1200 - 900   A. C.

	EGIPTO	PALESTINA	ASIRIA
1250	Marniptah ca. 1224-1211 (Derrota de los Pueblos del Mar)	Conquista de Palestina por los israelitas ca. 1250-1200 Comienzo de la Edad del Hierro ca. 1200-1000	Tukulti-ninurta I ca. 1234-1197
1200	decadencia y anarquía	Período de los Jueces ca. 1200-1020	Decadencia asiria
	Dinastía XIX ca. 1185-1069 Ramsés III ca. 1183-1152 (Derrota de los Pueblos del Mar)	Los filisteos se establecen en Palestina	
1150	Ramsés IV-XI ca. 1152-1069		Tiglat-Piléser ca. 1116-1078 (breve resurgir asirio)
1100	Fin del Imperio egipcio	Débora	
		Gedeón	
	Dinastía (tanita) XXI ca. 1069-935		Decadencia asiria
1050		Caída de Silo (después del 1050) Samuel	
1000		Saúl ca. ¿1020-1000? David ca. 1000-961	aramea
950		Salomón ca. 961-922	Assur-dan II 935-913 (Comienzos de la recuperación de Asiria)
	Dinastía XXII ca. 935-725 Šošaq ca. 935-914	Cisma 922	
900		Reino de Judá 922-587	Reino de Israel 922-772/21

Presión — Damasco — Razón

Reino de Israel 922-772/21

Chart title (caption): *V. Desde el Cisma hasta mediados del siglo VIII*

	EGIPTO	ISRAEL	DAMASCO	ASIRIA
950	Dinastía XXII ca. 935-725 Šosaq ca. 935-914	Salomón ca. 961-922	Rasón	Assur-dan II **935-913**
925	Osorkón I ca. 914-874	**922** — Jeroboam I **922-901** (Israel) / Judá — Roboam 922-915 Abías 915-913 Asa 913-873		Adad-nirari II **912-892**
900		Nadab 901-900 Baaša 900-877	Ben-hadad I ca. **885-870**	Assur-nasir-pal II **884-860**
875		Ela 877-876 Zimri 876 Omri 876-869 Ajab 869-850 Josafat 873-849 *(Elías)*	Ben-hadad II (ca. **870-842**)	
850		Ocozías 850-849 Yehoram *(Eliseo)* 849-842 (Batalla 850-849) Jehoram 849-843 Ocozías 842 Atalía 842-837 Joás 837-800	de Qarqar 853	Salmanasar III **859-825**
825		Jehú 842-815 Yehoas **815-802** Yehoajaz **802-786**	Jazael ca. **842-806**	Šamsi-adad II **824-812**
800		Amasías 800-783 Jeroboam II 786-746 Ozías (Azarías) 783-742	Ben-hadad III	Adad-nirari III **811-784**
775	Dinastía XXIII ca. 759-715	*(Amós)*		Decadencia asiria
750				

V. Desde el Cisma hasta mediados del siglo VIII

Cuadro cronológico

Año	EGIPTO	JUDA	ISRAEL	DAMASCO	ASIRIA
775	Dinastía XXII ca 935-725	Ozías 783-742	Jeroboam II 786-746 (Amós) (Oseas)		Decadencia asiria
750	Dinastía XXIII ca 759-715	(Jotam corregente ca. 750) Jotam (Isaías) 742-735	Zacarías 746-745; Sal.lum 745-; Menajem 745-737; Pecajías 737-736; Pecaj 736-732; Oseas 732-724	Resin ca. 740-732	Tiglat-Piléser III 745-727
725	Dinastía XXIV ca 725-709; (←→) Dinastía (etiópica) XXV ca. 716/15-663; Šabako ca. 710/9-696/5; Šebteko ca. 696/5-685/4; (Tirhakah corregente ca. 690/89)	(Miqueas); Ajaz 735-715; Ezequías 715-687/6; 701 Invasión	732; Caída de Samaria 722/1(?)		Salmanasar V 726-722; Sargón II 721-705
700	Tirhakah ca 685-644	¿688? Invasión; Manasés 687/6-642	de Senaquerib / de Senaquerib		Senaquerib 704-681
675	Invasiones de Egipto; saqueo de Tebas 663; Dinastía XXVI 664-525; Psammético I 664-610				Esarhaddón 680-669
650		Amón 642-640; Josías 640-609; (Sofonías) (Nahúm) (Jeremías)		Medos	Assurbanapal 668-627
625	Necao II 610-594	Yehoajaz 609; Yehoyaquim 609-597 (Habacuc)	Imperio Neo-babilonio Nabopolasar 626-605	Ciaxares ca 625-585	Sin-šar-iškum 629?-612
600	Psammético II 514-589	Joaquín 598/597; Sedecías 597-587 Ezequiel; Caída de Jerusalén 587 Destierro	Nabucodonosor 605/4-562		Caída de Nínive 612; Assur-ubal.lit 612-609
575	Apries (Jofrá) 589-570			Astiages 585-550	

VI Ca. Desde mediados del siglo VIII hasta mediados del siglo VI

Años	EGIPTO	LOS JUDIOS	BABILONIA	MEDIA
600	Necao II 610-594 Psammético II 594-589 Apries (Jofrá) 589-570	1.ª deportación 597 Caída de Jerusalén 2.ª dep. 587 3.ª deportación 582	Nabucodonosor 605/4-562	Ciaxares 625-585
575	Amasis 570-526	Nabucodonosor invade Destierro	Egipto 568	Astiages 585-550
550		(II Isaías) Edicto de Ciro 538 Zorobabel	Amel-marduk 562-560 Neriglissar 560-556 Nabonides 556-539 Ciro toma a Babilonia 539	Ciro derroca a Astiages 550 Imperio persa (aqueménida) Ciro 550-530
525	Cambises conquista Egipto 525 Egipto bajo el dominio persa	El Templo reconstruido 520-515 (Ageo, Zacarías)		Cambises 530-522 Darío I Hystaspes 522-486
500		(¿Abdías?)		(Maratón 490)
475		(Malaquías) Misión de Esdras ¡¿458?! Nehemías gobernador 445- Misión de Esdras ¿428?		Jerjes 486-465 (Termópilas, Salamina, 480) Artajerjes I 465-424 Longimano (Paz de Cal·lias 449)
	Rebelión de Inaros 460-454	Bagoas gobernador Misión de Esdras ¡¿398?!		Jerjes II 423 Darío II Notos 423-404
	Egipto reconquista la libertad 401			Artajerjes II Mnemón 404-358

VII Siglos VI y V

	EGIPTO	LOS JUDIOS	PERSIA

PERSIA

Artajerjes III Oius 538-338
Arses 338-336
Darío III Codomano 336-331
Gaugamela 331
Los Seléucidas

Seleuco I 312/11-280

Antíoco I 280-261

Antíoco II 261-246
Seleuco II 246-226

Seleuco III 226-223
Antíoco III (el Grande) 223-187

Seleuco IV 187-175
Antíoco IV (Epifanes) 175-163
Antíoco V 163-162
Demetrio I 162-150

LOS JUDIOS

Alejandro Magno 336-323
Issos 333

Los judíos bajo los Tolomeos

Conquista de Palestina por los Seléucidas 200-198
Los judíos bajo los Seléucidas

Profanación del Templo, dic. 167 (168)
Judas Macabeo 166-160
Reedificación del Templo, dic. 164 (165)
Jonatán 160-143

EGIPTO

Dinastías XXVIII, XXIX XXX

Reconquista de Egipto por Persia 343

Ocupación de Egipto 332
Los Tolomeos

Tolomeo I Lagos 323-285

Tolomeo II Filadelfos 285-246

Tolomeo III Evergetes 246-221

Tolomeo IV Filopátor 221-203

Tolomeo V Epifanes 203-181

Tolomeo VI Filométor 181-146

400
375
350
325
300
275
250
225
200
175
150

VIII Ca. 400-150 A. C.

INDICE ONOMASTICO

Mapas Históricos

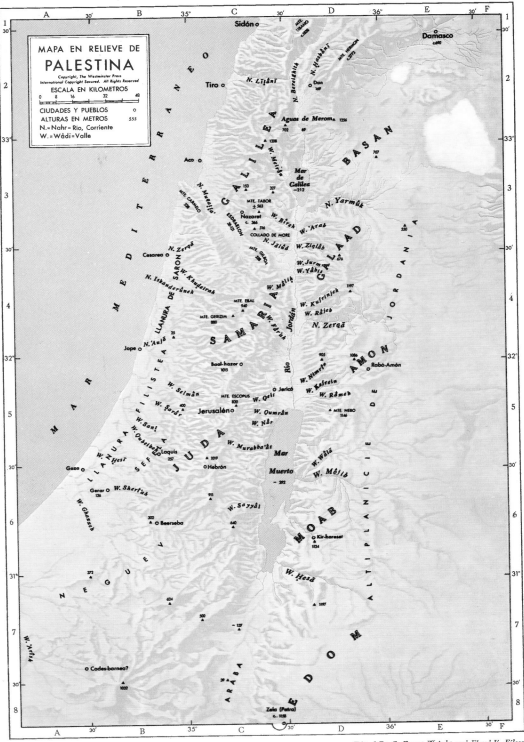

MAPA EN RELIEVE DE
PALESTINA
Copyright, The Westminster Press
International Copyright Secured. All Rights Reserved
ESCALA EN KILOMETROS

0   8   16   32   48

CIUDADES Y PUEBLOS   o
ALTURAS EN METROS   555
N.=Nahr=Río, Corriente
W.=Wâdī=Valle

MAR MEDITERRANEO

Sidón

Tiro

Aco

Casarea

Jope

Gaza

Gerar

Beerseba

Cades-barnea?

GALILEA

SAMARIA

JUDA

NEGUEV

ARABA

Nazaret

Jerusalén

Hebrón

Laquis

MTE. CARMELO

MTE. TABOR ± 563

MTE. EBAL 940

MTE. GERIZIM 880

MTE. ESCOPUS 820

Baal-hazor 1015

COLLADO DE MORE

MTE. GILBOA

ESDRAELON

Mar de Galilea −212

Aguas de Merom ▲ 1256

Dan

Damasco

MTE. LIBANO

MTE. HERMON c.2773

BASAN

GALAAD

AMON

MOAB

EDOM

Rabá-Amón

Kir-hareset

Zela (Petra) c.1136

Mar Muerto −292

Jericó

Qumrân

N. Lîtânî

N. Hasbânî

N. Bereikhîth

N. Zerqâ

N. Iskanderûneh

N. 'Aujâ

N. Yarmûk

N. Zerqâ

N. Jalûd

W. Meirôn

W. Bîreh

W. 'Arab

W. Ziqlâb

W. Jurm

W. Yâbis

W. Mâlih

W. Kufrinjeh

W. Râjeb

W. Fâr'ah

W. Qelt

W. Nâr

W. Murabba'ât

W. Sayyâl

W. Selmân

W. Sarâr

W. Santt

W. Qubeibeh

W. Hesî

W. Sherî'ah

W. Ghazzeh

W. 'Arîsh

W. Nimrîn

W. Kefrein

W. Râmeh

W. Wâla

W. Môjib

W. Hesâ

RIO JORDAN

ALTIPLANICIE DE

LLANURA DE SARON

LLANURA DE FILISTEA

SEF

Cartography By G. A. Barrois and Hal & Jean Arbo

Edited By G. Ernest Wright and Floyd V. Filson

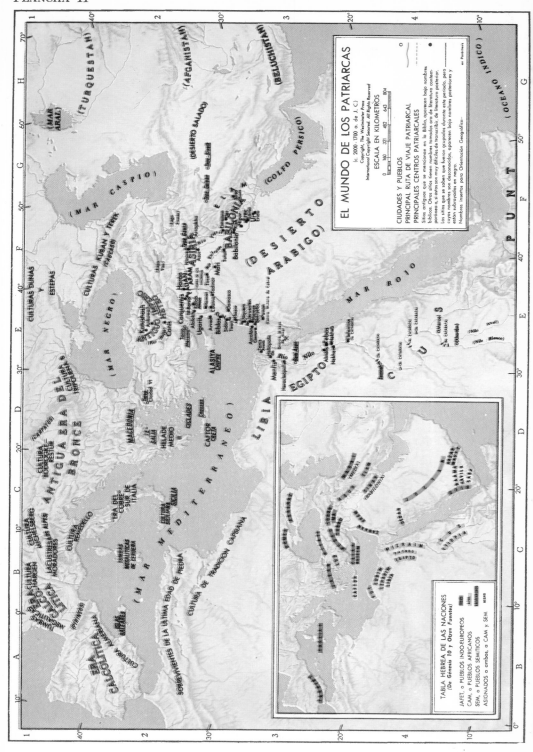

EL MUNDO DE LOS PATRIARCAS
(c. 2000 - 1700 a. de J. C.)
Copyright, The Westminster Press
International Copyright Secured. All Rights Reserved

ESCALA EN KILOMETROS
0   160   321   482   643   804

CIUDADES Y PUEBLOS
PRINCIPAL RUTA DE VIAJE PATRIARCAL
PRINCIPALES CENTROS PATRIARCALES

Sitios antiguos que se mencionan en la Biblia, aparecen bajo nombres bíblicos. Otros sitios tienen nombres tomados ora de literatura contemporánea, o, si estos son muy difíciles de transcribir, de literatura posterior. Los sitios que se saben que fueron ocupados durante este período, pero cuyos nombres son desconocidos, aparecen bajo nombres posteriores y están subrayados en negro.
Nombres inertos para Orientación Geográfica

TABLA HEBREA DE LAS NACIONES
(De Génesis 10 y Otras Fuentes)

JAFET, o PUEBLOS INDO-EUROPEOS
CAM, o PUEBLOS AFRICANOS
SEM, o PUEBLOS SEMITICOS
ASIGNADOS o ambos, a CAM y SEM

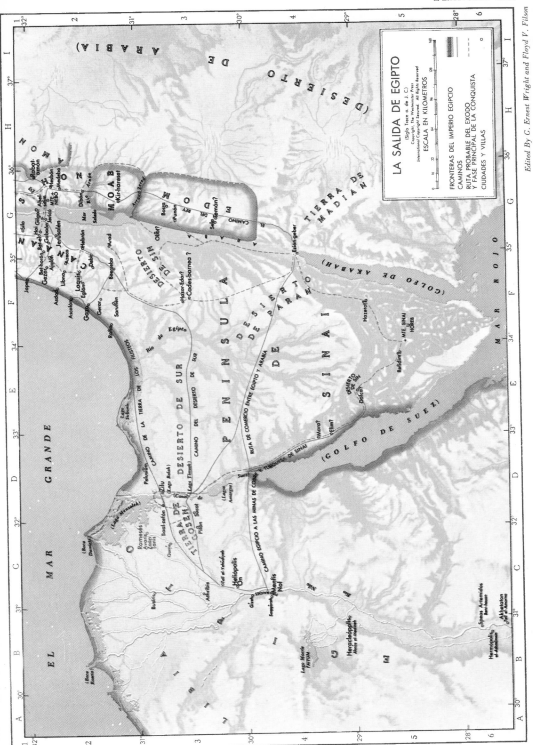

Edited By G. Ernest Wright and Floyd V. Filson

Cartography By Hal & Jean Arbo

LA SALIDA DE EGIPTO

(Siglo Trece o. de J. C.)
Copyright, The Westminster Press
International Copyright Secured. All Rights Reserved

ESCALA EN KILOMETROS

FRONTERAS DEL IMPERIO EGIPCIO
CAMINOS
RUTA PROBABLE DEL EXODO
Y FASE PRINCIPAL DE LA CONQUISTA
CIUDADES Y VILLAS

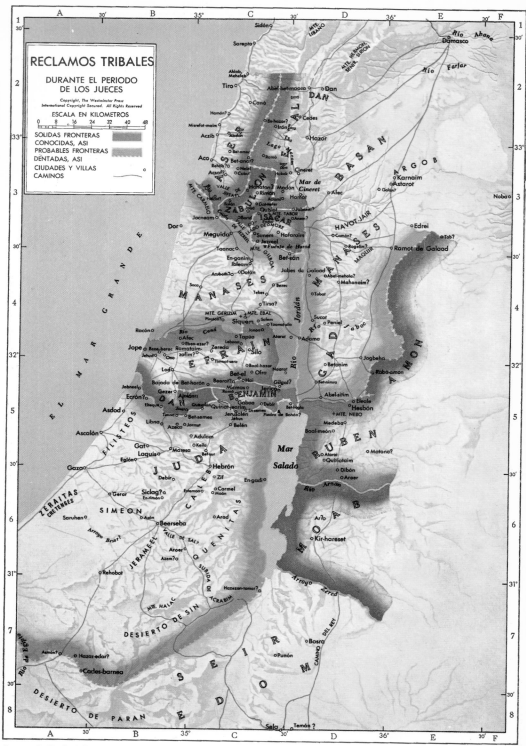

RECLAMOS TRIBALES
DURANTE EL PERIODO
DE LOS JUECES

Copyright, The Westminster Press
International Copyright Secured. All Rights Reserved

ESCALA EN KILOMETROS

0   8   16   24   32   40   48

SOLIDAS FRONTERAS
CONOCIDAS, ASI
PROBABLES FRONTERAS
DENTADAS, ASI
CIUDADES Y VILLAS
CAMINOS

CHIPRE

EL MAR GRANDE

Arvado

oHamat

Tadmor o

oCades
Ribla
Cún o   Zedad o
oHazar-enán?

Biblos o
Gebal

ZOBA

oBerotai

oHelbón

Sidón o

MTE. LIBANO

Ijón?   MTE. HERMON oDamasco

Tiro o

Abel oDan

MAACA

IX

VIII

Aco o   GESUR
oCabul   oAstarot
X   VI   oNoba
Doro IV   oEdrei   Salca
oMeguido   Ramot de   o
V   Mahanaim?   Galaad
III   VII
Siquem o
Jope o   AMON
I   oAdama
Bet-el o   XII   Rabat-amón
Jerusalén XI   Rabá
oAsdod   Hesbón o
Ascalón o FILISTEA Gat o Medeba o
Gaza o   Laquis o oHebrón Dibón o
Gerar o   Mar Ar?
Salado   MOAB
oBeerseba   Kir-hareset o

EL IMPERIO DE DAVID
Y SALOMON

oBosra
Punón o   (c. 1000 - 930 a. de J. C.)
Copyright, The Westminster Press
International Copyright Secured. All Rights Reserved
ESCALA EN KILOMETROS
oCades-barnea ?   0 16 32   64   96

Sela o Temán?   FRONTERA DEL IMPERIO
EDOM   FILISTEA Y FENICIA INDEPENDIENTES
DISTRITOS ADMINISTRATIVOS DE SALOMON
TERRITORIO CONQUISTADO POR DAVID
CIUDADES Y VILLAS   o

Río de Egipto

Ezión-geber

FENICIA

ISRAEL

JUDA

(DESIERTO ARABIGO)

Cartography By Hal & Jean Arbo   Edited By G. Ernest W ght and Floyd V. Filson

PLANCHA VI

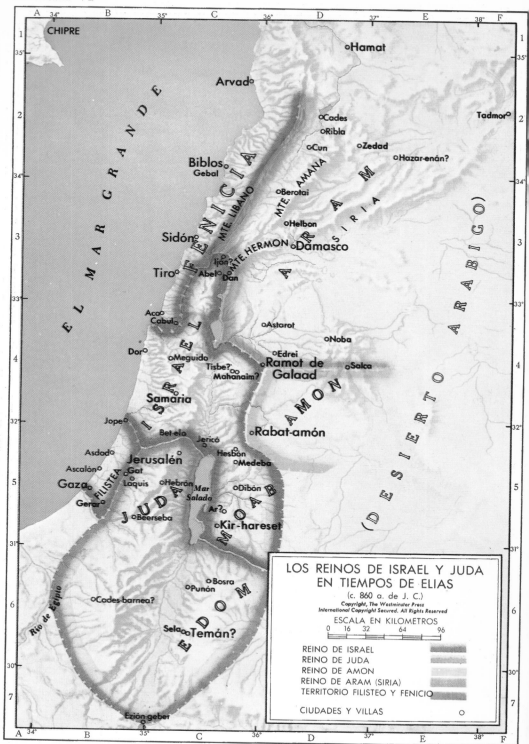

CHIPRE

EL MAR GRANDE

oHamat

Arvado

oCades
oRibla
oCun   oZedad
                        oHazar-enán?

Biblos
Gebal

MTE. AMANA

oBerotai

oHelbón

Sidón
                  MTE. HERMON   oDamasco
Ijón?
Tiro o   Abel oo Dan

FENICIA   MTE. LIBANO

ARAM   (SIRIA)

Tadmor o

Aco o
Cabul oo   oAstarot

Dor o   oNoba
       oMeguido
       Tisbe? o   oEdrei
       Mahanaim? oo   Ramot de
                      Galaad   oSalca

Samaria   ISRAEL

AMON

Jope o

Bet-el o   oRabat-amón
Asdod o   Jericó o
Ascalón o o   Hesbón o
Gaza o Gat o Laquis o Medeba o
Gerar o   oHebrón   Mar
                    Salada   oDibón
       o Beerseba   Ar? o
FILISTEA   JUDA   Kir-hareset   MOAB

(DESIERTO ARABIGO)

oBosra
o Punón
oCades-barnea?
            Sela o Temán?
Río de Egipto   EDOM

Ezión-geber

LOS REINOS DE ISRAEL Y JUDA
EN TIEMPOS DE ELIAS
(c. 860 a. de J. C.)
Copyright, The Westminster Press
International Copyright Secured. All Rights Reserved
ESCALA EN KILOMETROS
0   16   32   64   96

REINO DE ISRAEL
REINO DE JUDA
REINO DE AMON
REINO DE ARAM (SIRIA)
TERRITORIO FILISTEO Y FENICIO

CIUDADES Y VILLAS   o

Cartography By Hal & Jean Arbo

Edited By G. Ernest Wright and Floyd V. Filson

CHIPRE

HAMAT
Hamat

Arvad○

SIMIRRA

MANSUATE
○Cades
○Ribla
○Cum ○Zedad SUBAT
AMANA ○Hazar-enan?

Biblos
Gebal ○Beratai
SUBUTU

MTE. LIBANO ○Helbón DIMASQU

Sidón ○Ijon
MTE. HERMON ○Damasco
KARASUR AHA-IDON
Tiro Abelo ○Dan
DUR-BELHARAN-SHADUA

Aco○ QARNINI
Astarot ○
Dor○ ○Noba

MEGIDU Edrei○ HAURINA
Méguido Ramot de ○Salca
Galaad
SAMERENA GAL'AZA
○Samaria

ASDUDU AMON
Jope○ Rabá-amón
Bet-el○ Gilgal○ ○Hesbón
Asdodo Jerusalén ○Medeba
Ascalón M
Gat○ O
Gaza○ Laquis○ ○Hebrón A
Gerar○ Mar B
○Beerseba Salado Dibón○
Ar○
J U D A Kir-hareset
M
Río de Egipto O
○Cades-barnea? A
○Basra B
○Punón

E
D ○Sela Temán?
O
M

Elat?○

DU'RU

ARUBU ARABIGO

EL MAR GRANDE

EL REINO DE JUDA
EN TIEMPOS DE ISAIAS
(c. 700 a. de J. C.)
Copyright, The Westminster Press
International Copyright Secured. All Rights Reserved
ESCALA EN KILOMETROS
0   16   32   64   96

IMPERIO ASIRIO
REINO DE JUDA
REINO DE EDOM
REINO DE MOAB
REINO DE AMON
TIRO INDEPENDIENTE
PROVINCIAS ASIRIAS   DU'RU
CIUDADES Y VILLAS   ○

Cartography By Hal & Jean Arbo

Edited By G. Ernest Wright and Floyd V Filson

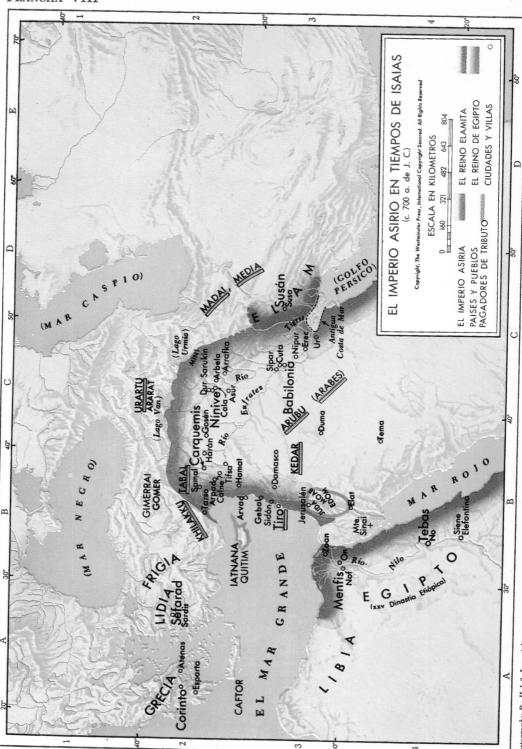

EL IMPERIO ASIRIO EN TIEMPOS DE ISAIAS
(c. 700 a. de J. C.)

ESCALA EN KILOMETROS

0   160   321   482   643   804

EL IMPERIO ASIRIA   EL REINO ELAMITA

PAISES Y PUEBLOS   EL REINO DE EGIPTO
PAGADORES DE TRIBUTO   CIUDADES Y VILLAS

Cartography By Hal & Jean Arbo

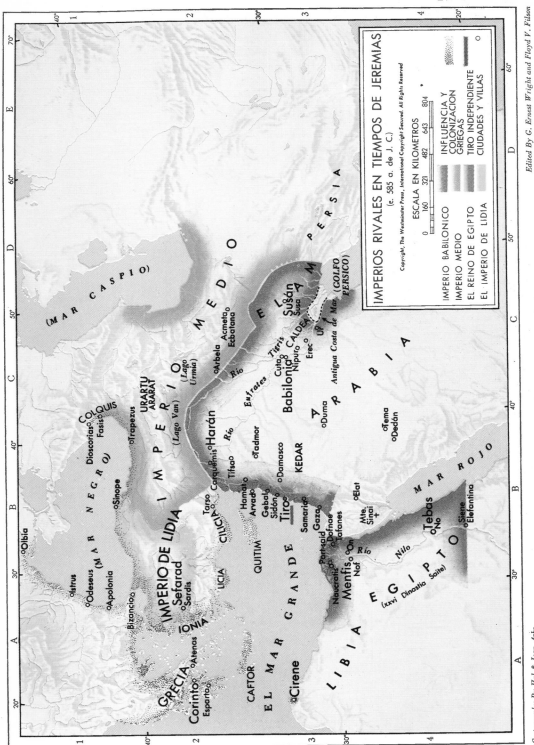

IMPERIOS RIVALES EN TIEMPOS DE JEREMIAS
(c. 585 a. de J. C.)

ESCALA EN KILOMETROS

0   160   321   482   643   804

IMPERIO BABILONICO	INFLUENCIA Y COLONIZACION GRIEGAS
IMPERIO MEDIO	
EL REINO DE EGIPTO	TIRO INDEPENDIENTE
EL IMPERIO DE LIDIA	CIUDADES Y VILLAS

Edited By G. Ernest Wright and Floyd V. Filson

Cartography By Hal & Jean Arbo

(MAR CASPIO)

MAR NEGRO

IMPERIO MEDIO

PERSIA

ELAM

IMPERIO DE LIDIA

URARTU ARARAT

(Lago Urmia)

(Lago Van)

COLQUIS

Dioscorias

Fasiso

Trapezus

Sinope

Olbia

Istrus

Odeseus

Apolonia

Bizancio

Sefarad

Sardis

IONIA

GRECIA

Atenas

Corinto

Esparto

CAFTOR

EL MAR GRANDE

Cirene

LIBIA

EGIPTO

(xxvi Dinastia Saite)

Tebas

No

Siene

Elefantina

Menfis

Nof

Naucratis

Portsaid

Dofnae

Tafanes

Gaza

Mte. Sinai

Elat

MAR ROJO

Samaria

Tiro

Sidón

Gebal

Arvado

Hamat

Damasco

Tadmor

Tifsa

Tarso

Carquémis

Harán

QUITIM

LICIA

CILICIA

KEDAR

ARABIA

Duma

Tema

Dedán

Eufrates

Río

Río

Tigris

Arbela

Acmeta

Ecbatana

Cuta

Babilonia

CALDEA

Nipur

Erec

Ur

Susa

Susán

Antigua Costa de Mar (GOLFO PERSICO)

Nilo

Río

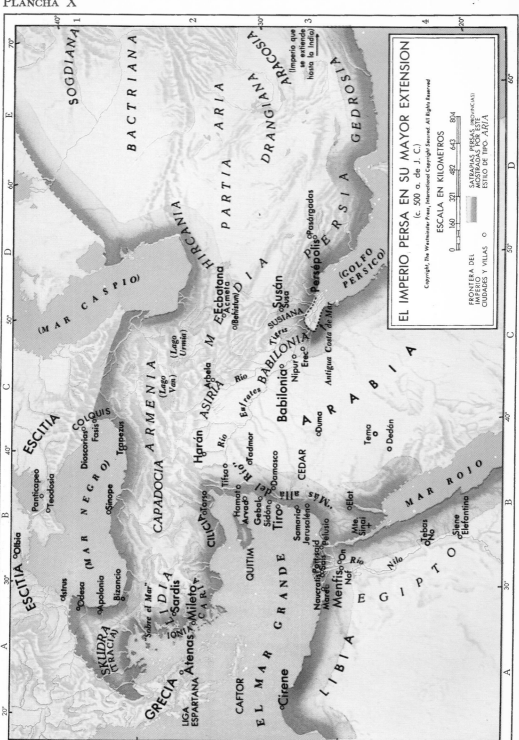

EL IMPERIO PERSA EN SU MAYOR EXTENSION
(c. 500 a. de J. C.)

Copyright, The Westminster Press, International Copyright Secured. All Rights Reserved

ESCALA EN KILOMETROS

0   160   321   482   643   804

SATRAPIAS PERSAS (PROVINCIAS)
MOSTRADAS POR ESTE
ESTILO DE TIPO- *ARIA*

FRONTERA DEL
IMPERIO
CIUDADES Y VILLAS o

Cartography By Hal & Jean Arbo

Edited By G. Ernest Wright and Floyd V. Filson

CHIPRE

Hamat

Arvado   ARVAD

HAMAT

Tadmor

Tripolis   TRIPOLIS
Ribla
Cun   Zedad
Hazar-enán?

Biblos   BIBLOS
Gebal   PARQUE REAL
Berotai
MTE. AMANA

Helbón

Sidón   SIDON

Ijón?   MTE. HERMON   Damasco

Tiro   Abelo   Dan
TIRO

Aco   GELIL   QUARNAIM   HAURAN
HA-GOIM   Astaroto   Noba

Dor   DOR   Ramot de   Edrei
Galaad   Salca
SAMARIA   GALAAD

Samaria   AMON

Jope   Bet-elo   Rabat-amón
JUDA
Asdod   Jerusalén   Hesbón
Ascalón   Bet-sur   Medeba
Gaza   ASDOD   Laquis   Hebrón
Gerar   IDUMEA   Mar
Salado   MOAB
Beerseba

ARABES

Río de Egipto
Cades-barnea?

(DESIERTO ARABIGO)

E L   M A R   G R A N D E

Elat?

LA PROVINCIA DE JUDA
EN TIEMPOS DE NEHEMIAS
(c. 440 a. de J. C.)
Copyright, The Westminster Press
International Copyright Secured. All Rights Reserved

ESCALA EN KILOMETROS
0   16   32   64   96

FRONTERA DEL
IMPERIO PERSA
PROVINCIAS DE LA
QUINTA SATRAPIA PERSA
CIUDADES Y PUEBLOS   o

Cartography By Hal & Jean Arbo   *Edited By G. Ernest Wright and Floyd V. Filson*

PALESTINA
EN EL PERIODO
DE LOS MACABEOS
(168 - 63 a. de J. C.)

Copyright, The Westminster Press
International Copyright Secured. All Rights Reserved

ESCALA EN KILOMETROS

0   8   16   32   48

LA LINEA FRONTERIZA MUESTRA
LA EXTENSION MAXIMA DEL REINO
MACABEO BAJO ALEJANDRO JANEUS
(103 - 76 a. de J. C.)

REINO DE
ALEJANDRO JANEUS

CIUDAD LIBRE

CIUDADES Y VILLAS

Cartography By G. A. Barrois and Hal & Jean Arbo   Edited By G. Ernest Wright and Floyd V. Filson

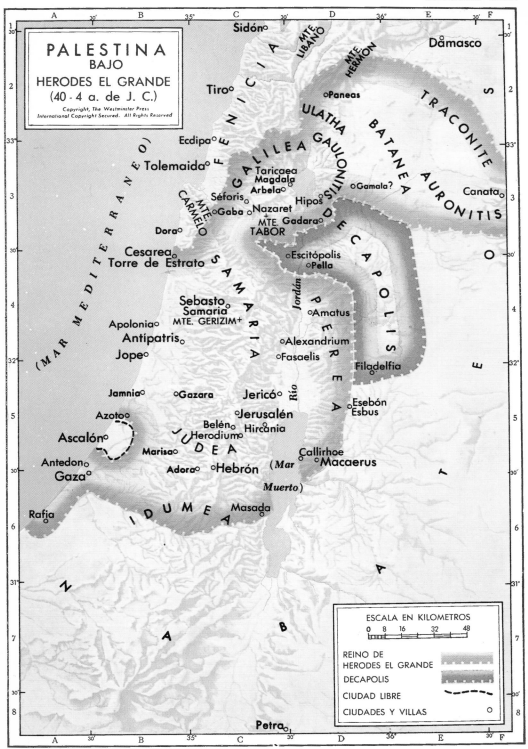

PALESTINA
BAJO
HERODES EL GRANDE
(40 - 4 a. de J. C.)

Copyright, The Westminster Press
International Copyright Secured. All Rights Reserved

Sidón

Tiro

Damasco

MTE. LIBANO

MTE. HERMON

Paneas

ULATHA

TRACONITE

Ecdipa

FENICIA

GALILEA

GAULONITIS

BATANEA

AURONITIS

Tolemaida

Taricaea
Magdala
Arbela

Canata

Séforis

MTE. CARMELO

Gaba
Nazaret
MTE.
TABOR

Hipos

Gamala?

Gadara

Dora

DECAPOLIS

Cesarea
Torre de Estrato

SAMARIA

Escitópolis
Pella

Sebasto
Samaria
MTE. GERIZIM

Jordán

Apolonia

Amatus

PEREA

Antipatris

Jope

Alexandrium
Fasaelis

Filadelfia

Jamnia

Gazara

Jericó

Río

Esebón
Esbus

Azoto

Jerusalén

Belén
Herodium

Hircánia

Ascalón

JUDEA

Marisa

Callirhoe
Macaerus

Antedon
Gaza

Adora

Hebrón

(Mar

Muerto)

Rafia

IDUMEA

Masada

(MAR MEDITERRANEO)

N

A

B

A

T

E

A

Petra

ESCALA EN KILOMETROS

0   8   16   32   48

REINO DE
HERODES EL GRANDE

DECAPOLIS

CIUDAD LIBRE

CIUDADES Y VILLAS

Cartography By G. A. Barrois and Hal & Jean Arbo

Edited By G. Ernest Wright and Floyd V. Filson

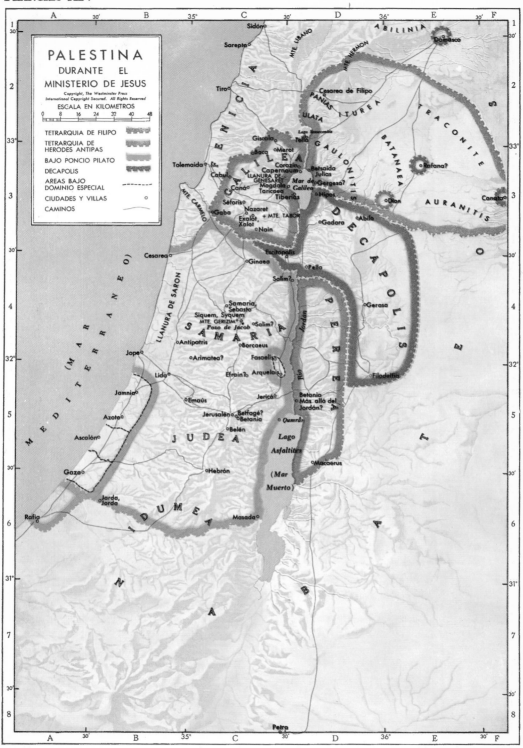

PALESTINA
DURANTE EL MINISTERIO DE JESUS

ESCALA EN KILOMETROS

0   8   16   24   32   40   48

TETRARQUIA DE FILIPO
TETRARQUIA DE HERODES ANTIPAS
BAJO PONCIO PILATO
DECAPOLIS
AREAS BAJO DOMINIO ESPECIAL
CIUDADES Y VILLAS   o
CAMINOS

Sidón
Sarepta
Tiro
MTE. LIBANO
ABILINIA
Damasco
MTE. HERMON
Cesarea de Filipo
PANIAS
ITUREA
TRACONITE
ULATA
Lago Semeconitis
BATANAEA
GAULONITIS
Giscala
Tella
Merat
Baca
Rafana?
Capernaum
Corazin
Betsaida Julias
Tolemaida
Cabul
LLANURA DE GENESARET
Magdala
Taricaea
Mar de Galilea
Gergesa?
Canatan
Caná
Tiberias
Hipos
Dion
AURANITIS
Séforis
Gaba
Nazaret
+ MTE. TABOR
Gadara
Abila
DECAPOLIS
Exalot
Xalot
Nain
Cesarea
Ginaea
Escitópolis
Pella
Salim
Gerasa
Samaria
Sebaste
LLANURA DE SARON
Siquem, Sycuem
MTE. GERIZIM
Pozo de Jacob
Salim?
SAMARIA
MTE. CARMELO
MEDITERRANEO
Antipatris
Borceaus
Jope
Arimatea?
Fasaelis
PEREA
Filadelfia
Efrain?
Arquelais
Lida
Jericó
Betania Más allá del Jordán?
Jamnia
Emaús
Jerusalén
Betfagé?
Betania
Qumrán
Azoto
Belén
JUDEA
Lago Asfaltites
Ascalón
Hebrón
Gaza
(Mar Muerto)
Macaerus
Jarda, Jorda
IDUMEA
Masada
Rafia
NABATEA
Petra

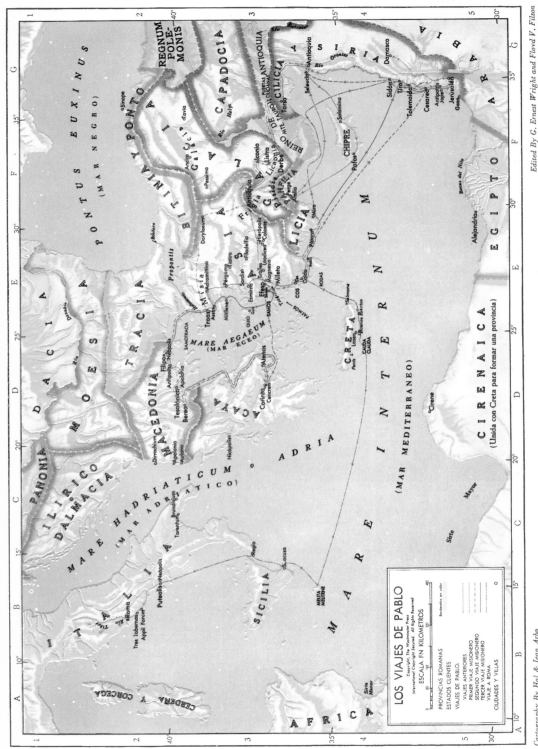

PLANCHA XV

Edited By G. Ernest Wright and Floyd V. Filson

Cartography By Hal & Jean Arbo

LOS VIAJES DE PABLO
Copyright, The Westminster Press
International Copyright Secured. All Rights Reserved

ESCALA EN KILOMETROS

PROVINCIAS ROMANAS
ESTADOS CLIENTES
VIAJES DE PABLO.
VIAJES ANTERIORES
PRIMER VIAJE MISIONERO
SEGUNDO VIAJE MISIONERO
TERCER VIAJE MISIONERO
VIAJE A ROMA
CIUDADES Y VILLAS

Bordeados en color

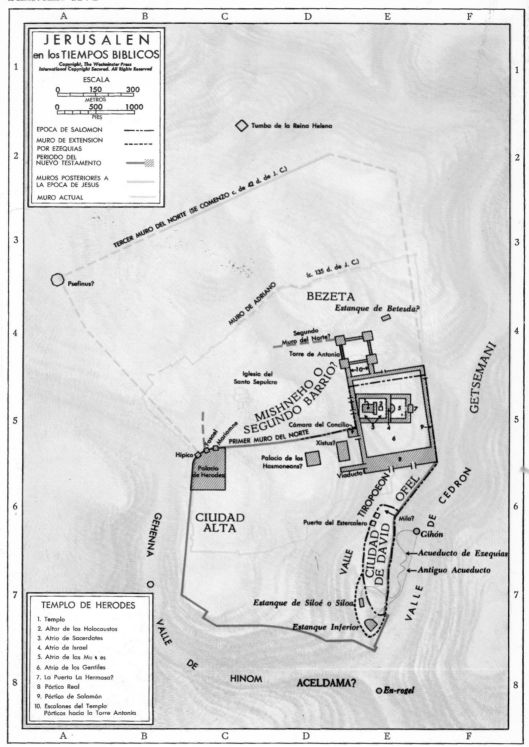

JERUSALEN
en los TIEMPOS BIBLICOS
Copyright, The Westminster Press
International Copyright Secured. All Rights Reserved

ESCALA

0   150   300
METROS
0   500   1000
PIES

EPOCA DE SALOMON
MURO DE EXTENSION POR EZEQUIAS
PERIODO DEL NUEVO TESTAMENTO
MUROS POSTERIORES A LA EPOCA DE JESUS
MURO ACTUAL

Tumba de la Reina Helena

TERCER MURO DEL NORTE (SE COMENZO c. de 42 d. de J. C.)

MURO DE ADRIANO

(c. 135 d. de J. C.)

Psefinus?

BEZETA

Estanque de Betesda?

Segundo Muro del Norte?

Torre de Antonia

Iglesia del Santo Sepulcro

MISHNEHO O SEGUNDO BARRIO?

Cámara del Concilio

PRIMER MURO DEL NORTE

Xistus?

Pasael
Mariamne

Hípico

Palacio de Herodes

Palacio de los Hasmoneans?

Viaducto

GETSEMANI

VALLE DE CEDRON

CIUDAD ALTA

Puerta del Estercolero

TIROPOEON

Milo?

Gihón

Acueducto de Ezequías

Antiguo Acueducto

GEHENNA

VALLE DE

HINOM

CIUDAD DE DAVID

OFEL

VALLE DE CEDRON

Estanque de Siloé o Siloa

Estanque Inferior

ACELDAMA?

En-rogel

TEMPLO DE HERODES

1. Templo
2. Altar de los Holocaustos
3. Atrio de Sacerdotes
4. Atrio de Israel
5. Atrio de las Mujeres
6. Atrio de los Gentiles
7. La Puerta La Hermosa?
8. Pórtico Real
9. Pórtico de Salomón
10. Escalones del Templo
    Pórticos hacia la Torre Antonia

Cartography By Hal & Jean Arbo

Edited By G. Ernest Wright and Floyd V. Filson